CB025617

O Mundo é Plano

UMA HISTÓRIA BREVE DO SÉCULO XXI

Thomas L. Friedman

EDIÇÃO ACTUALIZADA E AMPLIADA

Actual Editora
Conjuntura Actual Editora.

Missão

Editar livros no domínio da gestão e economia e tornar-se uma editora de referência nestas áreas. Ser reconhecida pela sua qualidade técnica, **actualidade** e relevância de conteúdos, imagem e *design* inovador.

Visão

Apostar na facilidade e compreensão de conceitos e ideias que contribuam para informar e formar estudantes, professores, gestores e todos os interessados, para que através do seu contributo participem na melhoria da sociedade e gestão das empresas em Portugal e nos países de língua oficial portuguesa.

Estímulos

Encontrar novas edições interessantes e **actuais** para as necessidades e expectativas dos leitores das áreas de economia e de gestão. Investir na qualidade das traduções técnicas. Adequar o preço às necessidades do mercado. Oferecer um *design* de excelência e contemporâneo. Apresentar uma leitura fácil através de uma paginação estudada. Facilitar o acesso ao livro, por intermédio de vendas especiais, *website*, *marketing*, etc.Transformar um livro técnico num produto atractivo. Produzir um livro acessível e que, pelas suas características, seja **actual** e inovador no mercado.

O Mundo é Plano

UMA HISTÓRIA BREVE DO SÉCULO XXI

Thomas L. Friedman

EDIÇÃO ACTUALIZADA E AMPLIADA

Conjuntura Actual Editora
Sede: Rua Fernandes Tomás, 76-80, 3000-167 Coimbra
Delegação: Avenida Engenheiro Arantes e Oliveira, 11 - 3º C – 1900-221 Lisboa - Portugal
www.actualeditora.pt

Título original: The World is Flat. A Brief History of the Twenty-First Century.
Updated and espanded.

Edição original publicada em 2005 por Farrar, Straus and Giroux, Nova Iorque.
Edição actualizada e ampliada publicada em 2006 por Farrar, Straus and Giroux, Nova Iorque.

Edição Actual Editora
1ª Edição – Outubro 2005
6ª Edição (Actualizada e Ampliada) – Novembro 2006
10ª Edição (Actualizada e Ampliada) – Junho 2018

Tradução: Carla Pedro
Revisão: Almerinda Romeira e Sofia Ramos
Actualização da edição: Teresa Leandro e Carlos Jerónimo
Copy: Marta Pereira da Silva
Design da capa: Dean Nicastro, Nova Iorque
Paginação: Guidesign
Gráfica: Papelmunde
Depósito legal: 293625/09
ISBN: 978-972-99720-1-0

O autor agradece às seguintes entidades por terem permitido reproduzir excertos dos seus trabalhos: Business Monthly; BusinessWeek; City Journal; Discovery Channel/Discovery Times Channel; Education Week; Editorial Projects in Education; Forbes; New Perspectives Quarterly;The International Finance Corporation/World Bank; YaleGlobal Online Magazine.

Vendas especiais:
O presente livro está disponível com descontos especiais para compras de maior volume para grupos empresariais, associações, universidades, escolas de formação e outras entidades interessadas. Edições especiais, incluindo capa personalizada para grupos empresariais, podem ser encomendadas à editora. Para mais informações contactar Conjuntura Actual Editora.

Índice

Prefácio de João César das Neves

para a edição portuguesa

O livro que tem nas mãos pertence a um género raro. Trata-se de uma obra que se ocupa da globalização... mas que não diz mal dela! Isso é mesmo muito raro! Hoje, a globalização é geralmente tomada como destruidora dos povos, arrasadora de empresas, supercalamidade mundial, que pode transformar a nossa vida cómoda num inferno, que fica sempre mal definido. O habitual é ver a palavra "globalização" junta a expressões como "desastre", "miséria", "exploração". Assim é surpreendente, e até um pouco refrescante, ver um livro que considera esse processo como inevitável, natural e, até, saudável.

Thomas L. Friedman é um famoso colunista do *New York Times*, várias vezes premiado, e que gosta de misturar nas suas obras a anedota pessoal com a entrevista, a curiosidade histórica com a estatística económica e o documento oficial. Com brilhantismo e oportunidade, ele conduz-nos por uma viagem estonteante pelos quatro cantos do mundo e por várias eras, para demonstrar, com material muito variado, que vivemos numa época extraordinária de oportunidades, sobretudo para os mais pobres.

A tese básica do autor é a oposta à corrente. A globalização não gera mais pobreza e injustiça. Pelo contrário, ela facilita a vida aos pobres que queiram concorrer no mercado aberto. O que o livro pretende demonstrar é que o mundo está a ficar mais igualitário e nivelado, concedendo aos países atrasados mais oportunidades para entrar em áreas onde antes lhes era impossível participar. Nos negócios, mas também na investigação, no desporto, na cultura, a globalização está a tornar o mundo mais justo (o tal "Mundo Plano" do título, brincando com a tese de Colombo de que o mundo é redondo).

Não há muitas dúvidas de que o autor tem toda a razão na sua posição de fundo. O que se está a verificar é que a Índia, a China (principais protagonistas deste enredo), mas também outras zonas, estão a ter grande sucesso na produção de produtos de baixa tecnologia. Isso obriga os ricos a subirem na escala produtiva, entrando em bens e serviços mais sofisticados. Este processo acabará por beneficiar a todos, criando mais riqueza e alargando imenso os mercados mundiais. Aquilo que se deu há 200 anos, quando a América do Norte entrou no desenvolvimento, ou há 50, quando a Europa do Sul começou a industrializar-se, vai repetir-se agora com as vastas zonas do Oriente. Hoje, como então, o processo faz medo. Mas, bem conduzido, no fim todos ganham.

Com exemplos muito variados e coloridos, o autor consegue ilustrar sucessivamente este tema. O mercado aberto é um jogo limpo em que todos em igualdade de circunstâncias beneficiam. Isso põe a nu a contradição do argumento antiglobalização, que teme as falências nos países ricos, e depois diz que isso é prejudicial aos povos subdesenvolvidos. As duas coisas não podem ser verdade ao mesmo tempo.

Pode dizer-se que o problema é mais complexo e exigente do que este breve retrato faz crer. Largas zonas do mundo, sobretudo em África, ainda não entraram sequer no jogo, não podendo, portanto, ganhar. Mas isso não é um defeito da globalização, mas um seu limite, que o futuro ultrapassará. Por outro lado, o jogo não é limpo: os países ricos estão a criar barreiras proteccionistas, que falseiam a suposta liberdade de mercado. Mas tal é justificado precisamente pelo medo da globalização, que o livro pretende eliminar.

Deve dizer-se que seria bom que este volume pertencesse a um género ainda raro, o dos livros que apoiam a globalização sem entrarem em euforia. Há custos importantes no processo de ajustamento, quer para as zonas abastadas quer para as emergentes, que devem ser acautelados. Um pouco mais de prudência seria, pois, conveniente. De qualquer modo, esta obra é muito melhor do que a dieta habitual de livros antiglobalização... e também muito mais divertida.

Lisboa, 7 de Setembro de 2005.

Introducão

à edição actualizada e ampliada

Porquê dar-me ao trabalho de escrever uma versão actualizada e ampliada de *O Mundo é Plano* passado apenas um ano após a sua primeira edição? Posso dar uma resposta muito curta: porque podia e porque tinha de o fazer. Devido precisamente às poderosas forças da tecnologia que descrevo em pormenor neste livro, a indústria editorial tem-se desenvolvido com grande rapidez, o que permite que agora seja possível remodelar um livro inteiro com muita facilidade. Era a isto que me referia quando disse que podia. A razão pela qual tinha de o fazer tem três motivos: Primeiro, porque a forças que estão a tornar o Mundo Plano não pararam quando o livro foi publicado em 2005 e eu quis manter-me a par delas e incluí-las na minha tese geral. Segundo, queria responder a uma das questões que mais vezes me foram colocadas por pais quando viajei por todos os EUA para falar sobre o livro: "Ok, Sr. Friedman, obrigado por nos dizer que o Mundo é Plano — mas agora o que é que eu digo aos meus filhos?" Assim, os leitores irão encontrar muito mais sobre educação e o Mundo Plano nesta nova edição. Por último, achei que muitos dos comentários dos leitores e dos críticos eram sensatos e úteis, pelo que quis introduzir no livro alguns dos melhores. Haverá uma altura em que deixarei de escrever este livro. Mas, por agora, estou a aproveitar a oportunidade de continuar a partilhar o que estou aprender — e agradecido por o facto de o Mundo se ter tornado Plano facilitar isso mais do que nunca.

Thomas L. Friedman
Washington, D.C.
Janeiro de 2006

Parte 1
Como o Mundo se Tornou Plano

Capítulo I

Enquanto Eu Dormia

"Suas Excelências, na qualidade de cristãos católicos e príncipes que amam e promovem a sagrada fé cristã e são inimigos da doutrina de Maomé e de qualquer tipo de idolatria e heresia, decidiram enviar-me, Cristóvão Colombo, às supramencionadas terras da Índia, para ver os referidos príncipes, pessoas e territórios e perceber a sua disposição e o método adequado para os converter à nossa fé sagrada; e, além disso, foi-me dito que não devo prosseguir por terra para o Oriente, como é costume, mas por uma rota mais ocidental, em cuja direcção até agora não temos provas concretas que alguém alguma vez tenha ido."

– *(Excerto do diário de bordo de Cristóvão Colombo na sua viagem de 1492)*

Nunca antes me tinham dado orientações como esta num campo de golfe: "Aponte para a Microsoft ou para a IBM." Eu estava de pé, no primeiro *tee* (área plana, onde se faz a marcação para a tacada) do KGA Golf Club, na baixa de Bangalore (Sul da Índia), quando o meu parceiro de jogo apontou para dois edifícios brilhantes, de vidro e aço, que estavam ao longe, mesmo por detrás do primeiro *green* (relvado de golfe). O edifício da Goldman Sachs ainda não estava concluído, senão poderia também ter apontado para ele e teríamos um trio (*threesome*, em linguagem de golfe, é um jogo em que um jogador compete contra dois outros que jogam buracos alternados com a mesma bola). A HP e a Texas Instruments tinham os seus escritórios em frente ao *back nine* (últimos nove buracos, dos 18), ao longo do décimo buraco. Mas não era tudo. Os *tee markers* (dispositivos, de madeira ou plástico, que sustentam a bola para cada tacada inicial) eram da Epson (empresa fornecedora de produtos e soluções nos sectores da impressão e do processamento digital) e um dos nossos *caddies* (carregadores de tacos) estava a usar um boné da 3M. Lá fora, alguns dos sinais de trânsito eram igualmente patrocinados pela Texas Instruments e o *placard* da Pizza Hut, que se encontrava ao longo do restante percurso que conseguíamos ver, anunciava uma *pizza* fumegante sob o título "Gigabites de Sabor!".

Não, decididamente não estávamos no Kansas. Nem sequer se parecia com a Índia. Seria o Novo Mundo, o Velho Mundo ou o Próximo Mundo?

Tinha ido para Bangalore, o Silicon Valley da Índia, na minha própria viagem de exploração, à semelhança de Colombo. Este navegou com o *Niña*, o *Pinta* e o *Santa Maria*, com o objectivo de descobrir uma rota mais curta e mais directa para a Índia, indo pelo ocidente, ao longo do Atlântico, naquela que ele pensava ser uma via marítima aberta para as Índias Orientais – em vez de ir pelo sul e leste, contornando África, como os exploradores portugueses do seu tempo estavam a tentar fazer. A Índia e as mágicas Ilhas das Especiarias do Leste eram famosas, naquele tempo, pelo seu ouro, pérolas, jóias e sedas – uma fonte de riquezas incontáveis. A descoberta deste atalho por mar para a Índia, numa época em que as potências muçulmanas tinham bloqueado as rotas por terra a partir da Europa, era uma forma de – tanto Colombo como a monarquia espanhola – enriquecerem e aumentarem o seu poderio. Quando Colombo se fez à vela, aparentemente partiu do princípio de que a Terra era redonda, estando, portanto, convencido de que poderia chegar à Índia indo pelo ocidente. No entanto, calculou mal a distância. Pensou que a Terra era uma esfera mais pequena do que na realidade é. Também não previu avistar terra antes de chegar às Índias Orientais. Mas chamou "índios" aos povos aborígenes locais que encontrou no novo mundo. Ao regressar a casa, contudo, estava em condições de dizer aos seus patrocinadores, o rei Fernando e a rainha Isabel, que, apesar de não ter descoberto a Índia, podia confirmar que o mundo era, de facto, redondo.

Desloquei-me à Índia directamente para este, via Frankfurt. Escolhi a classe executiva da companhia aérea Lufthansa. Sabia exactamente qual a direcção em que ia, graças ao mapa GPS apresentado no ecrã amovível do braço do meu assento no avião. Aterrei em segurança e a horas. Também encontrei pessoas às quais se dá o nome de indianas*. Também andava em busca das riquezas da Índia. Colombo procurava *hardware* – metais preciosos, seda e especiarias – as fontes de riqueza na época em que viveu. Eu procurava *software*, poder da mente, algoritmos complexos, profissionais do conhecimento (*knowledge workers*), *call centers*, protocolos de transmissão, progressos tecnológicos – as fontes de riqueza nos dias de hoje.

Colombo alegrou-se por fazer dos índios que encontrou seus escravos, uma plataforma de mão-de-obra gratuita. Eu apenas desejava compreender a razão pela qual os indianos que encontrei estavam a apoderar-se do nosso trabalho, por que se tinham tornado uma plataforma tão importante para o *outsourcing* de serviços e tecnologias da informação dos Estados Unidos e de outros países industrializados. Colombo tinha mais de cem homens nas suas três embarcações; eu tinha uma

* **N.T.** Em inglês, utiliza-se a mesma palavra (*Indian*) para designar os nativos da América (a que nós chamamos índios) e os naturais da Índia (a que chamamos indianos). Daí ser possível a analogia que o autor faz com Colombo.

pequena equipa do canal televisivo Discovery Times que se acomodava confortavelmente em duas carrinhas em mau estado, com motoristas indianos que conduziam descalços. Quando "levantei amarras", por assim dizer, também parti do princípio de que o mundo era redondo, mas o que encontrei na Índia real abalou profundamente essa minha convicção. Colombo chegou à América acidentalmente, mas pensou que tinha descoberto parte da Índia. No meu caso, encontrei realmente a Índia e pensei que muitas das pessoas que lá estavam eram americanas. Algumas tinham mesmo adoptado nomes norte-americanos e outras imitavam muito bem a pronúncia norte-americana nos *call centers* e aplicavam as técnicas empresariais dos norte-americanos nos laboratórios de *software*.

Colombo informou o seu rei e a sua rainha de que o mundo era redondo e entrou para a História como o homem que fez esta descoberta. Eu regressei a casa e partilhei a minha descoberta apenas com a minha esposa e somente num leve sussurro.

"Querida", confidenciei-lhe, "penso que o mundo é plano".

Como é que cheguei a esta conclusão? Parece-me que poderia dizer que tudo começou na sala de conferências de Nandan Nilekani, na Infosys Technologies Limited. A Infosys é uma das jóias do mundo das tecnologias da informação na Índia e Nilekani, CEO da empresa, é um dos líderes mais sensatos e respeitados da indústria indiana. Fui de carro, com a equipa do Discovery Times, até ao *campus* da Infosys, que dista cerca de 40 minutos do centro de Bangalore, com a intenção de fazer uma visita às instalações e entrevistar Nilekani. Chega-se ao *campus* da Infosys através de uma estrada cheia de buracos, com vacas sagradas, carroças puxadas por cavalos e riquexós motorizados que vão passando mesmo ao lado das nossas carrinhas. No entanto, assim que transpomos os portões da Infosys deparamo-nos com um outro mundo. Uma enorme piscina, digna de um *resort*, anicha-se por entre seixos e relvados aparados, adjacentes a um imenso campo de golfe. Existem vários restaurantes e um fabuloso *health club*. Os edifícios de vidro e aço parecem crescer, semana após semana, como ervas daninhas. Em alguns desses edifícios, os colaboradores da Infosys estão a desenvolver programas específicos de *software* para empresas americanas ou europeias; noutros, estão a gerir os bastidores de grandes multinacionais com sede nos EUA e na Europa – abrangendo tudo, desde a manutenção de computadores até projectos de investigação específica, de forma a satisfazerem as exigências dos clientes que ali chegam de todos os cantos do mundo. A segurança é apertada, as câmaras vigiam as portas e se, por exemplo, trabalhar para a American Express não poderá entrar no edifício que gere os serviços e faz investigação para a General Electric. Jovens engenheiros indianos, homens e mulheres, caminham energicamente de um edifício para outro, com os seus distintivos de identificação a baloiçar. Um deles tinha ar de quem podia tratar da minha contabilidade. Outra parecia capaz de desmontar o meu computador e uma terceira pessoa parecia ter sido a responsável pela sua concepção!

Depois da entrevista, Nilekani levou a nossa equipa de televisão a visitar o centro global de conferências da Infosys – o centro do desenvolvimento da indústria indiana de *outsourcing*. Era uma sala forrada a madeira, parecida com os anfiteatros de uma Faculdade de Direito da Ivy League. Numa ponta da sala encontrava-se um enorme ecrã, do tamanho da parede, e por cima dele estavam dispostas câmaras de tecto para teleconferência. "Esta é a nossa sala de conferências, provavelmente tem o maior ecrã de toda a Ásia – que corresponde a 40 ecrãs digitais [todos juntos]", explicou Nilekani com orgulho, apontando para o maior ecrã plano de TV que alguma vez tinha visto. A Infosys, disse ele, pode realizar uma reunião virtual com os principais intervenientes de toda a sua cadeia de fornecimento global, para qualquer projecto, em qualquer altura, através deste ecrã de enorme dimensão. Assim, os seus *designers* norte-americanos poderão estar no ecrã a falar com os seus criadores indianos de *software* e com os seus fabricantes asiáticos, todos ao mesmo tempo. "Podemos sentar aqui alguém de Nova Iorque, Londres, Boston, São Francisco, todos ao vivo. E pode acontecer que a implantação do projecto seja em Singapura, e o representante desta cidade esteja também aqui ao vivo... É a globalização", afirmou Nilekani. Por cima do ecrã estavam oito relógios que resumiam muito bem o espírito de trabalho da Infosys: 24/7/365 (24 horas após 24 horas, semana após semana, ano após ano). Os relógios estavam programados com as horas locais da Costa Leste e da Costa Oeste dos EUA, TMG (Tempo Médio de Greenwich, que marca a hora legal no fuso zero), Índia, Singapura, Hong Kong, Japão e Austrália.

"O *outsourcing* é apenas uma dimensão de algo muito mais importante que está a acontecer hoje no mundo", explicou Nilekani. "O que aconteceu nos últimos anos foi um forte investimento em tecnologia, especialmente durante o período da bolha tecnológica, quando centenas de milhões de dólares foram investidos em ligações de banda larga por todo o mundo, cabos submarinos e tecnologia afim." Simultaneamente, acrescentou ele, os computadores tornaram-se mais baratos, disseminaram-se por todo o mundo e assistimos a uma explosão de *software* – *e-mail*, motores de busca como o Google e *software* privado que pode seccionar qualquer trabalho e enviar uma parte para Boston, outra para Bangalore e outra ainda para Pequim, o que permitiu o desenvolvimento do trabalho à distância. Quando todas estas ferramentas apareceram, por volta de 2000, salientou Nilekani, "criaram uma plataforma em que o trabalho intelectual, o capital intelectual, pôde passar a ser concebido a partir de qualquer lugar do mundo. Era possível ser desagregado, distribuído, produzido e agregado de novo – isto conferiu um novo grau de liberdade à forma como trabalhamos, sobretudo quando o trabalho é de natureza intelectual... Aquilo a que se assiste hoje em Bangalore é realmente o culminar de todas estas descobertas".

Estávamos sentados no sofá que se encontrava junto à porta do gabinete de Nilekani, à espera que a equipa de TV montasse as câmaras. A certa altura, para resumir as implicações de tudo o que acabara de dizer, Nilekani pronunciou uma frase que ficou a soar no meu ouvido. "Tom, o 'terreno de jogo' está a tornar-se plano." Queria dizer que países como a Índia estão actualmente mais aptos do que nunca para competirem globalmente pela produção de conhecimento – e que é melhor os Estados Unidos estarem preparados para isso. Os EUA estavam prestes a serem desafiados mas, insistiu ele, o desafio seria positivo porque os norte-americanos respondem sempre ao seu melhor nível quando são desafiados. Enquanto saía do *campus* da Infosys, nesse início de noite, ao longo da estrada de regresso a Bangalore, continuava a pensar naquela frase: "O 'terreno de jogo' está a tornar-se plano."

O que Nandan está a dizer, pensei eu, é que o 'terreno de jogo' está a ficar plano... Plano? Plano? Remoí esta palavra na minha cabeça durante algum tempo e depois, quase instintivamente saiu-me: Meu Deus, ele está a dizer-me que o mundo é plano!

Ali estava eu em Bangalore – mais de 500 anos depois de Colombo ter passado ao largo, utilizando as rudimentares tecnologias do seu tempo, e de ter regressado em segurança para provar definitivamente que o mundo era redondo – e um dos mais inteligentes engenheiros da Índia, formado no melhor instituto técnico do seu país, apoiado pelas mais modernas tecnologias da sua época, estava basicamente a dizer-me que o mundo era *plano* – tão plano quanto o ecrã, no qual ele podia realizar uma reunião com toda a sua cadeia de fornecimento global. Ainda mais curioso era o facto de ele citar este desenvolvimento como um aspecto positivo, como um novo marco no progresso da humanidade e uma excelente oportunidade para a Índia e para o mundo – tudo isto por termos tornado o mundo plano!

Na parte de trás da nossa carrinha, escrevinhei quatro palavras no caderno de apontamentos: "O mundo é plano." Assim que as escrevi, apercebi-me de que esta era a mensagem subjacente a tudo o que tinha visto e ouvido em Bangalore durante as duas semanas de filmagens. O terreno competitivo do jogo, a nível global, estava a ser tornar-se plano. O mundo estava a ficar plano.

Quando me dei conta disto, senti-me percorrido pelas ambivalentes sensações de entusiasmo e temor. O jornalista que há em mim estava empolgado com o facto de ter descoberto o enquadramento para melhor compreender os cabeçalhos matinais dos jornais e poder explicar o que está a acontecer no mundo. É claro que Nandan tinha razão: como nunca antes na História da Humanidade, é agora possível que mais pessoas colaborem e concorram em tempo real com outras, em muitos mais tipos de trabalho, em muitos mais cantos do planeta e em pé de igualdade – recorrendo a computadores, *e-mails*, ligações em rede de fibra óptica, teleconferências e *software* novo e dinâmico. Foi isso que descobri na minha viagem à Índia e para lá dela. Isso é o tema deste livro. Quando se começa a pensar no mundo como tendo uma forma plana, ou, pelo menos, estando a tornar-se plano, muitas coisas ganham o sentido que nunca tiveram. Estava igualmente empolgado a nível pessoal, porque o facto de o mundo se estar a tornar plano significa que estamos agora a conectar todos os centros de conhecimento do planeta numa única rede global; o que – se a política e o terrorismo não se intrometerem – poderá prenunciar uma espantosa era de prosperidade, inovação e colaboração para as empresas, comunidades e indivíduos. No entanto, conceptualizar um mundo plano deixou-me igualmente algo temeroso, tanto a nível profissional como pessoal. O meu temor pessoal resultou de um facto óbvio: não são apenas os criadores de *software* e os "malucos dos computadores" que estão aptos a colaborar no trabalho, num mundo plano. Também há a al-Qaeda e outras redes terroristas. O 'terreno de jogo' não está a ficar plano apenas no que respeita a delegação de maiores poderes em todo um novo grupo de inovadores. Está a ficar plano a um estádio que implica e delega mais poder a todo um novo grupo de homens e mulheres enraivecidos, frustrados e humilhados.

Profissionalmente, reconhecer que o mundo era plano irritou-me porque me apercebi que o nivelamento tinha ocorrido enquanto dormia. E eu perdera o acontecimento. Bem, não estava propriamente a dormir, mas era como se estivesse. Antes do 11 de Setembro concentrava a minha atenção no seguimento da pista da globalização e explorava a tensão existente entre as forças do "Lexus", da integração económica, e as forças da "Oliveira", associadas à identidade e ao nacionalismo – daí o meu livro de 1999, intitulado *O Lexus e a Oliveira*. No entanto, após o 11 de Setembro, as guerras da oliveira começaram a consumir-me. Passei a maior parte do tempo a viajar para os mundos árabe e muçulmano. Durante esses anos, estive à margem da globalização.

Voltei a encontrá-la na minha viagem a Bangalore, em Fevereiro de 2004. Depois de o ter feito, percebi que alguma coisa realmente importante tinha acontecido enquanto estivera concentrado nos olivais de Cabul e Bagdad. A globalização tinha atingido um novo patamar. Se colocar lado a lado este livro e o meu outro, *O Lexus e a Oliveira*, e fizer uma síntese, conclui que existiram na História da Humanidade três grandes períodos de globalização. O primeiro durou de 1492 – quando Colombo se fez ao mar, abrindo o comércio entre o Velho e o Novo Mundo – até cerca de 1800. Denomino este período de Globalização 1.0: fez encolher o mundo de um tamanho grande para um tamanho médio. A Globalização 1.0 teve a ver com países e força. Melhor dizendo, na Globalização 1.0, o principal agente de mudança, a força dinâmica orientadora do processo de integração global, estava relacionado com a quantidade de músculo – a quantidade de força, de potência em cavalos, de potência eólica ou, mais tarde, de potência de vapor – detida pelos países e a forma criativa como dispunham dela. Neste período, os países e governos (frequentemente inspirados pela religião ou pelo imperialismo, ou por uma combinação de ambos) lideraram o caminho, deitando abaixo muros e unindo o mundo, motivando a integração global. Na Globalização 1.0, as questões mais prementes eram: Onde é que o meu país se encaixa em termos de concorrência global e de oportunidades? De que forma posso tornar-me global e colaborar com outros através do meu país?

A segunda grande era, a Globalização 2.0, decorreu sensivelmente entre 1800 e 2000, tendo sido interrompida pela Grande Depressão e pelas Primeira e Segunda Guerras Mundiais. Durante esta era, o mundo encolheu do tamanho médio para o tamanho pequeno. Na Globalização 2.0, o principal agente da mudança, a força dinâmica orientadora da integração global, esteve concentrado nas multinacionais. Estas globalizaram-se ao nível dos mercados e do trabalho, tendo o primeiro "ponta-de-lança" sido a expansão das *joint-ventures* (empresas em regime de parceria) holandesas e inglesas, bem como a Revolução Industrial. Na primeira metade deste período, a integração global foi alimentada pelo baixo custo dos transportes, graças à descoberta das máquinas a vapor e à invenção do caminho-de-ferro. Na segunda metade, os responsáveis pela integração foram os baixos custos das telecomunicações – devido à difusão do telégrafo, dos telefones, dos computadores pessoais, dos satélites, do cabo de fibra óptica e da primeira versão da *World Wide Web*. Foi durante este período que conseguimos verdadeiramente assistir ao nascimento e amadurecimento de uma economia global, no sentido de haver suficiente movimento de bens e informação de continente para continente para existir um mercado global, com uma arbitragem cambial global no âmbito dos produtos e do mercado de trabalho. As forças dinâmicas subjacentes a esta segunda era de globalização foram os progressos tecnológicos ao nível do *hardware* – desde os barcos a vapor e os caminhos-de-ferro, no início, até aos telefones e aos computadores centrais, mais para o fim. As questões mais importantes levantadas durante este período foram: Onde é que a minha empresa se encaixa em termos de economia global? De que forma posso tirar partido das oportunidades? De que forma posso globalizar-me e colaborar com outros através da minha empresa? *O Lexus e a Oliveira* aborda essencialmente o clímax desta era; a era em que os muros começaram a cair um pouco por todo o mundo, tendo a integração – e as reacções de oposição a esse fenómeno – entrado numa dimensão completamente nova. Porém, apesar da queda continuada dos muros, continuavam a existir muitas barreiras à integração global pura. Quando Bill Clinton foi eleito Presidente dos EUA, em 1992, praticamente ninguém fora do governo e da Academia tinha *e-mail*. Quando escrevi *O Lexus e a Oliveira*, em 1998, a Internet e o comércio *on-line* estavam ainda na fase de "descolagem".

Pois bem, descolaram – a par de muitos outros acontecimentos que se deram enquanto dormia. É por esta razão que digo que entrámos numa era completamente nova por volta do ano 2000: a da Globalização 3.0. A Globalização 3.0 está a encolher o mundo do tamanho pequeno para um tamanho reduzido e, simultaneamente, a tornar plano o 'terreno de jogo'. Enquanto a força dinamizadora na era da Globalização 1.0 foi a globalização dos países e na da Globalização 2.0 foi a globalização das empresas, a força dinamizadora na era da Globalização 3.0 – a força que lhe imprime um carácter único – é a recém-descoberta possibilidade de os *indivíduos* colaborarem e competirem globalmente. E o fenómeno que está a permitir a delegação de poderes e a conduzir particulares e pequenos grupos para uma globalização rápida e sem mácula é aquilo que eu designo por *plataforma do mundo plano*, que descrevo com detalhe neste livro. Só mais um aspecto: a *plataforma do mundo plano* é produto da convergência do computador pessoal (que possibilitou que cada indivíduo se tornasse autor do seu próprio conteúdo em formato digital) com o cabo de fibra óptica (que subitamente tornou possível a todos esses indivíduos aceder a cada vez mais conteúdo digital por todo o mundo e com extrema facilidade) e com o aumento do *software* de fluxo de trabalho (que permitiu que indivíduos de todo o mundo colaborassem no mesmo conteúdo digital a partir de qualquer sítio, independentemente da distância entre eles). Ninguém previu esta convergência. Apenas aconteceu – precisamente por volta do ano 2000. E quando aconteceu houve pessoas em todo o mundo que começaram a aperceber-se que tinham mais poder do que nunca para se tornarem globais *como indivíduos;* que precisavam, mais do que nunca, de pensar em si próprios como indivíduos competindo com outros indivíduos de todo o planeta e que tinham mais oportunidades de trabalhar com esses outros indivíduos e não apenas de competir com eles. Como resultado, agora cada um deve, e pode, perguntar: Onde é que *eu, como indivíduo,* me encaixo em termos de concorrência global e nas oportunidades imediatas e de que forma posso, por mim próprio, colaborar com outros a um nível global?

A Globalização 3.0 não difere das eras precedentes apenas na forma como está a encolher e tornar plano o mundo e na maneira como está a delegar poderes a nível individual. É também diferente no facto de as Globalizações 1.0 e 2.0 terem sido essencialmente impulsionadas por particulares e empresas da Europa e dos Estados Unidos. Apesar de, na realidade, a China ter tido a maior economia do mundo durante o século XVIII, foram os países, empresas e exploradores ocidentais que concretizaram grande parte da globalização e da configuração do sistema. Porém, à medida que avançarmos no tempo, esta realidade começará a ser cada vez menos verdadeira. Porque está a tornar plano e a encolher o mundo, a Globalização 3.0 será, cada vez mais, impulsionada não só por iniciativas privadas mas também por um grupo de indivíduos muito mais diversificado – não ocidentais e não brancos. A delegação de poderes abrange indivíduos de todos os cantos do mundo plano. A Globalização 3.0 faz com que muitas mais pessoas se "conectem", de tal forma que veremos todas as cores do arco-íris humano participar no processo.

(Se bem que este ganho de poder dos indivíduos para agir globalmente seja a característica mais importante da Globalização 3.0, as empresas – grandes e pequenas – também adquiriram poderes nesta era. Adiante abordarei cada um deles mais em pormenor.)

Escusado será dizer que apenas tinha uma vaga noção de tudo isto quando saí do gabinete de Nandan naquele dia em Bangalore. No entanto, quando nessa noite, no terraço do meu quarto de hotel, me sentei a pensar em todas estas mudanças, de uma coisa tinha a certeza: queria largar tudo o que estava a fazer e escrever um livro que me permitisse compreender a forma como o mundo se tornou plano e quais poderiam ser as suas implicações para os países, empresas e particulares. Por isso, peguei no telefone, liguei para a minha esposa, Ann, e disse-lhe: "Vou escrever um livro intitulado *O Mundo é Plano.*" Ela ficou divertida e curiosa – na verdade, talvez *mais* divertida do que curiosa! Acabei por conseguir convencê-la e espero conseguir fazer o mesmo consigo, caro leitor. Deixe-me começar por transportá-lo até ao início da minha viagem à Índia, e a outros locais a oriente, para partilhar consigo alguns dos encontros que me levaram a concluir que o mundo já não é redondo, mas sim plano.

Jaithirth "Jerry" Rao foi uma das primeiras pessoas que conheci em Bangalore. Estava com ele há apenas alguns minutos, no Hotel Leela Palace, quando me disse que poderia tratar das minhas declarações de impostos e gerir outras necessidades contabilísticas que tivesse – a partir de Bangalore. Não, obrigado, objectei eu, e respondi que já tinha um contabilista em Chicago. Jerry limitou-se a sorrir. Era demasiado educado para dizer que talvez pudesse ser já o meu contabilista, ou até o contabilista do meu contabilista, graças à explosão registada no *outsourcing* para a gestão fiscal.

"Isto está a acontecer enquanto falamos", disse Rao, um nativo de Mombaim (antiga Bombaim), cuja empresa indiana, MphasiS, tem uma equipa de contabilistas indianos capazes de fazer a contabilidade – via *outsourcing* – de qualquer Estado norte-americano e do governo federal. "Firmámos acordos com várias pequenas e médias empresas de contabilidade, denominadas CPA (*Certified Public Accountant*: contabilista certificado pela comissão de inspecção de um Estado dos EUA na qualidade de cumpridor de todos os requisitos legais desse Estado), nos EUA."

"Como acontece com o meu contabilista?", perguntei. "Sim, como o seu contabilista", respondeu Rao com um sorriso. A empresa de Rao tem sido pioneira num programa de *software* de fluxo de trabalho, com um formato padronizado que torna mais barato e fácil o *outsourcing* na área das declarações de impostos. Todo o processo começa, segundo a explicação dele, com um contabilista nos Estados Unidos, que analisa a minha declaração de impostos do ano precedente, além do meu W-2 (*Wage and Tax Statement* – Declaração de Imposto sobre os Rendimentos), W-4 (*Empolyee's Withholding Allowance Certification* – Certificado de Descontos de Retenção do Empregado), 1099 (Declaração de Rendimentos como Trabalhador por Conta Própria), prémios e rendimentos obtidos com acções – tudo – e os introduz no servidor de um computador, que está fisicamente localizado na Califórnia ou no Texas. "Se o seu contabilista vai tratar dos seus impostos fora do país e sabe que prefere que o seu apelido não seja do conhecimento externo, bem como o seu número da Segurança Social, pode optar por ocultar essa informação", afirmou Rao. "Os contabilistas na Índia recolhem toda a informação, em bruto, directamente do servidor nos EUA [através de uma palavra-passe], e completam a sua declaração de impostos, mantendo-o no anonimato. Todos os dados permanecem nos Estados Unidos para estarem em consonância com as leis de privacidade... Levamos muito a sério a questão da protecção dos dados e da privacidade. O contabilista na Índia pode ver os dados no ecrã que tem à sua frente, mas não pode descarregá-los para o computador nem imprimi-los – o nosso programa não o permite. O máximo que poderia fazer seria tentar memorizar esses dados, caso fosse mal-intencionado. Não é permitido que os contabilistas levem papel e caneta para a sala onde tratam das declarações de impostos."

Fiquei intrigado com os progressos deste tipo de serviço em *outsourcing*. "Neste momento temos a nosso cargo vários milhares de declarações de impostos", disse Rao. Além disso, "o seu contabilista norte-americano nem sequer precisa de estar no escritório. Pode estar deitado numa praia na Califórnia e enviar-nos um *e-mail* dizendo: 'Jerry, você é um excelente profissional no tratamento das declarações de impostos do Estado de Nova Iorque, por isso fica incumbido dos rendimentos do Tom. Quanto a si, Sónia, você e a sua equipa em Deli tratam dos rendimentos de Washington e da Florida.' A Sónia trabalha em casa, na Índia, sem que isso traga quaisquer despesas gerais para a empresa. E quanto às outras declarações, como são na realidade muito complicadas, trato pessoalmente delas".

Em 2003, cerca de 25 mil declarações de impostos dos EUA foram processadas na Índia. Em 2004, esse número subiu para 100 mil. Em 2005, atingiu os cerca de 400 mil. Dentro de uma década, partirá do princípio que o seu contabilista já tenha procedido ao *outsourcing* da preparação básica das suas declarações de impostos – se não mais.

"Como é que entrou neste mundo?", perguntei a Rao.

"Eu e o meu amigo holandês Jeroen Tas trabalhávamos na Califórnia, para o Citigroup", explicou Rao. "Eu era o responsável directo dele. Um dia regressávamos juntos num voo proveniente de Nova Iorque quando lhe disse que estava a pensar despedir-me. Respondeu-me que também era essa a sua intenção. Ambos dissemos: 'Por que não começamos o nosso próprio negócio?' Assim, em 1997-98, lançámos um projecto empresarial que visava o fornecimento de soluções sofisticadas de Internet para grandes empresas... No entanto, há dois anos fomos a uma conferência sobre tecnologia, em Las Vegas, e fui abordado por responsáveis de algumas empresas [norte-americanas] de contabilidade, de média dimensão, que me disseram não ter capacidade financeira para estabelecer, na Índia, operações de grande envergadura ao nível do *outsourcing* fiscal, mas que as maiores empresas o podiam fazer. E elas [as médias empresas] queriam lá chegar primeiro. Foi assim que desenvolvemos um produto de *software* denominado VTR – *Virtual Tax Room* (Repartição de Impostos Virtual), para permitir que as médias empresas de contabilidade subcontratassem facilmente os serviços de declarações de impostos."

Estas empresas de média dimensão "estão a tornar plano o seu 'terreno de jogo', o que antes lhes era negado", disse Jerry. "De repente, conseguem ter acesso às vantagens de escala que os 'grandes' sempre tiveram."

Será que a mensagem que está a ser transmitida aos norte-americanos é: "Mãe, não deixe que os seus filhos queiram ser contabilistas?", perguntei-lhe.

Nada disso, afirmou Rao. "O que fizemos foi ficar com o trabalho rotineiro. Sabe o que é preciso para preparar uma declaração de impostos? Pouquíssimo trabalho criativo. É esse trabalho que nós assumimos deste lado."

"E que trabalho fica na América?", questionei-o.

"O contabilista que pretende continuar a trabalhar na América concentrar-se-á na criação de complexas estratégias criativas, tais como a isenção e a protecção fiscal, bem como a gestão da relação com os clientes", respondeu. "Ele ou ela dirá aos seus clientes: 'O trabalho de rotina está a ser realizado de forma eficiente, longe daqui. Falemos, pois, da gestão dos seus bens e do futuro dos seus filhos. Quer deixar algum dinheiro de lado para os seus fundos de investimento? Significa ter conversas de qualidade com os clientes em vez de andar desesperadamente à volta deles entre Fevereiro e Abril [período de entrega das declarações fiscais] e de ter muitas vezes de pedir o protelamento da entrega das declarações para a segunda fase, em Agosto, porque não tiveram o tal tempo de qualidade necessário com os clientes."

Atendendo a um ensaio publicado no jornal *Accounting Today* (edição de 7 de Junho de 2004), esta parece, de facto, ser a via do futuro. L. Gary Boomer, contabilista e CEO da Boomer Consulting em Manhattan, Kansas, escreveu o seguinte: "O último período fiscal produziu mais de cem mil declarações de impostos via *outsourcing* e já deixou de ser um recurso apenas dos particulares, tendo-se expandido a consórcios, parcerias e corporações… O motivo principal para a indústria ter sido capaz de se expandir tão rapidamente como o fez nos últimos três anos deve-se ao investimento que as empresas sediadas no estrangeiro fizeram em sistemas, processos e formação." Existem cerca de 70 mil novos licenciados em Contabilidade todos os anos na Índia, muitos dos quais começam a trabalhar para empresas indianas locais com um salário base de cem dólares por mês, acrescentou o mesmo responsável. Com a ajuda das telecomunicações de alta velocidade, de formação rigorosa e de formulários padronizados, estes jovens indianos podem ser convertidos com alguma rapidez em contabilistas ocidentais, por uma fracção do custo. Algumas das empresas indianas de contabilidade chegam mesmo a dar-se a conhecer às empresas norte-americanas através de teleconferência, evitando assim as viagens. "A profissão de contabilista está a passar por uma transformação. Aqueles que ficam presos ao passado e resistem às mudanças cairão cada vez mais no comodismo. Os que conseguem criar valor através da liderança, do atendimento e da criatividade irão transformar a indústria, fortalecendo também as relações que têm com os seus actuais clientes", concluiu Boomer.

O que me está a querer dizer é que, independentemente da profissão – médico, advogado, arquitecto, contabilista –, se for americano será melhor que se aprimore na área do "contacto humano" porque tudo aquilo que puder ser digitalizado passará a ser subcontratado ao produtor mais inteligente ou mais barato, ou que reúna ambas as características, disse eu a Rao. "Cada um tem de se concentrar precisamente naquilo que é o seu valor acrescentado", respondeu.

Mas o que é que acontece se eu for apenas um contabilista mediano? Suponhamos que frequentei uma universidade estatal. Tive uma média de B+ (Bom+). Acabei por obter o meu CPA. Trabalho numa grande empresa de contabilidade e desempenho muitas funções rotineiras. Raramente me cruzo com os clientes. Sou mantido nos bastidores. No entanto, é um emprego honesto e a empresa está satisfeita comigo. O que me acontecerá neste sistema?

"É uma boa pergunta", reconheceu Rao. "Temos de ser honestos. Estamos no meio de uma profunda transformação tecnológica e quando se vive numa sociedade que está na vanguarda dessa transformação [como os Estados Unidos], isso é difícil de prever. Mas é fácil de prever para alguém que viva na Índia. Dentro de dez anos estaremos a fazer muito do trabalho que actualmente é realizado nos EUA. Podemos prever o nosso futuro. Mas estamos atrás. Vocês é que estão a definir o futuro. Os Estados Unidos estão sempre na crista da próxima onda criativa... Por isso, é difícil olhar nos olhos desse contabilista e dizer que é assim que as coisas vão ser. Não devemos tornar isto numa trivialidade. Temos de lidar e falar sobre o assunto de forma honesta... Qualquer actividade em que nos seja possível digitalizar e decompor a cadeia de valor, fazendo com que o trabalho circule, aí estaremos nós. Alguns dirão: 'Sim, mas não pode servir-me um bife.' É verdade, mas posso reservar a sua mesa em qualquer parte do mundo, caso o restaurante não tenha um operador. Nós podemos dizer: 'Sim, senhor Friedman, podemos arranjar-lhe uma mesa junto à janela.' Por outras palavras, existem partes do serviço inerentes à experiência de jantar num restaurante que podemos decompor e subcontratar. Se ler os manuais básicos sobre economia, estes dir-lhe-ão: os bens são comercializados, mas os serviços são consumidos e produzidos no mesmo local. E não é possível exportar um corte de cabelo. Mas estamos perto de o conseguir, no que se refere à marcação no cabeleireiro. Que tipo de corte deseja? Que barbeiro prefere? Todas essas coisas podem ser e serão feitas por um *call center* a muitos quilómetros de distância."

Enquanto terminávamos a nossa conversa, perguntei a Rao quais eram os seus próximos planos. Ele estava cheio de energia. Disse-me que tinha estado a falar com responsáveis de uma empresa israelita que está a realizar fortes progressos na tecnologia de compressão, de forma a permitir melhores e mais fáceis transferências de resultados de TAC (Tomografia Axial Computorizada) via Internet, para se poder obter rapidamente uma segunda opinião de um médico que está num outro local do mundo.

Algumas semanas depois de ter tido esta conversa com Rao, chegou-me o seguinte *e-mail* da parte de Bill Brody, reitor da Universidade Johns Hopkins, a quem tinha acabado de entrevistar para este livro:

"Caro Tom, estou numa reunião médica de formação contínua para profissionais radiologistas... Deparei-me com uma situação fascinante que penso que poderá interessar-lhe. Acabei de saber que, em muitos hospitais norte-americanos de pequena e média dimensão, os radiologistas estão a subcontratar a leitura dos rastreios da TAC a médicos na Índia e na Austrália!!! Evidentemente que grande parte desta situação ocorre durante a noite (e talvez aos fins-de-semana), altura em que os serviços de radiologia não dispõem de pessoal suficiente para prestar assistência interna nos hospitais. Enquanto alguns grupos de radiologistas estão a recorrer à telerradiologia para enviar imagens do hospital para suas casas (ou para *Vail* ou *Cape Cod*, suponho) de forma a poderem interpretar as imagens e facultarem um diagnóstico permanente, aparentemente os hospitais mais pequenos estão a enviar imagens da TAC para radiologistas no estrangeiro. A vantagem é que enquanto aqui é de noite, na Austrália ou na Índia é de dia – por isso, a assistência fora de horas é realizada mais rapidamente graças ao envio de imagens para esses pontos do globo. Uma vez que as informações imagéticas da TAC e das ressonâncias magnéticas já se encontram em formato digital e disponíveis numa rede com um protocolo uniformizado, não há qualquer problema na sua visualização em qualquer parte do mundo... Parto do princípio que os radiologistas no outro extremo... tenham tido formação nos Estados Unidos e adquirido as devidas licenças e credenciais... Os grupos estrangeiros que fornecem estas leituras fora de horas são apelidados de 'Falcões da Noite' pelos radiologistas norte-americanos que os contratam.

Cumprimentos,

Bill."

Graças a Deus que sou jornalista e não contabilista ou radiologista. No meu caso não vai acontecer *outsourcing* – mesmo que alguns dos meus leitores desejem que as minhas colunas de opinião sejam enviadas para a Coreia do Norte. Pelo menos era isso que eu pensava. Foi então que ouvi falar do funcionamento da agência noticiosa Reuters na Índia. Não tive tempo de visitar as suas instalações em Bangalore, mas foi possível contactar Tom Glocer, CEO da Reuters, para o ouvir falar sobre o que por lá se fazia. Glocer é um pioneiro no *outsourcing* de elementos da cadeia de fornecimento de notícias.

Com 2300 jornalistas em todo o mundo, distribuídos por 197 escritórios, e servindo um mercado que inclui bancos de investimento, operadores no mercado de derivados, corretores da bolsa, jornais, rádio, televisão e mercados da Internet, a

Reuters sempre teve de satisfazer as necessidades de uma audiência muito complexa. Depois de ter rebentado a bolha especulativa das *dot-com*, muitos dos seus clientes tornaram-se bastante cuidadosos com os gastos. Por razões de custo e eficiência, os responsáveis da Reuters começaram a questionar o seguinte: Onde é que realmente precisamos ter o nosso pessoal para alimentarmos a nossa cadeia global de fornecimento de notícias? E será que, na verdade, podemos desagregar o trabalho de um jornalista e manter uma parte desse trabalho em Londres e Nova Iorque, enviando outra para a Índia?

Glocer começou por analisar a principal matéria-prima fornecida pela Reuters: as notícias de última hora sobre os resultados financeiros das empresas e o desenvolvimento dos negócios relacionados com estes, segundo após segundo, minuto após minuto, ao longo de todos os dias do ano. "A Exxon divulga os seus resultados e nós temos de ter essa informação o mais rapidamente possível nos nossos terminais em todo o mundo: 'A Exxon ganhou 35 cêntimos por acção neste trimestre, contra 36 cêntimos no trimestre anterior.' As principais competências aqui exigidas são rapidez e rigor", explicou Glocer. "Não é preciso muita análise. Apenas precisamos de disponibilizar as notícias essenciais o mais rapidamente possível. O *flash* noticioso deve estar *on-line* segundos depois de a empresa ter divulgado os resultados e o gráfico [que mostra a evolução recente dos resultados trimestrais] deve estar disponível alguns segundos mais tarde."

Os *flashes* noticiosos sobre os resultados das empresas estão para o negócio das notícias como a baunilha está para o negócio dos gelados – uma mercadoria de base que pode, de facto, ser produzida em qualquer lugar do mundo plano. O verdadeiro trabalho de produção de conhecimento de valor acrescentado acontece nos cinco minutos seguintes. É nessa altura que é preciso um jornalista que saiba como obter uma citação de alguém da empresa, um comentário por parte dos dois melhores analistas nesta área e mesmo algumas palavras por parte de empresas concorrentes, com o objectivo de perspectivar o relatório relativo aos resultados. "Isso requer um elevado conjunto de competências jornalísticas – alguém no mercado que tenha contactos, que saiba quem são os melhores analistas da indústria e que já levou as pessoas certas a almoçar", disse Glocer.

O rebentar da bolha especulativa das *dot-com* e o facto de mundo se estar a tornar plano forçaram Glocer a repensar a forma como a Reuters fornecia as notícias – até que ponto era possível desagregar as funções de um jornalista e transferir para a Índia as funções de baixo valor acrescentado. O seu principal objectivo foi reduzir a sobreposição de funções e respectivos salários, preservando ao máximo os postos de trabalho na área jornalística. "Assim, a primeira coisa que fizemos foi contratar seis repórteres em Bangalore, com experiência", explicou o CEO da Reuters. "Dissemos: 'Deixemo-los fazer apenas os cabeçalhos dos *flashes* noticiosos e os gráficos, bem como tudo o que consigamos que eles façam em Bangalore'."

Estes novos contratados indianos tinham formação em Contabilidade e receberam formação adicional da Reuters, mas os seus salários, bem como as suas férias e benefícios de saúde, integravam-se nos padrões locais. "A Índia é um lugar inacreditavelmente fértil para recrutar pessoas, não apenas com competências técnicas mas também financeiras", disse Glocer. Quando uma empresa apresenta os seus resultados, uma das primeiras coisas que faz é entregá-los às agências noticiosas – Reuters, Dow Jones e Bloomberg – para que sejam divulgados. "Recebemos os dados em bruto e depois é a corrida para ver a rapidez com que conseguimos trabalhá-los. Bangalore é um dos locais do mundo com mais ligações em rede; apesar de poder haver um ligeiro atraso – um segundo ou menos – para fazer chegar lá a informação, é tão simples obtermos a versão electrónica de um *press release* e transformá-lo numa história em Bangalore como em Londres ou Nova Iorque", referiu Glocer.

Contudo, a diferença reside no facto de os salários e a renda das instalações em Bangalore corresponderem a menos de um quinto do que custam nestas capitais ocidentais.

Já que a conjuntura económica e o facto de o mundo se estar a tornar plano conduziram a Reuters para este caminho, Glocer tentou transformar a necessidade em virtude. "Pensamos que é possível libertarmo-nos do fardo dos relatórios comoditizados (sempre iguais) e conseguirmos que esse trabalho seja feito, de forma eficiente, por outra pessoa, noutra parte do mundo", disse ele. Assim será possível dar aos jornalistas credenciados da Reuters – os que a empresa tiver capacidade para reter – a oportunidade de se dedicarem ao jornalismo de análise de maior valor acrescentado e pessoalmente mais enriquecedor. "Digamos que era um jornalista da Reuters, em Nova Iorque. Sentir-se-ia mais realizado a transformar *press releases* em caixas num ecrã ou a fazer trabalho de análise?", perguntou Glocer. Obviamente que é a segunda opção. Fazer o *outsourcing* de boletins noticiosos para a Índia permite igualmente alargar a amplitude do campo de análise da Reuters a empresas de menor dimensão, um trabalho que antes não compensava financeiramente se fosse feito pelos bem pagos jornalistas de Nova Iorque. No entanto, com os repórteres indianos, que recebem salários mais baixos, podendo vários ser contratados pelo custo de um em Nova Iorque, a Reuters pode agora fazê-lo a partir de Bangalore. No Verão de 2004, a Reuters aumentou para 300 o número de efectivos em Bangalore e pondera a hipótese de fazer subir esse número para 1500. Alguns são veteranos da Reuters enviados para dar formação às equipas indianas, outros são repórteres encarregues dos *flashes* noticiosos com os resultados de empresas, mas a maioria são jornalistas que procedem à análise de informação mais especializada – processamento dos números – para ser utilizada em empresas que querem dispersar o seu capital em bolsa.

"Muitos dos nossos clientes estão a fazer o mesmo", disse Glocer. "As empresas que efectuam análise de investimentos (*investment research*) foram obrigadas a cortar custos, por essa razão muitas recorrem agora a colaboradores em Bangalore, de forma a fazerem as análises básicas das empresas."

Até há bem pouco tempo, as grandes empresas de Wall Street procediam à análise de investimentos pagando milhões de dólares a analistas de topo. Uma parte destes salários milionários era paga pelos seus departamentos de corretagem, que partilhavam a análise com os seus melhores clientes, e a outra parte era suportada pelos seus bancos de investimento, que, por vezes, divulgavam análises optimistas sobre uma dada empresa, para atrair o interesse desta. Na sequência das investigações às práticas de Wall Street, conduzidas pelo Procurador-Geral do Estado de Nova Iorque, Eliot Spitzer, realizadas depois de vários escândalos financeiros, os bancos de investimento e as sociedades de corretagem foram separados – para que os analistas deixassem de empolar a realidade de algumas empresas com vista a obterem benefícios disso. Como consequência, as grandes empresas de investimento de Wall Street tiveram de reduzir drasticamente o custo dos seus estudos de mercado, que são agora inteiramente suportados pelos seus departamentos de corretagem. Esta situação levou a que se sentissem incentivadas a apostar no *outsourcing* do trabalho de análise em locais como Bangalore. Além de poder pagar a um analista em Bangalore cerca de 15 mil dólares em compensações totais, por oposição aos 80 mil dólares pagos em Nova Iorque ou Londres, a Reuters descobriu que os seus colaboradores na Índia têm grande apetência e interesse pela área financeira. A Reuters também inaugurou recentemente um centro de desenvolvimento de *software* em Banguecoque, depois de esta cidade se ter revelado um excelente lugar para o recrutamento deste tipo de especialistas, que foram esquecidos por todas as empresas ocidentais que procuravam talentos em Bangalore.

Senti-me destroçado com esta tendência. Iniciei a minha carreira como repórter de um serviço em rede na agência noticiosa United Press International (UPI). Sinto, portanto, uma profunda empatia por este tipo de repórteres e compreendo as pressões, tanto profissionais como financeiras, a que estão sujeitos. Se, quando comecei a minha actividade como repórter, em Londres, há 25 anos, a UPI tivesse tido a capacidade de subcontratar alguns dos seus ramos de negócio menos importantes, poderia ter conseguido vingar como fornecedora de serviços em rede. Mas isso não aconteceu.

"A questão do pessoal é muito delicada", disse Glocer, que teve de reduzir a totalidade dos efectivos da Reuters em cerca de 25 por cento, sem grandes baixas entre os repórteres. A equipa compreende que isto está a ser feito para que a empresa possa sobreviver e voltar a prosperar, acrescentou. Simultaneamente, "compreendem bem o que se passa. Vêem que os nossos clientes estão a fazer exactamente o mesmo. Apanham o enredo da história... O essencial é ser honesto com as pessoas sobre o que estamos a fazer e explicar bem o porquê das decisões, em vez de adoçar a mensagem. Acredito firmemente na lição dos economistas clássicos sobre a transferência do trabalho para onde possa ser executado da melhor forma. No entanto, não podemos ignorar que, em alguns casos, os trabalhadores não irão encontrar facilmente um novo emprego. Precisam de uma nova formação e de uma rede de segurança social adequada".

Num esforço para lidar honestamente com o pessoal da Reuters, David Schlesinger, que é actualmente o editor de gestão global da empresa, enviou a todos os colaboradores editoriais um memorando que incluía o seguinte excerto:

Offshoring por obrigação

"Cresci em New London, Connecticut, que no século XIX era um grande centro de pesca da baleia. Nos anos 60 e 70, há muito que já não existiam baleias. Os maiores empregadores da região estavam relacionados com a área militar – o que não surpreendia na era do Vietname. Os pais dos meus colegas de escola trabalhavam na Electric Boat, na Marinha e na Guarda Costeira. Com o fim da guerra, voltaram a operar-se transformações na região que, actualmente, é mais conhecida pelos grandes casinos de Mohegan Sun e Foxwoods e pelos investigadores farmacêuticos da Pfizer. Há empregos que desapareceram, outros foram criados. As competências existentes ficaram fora de moda, outras passaram a ser necessárias. A região transformou-se, as pessoas também. New London não foi, obviamente, um caso único. Quantas cidades do ramo da moagem viram as suas fábricas fechar; quantas cidades fabricantes de calçado viram esta indústria transferir-se para outro lado; quantas cidades que eram uma referência no sector têxtil compram agora todo o seu linho à China?"

A mudança é difícil. A mudança é pior para aqueles que são apanhados de surpresa. A mudança é pior para aqueles que também têm dificuldades em mudar. Mas a mudança é natural; a mudança não é nada de novo; a mudança é importante. O actual debate sobre a deslocalização (*offshoring*) está perigosamente aceso. Mas o debate sobre a transferência dos postos de trabalho para a Índia, a China e o México não é, na verdade, diferente do debate tido sobre a saída da indústria submarina de New London, ou da saída da indústria do calçado de Massachusetts, ou da saída da indústria têxtil da Carolina do Norte. O trabalho é feito onde pode ser feito da forma mais eficaz e eficiente.

Isto acaba por ajudar mais os habitantes de todas as New London, New Bedford e Nova Iorque deste mundo do que os habitantes de todas as Bangalore e Shenzhen. Ajuda porque liberta as pessoas e o capital para áreas de actividade diferentes e mais sofisticadas. Ajuda porque constitui uma oportunidade para criar o produto acabado com menos custos, beneficiando os consumidores enquanto ajuda a empresa.

É certamente difícil para as pessoas pensarem que o "seu" trabalho vai desaparecer, para ser feito a milhares de quilómetros de distância por alguém que ganha menos uns milhares de dólares por ano. Mas é altura de pensar tanto na oportunidade como na dor, assim como é altura de pensar tanto nas obrigações da deslocalização como nas oportunidades... Todas as pessoas, tal como todas as empresas, devem lidar com o seu próprio destino económico, tal como os nossos pais e avós o fizeram nas fábricas têxteis, de moagem e de calçado.

"O monitor está a arder?"

Sabe como é um *call center* indiano? Durante as filmagens do documentário sobre *outsourcing*, eu e a equipa de TV passámos uma noite no *call center*, de propriedade indiana, "24/7 Customer" ("Cliente 24 horas por dia, sete dias por semana"), em Bangalore. O *call center* é uma combinação de residência mista de estudantes universitários e um banco por telefone a angariar dinheiro para a estação pública local de TV. Existem vários andares com salas cheias de jovens com 20 e poucos anos – ao todo, cerca de 2500 – que são operadores telefónicos. Alguns são conhecidos como operadores "de saída" e vendem de tudo um pouco, desde cartões de crédito a minutos de conversação telefónica. Outros tratam dos telefonemas "de entrada" – que englobam tudo, desde encontrar bagagem perdida de passageiros de companhias de aviação americanas e europeias até à resolução dos problemas informáticos de alguns consumidores norte-americanos aflitos. As chamadas são transferidas por satélite e por cabos submarinos de fibra óptica. Cada andar de um *call center* está dividido em vários cubículos. Os jovens trabalham em pequenas equipas, sob a bandeira da empresa cuja assistência telefónica estão a fornecer. Assim, num canto pode estar o grupo Dell e noutro um grupo a trabalhar para a Microsoft. As condições de trabalho de que dispõem assemelham-se às de uma companhia de seguros norte-americana média. Apesar de ter a certeza de que há *call centers* onde os colaboradores não têm quaisquer condições de trabalho e são muito explorados (locais internacionalmente designados por *sweatshops*), o "24/7" não funciona assim.

A maioria dos jovens que entrevistei entrega aos pais tudo ou parte do que ganham. De facto, muitos têm salários iniciais mais elevados do que as reformas dos seus progenitores. Para empregos de entrada na economia global, melhor é impossível.

Andava a percorrer a secção da Microsoft por volta das 18 horas locais – que é quando a maioria destes jovens começa o seu dia de trabalho para coincidir com a madrugada nos EUA – quando fiz uma pergunta simples a um jovem informático indiano: Qual era o recorde, naquele piso, do telefonema mais longo para ajudar algum norte-americano desorientado no labirinto do seu próprio *software*?

Sem hesitações, ele respondeu: "Onze horas."

"Onze horas!", exclamei, espantado.

"Onze horas", respondeu.

Não tenho qualquer forma de verificar se é verdade, mas o certo é que se ouvia extractos isolados de informações de algumas conversas estranhamente familiares, à medida que se caminhava pelo "24/7" e se escutava por cima dos ombros de diferentes operadores do *call center*. Segue-se uma pequena amostra daquilo que ouvimos nessa noite, enquanto filmávamos para o Discovery Times. Deve ser lida, se conseguir imaginar essa situação, na voz de alguém com pronúncia indiana a tentar imitar um norte-americano ou britânico. Imagine também que, independentemente do quanto possam ser rudes, infelizes, irritadas ou desagradáveis as vozes que estão do outro lado da linha, estes jovens indianos são sempre e infalivelmente bem-educados.

Operadora do *call center*: "Boa tarde, será possível falar com...?" (Alguém do outro lado acabou de desligar violentamente o telefone).

Operador do *call center*: "Serviço de mercadorias, fala o Jerry, posso ajudá-lo?" (Os operadores indianos do *call center* adoptam nomes ocidentais escolhidos por eles mesmos. A ideia é fazer com que os seus clientes americanos ou europeus se sintam mais à-vontade. A maioria dos jovens indianos com quem falei não se sentia ofendida e via nisso uma oportunidade para se divertir um pouco. Enquanto uns optavam por Susan ou Bob, alguns tinham sido verdadeiramente criativos).

Operadora em Bangalore falando com um norte-americano: "O meu nome é Ivy Timberwoods* e estou a telefonar-lhe para..."

Operadora em Bangalore a tentar obter um elemento identificativo de um norte-americano: "É possível facultar-me os últimos quatro dígitos do seu número de beneficiário?"

Operadora em Bangalore dando indicações como se estivesse em Manhattan a olhar pela sua janela: "Sim, temos uma bifurcação na 74ª Avenida com a 2ª, outra na 54ª com a Lexington..."

Operador em Bangalore vendendo um cartão de crédito, que ele próprio nunca poderá ter: "Este cartão oferece-lhe uma das mais baixas APR**.

Operadora em Bangalore explicando a uma norte-americana como tinha esvaziado a sua *checking account* (conta bancária que permite a emissão de cheques

---

* **N.T.** Raízes de Hera – apesar de os nomes não se traduzirem, neste caso faz sentido, pois ele está a explicar que são nomes criados pelos indianos e alguns deles com muita criatividade.

** **N.T.** *Annual Percentage Rate* – taxa de percentagem anual.

contra saldos disponíveis): "Verifique o número 665, no valor de 81,55 dólares. Ainda lhe é cobrada a comissão de 30 dólares. Está a entender-me?"

Operadora em Bangalore, depois de guiar um norte-americano no meio de uma avaria no sistema informático: "Está tudo bem, senhor Jassup. Obrigada pelo seu tempo. Fique bem."

Operadora em Bangalore depois de alguém lhe ter desligado o telefone na cara: "Está? Está, sim?"

Operadora em Bangalore pedindo desculpa por telefonar tão cedo a alguém nos EUA: "Este é apenas um telefonema de cortesia, voltarei a ligar-lhe mais tarde..."

Operador em Bangalore tentando desesperadamente vender um cartão de crédito de uma companhia aérea a alguém nos EUA que parecia não desejar ter um: "Isso é porque o senhor tem demasiados cartões de crédito ou porque não gosta de voar, senhor Bell?"

Operadora em Bangalore tentando ajudar uma norte-americana cujo computador sofreu uma avaria: "Comecemos por fazer o teste de memória..."

Operador em Bangalore fazendo a mesma coisa: "Ok, então seleccione a tecla três e prima Enter..."

Operadora em Bangalore tentando ajudar uma norte-americana que não suporta ter de esperar em linha nem mais um segundo: "Sim, minha senhora, entendo que esteja cheia de pressa. Só estou a tentar ajudá-la..."

Operadora em Bangalore a ver ser-lhe desligado outro telefone na cara: "Sim, bem, então a que horas seria melhor..."

A mesma operadora, em Bangalore, a levar com mais um corte de chamada: "Porquê, senhor Kent, não é um..."

A mesma operadora, em Bangalore, a quem mais uma vez desligam o telefone: "Como apoio de segurança... Está, sim?"

A mesma operadora, em Bangalore, a olhar-nos por cima do seu telefone: "Decididamente, hoje tive um mau dia!"

Operadora em Bangalore tentando ajudar uma norte-americana com um problema informático de que nunca ouviu falar: "Qual é o problema com esse computador, minha senhora? O monitor está a arder?"

Existem actualmente cerca de 245 mil indianos a atender telefonemas de todos os cantos do mundo ou a ligar às pessoas para as aliciarem com descontos em cartões de crédito ou em telemóveis, ou ainda para tratarem de saldar contas por pagar. Estes empregos em *call centers* são mal pagos e pouco prestigiantes nos Estados Unidos, mas na Índia são bem pagos e muito bem-vistos. O espírito de equipa no "24/7" e noutros *call centers* que visitei pareceu-me ser bastante elevado e os jovens estavam ávidos por partilhar algumas das bizarras conversas telefónicas que tinham com norte-americanos que ligavam 1-800-HELP (linha de assistência), pensando que estariam a falar com alguém no quarteirão mais próximo e não numa outra região do mundo.

C. M. Meghna, uma operadora do *call center* "24/7", contou-me o seguinte: "Já tive muitos clientes que telefonam com perguntas que nem sequer estão relacionadas com o produto com que estamos a lidar. Telefonam porque perderam a carteira ou apenas para conversar com alguém. Digo algo como: 'Ok, talvez devesse procurar a sua carteira debaixo da cama ou onde normalmente a guarda' e recebo respostas como: 'Ok, muito obrigada pela sua ajuda'."

Nitu Somaiah: "Um dos clientes pediu-me que casasse com ele."

Sophie Sunder, a cargo do departamento de bagagem perdida da companhia de aviação Delta, descreveu a seguinte situação: "Recordo-me de uma senhora do Texas que chorava ao telefone. Ela tinha apanhado dois voos de ligação e tinha perdido a sua mala onde estava o vestido de noiva da sua filha, bem como o anel de casamento, e senti-me muito triste por ela, mas nada podia fazer. Eu não dispunha de qualquer informação."

"A maioria dos clientes está muito irritada", afirmou Sunder. "A primeira coisa que dizem é: 'Onde está a minha mala? Quero a mala imediatamente!' Devemos dizer: 'Desculpe, pode dizer-me o seu primeiro e último nome?' 'Mas onde está a minha mala?!' Alguns perguntam de que país sou. Devemos dizer a verdade, por isso digo Índia. Alguns pensam que falo do Estado norte-americano de Indiana, não da Índia! Outros nem sabem onde fica a Índia e eu digo que é o país ao lado do Paquistão."

Se bem que a grande maioria dos telefonemas seja monótona e de rotina, a concorrência é feroz quando se trata de conseguir um emprego destes – não apenas porque são bem remunerados, mas porque se pode trabalhar à noite e frequentar a escola durante parte do dia. Estes empregos são, assim, vistos como passos gigantes na direcção de um nível de vida mais elevado. P. V. Kannan, CEO e co-fundador do "24/7", explicou-me como é que tudo funciona: "Temos, actualmente, mais de quatro mil colaboradores espalhados entre Bangalore, Hyderabad e Chennai. Começam com um salário líquido de cerca de 200 dólares por mês, que passa para 300 a 400 dólares ao fim de seis meses. Facultamos-lhes o transporte, almoço e jantar sem quaisquer custos extra. Providenciamos seguro de vida, seguro de saúde para toda a família – e outros benefícios."

O custo total de cada operador de *call center* é, na verdade, de aproximadamente 500 dólares por mês quando este começa a trabalhar e de cerca de 600 a 700 dólares mensais ao fim de seis meses. Além disso, todos têm direito a prémios de desempenho, o que lhes permite ganhar, em certos casos, o equivalente a cem por cento do salário base. "Cerca de dez a 20 por cento dos nossos colaboradores frequenta o curso universitário de Gestão ou de Informática durante o dia", disse Kannan, acrescentando que mais de um terço tem, paralelamente, aulas extra de formação nestas áreas, mesmo não tendo em vista a licenciatura. "É muito comum na Índia os jovens na faixa etária entre os 20 e os 30 anos continuarem a estudar – o enriquecimento pessoal é muito importante e activamente encorajado pelos pais e pelas empresas. Nós patrocinamos o programa MBA para aqueles que têm um desempenho consistente, através de aulas durante o dia inteiro ao fim-de-semana. Todos trabalham oito horas por dia, cinco dias por semana, com duas pausas de 15 minutos e uma hora para almoço ou jantar."

Não é de surpreender que o *call center* "24/7" receba cerca de 700 candidaturas por dia, mas apenas seis por cento dos candidatos são contratados. Eis um excerto de uma sessão de recrutamento para operadores de *call center* numa universidade feminina em Bangalore:

Recrutadora 1: "Bom dia, meninas."

Classe em coro: "Bom dia, minha senhora."

Recrutadora 1: "Foi-nos pedido, por algumas das multinacionais que aqui operam, que lhes tratássemos do recrutamento de pessoal. Os primeiros clientes para quem estamos hoje a fazer recrutamento são a Honeywell e a American On-line."

Em seguida, as jovens – dúzias delas – fizeram fila com os seus formulários de candidatura e esperaram para serem entrevistadas por uma recrutadora sentada em frente a uma mesa de madeira. Seguem-se alguns dos diálogos ouvidos:

Recrutadora 1: "Que tipo de emprego é que procuras?"

Candidata 1: "Tem de estar relacionado com projectos, algo onde possa aprender para também progredir na minha carreira."

Recrutadora 1: "Tens de revelar mais segurança quando falas. Estás muito nervosa. Quero que trabalhes um pouco nisso e que depois entres em contacto connosco."

Recrutadora 2 para outra candidata: "Conta-me algo sobre ti."

Candidata 2: "Obtive o meu SSC (Certificado da Escola Secundária) com menção honrosa. Tive também menção honrosa no nível a seguir. Além disso, também consegui um total de 70 por cento nos últimos dois anos." (Esta é a gíria indiana para os equivalentes das classificações norte-americanas GPA* e SAT**).

Recrutadora 2: "Fala um pouco mais devagar. Não estejas nervosa. Põe-te à-vontade."

A fase seguinte, para as candidatas que são contratadas para um *call center*, é o programa de formação – e elas são pagas para o frequentarem. Aí aprendem como lidar com os processos específicos da empresa ao serviço da qual vão fazer ou receber os telefonemas, além de frequentarem aquilo a que se chama "aula de neutralização da pronúncia". Estas sessões duram o dia inteiro, com um professor de línguas que ensina os novos contratados indianos a disfarçarem o seu sotaque indiano quando falam inglês e a substituí-lo pelas pronúncias norte-americana, canadiana ou bri-

---

* **N.T.** GPA – *Gradutate Point Average*, cujo valor máximo é quatro.

** **N.T.** Para entrar na universidade, o aluno norte-americano (ou residente) deve fazer o SAT (*Scholastic Aptitude Test*), um exame básico de inglês e matemática. Com base na classificação obtida, o aluno é aceite ou rejeitado. Obviamente, as faculdades mais prestigiadas exigem classificações mais elevadas.

tânica – consoante a região do mundo com que irão trabalhar. É uma experiência bizarra para quem está a assistir. A classe que pude observar estava a ser formada para recorrer a uma pronúncia norte-americana neutral. Era solicitado aos estudantes que lessem vezes sem conta um único parágrafo fonético, com o intuito de os ensinar a suavizar os seus "tês" e a enrolarem os seus "erres".

A professora, uma jovem encantadora, grávida de oito meses, envergando um tradicional sari indiano, intercalava quase imperceptivelmente as pronúncias britânica, norte-americana e canadiana enquanto mostrava como ler um parágrafo destinado a realçar a fonética. Ela disse aos alunos na sala: "Lembram-se do primeiro dia em que vos disse que os norte-americanos têm um som alvéolar* para o '*teh*'? Soa praticamente ao som '*deh*' – não é enrolado e é claro como o britânico. Assim, eu não diria – e nesta fase ela enrolava as palavras e elevava o tom de voz – '*Betty brought a bit of butter*' ou '*Insert a quarter in the meter*', mas sim – e nesta fase a sua voz era muito suave – '*Betty brought a bit of butter*' ou '*Insert a quarter in the meter*'. Por isso, vou ler isto em voz alta uma vez e depois lemos todos juntos. Está bem? '*Thirty little turtles in a bottle of bottled water. A bottle of bottled water held thirty little turtles. It didn't matter that each turtle had to rattle a metal ladle in order to get a little bit of noodles*'."

"Muito bem, quem é que vai ler primeiro?", perguntou a formadora. E então cada aluno tomou a sua vez, tentando dizer com sotaque norte-americano esta frase difícil de pronunciar. Alguns deles conseguiam à primeira, mas outros... bem, digamos que seria difícil acreditar que estariam em Kansas City se atendessem o seu telefonema para localizar alguma mala perdida nos serviços da Delta!

Depois de os ouvir gaguejar ao longo desta lição de fonética, durante meia hora, perguntei à formadora se gostaria de me ver dar-lhes uma versão autêntica – atendendo a que sou do Minnesota, em plena região do Midwest, e ainda falo como alguns dos personagens do filme *Fargo*. Claro que sim, disse ela. Então li o seguinte parágrafo: "*A bottle of bottled water held thirty little turtles. It didn't matter that each turtle had to rattle a metal ladle in order to get a little bit of noodles, a total turtle delicacy... The problem was that there were many turtle battles for less than oodles of noodles. Every time they thought about grappling with the haggler turtles their little turtle minds boggled and they only caught a little bit of noodles.*"

A sala em peso reagiu de forma entusiástica. Foi a primeira vez que recebi uma ovação por falar com sotaque do Minnesota. À primeira vista, existe alguma aversão à ideia de induzir outras pessoas a suavizarem as suas pronúncias com o intuito de competirem num mundo mais plano. Mas, antes de comentar negativamente esta realidade, terá de perceber a enorme vontade que estes miúdos têm de ascen-

* **N.T.** De acordo com o ponto onde é articulada, as consoantes têm várias classificações. As alvéolares são aquelas em que é usada a língua + os alvéolos dos dentes.

der socialmente. Se uma ligeira modificação da sua pronúncia é o preço a pagar para subirem mais um degrau da escada, então que seja – é isto que dizem.

"Este é um ambiente de grande *stress*", referiu Nilekani, CEO da Infosys, que também gere um grande *call center*: "São 24 horas durante sete dias. Trabalha-se de dia, depois à noite e depois na manhã seguinte." Mas o ambiente de trabalho, insistiu, "não é a tensão da alienação. É a tensão do sucesso. Eles estão a lidar com os desafios do sucesso, com um modo de vida sujeito a grande pressão. Não é o desafio de terem de se preocupar com o dia em que finalmente terão um desafio".

Foi exactamente isso que senti ao falar com muitos dos operadores de *call center* nos seus locais de trabalho. À semelhança de uma explosão de modernidade, o *outsourcing* está a desafiar as normas e os estilos de vida tradicionais. Mas os indianos com estudos foram mantidos fora do mercado durante tantos anos, quer pela pobreza quer pela burocracia, que muitos se mostram mais do que preparados para suportar as horas extras. E escusado será dizer que é muito mais fácil e satisfatório para eles trabalharem no duro em Bangalore do que fazerem as malas e tentarem começar do nada na América. No mundo plano podem permanecer na Índia, ganhar um salário decente e não terem de estar a quilómetros de distância das suas famílias, amigos, gastronomia e cultura. Afinal de contas, estes novos empregos permitem-lhes ser muito mais indianos. Anney Unnikrishnan, gestora de pessoal no "24/7", contou: "Terminei o meu mestrado e recordo-me de ter feito o GMAT* para um MBA nos Estados Unidos e sido admitida na Universidade Purdue. Não pude ir porque não tinha capacidade financeira para o fazer. Agora já posso, acontece, no entanto, que toda uma parte da indústria norte-americana foi transferida para Bangalore e, na verdade, já não preciso de ir para lá. Posso trabalhar para uma multinacional sem sair daqui. Assim, continuo a ter o meu arroz e sambar [prato tradicional indiano] para comer. Não preciso de aprender a comer salada *coleslaw* e carnes frias. Mantenho a minha comida indiana e continuo a trabalhar para uma multinacional. Por que razão deveria ir para os Estados Unidos?"

O nível de vida relativamente elevado de que esta indiana pode hoje usufruir – o suficiente para um pequeno apartamento e viatura própria em Bangalore – também beneficia os EUA. Se olharmos em volta, no *call center* "24/7", veremos que todos os computadores têm como sistema operativo o Microsoft Windows. Os circuitos integrados são da Intel. Os telefones são da Lucent. O ar condicionado é da Carrier e até a água engarrafada é da Coke. Além disso, 90 por cento das acções do capital da "24/7" são detidas por investidores norte-americanos. Isto explica o porquê (apesar de os Estados Unidos terem perdido alguns postos de trabalho na

---

* **N.T.** O *Graduate Management Admission Test* (GMAT) é um teste utilizado pelas *Business Schools* de todo o mundo para avaliar e seleccionar os candidatos a programas de MBA.

área dos serviços em prol da Índia nos últimos anos) de o total das exportações de empresas sediadas nos EUA – mercadorias e serviços – para a Índia ter crescido de 2,5 mil milhões de dólares em 1990 para 5 mil milhões em 2003. Assim, mesmo com o *outsourcing* de alguns empregos na área dos serviços, dos EUA para a Índia, a economia indiana em crescimento está a criar mais procura de bens e serviços norte-americanos.

O que vai, volta.*

Há nove anos, quando o Japão estava a superar os talentos norte-americanos na indústria automóvel, escrevi uma coluna acerca do jogo de computador sobre geografia "Where in the World is Carmen Sandiego?" (Onde está a Carmen Sandiego?), que disputei com a minha filha Orly, então com 9 anos. Estava a tentar ajudá-la, dando-lhe a pista de que a Carmen tinha ido para Detroit, por isso perguntei-lhe: "Onde é que os automóveis são fabricados?" Sem pensar duas vezes, ela respondeu: "No Japão."**

Ui, esta foi forte!

Recordei-me desta história quando visitei a Global Edge, uma empresa indiana de concepção de *software*, sediada em Bangalore. O seu gestor de *marketing*, Rajesh Rao, disse-me que tinha acabado de fazer um telefonema para falar com o *Vice President* da área de engenharia de uma empresa norte-americana, na tentativa de "animar" o negócio. Assim que se apresentou como estando a falar de uma empresa indiana de *software*, o executivo norte-americano disse-lhe "*Namaste*", um comum cumprimento hindi (língua ariana do Norte da Índia). Segundo Rao, "há alguns anos, ninguém na América queria falar connosco. Agora estão desejosos disso". E alguns até sabem cumprimentar à maneira hindu. Por tudo isto, penso que se um dia tiver uma neta e lhe disser que vou à Índia, ela vai perguntar-me "Avô, é daí que vem o *software*?".

Não, ainda não, querida. Cada novo produto – desde o *software* até aos aparelhos – passa por um ciclo que começa com a investigação de base, passando depois pelas fases da investigação aplicada, incubação, desenvolvimento, ensaio, fabrico, novo desenvolvimento, apoio e contínua evolução ao nível da engenharia. Cada uma destas fases é especializada e única e nem a Índia, a China ou a Rússia têm um núcleo de talentos suficiente para poder tratar de todo o ciclo de produto para uma grande multinacional norte-americana. Mas estes países estão a desenvolver de uma forma consistente as suas capacidades de investigação e desenvolvimento (I&D) para poderem gerir cada vez mais estas fases. Se a tendência prosseguir, sem dúvida que

---

* **N.T.** Provérbio inglês: "What goes around, comes around."

** **N.T.** Este é um jogo em que os jogadores têm de tentar apanhar a vilã Carmen Sandiego. Através de pistas, têm de ir descobrindo em que local do mundo ela está. Como a resposta que a filha do autor tinha de dar era Detroit, ele falou-lhe nos automóveis para ver se ela chegava lá, mas ela tinha ideia de que eram fabricados no Japão.

assistiremos ao aparecimento daquilo que Satyam Cherukuri, da Sarnoff – empresa norte-americana de I&D –, apelidou de "globalização da inovação" e ao desaparecimento do velho modelo de uma única multinacional americana ou europeia a gerir todos os elementos do ciclo de desenvolvimento do produto com os seus próprios recursos. Cada vez mais as empresas americanas e europeias estão a subcontratar em *outsourcing* áreas muito importantes de I&D à Índia, à Rússia e à China.

De acordo com o Gabinete de Tecnologias da Informação (TI) do governo local do Estado de Karnataka, onde se situa Bangalore, as unidades indianas da Cisco Systems, da Intel, da IBM, da Texas Instruments e da General Electric (GE) já entregaram mil candidaturas para patentes junto do Departamento de Patentes dos EUA. Só a Texas Instruments conseguiu a atribuição de 225 patentes norte-americanas ao seu negócio na Índia. "A equipa da Intel, em Bangalore, está a desenvolver microprocessadores ao nível da tecnologia sem fios de banda larga a alta velocidade, com vista a serem lançados em 2006", segundo dados fornecidos no final de 2004 pelo gabinete de TI, de Karnataka, e "no Centro de Tecnologia John F. Welch da GE, em Bangalore, os engenheiros estão a desenvolver novas ideias para motores de aviões, sistemas de transporte e plásticos". Com efeito, a GE tem transferido frequentemente para a Índia, ao longo dos anos, engenheiros indianos que trabalhavam para a empresa nos Estados Unidos. A ideia é integrar todo o seu esforço global de investigação. Actualmente a GE até envia não indianos para Bangalore. Vivek Paul, indiano, que foi, até final de Junho de 2005, Presidente da Wipro Technologies, outra empresa indiana de primeira linha na área da tecnologia, residia em Silicon Valley para poder estar próximo dos seus clientes norte-americanos. Antes de ir para a Wipro, Paul geriu o ramo de negócio da GE de *scanners* de tomografia computorizada a partir de Milwaukee. Nessa altura, tinha um colega francês que geria, em França, o ramo de negócio da GE dos geradores de potência para os *scanners*.

"Encontrei-o recentemente durante um voo", disse Paul, "e ele contou-me que tinha mudado para a Índia para aí liderar a aposta da GE em investigação na área da energia".

Respondi a Vivek o quanto me alegrava que o indiano que liderou o negócio das tomografias computorizadas da GE, em Milwaukee, actualmente a gerir a área de consultoria da Wipro, em Silicon Valley, me estivesse a contar que um seu ex-colega de trabalho francês tinha decidido ir para Bangalore ao serviço da GE. Isto é um mundo plano.

Sempre que penso que descobri o último e o mais impensável posto de trabalho que poderia ser transferido para Bangalore, descubro um novo. O meu amigo Vivek Kulkarni era Chefe do departamento governamental em Bangalore, responsável pela captação de investimento para a área de alta tecnologia. Depois de se ter demitido dessa função em 2003, criou uma empresa chamada B2K, com uma divisão denominada Brickwork, que oferece aos atarefados executivos a possibilidade de terem o seu próprio assistente pessoal na Índia. Imagine que está à frente de uma empresa e lhe foi pedido que fizesse um discurso com uma apresentação em PowerPoint, em dois dias. O seu "assistente executivo remoto" na Índia, fornecido pela Brickwork, far-lhe-á todo o trabalho de pesquisa, criará a apresentação em PowerPoint e enviar-lhe-á tudo por *e-mail* de um dia para o outro, para que esteja disponível na sua secretária no dia da apresentação.

"Ao final do dia, em Nova Iorque, quando estiver a sair do emprego, poderá encomendar ao seu 'assistente pessoal remoto' o trabalho que pretende e este estará pronto para lhe ser entregue na manhã seguinte", explicou Kulkarni. "Devido à diferença horária entre os EUA e a Índia, o trabalho é feito enquanto dorme, estando pronto de manhã." Kulkarni sugeriu-me que contratasse um "assistente pessoal remoto" na Índia para fazer toda a pesquisa necessária para este livro. "Ele ou ela poderá também ajudá-lo a manter-se actualizado em relação às leituras que for necessário fazer. Quando acordar, terá o resumo completo na sua caixa de correio electrónico." (Disse--lhe que ninguém o poderia fazer melhor do que a minha assistente de longa data, Maya Gorman, que se senta na secretária ao lado da minha!)

Ter um "assistente executivo pessoal remoto" custa entre 1500 e 2000 dólares por mês e, atendendo à vasta oferta de licenciados indianos disponíveis para a Brickwork recrutar, a "quantidade" de inteligência que é possível contratar por dólar é substancial. Conforme o folheto promocional da Brickwork diz: "O vasto grupo de talentos indianos permite às empresas aceder a um grande conjunto de pessoas altamente qualificadas. Além dos recém-licenciados, que rondam os 2,5 milhões por ano, muitos indianos qualificados estão a entrar no mercado de trabalho." Os institutos de Gestão Empresarial da Índia, segundo o mesmo folheto, formam cerca de 89 mil novos MBA por ano.

"Tivemos uma resposta muito positiva", disse Kulkarni, que tem clientes em duas importantes áreas da actividade económica. A primeira é a dos consultores norte-americanos de cuidados de saúde, que frequentemente precisam do processamento de imensos números e de apresentações em PowerPoint. A segunda é a dos bancos de investimento e das empresas de serviços financeiros norte-americanos, que muitas vezes precisam de preparar atraentes apresentações com gráficos para ilustrarem as vantagens de uma IPO ou de uma proposta de fusão. No caso de uma fusão, a Brickwork prepara as secções do relatório relacionadas com as tendências e condições gerais do mercado, em que a maior parte da pesquisa pode ser feita na Internet e resumida num formato padronizado. "A decisão sobre o montante a atribuir ao negócio é tomada pelos próprios bancos de investimento", disse Kulkarni. "Nós tratamos do trabalho com menor nível de interactividade e eles analisam tudo aquilo que requer opiniões críticas e experiência, junto do mercado. Quanto maior for o número de projectos em que uma equipa de assistentes executivos remotos trabalha, mais elevado é o grau de experiência que adquire", acrescentou Kulkarni. "A ideia é a de uma aprendizagem constante. Está-se sempre em avaliação. Não existe um fim de aprendizagem... Não existe um limite real em relação ao que pode ser feito, nem por quem."

Ao contrário de Colombo, não fiquei pela Índia. Depois de ter regressado a casa, decidi continuar a explorar o Oriente com o objectivo de encontrar mais exemplos que me permitissem concluir que o mundo é plano. Depois da Índia não demorou muito até seguir para Tóquio, onde tive a oportunidade de entrevistar Kenichi Ohmae, o lendário ex-consultor no Japão da McKinsey & Company. Ohmae saiu da McKinsey e fundou a sua própria empresa, a Ohmae & Associates. E o que é que lá fazem? Já não há consultadoria, explicou Ohmae. Ele funciona agora como ponta-de-lança no *outsourcing* de postos de trabalho japoneses de menor desempenho para *call centers* onde se fale japonês e fornecedores de serviços na China. "O quê? Para a China? Os japoneses não conquistaram já uma vez a China, deixando um gosto amargo na boca dos chineses?", perguntei-lhe.

"Bem... sim", respondeu Ohmae. No entanto, explicou, os japoneses também deixaram para trás um grande número de pessoas que sabem falar japonês e mantiveram um pouco da cultura nipónica – desde o *sushi* ao *karaoke* – no Nordeste da China, especialmente em redor da cidade portuária de Dalian. Esta tornou-se para o Japão o que Bangalore se tornou para os Estados Unidos e para os outros países onde se fala inglês: uma central de *outsourcing*. Os chineses poderão nunca perdoar ao Japão aquilo que fez à China no século passado, mas a sua determinação em liderar o mundo durante o próximo século é tanta que estão decididos a aperfeiçoar o seu conhecimento da língua japonesa e a controlar todo o trabalho que o Japão consiga subcontratar.

"O recrutamento é bastante fácil", disse Ohmae, no início de 2004. "Cerca de um terço dos habitantes da região circundante a Dalian optou por ter o japonês como segunda língua na escola secundária. Por isso, todas estas empresas japonesas estão a entrar no mercado local." A empresa de Ohmae faz essencialmente o processamento da introdução de dados, na China, onde os trabalhadores chineses pegam em documentos manuscritos em japonês – que são digitalizados, enviados por fax ou por *e-mail* do Japão para Dalian – que depois introduzem, já dactilografados, numa base de dados digital com caracteres japoneses. A empresa de Ohmae desenvolveu um programa de *software* que recebe os dados a serem introduzidos e os distribui por vários conjuntos. Estes "conjuntos" de dados podem ser enviados para qualquer lugar da China ou do Japão para serem dactilografados, dependendo da especialidade exigida, sendo depois reagrupados na sede (da base de dados) em Tóquio. "Conseguimos atribuir o trabalho à pessoa que melhor percebe da área." A empresa de Ohmae até tem contratos com mais de 75 mil donas de casa, algumas delas especializadas em terminologia médica ou jurídica, que fazem o trabalho de introdução de dados na sua própria casa. Recentemente, expandiu o seu negócio à área do desenho assistido por computador, um serviço que presta a uma empresa japonesa de construção civil. "No Japão, quando negoceia a construção de uma casa com o cliente, tem de fazer um esboço da planta – a maioria destas empresas não usa computadores", explicou. Assim, as plantas desenhadas à mão são enviadas electronicamente para a China, onde são convertidas em desenhos digitais, que são depois reenviados – também por *e-mail* – para a empresa japonesa de construção, que os transforma em cópias fotográficas das plantas. "Contratámos os melhores operadores chineses de dados, que processam actualmente 70 casas por dia", disse Ohmae.

Chineses a fazerem desenhos computorizados para casas japonesas, quase 70 anos depois de um predatório exército japonês ter ocupado a China, destruindo muitas casas pelo caminho... Talvez haja esperança para este mundo plano...

Antes de mais, precisava de ver Dalian, a Bangalore da China, por isso continuei a seguir para leste. Dalian é impressionante, não apenas como cidade chinesa. Com as suas avenidas largas, bonitos espaços verdes e núcleos de universidades, institutos técnicos e numerosos parques de *software*, a cidade sobressairia em Silicon Valley. Já lá tinha estado em 1998, mas construiu-se tanto desde então que mal consegui reconhecer o lugar. Dalian, que fica a cerca de uma hora de voo do Nordeste de Pequim, simboliza a rapidez com que a maioria das cidades modernas da China – e ainda existem muitas em estado lastimável e com um grande atraso – estão a captar negócios na qualidade de centros produtores de conhecimento e não apenas como centros industriais. As placas nos edifícios revelam toda a história: a GE, a Microsoft, a Dell, a SAP, a HP, a Sony e a Accenture – para referir apenas alguns nomes – são empresas que estão em Dalian e aí fazem muito trabalho de retaguarda para apoiarem as suas operações na Ásia, bem como para realizarem I&D em novo *software*.

Devido à sua proximidade com o Japão e a Coreia – uma vez que está a cerca de uma hora de voo de cada um destes países –, ao grande número de habitantes que fala japonês, à abundância de banda larga para Internet e aos muitos parques e campos de golfe de nível mundial (características apreciadas pelos profissionais do conhecimento), Dalian tornou-se um lugar atractivo para o *outsourcing* japonês. As empresas nipónicas podem recrutar três engenheiros chineses de *software* pelo preço de um no Japão e ainda sobram uns trocos para pagarem uma sala cheia de operadores de *call center* (com um salário inicial de 90 dólares por mês). Não é de admirar que cerca de 2800 empresas japonesas tenham estabelecido as suas operações em Dalian ou formado equipa com parceiros chineses.

"Levei muitos norte-americanos a Dalian e eles ficaram espantados com a rapidez com que a economia da China está a crescer na área da alta tecnologia", disse Win Liu, Director dos Projectos dos EUA e da União Europeia para a DHC (Dalian Hi-Think Computer Technology Co., Ltd.), uma das maiores empresas de *software* originária de Dalian, cujo número de colaboradores passou de 30 para 1200 em seis anos. "Os norte-americanos não se apercebem – mas deviam – da verdadeira grandeza deste desafio."

O dinâmico Presidente da Câmara de Dalian, Xia Deren, de 49 anos, foi reitor de uma universidade. (Para um país que tem um regime comunista, a China faz um bom trabalho de promoção das pessoas pelo mérito. A cultura "meritocrática" mandarim ainda está muito enraizada neste lugar.) Durante um tradicional jantar chinês num hotel local, com dez pratos diferentes, o Presidente da Câmara falou-me dos progressos que Dalian já fez e sobre os que ele ainda ambiciona para a cidade. "Temos 22 universidades e institutos superiores, com mais de 200 mil estudantes, em Dalian", explicou ele. Mais de metade desses estudantes licencia-se em Engenharia ou Ciências e mesmo aqueles que não tiram estes cursos, como os que estudam História ou Literatura, são estimulados a estudar Japonês ou Inglês durante um ano, além de Informática, para encontrarem emprego mais facilmente. O Presidente da Câmara calcula que mais de metade dos habitantes de Dalian tem acesso à Internet no emprego, em casa, ou na escola.

"Foi aqui que as empresas japonesas começaram algumas indústrias de processamento de dados", acrescentou o Presidente da Câmara, "e, tendo isto como base, lançam agora as atenções para a I&D e para o desenvolvimento de *software*... Nos últimos um ou dois anos, as empresas norte-americanas de *software* têm também feito algumas tentativas para transferir o *outsourcing* de *software* dos EUA para a nossa cidade... Estamos a aproximar-nos e a alcançar os indianos. As exportações de produtos de *software* [a partir de Dalian] têm vindo a aumentar 50 por cento ao ano. E a China está agora a tornar-se no país que produz o maior número de licenciados. Se bem que, em geral, o nosso inglês não seja tão bom como o dos indianos, temos uma população maior, razão pela qual podemos seleccionar os estudantes mais inteligentes, que falem melhor inglês".

Será que os habitantes de Dalian se aborrecem por trabalhar para os japoneses, cujo governo ainda não se desculpou formalmente pelo que os seus homólogos fizeram à China durante a guerra?

"Nós nunca iremos esquecer que houve uma guerra histórica entre as duas nações", respondeu, "mas no que diz respeito à economia, só estamos concentrados nela – especialmente se falarmos do *outsourcing* de *software*. Se as empresas norte-americanas e japonesas fabricam os seus produtos na nossa cidade, consideramos que isso é positivo. Os nossos jovens estão a tentar aprender japonês para dominarem esta área e poderem concorrer com os seus homólogos nipónicos, de forma a ocuparem, no futuro, cargos com bons salários".

O Presidente da Câmara acrescentou ainda, por iniciativa própria: "O que eu penso é que os jovens chineses são mais ambiciosos do que os jovens japoneses ou norte-americanos têm sido nos últimos anos, mas não creio que sejam suficientemente ambiciosos quanto os jovens da minha geração. Antes de frequentarmos universidades e institutos superiores como agora, éramos enviados para áreas rurais longínquas, fábricas e grupos militares, e atravessávamos tempos bastante duros. Por isso, no que diz respeito ao espírito para superar e enfrentar as contrariedades, a nossa geração teve de ser mais ambiciosa do que a dos jovens de hoje."

Na sequência da conversa, o Presidente da Câmara, Xia, revelou uma forma encantadoramente directa de descrever o mundo e, apesar de algumas das coisas que disse se terem perdido na tradução, ele chegou à essência – e os norte-americanos também deveriam compreender isto: "A regra da economia de mercado", explicou-me este oficial comunista, "é que, quando um lugar tiver os recursos humanos mais ricos e a mão-de-obra mais barata, será a escolha natural das empresas e do mundo dos negócios". Em termos de indústria transformadora, salientou ele, "os chineses começaram por ser os empregados, trabalhando para os grandes fabricantes estrangeiros. Alguns anos mais tarde, depois de termos aprendido todos os processos e fases, estamos aptos a criar as nossas próprias empresas. Com o *software* sucederá o mesmo... Começaremos por ver os nossos jovens a trabalhar para os estrangeiros e depois eles irão fundar as suas próprias empresas. É como construir um edifício. Actualmente, os Estados Unidos são os *designers*, os arquitectos, ao passo que os países em vias de desenvolvimento são os pedreiros dos edifícios. Mas espero que um dia nós sejamos os arquitectos".

Continuei a explorar o Oriente e o Ocidente. No Verão de 2004, estava de férias no Colorado e ouvi falar sobre uma nova companhia de aviação de tarifas reduzidas chamada JetBlue, lançada em 1999. Não fazia ideia dos locais onde a companhia operava, mas precisei de apanhar um voo de ligação entre Washington e Atlanta e, como não o conseguia para as horas a que queria, decidi ligar à JetBlue e saber exactamente que destinos serviam. Confesso que tinha um outro motivo para isso. Tinha ouvido dizer que a JetBlue subcontratara todo o seu serviço relacionado com o sistema de reservas a donas de casa no Utah e queria verificar essa informação. Assim sendo, telefonei para as reservas da JetBlue e tive a seguinte conversa com a agente que me atendeu:

"Olá, daqui fala Dolly. Posso ajudá-lo?", respondeu uma voz de avozinha.

"Sim, gostaria de apanhar um voo de Washington para Atlanta", disse eu. "Fazem essa rota?"

"Não, lamento mas não fazemos. Temos voos de Washington para Ft. Lauderdale", disse Dolly.

"E entre Washington e Nova Iorque", perguntei.

"Sinto muito, não fazemos essa rota. De Washington também fazemos voos, mas para Oakland e Long Beach", respondeu Dolly.

"E posso perguntar-lhe uma coisa? Você está realmente em sua casa? Li que as agentes de reservas da JetBlue trabalham em casa."

"Sim, estou", disse Dolly numa voz muito animada. (Mais tarde confirmei com a JetBlue que o seu nome completo era Dolly Baker.) "Estou sentada no meu escritório, no andar de cima da minha casa, a olhar pela janela e a apreciar um bonito dia de sol. Há cinco minutos telefonou-me uma pessoa e fez-me a mesma pergunta. Respondi-lhe o mesmo e do outro lado exclamaram: 'Óptimo, pensei que me ia dizer que estava em Nova Deli'."

"Onde é que vive?", perguntei eu.

"Salt Lake City, Utah", disse Dolly. "Temos uma casa com dois andares e adoro trabalhar aqui, especialmente no Inverno, quando a neve está a cair e eu estou no meu escritório, em casa."

"Como é que conseguiu esse emprego?", perguntei-lhe.

"Bom, eles não fazem publicidade", disse Dolly com uma voz muito carinhosa. "A informação passa de boca em boca. Trabalhei para o governo estatal e, entretanto, reformei-me. Passado pouco tempo, achei que tinha de fazer outra coisa e na verdade adoro o que faço."

David Neeleman, fundador e CEO da JetBlue Airways Corp., tem um nome para tudo isto. Chama-lhe *homesourcing*. A JetBlue tem actualmente 400 agentes de reservas, como Dolly, que trabalham em casa, na região de Salt Lake City, fazendo as reservas por entre as suas actividades de *babysitting*, ginástica, escrita de romances e preparação do jantar.

Alguns meses mais tarde, visitei Neeleman na sede da JetBlue, em Nova Iorque, e ele explicou-me as virtudes do *homesourcing*, actividade que na verdade iniciou na Morris Air, a sua primeira aposta no negócio das companhias de aviação. (Que foi depois comprada pela Southwest.) "Tínhamos 250 pessoas em suas casas a fazerem reservas para a Morris Air", disse Neeleman. "Eram 30 por cento mais produtivas – conseguiam mais 30 por cento de marcações, simplesmente por estarem mais motivadas. Eram mais leais e havia menos conflitos laborais. Por isso, quando arranquei com a JetBlue, disse para comigo: 'As nossas reservas vão ser feitas cem por cento em casa'."

Neeleman tem uma razão pessoal para querer fazer isto. Ele é mórmon e acredita que a sociedade estará muito melhor se mais mães tiverem a oportunidade de ficar em casa com as suas crianças, tendo simultaneamente a possibilidade de ganhar um salário. Por isso, centralizou o seu sistema de reservas em casa, em Salt Lake City, onde a vasta maioria das mulheres é mórmon, sendo muitas delas mães que preferem ficar em casa a cuidar dos seus filhos. Estas agentes de reservas trabalham 24 horas por semana e têm de se deslocar ao escritório regional da JetBlue, em Salt Lake City, durante quatro horas por mês para adquirirem novas competências e serem actualizadas em relação ao que se passa na empresa a nível interno.

"Nunca iremos fazer *outsourcing* na Índia", disse Neeleman. "A qualidade que aqui conseguimos é muito superior... As entidades patronais estão mais dispostas a deslocalizar as actividades para a Índia do que para as suas próprias casas e isso eu não consigo entender. Os empregadores acham que as pessoas têm de estar sentadas em frente a eles ou em frente a algum patrão por eles nomeado. A produtividade que nós conseguimos, com este nosso método, é mais do que compensador face ao factor salarial na Índia."

Um artigo publicado no *Los Angeles Times* sobre a JetBlue (9 de Maio de 2004) salientava que "em 1997, 11,6 milhões de colaboradores de empresas norte-americanas trabalhavam a partir de casa, pelo menos parte do tempo. Actualmente, esse número saltou para 23,5 milhões – 16 por cento da força de trabalho norte-americana. (Entretanto, o número de empregados por conta própria, que muitas vezes trabalham em casa, também subiu durante esse mesmo período – de 18 para 23,4 milhões.) Na opinião de alguns, o *homesourcing* e o *outsourcing* não são estratégias assim tão concorrentes, uma vez que são diferentes manifestações da mesma realidade: uma necessidade implacável das empresas norte-americanas reduzirem os seus custos e aumentarem a eficiência, onde quer que isso as possa levar".

Foi exactamente isto que aprendi com as viagens que fiz: o *homesourcing* para Salt Lake City e o *outsourcing* para Bangalore são apenas lados diferentes da mesma moeda – *sourcing* (recrutamento noutras fontes). Aqui a novidade reside, pelo que também percebi, na maior possibilidade de as empresas e os particulares recrutarem (*source*) o trabalho em qualquer parte do mundo.

Continuei a trabalhar neste projecto, o que implicou não ficar parado no mesmo lugar por muito tempo. No Outono de 2004, acompanhei o Chefe do Estado-Maior das Forças Armadas dos EUA, General Richard Myers, numa visita aos principais focos de conflito no Iraque. Visitámos Bagdad, a sede militar norte-americana em Fallujah e o acampamento da 24ª Unidade Expedicionária dos Marines às portas de Babil, no coração do chamado Triângulo Sunita do Iraque. A base temporária desta 24ª Unidade é uma espécie de Forte Apache, localizada numa região onde a população é muçulmana sunita e muito hostil aos norte-americanos. Enquanto o General Myers reunia com oficiais e praças naquele lugar, tive liberdade para dar uma volta pela base e acabei por chegar ao centro de comando, onde o meu olhar se fixou imediatamente num enorme ecrã plano de televisão. O ecrã dava vida a uma televisão interactiva, em tempo real, que parecia provir de uma espécie de câmara aérea. Mostrava algumas pessoas a andar atrás de uma casa. No lado direito do ecrã estava uma sala de *chat* com mensagens instantâneas, onde me pareceu que se debatia a cena exibida na televisão.

"O que é aquilo?", perguntei ao soldado que supervisionava atentamente todas as imagens a partir de um computador portátil. Ele explicou-me que um *Predator drone* norte-americano – pequeno avião não pilotado com uma câmara de televisão de elevada potência – estava a sobrevoar uma aldeia iraquiana, na área de operações da 24ª Unidade Expedicionária dos Marines e a transferir imagens de espionagem em tempo real para o seu computador portátil e para aquele ecrã plano. Este avião não tripulado estava, na realidade, a ser "pilotado" e manipulado por um perito que se encontrava na Base Aérea de Nellis, em Las Vegas, no Nevada. OK, o *drone* que sobrevoava o Iraque estava, na verdade, a ser dirigido por controlo remoto a partir de Las Vegas. Entretanto, as imagens de vídeo que estavam a ser enviadas eram visionadas simultaneamente pela 24ª Unidade, pela sede do Comando Central dos EUA, em Tampa, pela sede regional do Comando Central, no Qatar, pelo Pentágono e, provavelmente, pela CIA. Os diferentes analistas espalhados pelo mundo mantinham conversações *on-line* acerca de como interpretar o que se estava a passar. Era a conversa deles que estava a passar no lado direito do ecrã.

Antes de poder sequer manifestar o meu espanto, outro oficial que viajava na nossa comitiva surpreendeu-me ao dizer que esta tecnologia tinha "tornado plana" a hierarquia militar – ao transmitir tanta informação aos oficiais de escalão mais baixo, e mesmo aos praças, que operavam o computador, delegando-lhes o poder de tomarem decisões sobre a informação que estavam a recolher. Apesar de ter a certeza de que nenhum primeiro-tenente será autorizado a dar início a uma ofensiva armada sem consultar os seus superiores, o tempo em que somente os oficiais seniores tinham uma ideia de todas as operações já passou. O 'terreno de jogo' militar está a tornar-se plano.

Contei este episódio ao meu amigo Nick Burns, embaixador norte-americano junto da NATO e membro leal da "nação" Red Sox (equipa norte-americana de basebol). Nick disse-me que tinha estado na sede do Comando Central no Qatar, em Abril de 2004, num *briefing* conduzido pelo general John Abizaid. A equipa de Abizaid estava sentada do outro lado da mesa, em frente a Nick, com quatro ecrãs planos de televisão atrás. Os primeiros três continham imagens aéreas que estavam a ser enviadas em tempo real, de diferentes sectores do Iraque, por *Predator drones*. O quarto ecrã, no qual Nick estava concentrado, exibia um jogo entre os Yankees e os Red Sox. Num ecrã estava Pedro Martinez *versus* Derek Jeter, e nos outros três estavam membros da *jihad versus* a Primeira Cavalaria.

Hambúrgueres e batatas fritas planos

Continuei a minha expedição – no regresso a casa, em Bethesda, Maryland. Depois de uma viagem aos picos da Terra, a minha cabeça rodopiava. No entanto, mal acabara de chegar já os sinais de que "o mundo se estava a tornar plano" me estavam a bater à porta. Alguns surgiram na forma de títulos dos noticiários e enervariam qualquer pai e mãe preocupados com o futuro dos seus filhos em idade escolar. A Forrester Research, Inc., por exemplo, previa que mais de três milhões de empregos especializados da área de serviços seriam transferidos para fora do país até 2015. Mas o que verdadeiramente me preocupou foi um artigo, de 19 de Julho de 2004, do *International Herald Tribune,* cujo título era: "Deseja batatas fritas em *outsourcing*?"

Saia da auto-estrada interestadual 55, perto de Cape Girardeau, Missouri, e entre na faixa para serviço a automóveis (*drive-through*) de um McDonald's junto à via rápida. Ser-lhe-á oferecido um serviço rápido e amistoso, apesar de a pessoa que está a receber o seu pedido não se encontrar no restaurante – nem sequer no Missouri. O receptor do pedido está num *call center* em Colorado Springs, a uma distância de mais de 1450 quilómetros, ligado, através de linhas de transferência de dados de alta velocidade, ao cliente e aos empregados que estão a preparar a comida. Ao que parece, nem alguns postos de trabalho em restaurantes estão imunes ao *outsourcing*.

O proprietário do restaurante de Cape Girardeau, Shannon Davis, ligou-o – e a três outros dos seus 12 estabelecimentos McDonald's em regime de *franchise* – ao *call center* do Colorado, que é gerido por outro franchisado da McDonald's, Steven Bigari. E fê-lo pelas mesmas razões que levaram os proprietários de outros negócios a optar pelos *call centers*: custos mais baixos, maior rapidez e menos erros.

Linhas de telecomunicações baratas, rápidas e fidedignas permitem que os receptores de pedidos em Colorado Springs conversem com clientes no Missouri, tirem uma fotografia electrónica instantânea deles, exibam o seu pedido num ecrã para que verifiquem se está tudo correcto e enviem, de seguida, o pedido e a imagem para a cozinha do restaurante. A foto é destruída exactamente no momento em que o pedido é atendido, disse Bigari ao *International Herald Tribune*. Ao recolherem os hambúrgueres, as pessoas nem imaginam que os seus pedidos atravessaram dois Estados e regressaram àquele sítio mesmo antes de elas terem tido tempo para avançar com a viatura para a janela de recolha da McDonald's.

Davis disse que há mais de uma década que sonhava fazer algo deste género. "Eu estava desejoso de avançar", sublinhou. Steven Bigari, que criou os *call centers* para os seus próprios restaurantes, ficou satisfeito por lhe satisfazer o desejo – a troco de uma pequena quantia por cada transacção.

O artigo continuava sublinhando que a McDonald's Corp. revelara ter achado a ideia do *call center* suficientemente interessante para a testar de imediato em três estabelecimentos situados perto da sua sede, em Oak Brook, Illinois, com um *software* diferente do usado por Steven Bigari. "Jim Sappington, *Vice President* da McDonald's para a área das tecnologias da informação, referiu que era ainda 'demasiado cedo' para dizer se a ideia de um *call center* funcionaria para os 13 mil restaurantes McDonald's existentes nos Estados Unidos... Mas os franchisados de dois outros restaurantes McDonald's, além dos de Davis, subcontrataram o sistema de recepção de pedidos a Bigari, em Colorado Springs. (Os outros restaurantes situam-se em Brainerd, Minnesota, e em Norwood, Massachussetts.) Segundo Bigari, um factor essencial para o sucesso deste sistema é a forma como reúne a foto do cliente juntamente com o pedido deste; ao intensificar os cuidados, o sistema reduz o número de reclamações e torna o serviço mais rápido. No negócio dos *fast-food*, tempo é mesmo dinheiro: reduzir nem que seja cinco segundos ao tempo que um pedido demora a ser atendido é significativo", sublinhava o artigo. "Bigari disse que tinham reduzido o tempo dos pedidos no corredor duplo dos *drive-throughs* em ligeiramente mais de 30 segundos, tendo o atendimento médio passado a ser feito em 1 minuto e 5 segundos, ou seja, menos de metade dos 2 minutos e 36 segundos, que é o tempo médio de atendimento nos McDonald's, o que os coloca no topo dos mais rápidos, de acordo com os dados da QSRweb.com, que rastreia este tipo de actividades. Segundo Bigari, os *drive-throughs* pelos quais é responsável gerem actualmente 260 automóveis por hora, o que corresponde a mais 30 do que antes da existência do *call center*... Apesar de os seus operadores receberem, em média, mais 40 cêntimos à hora do que os seus empregados especializados, ele reduziu os custos laborais totais em um ponto percentual, ao mesmo tempo que aumentava as vendas dos *drive-throughs*... Testes realizados por empresas externas concluíram que os erros cometidos pelos *drive--throughs* Bigari são actualmente inferiores a dois por cento de todos os pedidos, o que significa uma diminuição de cerca de quatro por cento relativamente ao período anterior ao uso dos *call centers.*"

"Bigari está tão entusiasmado com a ideia do *call center* que já a aplicou aos seus sete restaurantes. Apesar de continuar a oferecer serviço de balcão nesses restaurantes, a maioria dos clientes faz agora os seus pedidos através do *call center*, utilizando telefones com leitores de cartão de crédito que se encontram nas mesas da área dos lugares sentados", referia o artigo.

E continuei para leste, até chegar à minha sala, onde Ann, a minha mulher, que é professora do 1º Ciclo, me chamou a atenção, um dia, para um artigo acerca do facto de as crianças norte-americanas e os seus pais estarem agora a optar por explicações *on-line* prestadas por indianos. Uma notícia da Associated Press sobre Cochin, na Índia, datada de Outubro de 2005, conta-nos tudo:

Ainda brilham algumas estrelas no céu escuro antes do raiar do dia, quando Koyampurath Namitha chega ao trabalho num pacato bairro desta cidade, no Sul da Índia. São apenas 4h30 da manhã, quando ela vai buscar uma chávena de café e se junta a mais de duas dúzias de colegas, que ocupam cubículos individuais equipados com um computador e uns auriculares. A mais de 11 000 quilómetros de distância, em Glenview, Illinois, à saída de Chicago, é o fim da tarde do dia anterior e Princeton John, um jovem de 14 anos, está sentado ao seu computador, descalço e pronto para a sua aula de geometria, que vai durar uma hora. O estudante do ensino secundário coloca uns auscultadores com microfone e abre o programa informático que o irá ligar através da Internet ao seu explicador, a vários fusos horários de distância.

É a chamada "e-explicação" – mais um exemplo de como as comunicações modernas e a abundância de asiáticos com boa formação académica, mas que auferem salários baixos, estão a alargar as fronteiras do *outsourcing* e a entrar gradualmente nos meandros mais ínfimos da vida norte-americana, desde a substituição do seu cartão de crédito extraviado, passando pela avaliação da sua TAC, até ao apoio para a resolução de problemas com o seu computador. Princeton é um de milhares de alunos do ensino secundário nos Estados Unidos que tem um explicador na Índia.

"Olá Princeton, como está? Como correu o teste?", pergunta Namitha. "Olá, sim... estou bem. O teste correu bem", responde o jovem Princeton.

Namitha trabalha para uma empresa denominada Growing Stars, sediada em Cochin e em Fremont, Califórnia. Princeton e a sua irmã de 12 anos encontram-se duas vezes por semana com o seu professor de matemática *on-line*. A conversa termina rapidamente e uma folha de cálculo de geometria surge no monitor do computador de Princeton. A professora e o aluno trocam impressões, digitam mensagens e utilizam "canetas" digitais para resolver problemas, realçar gráficos e apagar erros. Princeton escrevinha numa coisa semelhante a um tapete de rato animado e que aparece no monitor de Namitha. Também pode utilizar um *scanner* para enviar cópias de exercícios ou de páginas de livros, em relação aos quais precisa de ajuda. "Aqui vamos nós", diz Princeton, assim que começa a aula sobre conceitos como linhas paralelas e ângulos complementares, no conforto e sossego da casa suburbana desta família...

Apesar de os primeiros negócios de "e-explicações" terem arrancado há menos de três anos, já existem milhares de professores indianos a dar apoio a estudantes norte-americanos, em disciplinas como matemática, ciências ou inglês, a troco de 15 a 20 dólares por hora, uma ninharia quando comparado com o custo das explicações privadas nos Estados Unidos, que variam entre 40 e 100 dólares por hora... A mãe de Princeton, Bessy Piusten, está satisfeita com os resultados, salientando que as notas dos seus filhos têm sido "Muito Bom" e "Bom" desde que começaram a ter explicações *on-line* há dois anos... No final da sessão, Namitha envia alguns problemas para a próxima aula. "Trabalho de casa! Vá lá!", protesta Princeton. "Está bem, está bem. A vida sem trabalhos de casa seria uma maravilha", acrescenta.

Apesar de já estar em casa, continuei a ir para leste – até à baixa de Washington, D.C., junto ao meu escritório. Numa tarde de Outono, em 2005, estive a entrevistar o representante do Comércio dos EUA, o Embaixador Rob Portman, cuja assistente, Amy M. Wilkinson, uma funcionária da Casa Branca, me contou a mais invulgar história do mundo plano. Os Estados e Unidos e Omã tinham acabado de concluir negociações sobre um acordo de comércio livre, no sentido de eliminar direitos aduaneiros e barreiras comerciais entre as duas nações. O invulgar, porém, foi o facto de o acordo ter sido alcançado por videoconferência entre Portman e Maqbool Bin Ali Sultan, Ministro do Comércio e Indústria de Omã, que participou virtualmente a partir de Mascate, a capital do país.

O que poderia ser mais plano, pensei eu, do que um acordo de comércio livre alcançado através de televisores de ecrã plano? Entretanto, Amy Wilkinson saciou-me a curiosidade: "Na nossa sala de imprensa encontravam-se aproximadamente

30 jornalistas equipados com os seus blocos de notas. O Embaixador Portman estava numa tribuna no topo da sala. A sua imagem era projectada num ecrã duplo de videoconferência digital. O Ministro do Comércio e Indústria de Omã e uma mesa redonda de jornalistas omanenses estavam projectados na outra metade do ecrã. O Embaixador Portman fez os seus comentários. O Ministro de Omã fez igualmente os seus comentários. Em seguida, abriu-se a sessão às perguntas dos jornalistas. A imprensa norte-americana bombardeou Portman com perguntas. Quando terminou, perguntámos se a imprensa de Omã também tinha questões e os jornalistas de Omã colocaram perguntas ao seu ministro. O intercâmbio começou quando um repórter norte-americano fez uma pergunta conjunta ao Embaixador Portman e ao Ministro Maqbool Bin Ali Sultan. A troca continuou com perguntas dos jornalistas norte-americanos ao Ministro de Omã e vice-versa. A conferência terminou com Portman [de um lado do ecrã] a estender o braço para um 'aperto de mão virtual'. O Ministro de Omã [do outro lado] fez o mesmo. A situação foi algo estranha e provocou alguns sorrisos, mas pareceu funcionar para todos. O processo envolveu mais pessoas do que se tivesse sido realizado apenas num único local, mas a comunicação digital eliminou uma tremenda perda de tempo e pareceu agradar a todos os que estiveram à volta da 'mesa virtual'."

Alguns dos sinais, com que me deparei em casa, de que o mundo se estava a tornar plano nada tinham a ver com economia. Um mês antes das eleições presidenciais norte-americanas de 2004, participei no programa *Face the Nation* da CBS News, emitido ao domingo de manhã, e que é conduzido pelo já veterano correspondente da CBS Bob Schieffer. A CBS tinha sido bastante referida nas semanas anteriores devido à reportagem no programa *60 Minutes*, de Dan Rather, sobre a época em que o Presidente George W. Bush serviu na Guarda Nacional Aérea* – e que se provou ter sido baseada em documentos falsos. Depois do programa desse domingo, Schieffer comentou que na semana anterior lhe tinha acontecido a coisa mais estranha da sua vida. Ao sair do estúdio da CBS, um jovem repórter esperava-o no passeio. Não é nada de muito invulgar, porque conforme acontece com todos os programas de domingo de manhã, as grandes cadeias televisivas – CBS, NBC, ABC, CNN e FOX – enviam sempre equipas para os estúdios umas das outras para conseguirem entrevistas dos convidados à saída dos programas. Mas este jovem, segundo explicou Schieffer, não era de uma grande cadeia de televisão. Apresentou-se educadamente como repórter de um *website* chamado InDC Journal e perguntou a Schieffer se podia colocar-lhe algumas questões. Schieffer, sendo uma pessoa amável, disse que sim. O jovem entrevistou-o utilizando um aparelho que Schieffer não reconheceu e depois perguntou se podia tirar-lhe uma fotografia. Uma fotografia? Schieffer reparou que o jovem não trazia máquina fotográfica. Não precisava dela. Agarrou no telemóvel e tirou-a.

* **N.T.** Em que foi acusado de receber tratamento privilegiado.

"Na manhã seguinte, cheguei e fui ver o tal *website* e lá estava a minha fotografia, a entrevista e mais 300 comentários à mesma", disse Schieffer, que – apesar de estar bastante consciente do jornalismo *on-line* – ficou surpreendido com a incrível rapidez, baixo custo e trabalho individual. Aquele jovem tinha feito tudo.

Fiquei intrigado com esta história e fui à procura do jovem do InDC Journal. Chama-se Bill Ardolino e é um indivíduo bastante sensato. Fiz-lhe a minha própria entrevista através da Internet – de que forma havia de ser? – e comecei por lhe perguntar que equipamento é que usava nessa rede/jornal gerido por uma só pessoa.

"Utilizei um minúsculo gravador/leitor digital MP3 (de três polegadas e meia por duas polegadas) para obter a gravação e uma pequena câmara digital incorporada no telemóvel para tirar a fotografia", disse Ardolino. "Não é tão *sexy* quanto um telefone/gravador/câmara (que já existe), no entanto tem cartas dadas em termos de ubiquidade e de miniaturização da tecnologia. Transporto sempre comigo este equipamento por todo o D.C. (*District of Columbia*) porque nunca se sabe. O que talvez tenha sido mais sensacional foi a forma e a rapidez com que o senhor Schieffer reagiu ao ser abordado por um estranho a fazer-lhe perguntas. Deixou--me agradavelmente espantado."

Ardolino disse que o leitor de MP3 lhe tinha custado cerca de 125 dólares. "Está essencialmente concebido para tocar música, mas também vem equipado com gravador digital, que cria uma extensão de som WAV que pode ser transferida para um computador... Basicamente, diria que o investimento inicial para fazer jornalismo que requeira equipamento portátil e de gravação *ad hoc* ronda os 100 dólares – entre 200 e 300 dólares se adicionar a câmara, 400 a 500 para um bom gravador e uma boa câmara. Mas 200 dólares são quanto precisa para conseguir trabalhar."

O que o levou a tornar-se na sua própria rede de notícias?

"Ser jornalista independente é um *hobby* que surgiu da minha frustração em relação à forma como a informação é recolhida e dada pelos principais meios de comunicação social: influenciada por opiniões pessoais, incompleta, selectiva, e/ou incompetente", explicou Ardolino, que se descreve a si mesmo como um "libertário de centro-direita". "O jornalismo independente e o seu parente, a blogosfera, são expressões/manifestações das forças de mercado – uma necessidade que não está a ser preenchida pelas actuais fontes de informação. Comecei por tirar fotografias e fazer entrevistas durante as manifestações antiguerra em D.C., porque os *media* estavam a apresentar, de forma pouco rigorosa, a natureza dos grupos organizadores das manifestações – marxistas irreverentes, apoiantes explícitos e implícitos do terror, etc. Primeiro, optei por usar o humor como ferramenta, mas abandonei essa abordagem. Se tenho mais poder, poder para conseguir que a minha mensagem seja passada? Sim, tenho. A entrevista a Schieffer levou cerca de 25 mil visitantes ao *site* em apenas 24 horas. Desde que iniciei esta actividade, o meu pico foi o dia em que tive 55 mil visitas, foi quando ajudei a despoletar o 'Rathergate'... Entrevistei o primeiro perito forense no caso da história de Dan Rather sobre a Guarda Nacional e ele foi depois especificamente citado pelo *The Washington Post*, pelo *Chicago Sun-Times*, pelo *Globe*, pelo *NYT*, etc., num período de 48 horas."

"O ritmo da recolha e correcção de informação sobre esta história falsa que passou na CBS foi surpreendente", prosseguiu. "Não está apenas em questão o facto de a CBS News ter feito um jogo prudente depois do sucedido, mas é questionável se não poderia ter mantido o exército de dedicados verificadores de factos. A rapidez e abertura do meio de comunicação foi algo que fez tocar os sinos sobre um velho processo... Sou um gestor de *marketing*, com 29 anos, que sempre quis fazer da escrita uma forma de vida, mas detestava o livro de estilo da AP (Associated Press). Conforme o bloguista Glenn Reynolds gosta de dizer, os blogues deram às pessoas a possibilidade de deixarem de gritar para os seus televisores, para passarem a ter uma palavra a dizer sobre as coisas. Penso que funcionam como uma espécie de 'quinto estado' que actua juntamente com os principais *media* (ao estarem frequentemente de olho neles ou fornecendo-lhes informação em bruto). Funciona, potencialmente, como uma exploração agrícola de jornalismo e comentários, que representa, afinal, uma oportunidade para se ter sucesso."

"À semelhança das muitas facetas do tema que está a abordar no seu livro, existem bons e maus aspectos do desenvolvimento. A fragmentação dos *media* provoca muita incoerência ou cognição selectiva (basta olharmos para a polarização a que se assiste nos EUA), mas também descentraliza o poder e constitui uma melhor garantia de que a verdade *completa* está lá... em algum lado... fragmentada."

Qualquer pessoa pode deparar-se a qualquer momento com histórias deste tipo – histórias que nos revelam que as velhas hierarquias e o 'terreno de jogo' estão a tornar-se planos e que as pessoas que compreendem estas transformações podem deter mais poder do que nunca. Quando passava os olhos pela edição de 25 de Junho de 2005 do *Financial Times*, um título atraiu a minha atenção: "Google atrai mais talento". O artigo parecia-me bastante directo, detalhando a forma como o Google conseguira contratar o lendário engenheiro técnico Louis Monier, indo buscá-lo ao eBay, onde liderava um processo tecnológico avançado. Houve, contudo, um parágrafo que me chamou ainda mais a atenção: "O Sr. Monier revelou os seus motivos (por que saiu do eBay) numa troca de mensagens electrónicas com o bloguista John Battelle, que espalhou as notícias no seu *website* battellemedia.com". Por outras palavras, um bloguista de topo, cuja especialidade é o Google, lançou a notícia, e o gigante *Financial Times* teve de citar o seu único perito em *websites* para publicar a notícia em primeira-mão.

Micah L. Sifry, um especialista na interacção entre política e tecnologia, resumiu muito bem o fenómeno num ensaio no *The Nation* (22 de Novembro de

2004): "A era da política *top-down*[*] – em que as campanhas, instituições e jornalismo eram comunidades agregadas em núcleos e alimentadas por capital – acabou. A par com a nova ordem está a nascer algo mais selvagem, mais cativante e infinitamente mais satisfatório para os participantes individuais."

Os casos Schieffer-Ardolino e *Financial Times* são apenas dois exemplos de como o mundo se tornou plano e alterou as regras, as funções e as relações mais rapidamente do que as ciências sociais poderiam imaginar. E, embora saiba que se trata de uma frase feita, tenho de dizê-la: *Ainda não viram nada*. Conforme descrevo no próximo capítulo, estamos a entrar numa fase em que iremos assistir à digitalização, virtualização e automação de praticamente tudo. Os países, empresas e particulares que sejam capazes de absorver as novas ferramentas tecnológicas obterão ganhos de produtividade espantosos. E estamos a entrar numa fase em que cada vez mais pessoas, mais do que alguma vez se viu na História da Humanidade, irão ter acesso a essas ferramentas – os inovadores, os colaboradores e, Deus meu, até os terroristas. Diz que quer uma revolução? Bem, a verdadeira revolução da informação está prestes a começar. Chamo Globalização 3.0 a esta nova fase porque se seguiu à da Globalização 2.0, mas penso que esta era é absolutamente diferente tanto na forma como na magnitude com que, a seu tempo, acabará por ser vista pela História. É nisto que se fundamenta a minha ideia de que o mundo deixou de ser redondo para passar a ser plano. Para onde quer que nos viremos, as hierarquias estão a ser desafiadas pelas camadas mais baixas, ou estão a assumir elas mesmas a sua desconfiguração de estruturas *top-down* para estruturas mais horizontais e colaboradoras.

"A 'globalização' é a palavra a que chegámos para descrever a mudança da relação entre governos e grandes empresas", disse David Rothkopf, antigo responsável do Departamento norte-americano do Comércio durante a Administração Clinton e actualmente consultor privado em estratégia. "Mas o que está a acontecer neste momento é um fenómeno muito mais vasto, muito mais profundo." Não se trata apenas da forma como os governos, as empresas e as pessoas comunicam, nem apenas da forma como as organizações interagem, mas sim do aparecimento de modelos sociais, políticos e empresariais completamente novos. "Prende-se com o confronto entre alguns dos aspectos mais profundos e enraizados da sociedade com a natureza do contrato social", acrescentou Rothkopf. "O que sucede se a entidade política no país onde reside não dá respostas sobre um posto de trabalho no ciberespaço, ou não sabe como legalizar uma verdadeira colaboração mútua dos trabalhadores em diferentes cantos do mundo ou se já nem consegue captar produtos fabricados simultaneamente em múltiplos locais? Quem controla a legislação laboral? Quem fixa os impostos sobre os salários? Quem deveria beneficiar desses impostos?"

---

[*] **N.T.** O controlo tem início no topo da hierarquia.

Estou convicto de que, se o mundo continuar a ficar plano, iremos assistir a uma dessas mudanças fundamentais ou pontos de inflexão, como a invenção da imprensa escrita por Gutenberg, o aparecimento do Estado-nação ou a Revolução Industrial – acontecimentos que, segundo Rothkopf, produziram no seu tempo transformações relativamente ao papel desempenhado pelos indivíduos, à função e forma dos governos, ao modo como se faziam negócios e se lutava na guerra, ao papel das mulheres, às formas de religião e de arte, e à forma como a ciência e as investigações eram conduzidas, sem mencionar os rótulos que atribuímos, enquanto civilização, a nós próprios e aos nossos inimigos. "Existem alguns pontos-chave ou linhas divisórias na História com maior importância do que outros, exactamente porque as mudanças que provocaram foram arrebatadoras, absolutamente multifacetadas e difíceis de prever na altura", referiu ainda Rothkopf.

Se a antevisão deste mundo mais plano – bem como de todas as pressões, deslocalizações e oportunidades inerentes – o está a deixar inquieto sobre o futuro, acredite que não está sozinho, nem errado por se sentir assim. Sempre que a civilização passou por uma revolução tecnológica de grande importância, o mundo sofreu alterações profundas e perturbadoras. Há, porém, um aspecto neste nivelamento que é qualitativamente diferente: a velocidade e a abrangência com que está a ser estabelecido. A introdução da impressão de caracteres durou décadas e apenas teve efeitos, durante bastante tempo, sobre uma pequena parte do planeta. O mesmo aconteceu com a Revolução Industrial. O processo que está a tornar o mundo plano está a acontecer a uma grande velocidade e a atingir, directa ou indirectamente, muito mais pessoas no planeta do que alguma vez aconteceu. Quanto mais rápida e vasta for a transição para a nova era, maior é o potencial de ruptura, por oposição a uma transferência tranquila de poder dos antigos para os novos vencedores.

Dizendo isto de outra forma, as experiências vividas pelas empresas de alta tecnologia nas últimas décadas – que não conseguiram gerir as mudanças surgidas nos seus mercados – podem ser um alerta para todas as empresas, instituições e Estados-nação que estão agora a enfrentar as mudanças inevitáveis, embora previsíveis, sem as capacidades de liderança, flexibilidade e imaginação necessárias para se adaptarem – não por falta de discernimento ou consciencialização, mas porque a velocidade da mudança é simplesmente arrasadora.

É por tudo isto que o grande desafio dos nossos tempos será absorver estas mudanças sem oprimir as pessoas, mas também sem as deixar para trás. Nada será fácil, mas esta é a nossa tarefa. É inevitável e não podemos escapar. A ideia deste livro é disponibilizar um enquadramento que ajude a pensar sobre o assunto e a geri-lo com o máximo de proveito.

Neste capítulo partilhei a forma como descobri que o mundo é plano. No próximo vou explicar como é que ele ficou assim.

Capítulo II

Os Dez Acontecimentos que Tornaram o Mundo Plano

A Bíblia diz-nos que Deus criou o mundo em seis dias e que ao sétimo dia descansou. Tornar o mundo plano demorou um pouco mais de tempo. O mundo tornou-se plano em resultado da convergência de dez grandes acontecimentos políticos, inovações e empresas. Desde então, nenhum de nós teve descanso e talvez isso nunca mais volte a acontecer. Este capítulo analisa os acontecimentos, bem como as múltiplas formas e ferramentas de interacção criadas, que tornaram o mundo mais plano.

Acontecimento # 1

9/11/1989 – Quando se derrubaram muros e construiram janelas

A primeira vez que vi o Muro de Berlim, este já estava esburacado. Foi em Dezembro de 1990. Viajei até Berlim com outros repórteres para cobrir a visita do Secretário de Estado norte-americano, James A. Baker III. O muro tinha sido derrubado um ano antes, em 9 de Novembro de 1989. Sim, no que pode ser considerado uma fantástica coincidência enigmática de datas, o Muro de Berlim caiu a "9/11"*. Apesar de estar esburacado e partido, o muro era ainda uma horrível cicatriz ao longo de toda a cidade de Berlim. O Secretário de Estado Baker fazia a sua primeira visita a este monumento desfeito do comunismo soviético. Eu estava junto dele com um pequeno grupo de repórteres. "Estava um dia enevoado e carregado de nuvens", recordou Baker no seu livro de memórias intitulado *The Politics of Diplomacy* ("A Política de Diplomacia"), "e dentro da minha gabardina senti-me como que um personagem de um romance de John le Carré. Mas assim que espreitei por uma fenda no muro [perto do local onde fica situado o *Reichtag*] e avistei traços da nebulosidade que caracteriza Berlim Leste, percebi que o cidadão comum da Alemanha do Leste tinha, calma e persistentemente, resolvido o assunto pelas suas próprias mãos. Esta era a revolução deles". Assim que Baker deixou de espreitar pelo muro e prosseguiu, nós – os repórteres – espreitámos, à vez, através do mesmo buraco feito no cimento e cheio de reentrâncias. Trouxe comigo dois pedaços do muro para oferecer às minhas filhas. Recordo-me de

---

* **N.T.** O autor faz aqui referência ao "11/9" – dia dos ataques terroristas nos EUA, em 2001.

pensar o quanto isto foi contra a ordem natural das coisas: um muro de cimento edificado ao longo de uma cidade moderna com o único propósito de evitar que as pessoas do outro lado desfrutassem, ou sequer vislumbrassem, a liberdade.

A queda do Muro de Berlim, a 9/11/1989, foi a força niveladora que acabou por libertar todos os povos que se encontravam sob o domínio da União Soviética. Na verdade, foi muito mais do que isso. Fez pender o equilíbrio político internacional para aqueles que defendiam uma forma de governo democrática e uma economia orientada para o mercado livre, em detrimento dos defensores de uma política centralizada e autoritária e de uma economia planificada. A Guerra Fria foi feita do antagonismo entre dois sistemas económicos – capitalismo e comunismo. Com a queda do muro, só sobrou um sistema e todos os países tiveram, de uma forma ou de outra, de se orientar para ele. Daí para a frente, cada vez mais economias viriam a ser geridas, de baixo para cima, pelos interesses, exigências e aspirações dos povos, em vez de serem orientadas de cima para baixo, pelos interesses de uma facção governante de visão limitada. Em dois anos, deixou de existir o Império Soviético sob o qual era possível alguém camuflar-se ou apoiar regimes autocráticos na Ásia, no Médio Oriente, em África ou na América Latina.

A sociedade que não funcionasse de forma democrática, ou estivesse em vias de o fazer, e que continuasse a reger-se por uma economia de planeamento central era vista como estando no lado errado da História.

Para alguns, especialmente os das gerações mais velhas, esta foi uma transformação bem recebida. O comunismo foi um bom sistema para tornar as pessoas igualitariamente pobres. Na verdade, não houve melhor sistema no mundo. O capitalismo enriqueceu as pessoas de forma desigual e a queda do Muro de Berlim foi um acontecimento bastante perturbador para os que estavam habituados ao perseverante, limitado, mas seguro estilo de vida socialista – que garantia emprego, casa, instrução e pensões. Para muitos outros simbolizou, no entanto, o cartão de saída da prisão… para a liberdade. É por esta razão que a queda do muro foi sentida em muitos outros lugares e não apenas em Berlim, acabando por se transformar num acontecimento que tornou o mundo mais plano.

De facto, para avaliar o alcance dos efeitos da queda do Muro de Berlim, nada melhor do que falar com quem não seja alemão ou russo. Tarun Das liderava a Confederação da Indústria Indiana quando o muro foi derrubado, assistindo ao efeito dominó por toda a Índia. "Tínhamos muita regulação, controlo e burocracia", recordou. "Quando Nehru subiu ao poder [com o fim do domínio colonial britânico] sem qualquer experiência governativa, tinha pela frente um vasto país para gerir. Os Estados Unidos estavam ocupados com a Europa e o Japão e com o Plano Marshall. Por isso, Nehru apontou para norte, ao longo dos Himalaias, e enviou a sua equipa de economistas para Moscovo. No regresso, os economistas disseram que aquele país [a União Soviética] era espantoso: distribuía os recursos, atribuía licenças de exploração, tinha uma comissão de planeamento que tomava todas as decisões. O país andava para a frente. Por isso, adoptámos este modelo e esquecemo-nos de que tínhamos um sector privado... Este sector ficou sob a alçada daquele muro regulador. Em 1991 ainda existia, mas oculto. Não havia confiança no mundo dos negócios, porque 'dava lucros'! Entre 1947 e 1991, a infra-estrutura era propriedade do Estado. Este fardo quase levou o país à bancarrota. Chegámos a um ponto em que não conseguíamos pagar as nossas dívidas. Sim, podemos ter ganho duas guerras com o Paquistão, mas não tínhamos a confiança da nação."

Em 1991, quando a Índia deixou de ter uma moeda forte, Manmohan Singh, na altura Ministro das Finanças (actual Primeiro-Ministro), decidiu que o país tinha de abrir a sua economia. "O nosso muro de Berlim caiu", disse Tarun Das "e foi como soltar um tigre enjaulado. As barreiras comerciais foram abolidas. Registávamos uma taxa de crescimento constante de apenas três por cento, a tão falada taxa de crescimento hindu – lenta, cautelosa e conservadora. Para obter melhores rendimentos, tínhamos de ir para os Estados Unidos. Três anos mais tarde [depois das reformas iniciadas em 1991], a taxa de crescimento era já de sete por cento. Adeus pobreza! Hoje em dia, para ser bem sucedido pode ir para a Índia e tornar-se numa das pessoas mais ricas do mundo com direito a figurar no *ranking* dos mais ricos da revista *Forbes*... Os anos de socialismo arrastaram a economia de tal forma para o fundo que chegámos ao ponto de as nossas reservas em divisas externas serem somente de mil milhões de dólares. Actualmente, ascendem a 118 mil milhões... Numa década, passámos de uma fase de autoconfiança frágil para uma ambição desmedida".

A queda do Muro de Berlim não ajudou somente a tornar mais planas as alternativas ao capitalismo e à economia de mercado, mas também a desbloquear a energia reprimida de centenas de milhões de pessoas em regiões como a Índia, o Brasil, a China e a ex-URSS. Também permitiu que pensássemos no mundo de forma diferente, que o víssemos mais como um todo. Um todo consistente. Porque o Muro de Berlim não estava apenas a bloquear-nos o caminho; estava a bloquear-nos a visão – a nossa capacidade para pensarmos no mundo como um mercado único, um ecossistema único e uma comunidade única. Antes de 1989, poderia adoptar-se uma política de Leste ou uma política Ocidental, mas era difícil pensar em ter-se uma política "global". Amartya Sen, indiano que foi Prémio Nobel da Economia e agora é professor em Harvard, disse-me, uma vez, que "o Muro de Berlim não era apenas um símbolo para manter as pessoas dentro da Alemanha de Leste – era uma forma de evitar uma espécie de visão global do futuro. Nós não conseguíamos pensar no mundo como um todo". Sen acrescentou que existe uma bela história em sânscrito acerca de uma rã nascida num poço e que viveu nele toda a sua vida. "A rã tem uma visão do mundo que consiste naquele poço", disse ele. "O mundo era visto desta forma por milhões de pessoas no planeta, antes da queda do muro. Quando este caiu, foi como se a rã que vivia no poço tivesse subitamente sido capaz de comunicar com as rãs de todos os outros poços... Se eu comemoro a queda do muro, é porque estou convencido do quanto podemos aprender uns com os outros. A maioria do conhecimento resulta da aprendizagem com o outro, do outro lado da fronteira."

Sim, o mundo tornou-se um lugar melhor para viver depois do 9/11 porque cada explosão de liberdade estimulava um novo clamor e o processo, em si e por si, teve um efeito nivelador em todas as sociedades, fortalecendo quem estava na base e enfraquecendo quem estava no topo. "A liberdade das mulheres, que promove o seu direito a estudarem, tende a reduzir a fertilidade e a mortalidade infantil e a aumentar as suas oportunidades de emprego, o que tem efeitos sobre o diálogo político e lhes dá a possibilidade de desempenharem um papel mais importante nos governos autónomos locais", disse Sen, citando um exemplo.

Por último, a queda do muro não significou meramente abrir caminho para mais pessoas poderem aceder às plataformas de conhecimento de outras. Também pavimentou o caminho com vista à adopção de padrões comuns – sobre a forma como as economias devem ser geridas, como deve ser feita a contabilidade, como a banca deve ser administrada, como os computadores pessoais devem ser fabricados e sobre como os relatórios económicos devem ser redigidos. Abordarei esta questão mais tarde, por agora basta dizer que os padrões comuns criaram um 'terreno de jogo' mais plano e mais nivelado. Ou seja, a queda do muro promoveu a livre circulação de melhores práticas. Sempre que um padrão económico ou tecnológico surgiu e deu provas no palco mundial, foi adoptado muito mais rapidamente depois de o muro já não obstruir o caminho. Só na Europa, a queda do muro abriu caminho à evolução da União Europeia e à sua expansão, primeiro de 12 para 15 países e, mais recentemente, para 25. Este facto, juntamente com o aparecimento do euro como moeda comum, criou uma zona económica única numa região anteriormente dividida pela Cortina de Ferro.

Apesar de os efeitos positivos da queda do muro terem sido imediatamente visíveis, a causa que a provocou não foi assim tão clara. Não *havia* uma causa única. Até certo ponto, as térmitas apenas roeram as bases da União Soviética, que já estavam enfraquecidas pelas ineficiências e contradições internas do sistema; até certo ponto, o reforço do poderio militar dos EUA na Europa, durante a administração Reagan, obrigou o Kremlin a intensificar a sua aposta nuclear, com enormes custos para uma economia já em declínio. Também os esforços, que se revelaram infrutíferos, de Mikhail Gorbachev para reformar algo que já não era reformável, acabaram por ditar o fim do comunismo. Se tivesse de escolher um factor como o mais importante de todos, referiria a revolução da informação, que começou logo em meados dos anos 80. Os sistemas totalitários dependem do monopólio da informação e da força. Nessa altura, houve demasiada informação que começou a transpirar pela Cortina de Ferro, devido à disseminação dos aparelhos de fax, dos telefones e, por fim, do computador pessoal.

Após o lançamento vanguardista do computador doméstico Apple II, por Steve Jobs e Steve Wosniak em 1977, o primeiro PC (computador pessoal) IBM chegou ao mercado em 1981. A primeira versão do sistema operativo Windows foi lançada em 1985, mas a versão inovadora que tornou os PC IBM muito mais fáceis de utilizar – o Windows 3.0 – apareceu no dia 22 de Maio de 1990, apenas seis meses após a queda do muro. Enquanto a queda do muro eliminou uma barreira física e geopolítica – uma barreira que atrasava a passagem de informação, que impedia a partilha de padrões e que não nos deixava ter uma visão do mundo como uma única comunidade unificada –, o advento do PC Windows, que veio verdadeiramente popularizar o computador pessoal, eliminou outra barreira extremamente importante: o limite na quantidade de informação que qualquer indivíduo podia acumular, criar, manipular e difundir.

"O PC Windows permitiu pela primeira vez que milhões de pessoas pudessem criar os seu próprios conteúdos em formato digital, o que significava que esses conteúdos podiam ser partilhados pelo mundo inteiro", explicou Craig J. Mundie, director técnico da Microsoft. Com o passar do tempo, a revolução Apple-IBM-Windows permitiu a representação digital de todas as formas importantes de expressão – palavras, música, dados numéricos, mapas, fotografias e, por fim, voz e vídeo. Mundie acrescenta ainda, "que criou um exército de pessoas capazes de produzir este conteúdo digital de uma forma mais fácil e mais barata do que nunca – a partir das suas mesas de trabalho, cozinhas, quartos e caves – em vez de serem obrigados a aceder a computadores de grande porte, que estavam em grande medida confinados a objectivos empresariais". Subitamente, qualquer leigo podia obter os benefícios da informática sem ser programador.

É impossível calcular a medida em que isto contribuiu para que o mundo ficasse mais plano. O aparecimento do PC Windows, em conjunto com a queda do muro, pôs em marcha o processo global que tornou o mundo mais plano. É certo que os homens e as mulheres sempre criaram os seus próprios conteúdos, começando com desenhos nas paredes de grutas, passando por Gutenberg e a máquina de escrever. Todavia, os PC Windows e a Apple tornaram possível que qualquer indivíduo pudesse criar os seus próprios conteúdos a partir das suas secretárias e *em formato digital*. Estas três últimas palavras são cruciais, pois assim que as pessoas puderam criar os seus próprios conteúdos em formato digital – sob a forma de *bits* e *bytes* –, passaram a estar aptas a manipular esses conteúdos nos monitores e a ser muito mais produtivas. Entretanto, o constante avanço das telecomunicações permitiu que pudessem disseminar os seus conteúdos digitais de variadíssimas formas e por inúmeras pessoas. Pense no que uma pessoa pode fazer com uma caneta e papel. Pense no que uma pessoa pode fazer com uma máquina de escrever. E, por fim, pense no que uma pessoa pode fazer actualmente com um PC.

Um dos lemas iniciais de Bill Gates para a Microsoft, da qual foi co-fundador, era que o objectivo da empresa consistia em dar a cada indivíduo "IAYF" – Informação com a ponta dos seus dedos (*Information at your fingertips*). Quando afirmei anteriormente que esta era da Globalização 3.0 se centrava na possibilidade de os indivíduos se globalizarem a si próprios, isto foi tornado possível, em grande medida, pela Apple e pelos PC IBM com sistema operativo Windows da Microsoft e pelos seus inúmeros clones. São as ferramentas que deram aos *indivíduos* o poder de criar, moldar e disseminar informação com a ponta dos seus dedos.

"As pessoas pensaram 'Uau, isto é uma vantagem que deveríamos aproveitar'", referiu Mundie, da Microsoft. Além disso, à medida que o Windows se foi estabelecendo como o principal sistema operativo, "mais programadores se dedicaram a criar aplicações para as empresas do mundo rico instalarem nos seus computadores, de forma a poderem desempenhar novas e diferentes tarefas no âmbito empresarial. Este facto deu um novo impulso à produtividade. Dezenas de milhões de pessoas em todo o mundo tornaram-se programadoras, de forma a fazerem com que os seus PC desempenhassem qualquer tarefa pretendida nas suas línguas. O Windows foi traduzido em 38 idiomas", acrescentou Mundie.

Neste mesmo período, outras pessoas, que não os cientistas, começaram a descobrir que, se comprassem um PC e um *modem* de acesso telefónico, poderiam ligar os seus PC aos seus telefones e enviar mensagens electrónicas através de fornecedores privados de serviços de Internet – como a CompuServe e a America Online. "A difusão dos computadores pessoais, dos aparelhos de fax, do Windows e dos *modems* de acesso telefónico ligados a uma rede telefónica global aconteceu ao mesmo tempo, entre finais dos anos 80 e inícios dos anos 90, criando a plataforma de base que despoletou a revolução da informação global", defendeu Mundie. A solução foi a fusão de todas estas ferramentas num único sistema interoperacional. Segundo Mundie, isto aconteceu assim que surgiu a base de uma plataforma informática normalizada – o PC IBM – a par de um interface gráfico normalizado, orientado para o utilizador e destinado ao processamento de texto e a folhas de cálculo – o Windows – juntamente com uma ferramenta normalizada para a comunicação – os *modems* de acesso telefónico e a rede telefónica global. A partir do momento em que dispusemos de uma plataforma interoperacional de base, as *killer applications** – folhas de cálculo e processamento de texto – fizeram o resto e disseminaram-na a nível mundial.

À medida que cada vez mais pessoas ligavam os seus PC com sistema operativo Windows à plataforma de comunicações globais, que se difundiu ainda mais

* **N.T.** Aplicações extremamente úteis ou interessantes.

rapidamente após 1989, quando o Muro de Berlim caiu (e a China e a Índia começaram a abrir-se à economia global), era cada vez mais difícil impedir a representação digital de tudo – palavras, música, fotografias, dados, vídeo – e a consequente partilha global de toda esta informação digital. As limitações políticas à liberdade individual desmoronaram-se com a queda do Muro de Berlim (embora ainda subsistam grandes focos de repressão) e a limitação prática à liberdade individual desmoronou-se com o aparecimento do Apple e do PC IBM com sistema operativo Windows e ligação a um *modem*. Estes desenvolvimentos tecnológicos coincidentes deram liberdade e escala aos indivíduos neste mundo que se tornava cada vez mais plano – liberdade porque passaram a ter um número crescente de ferramentas novas e diferentes para criar conteúdos, e escala porque podiam partilhar os seus conteúdos com um número crescente de pessoas.

Apesar de estes desenvolvimentos serem uma novidade e muito empolgantes, quando comparados com o passado, não tinham qualquer comparação com o que se haveria de seguir. "Esta plataforma [inicial] tinha demasiadas limitações arquitecturais", afirmou Mundie. "Faltavam infra-estruturas". A Internet como a conhecemos hoje – com protocolos de transmissão aparentemente mágicos que podem ligar tudo e todos – ainda não tinha surgido. Nessa altura, as redes tinham apenas protocolos muito básicos para trocar ficheiros e mensagens electrónicas. É um facto que os utilizadores da AOL podiam comunicar com os utilizadores da CompuServe, mas não era um processo simples nem fiável. Os entendidos podiam criar novas aplicações que permitiam que sistemas seleccionados funcionassem em conjunto, mas, regra geral, esta acção estava limitada a trocas planeadas entre PC da rede de uma única empresa. Em consequência disso, afirmou Mundie, "uma grande quantidade de dados e criatividade estava a acumular-se em todos estes computadores", mas não havia uma forma fácil e interoperacional de os partilhar e moldar.

No entanto, este período entre a queda do Muro do Berlim e meados dos anos 90 caracterizou-se por um enorme avanço nas capacidades pessoais dos indivíduos. Se olharmos para trás, podemos dizer que se tratou da época do "Eu e a minha máquina podemos comunicar melhor e mais rapidamente um com o outro, permitindo-me desempenhar mais tarefas" e da época do "Eu e a minha máquina podemos comunicar melhor e mais rapidamente com alguns amigos e com mais algumas pessoas da empresa, permitindo-nos ser mais produtivos".

Tal como disse anteriormente, este grau de conectividade ajudou certamente à morte do comunismo, dado que as mesmas ferramentas que estavam a ser utilizadas para aumentar a produtividade no Ocidente (PC, faxes, *modems*), embora fossem mais escassas no bloco comunista, permitiram aumentar grandemente a comunicação horizontal entre as pessoas nos países de Leste, em detrimento dos sistemas comunistas verticais.

Apesar de não termos reparado nisso na altura, houve uma nota discordante nesta época nova e empolgante. Não foram apenas os americanos e os europeus que se juntaram aos povos da ex-URSS, ou sob seu domínio, na celebração da queda do muro – e reclamando algum crédito pelo facto. Outra pessoa brindava – não com champanhe, mas com um turvo café turco. O seu nome era Ussama bin Laden e tinha uma história bem diferente. Na perspectiva dele, tinham sido os combatentes da *jihad* no Afeganistão, grupo a que pertencia, que derrubaram o Império Soviético, forçando o Exército Vermelho a retirar-se deste país (com alguma ajuda das tropas norte-americanas e paquistanesas). Assim que a missão foi dada como terminada – os soviéticos retiraram-se por completo do Afeganistão a 15 de Fevereiro de 1989, nove meses antes da queda do Muro de Berlim – bin Laden olhou em volta e descobriu que a outra superpotência, os Estados Unidos, tinha uma enorme presença na sua própria terra natal, a Arábia Saudita, país onde se localizam as cidades mais sagradas do Islão. Ele não gostou do que viu.

Assim, enquanto dançávamos em cima do muro e saboreávamos as nossas "maçãs" (*Apples*), proclamando que não havia qualquer alternativa ideológica ao capitalismo e à economia de mercado, Ussama bin Laden começava a apontar a mira das suas armas para os Estados Unidos. Tanto bin Laden como Ronald Reagan viam a União Soviética como o "Império do Mal". A verdade, porém, é que bin Laden começou a ver os EUA também dessa forma. Ele tinha uma alternativa ideológica para o capitalismo e a economia de mercado – o Islão político. Ao contrário de nós, não sentiu que tudo tinha acabado com o fim da União Soviética; sentiu-se encorajado com isso. Não se sentiu atraído pelo cada vez mais vasto 'terreno de jogo'; pelo contrário, ficou repugnado. Não estava sozinho. Havia entre nós quem pensasse que Ronald Reagan tinha derrubado o muro ao levar a URSS a um estado de falência, em consequência da corrida às armas; havia quem considerasse que a IBM, Steve Jobs e Bill Gates tinham derrubado o muro ao delegarem poderes aos particulares para poderem fazer o *download* do futuro. No entanto, num mundo muito mais distante, em terras muçulmanas, havia quem pensasse – e eram muitos – que bin Laden e os seus companheiros de armas tinham derrubado o Império Soviético e o muro através do zelo religioso. Milhões deles estavam desejosos de fazer o *upload*[*] do passado.

Resumindo, enquanto nós celebrávamos o "9/11", as sementes de outra data memorável – "11/9" – estavam a ser lançadas. Falarei sobre este assunto mais adiante. Por agora, deixemos que o processo que torna o mundo plano continue o seu curso.

---

[*] **N.T.** Por oposição ao *download*, é linguagem informática. No *download* descarregamos coisas da net para o PC, no *upload* colocamos na net coisas que temos no PC.

Acontecimento # 2

9/8/1995 – A nova era da conectividade: quando a rede se tornou global e a Netscape passou a ser cotada em bolsa

Em meados dos anos 90, a era do PC Windows tinha atingido um ponto de estagnação. Era algo de maravilhoso o facto de pessoas em todo o mundo poderem, de um momento para o outro, criar os seus conteúdos em formato digital. Porém, se a ideia era aproveitar ao máximo esta inovação, precisávamos de uma inovação ao nível da conectividade – uma que nos permitisse pegar no nosso conteúdo digital e enviá-lo para qualquer lugar a um custo muito reduzido, para que outros pudessem partilhá-lo e trabalhá-lo connosco. O "acontecimento" que despoletou esta situação foi, na prática, uma coincidência de acontecimentos que ocorreram num espaço de apenas alguns anos na década de 90 – a emergência da Internet como ferramenta de conectividade global a baixo custo; o aparecimento, para além da Internet, da *World Wide Web* como uma área virtual aparentemente mágica, onde os indivíduos podiam colocar os seus conteúdos digitais à disposição de todos; e, finalmente, a disseminação dos *browsers* comerciais da Internet, que permitiam obter documentos ou páginas *Web*, armazenados em *sites* da Internet, e apresentá-los em qualquer monitor de computador, de um modo tão simples que qualquer pessoa quereria – e quiseram – utilizá-los. Esta súbita revolução ao nível da conectividade impulsionou grandemente o processo de tornar o mundo plano.

O conceito de *World Wide Web* – um sistema para criar, organizar e interligar documentos, permitindo que fossem facilmente pesquisados na Internet – foi desenvolvido pelo cientista informático britânico Tim Berners-Lee. É certamente alguém que ajudou a tornar o mundo mais plano. Enquanto consultor da CERN, a Organização Europeia de Pesquisa Nuclear, sediada na Suíça, criou a *World Wide Web* e colocou o primeiro *site* na Internet em 1991. Esta iniciativa fazia parte de um esforço para promover uma rede informática que permitisse aos cientistas partilhar mais facilmente as suas pesquisas. O telefone e o *modem* permitiram estabelecer ligações físicas entre os PC de todo o mundo. Todavia, a única função do *modem* e da linha telefónica era ligá-lo à Internet. A não ser que soubesse como navegar manualmente pela Internet, os motivos de entusiasmo seriam escassos. Claro que estavam a aparecer sistemas de correio electrónico e redes para comunicar na Internet, mas o processo de partilha de dados era muito rudimentar – porque não havia *sites* ou páginas ou *browsers Web* para fazer surgir os dados nos computadores de outras pessoas e, pior ainda, não havia um processo fácil de navegação.

A primeira grande inovação no sentido de transformar a Internet numa ferramenta de conectividade e colaboração – uma ferramenta que qualquer pessoa, não somente os "malucos" da informática, podia utilizar – foi a *World Wide Web* (*WWW*) de Berners-Lee. Apesar de as pessoas utilizarem os termos "*World Wide*

Web" e "Internet" de uma forma indistinta, são coisas diferentes. Na sua página da Internet, Berners-Lee explica: "A Internet (net) é uma rede de redes. É basicamente constituída por computadores e cabos. O que Vint Cerf e Bob Kahn [os inventores da Internet] fizeram foi descobrir como poderia ser utilizada para enviar pequenos 'pacotes' de informação...É isto que a Internet faz. Envia pacotes – para qualquer local do mundo, normalmente em menos de um segundo. Muitos...programas utilizam a Internet: o correio electrónico, por exemplo, apareceu muito antes do sistema de hipertexto global que eu inventei e denominei *World Wide Web*".

O que é então a *World Wide Web*? O que é este espantoso ciberespaço que se tornou numa espécie de mundo paralelo? Berners-Lee explica: "A *Web* é um espaço abstracto (imaginário) de informação. Na Internet encontramos computadores – na *Web* encontramos documentos, sons, vídeos...informação. Na net as conexões são cabos entre computadores; na *Web*, as conexões são ligações de hipertexto. A *Web* existe devido aos programas que comunicam entre computadores na Internet. A *Web* existe devido a programas que comunicam entre computadores na Internet. A *Web* não poderia existir sem a Internet. A *Web* tornou a Internet útil porque as pessoas interessam-se realmente por informação (sem falar de conhecimento e sabedoria!) e não querem saber de computadores e cabos."

O primeiro *site* que Berners-Lee criou (e, por conseguinte, o primeiro *site* da história) estava localizado em *http://info.cern.ch* e foi posto *on-line* no dia 6 de Agosto de 1991. Explicava como funcionava a *World Wide Web*, como se podia adquirir um *browser* e como programar um servidor *Web*. A revista *Time* (na sua edição de 14 de Junho de 1999) considerou Berners-Lee uma das cem pessoas mais importantes do século XX e resumiu a sua criação da *World Wide Web* da seguinte forma: "Thomas Edison recebeu os louros pela invenção da lâmpada eléctrica, mas tinha dezenas de pessoas no seu laboratório a trabalhar neste projecto. William Shockley pode ter sido o pai do transístor, mas a sua construção ficou a dever-se a dois dos seus cientistas de investigação. Se há alguma coisa que foi criada por uma comissão, foi a Internet – com a sua comutação de pacotes e protocolos. Mas a *World Wide Web* é apenas de Berners-Lee. Ele concebeu-a... e... lutou para a manter aberta, pública e gratuita". Berners-Lee popularizou "um sistema de codificação relativamente fácil de aprender – HTML (*hypertext markup language* – linguagem de programação que cria os documentos e as ligações utilizadas pela *World Wide Web*), que acabou por se tornar na língua franca da *Web*; é o processo utilizado pelos criadores de conteúdos *Web* para pôr essas pequenas ligações (*links*) coloridas e sublinhadas nos seus textos, acrescentar imagens, etc. Berners-Lee concebeu um sistema de endereços para que cada página *Web* tivesse uma localização única ou URL (*universal resource locator* – localizador universal de recursos). Além disso, programou um conjunto de instruções que permitiam que estes documentos pudessem ser ligados entre si em computadores por toda a Internet. Apelidou este conjunto de instruções de HTTP (*HyperText Transfer Protocol* – Protocolo utilizado para transmitir as páginas através da Internet). E, ao sétimo dia, Berners-Lee montou o primeiro (mas não o último) *browser* da *World Wide Web*, permitindo que utilizadores espalhados pelo mundo inteiro pudessem visualizar a sua criação nos seus monitores. A *World Wide Web* arrancou em 1991, trazendo instantaneamente ordem e clareza ao caos que constituía o ciberespaço. A partir desse momento, a *Web* e a Internet cresceram como um só, por vezes de forma exponencial. Em cinco anos, o número de utilizadores da Internet passou de 600 mil para 40 milhões. A partir de uma certa altura, o número de utilizadores duplicava de 53 em 53 dias".

Tendo uma importância idêntica à invenção de Berners-Lee, o que realmente popularizou a Internet e a *Web*, como ferramentas de conectividade e comércio, foi a criação de *browsers* comerciais de fácil instalação e utilização. Depois de Berners-Lee, outros cientistas e académicos criaram vários *browsers* para navegar nesta primeira fase da *Web*, mas o primeiro *browser* comercial de difusão mundial – e toda a cultura de navegação na Internet para o público em geral – foi criado por uma pequena *start-up**, em Mountain View, Califórnia, chamada Netscape. A Netscape passou a ser cotada em bolsa em 9 de Agosto de 1995. Desde então, o mundo nunca mais foi o mesmo.

"A oferta pública inicial da Netscape foi um toque de clarim para que o mundo acordasse para a Internet. Até então, tinha sido a província dos primeiros adeptos e 'malucos dos computadores'," afirmou John Doerr, o lendário investidor em capital de risco cuja empresa, Kleiner Perkins Caulfield & Byers, apoiou a Netscape nesta operação.

A Netscape foi uma espantosa força de nivelamento do mundo, por diversas razões. Antes de mais, o *browser* Netscape não só deu vida à Internet mas também a tornou acessível a todos, dos 5 aos 95 anos. Quanto mais presente a Internet se tornava, mais pessoas queriam fazer coisas diferentes na *Web*, pelo que começaram a procurar computadores, *software* e redes de telecomunicações que pudessem facilmente digitalizar palavras, música, dados e fotografias, transportando-os através da Internet para o computador de outra pessoa. Esta exigência foi satisfeita por outro acontecimento catalisador: o lançamento do Windows 95, que chegou ao mercado 15 dias após a Netscape ter colocado as suas acções em bolsa. O Windows 95 rapidamente se tornaria o sistema operativo mais utilizado em todo o mundo e, ao contrário das versões anteriores, estava equipado com um suporte de acesso à Internet, e não apenas os *browsers* mas todas as aplicações de PC podiam "saber de Internet" e interagir com esta ferramenta.

Olhando para trás, o que impulsionou o sucesso da Netscape foi a existência, desde a primeira fase, de milhões de PC, muitos deles já equipados com *modems*.

---

* **N.T.** Designação atribuída às empresas que estão no início da sua actividade.

Foram "os ombros" onde a Netscape se apoiou. O que a Netscape fez foi trazer uma nova *killer app* – o *browser* – a esta base instalada de PC, tornando o computador e a sua conectividade inerentemente mais útil para milhões de pessoas. Esta possibilidade, por sua vez, provocou uma explosão da procura de tudo quanto era digital, o que despoletou o *boom* da Internet: os investidores olharam para a rede e concluíram que, se tudo ia ficar disponível *on-line* – informação, inventários, comércio, livros, música, fotos e lazer – e ser transportado e vendido na Internet, então a procura de produtos e serviços aí baseados seria infinita. Isto levou à bolha especulativa dos títulos das *dot-com* e a um investimento excessivo, e em massa, no cabo de fibra óptica – necessário para transportar toda a nova informação digital. Este desenvolvimento, por seu lado, ligou o mundo inteiro à Internet e, sem que tal fosse verdadeiramente planeado, transformou Bangalore num subúrbio de Boston.

Atentemos em cada um destes desenvolvimentos.

Quando me sentei a conversar com Jim Barksdale, antigo CEO da Netscape, para o entrevistar para este livro, expliquei-lhe que um dos primeiros capítulos abordava o tema das dez inovações, acontecimentos e tendências que tinham contribuído para tornar o mundo plano. O primeiro acontecimento, disse-lhe, era o "9/11", e expliquei-lhe o significado dessa data. Depois disse-lhe: "Deixe-me ver se adivinha o significado da segunda data, 9/8." Foi isso que lhe disse: 9/8. Barksdale demorou apenas um segundo a ponderar, antes de me dar a resposta certa: "O dia em que a Netscape passou a ser cotada em bolsa!"

Poucos negarão que Barksdale seja um dos grandes empresários norte-americanos. Ele ajudou a Federal Express a desenvolver o seu sistema de *tracking* (localização) e detecção de encomendas, depois transferiu-se para a McCaw Cellular – empresa de telemóveis que ajudou a construir – e supervisionou a sua fusão com a AT&T, em 1994. Antes de a venda estar concretizada, foi abordado por um *headhunter* para se tornar no CEO de uma nova empresa chamada Mosaic Communications, criada por dois homens que são agora considerados inovadores lendários – Jim Clark e Marc Andreessen. Em meados de 1994, Clark, fundador da Silicon Graphics, uniu forças com Andreessen para fundar a Mosaic, que rapidamente mudou de nome para Netscape Communications. Andreessen, um jovem informático brilhante, tinha acabado de ser o "ponta-de-lança" de um pequeno projecto de *software* no National Center for Supercomputing Applications (NCSA), sediado na Universidade de Illinois, que desenvolveu o primeiro *browser* da *Web* realmente eficaz e de fácil utilização, também denominado Mosaic. Clark e Andreessen rapidamente perceberam o enorme potencial do *software* para navegação na Internet e decidiram fazer uma parceria e comercializá-lo. Quando a Netscape começou a crescer, procuraram em Barksdale a orientação e o conhecimento relativamente à melhor forma de a cotar em bolsa.

Hoje, tomamos como garantida esta tecnologia de navegação simplificada, mas, na verdade, foi uma das mais importantes invenções da História moderna. Quando Andreessen voltou ao laboratório do NCSA, na Universidade de Illinois, descobriu que dispunha de PC, *workstations* e conectividade básica de rede para transferir ficheiros na Internet, mas mesmo assim não era muito empolgante – porque não existia nenhum interface de utilizador simples e fácil de memorizar, onde pudessem ser carregados e exibidos os conteúdos dos *websites* de outras pessoas. Assim, segundo a *Wikipédia*, Andreessen e um colega de trabalho a tempo inteiro, Eric Bina, começaram a desenvolver um *browser* de fácil utilização com um sistema gráfico integrado que funcionaria num grande número de computadores. O código resultante foi o *browser* Mosaic Web. Andreessen mostrava-se incansável, monitorizando e respondendo a todos os utilizadores que faziam sugestões e propostas de melhoria, o que acabou por fomentar a sua acessibilidade e popularidade. Em suma, o Mosaic permitiu que as páginas *Web* pudessem ser acedidas por qualquer idiota, cientista, estudante, criança ou idoso. Marc Andreessen não inventou a Internet ou a *World Wide Web*, mas desempenhou certamente um papel preponderante no seu desenvolvimento e na sua transformação em ferramentas de fácil utilização.

"O *browser* Mosaic foi lançado em 1993, com 12 utilizadores, e eu conhecia os 12", disse Andreessen. Nessa altura, existiam apenas cerca de 50 *websites* e eram na sua maioria páginas únicas. "O Mosaic foi financiado pela National Science Foundation – NSF. Na verdade, porém, o dinheiro não se destinava à sua criação. O nosso grupo específico deveria criar *software* que permitiria aos cientistas utilizarem supercomputadores que se encontravam em lugares remotos, conectando-se a eles através da rede NSF. Por isso, criámos [os primeiros *browsers* como] ferramentas de *software* para possibilitar que os investigadores 'navegassem' pelas pesquisas uns dos outros. Vi nisso uma espiral positiva de *feedback*: quantas mais pessoas tivessem o *browser*, mais quereriam estar interligadas e mais incentivos existiriam para se criarem conteúdos, aplicações e ferramentas. Assim que o processo teve início, desenrolou-se facilmente e praticamente nada o pôde deter. Quando se está na fase de desenvolvimento, não se tem a certeza de que alguém o irá utilizar, mas, assim que começámos, percebemos que, se alguém o utilizasse, *toda a gente o iria utilizar*. A única questão que se colocava era a rapidez com que se disseminaria e quais seriam as barreiras encontradas ao longo do caminho", explicou Andreessen.

Com efeito, todos os que experimentaram o *browser*, incluindo Barksdale, tiveram a mesma reacção inicial: *Uau!* "Todos os Verões, a revista *Fortune* publicava um artigo sobre as 25 empresas mais modernas e vanguardistas do momento", recordou Barksdale. "Nesse ano [1994], a Mosaic foi uma delas. Eu já tinha lido sobre o Clark e o Andreessen e tinha dito à minha esposa: 'Querida, esta é uma óptima ideia.' Foi então que, poucas semanas mais tarde, recebi o telefonema do *headhunter*. Reuni-me com o Doerr e com o Jim Clark e comecei a utilizar a versão beta do *browser* Mosaic. Quanto mais o usava, mais intrigado ficava." Desde finais da década de 80 que as pessoas estavam a criar bases de dados com acesso à Internet. Barksdale disse que, depois de ter conversado com Doerr e Clark, chegou a casa, reuniu os seus três filhos à volta do computador e pediu a cada um que sugerisse um tópico pelo qual ele pudesse procurar ao navegar na Internet – deixou-os perplexos ao obter resposta para cada um deles. "Isso convenceu-me", disse Barksdale. "Assim, telefonei ao *headhunter* e disse-lhe: 'Sou o vosso homem'."

O primeiro *browser* comercial da Netscape – que era compatível com o PC da IBM, Macintosh da Apple, ou computadores com sistema operativo Unix – foi posto à venda em Dezembro de 1994 e, no período de um ano, já tinha dominado completamente o mercado. Podia fazer-se o *download* (descarregar) da Netscape gratuitamente, caso se estivesse na área do ensino ou em instituições sem fins lucrativos. Se fosse um particular, tinha direito a um período gratuito de avaliação do *software* para o utilizar as vezes que quisesse e comprá-lo em disco se o desejasse. Se fosse uma empresa, o período de avaliação do *software* era de 90 dias. "A lógica subjacente era a seguinte: se pode dar-se ao luxo de o comprar, faça-o. Se não pode, use-o à mesma", disse Andreessen. Porquê? Porque toda a utilização gratuita estimulava um intenso crescimento da rede, o que era valioso para todos os clientes que já tinham pago pelo produto. E funcionava.

"Nós disponibilizámos o *browser* Netscape e as pessoas descarregavam-no por períodos experimentais de três meses. Nunca tinha visto um volume como aquele. No que diz respeito às grandes empresas e ao governo, estava a permitir-lhes que se conectassem e desbloqueassem toda a sua informação, e o sistema *point-and-click* (seleccione e clique), que Marc Andreessen inventou, permitia que qualquer mortal o utilizasse em vez de ser um exclusivo dos cientistas. O facto provocou uma verdadeira revolução. Nós dizíamos: '*Isto vai crescer, crescer, crescer*'", contou Barksdale.

Nada deteve este movimento. E foi por esta razão que a Netscape desempenhou outro papel altamente importante no processo de tornar o mundo plano: ajudou a tornar a Internet verdadeiramente interoperacional. Lembrar-se-á, com certeza, de que, na fase "Muro de Berlim-PC-Windows", os particulares que tinham *e-mail* e as empresas que tinham *e-mail* interno não conseguiam fazer ligações para grandes distâncias. Com efeito, o primeiro *router* para Internet, da Cisco, foi criado por um casal, em Stanford, que desejava trocar *e-mails*; um deles estava a trabalhar num *mainframe* e o outro num PC e não conseguiam "ligar-se". "Nessa época, as redes eram propriedade de grandes empresas e estavam desligadas umas das outras", salientou Andreessen. "Cada uma tinha os seus próprios formatos, protocolos de dados e diferentes formas de criar conteúdos. Tínhamos todas aquelas ilhas de informação, mas não estavam ligadas entre si. Assim que a Internet surgiu como um empreendimento comercial, houve o perigo real que também assumisse a mesma forma desligada."

Joe, a trabalhar no departamento de contabilidade, acederia ao PC do seu escritório e tentaria obter os últimos números de vendas de 1995, por exemplo, mas não seria bem sucedido porque o departamento respectivo operava com um sistema diferente do usado pela contabilidade. Era como se um estivesse a falar alemão e o outro francês. Joe diria: "Enviem-me a informação mais recente sobre entregas da Goodyear no que diz respeito aos pneus que recebemos." Constataria que a Goodyear usava um sistema totalmente diferente e que o comerciante em Topeka utilizava igualmente um outro sistema. Joe iria para casa e encontraria o seu filho, aluno do sétimo ano, na *World Wide Web* a fazer uma pesquisa para um trabalho, utilizando protocolos abertos e visualizando o conteúdo de algum museu de arte em França. Joe comentaria: "Isto é de doidos. Tem de haver uma rede totalmente interligada."

Nos anos que antecederam a comercialização da Internet, Berners-Lee, Vint Cerf, Bob Kahn e outros cientistas desenvolveram um conjunto de "protocolos abertos", que visavam garantir a ligação ininterrupta e recíproca do sistema de correio electrónico de qualquer indivíduo ou da rede de computadores de qualquer universidade – assegurando que ninguém tinha qualquer vantagem especial, explicou Andreessen. Estes protocolos, baseados em processos matemáticos – que permitiam que aparelhos digitais entrassem em ligação uns com os outros –, eram como flautas mágicas. Mal eram adoptados para uma rede, tornavam o detentor desta compatível com todos os outros, independentemente do tipo de computador em que estivessem a trabalhar. Estes protocolos eram (e ainda são, em certa medida) conhecidos pelos seus nomes de sopa de letras. São, essencialmente, o FTP, HTTP, HTML, SSL, SMTP, POP e TCP/IP. Em conjunto, formam um sistema que transporta dados pela Internet e pela *World Wide Web* de uma forma relativamente segura, independentemente da rede que é usada na empresa ou em casa, ou do computador, telemóvel ou aparelho manual que esteja a ser utilizado. Cada protocolo tinha uma função distinta: o TCP/IP funcionava como a canalização básica da Internet, ou os carris de base de uma via-férrea, sobre os quais se criava e movimentava tudo o resto que se encontrava acima. O FTP transferia os ficheiros; o SMTP e o POP transferiam mensagens de *e-mail*, que se tornaram normalizadas, de forma a poderem ser escritas ou lidas em diferentes sistemas de correio electrónico. O HTML, como já foi referido, permitia que qualquer pessoa criasse páginas na Internet e o HTTP possibilitava que as pessoas se ligassem a documentos HTML na *World Wide Web*. Por fim, à medida que as pessoas começaram a utilizar estas páginas da *Web* para o comércio electrónico, o SSL foi criado para providenciar segurança às transacções *on-line*.

Uma vez que a navegação e a Internet em geral estavam a crescer, a Netscape quis certificar-se de que a Microsoft, com o seu vasto domínio de mercado, não teria capacidade para transformar estes protocolos *Web* de normas abertas em protocolos de normas fechadas, que só pudessem ser geridas pelos servidores da

Microsoft. "A Netscape ajudou a garantir que estes protocolos abertos não seriam propriedade [privada] de ninguém, ao comercializá-los para o público", disse Andreessen. "A Netscape apresentou não só o *browser* mas também toda a família de produtos de *software* que implementou as normas abertas, para que os cientistas pudessem comunicar uns com os outros, independentemente do sistema em que estavam a operar: um supercomputador Cray, um Macintosh ou um PC. A Netscape foi capaz de dar o verdadeiro motivo para todos dizerem: 'Eu quero estar num sistema de normas abertas para tudo o que fizer e para todos os sistemas em que trabalho'. Uma vez que criámos uma maneira de navegar na Internet, as pessoas queriam uma forma universal de aceder ao que lá estava. Desta forma, quem quer que desejasse trabalhar com normas abertas ia à Netscape, onde lhe prestávamos apoio, ou ia ao mundo do *open source* (disponibilização gratuita de aplicações e respectivo código fonte), onde obtinha as mesmas normas, gratuitamente mas sem assistência da nossa parte. Tinha ainda a alternativa de ir ter com os seus vendedores privados e dizer: 'Vou deixar de comprar o vosso material... Não vou manter-me no vosso jardim murado. Só continuarei convosco, caso se liguem à Internet com protocolos abertos'."

A Netscape começou a impulsionar as normas abertas através da venda dos seus *browsers* e o público respondeu de forma entusiástica. A Sun começou a fazer o mesmo com os seus servidores. E a Microsoft optou pela mesma via com o Windows 95, considerando o *browsing* de tal forma importante que acabou por criar o seu próprio *browser*, bastante famoso, directamente no Windows – o Internet Explorer.

Cada uma destas empresas percebeu que o público, de um momento para o outro, poderia já não se contentar apenas com o *e-mail* e o *browsing*, exigindo que as empresas de Internet trabalhassem em conjunto e criassem uma rede interoperacional. Os consumidores queriam concorrência entre as empresas no que diz respeito às diferentes aplicações, ou seja, em relação ao que os consumidores poderiam fazer *quando estivessem ligados à Internet* – e não em relação à *forma como acediam a ela*. Depois de algumas "guerras de formatos" entre as grandes empresas, em finais da década de 90 a plataforma de computação da Internet ficou integrada de uma forma consistente. Em breve, qualquer pessoa seria capaz de se "ligar" com outra, em qualquer lugar e em qualquer máquina. Chegou-se à conclusão que a compatibilidade de linguagens era bastante mais vantajosa do que a manutenção de uma pequena rede privada. Esta integração funcionou como um factor de extrema importância no processo de tornar o mundo plano, uma vez que aumentou fortemente o número de pessoas "ligadas".

Como recordou Andreessen, nessa altura não faltavam cépticos para quem nada disto iria funcionar porque era demasiado complicado. "Era preciso comprar um PC e um *modem dial-up*. Os cépticos diziam: 'As pessoas demoram muito tempo a alterar os seus hábitos e a apreenderem uma nova tecnologia.' Estavam enganados. A adesão das pessoas foi extraordinariamente rápida: dez anos depois, já havia 800 milhões de utilizadores de Internet." A razão? "Todos alteramos rapidamente os nossos hábitos quando temos uma razão forte. Temos uma necessidade inata de estabelecer uma ligação com os outros", referiu Andreessen.

"Quando se lhes dá uma nova forma de estabelecerem ligações, qualquer barreira técnica será derrubada e novas linguagens serão aprendidas – quem está ligado à net quer conectar-se com outros e sente que é condenável não estar preparado para o fazer. Foi isso que a Netscape desbloqueou." Joel Cawley, *Vice President* para a área de estratégia empresarial da IBM, afirmou que "a Netscape criou (em torno da forma como os dados deveriam ser transportados e expostos no ecrã) uma norma tão simples e envolvente que qualquer um poderia inovar com base nela. Rapidamente se expandiu por todo o mundo e ficou acessível a muitos, desde as crianças até às grandes empresas".

No Verão de 1995, Barksdale e a sua equipa da Netscape realizaram um *road show* à moda antiga, durante o qual os gestores do banco de investimento Morgan Stanley tentavam seduzir os investidores de todo o país para a compra de títulos da Netscape, que ia passar a ser cotada em bolsa. "Quando fomos para a estrada", contou Barksdale, "o Morgan Stanley defendia que as acções poderiam ser vendidas a um máximo de 14 dólares. No entanto, depois de termos dado início ao *road show*, a procura revelou-se de tal forma elevada que foi decidido duplicar o preço de abertura para 28 dólares. Na última tarde antes da oferta pública inicial, estávamos todos em Maryland. Era o nosso último ponto de paragem. Tínhamos uma caravana de limusinas pretas e parecíamos uma espécie de grupo da máfia. Precisávamos de contactar a sede do Morgan Stanley, mas o lugar onde estávamos não tinha rede. Por essa razão, conduzimos as limusinas pretas até dois postos de abastecimento de combustível, que ficavam em frente um do outro, para utilizarmos os telefones. Ligámos para o Morgan Stanley e disseram-nos: 'Estamos a pensar num preço de lançamento de 31 dólares'. Ao que respondi, 'Não, deixemos estar a 28', porque queria que as pessoas se lembrassem do valor unitário da acção na casa dos 20 dólares e não na dos 30, para o caso de a operação não correr muito bem. Na manhã seguinte, estive na sessão de abertura. As acções começaram a ser transaccionadas a 71 dólares. Fecharam o dia a 56 dólares, exactamente o dobro do valor que tinha estabelecido".

Os títulos da Netscape acabaram por cair, vítimas da concorrência esmagadora (e monopolista, segundo o que foi decretado pelo tribunal) da Microsoft. A decisão da Microsoft de integrar o *browser* Internet Explorer no pacote do seu sistema operativo dominante, o Windows, bem como a sua capacidade de investir mais e melhores recursos na investigação relacionada com a navegação na *Web*, juntamente com algum desnorteio da Netscape na sequência da sua rápida expansão, provocaram uma derrapagem crescente da quota de mercado desta última. Por fim, a Netscape foi vendida por dez mil milhões de dólares à AOL, que nunca a aproveitou o suficiente. Apesar de a Netscape poder ter sido apenas uma estrela cadente em termos comerciais, que grande estrela foi! E que marca deixou!

"Tínhamos lucros praticamente desde o início", disse Barksdale. "A Netscape não era uma *dot-com*. Não participámos na bolha especulativa das *dot-com*. Nós *despoletámos* a bolha especulativa das *dot-com*."

E que gigantesca bolha foi.

"Ao passar a ser cotada em bolsa, a Netscape estimulou imensas coisas", referiu Barksdale. "Os responsáveis pela área da tecnologia adoravam as inovações tecnológicas disponíveis, enquanto os empresários e indivíduos do costume estavam empolgados com a perspectiva do dinheiro que era possível ganharem. O mundo viu todos aqueles miúdos a enriquecer e deslumbrou-se: 'Se os miúdos conseguem fazer isto e ganhar tanto dinheiro, eu também consigo'. A ganância pode ser uma coisa má – pois leva a acreditar que é possível fazer-se muito dinheiro sem muito trabalho. E isto resultou num excesso de investimento, para o dizer de forma suave. Qualquer ideia mirabolante obtinha financiamento."

O que levou os investidores a acreditar que a procura da Internet na óptica do utilizador e os produtos relacionados seriam infinitos? A resposta curta é: digitalização. Uma vez que a revolução dos PC-Windows demonstrou publicamente a sua capacidade para digitalizar informação e manipulá-la em computadores e processadores de texto, e uma vez que o *browser* deu vida à Internet e fez com que as páginas da *Web* cantassem, dançassem e exibissem um mundo maravilhoso, todos queriam digitalizar tudo, o mais depressa possível, para poderem enviar a informação através da Internet. Assim começou a revolução da digitalização. A digitalização é um processo mágico através do qual as palavras, a música, os dados, os filmes, os ficheiros e as imagens são transformados em *bits* e *bytes* – combinações de uns e zeros – que podem ser manipulados num ecrã de computador, armazenados num microprocessador ou transmitidos por satélites e linhas de fibra óptica. Costumava enviar a minha correspondência pelos Correios, mas assim que a Internet ganhou vida, passei a desejar que ela fosse digitalizada de maneira a poder enviá-la por correio electrónico. Enviar fotografias costumava ser um processo complicado e moroso, que envolvia o revestimento da película com prata, obtida em minas à distância de meio mundo. Tinha por hábito tirar fotografias com a minha máquina. Levava depois o rolo à loja, que o enviava para um laboratório, onde era revelado. Mal a Internet possibilitou o envio de imagens para todo o mundo, deixei de usar a película de prata. O meu sonho era tirar fotografias em formato digital, para poder fazer eu próprio o seu *upload* (transferência) em vez de as mandar revelar. (A propósito, não queria estar confinado à utilização de uma máquina para as tirar. Queria poder usar o telemóvel.) Costumava ir à Barnes & Noble comprar e procurar livros, mas, quando a Internet o tornou possível, comecei também a procurar os livros *on-line* na Amazon.com. As minhas investigações eram habitualmente feitas na biblioteca, mas agora podia fazê-lo digitalmente, através dos motores de busca Google ou Yahoo!, em vez de andar a deambular pelo amontoado de fichas. Costumava comprar um CD para ouvir Simon and Garfunkel – os CD já tinham substituído os álbuns como uma forma de música digitalizada –, mas assim que a Internet ganhou vida, passei a querer que aqueles *bits* musicais fossem ainda mais maleáveis e móveis. Queria poder descarregá-los para um iPod. Nos últimos anos, a tecnologia da digitalização evoluiu de tal forma que passei a poder fazer tudo isso.

Enquanto observavam a louca corrida da digitalização, os investidores viram outro filão: "Santo Deus! Se toda a gente quer todo este material digitalizado, transformado em *bits* e transmitido pela Internet, a procura de empresas prestadoras de serviço *on-line* e a procura de cabos de fibra óptica para gerir o processo vai ser ilimitada! Não podemos deixar de investir nisto!"

Foi assim que a bolha nasceu.

O sobreinvestimento não é necessariamente negativo – desde que vá sendo corrigido. Irei recordar-me sempre de uma conferência de imprensa que o *Chairman* da Microsoft, Bill Gates, deu no Fórum Económico Mundial, em Davos, em 1999, no auge da bolha tecnológica. Gates foi repetidamente bombardeado pelos jornalistas com versões da pergunta: "Sr. Gates, estes títulos de Internet são uma bolha, não é assim? Seguramente que são uma bolha. Têm de ser uma bolha?" Por fim, um exasperado Gates disse aos jornalistas qualquer coisa como: "Oiçam, seus incompetentes, claro que são uma bolha, mas vocês não estão a ver a questão. Esta bolha está a atrair tanto capital para a indústria da Internet que impulsionará, cada vez mais rapidamente, a inovação." Gates comparou a Internet à corrida ao ouro: a ideia que pretendeu transmitir foi que tinha sido feito mais dinheiro a vender Levi's, picaretas, pás e quartos de hotel aos garimpeiros do que com o ouro encontrado. Gates tinha razão: os *booms* e as bolhas podem ser economicamente perigosos; podem acabar por fazer com que se perca dinheiro e muitas empresas vão à falência. No entanto, a maior parte das vezes também obrigam a acelerar a inovação e a pura sobrecapacidade que estimulam – quer estejam sobre carris quer em automóveis – pode criar os seus próprios efeitos positivos e inesperados.

Foi isso que aconteceu com o *boom* das acções das empresas de Internet: despoletou um sobreinvestimento maciço em empresas de cabos de fibra óptica, que instalaram enormes quantidades de cabos submarinos e terrestres, o que fez cair drasticamente o custo de uma chamada telefónica e da transmissão de dados para qualquer ponto do mundo.

A primeira instalação comercial de um sistema de fibra óptica ocorreu em 1977. Lentamente, a fibra começou a substituir os fios de cobre dos telefones, porque tinha capacidade para transportar dados e vozes digitalizadas a uma maior distância, mais rapidamente e em maiores quantidades. De acordo com a

Howstuffworks.com, as fibras ópticas são feitas de fios de vidro opticamente puro, cada um deles "tão fino quanto um cabelo humano", que estão dispostos em feixes, chamados "cabos ópticos", para transportar pacotes digitalizados de informação ao longo de extensas distâncias. Uma vez que as fibras ópticas são muito mais finas do que os fios de cobre, é possível agregar mais fibras num determinado diâmetro de cabo do que fios de cobre, o que significa que muito mais dados ou muito mais vozes podem ser enviados pelo mesmo cabo a um custo mais baixo. Contudo, a vantagem mais importante da fibra decorre da muito mais elevada largura de banda dos sinais que consegue transportar através de longas distâncias. Os fios de cobre também podem transportar frequências bastante elevadas, mas apenas nos primeiros metros. Depois, o sinal começa a perder força devido a determinados efeitos parasíticos. Em contrapartida, as fibras ópticas podem transportar impulsos ópticos de frequências bastante elevadas através da mesma fibra individual sem uma degradação substancial do sinal, ao longo de muitos e muitos quilómetros.

Os cabos de fibra óptica funcionam – segundo as explicações no *site* de um dos seus fabricantes, ARC Electronics – através da conversão de dados ou vozes em impulsos luminosos, que são depois transmitidos pelas linhas de fibra, em vez de se utilizarem impulsos electrónicos para transmitir a informação ao longo das linhas de cobre. Numa extremidade do sistema de fibra óptica está um transmissor, que aceita informação codificada de impulsos electrónicos – palavras ou dados – provenientes do fio de cobre do telefone de sua casa, ou do computador do seu gabinete. Em seguida, o transmissor processa e traduz essas palavras ou dados digitalizados e electronicamente codificados para impulsos luminosos codificados de forma equivalente. Um díodo emissor de luz (LED) ou um díodo de laser com injecção de corrente (ILD) pode ser usado para gerar os impulsos luminosos, que são posteriormente afunilados no cabo de fibra óptica. O cabo funciona como uma espécie de guia luminoso, orientando os impulsos de luz introduzidos numa extremidade do cabo até à outra extremidade, onde um receptor sensível à luz reconverte os impulsos para os uns e zeros electrónicos digitais do sinal original, para que possam surgir no monitor do seu computador sob a forma de *e-mail* ou no seu telemóvel sob a forma de voz. O cabo de fibra óptica é também ideal para as comunicações seguras, dado que é muito difícil fazer uma derivação.

Na verdade, foi a coincidência do *boom* das *dot-com* e da Lei das Telecomunicações (*Telecommunications Act*) de 1996 que lançou a bolha na área da fibra óptica. A lei autorizava que as empresas locais e de longa distância constituíssem parcerias nos negócios, o que provocou uma explosão no número de CLECS*, para concorrerem frente-a-frente com as Baby Bells (companhias telefónicas regionais)

---

* **N.T.** *Competitive Local Exchange Carrier*, uma nova empresa telefónica que compete com uma operadora local.

e a AT&T no fornecimento de serviços telefónicos e de infra-estruturas. À medida que estas novas companhias telefónicas foram operando *on-line*, oferecendo os seus próprios serviços locais, de longa distância, internacionais, de dados e de Internet, cada uma procurou ter a sua própria infra-estrutura. E por que não? O *boom* da Internet fez com que todos partissem do princípio que a procura de banda larga para aguentar todo o tráfego da Internet iria duplicar de três em três meses – *indefinidamente*. Durante cerca de dois anos foi exactamente isso que aconteceu. Mas depois, os grandes números começaram a encolher e o ritmo da duplicação abrandou. Infelizmente, as companhias de telefones não estavam a prestar a devida atenção à discrepância crescente entre a procura e a realidade da oferta. O mercado estava apanhado pela febre da Internet e as empresas continuaram a criar cada vez mais capacidade. O *boom* no mercado accionista significava que *o dinheiro era de borla! Foi uma festa!* Assim, cada um dos cenários incrivelmente optimistas de cada uma destas novas companhias de telefones conseguiu obter financiamento. Num período de cerca de cinco a seis anos, estas companhias de telecomunicações investiram aproximadamente um bilião de dólares a interligar o mundo. E praticamente nenhuma delas pôs em causa as previsões traçadas do ponto de vista da procura.

Poucas empresas conseguiram ser mais irracionais do que a Global Crossing, uma das empresas contratadas pelas novas *telecoms* para a instalação de cabos de fibra óptica em todo o mundo. Fundada em 1997, por Gary Winnick, passou a ser cotada em bolsa no ano seguinte. Robert Annunziata, que apenas se manteve no cargo de CEO durante um ano, assinou um contrato que Nell Minow, da Corporate Library, disse, um dia, ser o pior (do ponto de vista dos accionistas) dos Estados Unidos. Incluía, entre outras coisas, um bilhete de avião em primeira classe para a mãe de Annunziata o visitar uma vez por mês. Incluía também um bónus de dois milhões de acções ao valor de fecho da cotação no dia anterior ao contrato ser executado e anunciado, subtraindo unitariamente dez dólares.

Henry Schacht, industrial veterano que está actualmente na Warburg Pincus, foi contratado pela Lucent, sucessora da Western Electric, para ajudar a geri-la nesse período de loucura. Ele recorda o ambiente: "A desregulamentação das telecomunicações, em 1996, foi muito importante. Permitiu às CLEC criarem as suas próprias capacidades e venderem em concorrência umas com as outras e com as Baby Bells. As novas *telecoms* procuraram empresas como a Global Crossing, que lhes instalaram redes de fibras de forma a poderem competir operacionalmente com a AT&T e a MCI, sobretudo na área do tráfego ultramarino... Todos achavam que se estava perante um novo mundo, que nunca pararia. Existiam empresas competitivas a investir de forma ilimitada e todos pensavam que essa fatia de mercado se expandiria indefinidamente. Assim [terão dito os responsáveis de cada empresa], 'vou instalar as minhas fibras antes que tu o faças e terei uma quota de mercado superior à tua'. Devia ser uma linha de crescimento vertical, sempre a direito, e cada um de nós pensou que obteria a sua quota, pelo que todos criaram capacidades com base nas projecções mais elevadas e partiram do princípio que as conseguiriam cumprir."

Acontece que, enquanto as actividades *business-to-business* (B2B) e de comércio electrónico evoluíam como previsto, e se assistia à explosão imprevista de numerosos *sites* da *Web* – como o eBay, o Amazon e o Google –, apenas uma fracção da capacidade que estava a ser disponibilizada era aproveitada. Por esta razão, quando as *dot-com* surgiram, existia um excesso de cabos de fibra óptica disponíveis. As tarifas telefónicas para chamadas de longa distância desceram de dois dólares para dez cêntimos por minuto. E a transmissão de dados era praticamente gratuita. "A indústria das telecomunicações investiu em si mesma como uma empresa", disse à CNET News.com, em Junho de 2001, Mike McCue, responsável pela área de exploração da Tellme Networks, empresa que activa o serviço de voz na Internet. "Instalaram tanta fibra que basicamente acabaram por se tornar um produto indiferenciado. Vão entrar em guerras de preços. Será um desastre."

Foi, de facto, um desastre para muitas das empresas e respectivos investidores (a Global Crossing entrou em falência em Janeiro de 2002, com 12,4 mil milhões de dólares de dívidas), mas também foi uma óptima dádiva para os consumidores. Tal como o sistema nacional de auto-estradas, construído nos anos 50, tornou os Estados Unidos mais planos, derrubou diferenças regionais e facilitou a relocalização das empresas em regiões com salários mais baixos, como o Sul (porque se tinha tornado muito fácil fazer circular pessoas e bens através de longas distâncias), também a instalação de auto-estradas de fibra óptica tornou o mundo desenvolvido mais plano. Ajudou a derrubar o regionalismo global, a criar uma rede comercial global mais consistente, simplificou e praticamente tornou gratuita a transferência das funções de digitalização – empregos no sector dos serviços e na área dos profissionais do conhecimento – para países com menores custos.

(Deve salientar-se, no entanto, que as auto-estradas de fibra nos EUA tinham tendência a serem interrompidas no último quilómetro – antes de chegarem aos lares norte-americanos. Se, por um lado, foi instalada uma enorme quantidade de cabos de fibra de longa distância para ligar a Índia e a América, por outro praticamente nenhuma dessas novas empresas norte-americanas de telecomunicações instalou novas redes locais de infra-estruturas de grande envergadura. Isto deveu-se à incapacidade da lei de 1996 de desregulamentação das telecomunicações para permitir uma verdadeira concorrência ao nível das redes locais entre as companhias por cabo e as companhias telefónicas. A banda larga local acabou por ser instalada nos edifícios de escritórios, que já estavam bem servidos pelas antigas empresas. Esta realidade fez cair os preços para as empresas – e para os indianos, que queriam ficar *on-line* a partir de Bangalore de forma a fazerem negócio –, mas não criou um tipo de concorrência capaz de aumentar a oferta de banda larga barata para milhões de cidadãos norte-americanos em suas casas. Isso só começou a acontecer recentemente.)

O sobreinvestimento feito em cabo de fibra óptica foi uma dádiva que continua a dar frutos, devido à natureza singular da fibra óptica. Ao contrário de outras áreas da Internet onde se sobreinvestiu, nesta o movimento foi permanente: uma vez instalados, os cabos de fibra óptica não podem ser desenterrados nem eliminada a sua sobrecapacidade. Assim, quando as empresas de telecomunicações começaram a falir, foram compradas por bancos, que, mais tarde, venderam os seus cabos de fibras por dez cêntimos de dólar a novas empresas, que continuaram a operá-los. Estas empresas conseguiram rentabilizar os seus negócios, uma vez que tinham comprado os cabos ao desbarato. Cada cabo de fibra óptica tem múltiplos fios de fibra com uma capacidade potencial para transmitir muitos *terabits* de dados por segundo, em cada fio. Quando estes cabos foram instalados, os transmissores e receptores ópticos em cada extremidade dos cabos não conseguiam tirar a máxima vantagem da capacidade total das fibras. Todos os anos, desde então, os interruptores ópticos de cada extremidade do cabo de fibra foram melhorando, o que significa que cada vez mais vozes e dados podem ser transmitidos por cada fibra. À medida que os interruptores melhoram, a capacidade dos cabos de fibra já instalados continua a crescer, o que torna mais barato e fácil transmitir vozes e dados, todos os anos, para qualquer parte do mundo. É como se instalássemos um sistema de auto-estradas nacional em que inicialmente era dada autorização para conduzir a 80, depois a 90, posteriormente a 100, mais tarde a 120 e, por fim, talvez a 240Km/h. As auto-estradas mantinham-se as mesmas, bem como o risco – nulo de acidentes. A diferença é que esta auto-estrada não era apenas nacional. Cobria o mundo inteiro.

"Cada nível de inovação é construído sobre outro", disse Andreessen, que saiu da Netscape para fundar outra empresa de alta tecnologia, a Opsware Inc. "Actualmente, aquilo que considero mais extraordinário é o facto de um adolescente, com 14 anos, na Roménia, Bangalore, União Soviética ou Vietname ter toda a informação, todas as ferramentas, todo o *software* ao seu alcance e poder aplicar o seu conhecimento na área que pretender. É por isso que tenho a certeza de que a próxima Napster* vai surgir do lado esquerdo do campo. À medida que a biociência se torna mais computacional e se afasta dos laboratórios, e que os dados genómicos se tornam facilmente acessíveis, chegar-se-á à altura em que será possível conceber vacinas no seu portátil."

Penso que Andreessen toca no que é o carácter único do mundo plano e da era da Globalização 3.0. O processo irá ser conduzido por grupos e particulares, com um *background* muito mais diversificado do que o dos 12 cientistas da informática que compunham o mundo de Andreessen quando criou o Mosaic. Veremos agora

---

* **N.T.** Napster era uma empresa *on-line* que facilitava a busca e o *download* de ficheiros MP3 que se encontravam armazenados nos computadores dos utilizadores do sistema, processo este que requeria a utilização do Napster MusicShare Software, que se encontrava disponível, gratuitamente, no *website* daquela empresa.

surgir o verdadeiro mosaico humano – de todos os cantos do mundo, do lado direito e do lado esquerdo do campo, do ocidente e do oriente, do norte e do sul – para liderar a nova geração da inovação. Com efeito, poucos dias depois de eu e Andreessen termos conversado, o *The New York Times* fazia esta manchete (15 de Julho de 2004): "EUA autorizam três medicamentos contra o cancro vindos de Cuba." A história continuava e dizia: "O Governo Federal está a permitir que uma empresa californiana de biotecnologia licencie três medicamentos experimentais contra o cancro, que têm origem em Cuba – abrindo assim uma excepção à política de apertada restrição ao comércio com aquele país." Executivos da referida empresa, a CancerVex, disseram que "foi a primeira vez que uma empresa norte-americana de biotecnologia obteve permissão para licenciar um medicamento de Cuba, país que alguns executivos industriais e científicos consideram ser forte na área da biotecnologia, o que constitui uma surpresa, atendendo a que se trata de uma nação em vias de desenvolvimento... Gastaram-se mais de mil milhões de dólares ao longo dos anos para construir e activar institutos de pesquisa na região oeste de Havana, onde se encontram os cientistas cubanos, muitos dos quais estudaram na Europa".

Só para resumir, uma vez mais: a fase do Apple-PC-Windows, que contribuiu para tornar o mundo mais plano, estava relacionada com a minha interacção com o meu computador e com a minha própria ligação a uma rede limitada, dentro da minha própria empresa. Depois, surgiu a fase Internet-*e-mail-browser*, que também tornou o planeta um pouco mais plano. Tinha a ver comigo e com a interacção que o meu computador tinha com qualquer pessoa, com qualquer tipo de máquina – tem tudo a ver com o *e-mail*. Tinha também a ver comigo e com a interacção do meu computador com o *site* de qualquer pessoa na Internet – tem tudo a ver com o *browsing*. Em suma, a fase Apple-PC-Windows produziu a fase Netscape-*browsing-e-mail* e as duas juntas permitiram que mais pessoas do que nunca comunicassem e interagissem umas com as outras em qualquer ponto do planeta.

O divertimento estava apenas a começar. Esta fase representa os alicerces do passo seguinte para tornar o mundo ainda mais plano.

Acontecimento # 3

Software de sistematização dos fluxos de trabalho

Conheci Scott Hyten, CEO do Wild Brain, um moderno estúdio de animação em São Francisco, que produz filmes e *cartoons* para a Disney e outros grandes estúdios, numa reunião em Silicon Valley, no Inverno de 2004. Eu tinha sido convidado por John Doerr, conhecido investidor na área de capital de risco, para fazer uma avaliação prática das ideias deste livro em algumas das empresas que ele tinha apoiado. Hyten e eu entendemo-nos realmente bem. Depois de ouvir os meus argumentos, escreveu-me um *e-mail* a dizer: "Tenho a certeza de que, no tempo de Fernão Magalhães, existiam muitos teólogos, geógrafos e sábios que queriam tornar o mundo plano. Eu sei que o mundo é plano. Obrigado pelo seu apoio."

Hyten é um homem que me diz muito.

Quando lhe pedi para ser minucioso, Hyten esquematizou-me a forma como os filmes animados são produzidos actualmente, através de uma cadeia global de abastecimento. Compreendi, de imediato, qual o motivo que também o tinha levado a concluir que o mundo é plano. "Na Wild Brain", explicou ele, "criamos coisas a partir do nada. Aprendemos como tirar proveito do mundo plano. Não estamos a combatê-lo. Estamos a tirar vantagens dele".

Hyten convidou-me para ir ao estúdio ver a produção do segmento de um *cartoon*, para poder avaliar verdadeiramente como o mundo era plano. Fui. A série na qual estavam a trabalhar quando apareci destinava-se ao Disney Channel e chamava-se *Higglytown Heroes*. Era inspirada em todos os cidadãos que se mostraram à altura do desafio do 11 de Setembro. *Higglytown* "é a típica cidade pequena dos anos 50", disse Hyten. "É uma viagem ao passado. E estamos a exportar a produção desta pequena cidade norte-americana para todo o mundo – em sentido literal e figurado. A base da história é que todas as pessoas, todos os cidadãos comuns que ali fazem as suas vidas, são os heróis daquele lugar – desde o professor até ao homem que entrega as *pizzas*."

Este *show*, muito norte-americano, está a ser produzido por uma cadeia de abastecimento mundial. "A sessão de gravação é realizada perto de casa do artista, normalmente em Nova Iorque ou Los Angeles, o *design* e a realização são feitos em São Francisco, os guionistas ligam-se a partir de casa (desde a Florida, Londres, Nova Iorque, Chicago, Los Angeles e São Francisco) e a animação das personagens é efectuada em Bangalore, com edição em São Francisco. Só para este programa temos oito equipas em Bangalore, que trabalham em paralelo com oito escritores diferentes. Esta eficiência permitiu-nos assinar contrato com 50 'estrelas' para os 26 episódios. As sessões interactivas de gravação/escrita/animação permitem-nos filmar um artista para um episódio completo em menos de meio dia, já incluindo os ilimitados *takes* e as reformulações do guião. Gravamos dois actores por semana. Por exemplo, na semana passada gravámos a Anne Heche e o Smokey Robinson. Tecnicamente, fazemos isto na Internet. Temos uma VPN (*Virtual Private Network* – rede privada virtual) configurada para os PC dos nossos escritórios e para aquilo a que chamamos 'futebóis' dos escritores: computadores portáteis especiais que podem conectar-se a qualquer ligação Ethernet cat-5 ou a uma banda larga sem fios no 'campo'. Esta VPN permite-nos partilhar o som do microfone, as imagens da sessão de gravação, o guião em tempo real e todos os desenhos animados para todas as localidades, através de um simples *login*. Assim, a forma que arranjámos para nos observarem consiste em enviar-lhes um 'futebol'. A pessoa liga-se em sua casa, no escritório, na maioria dos quartos de hotel, ou vai até ao Starbucks da sua zona [que tem acesso de banda larga à Internet, sem fios], liga-se, coloca uns *headphones* Bose de redução do ruído e ouve, vê, lê e comenta. 'Sharon, podes enfatizar um pouco mais aquela deixa?' Assim, no decorrer das 11 semanas previstas no calendário de produção do programa, é possível estar ligado 24 horas por dia e verificar a evolução da produção enquanto ela segue o sol à volta do mundo. Tecnicamente, precisa do 'futebol' apenas para a sessão. Ao longo do ciclo de produção, podem ser utilizados os portáteis comuns para acompanhar os 'diários' e 'edições'."

Entretanto, Hyten já saiu da Wild Brain, mas ainda bem que o visitei naquele dia, pois esta empresa é um exemplo gráfico da fase de inovação e do acontecimento que tornou o mundo plano que se seguiu às fases Muro de Berlim – Windows e Netscape. A queda do Muro de Berlim foi um importante acontecimento histórico, não tendo passado despercebido a ninguém. A admissão em bolsa da Netscape foi igualmente um acontecimento mediático e histórico. Todavia, o desenvolvimento e a integração do *software* de sistematização dos fluxos de trabalho revelaram-se uma revolução discreta, que a maioria das pessoas nem imaginava que estava a acontecer. Esta revolução concretizou-se entre meados e finais dos anos 90, tendo um impacto tão profundo no mundo como os dois primeiros acontecimentos que o tornaram plano. Permitiu que mais pessoas nos lugares mais diversos concebessem, visualizassem, gerissem e partilhassem dados empresariais que eram, anteriormente, tratados manualmente. Assim, o trabalho começou a fluir dentro e entre empresas e continentes mais rapidamente do que alguma vez acontecera.

Para chegar a este ponto, foram necessárias imensas inovações ao nível do *software*. A revolução da sistematização dos fluxos de trabalho desenvolveu-se da seguinte forma: quando os muros caíram e o PC e o *browser* da Netscape permitiram que as pessoas se ligassem umas com as outras como nunca acontecera no passado, não demorou muito tempo até que todas estas pessoas quisessem algo mais do que simplesmente navegar e enviar mensagens electrónicas, instantâneas, fotografias e música através desta plataforma da Internet. Queriam moldar, conceber, criar, vender e comprar coisas, actualizar inventários, preencher as declarações de impostos e analisar os exames de raio X de outras pessoas, a meio mundo de distância. Além disso, queriam fazer tudo isto de qualquer local para qualquer outro local e de qualquer computador para qualquer outro computador – ininterruptamente.

A primeira grande inovação, ao nível da sistematização do fluxo de trabalho, residiu na combinação entre PC e *e-mail*. Se pensar bem, antes da disseminação dos computadores e da Internet, a gestão do fluxo de trabalho consistia na recepção de uma encomenda pelo telefone no departamento de vendas, na sua anotação numa folha de papel e entrega em mão no departamento de expedição que, por sua vez, enviava o produto. Em seguida, alguém deste departamento dirigia-se ao departamento de facturação com uma folha de papel e com instruções para emitir uma factura para o cliente. Todavia, na sequência das inovações Muro-PC-

-Netscape, a gestão dos fluxos de trabalho deu um grande salto em frente. Assim, o departamento de vendas começou a poder receber encomendas pelo telefone ou por correio electrónico, inserir estes dados num sistema informático, enviar o pedido de encomenda por *e-mail* para o departamento de expedição da própria empresa, que enviava o produto para o cliente e, ao mesmo tempo, emitia automaticamente uma factura.

Por outras palavras, o PC Windows permitiu que qualquer pessoa na empresa criasse e manipulasse conteúdos digitais – palavras, dados, imagens – com a ponta dos dedos a partir das suas secretárias, o que constituía um grande avanço quando comparado com o papel e as máquinas de escrever. Além disso, se toda a sua empresa utilizar o mesmo *hardware*, *software* e sistema de *e-mail*, a produtividade poderá ser ainda maior, ao 'disparar' ininterruptamente conteúdos digitais para todos os departamentos da empresa. No entanto, nos anos 80 e princípios dos anos 90 eram raras as empresas que utilizavam o mesmo *software* e *hardware*. A maioria instalava sistemas informáticos de forma faseada ou descobria que um determinado *software* era adequado para o departamento de contabilidade, outro para a gestão de inventários e um terceiro para o *e-mail*. Assim, o departamento de vendas podia estar a utilizar *software* Microsoft, enquanto o departamento de logística utilizava Novell ou IBM. Por conseguinte, não podiam comunicar ou colaborar digitalmente uns com os outros – não podiam trabalhar nos conteúdos digitais uns dos outros ou, pelo menos, sem grandes dificuldades. Assim, embora cada departamento fosse mais produtivo dentro dos seus limites, porque tinha computadores, *software* e *e-mail*, quando havia um problema para resolver entre departamentos, continuava a ser necessário que alguém das vendas se deslocasse ao departamento de logística para falar com alguém deste departamento. O trabalho ainda não fluía digitalmente e a colaboração em formato digital também não ocorria, pelo menos tão facilmente como poderia ter sido. É frequente esquecermo-nos que a indústria do *software* começou como uma má corporação de bombeiros. Imagine uma cidade, onde cada bairro tivesse um dispositivo diferente para ligar a mangueira à boca-de-incêndio. Tudo estaria bem enquanto o destacamento de bombeiros da sua zona conseguisse lidar com o incêndio. Todavia, se houvesse um grande incêndio e fosse solicitada a ajuda do destacamento do bairro mais próximo, estes meios de nada serviriam porque os bombeiros do outro bairro não conseguiriam ligar as mangueiras deles às bocas-de-incêndio do seu bairro.

Apesar da grande inovação que constituiu a padronização do tratamento digital das palavras, músicas, imagens e dados em PC e do seu transporte através da Internet, eram necessárias mais duas coisas para que o trabalho pudesse fluir digital e ininterruptamente na empresa e entre empresas do mesmo ecossistema digital. Eram precisos mais "canos" mágicos, isto é, mais protocolos de transmissão e linguagens, que garantissem a interligação ininterrupta do *e-mail* e das aplicações de *software* de qualquer pessoa, no seio da mesma empresa ou fora dela – independentemente do computador ou *software* que estivesse a utilizar. Além disso, eram necessários programadores para criar novas aplicações – novo *software* – que nos permitissem tirar o máximo partido dos computadores enquanto trabalhávamos com estes dados, palavras, música e imagens digitais e os transformávamos em produtos.

A indústria do *software* fez a primeira parte ao criar e popularizar um protocolo denominado SMTP – *simple mail transfer protocol** – que permitia a troca de mensagens de *e-mail* entre sistemas informáticos heterogéneos. Isto permitia o envio de *e-mail* a outras pessoas, sem ter de se preocupar com o tipo de *hardware* ou serviço de *e-mail* que essas pessoas possuíam. O mundo passara subitamente a ter um carteiro electrónico, que entregava o correio de forma rápida, barata e em qualquer local, mesmo que estivesse a chover, a nevar ou a cair granizo.

No entanto, não bastava o *e-mail* para tornar a empresa realmente plana. Todos os departamentos internos – vendas, *marketing*, produção, facturação e logística – tinham de ser interoperacionais, independentemente dos computadores ou *software* que utilizavam e dos documentos ou dados que pretendiam partilhar ou trabalhar em conjunto. Em suma, o departamento de vendas poderia enviar, além de mensagens de *e-mail*, documentos para o departamento de facturação e folhas de cálculo para o departamento de logística do fornecedor. E este último teria de estar ligado ininterruptamente com o fornecedor do seu fornecedor, que poderia ser uma fábrica na China.

Todavia, para conseguir trabalhar na "Torre de Babel" constituída pelas diferentes linguagens de *hardware* e *software* que se desenvolveram ao longo dos anos 80 e princípios dos anos 90, foi necessária uma outra grande inovação. Esta passou pela implementação de "vias-férreas", que pudessem ligar o *hardware* de todas as pessoas, e de "locomotivas" que transportassem documentos ou dados, que pudessem ser lidos pelo *software* de qualquer pessoa. Esta "via-férrea" acabou por ser os protocolos acima mencionados – a linguagem da Internet e a *World Wide Web*. A HTML foi a linguagem que permitiu que qualquer pessoa elaborasse e publicasse documentos e dados de uma forma que pudessem ser transmitidos e lidos em qualquer computador, onde quer que este se encontrasse. A HTTP foi a linguagem informática que descreveu como colocar este conteúdo na "via-férrea" da Internet – como transformá-lo numa "locomotiva" que pudesse ir a todo o lado. E o TCP/IP (*transmission control protocol/Internet protocol*) foi a "via-férrea" – o sistema de transporte que conduziu os dados das suas páginas *Web* pela Internet, de computador para computador e *website* para *website*. (O *site* tecnológico stepforth.com descreve o TCP/IP como sendo "baseado no conceito simples de reduzir grandes quantidades de dados a pacotes do tamanho de *bytes*, orientando estes

* **N.T.** Conjunto de padrões técnicos para a transferência de correio electrónico.

pacotes entre computadores através de uma rede proporcional e reconstituindo-os para formar uma réplica do documento original.")

"Estes protocolos permitiram partilhar coisas, que não fossem apenas documentos Word ou *e-mails* padronizados", explica Craig Mundie, director técnico da Microsoft. "As pessoas podiam descrever qualquer tipo de documento que quisessem – desde uma página da Amazon.com a um formato de pagamento com cartão de crédito – e transportá-lo entre vários computadores, disponibilizando-o a qualquer indivíduo, sem qualquer acordo prévio ou preparação entre o remetente e o destinatário". Esta evolução permitiu sistematizar os fluxos de trabalho a partir de meados dos anos 90.

É um facto incontornável. A Wild Brain pretendia um *software* interoperacional e ininterrupto de sistematização dos fluxos de trabalho para fazer filmes de animação com uma equipa de produção espalhada pelo mundo inteiro. A Boeing precisava do mesmo tipo de *software* para que as suas unidades de produção de aviões nos Estados Unidos pudessem reabastecer continuamente com peças os seus clientes de diversas companhias aéreas, através dos seus sistemas informatizados de encomendas, independentemente do país de proveniência dessas encomendas, para além de permitir a intervenção de engenheiros da Rússia, da Índia ou mesmo do Japão na construção dos aviões. Os médicos precisavam igualmente do mesmo género de *software* para que um raio X tirado em Bangor pudesse ser avaliado num hospital de Bangalore, sem que o médico no Maine (Estado dos EUA onde se situa Bangor) tivesse sequer de pensar no tipo de computadores disponível neste hospital indiano. Por fim, os particulares também desejavam que os diversos *softwares* de banca *on-line*, corretagem electrónica, *e-mail* do escritório, folha de cálculo pudessem funcionar no computador portátil em sua casa, para além de poderem estar sincronizados com o computador da empresa ou a agenda electrónica. Quando as aplicações de todas as pessoas começaram a ficar interligadas, o trabalho não só começou a fluir de uma forma totalmente nova, como também passou a ser fragmentado, desagregado e enviado para os quatro cantos do mundo como nunca tinha acontecido.

"Porém," acrescentou Mundie, "pensámos: 'se queremos realmente automatizar tudo, não temos de facilitar apenas a comunicação entre as pessoas, mas também entre as máquinas – isto é, permitir que as máquinas interajam com outras máquinas, em relação a qualquer tema, sem intervenção humana ou sem qualquer relação prévia entre as várias empresas, cujas máquinas estejam a comunicar'." Esta foi a inovação seguinte ao nível da sistematização dos fluxos de trabalho.

Em termos técnicos, o que permitiu esta última inovação foi o desenvolvimento de uma nova linguagem de descrição documental, denominada XML (*extensible markup language*), e o seu protocolo de transporte associado, designado SOAP (*simple object access protocol*). Em conjunto, permitem que dois programas informáticos partilhem dados ou documentos formatados, que contenham qualquer tipo de informação – registos de facturação, transacções financeiras, registos médicos, música, imagens, dados bancários, páginas *Web*, publicidade, excertos de livros, documentos Word, ou venda de acções. A Microsoft, a IBM e uma série de outras empresas contribuíram para o desenvolvimento da XML e do SOAP, tendo ambos sido posteriormente ratificados e popularizados como padrões da Internet. Isto permitiu que a sistematização do fluxo de trabalho alcançasse um nível totalmente novo. De um momento para o outro, passei a poder criar o meu próprio programa de facturação, utilizando a XML e o SOAP, sabendo que os meus computadores podiam transmitir esta factura para os vossos computadores, sem qualquer intervenção humana ou acordo prévio entre as nossas duas empresas. O resultado final, acrescentou Mundie, foi que "a indústria criou uma plataforma global para uma força de trabalho global de pessoas e computadores".

Em suma, as pessoas começaram nos anos 80 a ser capazes de utilizar o PC para criar os seus próprios conteúdos, em formato digital, que imprimiam em papel e partilhavam com outros, entregando-os em mão própria ou pelo correio tradicional e, por fim, por correio electrónico. Mais tarde, as pessoas passaram a ser capazes de elaborar conteúdos digitais nos seus PC, que transmitiam através da Internet graças a protocolos padronizados, e que podiam partilhar com qualquer pessoa e em qualquer local. Por último, nos dias de hoje atingimos um nível de sistematização dos fluxos de trabalho em que as máquinas comunicam com outras máquinas, através da Internet, utilizando protocolos padronizados, sem qualquer intervenção humana.

Padrões sobre padrões

Onde é que tudo isto vai chegar? O mais interessante acerca do HTML, HTTP, TCP/IP, XML e SOAP é que, assim que foram adoptados como padrões – tornando tudo e todos cada vez mais interoperacionais e interligados –, as empresas de *software* pararam de competir em relação a quem controlava as bocas de incêndio e concentraram-se em quem podia conceber mangueiras melhores e carros de bombeiros para bombear mais água. Assim que um padrão se estabelece, as pessoas começam a apostar na qualidade do *que* estão a fazer em detrimento do *como* estão a fazer. Por outras palavras, assim que as pessoas passaram a poder interligar-se umas com as outras, começaram a interessar-se pelo valor acrescentado, que incorporavam as aplicações de *software* mais úteis e elegantes para incrementar a colaboração, a inovação e a criatividade.

Entretanto, havia um número crescente de padrões a serem adoptados. O trabalho começa realmente a fluir quando, para além de padrões para os 'canos' subjacentes – para que qualquer pessoa possa enviar documentos, imagens ou dados para qualquer outra máquina equipada com um *software* diferente –, passaram a existir padrões para o que os 'canos' continham – os documentos ou processos empresariais. Actualmente, não estamos apenas a codificar de uma forma padronizada documentos e aplicações de *software* – como um documento Word ou uma página *Web* –, que podem ser lidos por qualquer pessoa e em qualquer máquina. Estamos a padronizar também o processo empresarial que estes documentos representam. "Por exemplo", refere Joel Cawley, da IBM, "quando pede um empréstimo, faz uma escritura ou compra uma casa, existem literalmente dezenas de processos e fluxos de dados entre muitas empresas diferentes. Um banco pode encarregar-se da aprovação do crédito, da avaliação do perfil de risco, da fixação da taxa de juro e do processo de realização da escritura – sendo em seguida o empréstimo vendido a outro banco". Quando existe um padrão estabelecido em relação a todos estes processos imobiliários, o mediador pode concentrar-se muito mais na pessoa e nas suas necessidades, em detrimento dos papéis. Já estamos a assistir ao surgimento de padrões na área do pagamento de vencimentos, no âmbito do comércio electrónico e da avaliação do perfil de risco, na forma como a música e as fotografias são editadas e transmitidas digitalmente – é o caso, por exemplo, do padrão JPEG – e, mais importante ainda, na forma como as cadeias de abastecimento estão ligadas.

É impressionante o facto de qualquer pessoa poder ligar-se ao eBay e tornar-se comprador ou vendedor, utilizando qualquer tipo de máquina e de *browser*; mas o que realmente despoletou o mercado eBay foi a adopção do PayPal, um padrão que permitia ao comprador pagar muito facilmente ao vendedor. O PayPal é um sistema de transferência de dinheiro, criado em 1998, para facilitar as transacções C2C (*customer-to-customer* – entre clientes), como é o caso de um comprador e de um vendedor que realizam um negócio através do eBay. De acordo com o ecommerce-guide.com, a utilização do PayPal permite que qualquer pessoa com um endereço de *e-mail* possa transferir dinheiro para outra pessoa que também tenha um endereço de correio electrónico, independentemente de o receptor ter ou não uma conta PayPal. O PayPal nem sequer influi sobre o lugar onde é feita a transacção comercial. Se alguém no escritório estiver a organizar uma festa para um colega e for necessário que todos contribuam monetariamente, podem fazê-lo através do PayPal. Com efeito, o organizador da festa pode enviar a todos os envolvidos instruções PayPal por *e-mail* sobre como pagar. O sistema PayPal aceita dinheiro do comprador através de uma de três formas, segundo o ecommerce-guide.com: cobrando no cartão de crédito do comprador qualquer transacção (pagamentos), debitando de uma conta corrente quaisquer pagamentos, ou deduzindo os pagamentos de uma conta PayPal criada com um cheque pessoal. Os receptores do pagamento podem usar o dinheiro na sua conta para compras ou pagamentos *on-line*, podem receber o pagamento através de um cheque PayPal ou podem receber um depósito directo do dinheiro – efectuado pelo PayPal – numa conta corrente. Criar uma conta PayPal é simples. Na qualidade de pagador, a única coisa que tem de fazer é facultar o seu nome, endereço de *e-mail*, informação relativa ao cartão de crédito e a morada de facturação do seu cartão de crédito.

Todas estas funções bancárias e de comércio electrónico interoperacionais tornaram, de uma forma radical, mais plano o mercado da Internet, que até o eBay foi apanhado de surpresa. Antes de existir o PayPal, explicou a CEO do eBay, Meg Whitman, "se realizasse um negócio através do eBay em 1999, a única forma de pagamento de que dispunha, como compradora, era o cheque ou uma ordem de pagamento. Todo o sistema se baseava no papel. Não existia uma forma electrónica de enviar dinheiro e os negociantes deste *site* não tinham dimensão suficiente para disporem de uma conta a crédito. O PayPal permitiu que os *particulares* aceitassem cartões de crédito. Eu podia pagar-lhe a si, que era um vendedor *particular* no eBay, com um cartão de crédito. Isto realmente tornou plano o 'terreno de jogo' e eliminou as fricções comerciais". Com efeito, revelou-se de tal forma importante que o eBay comprou o PayPal, não com base nas recomendações dos seus bancos de investimento, em Wall Street, mas sim dos seus utilizadores.

"Um dia acordámos e descobrimos que 20 por cento das pessoas no eBay estavam a dizer: 'Aceito o PayPal, por favor pague-me dessa forma'. E questionámo-nos: 'Quem são estas pessoas e o que estão a fazer?' Primeiro tentámos fazer-lhes frente e lançámos o nosso próprio serviço, denominado Billpoint. Por fim, em Julho de 2002, estávamos nós no 'eBay Live' [uma convenção] e o rufo de tambor que trespassava a parede era ensurdecedor. A nossa comunidade estava a dizer-nos: 'Vocês param de lutar? Queremos um padrão – e *já escolhemos esse padrão,* chama-se PayPal e sabemos que vocês no eBay gostariam que ele [o padrão] fosse vosso, mas é deles'. Foi nessa altura que percebemos que tínhamos de comprar a empresa, porque era esse o padrão escolhido e não era nosso... Foi a melhor aquisição que alguma vez fizemos."

Na próxima fase da sistematização dos fluxos de trabalho, a marcação de uma consulta no dentista será feita da seguinte forma: Em primeiro lugar, haverá um padrão comum para marcação de consultas em qualquer dentista. Dará a instrução ao seu computador, em voz alta, para fazer a marcação. O computador converterá automaticamente a sua voz numa instrução digital. A seguir verificará também automaticamente a sua agenda para comparar com as datas disponíveis na agenda do seu dentista e dar-lhe-á três hipóteses à escolha. Clicará, então, na data e hora preferida. Na semana anterior à da consulta, a agenda do seu dentista enviar-lhe-á automaticamente um *e-mail* para lhe recordar a marcação. Na noite anterior, receberá uma mensagem de voz por telefone, gerada pelo computador, relembrando-o da consulta.

No entanto, para que a sistematização dos fluxos de trabalho siga esta evolução e produza as melhorias desejadas, "são necessários cada vez mais padrões comuns", refere Cawley, o responsável pelo planeamento estratégico da IBM. "São padrões relacionados com os processos empresariais". Quanto mais ligarmos as pessoas através de padrões comuns de comunicação, como o XML, e, em seguida, além destes protocolos, ligarmos cada vez mais pessoas através de processos empresariais padronizados, mais fácil será, segundo Cawley, fragmentar o trabalho e enviar fragmentos do mesmo para ser realizado em qualquer parte mundo; e maior será a produtividade, bem como melhor, mais barata e mais rápida será a cooperação dentro da totalidade do meu ecossistema digital; e maior será a dedicação dos meus colaboradores às inovações ou serviços de ponta e de valor acrescentado que distinguem uma empresa. Os padrões não travam a inovação, acrescentou Cawley, apenas eliminam um grande número de situações insignificantes, para que nos possamos concentrar no que realmente interessa.

O mais recente *überpadrão**

Enquanto escrevo, a sistematização dos fluxos de trabalho está prestes a subir mais um nível. Depois de termos criado inúmeros processos padronizados, permitindo às pessoas e máquinas descrever e partilhar documentos e trabalhar em conjunto, e de termos criado pelo menos alguns padrões direccionados para certos tipos de comércio – como as hipotecas ou os pagamentos com cartões de crédito –, uma outra revolução está a caminho, possibilitada por um novo tipo de codificação emergente denominado AJAX (abreviatura dos assíncronos JavaScript e XML). O AJAX permite um acesso facilitado a ferramentas mais ricas e sofisticadas da Internet que podem ser utilizadas para gerir a totalidade de uma empresa – *on-line* – a um custo muito baixo. Quando digo gerir uma empresa, quero dizer estar em contacto com os clientes, acompanhar os inventários, o recrutamento de pessoal, a gestão de projectos, o desenvolvimento de produtos, a agenda, os orçamentos e os recursos humanos. No âmbito da *Web* Empresarial (*Business Web*), como é chamada, acede-se a estas ferramentas pela *Web*, utiliza-se estas ferramentas na *Web* e armazena-se todos os dados empresariais na *Web*, e não nos computadores pessoais. Dentro em breve, estes serviços da *Web* irão provavelmente substituir alguns, ou mesmo todos, os programas de *software* empresarial que compramos, carregamos, actualizamos e integramos com outros sistemas.

Este é um enorme passo em frente na sistematização dos fluxos de trabalho. Ray Ozzie, outro director técnico da Microsoft, afirma tratar-se de "uma explosão dos serviços da Internet". Eis como tudo isto funciona: empresas de serviços da Internet estão a surgir um pouco por toda a *Web*. Em troca de uma comissão, estas empresas – é o caso, por exemplo, da Salesforce.com – permitem-lhe aceder a um conjunto de aplicações empresariais na Internet, que podem ser utilizadas

---

* **N.T.** Em alemão, *über* significa um nível acima.

on-line para gerir uma empresa. Estas aplicações funcionam como os programas tradicionais de *software* e podem abranger um amplo leque de tarefas empresariais. A grande diferença reside no facto de estas ferramentas de gestão, dados ou mesmo fotos não estarem armazenados no seu computador como um *software*. Encontram-se armazenados longe, na plataforma Salesforce.com. Além disso, visto estas ferramentas serem fornecidas via Internet e utilizarem formatos padrão da *Web*, estão acessíveis a quem quer que tenha uma ligação à Internet e são facilmente adaptáveis a qualquer negócio. O que possibilita este nível de sistematização dos fluxos de trabalho é o AJAX, uma técnica de desenvolvimento *Web* que permite integrar aplicações empresariais complexas da Internet em páginas *Web*, localizá-las com um simples *browser* e aceder a elas com a mesma facilidade com que se acede a uma página da Amazon.com. Na prática, o AJAX permite-lhe efectuar todo o tipo de processamento de texto, de dados e de negócios que faria normalmente num PC com um *software* convencional. Enquanto empresa, se quiser subscrever o acesso à plataforma *Web* da Salesforce.com, irá pagar mensalmente 65 dólares por utilizador individual (17 dólares por utilizador no caso de empresas de uma a cinco pessoas). Assim, o *software* passa a ser alugado, ao invés de comprado. A responsabilidade das actualizações e da manutenção fica a cargo de outrem.

"O nosso serviço pode ser actualizado diariamente e, dado que o serviço é concebido a partir de padrões *Web* e fornecido através da Internet, as actualizações estão disponíveis instantaneamente e podem ser acedidas de imediato pelos utilizadores em qualquer parte do mundo", afirma Ken Juster, *Executive Vice President* da Salesforce.com para as áreas de Direito, Políticas e Estratégia Empresarial. "Não estamos apenas a tentar movimentar informação e dados; estamos a tentar partilhar soluções empresariais e as melhores práticas – dentro das empresas e entre as empresas".

Ao utilizar as ferramentas empresariais *on-line* da Salesforce.com para sistematizar os fluxos de trabalho da sua empresa, é possível que a sua equipa de desenvolvimento de processos encontre uma solução personalizada que funcione realmente bem para a sua empresa e para os seus clientes. Em seguida, pode oferecer essa solução à plataforma da Salesforce.com como uma ferramenta que outros poderão querer utilizar – gratuitamente ou a troco de uma comissão pela sua inovação de processos empresariais. Desta forma, a Salesforce.com utiliza os seus clientes e parceiros para desenvolver a sua plataforma e integrar-se num número crescente de empresas. Com efeito, os seus clientes tornam-se membros das suas equipas de vendas e de investigação e desenvolvimento.

"Nunca poderíamos conceber aplicações para os nossos clientes tão rápida e facilmente como eles para si próprios", disse Marc Benioff, CEO da Salesforce.com, à internetnews.com no dia 12 de Abril de 2005. A grande diversidade de aplicações de processos empresariais, existentes na Salesforce.com, permite que sejam utilizadas por empresas em nome individual ou por uma IBM. Juster confessou que um dos seus clientes favoritos na utilização da plataforma da Salesforce.com é um pequeno empresário de Xangai, na casa dos 30 anos, Justin Lu, e a sua empresa, Protime Consulting. Lu dá apoio a empresas globais que têm pontos de venda na China, como a Sony, a Hyatt ou a Estée Lauder, ao nível do seu *e-marketing* e soluções *Web*. Actualmente, tem cerca de 30 pessoas a trabalhar para ele e tem um volume de negócios anual de aproximadamente um milhão de dólares. "Consigo gerir virtualmente a totalidade do meu negócio através da Internet, utilizando a plataforma da Salesforce.com", afirmou Lu. "Temos conseguido crescer muito rapidamente ao concentrarmo-nos no que é importante para gerar mais receitas e mantendo baixos os custos dos nossos sistemas através de serviços fornecidos pela Internet".

Por exemplo, utiliza o sistema de *marketing* por *e-mail* da Salesforce.com para enviar *e-mails* em massa, utiliza o seu sistema automático de força de vendas para gerir todos os dados anteriores à venda e utiliza o seu sistema de gestão do apoio ao cliente para gerar uma memória empresarial em todas as interacções com os seus clientes. Ainda segundo Juster, Lu está a obter a propriedade intelectual destas três aplicações, que lhe estão a permitir ter poder para criar uma empresa com muito pouco dinheiro.

Ouvi falar de uma *start-up* que utiliza a *Web* Empresarial para vender vitaminas orgânicas. Esta empresa paga uma taxa mensal ao Yahoo! para que, sempre que alguém faça uma pesquisa com as palavras "vitaminas orgânicas" no Yahoo!, apareça um anúncio publicitário da empresa. Em seguida, utiliza a plataforma da Salesforce.com para gerir a componente administrativa e, por fim, encontrou um fabricante para produzir a sua marca própria de vitaminas orgânicas. *Boom*! Assim, praticamente sem dinheiro e a trabalhar a partir de casa – embora aproveitando o poder de pesquisa do Yahoo! e o poder administrativo da Salesforce –, está actualmente a competir com grandes cadeias farmacêuticas.

Além de proporcionar aos pequenos empresários, como Justin Lu, um acesso facilitado a algumas ferramentas empresariais a que, há alguns anos atrás, só as grandes empresas podiam almejar, a *Web* Empresarial está igualmente a provocar uma alteração revolucionária no equilíbrio de poder entre os fornecedores de aplicações empresariais. A próxima fase na evolução da *Web* Empresarial assemelhar-se-á ao mercado eBay para serviços empresariais. Programadores individuais e empreendedores, quer estejam em Xangai, Bangalore ou Silicon Valley, poderão criar aplicações, inserir as suas inovações em plataformas *Web*, como a Salesforce.com, e aproveitar o poder de *marketing* e de distribuição destas plataformas para vender a nível global, sem os elevados investimentos necessários actualmente para comercializar *software*.

"Isto é apenas o início da *Web* Empresarial", afirmou Benioff, CEO da Salesforce.com, num memorando dirigido aos seus colaboradores em Novembro de 2005. "A indústria do *software* está a sofrer uma transformação, como provavelmente nunca se viu nas últimas duas décadas, e que é comparável ao aparecimento do próprio PC... As novas empresas da Internet estão a mostrar como os serviços irão substituir o *software*, tanto para os consumidores como para as empresas". Como Benioff gosta de dizer: "A Microsoft quer que comprem mais *software*. Nós queremos assistir ao fim do *software*."

A Microsoft apercebeu-se disso. O *The New York Times* publicou uma notícia, no dia 9 de Novembro de 2005, que dá conta que Ray Ozzie escreveu um memorando interno a alertar os executivos seniores de que a Microsoft tinha de alterar significativamente o seu negócio "caso contrário arrisca-se a ficar em grande desvantagem competitiva em relação a um número crescente de empresas que oferecem serviços da Internet". Alguns dias mais tarde, a Microsoft anunciou que iria oferecer dois novos serviços – o Windows Live e o Office Live, ou seja, versões em *Web* Empresarial de dois dos seus produtos mais populares. Algumas semanas mais tarde, o Google anunciou que estava a oferecer um pacote de *software* gratuito que podia ser descarregado pela Internet, mas que não incluía qualquer programa da Microsoft. Isto vai ser interessante!

Não existem dúvidas de que a *Web* Empresarial irá desafiar a Microsoft. No entanto, penso que não se deve subestimar a Microsoft ou deitar fora todo o seu *software*. É um facto que estamos a passar de um mundo em que as empresas eram sistemas independentes para um mundo em que se tornaram sistemas interdependentes e interligados, e em que as empresas, pequenas e grandes, podem conceber individualmente um sistema interoperacional de sistemas, apenas recorrendo à *Web* Empresarial e alugando ou reunindo os programas independentes que bem entenderem. A empresa virtual está aí – e vai provocar uma grande revolução. Isto porque as pequenas e médias empresas passarão a ter um acesso facilitado a algumas ferramentas poderosas de sistematização do fluxo de trabalho a que, há alguns anos atrás, só as grandes empresas podiam aspirar.

Mas não se esqueça de um pormenor: quando tem acesso a estas ferramentas padronizadas de sistematização dos fluxos de trabalho, o mesmo acontece com todas as outras pessoas. É ainda necessário ter um produto ou serviço único para oferecer. E para isso é, muitas vezes, necessário desenvolver um processo único para aplicar as tecnologias de informação ao seu negócio de base, qualquer que ele seja. É óptimo poder gerir o seu relacionamento com o cliente na Internet, a troco do pagamento de uma pequena taxa; é óptimo possuir uma sistematização dos fluxos de trabalho realmente eficiente. Porém, precisa antes de mais dos seus próprios clientes – uma competência distintiva própria para a sua empresa. Isso significa que necessita de critérios, de inovações e, obviamente, de ferramentas ou sistemas de *software* que são seus, para conceber o seu produto ou serviço único. A sua competência distintiva – o elemento que irá construir um fosso em redor da sua empresa – será sempre criada, aperfeiçoada ou incorporada nalgum algoritmo, processo de fabricação ou aplicação de *software* que são exclusivamente seus. Não é possível ir buscar tudo à prateleira ou à Internet – se pudesse, os seus concorrentes também podiam. Se for gestor de um fundo de obrigações, todos os padrões e sistematizações de fluxo de trabalho existentes para transaccionar ininterruptamente obrigações são uma dádiva de Deus. No entanto, o sucesso ou insucesso do seu negócio dependerá, em última análise, do seu algoritmo arrasador e único para decidir quando deve comprar ou vender as obrigações. É por isso que haverá sempre lugar para as grandes e empreendedoras empresas tradicionais de *software*, como a Microsoft e a SAP, que podem criar soluções à medida de cada cliente. Além disso, tal como a Microsoft demonstrou, também irá disponibilizar alguns dos seus programas na *Web* Empresarial.

Todavia, a revolução a que temos assistido na sistematização dos fluxos de trabalho – desde os protocolos de transmissão aos padrões para processos empresariais que podem ser agora alugados na Internet – irá certamente gerar uma onda avassaladora de experimentação e inovação. No entanto, à margem deste turbilhão, irão certamente emergir muitos novos produtos e serviços, bem como uma maior procura de sistemas de TI e *software* feitos à medida, personalizados, para impulsionar esses produtos e serviços. Quando passar esta onda de choque, o modo como pensamos o trabalho, como o fazemos fluir e até como criamos uma empresa terão provavelmente mudado de forma radical.

"As plataformas de sistematização do fluxo de trabalho estão a permitir que façamos pela indústria dos serviços aquilo que Henry Ford fez pela indústria transformadora", disse Jerry Rao, o empresário que na Índia trata da contabilidade dos norte-americanos. "Estamos a separar cada tarefa, [a padronizá-la] e a enviá-la para quem a desempenhe melhor. Uma vez que estamos a fazer isso num ambiente virtual, as pessoas não precisam de estar fisicamente ao lado umas das outras. Depois, voltamos a juntar todas as peças na sede [ou num outro qualquer local longínquo]. Não se trata de uma pequena revolução. Esta é das grandes. Permite que um chefe esteja num lugar e os seus colaboradores noutro." Estas plataformas de *software* de sistematização dos fluxos de trabalho, acrescentou Rao, "permitem criar escritórios globais virtuais – não limitados pelas fronteiras de um escritório ou de um país – e recrutar talentos em diferentes regiões do mundo, que realizam as tarefas que necessita e as terminam em tempo real. É assim que trabalhamos 24 horas por dia, sete dias por semana, 365 dias por ano. Tudo aconteceu num piscar de olhos – nos últimos dois ou três anos".

Génese: A plataforma do mundo plano emerge

É preciso agora parar e reflectir, pois nesta altura a plataforma que tornou o mundo mais plano já começou a emergir. Primeiro, a queda dos muros, depois o lançamento do Windows *e o advento do PC que, juntos, permitiram que um número crescente de indivíduos, nunca antes visto, pudesse criar os seus próprios conteúdos em formato digital. Em seguida, a disseminação da Internet e o nascimento da* Web, *graças ao* browser *e à fibra óptica, permitiram a interligação de um número sem precedentes de pessoas e a partilha de conteúdos digitais entre um número crescente de indivíduos, por menos dinheiro do que alguma vez tinha acontecido. Por fim, a emergência de 'canos' e protocolos de transmissão padronizados, que permitiram a interligação das máquinas e das aplicações de todos os utilizadores, para além de estimularem o desenvolvimento de processos empresariais padronizados relativamente à condução de certos tipos de comércio ou de trabalho, significava que um número cada vez maior de pessoas estava, para além de interligado ininterruptamente, apto a trabalhar ininterruptamente nos conteúdos digitais uns dos outros, como nunca antes se vira.*

Se juntarmos tudo isto, o resultado é a base de uma plataforma global de colaboração totalmente nova. Esta foi a génese para o mundo se tornar plano e ocorreu entre meados e finais dos anos 90. Todos os elementos desta nova plataforma (como é o caso da Web *Empresarial) demoraram mais algum tempo a emergir e a convergir totalmente. Isso apenas aconteceu depois do ano 2000. Todavia, aquele momento, entre meados e finais dos anos 90, foi quando as pessoas começaram a sentir que algo estava a mudar radicalmente. Estava subitamente disponível uma plataforma de colaboração, a que qualquer tipo de pessoa de qualquer parte do mundo podia aceder, competir e ligar-se – a fim de partilhar trabalho e conhecimentos, criar empresas e inventar e vender bens e serviços. "É a criação desta plataforma, com os seus atributos únicos, que constitui a descoberta realmente importante e sustentável que permitiu que o mundo se tornasse plano", afirmou Craig Mundie da Microsoft. Isto porque, como acrescentou o estratega da IBM, Joel Cawley, "não estamos apenas a comunicar mais do que nunca uns com os outros, estamos agora aptos a colaborar – a construir coligações, projectos e produtos em conjunto – mais do que nunca".*

Esta plataforma rudimentar ajudou a suscitar mais seis acontecimentos que tornaram o mundo plano ou, mais exactamente, seis novas formas de colaboração. Eu denomino-as "uploading", "outsourcing", "offshoring", *"encadeamento do abastecimento",* "insourcing" *e* "in-forming". *Estas novas formas de colaboração foram geradas ou grandemente influenciadas por esta plataforma emergente que tornou o mundo plano. À medida que somos cada vez mais a aprender estas novas e diferentes formas de colaboração, estamos gradualmente a tornar o mundo ainda mais plano.*

É sempre perigoso falar de pontos de viragem na História. Temos tendência a sentir que, quando estamos vivos, algo de realmente importante está a acontecer. Estou, porém, convicto de que a génese desta nova plataforma que tornou o mundo plano e as seis novas formas de colaboração suscitadas por ela serão, no futuro, recordadas como um dos pontos de viragem mais importantes da História da Humanidade – não menos importante do que a invenção da imprensa ou da electricidade. Alguém tinha de estar vivo quando isso aconteceu – e acontece que éramos nós.

Acontecimento # 4

Uploading – Aproveitar o poder das comunidades

Alan Cohen ainda se recorda da primeira vez que ouviu a palavra Apache em adulto, e não foi quando estava a ver um filme de *cowboys* e índios. Corria a década de 90, o mercado das *dot-com* estava a crescer a um ritmo alucinante e ele era gestor sénior na IBM, com a responsabilidade de ajudar a supervisionar a emergente área de negócio do comércio electrónico da empresa. "Tinha uma equipa inteira a trabalhar comigo e um orçamento de cerca de oito milhões de dólares", recordou Cohen. "Competíamos directamente com a Microsoft, a Netscape, a Oracle e a Sun – com todas as grandes empresas. E estávamos a fazer apostas arrojadas neste jogo do comércio electrónico. A IBM tinha uma enorme equipa de vendedores a transaccionar todo aquele *software* do comércio electrónico. Um dia, pedi ao responsável pela área de desenvolvimento: 'Jeff, conduz-me através do processo de desenvolvimento destes sistemas de comércio electrónico. Qual é o servidor da *Web* subjacente?' Ele respondeu-me: 'É criado com base no Apache.' A primeira coisa em que pensei foi em John Wayne. 'O que é o Apache?', perguntei. Ele respondeu que era um programa de *shareware* (*software* distribuído gratuitamente durante o seu período de lançamento) para tecnologia de servidores *Web*. Acrescentou que era produzido por um grupo de 'malucos dos computadores' que trabalhavam *on-line* numa espécie de sala de *chat* pública. Eu estava pregado ao chão. E perguntei: 'Como é que isso se compra?' Ele respondeu: 'Faz-se o *download* gratuito a partir de um *site* da *Web*.' Ripostei: 'Bem, mas quem é que presta assistência técnica se alguma coisa correr mal?' Ele respondeu: 'Não sei – só sei que funciona!'"

Foi assim o meu primeiro contacto com o Apache...

"Deve recordar-se que a Microsoft, a IBM, a Oracle e a Netscape estavam a tentar criar servidores comerciais para a *Web*. Tratavam-se de grandes empresas. Subitamente, o meu colaborador da área do desenvolvimento dizia-me que obtinha os nossos servidores gratuitamente na Internet! Andavam os executivos das grandes empresas a delinear estratégias e de um momento para o outro eram indivíduos num fórum de debate que comandavam as operações? Eu não parava de perguntar: 'Quem gere o Apache? Quero dizer, quem são esses tipos?'"

Sim, os "malucos dos computadores" que frequentam os fóruns de debate decidem qual o *software* que vão utilizar – e também qual o que nós iremos usar, porque existem agora comunidades destes "malucos" a colaborar na concepção de novo *software* e a fazer o seu *upload* (envio) para o mundo inteiro. É o que se designa por *software* desenvolvido em comunidade. Além disso, graças ainda à plataforma que tornou o mundo plano, há cada vez mais "malucos dos computadores" na *Web* a oferecer as suas notícias e artigos de opinião, ultrapassando os intermediários dos jornais. É o chamado *blogging* (participar em *sites* que contêm reflexões, opiniões, comentários, etc., dos seus autores e que permitem a troca de opiniões com outros utilizadores). Existe também uma comunidade de "malucos dos computadores" na biblioteca que escrevem os seus próprios verbetes enciclopédicos, fazem o seu *upload* para o mundo inteiro, em detrimento das enciclopédias tradicionais em formato de papel e mesmo digital, como é o caso da *Encarta*. É a chamada *Wikipédia*. Há ainda um número crescente de outros "malucos dos computadores" a oferecer as suas próprias músicas, vídeos, poesia, *rap* e comentários, a si, a mim e ao resto do mundo, em detrimento das discotecas e dos fornecedores tradicionais de conteúdos. É o chamado *podcasting*. O mesmo acontece na Amazon.com, onde há cada vez mais "malucos dos computadores" a escrever as suas próprias críticas literárias, colocando-se a par dos maiores críticos literários do mundo e reduzindo o domínio de ícones tradicionais como o *The New York Review of Books* e o *The New York Times Book Review*. Desconfio que, em breve, a Amazon irá publicar, *on-line*, exclusivamente para si, o seu livro "todo". Os "malucos dos computadores" na eBay já estão a criar a sua própria comunidade comercial virtual e a definir entre eles quem é um comprador ou um vendedor de confiança, mediante a atribuição de estrelas. A história repete-se com os terroristas "malucos dos computadores" da al-Qaeda que fazem o *upload* das suas notícias, ameaças e discursos, sem estarem à espera que a BBC ou a CBS apareçam para falar com eles, e enviam as suas mensagens terroristas directamente para o seu computador, através do AOL ou do MSN.

São tudo variações de *uploading*. A génese da plataforma que tornou o mundo plano não permitiu apenas que mais pessoas criassem mais conteúdos e que colaborassem nesses conteúdos. Também permitiu que fizessem o *upload* de ficheiros e que globalizassem esses conteúdos – individualmente ou como parte integrante de uma comunidade que se forma por si – sem ter de passar por qualquer uma das organizações ou instituições hierárquicas tradicionais.

Este poder recém-descoberto dos indivíduos e das comunidades, que disseminam a nível mundial os seus próprios produtos e ideias, muitas vezes gratuitamente, ao invés de os descarregarem de forma passiva dos *sites* empresariais ou das hierarquias tradicionais, está a reformular drasticamente os fluxos de criatividade, de inovação, de mobilização política e de recolha e disseminação de informação. Estamos perante um fenómeno *bottom-up* (dos níveis hierárquicos mais baixos para os mais altos) e globalmente horizontal, não sendo apenas *top-down* (o inverso de *bottom-up*). Isto é actualmente verdade no seio das empresas e instituições tradicionais, assim como fora delas. O *uploading* está, sem dúvida, a tornar-se numa das mais revolucionárias formas de colaboração no mundo plano. A partir de agora e mais do que nunca, podemos ser todos produtores e não apenas consumidores.

Tive a ideia de definir o *uploading* (neste contexto) como o quarto acontecimento que tornou o mundo plano, a partir de um ensaio brilhante, "We are the Web" ("Nós somos a *Web*"), escrito pelo excêntrico co-fundador da revista *Wired*, Kevin Kelly (Agosto de 2005). Kelly referia que, quando a Internet surgiu à escala mundial na era pós-Netscape, "a largura de banda do cabo e das linhas telefónicas era assimétrica: o número de *downloads* ultrapassava em muito o dos *uploads*. O dogma dessa época sustentava que as pessoas comuns não precisavam de fazer *uploads*; eram consumidoras e não produtoras. Hoje em dia, o lema do novo regime da Internet é o BitTorrent [o BitTorrent é um *site* que permite aos utilizadores fazer o *upload* das suas colecções de música *on-line* e simultaneamente o *download* das colecções de outras pessoas]... As nossas infra-estruturas de comunicações deram apenas os primeiros passos nesta grande transformação de espectadores em actores, mas este é o caminho que se seguirá nas próximas décadas." Ainda segundo Kelly, não é impossível imaginar que, no futuro, "todos os seres humanos (em média) irão escrever uma música e um livro, fazer um vídeo, conceber um blogue e codificar um programa... O que é que acontece quando o fluxo de dados é assimétrico – mas a favor dos criadores? O que é que acontece quando todas as pessoas fazem muito mais *uploads* do que *downloads*?"

Desde há muito que se considerava que a criação de qualquer produto com alguma substância ou complexidade requeria algum tipo de organização ou instituição hierárquica. Assumia-se que era necessária uma integração vertical *top-down* para se poder obter este tipo de resultado e difundi-lo pelo mundo fora. Porém, graças à nossa recém-descoberta capacidade de fazer *uploads* – uma consequência directa da plataforma que tornou o mundo plano –, é possível produzir coisas realmente complexas, enquanto indivíduos ou membros de uma comunidade, com muito menos hierarquias e dinheiro do que alguma vez se viu.

Vou concentrar-me aqui em três formas de *uploading*: o movimento do *software* desenvolvido em comunidade, a *Wikipédia* e o *blogging/podcasting*.

Software desenvolvido em comunidade

O movimento do *software* desenvolvido em comunidade, também conhecido como a comunidade do *open-source* (código aberto), foi buscar a sua identidade à noção de que as empresas ou comunidades *ad hoc* deveriam disponibilizar *on-line* o código-fonte – as instruções de programação fundamentais que põem a funcionar um componente de *software* – e depois deixar que fosse melhorado por quem quer que tivesse algum contributo a dar e permitir que milhões de outras pessoas fizessem o seu *download* para utilização própria. Pense nestas comunidades como fóruns de discussão, compostos por engenheiros por conta própria, que colaboram em conjunto para produzir um componente de *software*, contribuindo todos para o aperfeiçoamento do código-fonte e utilizando-o, de acordo com as regras de licenciamento dessa comunidade *open-source* em particular. Embora estas comunidades tendam a seguir as mesmas regras, estão divididas em duas facções relativamente a uma grande questão. Uma facção, a que poderemos chamar de "comunidade de pares intelectuais", defende basicamente que qualquer membro da comunidade pode utilizar o código-fonte para a criação de um produto comercial – desde que informe sempre o grupo original que o criou. Assim, à medida que o *software* passa por diversas mãos, sofrendo melhorias, adaptações e implementações, é preciso sempre dar conhecimento desse facto à comunidade original. A outra facção, a que poderemos chamar de "comunidade de *software* livre", defende que, se construir e distribuir um produto a partir de um código de *software* livre desenvolvido em comunidade, é necessário que contribua com essa inovação para a comunidade. Ou seja, tem de tornar o seu produto livre.

Não sendo um "maluco dos computadores", nunca me interessei muito pelo movimento *open-source*. Mas, quando o fiz, descobri que era um universo fascinante e muito próprio, com comunidades que se formavam por si *on-line* e eram compostas por voluntários. O primeiro movimento de *software* desenvolvido em comunidade que se destacou verdadeiramente adoptou a abordagem dos "pares intelectuais". Nasceu de comunidades científicas e académicas, que já se encontravam, desde há muito, organizadas em comunidades de cientistas que comunicavam através de redes privadas (e, mais tarde, pela Internet) para testar a sua inteligência ou partilhar as suas ideias em torno de um problema matemático ou científico específico. O servidor Apache tem as suas raízes nesta forma de *open-sourcing*. Quando pedi a um amigo, Mike Arguello, arquitecto de sistemas de TI, para me explicar por que é que as pessoas partilham conhecimento ou trabalho desta forma, ele respondeu: "As pessoas da área das TI têm tendência para serem geniais e querem que todos saibam o quanto são brilhantes." Marc Andreessen, que inventou o *browser* Mosaic Web, concordou: "O *open-source* não é mais do que uma ciência revista pelos pares. As pessoas contribuem para este processo porque criam ciência e descobrem coisas, sendo a reputação a sua recompensa. Por vezes, é possível criar uma empresa a partir daí; outras vezes, apenas se pretende aumentar o montante de conhecimento que existe no mundo. A parte da revisão pelos pares é muito importante – e o *open-source* é isso mesmo. Qualquer *bug*, brecha na segurança ou desvio dos padrões é revisto." Algumas pessoas também se divertem quando tentam desafiar gigantes, como a Microsoft ou a IBM, ao provar que podem conceber algo melhor de forma gratuita.

Para me informar melhor sobre o desenvolvimento de *software* dos "pares intelectuais", aventurei-me nos fóruns de discussão destes "malucos dos computadores". Acabei por dar com um dos seus pioneiros, Brian Behlendorf. Se o Apache – comunidade de servidor *Web* de código aberto – fosse uma tribo índia, Behlendorf seria o seu membro mais antigo. Apanhei-o um dia no seu gabinete de vidro e aço, perto do aeroporto de São Francisco, onde é agora responsável máximo pela tecnologia da CollabNet, de que é fundador, uma *start-up* concentrada na criação de *software* para empresas que pretendem fazer uma abordagem à inovação através de código aberto. Comecei com duas perguntas simples: "De onde é que veio?" e "Como é que conseguiu reunir uma comunidade de código aberto, composta por 'malucos dos computadores', capaz de andar ao mesmo nível da IBM?"

"Os meus pais conheceram-se na IBM, no Sul da Califórnia, e eu cresci numa cidade a norte de Pasadena, La Canada", contou-me Behlendorf. "A escola pública era bastante competitiva a nível académico, porque muitos dos pais das crianças trabalhavam no Jet Propulsion Laboratory, que era gerido pela Caltech. Assim, desde muito cedo estive rodeado de muita ciência, num local onde fazia sentido ser uma espécie de 'maluco dos computadores'. Sempre houve computadores por toda a casa. Costumávamos usar cartões perfurados dos *mainframes* originais da IBM para fazermos listas de compras. Na escola preparatória comecei a fazer alguma programação básica e na escola secundária já era bastante bom em informática... Terminei o secundário em 1991, mas, em 1989, nos primeiros tempos da Internet, um amigo deu-me uma cópia do programa 'Fractint', que tinha descarregado para uma disquete. Não era pirateado, era *freeware* (*software* livre/gratuito), criado por um grupo de programadores. Tratava-se de um programa para desenhar fractais. [Os fractais são bonitas imagens produzidas pela intersecção da arte e da matemática.] Quando o programa arrancava, o ecrã exibia uma lista em espiral com endereços de *e-mails* de todos os cientistas e matemáticos que tinham contribuído para ele. Reparei que o código-fonte estava incluído no programa. Este foi o meu primeiro contacto com o conceito de *open-source*. Ali estava um programa que podia ser descarregado gratuitamente e que até nos fornecia o seu código-fonte, tendo sido criado por uma comunidade de pessoas. Começou a desenhar-se na minha mente uma imagem diferente da programação. Comecei a pensar que existiam algumas dinâmicas sociais interessantes em relação à forma como determinados tipos de *software* eram criados ou poderiam ser criados – por oposição ao tipo de imagem que tinha dos profissionais responsáveis pelo desenvolvimento de *software* dos sistemas internos da empresa, debruçados sobre o *mainframe*, carregando-o com informação e comercializando-o. Esta actividade pareceu-me estar apenas um passo à frente do trabalho de contabilidade e não a considerei muito empolgante."

Depois de terminar o secundário, em 1991, Behlendorf foi para Berkeley estudar Física, mas rapidamente se sentiu frustrado pela distância que separava as aulas teóricas e abstractas do entusiasmo que estava a começar a surgir com a Internet.

"Nessa altura, quando se entrava para a universidade, era atribuído a cada estudante um endereço de *e-mail* e comecei a usá-lo para falar com estudantes e explorar fóruns de discussão sobre música, que estavam a começar a aparecer", disse Behlendorf. "Em 1992, abri o meu próprio fórum na Internet, especializado na música electrónica local da Bay Area (toda a área à volta da cidade de São Francisco). As pessoas podiam deixar mensagens no fórum de discussão, que começou a crescer, e começámos a debater vários eventos musicais e DJ. Então, um dia, dissemos: 'Porque não convidamos os nossos próprios DJ e organizamos os nossos próprios eventos?' Tornou-se um acontecimento colectivo. Alguém disse 'Tenho alguns discos' e outro 'Eu conheço a praia, se aparecermos pela meia-noite podemos fazer uma festa'. Em 1993, a Internet ainda se resumia apenas a fóruns de discussão, *e-mails* e *sites* FTP [depósitos de *File Transfer Protocol* – protocolo de transferência de ficheiros –, onde se podia armazenar informação]. Assim, comecei a construir um arquivo de música electrónica e estava interessado na forma como poderíamos colocá-lo *on-line* e disponibilizá-lo a uma maior audiência. Foi quando ouvi falar no Mosaic [*browser* desenvolvido por Marc Andreessen]. Então, arranjei um emprego no laboratório informático da Escola de Ciências Empresariais de Berkeley, onde passava o meu tempo livre a pesquisar o Mosaic e outras tecnologias da *Web*. Isso conduziu-me a um fórum de discussão com imensas pessoas que estavam a criar a primeira geração de *browsers* e servidores *Web*."

(Um servidor *Web* é um programa de *software* que permite que qualquer pessoa use o seu computador de casa ou do emprego para alojar um *site* na *World Wide Web*. A Amazon.com, por exemplo, há muito tempo que faz correr o seu *site* com *software* Apache. Quando o seu *browser* vai a *www.amazon.com*, o primeiro elemento de *software* com o qual estabelece ligação é o Apache. O *browser* pergunta ao Apache pela página *Web* da Amazon e o Apache envia ao *browser* o conteúdo da página pretendida. Navegar na net é, de facto, a interacção do seu *browser* com diferentes servidores *Web*.)

"Dei comigo a a participar neste fórum e a ver Tim Berners-Lee e Marc Andreessen a debaterem a forma como todas estas coisas deveriam funcionar", recordou Behlendorf. "Foi bastante empolgante e parecia radicalmente envolvente. Não era preciso ter um mestrado ou quaisquer acreditações especiais. Comecei a estabelecer alguns paralelos entre o meu grupo de música e estes cientistas da computação, que tinham um interesse comum em criar o primeiro *software* para a *Web*. Acompanhei esse debate durante algum tempo e depois falei nele a um amigo meu. Ele era um dos primeiros colaboradores da revista *Wired* e disse-me que os responsáveis desta estariam interessados em que lhes criasse um *site*. Foi assim que comecei a trabalhar lá, a ganhar dez dólares à hora, na criação do *e-mail* da revista e do seu primeiro *site* – *HotWired*... Foi uma das primeiras revistas *on-line* com publicidade paga."

A *HotWired* decidiu que queria começar por ter um sistema de registo que exigisse palavras-passe – um conceito controverso nessa altura. "Naqueles tempos", salientou Andrew Leonard, que escreveu uma história sobre o Apache para a Salon.com, em 1997, "a maioria dos *webmasters** dependia de um programa de servidor *Web* desenvolvido pelo National Center for Supercomputing Applications, da Universidade de Illinois (onde nasceu também o *browser* Mosaic). Mas o servidor NCSA não conseguia gerir a autenticação das palavras-passe à escala pretendida pela *HotWired*. Felizmente, o servidor NCSA era público, o que significava que o código-fonte estava acessível a todos. Foi assim que Behlendorf exerceu a prerrogativa do *hacker*: criou um novo código, um 'remendo' (*patch*) para o servidor NCSA, que resolveu o problema", comentou Leonard. "Ele não foi o único programador inteligente a esquadrinhar o código do NCSA, naquele Inverno. Por toda a Internet, em plena expansão, outros *webmasters* começavam a achar necessário solucionar alguns problemas através dos seus próprios teclados. O código original foi deixado a apanhar pó virtual quando o seu principal programador, o estudante Rob McCool, da Universidade de Illinois, foi contratado (a par com Marc Andreessen e o autor do Lynx, Eric Bina) por uma empresa pouco conhecida, de Silicon Valley, chamada Netscape. Entretanto, a *Web* recusou-se a parar de crescer – e continuou a criar novos problemas para os servidores." Foi assim que começaram a proliferar, como cogumelos, "remendos" de um ou de outro tipo na banda larga, tapando um buraco aqui e abrindo outra brecha acolá.

Entretanto, todos estes "remendos" eram colocados lentamente, em código aberto *ad hoc*, criando um novo servidor moderno. Porém, ao trocar "remendos" aqui e ali, cada pessoa tinha a sua própria versão, uma vez que o laboratório do NCSA não conseguia acompanhar o ritmo de todos.

"Eu estava a um passo de desistir da universidade", explicou Behlendorf, "sentia-me muito satisfeito com a criação do *site* para a *Wired* e a aprender mais do que me ensinavam em Berkeley. Foi então que se começou a comentar, no nosso pequeno grupo de trabalho, que o pessoal do NCSA não estava a responder aos nossos *e-mails*. Nós enviávamos 'remendos' para o sistema e eles não respondiam. Então dissemos: 'Se o NCSA não responder aos nossos *remendos*, o que é que vai acontecer no futuro?' Estávamos felizes por contribuir para a melhoria do processo, mas ficámos preocupados quando começámos a deixar de receber *feedback* e de ver os nossos 'remendos' integrados. Comecei a contactar outras pessoas que sabia que trocavam 'remendos'... A maioria delas encontrava-se nos grupos de trabalho de criação de padrões [*Internet Engineering Task Force* – grupo de trabalho com soluções de Engenharia para a Internet], que estavam a elaborar os primeiros modelos para a interligação entre máquinas e aplicações na Internet... E dissemos: 'Por

* **N.T.** Profissional responsável pela gestão de um *website*.

que razão não havemos de colocar o futuro nas nossas mãos e lançar a nossa própria versão [de servidor *Web*] que incorpore todos os nossos *remendos*?'."

"Procurámos pelos direitos de autor para o código do NCSA e o que basicamente nos disseram foi que lhes fosse dado crédito em Illinois pelo que tinham inventado caso nós o melhorássemos – mas que não os culpássemos se não resultasse", recordou Behlendorf. "Foi assim que começámos a criar a nossa própria versão, a partir de todos os nossos 'remendos'. Nenhum de nós tinha disponibilidade para se dedicar a tempo inteiro ao desenvolvimento de um servidor *Web*, mas achámos que, se conseguíssemos conjugar o tempo de que dispúnhamos, se o fizéssemos de forma partilhada e em público, poderíamos criar algo melhor do que seria possível comprar numa loja – de qualquer forma, não havia nada disponível nessa altura. Tudo isto aconteceu antes de a Netscape ter lançado o seu primeiro servidor *Web* comercial. Foi o início do projecto Apache."

Em Fevereiro de 1999, o grupo já tinha recriado por completo o programa original do NCSA e formalizado a sua cooperação sob o nome "Apache".

"Escolhi este nome porque queria que tivesse uma conotação positiva de assertividade", contou Behlendorf. "A tribo Apache foi a 'última a render-se ao governo norte-americano', isto porque na época estávamos preocupados com o facto de as grandes empresas poderem surgir e 'civilizar' a paisagem que os primeiros engenheiros da Internet tinham criado. Por isso, 'Apache' fazia sentido para mim como um bom nome de código. Outros disseram que daria um bom trocadilho" – com o servidor APAtCHy, onde se estavam a reunir todos os "remendos" (*patches*).

Consequentemente e de várias formas, Behlendorf e os seus companheiros do projecto código aberto – a maioria dos quais nunca tinha conhecido pessoalmente, apenas por *e-mail* através da sua lista de discussão de código aberto – criariam uma fábrica de *software* virtual, *on-line* e *bottom-up*, que não era propriedade de ninguém, nem tinha qualquer tipo de supervisão individual. "Tínhamos um projecto de *software*, mas a coordenação e a direcção tinham um comportamento subjacente, emergente, baseado em quem quer que aparecesse e desejasse criar códigos", salientou.

"Como é que na realidade funciona?", perguntei-lhe. "Não basta ter um grupo de pessoas, sem monitorização, a lançar códigos em conjunto, pois não?"

"A maioria do desenvolvimento de *software* envolve um armazém de código-fonte e é gerido por ferramentas como o *Concurrent Vision System*", explicou-me. "Assim sendo, existe um servidor CVS e eu tenho um programa CVS no meu computador. Permite ligar-me ao servidor e retirar uma cópia do código, de forma a poder começar a trabalhar com ele e a introduzir modificações. Se achar que quero partilhar com os outros o meu 'remendo', faço correr um programa chamado Patch, que me permite criar um novo ficheiro, uma recolha compactada de todas as modificações. Chama-se a isso um ficheiro-remendo (*patch file*). Posso dar esse ficheiro a outras pessoas para que possam aplicá-lo na cópia que fizeram do código e verem qual é o seu impacto. Se eu tiver os privilégios necessários no acesso ao servidor [que é restringido a uma comissão supervisora rigorosamente controlada], posso então agarrar no meu 'remendo' e inseri-lo no armazém, passando a fazer parte do código-fonte. O servidor CVS mantém registos de tudo e de quem enviou o quê... Por isso, pode ter 'acesso de leitura' ao armazém mas não ao 'acesso de inserção', que lhe permite fazer alterações. Quando alguém faz uma inserção no armazém, o ficheiro-remendo é enviado por *e-mail* para todos os outros envolvidos no processo de desenvolvimento do servidor. Existe assim este sistema de revisão por parte dos nossos pares, depois de feita a inserção, e, se houver algo errado, o *bug* (erro) é corrigido."

Então, como é que esta comunidade decide quem são os membros de confiança?

"No que diz respeito ao Apache, começámos com oito pessoas que realmente confiavam umas nas outras. À medida que foram aparecendo mais pessoas no fórum de discussão e foram colocando ficheiros-remendo para análise comum, íamos ganhando confiança uns nos outros. Os oito iniciais cresceram para mais de mil. Nós fomos o primeiro projecto de código aberto a despertar a atenção da comunidade empresarial e a receber apoio da IBM", disse Behlendorf.

A capacidade do Apache para permitir que uma máquina com um único servidor alojasse milhares de diferentes *sites* virtuais – música, dados, texto, pornografia – fez com que este começasse a ter "uma quota líder no mercado do ISP (*Internet Service Provider* – Fornecedor de Acesso à Internet)", salientou Leonard, da Salon. A IBM estava a tentar vender o seu próprio servidor patenteado, chamado GO, mas apenas conquistou uma estreita fatia do mercado. O Apache demonstrou ter uma melhor tecnologia, além do mais gratuita. Por isso, a IBM acabou por decidir que, se não conseguia vencer o Apache, deveria juntar-se a ele. Temos de fazer uma paragem e meditar bem neste facto. A maior empresa mundial de computadores chegou à conclusão de que os seus engenheiros não conseguiriam superar o trabalho de um grupo *ad hoc* de código aberto, composto por "malucos dos computadores", e decidiu pôr de lado a sua própria tecnologia e juntar-se aos tais malucos!

"A IBM contactou-me, uma vez que era uma espécie de porta-voz sempre que se tratava de falar do Apache", disse Behlendorf. "Da IBM disseram-me: 'Gostávamos de perceber como é que podemos usar o Apache sem sermos queimados pela comunidade da Internet, de que forma podemos torná-lo sustentável e não plagiarmos, mas sim contribuirmos para o processo...' A IBM estava a confirmar que este novo modelo para o desenvolvimento de *software* era de confiança e valioso. E que, por isso, queria investir nele e livrar-se do que tentou criar sozinha e que não era tão bom."

John Swainson, o executivo sénior da IBM que liderou a equipa que fez a aproximação ao Apache (é actualmente *Chairman* da Computer Associates), contou-nos a história: "Assistimos, nessa época, a um debate generalizado sobre o *open-source*, falava-se disso em todo o lado. Decidimos que poderíamos negociar com os indivíduos do Apache porque responderam às nossas perguntas. Era possível termos uma conversa produtiva com eles e nós tínhamos capacidade para criar a *Apache Software Foundation* [sem fins lucrativos] e organizarmos todos os assuntos."

A expensas da IBM, os seus advogados trabalharam com o grupo Apache para criarem uma estrutura jurídica em torno desse servidor, de forma a que não surgissem problemas relacionados com direitos de autor ou responsabilidades financeiras para as empresas que, como a IBM, pretendiam criar aplicações com base no Apache e cobrar dinheiro por elas. A IBM considerou útil dispor de uma arquitectura de servidor *Web* com padrões convencionais – que permitia sistemas informáticos heterogéneos e que os aparelhos falassem entre si, bem como a exibição do *e-mail* e de páginas *Web* num formato normalizado – que estava a ser constantemente melhorada, gratuitamente, por uma comunidade de código aberto. Os colaboradores do Apache não estabeleceram que iriam criar *software* gratuito. Definiram que iriam solucionar um problema comum – os servidores *Web* – e descobriram que aquela forma de colaboração gratuita, no modelo de código aberto, era a maneira ideal para juntarem os melhores talentos para o trabalho que era preciso ser feito.

"Quando começámos a trabalhar com o Apache, havia um *site* apache.org, mas não dispúnhamos de qualquer estrutura legal/formal e as empresas e as estruturas informais não coexistem convenientemente", adiantou Swainson. "Era preciso que existisse capacidade para corrigir o código, assinar um acordo e lidar com assuntos de responsabilidade. Actualmente, qualquer pessoa pode fazer o *download* do código Apache. A única obrigação é que dê conhecimento de que ele veio do *site* e que partilhe quaisquer alterações que lhe introduza." O Apache funciona como uma pura meritocracia. Quando a IBM o começou a usar, passou a fazer parte desta comunidade e a contribuir para ela.

A única coisa que a comunidade Apache pedia em troca pela sua colaboração com a IBM era que a empresa destacasse os seus melhores engenheiros para integrarem o grupo de código aberto Apache e contribuírem, como qualquer outra pessoa, gratuitamente para o seu desenvolvimento. "Os envolvidos no projecto não estavam interessados em dinheiro como forma de pagamento", disse Swainson. "O que eles queriam era receber *contribuição* para a base. Os nossos engenheiros disseram-nos: 'Os indivíduos que fazem o Apache são bons e insistem que contribuamos com bons profissionais.' No início, rejeitaram algumas das nossas propostas por não estarem de acordo com os padrões deles! A compensação que a comunidade esperava era a nossa melhor contribuição."

Em 22 de Junho de 1998, a IBM anunciou a intenção de incorporar o Apache no seu novo servidor próprio, o WebSphere. A forma como a comunidade de colaboradores do Apache estava organizada obrigava a que tudo o que se retirasse do código e fosse melhorado tivesse de ser partilhado com toda a comunidade. Esta realidade não impedia, no entanto, que alguém criasse um produto comercial patenteado com base no código Apache, como a IBM fez, desde que referenciasse os direitos de autor do Apache na sua própria patente. Por outras palavras, esta abordagem da propriedade intelectual comum ao código aberto encorajava as pessoas a criar produtos comerciais com base nele. Apesar de a comunidade de colaboradores pretender que a base fosse gratuita e aberta, também sabia que esta permaneceria mais forte e dinâmica se os engenheiros, com e sem vínculos empresariais, tivessem o incentivo de participar no processo.

Actualmente, o Apache é uma das ferramentas de código aberto mais bem sucedidas, alimentando cerca de dois terços de *sites* de todo o mundo. Uma vez que pode ser descarregado gratuitamente para o PC em qualquer lugar, indivíduos da Rússia à África do Sul, passando pelo Vietname, estão a usá-lo para criar os seus *websites*. Quem desejar ou precisar de capacidades adicionais para os seus servidores *Web* pode comprar produtos como o *WebSphere*, que encaixam perfeitamente no Apache.

Nesta altura, vender um produto criado com base num programa de código aberto era arriscado por parte da IBM. Meritoriamente, esta empresa confiava na sua capacidade para continuar a produzir aplicações diferenciadas de *software* com base nos padrões convencionais do Apache. Este modelo tem sido, desde então, extensivamente adoptado, depois de todos terem visto que catapultou o servidor *Web* da IBM para a liderança comercial naquela categoria de *software*, gerando avultadas receitas.

Conforme irei repetir muitas vezes neste livro: não há qualquer futuro para os "gelados de baunilha" (produtos indiferenciados) num mundo plano. Muitas opções indiferenciadas de *software* serão transferidas para comunidades de código aberto. Para a maioria das empresas, o futuro comercial pertencerá às que souberem fazer "o molho de chocolate mais saboroso", "as natas batidas mais cremosas" e tiverem as "cerejas mais sumarentas" para colocarem no topo; ou aquelas que souberem juntar todos estes ingredientes num *sundae**. Jack Messman, *Chairman* da empresa de *software* Novell, grande distribuidor do Linux, sistema operativo de código aberto ao qual a Novell adiciona *gizmos***, explica por que o faz: "As empresas de *software* comercial têm de acrescentar valor para se diferenciarem. A comunidade de código aberto concentra-se essencialmente na infra-estrutura." (*Financial Times*, 14 de Junho de 2004).

O acordo da IBM constituiu uma verdadeira separação das águas. Era sintomático que a Big Blue (nome que se dá à IBM) tinha acreditado no modelo de

---

* **N.T.** Tipo de gelado.

** **N.T.** Engenhocas.

código aberto e que, com o servidor *Web* Apache, uma comunidade *open-source* de engenheiros criara algo que não era apenas útil e valioso mas também "o melhor na sua categoria". Foi por estas razões que o movimento de código aberto foi um acontecimento poderoso no processo que tornou o mundo plano, mas cujos efeitos apenas agora começam a ser perceptíveis. "Delega poderes nos indivíduos de forma incrível", sublinha Brian Behlendorf. "Não importa de onde vem ou de onde é – qualquer pessoa na Índia ou na América do Sul pode ser tão eficaz na utilização deste *software*, ou na contribuição para o seu aperfeiçoamento, como uma pessoa em Silicon Valley." O velho modelo é o do vencedor fica com tudo: eu crio-o, eu sou o proprietário – o modelo de licenciamento de *software*-padrão. "A única forma de concorrer com esse sistema é tornando-nos todos vencedores", concluiu Behlendorf.

O outro grande tipo de *software* desenvolvido em comunidade é o movimento do *software* livre. De acordo com o *website* openknowledge.org, "o movimento de *software* livre/código aberto teve início na cultura *hacker* dos laboratórios norte-americanos de Ciências Computacionais (Stanford, Berkeley, Carnegie-Mellon e MIT) nos anos 60 e 70. A comunidade de programadores era pequena e muito fechada. O código era enviado e reenviado entre os membros da comunidade – se fizesse uma melhoria, esperava-se que mostrasse o seu código à comunidade responsável pelo desenvolvimento dele. A atitude de reter o código era considerada pouco polida – afinal de contas, beneficiava do trabalho dos seus amigos, por isso deveria retribuir o favor". No entanto, o movimento de *software* livre era, e ainda é, inspirado no ideal ético de que o *software* deve ser gratuito e acessível a todos. Assenta na colaboração *open-source* para ajudar a criar o melhor *software* para ser distribuído gratuitamente.

O principal objectivo do movimento de *software* livre é conseguir o máximo de pessoas com vista à criação, melhoria e distribuição gratuita de *software*, com base na convicção de que este processo delegará poderes a todos os indivíduos, libertando-os do domínio de empresas globais.

Em 1984, de acordo com a *Wikipédia*, um investigador do MIT (*Massachusetts Institute of Technology*) e ex-*hacker*, Richard Stallman, lançou o "movimento de *software* livre" enquanto desenvolvia esforços para criar um sistema operativo livre chamado GNU*. Stallman fundou a *Free Software Foundation* e a *GNU General Public Licence* (GPL – Licença Geral Pública). A GPL especificou que os utilizadores do código-fonte poderiam copiar, modificar ou fazer um *upgrade* do código, desde que disponibilizassem essas alterações sob a mesma licença que o código original. Em 1991, um estudante da Universidade de Helsínquia, chamado Linus Torvalds, aproveitando a iniciativa de Stallman, apresentou o seu sistema operativo Linux para competir com o sistema operativo Microsoft Windows e convidou

* **N.T.** Acrónimo de "GNU Não é Unix" – *GNU's Not Unix.*

outros programadores *on-line* a tentarem melhorá-lo – gratuitamente. Desde a apresentação inicial de Torvalds, programadores de todo o mundo manipularam, fizeram acrescentos, expandiram, remendaram e melhoraram o sistema operativo GNU/Linux, cuja licença diz que qualquer pessoa pode fazer o *download* do código-fonte e melhorá-lo a partir daí, mas devendo depois disponibilizar gratuitamente a todas as pessoas a versão melhorada. Torvalds insiste que o Linux deve ser sempre livre. Por conseguinte, as empresas de *software* comercial que vendem actualizações, que melhoram ou adaptam o Linux, têm de ter cuidado para não combinarem e/ou distribuírem qualquer código patenteado pelo Linux nos seus produtos comerciais. A *General Public License*, ao abrigo da qual é escrito e distribuído o código Linux, bem como outros *softwares* livres, requer que, se combinar um código novo com o do Linux e o redistribuir, seja obrigado a disponibilizar gratuitamente o código combinado ou modificado a toda a comunidade.

De forma semelhante ao Microsoft Windows, o Linux oferece uma família de sistemas operativos que pode ser adaptada para correr no mais pequeno dos computadores de secretária, nos computadores portáteis, nas agendas electrónicas PalmPilots e mesmo nos relógios de pulso, além de chegar aos grandes supercomputadores e *mainframes*. Assim, um miúdo na Índia, com um PC barato, pode aprender o funcionamento interno do mesmo sistema operativo que corre em alguns dos maiores centros de documentação da comunidade empresarial dos Estados Unidos. Enquanto trabalhava nesta parte do livro, fui uma tarde a um piquenique na Virgínia, terra natal de Pamela e Malcolm Baldwin, que a minha esposa tinha conhecido na qualidade de membro do conselho de administração do *World Learning*, uma ONG da área educativa. Mencionei, no decorrer do almoço, que estava a pensar ir ao Mali para ter uma perspectiva do mundo plano a partir do lugar mais recôndito da terra – a cidade de Timbuktu. Acontece que o filho dos Baldwin, Peter, estava a trabalhar no Mali, integrado num projecto chamado GeekCorps, cujo objectivo é proporcionar tecnologia aos países em vias de desenvolvimento. Alguns dias depois desse almoço, recebi um *e-mail* de Pamela dizendo-me que tinha perguntado a Peter se poderia acompanhar-me a Timbuktu. Mas o que acrescentou a seguir era tudo o que eu precisava saber: "O Peter diz que o seu projecto é criar redes sem fios via satélite, construindo antenas a partir de garrafas de plástico de refrigerantes e malha de tela para janelas! Aparentemente, toda a gente no Mali usa o Linux..."

Só num mundo plano se poderia ouvir um comentário destes!

O movimento de *software* livre tornou-se um desafio para a Microsoft e outros grandes intervenientes no mundo do *software* global. Conforme a revista *Fortune* relatava, a 23 de Fevereiro de 2004, "a disponibilidade deste poderoso *software* de base, que funciona nos ubíquos microprocessadores Intel, coincidiu com o crescimento explosivo da Internet. O Linux rapidamente começou a conquistar uma legião global de seguidores entre programadores e utilizadores nas empresas... A revolução vai muito além do pequeno Linux... Praticamente qualquer tipo de *software* pode [actualmente] ser encontrado em código aberto. O *website* SourceForge.net, local de encontro para programadores, lista o incrível número de 86 mil programas em progresso. A maioria são projectos de pequena envergadura feitos por ou para 'malucos dos computadores', mas existem centenas com valor real... Se odeia ter de pagar 350 dólares pelo Microsoft Office ou 600 dólares pelo Adobe Photoshop, o OpenOffice.org e o Gimp são alternativas gratuitas de uma qualidade surpreendentemente elevada". Grandes empresas como a Google, a E*Trade e a Amazon, através da conjugação das componentes massificadas do servidor Intel e do sistema operativo Linux, conseguiram reduzir drasticamente as suas despesas em tecnologia – e ter mais controlo sobre o seu *software*.

Na verdade, embora o Linux e o Apache tenham nascido como formas puras de *software* desenvolvido em comunidade, programados por comunidades de técnicos voluntários, não demorou muito tempo até o Apache se tornar numa espécie de "modelo integrado", na sequência da sua colaboração com a IBM. Algumas pessoas trabalhavam gratuitamente, outras eram pagas pela IBM, permitindo à empresa vender os seus próprios serviços, actualizações e anexos relacionados com o *software* de base. Ao mesmo tempo, estamos agora a assistir ao financiamento de novas empresas de *open-source* por parte de empresas de capital de risco – pagando a empresas de *software* para conceber programas gratuitos, na esperança que alguma comunidade se desenvolva em seu redor, permitindo que a nova empresa obtenha lucros vendendo "acessórios" à comunidade. A Red Hat, por exemplo, apoia o desenvolvimento do Linux e de outras soluções de *open-source*, e criou um negócio à volta desta actividade. Assim, a Red Hat não vende o Linux por si só – isso não é permitido –, mas a troco de uma comissão, presta apoio e adapta o Linux à realidade das empresas.

Estes modelos integrados são provavelmente o futuro. Porquê? Para começar, para que uma plataforma complexa de *software* seja sustentável – isto é, para que seja constantemente renovada, melhorada e os seus erros corrigidos – tem de haver uma economia à sua volta. O tempo, vontade, energia e recursos que pessoas talentosas que desenvolvem *software open-source* em comunidades têm para investir no desenvolvimento de códigos de forma gratuita, são limitados. A partir de certa altura o trabalho não irá continuar a um nível elevado se não houver um incentivo económico para alguém na comunidade.

No caso do Linux, é óptimo que as pessoas no Mali possam fazer o *download* do *software* gratuitamente, mas na realidade o Linux já não está a ser desenvolvido de forma gratuita. Não se deve ser demasiado romântico sobre tudo isto. A IBM não comercializa um sistema operativo concorrente do Linux. No entanto, comercializa *software* que concorre com o da Microsoft. Por isso, a IBM não se importa de pagar a engenheiros de qualidade da área do *software* para trabalharem no Linux, para encorajar a sua expansão como concorrente do Microsoft Windows – e, assim, intrometer-se nos negócios, que o mesmo será dizer, nos lucros da Microsoft, enfraquecendo a sua capacidade para competir com a IBM nas áreas da sua especialidade. A Sun Microsystems lançou o OpenOffice.org pela mesma razão. Como diz o *site* da Sun: "A comunidade OpenOffice.org foi criada pela Sun Microsystems em 2000. Uma comunidade activa, da qual a Sun é um membro fundamental, que melhora e apoia o conjunto de programas para escritório (*office*) da OpenOffice.org." Bem, isto é negócio! Mas *é* negócio. O que é importante, do ponto de vista do consumidor, é que estes modelos integrados de *software* desenvolvido em comunidade estão a criar uma maior concorrência e a produzir *software* mais barato, se não mesmo livre/gratuito, para o público.

Escusado será dizer que esta noção de *software* desenvolvido em comunidade é muito debatida em torno da Microsoft. Dada a centralidade desta empresa no negócio do *software*, julguei importante ouvir o seu lado da história. Eis o que retirei das minhas conversas em Redmond: do ponto de vista da Microsoft, o modelo integrado desenvolvido a partir do movimento de *software* em comunidade é apenas uma nova forma de concorrência comercial e ninguém deve ter ilusões sobre isso. Quaisquer que tenham sido as intenções ou as esperanças dos fundadores do movimento de *software* em comunidade – em termos de *software* desenvolvido em comunidade sem lucros – não foi realmente isso que aconteceu. O desenvolvimento de *software* numa base comunitária é actualmente um negócio, que tem potencial para a Microsoft, assim como para qualquer outra empresa.

Apesar disso, os executivos da Microsoft com quem falei continuam a acreditar que esta forma de *software* tem as suas limitações – e não irá, ou não deverá, tornar obsoleta a indústria tradicional e comercial de *software* – por várias razões. Para começar, a Microsoft alega que, se os inovadores não forem recompensados pelas suas inovações, a motivação para uma inovação pioneira irá acabar por desaparecer e o mesmo acontecerá com o dinheiro para uma I&D verdadeiramente aprofundada e que é necessária para incentivar o progresso neste campo cada vez mais complexo. O sucesso alcançado pela Microsoft, com a criação do sistema operativo padrão para PC que passou a liderar o mercado, criou os activos que permitiram que a empresa gastasse milhares de milhões de dólares em I&D para desenvolver o Microsoft Office, que consiste em todo um conjunto de aplicações que pode agora ser vendido por pouco mais de cem dólares. Segundo Craig Mundie, o director técnico da Microsoft, "o ciclo virtuoso da inovação, lucro, reinvestimento, mais inovação foi o que motivou todos os grandes progressos na nossa indústria. O negócio do *software*, como o conhecemos, é um negócio de economias de escala. Gasta-se muito dinheiro para desenvolver um produto de *software* e o custo marginal de produzir cada unidade é muito baixo, mas se as vendas forem boas, o investimento é recuperado e os lucros serão aplicados no desenvolvimento de produtos de nova geração. Mas quando se insiste que não se pode cobrar dinheiro pelo *software*, que este só pode ser oferecido, está a fazer-se com que o negócio de *software* deixe de ser um negócio de economias de escala." E acrescentou: "É um facto que a investigação científica irá exigir cada vez mais um esforço comunitário, mas diria que se trata mais de um requisito de colaboração multidisciplinar, devido à complexidade dos problemas, do que uma crença de que os conhecimentos fundamentais, que geram inovação, provêm hoje mais dos grupos do que dos indivíduos. Estou convicto de que o *open-source* continuará a ser uma tendência muito forte, mas pendendo cada vez mais para o modelo dos pares intelectuais, que tem sido seguido há muito pelos académicos, do que para um modelo que elimina os incentivos financeiros para conceber *software*". Quanto ao fundador da Microsoft, Bill Gates, é óbvio que está igualmente convicto de que o futuro do *software* não passa pela gratuitidade. "O capitalismo é necessário [para estimular a inovação]. A existência de um movimento para o qual a inovação não merece recompensa económica é contrária à direcção que o mundo está a tomar. Quando falo com os chineses, eles sonham em fundar uma empresa. Não, não estão a pensar: 'Vou ser barbeiro durante o dia e criar *software* à noite sem ser pago por isso...' Quando ocorre uma crise de segurança no seu sistema [de *software*], não vai querer perguntar: 'Onde está o barbeiro?'." Mundie também salienta que, independentemente do negócio em que está, "mais cedo ou mais tarde é provável que descubra que, sem a existência de *software* patenteado e um sistema de TI que inclua ou possibilite a sua competência principal – a essência única daquilo que faz –, irá ser muito difícil obter e manter uma vantagem competitiva num mundo onde todos têm acesso ao mesmo *software*." As empresas vão querer sistemas desenhados exclusivamente para elas, que mais ninguém tenha, ou um conjunto de ferramentas que lhes permita criar coisas exclusivamente para si. Assim sendo, afirma a Microsoft, ainda haverá muito espaço para sistemas de *software* patenteados. Por fim, a escala e a extensão contam. É uma grande vantagem para os estudantes e para as empresas que hoje se possa ir a qualquer parte do mundo, ligar um computador e encontrar um programa Microsoft Word padronizado no qual possa redigir o seu relatório de negócios ou a sua dissertação. Não me agradaria ter de "lutar" com um processador de texto diferente em cada sítio onde fosse. Tal não iria ajudar o trabalho a fluir.

Mas a razão por que penso que o *software* desenvolvido em comunidade também está para ficar é que, apesar de poder não ser sustentável sem um incentivo económico num determinado contexto, já provou ser bastante poderoso como uma ferramenta completa para criar inovações e disseminá-las. Até 2004, o sistema operativo Linux era o mais conhecido *software open-sourse* desafiador da Microsoft. Então, em Novembro de 2004, a *Mozilla Foundation*, uma fundação sem fins lucrativos que apoia o *software open-source*, lançou o Firefox – um *browser* gratuito, rápido e fácil de instalar, que trazia soluções que o Internet Explorer da Microsoft não tinha. "Apenas um mês depois", escreveu o jornalista de tecnologia do *The New York Times*, Randall Stross, (19 de Dezembro de 2004), "a fundação celebrou um feito espectacular: dez milhões de *downloads*". Os donativos de utilizadores agradecidos do Firefox permitiram pagar um anúncio publicitário de duas páginas no *The New York Times*. Ainda segundo Stross, "através do Firefox, o *software open-source* passa da obscuridade do escritório lá do fundo para a sua casa e para a dos seus pais (os seus filhos já o utilizam na faculdade). É elegante e tão fácil de utilizar como o Internet Explorer". Em Novembro de 2005, aquando do seu primeiro aniversário, o *browser* Firefox tinha-se apoderado de aproximadamente dez por cento do mercado mundial de *browsers*, em grande parte detido pelo Explorer da Microsoft. Um dos motivos que levou o Firefox a disseminar-se tão rapidamente foi o facto de ter sido desenvolvido em comunidade: os utilizadores podiam contribuir para o seu desenvolvimento, sendo que muitas das extensões, que acrescentaram novas aplicações específicas ao *browser*, foram escritas por utilizadores. Em Novembro de 2005, uma nova versão mais potente, o Firefox 1.5, estava a ser desenvolvida.

Este crescimento explosivo é bastante surpreendente, tendo em conta a forma como surgiu o Firefox. Este *browser* é, na verdade, um descendente do Mosaic e do *browser* original Netscape Navigator, que sucumbiu ao domínio do Internet Explorer da Microsoft em 1998. Embora o Firefox, tal como qualquer componente de *software open-source*, seja o produto dos contributos e melhorias de muitos programadores diferentes, segundo a revista *Wired* (Fevereiro de 2005), "duas pessoas em particular são grandemente responsáveis pelo sucesso do *browser*: Blake Ross, um aluno do segundo ano da Universidade de Stanford, com 19 anos, magro, hiperactivo e de cabelo preto espetado; e Ben Goodger, um neozelandês de 24 anos, corpulento e cordial. Aos 14 anos, Ross utilizava a conta da America Online da família para corrigir erros informáticos para o Mozilla Group, um grupo de programadores responsáveis pela manutenção do código-fonte dos *browsers* da Netscape. Ross ficou rapidamente desencantado com a complicação do *browser* Netscape (demasiadas aplicações acessórias) e, em 2002, decidiu impetuosamente abandonar o projecto e desenvolver um *browser* mais simples, rápido e de fácil utilização. Goodger... tomou as rédeas quando, em 2003, Ross ingressou a tempo inteiro na universidade. Goodger juntou as pontas soltas do projecto e moldou o *browser* para o lançamento do Firefox 1.0, no final de 2004."

Assim, um jovem de 19 anos de Stanford e um de 24 anos da Nova Zelândia, que trabalhavam gratuitamente para uma comunidade *open-source* e que residiam em locais opostos do mundo, produziram um *browser* que, em cerca de seis meses, se apoderou de cinco por cento do mercado do Internet Explorer. Agradou-me, em especial, o que Ross disse à *Wired* sobre o que sentira quando começou a fazer *uploading*, quando começou a entrar no sistema do Mozilla, sendo apenas um aluno do 9º ano: "Era incrível – pensar que podes tocar em algo que tantas pessoas utilizam.

É uma sensação fabulosa fazer uma pequena alteração no código e depois assistir à mudança na imagem de um produto grande e famoso. No fundo, é provocar um acontecimento numa aplicação que está a ser utilizada no mundo inteiro."

Não existe descrição melhor do fascínio do *uploading* – em contraposição ao mero *downloading*.

Um aspecto importante: o facto de o mundo se estar a tornar plano está a produzir outra revolução no negócio do *software*. Penso que assistiremos oportunamente à emergência de um novo equilíbrio, em que as várias formas de *software* terão o seu lugar: o *software* comercial tradicional, "à moda" da Microsoft ou da SAP, juntamente com o modelo de *Web* Empresarial ou *software* alugado, "à moda" da Salesforce.com, e o *software* gratuito produzido por comunidades financiadas ou por indivíduos inspirados.

Respostas desenvolvidas em comunidade

Brian Behlendorf, por sua vez, acredita que cada vez mais pessoas e empresas quererão tirar partido da nova plataforma do mundo plano, para gerar inovações desenvolvidas em comunidade de todo o tipo de produtos. Em 2004, criou uma nova empresa, a CollabNet, para promover a utilização do desenvolvimento em comunidade como uma ferramenta para estimular a inovação de *sofware* dentro das empresas. O que a CollabNet faz, por exemplo, é criar um *website* seguro, onde aqueles que possuam uma *password* podem entrar e ver o código-fonte do *software* e os defeitos que precisam de ser corrigidos, participando de seguida num debate com engenheiros, gestores de produto e de apoio ao cliente sobre como o *software* deve ser aperfeiçoado. É um ambiente totalmente plano e de poucas fricções, para estimular a colaboração e ultrapassar obstáculos. "A CollabNet é uma empresa que vende armas às forças que tornam o mundo plano", afirmou Behlendorf. "O nosso papel neste mundo é criar as ferramentas e as infra-estruturas para que na Índia, na China ou onde quer que seja, um consultor, um empregado ou apenas alguém em casa possa colaborar no processo. Fornecemos-lhes o *kit* de ferramentas para o desenvolvimento de colaborações descentralizadas. Desta forma, estamos a permitir o desenvolvimento num modelo *bottom-up* e não apenas no ciberespaço." Enquanto o objectivo principal da CollabNet é permitir que as empresas possam colaborar internamente para produzir o seu próprio *software open-source* e mantê-lo actualizado, existe uma variedade de empresas, à margem do sector do *software*, que estão a descobrir o que acontece quando se aproveita o poder inovador da comunidade. Uma variante criativa desta abordagem *open-source* foi a tentativa, há alguns anos, de uma empresa canadiana de prospecção de ouro, a Goldcorp Inc., de aproveitar a colaboração de "todos nós" para encontrar jazidas de ouro. Segundo a notícia de Junho de 2002 da *Fast Company*:

Em Janeiro de 1848, uma equipa de trabalho na serração de John Sutter, perto de Sacramento, Califórnia, encontrou algumas pepitas de ouro de boa qualidade. Em pouco tempo, meio milhão de prospectores chegaram ao local com o intuito de enriquecer rapidamente. A corrida ao ouro tinha começado. Passados 153 anos, uma nova febre do ouro rebentou numa velha mina, denominada Red Lake, no Noroeste do Ontário. Só que, desta feita, os caçadores de fortuna estavam apetrechados com *software* de modelos geológicos e ferramentas para pesquisar bases de dados, ao invés de picaretas e pás. Os grandes vencedores vieram da Austrália. E nunca sequer tinham visto a mina.

Rob McEwen, *Chairman* e CEO da Goldcorp, Inc., sediada em Toronto, tinha despoletado a corrida ao ouro ao lançar um desafio extraordinário aos geólogos de todo o mundo: apresentar-vos-emos *on-line* todos os dados que possuímos sobre a mina de Red Lake, se nos disserem onde teremos mais probabilidades de encontrar as próximas 6 milhões de onças de ouro. A recompensa: um total de 575 mil dólares, sendo que o primeiro prémio ascende a 105 mil.

A comunidade mineira ficou estupefacta. "Já tínhamos visto *on-line* grandes conjuntos de dados provenientes de estudos governamentais", refere Nick Archibald, Director-Executivo da Fractal Graphics, a empresa vencedora proveniente de West Perth, Austrália. "Agora, ser uma empresa a colocar essa informação e dizer 'Aqui estamos, para o bem e para o mal', é realmente bastante invulgar."

McEwen sabia que a prova, que denominou de *Goldcorp Challenge* ("O desafio Goldcorp"), era muito arriscada. Por um lado, expunha a empresa a uma possível oferta pública de aquisição hostil. No entanto, os riscos de continuar a fazer as coisas "à moda antiga" eram ainda maiores. "A pesquisa de minério é uma das actividades industriais mais antigas da humanidade", salienta McEwen. "É uma economia muito, *muito* antiga. Todavia, a descoberta de minério assemelha-se a uma descoberta tecnológica. Existe a mesma criação rápida de riqueza, à medida que as crescentes expectativas aumentam o lucro. Se pudéssemos encontrar ouro mais rapidamente, poderíamos aumentar realmente o valor da empresa."

McEwen, um homem de baixa estatura e delicado, com um bigode bem aparado e vestindo-se de forma meticulosa, detinha uma grande vantagem sobre os seus concorrentes: não era um mineiro, não pensava como um mineiro e não estava preso à sabedoria convencional dos mineiros. Quando era novo, foi trabalhar para a Merrill Lynch, seguindo as pisadas do pai no negócio do investimento. No entanto, o seu pai tinha igualmente um grande fascínio pelo ouro, tendo McEwen crescido a ouvir histórias sobre mineiros, prospectores e financiamentos à mesa de jantar. Não demorou muito para que fosse "picado pelo bichinho do ouro", tendo elaborado um documento sobre como achava que deveria ser uma empresa de prospecção de ouro no século XXI. Em 1989, teve a sua oportunidade. Lançou-se numa batalha por uma aquisição, como um cavaleiro montado no seu cavalo branco, e emergiu como detentor maioritário de uma mina velha, com fraco desempenho no Ontário.

Dificilmente era um sonho tornado realidade. O mercado do ouro estava em baixa. Os custos operacionais das minas eram elevados. Os mineiros entraram em greve. McEwen foi mesmo ameaçado de morte. Porém, o novo proprietário sabia que a mina tinha potencial. "O distrito de Red Lake incluía duas minas de ouro a operar e 13 antigas, que tinham produzido mais de 18 milhões de onças em conjunto", afirma. "A mina adjacente tinha produzido cerca de dez milhões de onças. A nossa tinha produzido apenas três milhões".

McEwen acreditava que o filão de alta qualidade que passava pela mina vizinha estava presente nalgumas zonas dos mais de 22 mil hectares da parcela de Red Lake – só faltava encontrá-lo. A sua estratégia começou a delinear-se num seminário no MIT em 1999. Presidentes de empresas de todo o mundo estavam presentes para ficar a conhecer os avanços nas Tecnologias da Informação. O grupo acabou por se interessar pelo sistema operativo Linux e pela revolução do *open-source*. "Afirmei: 'Um código-fonte aberto! É isso que quero'!", recorda McEwen.

O seu raciocínio era o seguinte: se conseguisse atrair a atenção de talentos de renome mundial para o problema da pesquisa de ouro em Red Lake, tal como o Linux conseguiu atrair programadores de renome mundial para a causa do *software* mais perfeito, poderia aproveitar o contributo de milhares de cérebros a que, numa situação normal, nunca teria acesso. Assim, poderia aumentar a velocidade da exploração e aumentar as suas hipóteses de encontrar ouro.

Inicialmente, os geólogos da Goldcorp ficaram chocados com a ideia de expor os seus dados super-secretos ao mundo. "É um sector muito conservador e muito privado", afirma o Dr. James M. Franklin, antigo geólogo responsável pelo *Geological Survey of Canada* (mapa geológico do Canadá) e um dos juízes do *Goldcorp Challenge*. "A confidencialidade e o secretismo acerca das reservas e das explorações tinham sido as palavras de ordem. Isto era algo que ia totalmente contra as convenções".

Em Março de 2000, contudo, McEwen desvendou o *Goldcorp Challenge* numa reunião do sector. A reacção externa foi imediata. Mais de 1 400 cientistas, engenheiros e geólogos de 50 países fizeram o *download* dos dados da empresa e iniciaram a sua exploração virtual. Quando começaram a chegar os resultados, o painel de cinco juízes ficou estupefacto com a criatividade das propostas. O vencedor do primeiro prémio resultou da colaboração de dois grupos australianos: a Fractal Graphics, em West Perth, e a Taylor Wall

& Associates, em Queensland, que desenvolveram em parceria uma descrição gráfica detalhada da mina a três dimensões.

Para McEwen, o concurso por si só foi uma mina de ouro. "Pesquisámos quatro dos cinco principais alvos dos vencedores e acertámos nos quatro», afirma. "Porém, o mais importante foi o facto de os vencedores terem conseguido, a partir de um local remoto, analisar a base de dados e gerar alvos sem nunca terem visitado o terreno. É óbvio que isto faz parte do futuro".

Na sequência da descoberta do filão de alta qualidade e da modernização das instalações da mina, Red Lake está finalmente a ter resultados coincidentes com os que McEwen ambicionava. Em 1996, a mina de Red Lake estava a produzir uma média anual de 53 mil onças, a 360 dólares cada uma. Em 2001, a mina produzia 504 mil onças a 59 dólares cada.

Em relação aos mineiros *open-source* que venceram a competição, a *Fast Company* salientou o quanto esta oportunidade também significou para eles:

> Red Lake, Ontário e West Perth situam-se em extremos opostos da terra. Porém, isso não impediu Nick Archibald e a sua equipa de geólogos da Fractal Graphics, uma empresa de consultoria australiana na área das geociências, de pensar que podiam encontrar ouro no Canadá.
>
> Vencedores do *Goldcorp Challenge* de 2001, Archibald e os companheiros arrecadaram um prémio de 105 mil dólares pela sua proposta detalhada sobre a localização de alvos prováveis para encontrar ouro. "Nunca tinha estado na mina", salienta Archibald. "Nem nunca sequer tinha ido ao Canadá!"
>
> Porém, quando soube do desafio, Archibald reconheceu que seria uma oportunidade para a sua empresa, que é especializada na produção de modelos de minas a três dimensões... Embora o prémio monetário, que a equipa de Archibald partilhou com a Taylor Wall & Associates, quase não tenha chegado para cobrir os custos do projecto, a publicidade impulsionou o negócio da empresa. "Teriam sido necessários muitos anos para obtermos o reconhecimento na América do Norte que este projecto nos deu em poucos dias", afirma.
>
> Ainda mais importante, segundo Archibald, foi o facto de o concurso ter despertado a indústria para uma nova forma de fazer explorações. "Isto foi uma grande mudança para o sector mineiro", acrescenta. "Foi como que um farol num mar de escuridão".

A indústria mineira do ouro não é a única nova fronteira para a inovação e o *uploading* desenvolvidos em comunidade. A política é outra área que passou agora a estar exposta a eles. Veja-se o caso de Andrew Rasiej, um antigo promotor musical que fundou a Mouse.org para levar mais tecnologia às escolas da cidade de

Nova Iorque e que foi candidato pelo Partido Democrata ao cargo de *Office of Public Advocate* de Nova Iorque – uma espécie de provedor que aconselha o Presidente da Câmara nos assuntos comunitários e investiga todas as queixas, desde os buracos nas estradas aos serviços públicos. Encontrei-me com Rasiej, quando ele procurava chamar a atenção para a sua proposta que preconizava que a cidade de Nova Iorque deveria proporcionar uma infra-estrutura universal de *Wi-Fi*, para que qualquer pessoa pudesse ter acesso à Internet de alta velocidade e rede no telemóvel. A sua candidatura acabou por fracassar. Ele estava demasiado avançado para o seu tempo. Acredito, contudo, que o tempo acabará por conseguir alcançá-lo. A velha abordagem industrial à política, argumentava Rasiej, "é um para muitos". Por outras palavras, elegemos um homem ou uma mulher que irá resolver os nossos problemas. O novo modelo empresarial consiste em envolver a sua comunidade e os seus clientes numa conversa constante acerca de todos os aspectos do seu negócio, desde o momento em que projecta o produto, ao modo como o concebe, até à cadeia de fornecimento que o produz e entrega, à forma como obtém e processa o *feedback* dos clientes e reage mais rapidamente às alterações de gostos.

"Bem, chegou a hora de aplicar o mesmo princípio – o poder de muitos – na reinvenção da vida cívica e na revigoração da nossa democracia", defendia Rasiej. "Não estaremos somente a melhorar os serviços públicos e a qualidade de vida, mas também a permitir que as pessoas participem nas decisões que afectam a sua vida, de uma forma fácil e em que os resultados sejam visíveis. As pessoas estão desligadas do processo político porque pensam que isso não tem nada a ver com a sua vida. Se o Presidente da Câmara pedisse às pessoas que fotografassem todos os buracos na estrada, ficariam espantados com a reacção". Aliás, Rasiej propôs a criação de um *site*, em que os cidadãos podiam utilizar os seus telemóveis para tirar fotografias de buracos na estrada, carris em mau estado e perigosos, ou mesmo de uma suspeita de crime, e enviá-las imediatamente por *e-mail* para a Câmara Municipal ou colocá-las directamente no *site*, permitindo que cada cidadão se transformasse, na prática, num potencial provedor.

Rasiej insiste que, apesar de o candidato presidencial do Partido Democrata, Howard Dean, ter descoberto o poder da Internet quando a adoptou para angariar fundos para a sua corrida [falhada] à Casa Branca, ele nunca se empenhou realmente nesta solução. O mesmo se pode dizer dos outros candidatos – ninguém tentou organizar uma campanha realmente plana. "Dean não percebeu que o dinheiro que estava a entrar para a sua campanha, através da Internet, era na prática um subproduto da comunidade entusiasmada de Democratas e de votantes descontentes, que falavam uns com os outros e impulsionavam a sua campanha", afirma Rasiej. Mas, podem ter a certeza que, até 2008, algum candidato ou partido irá perceber isto. Existe uma máxima na política norte-americana: o partido que mais rapidamente adopta as tecnologias mais recentes, domina o cenário político. Franklin D. Roosevelt (32° Presidente dos EUA) dominou a rádio e as conversas à lareira, John F. Kennedy os debates televisivos, os Republicanos os debates radiofónicos e Karl Rove o *direct mail* (meio publicitário personalizado e selectivo, que permite atingir os consumidores de uma forma directa e possibilita a medição precisa dos resultados obtidos) e as bases de dados informáticas. O próximo modelo político tecnológico incidirá no poder da comunidade e do *uploading* individual. Neste modelo, o detentor de um cargo público deixará de ser aquele que fala para a multidão ou que tenta ouvir a multidão. Em vez disso, ele ou ela passará a ser um centro de interligação para os cidadãos trabalharem em parceria, criando redes de provedores públicos para identificar e resolver problemas e seguir os candidatos que apostarem nesta via. "Um funcionário eleito [sozinho] não consegue resolver os problemas de oito milhões de pessoas", refere Rasiej, "mas oito milhões de pessoas ligadas em rede podem resolver os problemas de uma cidade. Podem descobrir e sugerir soluções, melhor e mais rapidamente do que qualquer burocrata... O partido que atravessar esta nova fronteira será o partido maioritário no século XXI. Assim, os Democratas deveriam perceber uma coisa – a sua base actual é a *mais* desligada da rede".

Blogues: *upload* de notícias e de comentários

Assim que o movimento do *software* desenvolvido em comunidade ganhou força, testemunhámos a emergência de um novo tipo de *uploading bottom-up* [de baixo para cima] e auto-organizado: os blogues. Observo esta realidade com grande proximidade na minha profissão, o jornalismo, onde os bloguistas, comentadores individuais *on-line*, que se ligam muitas vezes uns aos outros em função da sua ideologia, criaram uma espécie de redacção *open-source*. O blogue é a sua tribuna virtual pessoal, onde se pode dirigir diariamente e, sob a forma de uma coluna ou *newsletter* ou apenas com um pequeno texto, dizer ao mundo o que pensa acerca de qualquer assunto, fazer o *upload* desse conteúdo para o seu próprio *site* e depois esperar que o resto do mundo venha ver o que escreveu. Se outras pessoas gostarem, vão criar um *link* dos seus blogues para este ou para outros tipos de conteúdos, como artigos noticiosos *on-line* ou comentários. Eu agora leio blogues (o termo deriva da palavra *weblog* – registo escrito na *Web*) como parte da minha rotina diária de recolha de informação. Num artigo relativo à maneira como um grupo restrito de blogues jornalísticos praticamente desconhecidos ajudaram a expor os documentos falsos utilizados por Dan Rather, da CBS News, na sua famosa reportagem acerca do serviço cumprido pelo Presidente George W. Bush na Guarda Nacional Aérea, Howard Kurtz, do *The Washington Post,* escreveu (20 de Setembro de 2004): "Foi como lançar um fósforo em madeira ensopada com querosene. A chama subsequente devastou a estrutura dos *media*, uma vez que, já antes, outros blogues desconhecidos tinham tentado colocar a rede de Murrow e Cronkite firmemente na defensiva. O segredo, diz [o bloguista e *webdesigner*] Charles Johnson, é a 'recolha de informações em *open-source*'. Significado: 'Temos um enorme grupo de pessoas bastante motivadas, que andam por aí. Temos um exército de cidadãos-jornalistas'."

Esse exército está muitas vezes armado apenas com um gravador, um telemóvel com câmara fotográfica e um *site*, mas, num mundo plano, pode fazer com que a sua voz tenha um alcance colectivo tão abrangente quanto a CBS ou o *The New York Times*. Estes bloguistas criaram o seu próprio grupo *on-line*, sem quaisquer barreiras de admissão. Estes grupos abertos alimentam-se frequentemente de muitos rumores e alegações irreflectidas. Como ninguém assume o comando, os padrões relativos às boas práticas variam fortemente, alguns deles são completamente irresponsáveis. A informação flúi com total liberdade. Quando esta comunidade descobre um filão real, como o caso Rather, tem capacidade para criar tanta energia, burburinho e notícias sérias como qualquer cadeia televisiva ou grande jornal.

Um novo blogue é criado de sete em sete segundos, de acordo com dados da Technorati.com, um *site* que rastreia estes jornais *Web* facilmente actualizáveis. Ainda segundo a Technorati, existem actualmente mais de 24 milhões de blogues, um número que cresce a uma média de 70 mil por dia e que duplica de cinco em cinco meses – desde os bloguistas iraquianos, que dão a sua versão do que se passa na frente de batalha, até aos bloguistas que acompanham e tecem críticas à arquitectura dos campos de golfe, aos que falam de póquer, de investimentos e os que falam de assuntos do dia-a-dia.

Mark Glaser, escritor *freelancer* de São Francisco, salientou no *site* YaleGlobal (28 de Julho de 2005) que, no dia 7 de Julho, o dia dos ataques bombistas ao metro de Londres, o *site* da BBC convidou os seus espectadores e ouvintes a enviarem fotografias do que tinham presenciado. "Em 24 horas", escreveu ele, "o *site* recebeu 20 mil comentários por *e-mail*, mil fotografias e 20 vídeos. Uma das imagens principais do *site*, nesse dia, foi uma fotografia amadora da cena do autocarro de dois andares alvo do ataque bombista. Os *sites* da BBC, do *Guardian* e o MSNBC.com foram alguns dos grandes *media* que apostaram no jornalismo dos cidadãos, permitindo que os seus leitores – sem qualquer formação jornalística – contribuíssem para a notícia do momento". O que a BBC fez foi aproveitar o poder do *uploading* e transformá-lo em conteúdo editorial válido.

A predisposição da BBC para abrir as suas portas aos bloguistas demonstra simultaneamente os pontos fortes e fracos do mundo dos blogues e por que é que ainda não é claro como vai afectar o jornalismo tradicional. Quem consegue digerir 20 mil blogues em 24 horas? Não se pode beber notícias através de uma mangueira de incêndio. É uma situação esmagadora. Assim, tal como no *software*, é provável que tenhamos abordagens mais integradas, em que as organizações noticiosas tradicionais absorvem, filtram e seleccionam os melhores conteúdos da 'blogosfera' e misturam-nos com as suas notícias editadas de uma forma mais tradicional. (Actualmente, as grandes empresas, como a General Electric, monitorizam e respondem diariamente ao que os blogues dizem sobre elas). É impossível imaginar como estaremos daqui a dez anos, quando quase todos os cidadãos tiverem um blogue. Mas é para lá que estamos a caminhar. Se analisarmos o fenómeno Facebook.com, um directório social *on-line* que se espalhou, como que um vírus, pelas escolas secundárias e faculdades, há milhões de jovens que têm hoje à sua disposição uma plataforma para contar as suas histórias.

"A próxima geração está a crescer *on-line*, ao invés de se adaptar a esta realidade já em idade adulta", escreveu Micah Sifry, analista da intersecção entre a tecnologia e a política, num artigo para o *The Nation* (22 de Novembro de 2004). "Mais de dois milhões de crianças entre os seis e 17 anos têm os seus próprios *sites*, segundo um inquérito da Grunwald Associates datado de Dezembro de 2003. Vinte e nove por cento das crianças até ao 3º ano de escolaridade tem endereço de *e-mail*. Josh Koenig, um dos muitos jovens na casa dos 20 que tiveram o primeiro contacto com a política na campanha eleitoral de Dean e que é actualmente co-fundador da Music for America, afirma: 'Estamos apenas a assistir às primeiras gotas do que irá ser uma torrente'. Quando me contou que, na maioria das escolas secundárias norte-americanas, os alunos utilizavam a *Web* para classificar os seus professores, pensei que era uma hipérbole. Mas depois descobri o *site* RateMyTeachers.com, onde mais de seis milhões de avaliações foram inseridas por alunos, em relação a mais de 900 mil professores de mais de 40 mil escolas secundárias dos EUA e do Canadá. É praticamente o triplo do número registado há um ano, abrangendo cerca de 85 por cento de todas as escolas dos dois países... O futuro está nas mãos deles, apesar de os restantes também irem ser arrastados para esse caminho".

A versão áudio dos blogues, denominada *podcasting*, está apenas a arrancar. O fenómeno evoluiu a partir do popular leitor áudio portátil da Apple, o iPod. Os *podcasts* envolvem a produção, por parte de indivíduos, de ficheiros áudio e vídeo – músicas, comentários, livros, leitura de poesia, recitais, tudo o que possa imaginar que pode ser feito por voz e vídeo – que depois podem ser carregados em plataformas da Internet, como o iTunes da Apple. Estes *podcasts* são depois descarregados por utilizadores ou subscritores, que os ouvem ou visualizam nos seus computadores, iPod, leitores MP3, telemóveis, ou quaisquer outros dispositivos portáteis. O *podcasting* está a ter um grande impacto nas empresas tradicionais de música e vídeo e nas estações de rádio, porque permite que hoje muitas pessoas se transformem em produtores de vídeo e de música, deixando de ser apenas ouvintes e espectadores passivos.

Wikipédia: conteúdo *uploaded* em comunidade

Outra forma de desenvolvimento *uploaded* (inserido na *Web*) em comunidade a que recorri regularmente enquanto escrevia este livro foi a *Wikipédia*, uma enciclopédia *on-line*, que resulta do contributo dos utilizadores, também conhecida como "a enciclopédia do povo". O termo "wiki" é uma palavra havaiana que significa "rápido". "Wikis" são *websites* que permitem que os seus utilizadores editem directamente qualquer página *Web* à sua maneira, a partir do computador de casa. Num ensaio publicado na YaleGlobal *on-line*, a 5 de Maio de 2005, Andrew Lih – professor adjunto no Centro de Estudos de Jornalismo e Comunicação Social, da Universidade de Hong Kong – explicava a forma como funciona a *Wikipédia* e o porquê de representar um enorme progresso tecnológico.

"O projecto *Wikipédia* começou com Jimmy Wales, Presidente da *start-up* da Internet Bomis.com, depois de o seu projecto original com vista à elaboração de uma enciclopédia gratuita voluntária, mas estritamente controlada, ter ficado sem recursos financeiros, passados dois anos", escreveu Lih. "Editores com mestrado estavam, nessa altura, ao leme do projecto, mas criavam apenas algumas centenas de artigos. Não querendo que o conteúdo se perdesse, Wales colocou as páginas num *site* "wiki", em Janeiro de 2001, e convidou todos os visitantes da Internet a editar o que já havia disponível ou a acrescentar material novo. O *site* tornou-se um sucesso galopante no primeiro ano e ganhou uma legião de seguidores fiéis que geraram cerca de 20 mil artigos e os disponibilizaram em mais de uma dúzia de línguas."

Poderá perguntar como é que alguém cria uma enciclopédia credível e equilibrada com um movimento *ad hoc* de código aberto e com edição livre. Afinal de contas, cada artigo da *Wikipédia* tem um botão de "Editar esta página", permitindo a qualquer pessoa que ali navegue acrescentar ou apagar o conteúdo dessa página. O seu sucesso começa com o facto, explicou Lih, de "uma vez que os 'wikis' disponibilizam a capacidade de detectar o estado dos artigos, rever alterações individuais e debater temas, acabam por funcionar como *software* social". Os *websites* "wiki" também detectam e armazenam todas as alterações feitas a um artigo, por isso uma operação nunca é irreversivelmente destrutiva. A *Wikipédia* tem subjacente o consenso: os seus utilizadores acrescentam e alteram o conteúdo, enquanto tentam chegar a um ponto de acordo.

"No entanto, a tecnologia não é suficiente por si só", escreveu Lih. "Wales estabeleceu uma política editorial que visa a manutenção de um ponto de vista neutral (NPOV – *Neutral Point of View*) como princípio orientador... De acordo com as orientações da *Wikipédia*, 'as ideias e os factos são apresentados de forma neutral para que tanto os apoiantes como os opositores possam estar de acordo...' Consequentemente, artigos sobre temas que geravam controvérsia, tais como a globalização, beneficiaram da natureza cooperante e global da *Wikipédia*. Nos últimos dois anos, teve mais de 90 edições por parte de colaboradores da Holanda, da Bélgica, da Suécia, do Reino Unido, da Austrália, do Brasil, dos Estados Unidos, da Malásia, do Japão e da China. Acaba por oferecer uma perspectiva variada dos assuntos, desde a Organização Mundial do Comércio (OMC) e empresas multinacionais até ao movimento antiglobalização, passando pelas ameaças à diversidade cultural." Um artigo da *Newsweek* sobre a *Wikipédia* (1 de Novembro de 2004) citou Angela Beesley, de Essex, Inglaterra, que tem contribuído para o projecto. Viciada na *Wikipédia*, supervisiona a exactidão de mais de mil entradas: "Uma enciclopédia em regime de colaboração parece uma ideia doida, mas controla-se a si própria de forma natural."

É certo que se vende por si. Em finais de 2005, a *Wikipédia* registava 2,5 mil milhões de páginas visualizadas por mês, o que a tornou num dos *sites* de referência mais visitados da *Web*, juntamente com o Dictionary.com. Enquanto adolescente, de certeza que deve ter achado o máximo quando o vendedor da *Encyclopaedia Britannica* apareceu à sua porta para lhe mostrar aqueles livros enormes. Eu achei. Entretanto, alguns anos mais tarde, achou uma óptima ideia o facto de o Microsoft Windows incluir uma versão da *Encarta*, que lhe permitia ter uma enciclopédia no computador. A publicidade *on-line* da mais recente edição da *Encarta* diz o seguinte: "*Microsoft Encarta Standard 2006* é a marca de enciclopédia mais vendida no mundo inteiro. É uma fonte fiável para explorar o mundo do conhecimento, que prima pela perfeição, é atractiva e está actualizada – com mais de 36 mil verbetes, dezenas de milhares de fotografias e de músicas, vídeos, animações, jogos, mapas, e muito mais". Sabe quantos verbetes existem na *Wikipédia*, a enciclopédia do *upload*? Quando escrevo estas palavras, no dia 29 de Novembro de 2005, o *site* Wikipedia.org informava: "Nesta versão inglesa, iniciada em 2001, estamos actualmente a trabalhar em 841 358 verbetes" – e a contá-los. E Wales estava apenas a começar. A *Wikipédia* já se expandiu para o *Wikcionário*, um dicionário e léxico; *Wikilivros*, livros e manuais digitais; *Wikiquote*, um "livro" *on-line* de citações; *Wikispecies*, um ciber-directório das espécies; e, obviamente, *Wikinotícias*, a fonte de conteúdos noticiosos gratuitos, onde pode escrever e fazer *upload*.

Todavia, a *Wikipédia* não é só um mar de rosas e nem sempre se controla a si mesma. Quando as pessoas podem fazer o *upload* da sua própria enciclopédia, pode acontecer muitas coisas e nem todas são boas. Os seus inimigos podem utilizá-la como um cartaz global para denegrir o seu nome, se assim quiserem, e poderá demorar algum tempo até repor a verdade. John Seigenthaler Sr., o director editorial fundador do *USA Today* e do *Freedom Forum First Amendment Center* (organização que visa preservar e proteger as liberdades estatuídas pela Primeira Emenda, através da informação e educação) na Universidade Vanderbilt (em Nashville), acordou um dia e encontrou a seguinte biografia da sua pessoa na *Wikipédia*: "No início dos anos 60, John Seigenthaler Sr. foi adjunto do

Procurador-geral Robert Kennedy. Durante algum tempo, suspeitou-se que estivesse directamente envolvido nos homicídios de John Kennedy e do irmão Bobby. Nunca se provou nada".

Isto não o deixou nada satisfeito. Esta entrada da sua biografia estava a ser lida e repetida em todo o mundo. No dia 29 de Novembro de 2005, escreveu o seguinte artigo de opinião no *USA Today*:

> Esta é uma história muito pessoal acerca de um assassinato de personalidade através da Internet. Podia ser a sua história.
>
> Não faço ideia que mente doentia terá concebido a falsa e maliciosa "biografia" que apareceu sob o meu nome, durante 132 dias, na *Wikipédia*, a popular enciclopédia livre *on-line*, cujos autores são anónimos e praticamente indetectáveis. Mas havia mais:
>
> "John Seigenthaler mudou-se para a União Soviética em 1971 e regressou aos Estados Unidos em 1984", dizia a *Wikipédia*. "Pouco tempo depois, criou uma das maiores empresas de relações públicas do país".
>
> Aos 78 anos, pensava que seria difícil ficar surpreendido ou magoado com críticas negativas à minha pessoa. Estava enganado. Uma frase na biografia era verdadeira. No início dos anos 60, fui assistente administrativo de Robert Kennedy. Também ajudei a carregar o seu caixão. Fiquei estarrecido quando o meu filho, John Seigenthaler, jornalista na NBC News, me telefonou mais tarde para me dizer que tinha encontrado o mesmo texto indecente no Reference.com e no Answers.com.
>
> Ao longo de várias semanas, tinha ouvido professores, jornalistas e historiadores falar "do maravilho mundo da *Wikipédia*", que milhões de pessoas em todo o mundo visitam diariamente para fazer pesquisas rápidas sobre "acontecimentos", escritos e inseridos por pessoas sem qualquer competência ou conhecimento de relevo – e até, por vezes, por pessoas maldosas.
>
> A meu pedido, executivos dos três *sites* removeram o falso conteúdo acerca da minha pessoa. Porém, não sabem e não podem descobrir quem escreveu as frases venenosas.
>
> Telefonei a Jimmy Wales, o fundador da *Wikipédia*, e perguntei: "Existe... alguma forma de saber quem escreveu isto?"
>
> "Não", respondeu. Os representantes dos outros dois *sites* afirmaram que os seus computadores estavam programados para copiar literalmente os dados da *Wikipédia*, nunca verificando se eram falsos ou factuais...
>
> Vivemos num mundo de novos meios de comunicação com oportunidades fenomenais para a comunicação e pesquisa a nível global – mas que também podem ser popularizados por vândalos voluntários com intelectos venenosos. O Congresso deu-lhes o seu aval e protege-os.

Quando era criança, a minha mãe dava-me lições sobre os malefícios do "boato". Pegava numa almofada de penas e dizia: "Se eu rasgar a almofada, as penas voarão para todo o lado e nunca conseguirei voltar a colocá-las todas cá dentro. É o que acontece quando se espalham maldades acerca de alguém."

Para mim, esta almofada é uma metáfora da *Wikipédia*.

Eu gosto da *Wikipédia*. Utilizei-a para escrever este livro. Porém, utilizo-a sabendo que a comunidade autora nem sempre está certa, nem a rede corrige sempre os seus erros – pelo menos, não tão rapidamente como os espalha. Não é por acaso que a IBM tem um colaborador sénior para verificar as referências da *Wikipédia* sobre a empresa e garantir que tudo o que lá é inserido está correcto. Nos próximos anos, mais jovens aprenderão coisas sobre a IBM através da *Wikipédia* do que através da própria IBM.

Até onde pode chegar o *uploading*?

O meu argumento principal é o seguinte: o *uploading*, realizado por indivíduos ou comunidades, é já uma enorme força niveladora do mundo. Está a espalhar-se porque a plataforma que tornou o mundo plano, que o torna possível, se está igualmente a espalhar e porque o *uploading* satisfaz uma necessidade humana muito profunda de participar e fazer-se ouvir. O repórter do *New York Times*, Seth Schiesel, escreveu um artigo a este respeito (21 de Junho de 2005), onde salienta que um número crescente de rapazes "prefere jogar jogos de desporto no computador do que assistir à mesma modalidade desportiva a sério na televisão." Além disso, realçou que a venda de jogos de desporto nos Estados Unidos cresceu, desde 2000, cerca de 34 por cento, ascendendo a 1,2 mil milhões de dólares em 2004, ao passo que as audiências de televisão relativamente à maioria dos desportos mais importantes caíram, no segmento dos telespectadores masculinos, entre 12 e 34 por cento. O que mais me impressionou, contudo, foi uma citação que Schiesel fez de um jovem que adorava jogar os jogos de basquetebol com a marca da NBA, em que se pode controlar os jogadores (que são representações de jogadores verdadeiros da NBA) quando passam e atiraram ao cesto: " 'Gosto do Kobe', afirmou Albert Arce, referindo-se ao jogador Kobe Bryant, estrela dos Los Angeles Lakers. 'Mas gosto de jogar com ele porque consigo fazê-lo passar a bola aos outros jogadores. Quando o vejo na televisão, é como se ele não soubesse passar a bola'."

Prefere jogar com o Kobe do que ver o Kobe a jogar! Esta atitude, afirma Micah Sifry, "é um indicador da grande mudança no mundo da Internet, tendo-se passado de uma abordagem estática e passiva aos *media* para uma abordagem activa e participativa. É mais interessante estar no jogo do que ver o jogo". Tim O'Reilly, o fundador e CEO da O'Reilly Media, uma das editoras mais importantes do mundo na área da informática, tem uma forma muito pessoal de descrever o fenómeno do *uploading*. Chama-lhe "arquitectura de participação" – sistemas concebidos para os utilizadores produzirem e não apenas para consumirem. Sugere ainda que as empresas que conceberem os seus *softwares*, os seus sistemas, os seus *sites* e as suas enciclopédias de forma a estimular a participação serão as que terão mais utilizadores.

As pessoas gostam de fazer *uploads* e é por isso que, de entre os dez acontecimentos que tornaram o mundo plano, o *uploading* tem potencial para ser o mais fracturante. O número de pessoas que irão exercer essa capacidade de "estar no jogo", e se muito em breve ou não, é o que irá determinar o quão fracturante se irá tornar o *uploading*. "O acto de participar é como um músculo que temos de exercitar", realçou Sifry, "e estamos tão pouco habituados a ser participantes activos no processo que, embora as ferramentas estejam à nossa disposição, muitos não as utilizam... Existem ainda demasiados hábitos profundamente impregnados de deferência em relação às autoridades e às instituições." Em suma, o número de pessoas a fazer *uploading* é ainda relativamente reduzido. Todavia, à medida que as ferramentas para o *uploading* e para a colaboração individual se tornam mais abrangentes, e à medida que cada vez mais pessoas recebem *feedback* positivo das suas experiências de *uploading*, estou cada vez mais convencido de que todas as instituições ou estruturas hierárquicas irão sentir os efeitos.

Fica avisado.

Acontecimento # 5
Outsourcing – Y2K

A Índia teve períodos altos e baixos desde que conquistou a independência, em 15 de Agosto de 1947, mas em certos aspectos será recordada como o país mais afortunado da História do final do século XX.

Até há pouco tempo, a Índia era aquilo a que no mundo da banca se dá o nome de "o segundo comprador". No mundo dos negócios, todos desejam ser o segundo comprador – quem compra o hotel, o campo de golfe ou o centro comercial depois de o primeiro proprietário ter ido à falência e os seus activos terem sido vendidos pelo banco a dez cêntimos de dólar. Bem, os primeiros compradores do cabo instalado pelas empresas de cabos de fibra óptica – que pensavam que iriam enriquecer indefinidamente com a expansão ilimitada do universo digital – foram os accionistas norte-americanos dessas empresas. Quando a bolha estoirou, ficaram com *stocks* sem valor ou de valor muito reduzido. Os indianos, com efeito, calharam ser os segundos compradores das empresas de fibra óptica.

Na verdade, não compraram as acções – apenas beneficiaram da existência abundante de fibra óptica, o que significou que eles e os seus clientes norte-americanos acabaram por usar todo o cabo de uma forma quase gratuita. Este foi um enorme golpe de sorte para a Índia (e, em menor grau, para a China, a ex-União Soviética e a Europa de Leste) porque, vendo bem, qual é a História da Índia moderna? Embora a Índia possua, certamente, recursos naturais mineiros que possa explorar (carvão, minério de ferro, diamantes), tem tantas bocas para alimentar que era impossível viver apenas deles – nem lá perto! Então, em vez disso, decidiu explorar a massa cinzenta do seu povo, facultando instrução a uma fatia relativamente grande das suas elites nos ramos das Ciências, Engenharia e Medicina. Em 1951, Jawaharlal Nehru, o primeiro Chefe de Governo da Índia independente, mandou construir o primeiro dos sete Institutos Indianos de Tecnologia (IIT) do país, na cidade oriental de Kharagpur. Nos 55 anos que se seguiram, centenas de milhares de indianos concorreram para conseguirem ser admitidos e tiraram os seus cursos universitários nestes IIT e nos seus equivalentes do sector privado, bem como nos seis Institutos Indianos de Gestão, onde se lecciona Gestão de Empresas. Atendendo aos mais de mil milhões de habitantes do país, esta competição deu origem a um fenomenal desenvolvimento do conhecimento assente na meritocracia. É como uma fábrica, que produz em série e exporta alguns dos talentos do ramo da Engenharia, Ciências da Computação e *Software* mais dotados do mundo.

Isto foi uma das poucas coisas que a Índia fez bem. No meu entender, porque o seu sistema político, frequentemente disfuncional, se associou às preferências de Nehru pela economia socialista pró-soviética, fez com que, até meados dos anos 90, o país não tivesse trabalho atractivo para oferecer à maioria dos seus talentosos engenheiros. Assim, calhou aos Estados Unidos ser o segundo comprador da massa cinzenta da Índia! Um indiano inteligente e com bom nível de instrução só tiraria partido de todo o potencial se saísse do país. Idealmente, iria para os EUA, onde se estabeleceram cerca de 25 mil licenciados das melhores escolas indianas de Engenharia desde 1953, enriquecendo fortemente a plataforma de conhecimento dos Estados Unidos devido ao seu grau elevado de instrução, subsidiado pelos contribuintes indianos.

"Os IIT tornaram-se ilhas de excelência ao não permitirem que a degradação geral do sistema indiano diminuísse os seus exigentes padrões", salientou o *The Wall Street Journal* (16 de Abril de 2003). "Não havia forma de subornar a entrada num IIT... Os candidatos apenas são aceites se passarem num difícil exame de admissão. O governo não interfere com o currículo e a carga horária é exigente... Embora seja discutível, é mais difícil ser admitido num IIT do que em Harvard ou no *Massachusetts Institute of Technology*... Um antigo estudante de um IIT, Vinod Khosla, que co-fundou a Sun Microsystems, disse: 'Quando terminei os estudos no IIT de Deli e fui para Carnegie Mellon para fazer o meu mestrado, achei que estava a descansar durante todo o tempo, pois foi muito fácil em comparação com os estudos que tive no IIT'."

Durante a maior parte dos seus primeiros 50 anos de existência, os licenciados nos IIT indianos foram praticamente oferecidos aos EUA a preço de saldo. Era como se alguém colocasse um dreno cerebral que enchesse em Nova Deli e esvaziasse em Palo Alto. Aproximadamente um em cada quatro licenciados de IIT acabaram nos Estados Unidos – tantos que os expatriados IIT nos Estados Unidos têm uma organização e realizam lá um congresso anual.

Pelo caminho surgiu a Netscape, a lei da desregulamentação das telecomunicações, em 1996, e a Global Crossing, com os seus correligionários de fibra óptica. O mundo ficou plano e todas estas transformações ajudaram a provocar a reviravolta. "A Índia não tinha recursos nem infra-estruturas", afirmou Dinakar Singh, um dos mais respeitados gestores de *hedge funds** de Wall Street, cujos pais se licenciaram num IIT, tendo depois emigrado para os EUA, onde nasceu. "A Índia produziu pessoas com qualidade e em quantidade. Muitas delas, no entanto, apodreceram como vegetais nos estaleiros indianos. Apenas um número relativamente pequeno conseguiu embarcar e sair do país. Actualmente, isso já não acontece, devido à construção desta ponte sobre o oceano chamada cabo de fibra óptica... Durante décadas, foi preciso sair da Índia para se ser um profissional... Agora, qualquer pessoa pode ligar-se ao mundo a partir da Índia. Não é preciso ir para Yale e trabalhar para a Goldman Sachs (como foi o meu caso)."

A Índia nunca teria conseguido pagar a banda larga para ligar a sua massa cinzenta à alta tecnologia nos EUA, portanto foram os accionistas das empresas norte-americanas a pagar para terem isso. O sobreinvestimento pode ser positivo. O que foi feito nas vias-férreas acabou por se revelar uma vantagem competitiva para a economia norte-americana. "Este sobreinvestimento ficou confinado ao país e os benefícios também", referiu Singh. Mas, no caso das vias-férreas digitais, "foram os estrangeiros que beneficiaram". A Índia apanhou a boleia.

Tem graça conversar com indianos que estavam por perto no momento em que as empresas norte-americanas começaram a descobrir que poderiam aproveitar os talentos sem que eles saíssem do país. Um deles foi Vivek Paul que, até final de Junho de 2005, foi *President* da Wipro, a gigante indiana de *software*. "Sob as mais variadas formas, a revolução das Tecnologias da Informação (TI) na Índia [*outsourcing*] começou com a chegada da General Electric. Estamos a falar de finais dos anos 80, início dos anos 90. Nessa altura, a Texas Instruments trabalhava na concepção de *chips* na Índia. Alguns dos seus principais *designers* [nos EUA] eram indianos e, basicamente, a empresa deixou-os regressar a casa e trabalhar a partir de lá [utilizando as redes de comunicações que existiam na altura, ainda muito embrionárias, para se manterem em contacto]. Na altura, eu chefiava as operações para a GE Medical Systems, em Bangalore. O *Chairman* da GE, Jack

---

* **N.T.** Fundos de risco.

Welch, foi à Índia em 1989 e ficou completamente rendido com aquele viveiro intelectual e a vantagem competitiva que representava para a GE. Jack chegou mesmo a comentar: 'A Índia é um país em vias de desenvolvimento, com uma capacidade intelectual desenvolvida.' O que ele viu foi um grupo de talentos que podia ser alavancado. Por isso, disse: 'Gastamos imenso dinheiro a fabricar *software*. Não será possível realizarmos aqui algum do trabalho do nosso departamento de TI?'" Dado que a Índia tinha fechado o seu mercado às empresas estrangeiras de tecnologia, como a IBM, as empresas indianas criaram as suas próprias unidades produtivas para fabricarem PC e servidores. Welch achou que se o conseguiam fazer para eles, também o poderiam fazer para a GE.

Com vista a dar continuidade ao projecto, Welch enviou para a Índia uma equipa liderada pelo CIO (*Chief Information Officer*) do conglomerado, para que fossem analisadas todas as possibilidades. Paul também foi integrado na equipa, na qualidade de gestor do desenvolvimento dos negócios da GE na Índia, cargo que ocupava nessa altura. "Assim, competia-me acompanhar o CIO da empresa, no início da década de 90, na sua primeira viagem", recordou. "Lembro-me de, a meio da noite, ir buscar a comitiva ao aeroporto de Deli com uma caravana de carros indianos, os Ambassadors, fabricados com base no *design* do Morris Minor dos anos 50. Todos os governantes conduziam um. Por isso, seguíamos numa caravana de cinco automóveis no regresso do aeroporto para a cidade. Eu seguia no último carro e, a determinada altura, ouvimos um barulho enorme e pensámos: 'O que aconteceu?' Ultrapassei os outros, fui para a frente e vi que a capota do primeiro carro tinha voado e esmagado o pára-brisas – com os responsáveis da GE lá dentro! Toda a equipa de executivos da GE saltou para a beira da estrada. Ainda consegui ouvi-los a comentar uns com os outros: 'É neste sítio que vamos produzir o nosso *software*?'."

Felizmente para a Índia, a equipa da GE não ficou desencorajada com a fraca qualidade dos automóveis fabricados no país. A GE decidiu estabelecer raízes, dando início a um projecto de desenvolvimento comum com a Wipro. Outras empresas estavam a experimentar modelos diferentes. Mas, ainda assim, aquela era a época pré-fibra óptica. A Simon & Schuster, editora de livros norte-americana, por exemplo, expedia os seus livros para a Índia e pagava aos indianos 50 dólares por mês (contra mil dólares por mês nos Estados Unidos) para que o texto fosse inserido em computadores, convertendo os livros em ficheiros electrónicos digitalizados que podiam ser, de futuro, facilmente editados ou emendados – especialmente os dicionários, que necessitam de ser constantemente actualizados.

Em 1991, Manmohan Singh, na altura Ministro das Finanças indiano, começou a abrir a economia do país ao investimento estrangeiro e a introduzir a concorrência na indústria indiana das telecomunicações para fazer baixar os preços. Com o intuito de atrair mais investimento estrangeiro, Singh facilitou às empresas a colocação, em Bangalore, de estações de ligação por satélite com sinal em *downlink**, de forma a poderem passar por cima do sistema telefónico indiano e contactar com as suas sedes na América, Europa ou Ásia. Antes disso, apenas a Texas Instruments (TI) tinha estado disposta a desafiar a burocracia indiana, tornando-se na primeira multinacional a instalar um centro de desenvolvimento e de concepção de circuitos na Índia, em 1985. O centro da TI, localizado em Bangalore, tinha o seu próprio sinal de satélite em *downlink*, mas teve de se sujeitar à supervisão de um responsável governamental indiano – que tinha o direito de analisar qualquer dado que saía ou entrava. Singh soltou todas estas rédeas depois de 1991. Pouco tempo depois, em 1994, a HealthScribe India, uma empresa originalmente financiada por médicos indianos e norte-americanos, estabeleceu-se em Bangalore para proceder à transcrição de informação médica, via *outsourcing*, para médicos e hospitais norte-americanos. Esses médicos, na altura, faziam anotações escritas e, depois, ditavam-nas para um Dictaphone (gravador de voz) para que uma secretária ou alguém as transcrevesse, o que normalmente demorava dias ou semanas. A HealthScribe criou um sistema que transformava o telefone de teclas de um médico numa máquina de ditar. O médico carregava num número e simplesmente ditava as suas anotações para um PC com um cartão de voz inserido, que digitalizava a sua voz. Ele poderia estar em qualquer lugar quando o fizesse. Graças ao satélite, uma dona de casa ou um estudante em Bangalore podia aceder a um computador e fazer o *download* da voz digitalizada desse médico e transcrevê-la – não em duas semanas, mas em duas horas. Em seguida, a mesma pessoa reenviava rapidamente essas anotações por satélite, sob a forma de ficheiro de texto – que podia ser introduzido no sistema informático do hospital e tornar-se parte do arquivo para facturação. Devido às 12 horas de diferença horária em relação à Índia, os indianos podem proceder à transcrição, enquanto os médicos norte-americanos dormem, e o ficheiro estará pronto e à espera deles na manhã seguinte. Este foi um importante passo no progresso tecnológico das empresas: se é possível transcrever gravações médicas, relatórios laboratoriais e diagnósticos médicos em Bangalore, de forma fidedigna, legal e segura – naquela que é uma das indústrias com mais litígios do mundo –, muitas outras empresas poderiam começar também a enviar algum do seu trabalho interno para ser feito na Índia. Assim aconteceu. O trabalho manteve-se, no entanto, limitado ao que podia ser gerido por satélite, onde se registava um atraso nos parâmetros de voz. (Ironicamente, disse Gurujot Singh Khalsa, um dos fundadores da HealthScribe, essas empresas começaram por tentar aproveitar o facto de haver índios no Maine – ou seja, ameríndios – para fazer este trabalho, utilizando algum do apoio pecuniário federal destinado às tribos, mas nunca conseguiram que eles se interessassem

---

* **N.T.** Ligação descendente.

o suficiente para levar adiante o acordo). O custo de fazer a transcrição na Índia correspondia a cerca de um quinto do custo por linha nos Estados Unidos, uma diferença que chamou muito a atenção.

Em finais da década de 90, os ventos da sorte começaram a soprar na Índia, vindos de duas direcções: a bolha da fibra óptica estava a começar a expandir, ligando a Índia aos Estados Unidos, e a crise do *bug* do milénio (Y2K) começava a vislumbrar-se no horizonte. O *bug* do milénio derivava do facto de os computadores terem sido fabricados com relógios internos. Para poupar espaço de memória, estes relógios apresentavam as datas com apenas seis dígitos – dois para o dia, dois para o mês e dois para o ano. Isso significava que apenas poderiam ir até 31/12/99. Assim, quando o calendário chegasse a 1 de Janeiro de 2000, muitos computadores mais antigos estavam definidos para registar essa data não como 01/01/2000 mas sim 01/01/00, o que correspondia a um regresso ao ano de 1900. Um grande número de computadores existentes (os mais recentes já tinham sido fabricados com relógios melhores) precisava que os seus relógios internos e sistemas associados fossem ajustados; caso contrário, receava-se que fossem abaixo, provocando uma crise global, atendendo a que muitos sistemas de gestão diferentes – desde a água ao controlo do tráfego aéreo – estavam informatizados.

Este trabalho de reparação de computadores era extenso e entediante. Quem, em todo o mundo, tinha engenheiros de *software* suficientes para o fazer? Resposta: a Índia, com todos os *techies* de todos os IIT e institutos técnicos privados, bem como institutos de Ciências Computacionais.

Assim, com o Y2K a aproximar-se de nós, os EUA e a Índia começaram a "namorar". Este relacionamento tornou-se um acontecimento enorme, na medida em que demonstrou a muitas empresas que a combinação do PC, Internet e cabo de fibra óptica tinha criado a possibilidade de toda uma nova forma de colaboração e criação de valor horizontal: o *outsourcing*. Qualquer serviço, *call center*, operação de apoio à empresa ou trabalho do conhecimento que pudesse ser digitalizado, podia ser globalmente canalizado para o fornecedor mais barato, mais inteligente ou mais eficiente. Ao utilizarem estações com ligação a cabos de fibra óptica, os *techies* indianos podiam entrar nos computadores da sua empresa e proceder a todos os ajustamentos, mesmo que estivessem do outro lado do mundo.

"O *upgrading* do Y2K era um trabalho entediante que não lhes iria dar grande vantagem competitiva", disse Vivek Paul, o executivo da Wipro, cuja empresa realizou algum do trabalho subcontratado relativo à reparação do Y2K. "Assim, todas estas empresas ocidentais foram desafiadas de uma forma incrível para descobrir alguém que fizesse esse trabalho por um preço mais barato. Os seus responsáveis terão pensado: 'Nós só queremos passar o maldito ano 2000!' Por isso, começaram a trabalhar com empresas indianas [da área da tecnologia], com as quais poderiam nunca ter trabalhado se não fosse aquela situação."

Usando a minha terminologia, estas empresas estavam preparadas para marcar um "*blind date*"* com a Índia. Estavam preparadas para "acasalar". "O Y2K significa coisas diferentes para pessoas diferentes. Para a indústria indiana representou a grande oportunidade. A Índia era considerada um país com gente retrógrada. O Y2K subitamente exigiu que todos os computadores do mundo fossem revistos. E o enorme número de pessoas necessárias para rever o código linha a linha existia na Índia. A indústria indiana de TI conseguiu deixar a sua marca por todo o planeta devido ao Y2K. O *bug* do milénio tornou-se o nosso motor de crescimento, o motor que nos tornou conhecidos a nível mundial. Nunca mais olhámos para trás depois do Y2K", disse Jerry Rao.

No ano 2000, o trabalho relacionado com o Y2K começou a abrandar. Foi, então, que surgiu uma oportunidade de negócio totalmente nova: o comércio electrónico (*e-commerce*). "A bolha das *dot-com* ainda não tinha rebentado, os talentos na área da Engenharia eram escassos e a procura por parte das *dot-com* era enorme. Os responsáveis das empresas queriam ver desenvolvidas as aplicações que consideravam fundamentais para a sua missão, chave para a sua própria existência, e iriam a qualquer lugar concretizá-las. Assim, viraram-se para as empresas indianas e, enquanto o faziam, descobriram que estas estavam já a distribuir sistemas complexos, com grande qualidade, por vezes melhor do que o obtido em outros pontos do globo. O facto criou um enorme respeito pelos fornecedores indianos de TI. E se o trabalho com o Y2K foi o período de fazer a corte, este foi o processo que levou a que se apaixonassem", disse Paul.

O *outsourcing* dos Estados Unidos para a Índia, como nova forma de colaboração, explodiu. Ao ligar um canal de fibra óptica de uma estação de trabalho em Bangalore ao *mainframe* da minha empresa, poderia ter empresas indianas de TI como a Wipro, a Infosys e a Tata Consulting Services a gerir o meu comércio electrónico e as aplicações *mainframe*.

"Antes estávamos no negócio do *mainframe* e do comércio electrónico – agora estamos casados", disse Paul. Mas, uma vez mais, a Índia teve a sorte de poder explorar todo o cabo submarino de fibra óptica. "Tinha um escritório muito perto do Hotel Leela Palace, em Bangalore", acrescentou Paul. "Estava a trabalhar com uma fábrica localizada no parque de informação tecnológica em Whitefield, subúrbio de Bangalore, e *não conseguia obter uma linha telefónica local entre o nosso escritório e a fábrica*. A menos que se pagasse um suborno, não era possível obter uma linha, e nós não iríamos pagar. Por isso, o meu telefonema para Whitefield era transferido do meu escritório em Bangalore para Kentucky, onde havia um computador central da GE com o qual trabalhávamos, e depois de Kentucky para Whitefield.

---

* **N.T.** Encontro com um desconhecido.

Usávamos o nosso canal de fibra óptica concessionado que atravessava o oceano – mas o que atravessava a cidade exigia o pagamento de um suborno."

A Índia não beneficiou apenas do *boom* das *dot-com;* beneficiou ainda mais do estoiro das *dot-com*! Essa é a verdadeira ironia. O *boom* levou à instalação do cabo que ligou a Índia ao mundo e o estoiro da bolha tornou o custo da sua utilização praticamente nulo, tendo também aumentado imenso o número de empresas norte-americanas que queriam usar esse cabo de fibra óptica para fazer o *outsourcing* de trabalho de produção do conhecimento para a Índia.

O Y2K originou esta corrida louca à massa cinzenta indiana, para que o trabalho de programação fosse feito. Neste país, as empresas eram boas e baratas, mas o preço não estava em primeiro lugar para os clientes – ter o trabalho feito é que era importante. E a Índia era o único lugar com o volume de trabalhadores suficiente para o fazer. O *boom* das *dot-com* surgiu logo a seguir ao Y2K. A Índia é um dos poucos países onde existem muitos engenheiros que falam inglês, a qualquer preço, uma vez que todos os que estavam nos EUA tinham sido contratados pelas empresas de comércio electrónico. Depois, a bolha das *dot-com* estoirou, o mercado accionista perdeu terreno e o fundo comum de capital para investimento secou. As empresas de TI norte-americanas que sobreviveram ao *boom* e as empresas de capital de risco que ainda pretendiam financiar *start-ups* tinham agora muito menos dinheiro para gastar. Nesta altura precisavam dos engenheiros indianos, não porque havia muitos, mas precisamente porque eram de baixo custo. Assim, a relação entre a comunidade empresarial da Índia e dos Estados Unidos intensificou-se.

Um dos grandes erros cometidos por muitos analistas no início do ano 2000 foi misturar o *boom* das *dot-com* com a globalização, sugerindo que eram acontecimentos de uma moda que passaria. Quando a bolha das *dot-com* rebentou, estes mesmos analistas enganados partiram do princípio que a globalização também tinha terminado. Foi precisamente o contrário. A bolha das *dot-com* foi apenas um aspecto da globalização e, quando implodiu, em vez de implodir a globalização, na realidade, dinamizou-a.

Promod Haque, indo-americano, um dos especialistas em capital de risco mais proeminentes em Silicon Valley, com a sua empresa Norwest Venture Partners, estava no meio desta transição. "Quando a bolha estoirou, muitos dos engenheiros indianos nos EUA [com vistos temporários de trabalho] ficaram sem emprego e, por isso, regressaram à Índia", explicou Haque. Como consequência do estoiro da bolha, praticamente todas as grandes empresas norte-americanas cortaram os seus orçamentos para TI. "Foi dito a cada gestor de TI que conseguisse o mesmo volume de trabalho, ou mais, com menos dinheiro. Imagina o que eles fizeram? Disseram: 'Lembra-se do indiano Vijay que, durante o *boom,* trabalhava aqui e depois regressou a casa? Deixe-me telefonar-lhe para Bangalore e ver se ele pode fazer-nos o trabalho por menos dinheiro do que pagaríamos aqui a um engenheiro'." Graças a todo o cabo de fibra óptica instalado durante o *boom*, foi fácil encontrar Vijay e pô-lo a trabalhar.

O trabalho de reajustamento informático decorrente do Y2K foi feito em grande parte por programadores indianos pouco qualificados, provenientes de institutos técnicos, "mas os indivíduos com vistos que tinham regressado dos Estados Unidos não pertenciam a esse patamar", acrescenta Haque. "Tinham graus académicos avançados em Engenharia. Muitas das nossas empresas perceberam que esses indivíduos eram bons a trabalhar com as linguagens de programação Java e C++ e no *design* arquitectural para computadores. Depois perderam os seus empregos e regressaram às suas casas. Entretanto, ao gestor de TI, nos EUA, era dito: 'Não importa como se faça o trabalho, desde que seja feito por menos dinheiro.' É aí que o gestor de TI telefona a Vijay."

Uma vez que os EUA e a Índia andavam a "namorar", as jovens empresas indianas de TI, em Bangalore, começaram a apresentar propostas de trabalho. O que tinham feito com o Y2K permitira-lhes interagir com muitas grandes empresas nos Estados Unidos, o que lhes deu a possibilidade de começar a perceber os pontos fracos e a forma de procederem à implementação e melhoria dos processos de negócio. Assim, os indianos, responsáveis por grande parte da manutenção bastante específica de códigos personalizados para empresas de maior valor acrescentado, começaram a desenvolver os seus próprios produtos, transformando-se de empresas de manutenção em empresas de produtos e oferecendo um leque variado de serviços de *software* e consultoria. Este facto levou a que as empresas indianas ficassem mais ligadas às norte-americanas, e o *outsourcing* dos processos de negócio – que permite aos indianos gerir os processos internos – passou para um nível completamente novo.

"Transferi o meu departamento de 'contas a pagar' para a Índia, ao cuidado da Wipro ou da Infosys, reduzindo assim os meus custos em 50 por cento", salientou Haque. Nos EUA, os CEOs diziam "faça o trabalho por menos dinheiro", acrescentou ele. "Ao que as empresas indianas respondiam: 'Espreitei para debaixo do seu capuz e vou fornecer-lhe uma solução completa pelo preço mais baixo'." Por outras palavras, as empresas indianas de *outsourcing* diziam: "Recorda-se de como lhe arranjei os pneus e pistões durante o Y2K? Bem, na verdade, poderia oferecer-lhe o trabalho já com o lubrificante e tudo, se o desejasse. Agora que me conhece e confia em mim, podemos fazê-lo." Para seu próprio mérito, os indianos não eram apenas baratos, estavam também ávidos e prontos para aprender fosse o que fosse.

A escassez de capital depois do estoiro das *dot-com* fez com que as empresas de capitais de risco tivessem de se certificar que aquelas nas quais apostavam inovavam com eficácia, grande qualidade e ao mais baixo preço. "Na altura do *boom*," disse Haque, "não era invulgar que um investimento de 50 milhões de dólares numa *start-*

-up gerasse um retorno de 500 milhões, assim que a empressa passasse a estar cotada em bolsa." Depois de a bolha rebentar, uma oferta pública por parte da mesma empresa poderia representar um encaixe de apenas 100 milhões de dólares. Por esse motivo, as empresas de capitais de risco passaram a querer arriscar apenas 20 milhões de dólares para que uma *start-up* passasse à fase da IPO (oferta pública inicial).

"Para as empresas de capitais de risco," disse Haque, "a grande questão que se colocou foi: 'Como é que consigo que os meus empresários e as suas novas empresas atinjam o *break-even* ou se tornem rapidamente lucrativos para que possam deixar de sugar o meu capital e sejam vendidas, de forma a que a nossa empresa possa *gerar boa liquidez e receita*?' A resposta que muitas empresas deram foi: o melhor é começar a proceder ao *outsourcing* do máximo de funções possível, logo desde o início. Tenho de ganhar dinheiro rapidamente para os meus investidores; por isso, tudo aquilo que puder ser subcontratado terá de o ser."

Henry Schacht, que chefiava a Lucent durante parte deste período, acompanhou todo o processo na perspectiva da gestão. A economia real, disse-me, tornou-se "bastante feia" para todos. Percebeu-se que os preços ora estavam estáveis ora em queda e que os mercados tinham estagnado. Apesar disso, as empresas continuaram a canalizar avultados montantes para a gestão das suas operações de *back office*, actividade a que já não podiam dar-se ao luxo. "As pressões ao nível dos custos eram enormes", recordou Schacht. "O mundo estava a tornar-se plano, [por isso] a economia obrigava os gestores a fazer coisas que nunca tinham imaginado que fariam ou que conseguiriam fazer... a globalização ficou sobrecarregada" – tanto para o trabalho de produção do conhecimento como para a manufactura. As empresas perceberam que podiam ir ao MIT e encontrar quatro engenheiros chineses incrivelmente inteligentes que estavam preparados para voltar para a China e trabalhar para elas a partir de lá pelo mesmo preço que lhes custaria recrutar um engenheiro nos Estados Unidos. A Bell Labs dispunha de instalações para investigação em Tsingdao que poderiam ligar-se aos computadores da Lucent nos EUA. "Eles usavam os nossos computadores durante a noite", disse Schatch. "Não só o custo do trabalho informático adicional era quase nulo, como também o custo de transmissão e [à noite] o computador estava parado."

Por todas estas razões, acredito que o Y2K devia ser motivo de feriado nacional na Índia, um segundo Dia da Independência da Índia, a juntar-se à data de 15 de Agosto. "O Y2K deveria ser chamado o Dia da Independência da Índia. Este acontecimento ficou a dever-se à demonstração da capacidade deste país para colaborar com as empresas ocidentais, graças à interdependência criada pelas redes de fibra óptica, que realmente a fizeram dar um salto em frente, tendo permitido, como nunca, aos indianos a verdadeira liberdade de escolha quanto à forma, para quem e onde trabalhavam", defendeu Michael Mandelbaum, especialista em política externa na Universidade Johns Hopkins, que passou parte da sua juventude na Índia.

Dizendo isto de outra forma, o 15 de Agosto comemora a liberdade à meia-noite. O Y2K tornou possível o *emprego* à meia-noite – não qualquer tipo de emprego, mas sim emprego para os melhores profissionais do conhecimento na Índia. O 15 de Agosto deu a independência à Índia. Mas o Y2K deu a independência aos *indianos* – não a todos, nem pensar, mas a muitos mais do que há 50 anos, grande parte dos quais pertencia ao segmento mais produtivo da população. Neste sentido, sim, a Índia foi bem sucedida, mas também pode dizer-se que recolheu os frutos do que tinha semeado através de trabalho duro, instrução e sabedoria dos mais velhos, que criaram todos aqueles IIT.

Louis Pasteur disse, já há muito tempo: "Os acasos só favorecem as mentes preparadas."

Acontecimento # 6

Offshoring – Correndo com as gazelas, comendo com os leões

A 11 de Dezembro de 2001, a China aderiu formalmente à Organização Mundial do Comércio (OMC), o que significou que Pequim concordou em seguir as normas globais – que regem as importações, exportações e investimento estrangeiro – respeitadas pela maioria dos países do mundo. Isto significou que a China aceitava, em princípio, tornar plano o seu próprio 'terreno de jogo' competitivo em relação ao resto do mundo. Após esta data, o gestor chinês (formado nos Estados Unidos) de uma fábrica de bombas de combustível em Pequim, que era propriedade de um amigo, Jack Perkowski – *Chairman* e CEO da ASIMCO Technologies, fabricante norte-americana de peças para automóveis na China –, colocou no chão da sua fábrica o seguinte provérbio africano, traduzido para mandarim:

> *Em África, todas as manhãs, uma gazela acorda.*
> *Sabe que tem de correr mais depressa do que o leão mais veloz, ou será morta.*
> *Todas as manhãs, um leão acorda.*
> *Sabe que tem de correr mais depressa do que a gazela mais lenta, ou morrerá de fome.*
> *Não interessa se és um leão ou uma gazela.*
> *Quando o sol se levantar será bom que corras.*

Não sei quem é o leão e quem é a gazela, mas sei o seguinte: desde que a China se tornou membro da OMC, tanto ela como o resto do mundo tiveram de correr cada vez mais depressa. Isto porque a entrada da China na OMC provocou um grande estímulo noutra forma de colaboração – o *offshoring* (transferência da produção de determinados serviços para o estrangeiro – deslocalização). O *outsourcing* significa pegar numa tarefa específica, mas limitada, que uma empresa realizava internamente – tal como investigação, *call centers* ou contas a receber – e arranjar uma outra empresa que desempenhe exactamente a mesma tarefa e que depois reintegre este trabalho na operação global da primeira empresa. Em contrapartida, o *offshoring* sucede quando uma empresa transfere integralmente uma fábrica que, por exemplo, operava em Canton, Ohio, para Cantão, na China. Aí, produz exactamente o mesmo produto, da mesma forma, mas com mão-de-obra mais barata, impostos mais baixos, energia subsidiada e despesas com cuidados de saúde mais reduzidas.

Tal como o Y2K conduziu a Índia e o resto do mundo para um nível completamente novo de *outsourcing*, a adesão da China à OMC colocou Pequim e o resto do mundo num nível completamente novo de *offshoring* – com mais empresas a transferirem a sua produção *offshore* e a reintegrá-la depois nas suas cadeias de fornecimento global.

Em 1977, o líder chinês Deng Xiaoping colocou a China no caminho reformista, tendo declarado mais tarde que "ser rico é glorioso". Quando a China abriu, pela primeira vez, a sua economia rigorosamente fechada, as empresas dos países industrializados viram aí um novo mercado para as suas exportações. Todos os fabricantes ocidentais e asiáticos sonhavam vender o equivalente a mil milhões de conjuntos de roupa interior a um único mercado. Algumas empresas estrangeiras abriram lojas na China para fazer isso mesmo. No entanto, como a China não estava sujeita às regras do comércio mundial, podia restringir a entrada das empresas ocidentais, através de várias barreiras comerciais e aduaneiras e ao nível do investimento. Mesmo quando isto não acontecia deliberadamente, as simples dificuldades burocráticas e culturais surtiam efeito. Muitos investidores pioneiros na China "perderam a roupa toda", até *a roupa interior*, e neste sistema chinês de Oeste Selvagem não havia muito a quem recorrer.

Voltando aos anos 80, muitos investidores, especialmente chineses radicados em países estrangeiros que sabiam como operar no seu país de origem, começaram a dizer: "Bem, se, neste momento, não é possível vender muito no mercado chinês, por que não recorremos à disciplinada mão-de-obra chinesa, fabricamos lá os produtos e vendemo-los noutros países?" Esta filosofia encaixou-se no interesse dos líderes chineses. A China queria atrair fabricantes estrangeiros e as suas tecnologias – não simplesmente para fabricarem mil milhões de conjuntos de roupa interior, com o intuito de serem vendidos na China, mas para recrutarem a barata mão-de-obra do país e venderem também seis mil milhões de conjuntos de roupa interior ao resto do mundo, a preços que representavam uma fracção daquilo que as empresas fabricantes de roupa interior na Europa, nos Estados Unidos ou mesmo no México cobravam.

Assim que o processo de *offshoring* teve início num vasto leque de indústrias – desde os têxteis até à electrónica de consumo, passando pelo mobiliário, armações para óculos e peças automóveis –, as outras empresas só podiam competir se deslocalizassem também as suas operações para a China (aproveitando a sua plataforma de baixo custo e elevada qualidade), ou se procurassem centros alternativos de fabrico na Europa de Leste, Caraíbas ou numa outra região do mundo em vias de desenvolvimento.

Ao aderir à OMC, em 2001, a China garantiu às empresas estrangeiras que, se transferissem as suas fábricas para a China, através do *offshoring*, estariam protegidas pelo Direito Internacional e pelas boas práticas empresariais. O acontecimento e o que este significa fizeram aumentar fortemente a atractividade da China como plataforma industrial. Sob a égide das normas da OMC, Pequim aceitou – dispondo de um período de transição – tratar os cidadãos ou empresas não chinesas como se o fossem relativamente aos direitos e obrigações económicas consignados na legislação do país. Isto significou que as empresas estrangeiras podiam vender praticamente tudo, em qualquer parte da China. O estatuto de membro da OMC significou também que Pequim aceitou tratar todas as nações membros da OMC de forma igual, ficando obrigada a aplicar a todos as mesmas tarifas e as mesmas regras, enquanto aceitou submeter-se à arbitragem internacional em caso de conflito comercial com outro país ou com uma empresa estrangeira. Paralelamente, os burocratas do governo tornaram-se mais acessíveis, os procedimentos em relação aos investimentos foram simplificados e os *websites* proliferaram em diferentes ministérios de forma a ajudar os estrangeiros a navegar pelas regras empresariais da China. Não sei quantos chineses terão, na verdade, alguma vez comprado uma cópia do *Pequeno Livro Vermelho*, de Mao Zedong, mas os responsáveis da Embaixada dos EUA, na China, disseram-me que foram vendidos dois milhões de cópias da edição em chinês do livro de normas da OMC nas semanas que se seguiram à entrada do país naquela organização. Dizendo de outra forma, a China liderada por Mao era fechada e estava isolada de muitos acontecimentos "niveladores" da época. Em consequência, Mao foi realmente um desafio para o seu próprio povo. Deng Xiaoping fez com que a China se abrisse, absorvendo, assim, muitos dos dez acontecimentos que contribuíram para tornar o mundo plano. Ao fazê-lo, tornou o seu país um desafio para o mundo inteiro.

Antes de a China ter aderido à OMC, a ideia prevalecente era de que, apesar da abertura para desfrutar das vantagens do comércio com o Ocidente, o governo e a banca tinham protegido as empresas chinesas da esmagadora concorrência externa, disse Jack Perkowski, da ASIMCO. "A entrada da China na OMC foi um sinal para a comunidade fora da China de que a economia do país estava por fim a caminhar para o capitalismo", acrescentou. "Antes disso, havia algo no nosso subconsciente que dizia que poderia ocorrer um retrocesso para a via da economia de cariz estatal. Com a OMC, a China como que afirmou: 'Estamos na mesma via que vocês'."

Dado que a China tem capacidade para acumular um elevado número de trabalhadores com baixos salários tanto na categoria dos não qualificados como na dos semiqualificados e dos qualificados; o seu apetite é voraz por empregos na área fabril, de equipamentos e do conhecimento de forma a manter o emprego da população; e porque o mercado de consumo é tão maciço e florescente, tornou-se uma região para *offshoring* sem paralelo. A China tem mais de 160 cidades em que a população atinge ou excede um milhão. Actualmente, é possível deslocar-se até cidades na costa Leste da China, de que nunca ouviu falar, e descobrir que determinada cidade fabrica a maior parte das armações para óculos de todo o mundo, ao passo que a cidade vizinha fabrica a maioria dos isqueiros de bolso de todo o mundo e a outra mesmo ao lado fabrica a maioria dos monitores para PC, da Dell, enquanto outra se está a especializar em telemóveis. Kenichi Ohmae, consultor japonês para a área dos negócios, diz no seu livro, intitulado *The United States of China* ("Os Estados Unidos da China"), que só na área do Delta de Zhu Jiang, a norte de Hong Kong, existem 50 mil fornecedores chineses de componentes para electrónica.

"A China é uma ameaça, a China é um cliente e a China é uma oportunidade", salientou Ohmae, certa vez que esteve comigo em Tóquio. "É preciso conhecer a China por dentro para se ser bem sucedido. Não se pode ignorá-la." Em vez de competir com a China como um inimigo, Ohmae argumenta que o melhor é desagregar o seu negócio e pensar qual a parte dele que gostaria de fabricar na China, qual a que gostaria de vender à China e qual a que pretende comprar à China.

Chegámos ao verdadeiro aspecto nivelador da abertura da China ao mercado mundial: quanto mais atractiva se tornar a China como base para *offshoring*, mais atractivos terão de se tornar outros países desenvolvidos e em vias de desenvolvimento que competem com ela, caso da Malásia, da Tailândia, da Irlanda, do México, do Brasil e do Vietname. Todos eles estão atentos ao que se passa na China, bem como aos postos de trabalho que para lá são transferidos. O sentimento prevalecente nestes países encontra eco nestas palavras: "Céus, é melhor começarmos a oferecer incentivos idênticos." Isto criou um processo de nivelamento competitivo, através do qual os países com mão-de-obra barata se debatem para ver quem consegue oferecer uma maior redução de impostos, incentivos à formação, bem como subsídios, de forma a encorajar o *offshoring* nas suas regiões.

Oded Shenkar, professor de Gestão Empresarial da Universidade Estatal de Ohio e autor do livro *The Chinese Century* ("O Século Chinês"), revelou à *Business Week* (6 de Dezembro de 2004) o conselho que daria às empresas norte-americanas: "Se ainda faz trabalho intensivo, abandone-o antes de ficar a sangrar até à morte. Cortar cinco por cento aqui e ali não irá funcionar." Os produtores chineses podem proceder aos mesmos ajustamentos. "É necessário um modelo empresarial completamente novo para poder competir", defendeu.

O contributo da China para tornar o mundo plano foi alimentado pelo facto de estar a desenvolver, de forma independente, um grande mercado doméstico. O mesmo artigo da *Business Week* salientava que isso desencadeia economias de escala com intensas rivalidades locais que obrigam a manter os preços baixos e um exército de engenheiros que está a aumentar em 350 mil pessoas por ano, jovens trabalhadores e gestores desejosos de se dedicarem 12 horas por dia, uma base de componentes nas indústrias electrónica e eléctrica que não tem paralelo e "um zelo empreendedor para fazer o que for preciso de forma a agradar aos grandes retalhistas, tais como a Wal-Mart Stores, a Target, a Best Buy e a J.C.Penney".

No decurso da minha visita a Pequim, no Outono de 2005, encontrei-me com Charles M. Martin, o presidente da Câmara de Comércio Americana na República Popular da China. Contou-me que acabara de regressar de uma visita a uma fábrica de meias na Província de Zhejiang. Esta unidade de produção fabrica meias e roupa interior feminina para mercados de massas em todo o mundo, bem como para retalhistas na China. O proprietário da fábrica abriu uma caixa de meias e disse a Martin que, se este lhe comprasse uma dúzia de pares destas meias normais, pagaria 11 cêntimos o par – o preço de grossista. Acrescentou, contudo, que mesmo este preço se estava a tornar "pouco competitivo" – os seus concorrentes estavam a vender meias por um preço ainda mais baixo. Assim, estava a planear deslocalizar a sua fábrica 650 quilómetros para o interior, para uma região pobre do norte da China, na Província de Jiangsu, onde as autoridades locais lhe tinham prometido que pagaria menos impostos, poderia adquirir terrenos mais baratos e ter acesso a mão-de-obra mais barata.

No futuro, é provável que já não haja mais "interior" para onde as fábricas chinesas se possam deslocalizar e os industriais chineses deixarão de poder reduzir os seus custos de produção apenas com a mudança para outro local – mas ainda não chegámos a este ponto, daí a China ser uma grande força niveladora da produção e uma redução de custos em cinco por cento aqui ou ali, se for um fabricante ocidental de produtos básicos, não servir de nada. Precisa de um modelo empresarial totalmente novo.

Os críticos das práticas empresariais chinesas consideram que a dimensão e o poderio económico significam que, em breve, o país estará a fixar o patamar global não só para salários baixos mas também para leis laborais e regras negligentes relativas ao local de trabalho. Isto é conhecido no meio como "o preço da China".

Mas o que é realmente assustador é o facto de a China não estar a atrair tanto investimento global só porque lidera a corrida da competitividade. Esta é apenas uma estratégia de curto prazo. O maior erro que qualquer empresa poderá cometer quando se instala na China é partir do princípio que basta ter a vantagem comparativa dos salários e não ter de melhorar a qualidade e a produtividade. No sector privado da indústria chinesa, que não é propriedade estatal, a produtividade tem vindo a aumentar 17 por cento ao ano – repito, 17 por cento ao ano – entre 1995 e 2002, refere um estudo do *Conference Board* norte-americano. Este desempenho deve-se à absorção, pela China, de novas tecnologias e modernas práticas empresariais, começando por uma base muito baixa. A este propósito, salientou o estudo do *Conference Board*, a China perdeu 15 milhões de postos de trabalho na área da indústria transformadora durante o mesmo período, em comparação com a perda de dois milhões nos Estados Unidos. "À medida que a produtividade da indústria manufactureira acelera, a China perde postos de trabalho no sector – muito mais do que os Estados Unidos –, mas ganha-os nos serviços, o que, de resto, tem vindo a acontecer nos países desenvolvidos", referia o estudo.

A estratégia de longo prazo da China é ultrapassar os Estados Unidos e os países da UE para alcançar a liderança mundial. O país começou bem. Os líderes chineses estão muito mais focalizados do que muitos dos seus homólogos ocidentais no que diz respeito à educação e formação dada aos seus jovens em Matemática, Ciências e Informática, factores fundamentais para se ter sucesso no mundo plano. Estão também muito mais concentrados na criação de uma infra-estrutura física e de telecomunicações que lhes permita conectarem-se* mais depressa e mais facilmente do que os outros, e na forma de criar incentivos que atraiam investidores globais. O que os líderes chineses realmente querem é que a próxima colecção de roupa interior ou de asas para aviões seja também *desenhada* na China. É esta a direcção da nova década. Em 30 anos teremos passado do "vendido na China" para o "*made in* China", "desenhado na China" ou "sonhado na China" – ou da China como colaboradora com os operários à escala mundial, sem qualificações específicas, para a China como colaboradora de baixo custo, elevada qualidade, hipereficiente e com operários à escala mundial qualificados para *tudo*. Isto será suficiente para permitir à China manter o seu papel de importante força niveladora, desde que não haja instabilidade política – situação que interromperia o processo. De facto, enquanto fazia pesquisas para este capítulo, encontrei uma *newsletter on-line* de Silicon Valley chamada *The Inquirer*, que cobre a indústria dos semicondutores. O que me prendeu a atenção foi o título de abertura da edição de 5 de Novembro de 2001: "A China vai tornar-se o centro de tudo." Citava um artigo do *China People's Daily*, segundo o qual 400 das 500 empresas listadas pela *Forbes* tinham investido em mais de dois mil projectos na China continental. Isto foi há cinco anos.

O Japão, vizinho da China, fez uma abordagem bastante agressiva para assimilar o desafio chinês. Osamu Watanabe, *Chairman* da *Japan External Trade Organization*, órgão oficial do Japão para a promoção das exportações, disse-me em Tóquio: "A China está a desenvolver-se muito rapidamente e a fazer a transição de produtos de fraco nível para produtos de alto nível, com elevada tecnologia." Em resultado disso, acrescentou Watanabe, as empresas japonesas, para se manterem globalmente competitivas, tiveram de transferir alguma produção e grande parte da montagem de produtos de média gama para a China, enquanto transferiam para

---

* **N.T.** *Plug and Play* no original, que significa, literalmente, ligar e usar.

território nacional o fabrico de "produtos com valor acrescentado ainda mais elevado". Deste modo, a China e o Japão "estão a tornar-se parte da mesma cadeia de fornecimento". Depois de uma prolongada recessão, a economia japonesa retomou o crescimento em 2003, devido à venda de milhares de toneladas de maquinaria, robótica de montagem e outros componentes importantes na China. Em 2003, a China substituiu os EUA como maior importador de produtos japoneses. Apesar disto, o governo nipónico aconselha as empresas japonesas a serem cautelosas relativamente ao sobreinvestimento na China. Encoraja-as a praticarem aquilo que Watanabe apelidou de estratégia "China mais um": manter uma perna da produção na China, mas a outra num país asiático diferente – só para o caso de algum dia uma agitação política poder desnivelar a China.

Este "acontecimento", apelidado de *China*, tem sido a causa de sofrimento para alguns trabalhadores da indústria transformadora de todo o mundo, mas também um "enviado divino" para todos os consumidores. A revista *Fortune* (4 de Outubro de 2004) citou um estudo da *Morgan Stanley* que diz que, desde meados dos anos 90, as importações a baixos preços de produtos da China pouparam aos consumidores norte-americanos cerca de 600 milhões de dólares e aos industriais norte-americanos dessa área milhares de milhões de dólares em peças mais baratas para os seus produtos. Estas poupanças, por sua vez, salientou a *Fortune*, ajudaram a Reserva Federal (Fed) a manter por mais tempo as taxas de juro em níveis baixos, dando a mais norte-americanos a hipótese de comprar casa ou de refinanciar a que tinham e dando às empresas mais capital para investir em outras inovações.

Num esforço para melhor compreender de que forma funciona o *offshoring* para a China, encontrei-me em Pequim com Jack Perkowski, da ASIMCO, um pioneiro nesta forma de colaboração. Se alguma vez houver uma modalidade olímpica chamada "capitalismo extremo", é de apostar que Perkowski irá ganhar a medalha de ouro. Em 1988, ele abandonou o cargo de investidor de topo que tinha no banco de investimento Paine Webber e foi para uma empresa especializada em *leverage buyout** mas, dois anos depois, com 42 anos, decidiu que era altura de se lançar num novo desafio. Com alguns sócios, conseguiu juntar 150 milhões de dólares para comprar empresas na China e embarcou na aventura da sua vida. Desde então, já perdeu e já recuperou milhões de dólares, aprendeu cada lição da forma mais dura, mas sobreviveu para se tornar num poderoso exemplo daquilo em que consiste o *offshoring* para a China, numa poderosa ferramenta de colaboração.

"Quando comecei, em 1992-93, todos pensaram que a parte difícil era, na verdade, descobrir e conseguir aceder às oportunidades na China", recordou Perkowski. Acontece que havia imensas oportunidades, mas uma forte escassez de gestores chineses que soubessem gerir uma fábrica de peças auto de acordo com

---

* **N.T.** Compras com recurso a capitais alheios.

as directrizes capitalistas, com ênfase nas exportações e fabricando produtos de classe mundial para o mercado chinês. Conforme referiu Perkowski, a parte fácil era abrir um estabelecimento na China. A parte difícil era conseguir o gestor local acertado para gerir a loja. Por isso, quando, inicialmente, começou a comprar a maioria do capital das empresas de peças auto na China, deu início à importação de gestores fora do país. Má ideia. Foi demasiado caro e operar na China era demasiado estranho para estrangeiros. Riscar o Plano A.

"Então, enviámos todos os estrangeiros para casa, o que me trouxe problemas com a minha base investidora, e avançámos para o Plano B", disse ele. "Em seguida, tentámos converter os gestores da 'Velha China' que vinham com as fábricas que comprávamos, mas também não resultou. Eles estavam demasiado habituados a trabalhar numa economia de planeamento central, onde nunca tiveram de lidar com o mercado, apenas tinham de cumprir as quotas que lhes eram estabelecidas. Os gestores que realmente tinham instinto empreendedor 'embebedaram-se' no primeiro trago de capitalismo e estavam dispostos a tentar o que quer que fosse."

"Os chineses são muito empreendedores", disse Perkowski, "mas, antes de a China se ter tornado membro da OMC não havia Estado de Direito, nem ligações ou mercado accionista para controlar esse empreendedorismo. As únicas escolhas eram: gestores do sector estatal, muito burocráticos, ou gestores saídos da primeira vaga de empresas privadas, que estavam a praticar o 'capitalismo selvagem'. Nada está onde queremos que esteja. Se os seus gestores são demasiado burocráticos, não conseguirá ver nada feito – irão desculpando-se dizendo que na China é diferente –, e se forem demasiado empreendedores não consegue dormir de noite porque não faz ideia do que eles vão fazer". Perkowski passou muitas noites em claro.

Uma das suas primeiras aquisições na China foi uma participação numa empresa que fabricava peças de borracha. Quando, mais tarde, Perkowski conseguiu chegar a acordo com o seu sócio chinês para comprar as acções dele na empresa, assinou uma cláusula de não concorrência como parte da transacção. No entanto, mal o acordo foi celebrado, o sócio chinês abriu uma nova fábrica. "Não concorrência" não tinha propriamente tradução em mandarim. Riscar o Plano B.

Entretanto, a sociedade de Perkowski estava a perder dinheiro – devido às despesas com a aprendizagem dele para compreender a forma de fazer negócios na China, e acabou por ficar com parte de uma série de fábricas chinesas de peças de automóveis. "Em 1997, atingimos o ponto mais baixo", comentou. "A nossa empresa, como um todo, estava a afundar. Não estávamos a ter lucros. Apesar de algumas das nossas empresas estarem com bom desempenho, na generalidade a nossa posição era difícil. Embora tivéssemos a maioria do capital e pudéssemos, teoricamente, colocar em campo quem quiséssemos, olhei para a minha bancada de gestores e vi que não tinha ninguém para entrar em jogo." Era altura de pôr em acção o Plano C.

"Chegámos à conclusão de que, apesar de gostarmos da China, não queríamos nenhuma parte da 'Velha China', o que queríamos, sim, era apostar nos gestores da 'Nova China'", disse Perkowski. "Começámos a procurar uma nova geração de gestores chineses que tivessem mentalidade aberta e alguma formação a nível de Gestão. Procurávamos indivíduos que fossem experientes a operar na China e que mesmo assim estivessem familiarizados com a forma como o resto do mundo operava e compreendessem qual a direcção que a China tinha de tomar. Assim, entre 1997 e 1999, recrutámos uma equipa completamente nova de gestores da 'Nova China', chineses do continente que tinham trabalhado para multinacionais. À medida que estes entravam para o quadro da empresa, começámos a substituir, um a um, os gestores da 'Velha China' que lá tínhamos."

Assim que entrou em funções, a nova geração de gestores chineses, que compreendia os mercados, o cliente global e podia reunir-se em torno de uma visão empresarial partilhada – *e conhecia a China* –, a ASIMCO começou a dar lucro. Hoje, o volume de negócios da ASIMCO atinge cerca de 350 milhões de dólares por ano no segmento das peças de automóveis de 13 fábricas chinesas localizadas em nove províncias. A empresa vende a clientes nos Estados Unidos e tem também 36 pontos de venda em toda a China que prestam serviços a fabricantes automóveis naquele país.

Com base nisto, Perkowski deu o passo seguinte – transferir os lucros no *offshoring* para o *onshore* nos Estados Unidos. Em Abril de 2003, comprámos a área de negócio de árvores de cames norte-americana que a Federal-Mogul Corporation, uma empresa de componentes que está agora na falência, detinha nos EUA", disse Perkowski. "Adquirimos o negócio, em primeiro lugar, para termos acesso aos seus clientes, que eram essencialmente os 'Três Grandes' (*Big Three*) fabricantes de automóveis (a Ford, a Chrysler e a General Motors), além da Caterpillar e da Cummins."

"Embora já tivéssemos um relacionamento duradouro com a Cat e a Cummins – a nossa aquisição melhorou a posição que tínhamos junto destas empresas – a venda de árvores de cames aos 'Três Grandes' foi o nosso primeiro contacto com eles. A segunda razão que nos levou a fazer esta aquisição foi obter tecnologia que pudessemos levar para a China. À semelhança do que acontece com a maior parte da tecnologia que se aplica em veículos modernos de passageiros e camiões, as pessoas tomam a tecnologia da árvore de cames como garantida. No entanto, as árvores de cames [parte do motor que controla as válvulas de admissão e de escape] são produtos que requerem uma boa dose de engenharia e que são muito importantes para o desempenho do motor. A aquisição deste ramo de negócio deu-nos essencialmente o *know-how* e a tecnologia que pudemos usar para nos tornarmos os líderes na China. Consequentemente, temos agora a melhor tecnologia e uma carteira de clientes tanto na China como nos EUA."

Este é um aspecto muito importante, porque a impressão geral é de que o *offshoring* consiste numa proposta "perdedor-perdedor" (*lose-lose*) para os trabalhadores norte-americanos – algo que aqui estava foi para lá e fim da história. Mas a realidade é mais complicada.

A maioria das empresas que estabelece fábricas em *offshore* não o faz simplesmente para obter mão-de-obra mais barata para os produtos que pretende vender na América ou na Europa. Uma outra motivação é servir o mercado externo sem ter de haver preocupação com as barreiras comerciais e conquistar uma posição dominante nessa região – particularmente num mercado gigante como o da China. De acordo com o Departamento norte-americano do Comércio, cerca de 90 por cento da produção das fábricas *offshore* detidas pelos norte-americanos é vendida a consumidores estrangeiros. Mas isto, na verdade, estimula as exportações dos EUA. Existem vários estudos que indicam que cada dólar que uma empresa investe fora do seu país numa fábrica *offshore* traduz-se em exportações adicionais para o país natal, porque praticamente um terço do comércio global de hoje faz-se entre empresas multinacionais. Também funciona de forma inversa. Mesmo quando a produção é transferida *offshore* para poupar nos salários, normalmente não é transferida na sua totalidade. Segundo um estudo da *Heritage Foundation*, de 26 de Janeiro de 2004, intitulado *Job Creation and the Taxation of Foreign-Source Income* ("Criação de empregos e a tributação de rendimentos externos"), as empresas norte-americanas que produzem interna e externamente, tanto no mercado norte-americano como no chinês, geram mais de 21 por cento da produção económica dos EUA, produzem 56 por cento das exportações norte-americanas e empregam três quintos de todos os operários da indústria transformadora, o que corresponde a cerca de 9 milhões de trabalhadores.

Assim, se a General Motors construir uma fábrica *offshore* em Xangai, também acaba por criar empregos nos Estados Unidos ao exportar muitos bens e serviços para a sua própria fábrica na China e ao beneficiar de custos mais baixos das peças na China para as suas fábricas nos Estados Unidos. Por último, os Estados Unidos beneficiam do mesmo fenómeno. Embora se dê muita atenção às empresas norte-americanas que optam pelo *offshore* na China, é prestada pouca atenção ao enorme volume de investimento *offshore* que transita para os Estados Unidos anualmente, porque os estrangeiros querem ter acesso aos mercados e à mão-de-obra dos EUA tal como nós queremos ter acesso aos deles. A 25 de Setembro de 2003, a DaimlerChrysler celebrou o 10º aniversário da sua decisão de construir a primeira fábrica de produção do veículo de passageiros Mercedes-Benz fora da Alemanha – em Tuscaloosa, Alabama – anunciando uma expansão da empresa, o que implicava um investimento de 600 milhões de dólares. "Em Tuscaloosa, mostrámos, de forma impressionante, que conseguimos concretizar uma nova série de produção com nova mão-de-obra numa nova fábrica e também demonstrámos que é possível ter veículos '*made by* Mercedes' fabricados de forma bem sucedida fora da Alemanha", anunciou naquele aniversário o professor Jürgen Hubbert, membro da Comissão de Gestão da DaimlerChrysler e responsável pelo Mercedes CarGroup.

Não é de admirar que a ASIMCO vá utilizar a sua nova operação na China para gerir a matéria-prima e maquinaria rudimentar, exportando os produtos semiacabados para a sua fábrica nos Estados Unidos, onde trabalhadores norte-americanos com maior competência podem realizar as operações de acabamento das máquinas, que são mais importantes em termos de qualidade. Desta forma, os clientes norte-americanos da ASIMCO recolhem os benefícios de uma cadeia de fornecimento chinesa e, ao mesmo tempo, desfrutam do conforto de negociar com um fornecedor norte-americano conhecido.

O salário médio de um mecânico altamente especializado nos Estados Unidos varia entre três e quatro mil dólares por mês. O salário médio de um operário fabril na China ronda os 150 dólares por mês. Além disso, a ASIMCO tem de participar num plano de pensões promovido pelo governo chinês que cobre os cuidados de saúde, alojamento e benefícios dos pensionistas. Entre 35 e 45 por cento do salário mensal de um trabalhador chinês vai directamente para o departamento laboral local de forma a cobrir esses benefícios. O facto de os seguros de saúde na China serem muito mais baratos – devido aos salários mais baixos, à muito mais limitada oferta de serviços de saúde e à inexistência de acções judiciais por más práticas – "certamente tornam a China um lugar atractivo para expandir os negócios e aumentar o número de trabalhadores", explicou Perkowski. "Tudo o que possa ser feito para reduzir a responsabilidade de uma empresa norte-americana a título da cobertura médica será uma mais-valia para a manutenção de empregos nos EUA."

Ao aproveitarmos o mundo plano para colaborar desta forma – entre fábricas *onshore* e *offshore* e entre trabalhadores norte-americanos com elevados salários e altamente qualificados, perto do seu mercado, e trabalhadores chineses com baixos salários e perto dos mercados deles – disse Perkowski, "tornamos a nossa empresa norte-americana mais competitiva, por isso está a receber mais encomendas e o negócio está a crescer. E é isto que muitos nos EUA não estão a ver quando falam de *offshoring*. Desde a aquisição, por exemplo, já duplicámos o nosso volume de negócios com a Cummins, enquanto o nosso negócio com a Caterpillar aumentou significativamente. Todos os clientes estão expostos à concorrência global e precisam, realmente, que os seus fornecedores tomem as opções correctas em termos de competitividade, ao nível dos custos. Querem trabalhar com fornecedores que compreendam o mundo plano. Quando visitei os nossos clientes nos EUA para lhes explicar a nossa estratégia, eles mostraram-se bastante receptivos em relação ao que estávamos a fazer: conseguiram perceber que estávamos a gerir o nosso negócio de uma forma que lhes permitiria serem mais competitivos".

Este grau de colaboração tem sido possível apenas nos últimos anos. "Não poderíamos ter feito o que fizemos na China em 1983 ou em 1993", disse Perkowski. "Desde 1993, houve uma sucessão de acontecimentos importantes. A título de exemplo, as pessoas falam sempre do quanto a Internet tem beneficiado os

Estados Unidos. A questão que sempre friso é que a China tem beneficiado ainda mais. O que manteve a China presa ao passado foi o facto de quem estava fora não conseguir obter informações sobre o país e quem estava no interior da China ter o mesmo problema relativamente à obtenção de informações sobre o resto do mundo. Antes da Internet, a única forma de colmatar o défice de informação era viajar. Actualmente, pode ficar-se em casa e fazê-lo através da Internet. Não seria possível fazer funcionar a nossa cadeia global de fornecimento sem a Internet. Agora enviamos por *e-mail* cópias fotográficas de projectos – nem sequer precisamos de recorrer à FedEx."

As vantagens de fabricar na China, no que diz respeito a determinadas indústrias, estão a revelar-se muito positivas e não podem ser ignoradas, acrescentou Perkowski. Se uma empresa não se tornar plana, será a China a torná-la. "Se estiver nos EUA e não encontrar maneira de entrar na China, dentro de dez ou 15 anos não será um líder global."

Agora que a China está na OMC, muitos sectores protegidos, tradicionais, lentos e ineficientes da economia chinesa estão a ser expostos a uma concorrência global esmagadora – algo que é recebido da mesma forma acolhedora em Cantão, na China, e em Canton, no Ohio. Se o governo chinês tivesse referendado a adesão à OMC, esta "nunca teria sido aceite", disse Pat Powers, que liderou o departamento do *U.S. China Business Council* ("Conselho norte-americano de Negócios para a China"), em Pequim, durante o processo de adesão a esta organização. Um motivo muito importante que levou os líderes da China a querer aderir à OMC foi poder usar a organização para forçar a burocracia chinesa a modernizar-se, derrubar o elevado nível de regulamentação interna e combater a tomada de decisões arbitrárias. Os líderes chineses "sabiam que a China tinha de se integrar a nível global e que muitas das suas instituições não se transformariam nem reformariam pura e simplesmente e, por esta razão, usaram a OMC como alavanca contra a sua própria burocracia. O certo é que nos últimos dois anos e meio têm conseguido combatê-la".

Com o tempo, o cumprimento das normas da OMC tornará a economia chinesa ainda mais plana e uma força ainda mais importante no processo de nivelamento a nível global. Esta transição não será fácil e as hipóteses de se dar um colapso económico ou político que interrompa ou abrande este processo também não são de desconsiderar. No entanto, mesmo que a China implemente todas as reformas no âmbito da OMC, não terá possibilidade de "repousar". Em breve estará num ponto em que as suas ambições de crescimento económico exigirão mais reformas políticas. A China nunca eliminará a corrupção sem uma imprensa livre e instituições da sociedade civil activas. Nunca poderá tornar-se verdadeiramente eficiente sem um Estado de Direito mais estatutário. Nunca estará apta a lidar com os inevitáveis retrocessos na sua economia sem um sistema político mais aberto que permita às pessoas dar livre curso aos seus problemas. Dizendo de outra forma, a China nunca será realmente "plana" enquanto não ultrapassar aquela enorme "lomba" denominada "reforma política".

Parece que está a seguir nessa direcção, mas ainda tem um longo caminho a percorrer. Gosto da forma como um diplomata norte-americano na China abordou o assunto, na Primavera de 2004: "A China, neste momento, está a estimular, não a privatizar. A reforma, neste caso, é translúcida – e por vezes bastante estimulante, porque é possível observar as formas por detrás do ecrã – mas não é transparente. [O governo ainda só fornece] a informação [acerca da economia] a algumas empresas e grupos de interesse escolhidos." Porquê apenas translúcida?, perguntei-lhe. "Porque quando se é totalmente transparente, o que é que se faz com o *feedback*? Eles não sabem como lidar com essa questão. Eles não conseguem lidar [ainda] com os resultados da transparência", respondeu-me.

Se e quando a China se desembaraçar daquela "lomba" política na estrada*, penso que poderá tornar-se não só uma maior plataforma para o *offshoring* mas também uma outra versão de mercado livre dos Estados Unidos. Se bem que este movimento possa parecer ameaçador para alguns, penso que terá como consequência um desenvolvimento muito positivo para o mundo. Pense em quantos novos produtos, ideias, empregos e consumidores surgiram dos esforços da Europa Ocidental e do Japão para se tornarem democracias com economia de mercado depois da Segunda Guerra Mundial. O processo desencadeou um período sem precedentes de prosperidade global – e o mundo nem sequer era plano nessa altura. Tinha um muro no meio. Se a Índia e a China forem nessa direcção, o mundo não só se tornará mais plano do que nunca mas também, estou convencido disso, mais próspero do que nunca. Três Estados Unidos são melhores do que apenas um e cinco seriam bem melhores do que três.

Na qualidade de comerciante livre, estou preocupado com os desafios que isto irá colocar a nível dos salários e dos benefícios de alguns trabalhadores nos Estados Unidos, pelo menos a curto prazo. É demasiado tarde para proteccionismos no que diz respeito à China. A sua economia está totalmente interligada com as economias do mundo desenvolvido e tentar desligá-la provocaria um caos económico e geopolítico que poderia devastar a economia global.

Os norte-americanos e os europeus terão de desenvolver novos modelos económicos que lhes permitam obter o melhor da China e arranjar amortecedores contra o pior. Conforme a *Business Week* expôs, no seu eloquente artigo de 6 de Dezembro de 2004 intitulado *The China Price* ("O Preço da China"), "Será que a China conseguirá dominar tudo? Claro que não. Os Estados Unidos continuam a ser o maior fabricante mundial, produzindo 75 por cento daquilo que consome, apesar de ter descido dos 90 por cento que registava em meados dos anos 90. As indústrias que requerem

---

* **N.T.** As lombas servem para diminuir a velocidade dos automóveis.

avultados orçamentos para I&D e investimento de capital, tais como a aeroespacial, a farmacêutica e a automóvel, ainda têm fortes bases nos EUA... Estes continuarão seguramente a beneficiar da expansão da China." Posto isto, se os Estados Unidos não conseguirem gerir o desafio industrial de longo prazo colocado pelo preço da China em tantas áreas, "sofrerá uma perda de poder económico e de influência".

Dizendo de outra forma, se os norte-americanos e os europeus pretendem beneficiar das virtualidades do mundo plano e da interligação de todos os mercados e centros de conhecimento, terão de correr pelo menos tão depressa quanto o mais rápido dos leões – desconfio que esse leão será a China e que será bastante veloz.

Acontecimento # 7

Encadeamento do abastecimento – Comer *sushi* no Arcansas

Nunca tinha visto como funcionava uma cadeia de abastecimento até visitar a sede da Wal-Mart, em Bentonville, no Arcansas. Os meus anfitriões levaram-me até ao centro de distribuição, com mais de 365 mil metros quadrados, onde subimos até uma plataforma. Daí observámos este admirável mundo novo. Num lado do edifício, vintenas de camiões-reboque brancos da Wal-Mart depositavam caixas de mercadorias de milhares de fornecedores. Caixas grandes e pequenas eram empilhadas no transportador de correia em cada cais de carregamento. Estes pequenos transportadores de correia encaixavam numa cinta maior, como caudais correndo em direcção a um possante rio. Vinte e quatro horas por dia, sete dias por semana, os camiões dos fornecedores enchem os mais de 22 quilómetros de caudais dos transportadores, que, por sua vez, desembocam num enorme rio Wal-Mart de produtos embalados. Isto é apenas metade desse mundo extraordinário. À medida que o rio Wal-Mart flúi, um olho electrónico lê os códigos de barras de cada caixa que segue para o outro lado do edifício. Aí, o rio divide-se novamente em centenas de caudais. Braços eléctricos de cada caudal alcançam e conduzem as caixas – ordenadas por armazéns específicos da Wal-Mart – rio abaixo ao longo dos caudais, onde outro transportador as mete num camião da Wal-Mart que está à espera e irá levar estes produtos específicos até às prateleiras de uma determinada loja Wal-Mart, algures no país. Então, um consumidor tirará um destes produtos da prateleira. O caixa passá-lo-á, a seguir, no *scanner*. No momento em que isso acontece, é gerado um sinal. Este sinal percorrerá a rede da Wal-Mart até ao fornecedor do produto – quer a fábrica desse fornecedor seja na zona costeira da China quer na zona costeira do Maine. O sinal surgirá no ecrã do computador do fornecedor, deixando-o preparado para fabricar um artigo igual e enviá-lo através da cadeia de abastecimento da Wal-Mart, para que todo o ciclo recomece. Por isso, assim que ergue um braço para retirar um produto da prateleira da Wal-Mart local e o contador dá pela sua saída, um outro braço mecânico começa a fabricar um novo artigo algures no mundo. Chame-lhe "A sinfonia Wal-Mart", em múltiplos andamentos e sem final. Toca sem parar 24 horas por dia, sete dias por semana, 365 dias por ano: expedição, classificação, embalagem, distribuição, compra, fabrico, reordenação, expedição, classificação, embalagem...

Uma só empresa, a Hewlett-Packard, venderá 400 mil computadores através das 400 lojas da Wal-Mart de todo o mundo *num só dia* durante a época natalícia, o que exige que a HP ajuste a sua cadeia de abastecimento para ter a garantia que todos os seus padrões se interligam com os da Wal-Mart, de forma a que esses computadores fluam calmamente pelo rio Wal-Mart, até aos seus canais, e destes até às suas lojas.

A capacidade da Wal-Mart para tocar esta sinfonia a uma escala global – movimentando anualmente 2,3 mil milhões de caixas de cartão de mercadorias ao longo da sua cadeia de abastecimento até às suas lojas – tornou-a no mais importante acontecimento nivelador de que quero falar e a que chamo *supply-chaining* (encadeamento do abastecimento). Trata-se de um método de colaboração horizontal – entre fornecedores, retalhistas e clientes – destinado a criar valor. O *supply-chaining* torna-se possível devido ao facto de o mundo se ter tornado plano, uma realidade para a qual o *supply-chaining* contribuiu, enquanto força extraordinária de mudança. Quanto mais as cadeias de abastecimento aumentam e proliferam, mais obrigam à adopção de normas comuns entre empresas (de forma a que cada elo de cada cadeia de abastecimento possa interligar-se com o seguinte), mais eliminam os pontos de fricção nas fronteiras, mais obrigam a que as eficiências de uma empresa sejam adoptadas pelas outras e mais incentivam a colaboração global.

Para avaliar a importância do encadeamento do abastecimento enquanto fonte de vantagens competitivas e lucros num mundo plano, pense no seguinte facto: a Wal-Mart é hoje a maior empresa de comércio a retalho do mundo e não produz uma única coisa. Tudo o que "faz" é uma cadeia de abastecimento hipereficiente. Tal como Yossi Sheffi, um especialista em gestão de cadeias de abastecimento e professor de sistemas de engenharia no MIT, gosta de dizer: "Fazer coisas – isso é fácil. O encadeamento do abastecimento, isso é que é realmente difícil." O que ele quer dizer é que, com as actuais tecnologias, é difícil manter segredo da propriedade intelectual e, por conseguinte, fácil de inverter o processo de produção de qualquer produto e "fazer coisas" em poucos dias. No entanto, a concepção de um processo que "entrega coisas" pelo mundo inteiro – envolvendo dúzias de fornecedores, distribuidores, operadores portuários, agentes alfandegários, transitários e transportadores numa cadeia em perfeita sintonia, como se de uma orquestra se tratasse – é não apenas difícil, como quase impossível de reproduzir.

Antes de analisar detalhadamente a Wal-Mart, vou tecer algumas considerações gerais sobre cadeias de abastecimento e as razões por que se tornaram tão importantes. Num mundo plano, a sua empresa pode e deve tirar partido dos melhores produtores, aos preços mais baixos independentemente do local onde estejam. Se não o fizer, os seus concorrentes fá-lo-ão. Por conseguinte, as cadeias de abastecimento global – que trazem componentes e produtos de todos os cantos do mundo – tornaram-se essenciais para os retalhistas e os produtores. Estas são as boas notícias. A má notícia, segundo Sheffi, é que fazer com que estas cadeias de abastecimento funcionem é muito mais difícil do que parece, requerendo constante inovação e constantes ajustamentos. Ainda segundo Sheffi, existem dois desafios cruciais no desenvolvimento de uma cadeia de abastecimento global num mundo plano. Um é a "optimização global". Isso significa que não interessa se consegue obter um componente mais barato num determinado local. O segredo é conseguir que o custo total do processo de entrega de todos os seus componentes, no tempo previsto e dos quatro cantos do mundo para as suas fábricas ou retalhistas, seja reduzido e certamente menor do que o dos seus concorrentes. "Se eu for o gestor de transportes de uma empresa, quero trabalhar com a empresa transportadora mais barata", salienta Sheffi. "Se eu for o gestor de produção dessa mesma empresa, quero trabalhar com a empresa transportadora mais fiável. E é provável que não seja a mesma." Assim, o primeiro desafio consiste em equilibrar todos estes factores para implementar o sistema de entregas mais fiável e mais barato. O segundo grande desafio, refere Sheffi, é coordenar um abastecimento próximo da ruptura de *stock* com uma procura difícil de prever. Isto é, não vai querer encomendar demasiadas peças ou camisolas – porque, se isso acontecer, terá de baixar os preços quando começarem a acumular-se nas prateleiras da sua fábrica ou loja. Mas também não vai querer encomendar um volume muito escasso dessas peças ou camisolas, porque os clientes poderão não encontrar aquilo que pretendem e poderá perder, não só uma venda nesse dia, como um cliente para a vida. Ambos os desafios são exacerbados pela redução dos actuais ciclos de vida dos produtos, nomeadamente nos sectores da moda e dos produtos electrónicos de grande consumo. A inovação ocorre muito mais rapidamente, levando a que os produtos fiquem desactualizados com muito maior rapidez, o que dificulta ainda mais a previsão da procura.

Existem muitas formas de as empresas ultrapassarem estes desafios, salientou Sheffi. Uma é substituindo os inventários por informação. Esta é uma área em que a Wal-Mart foi pioneira. Quanto mais depressa receber informação das lojas sobre o que os clientes estão a comprar – que produtos, que modelos e que cores – mais depressa poderá enviar essa informação para as suas unidades de produção e criadores, que, por sua vez, poderão enviar mais depressa para a cadeia de abastecimento uma quantidade maior de camisolas vermelhas e menos amarelas. A tecnologia avançada de informação permite igualmente que a Wal-Mart "visualize" onde estão os produtos, em qualquer ponto da cadeia de abastecimento. Assim, se a procura for elevada no Texas e inferior ao esperado em New England, a Wal-Mart pode redireccionar o fluxo de abastecimento dos produtos para o

Texas, onde há maior procura por parte dos clientes. O retalhista espanhol de vestuário Zara é um grande adepto desta solução, o que lhe permite ultrapassar regularmente a concorrência. A Zara rege-se pelo lema de que é mais lucrativo entrar em ruptura de *stock* do que em excesso de *stock*, reagindo às rupturas com grande rapidez no sentido de oferecer aos clientes exactamente o que eles querem, com muito menos riscos de excedentes. Como é que fazem isso?

A Zara investe muito em tecnologia de informação sofisticada, "incluindo PDA com capacidade de transmissão, permitindo a todos os gestores de loja inserir as preferências dos clientes e, posteriormente, enviar os dados directamente para uma unidade de planeamento central", segundo o *Longitudes 04*, um estudo efectuado em colaboração entre a Harvard Business School e a UPS. "Esta tecnologia reduziu de tal forma os tempos de execução que é possível colocar um produto novo saído do *atelier* de *design* nas prateleiras das lojas em menos de 30 dias, permitindo adiar as decisões do sector do *design* para incorporar os resultados das suas lojas, actualizados ao minuto. Ao realizar um planeamento adequado para lidar com o risco diário da instabilidade das tendências de consumo e das preferências de moda em rápida mudança, a Zara está igualmente preparada para se adaptar quando ocorrem acontecimentos imprevistos. Imediatamente após o 11 de Setembro, os executivos da Zara perceberam que o estado de espírito dos consumidores estava um pouco sombrio, pelo que, em poucas semanas, inundaram as suas lojas com nova mercadoria de cor predominantemente preta".

Esta estratégia é conhecida no mundo empresarial como de "adiamento" e a ideia, explica Sheffi, cujo último trabalho se intitula *The Resilient Enterprise: Overcoming Vulnerability for Competitive Advantage* ("A Empresa Resistente: ultrapassar a vulnerabilidade para obter vantagens competitivas"), é que, à medida que se torna mais difícil prever a procura, as boas empresas encontram formas de adiar o acréscimo de valor aos seus produtos até ao último momento. Este é o talento da Dell. Tendo em conta que tem um cliente para cada computador antes que este seja produzido, a Dell produz o número exacto de computadores que os clientes querem e exactamente com as características desejadas. A empresa possui um abastecimento básico de componentes e, em seguida, acrescenta valor ao conceber, à medida de cada cliente, a dimensão do monitor, a capacidade de memória e o *software* pretendido. "Pode acontecer que a Dell fique com *stocks* de componentes, adquiridos por intuição, mas cada componente pode ser utilizado em inúmeras configurações, pelo que é provável que seja utilizado mais cedo ou mais tarde", refere Sheffi. "Porém, é impossível ficar com *stocks* de computadores não vendidos." Por conseguinte, conclui Sheffi, num mundo plano, os produtos passam cada vez mais rapidamente de inovações a mercadorias, a concorrência surge dos quatro cantos do mundo e é cada vez mais intensa, e a procura é cada vez mais volátil e esclarecida, sendo as tendências cada vez mais passageiras. No mundo actual, a qualidade e velocidade da cadeia de abastecimento tem-se tornado numa das vantagens mais importantes para as empresas se distinguirem dos seus concorrentes.

Enquanto consumidores, adoramos cadeias de abastecimento, porque nos trazem todos os tipos de bens – desde ténis a computadores portáteis – a preços cada vez mais baixos e cada vez mais adaptados exactamente ao que pretendemos. Foi por esta razão que a Wal-Mart se transformou no maior retalhista do mundo. Mas, enquanto trabalhadores, somos por vezes ambivalentes ou hostis em relação a estas cadeias, porque nos expõem a pressões cada vez maiores em termos de concorrência e forçam a empresa a reduzir custos e, por vezes, a reduzir os nossos salários e benefícios. Foi por esta razão que a Wal-Mart se tornou uma das empresas mais polémicas do mundo. Nenhuma outra empresa da área do retalho tem sido mais eficiente na melhoria da sua cadeia de abastecimento (e, por essa via, a tornar o mundo mais plano) do que a Wal-Mart; e nenhuma outra é melhor exemplo do que a Wal-Mart da dualidade que a cadeia de abastecimento provoca em cada um de nós, como consumidores e trabalhadores.

Um artigo, de 30 de Setembro de 2002, publicado na *Computerworld,* resumiu o papel essencial da Wal-Mart: "Ser um fornecedor da Wal-Mart é uma espada de dois gumes", diz Joseph F. Eckroth Jr., CIO da Mattel Inc. "É um canal fenomenal, mas um cliente difícil. Exige a excelência." É uma lição que a El Segundo, fabricante californiana de brinquedos, bem como milhares de outros fornecedores, aprendeu enquanto o maior retalhista do mundo, a Wal-Mart Stores Inc., criava um sistema de inventário e de gestão da cadeia de abastecimento que mudou a face do negócio. Ao investir logo de início na tecnologia de ponta para identificar e localizar as vendas de cada artigo individual, esta gigante do retalho, com sede em Bentonville, Arcansas, tornou a sua infra-estrutura de TI numa importante vantagem competitiva que tem sido estudada e copiada por empresas de todo o mundo. "Nós vemos a Wal-Mart como a melhor operadora de cadeias de abastecimento de sempre", diz Pete Abell, Director de Investigação para a área do retalho na empresa de consultadoria em alta tecnologia AMR Research Inc., em Boston.

Enquanto se esforçava por ter a cadeia de abastecimento mais eficiente do mundo, a Wal-Mart somou uma lista de delitos económicos ao longo dos anos, que lhe valeram várias recomendações e condenações, que estão a fazê-la começar – embora tardiamente – a agir de forma mais positiva. Apesar do seu comportamento, por vezes, pouco ortodoxo, o papel da Wal-Mart como uma das dez forças que contribuíram para que o mundo se tornasse plano, é inegável. Foi com o intuito de aprofundar o meu conhecimento sobre o assunto que decidi fazer uma peregrinação a Bentonville.

Não sei explicar porquê, mas durante o voo que fiz do aeroporto de La Guardia senti que me apetecia muito comer *sushi* nessa noite. Mas onde é que iria encontrar *sushi* no Noroeste do Arcansas? E mesmo que o encontrasse, será que quereria mesmo comê-lo? Seria, realmente, possível confiar nas enguias do Arcansas?

Quando cheguei ao Hotel Hilton, nas cercanias da sede da Wal-Mart, fiquei surpreendido ao ver, como uma miragem, um grande restaurante japonês-ocidental, mesmo ali ao lado. Quando comentei com o recepcionista, que estava a tratar do meu *check-in,* que nunca tinha pensado encontrar *sushi* em Bentonville, ele disse-me: "Há mais três restaurantes japoneses que vão abrir em breve." Vários restaurantes japoneses em Bentonville?

A procura pelo *sushi* no Arcansas não é acidental. Tem a ver com o facto de os vendedores terem estabelecido as suas próprias operações em redor dos escritórios da Wal-Mart, de forma a estarem perto da casa-mãe. Com efeito, a área é conhecida como "Vendorville". O que surpreende na sede da Wal-Mart é o facto de ser tão, como dizer, Wal-Mart. Os escritórios da empresa estão agrupados num armazém reconfigurado. Quando passámos por um grande edifício feito de chapa de metal ondulada, pensei que ali ficava a oficina de manutenção. "Esses são os nossos escritórios internacionais", disse o meu anfitrião, o porta-voz William Wertz. As comitivas das empresas ficam alojadas em espaços quase iguais, embora ligeiramente inferiores, aos dos escritórios do director, do subdirector e do conselheiro-chefe da escola secundária pública da minha filha – *antes de ser remodelada*. Quando se passa pelo *hall* de entrada, vêem-se os cubículos onde os potenciais fornecedores expõem os seus produtos aos compradores da Wal-Mart. Um tem máquinas de costura espalhadas por toda a mesa, outro bonecas, outro ainda blusas de senhora. Parece um misto entre Sam's Club* e o bazar coberto de Damasco. Atenção, accionistas da Wal-Mart: decididamente, a empresa não está a desperdiçar o vosso dinheiro em floreados.

Como é que um pensamento tão inovador – atendendo a que reformulou o cenário económico mundial de muitas maneiras – veio de um provinciano do tipo Li'l Abner?**

Trata-se, na verdade, do exemplo clássico de um fenómeno que saliento frequentemente neste livro: o coeficiente do nivelamento. Quanto menos recursos naturais um país ou uma empresa tiver, mais o indivíduo procurará a inovação dentro de si, para sobreviver. A Wal-Mart tornou-se a maior retalhista do mundo porque ofereceu óptimas oportunidades de negócio a todos com quem contactou. Mas não haja confusões quanto a uma coisa: a Wal-Mart também se tornou na número um porque esta pequena empresa rústica do Noroeste do Arcansas foi mais inteligente e rápida na adopção de novas tecnologias do que os seus concorrentes. E ainda hoje o é.

---

* **N.T.** Sam's Club é um armazém grossista pertencente à cadeia Wal-Mart, no qual só pode comprar quem for membro, tendo de pagar uma quota. Aí, os produtos são mais baratos, mas vendidos a grosso e directamente de paletes.

** **N.T.** Li'l Abner é a imortal criação do *cartoonista* Al Capp, que mostrou ao mundo, com um leve e inconfundível humor, a vida dos pobres no interior dos EUA.

David Glass, CEO da empresa entre 1988 e 2000, supervisionou muitas das inovações que tornaram a Wal-Mart na maior e mais lucrativa empresa retalhista do planeta. A revista *Fortune* chegou a apelidá-lo de "o CEO mais subestimado de sempre" devido à forma discreta como criava com base na visão de Sam Walton (fundador da Wal-Mart). David Glass é para o *supply-chaining* aquilo que Bill Gates é para o processamento de texto. Quando a Wal-Mart ainda dava os primeiros passos no Norte do Arcansas, nos anos 60, a intenção dos seus responsáveis era fazer dela uma loja de desconto, explicou Glass. Naquela altura, porém, todas as *five-and-dime*[*] recebiam os seus produtos dos mesmos grossistas, por isso não havia forma de conseguir uma vantagem sobre a concorrência. A única forma que a Wal-Mart vislumbrou para conquistar vantagens foi comprar os seus artigos em grosso *directamente aos fabricantes*. No entanto, para estes não era eficiente expedirem as suas mercadorias para múltiplas lojas Wal-Mart espalhadas por todo o lado. Este facto levou a Wal-Mart a criar um centro de distribuição para o qual todos os fabricantes pudessem expedir as suas mercadorias e, a partir daí, a Wal-Mart usava os seus próprios camiões para distribuir esses produtos pelas suas lojas. A coisa funcionava assim: a Wal-Mart pagava aproximadamente mais três por cento, em média, para manter o seu próprio centro de distribuição. Mas acontece que, ao excluir os grossistas e comprar directamente aos fabricantes, poupava uma média de cinco por cento, o que lhe permitiu reduzir os custos numa média de dois por cento e ir ganhando em volume.

Assim que começou a comprar directamente ao fabricante, a Wal-Mart concentrou-se implacavelmente em três aspectos: Primeiro, trabalhar com os fabricantes para conseguir que estes reduzissem o mais possível os seus custos. Segundo, funcionar como base da cadeia de abastecimento desses fabricantes, independentemente do lugar onde estes operassem, nos centros de distribuição da Wal-Mart, para que o processo tivesse os menores custos e fricções possíveis. Terceiro, melhorar, constantemente, os sistemas de informação da Wal-Mart, para conhecer ao ínfimo pormenor o que os seus clientes estavam a comprar, de forma a poder fornecer essa informação a todos os fabricantes, para que as prateleiras tivessem sempre em *stock* os produtos todas as vezes que fossem necessários.

A Wal-Mart percebeu, num instante, que podia poupar dinheiro comprando directamente aos fabricantes, inovando constantemente para reduzir o custo de gestão da sua cadeia de abastecimento e mantendo os seus inventários com volumes baixos; conhecendo melhor os seus clientes, poderia bater sempre a concorrência no que diz respeito ao preço. Estando em Bentonville, Arcansas, não tinha muito por onde escolher.

---

[*] **N.T.** Correspondentes às antigas 'lojas dos 300'.

"O motivo pelo qual criámos toda a nossa logística e sistemas, deveu-se ao facto de estarmos no meio do nada", disse Jay Allen, *Senior Vice President*, responsável pela ligação entre as várias empresas do grupo Wal-Mart. "A cidade era mesmo pequena. Se quiséssemos recorrer a terceiros que nos garantissem a logística, era impossível. Tratou-se de uma questão de pura sobrevivência. Agora, com todas as atenções viradas para nós, existe a ideia de que os preços baixos que praticamos resultam da nossa dimensão, de nos abastecermos na China, ou de a nossa dimensão nos permitir dar ordens aos fornecedores. Os preços baixos são resultado das eficiências em que a Wal-Mart investiu – num sistema e numa cultura. É uma cultura de custo muito reduzido." Glass acrescentou ainda: "Gostaria de dizer que fomos brilhantes e visionários, mas tudo nasceu da necessidade".

Quanto mais a cadeia de abastecimento crescia, mais Walton e Glass ficavam convictos de que escala e eficiência eram as chaves de todo o negócio. Simplificando, quanto maior a escala e o alcance da cadeia de abastecimento, maior o volume de produtos vendidos – por menor preço – a mais clientes. Quanto maior fosse a alavancagem que tinham com os fornecedores para reduzirem ainda mais os preços, mais vendiam a mais clientes. Quanto maior fosse a escala e alcance da cadeia de abastecimento, mais lucros eram obtidos pelos seus accionistas...

Sam Walton foi o pai desta cultura, mas a necessidade foi a sua mãe – no início o mecanismo era improdutivo e a cadeia de abastecimento tinha má qualidade. Em 2004, a Wal-Mart comprou o equivalente a cerca de 260 mil milhões de dólares em mercadorias e geriu-as através de uma cadeia de abastecimento composta por 108 centros de distribuição nos Estados Unidos, servindo cerca de três mil lojas Wal-Mart na América.

Nos primeiros anos, "éramos pequenos – representávamos quatro ou cinco por cento da Sears e da Kmart", disse Glass. "Quando se é assim tão pequeno, é-se vulnerável, por isso o que nós pretendíamos fazer, mais do que qualquer coisa, era aumentar a nossa quota de mercado. Tínhamos de fazer com que os outros vendessem menos. Se fosse possível, reduzir de três para dois por cento o custo da gestão dos centros de distribuição, isso permitir-nos-ia diminuir os preços no retalho e aumentar a quota de mercado. Desta forma, qualquer eficiência que gerássemos era passada para o consumidor."

A título de exemplo, depois de os fabricantes descarregarem os seus produtos no centro de distribuição da Wal-Mart, era necessário enviar esses produtos em pequenos lotes para cada uma das suas lojas. Isto significava que a Wal-Mart tinha camiões a percorrer todos os Estados Unidos. Walton rapidamente percebeu que se "ligasse" os seus condutores por rádio e satélite, depois de estes abastecerem uma determinada loja, poderiam fazer mais alguns quilómetros e recolher os produtos de um fabricante de forma a não regressarem vazios. Assim, a Wal-Mart poupava nos custos de expedição que lhe eram cobrados pelo fabricante. Uns cêntimos aqui, uns cêntimos ali, e o resultado final traduzia-se em mais volume, alcance e escala.

Ao melhorar a sua cadeia de abastecimento, a Wal-Mart não deixa um único elo desligado do todo. Enquanto fazia a visita pelo centro de distribuição de Bentonville, reparei que algumas caixas eram demasiado grandes para seguirem nos transportadores de correia e estavam a ser deslocadas em paletes por colaboradores, que conduziam pequenas carrinhas com elevador móvel e usavam *headphones*. Um computador identifica o número de paletes que cada colaborador empilha por hora, para as carregar em camiões para lojas diferentes. Uma voz computorizada diz a cada um deles até que ponto está adiantado ou atrasado em relação ao calendário definido. "É possível escolher se quer que a voz do computador seja de homem ou de mulher e em que língua fala: inglês ou espanhol", explicou Rollin Ford, *Executive Vice President* da Wal-Mart, que supervisiona a cadeia de abastecimento e que me guiou durante a visita.

Há alguns anos, estes condutores de paletes recebiam instruções por escrito para onde recolher determinada palete e qual o camião onde iria ser colocada. A inovação da Wal-Mart está em que fornecendo-lhes *headphones*, através dos quais uma voz suave computorizada lhes dá instruções, os condutores podem usar ambas as mãos, sem andar com folhas de papel. Mais: ao serem lembrados constantemente até que ponto estão aquém, ou além das expectativas, "verificou-se um estímulo na produtividade", disse Ford. É um milhão de pequenas inovações operacionais como esta que diferencia a cadeia de abastecimento da Wal-Mart.

O grande e verdadeiro progresso, salientou Glass, deu-se quando a Wal-Mart percebeu que, ao mesmo tempo que tinha de ser um duro negociante com os seus fabricantes em termos de preço, as duas partes (Wal-Mart e fabricantes) tinham de colaborar para criar valor mútuo, horizontalmente, caso a Wal-Mart quisesse continuar a reduzir custos. A Wal-Mart foi uma das primeiras empresas a introduzir computadores para manter o registo das vendas dos armazéns e do inventário e foi a primeira a desenvolver uma rede informática com vista a partilhar esta informação com os fornecedores. Quanto mais informação todos tivessem sobre o comportamento do consumidor nas prateleiras dos supermercados, mais eficientes seriam as compras da Wal-Mart e mais rapidamente os seus fornecedores poderiam adaptar-se à procura num mercado em mudança.

Em 1983, a Wal-Mart investiu em terminais de pontos de venda, que registavam as vendas e detectavam as saídas de produtos em *stock* para que houvesse um rápido reabastecimento. Quatro anos mais tarde, instalou um sistema por satélite de larga escala, que ligava todos os armazéns à sede da empresa, facultando ao sistema informático central de dados, em tempo real, elementos relativos ao inventário e abrindo caminho para uma cadeia de abastecimento alimentada pela informação e desenvolvendo grande actividade até ao limite da eficiência. Um grande fornecedor pode actualmente entrar no sistema extranet privado Retail Link, da Wal-Mart, para ver exactamente como estão a ser vendidos os seus produtos e quando é que poderá ser necessário aumentar a sua produção.

"Abrir as suas bases de dados sobre vendas e inventários aos fornecedores transformou a Wal-Mart na potência que é hoje", afirma Rena Granofsky, sócia principal na J.C. Williams Group Ltd., uma empresa de consultadoria em retalho com sede em Toronto, num artigo de 2002 sobre a Wal-Mart, que foi publicado na *Computerworld*. "Enquanto os seus concorrentes guardavam as informações sobre vendas, a Wal-Mart aproximou os seus fornecedores como se eles fossem sócios e não adversários", diz Granofsky. Ao implementar um programa de cooperação no planeamento, previsão e reabastecimento (CPFR – *Colaborative Planning, Forecasting and Replenishment*), a Wal-Mart deu início a um programa de inventário *just-in-time*, que reduziu os custos de transporte tanto para o retalhista como para os seus fornecedores. "Há um excesso de inventário muito menor na cadeia de abastecimento devido a isto", diz Granofsky. Graças à eficiência da sua cadeia de abastecimento, avalia-se que o custo dos produtos da Wal-Mart seja entre cinco a dez por cento inferior ao da maioria dos seus concorrentes.

Na sua última inovação na cadeia de abastecimento, a Wal-Mart introduziu os sistemas RFID – *Radio Frequency Identification Device* (*microchips* de identificação por rádio-frequência), ligados a cada palete e caixa de mercadorias que entra na Wal-Mart, para substituir os códigos de barras – que têm de passar por um *scanner*, individualmente, e que podem ser arrancados ou manchados. Em Junho de 2003, a Wal-Mart informou os seus cem fornecedores mais importantes que, a 1 de Janeiro de 2005, todas as paletes e caixas que expedissem para os seus centros de distribuição tinham de estar equipadas com etiquetas RFID. (De acordo com o *RFID Journal*, "o RFID é um termo genérico para tecnologias que usam ondas de rádio para identificar automaticamente pessoas ou objectos. Existem vários métodos de identificação, mas o mais comum é armazenar um número de série que identifica uma pessoa ou objecto, e talvez outra informação, num *microchip* que é embutido numa antena – dá-se o nome de *transponder* RFID ou etiqueta RFID ao *chip* e antena juntos. A antena permite ao *chip* transmitir a informação da identificação a um leitor. O leitor converte as ondas de rádio da etiqueta RFID em informação digital que pode ser transferida para computadores capazes de usá-la"). O RFID irá permitir à Wal-Mart localizar qualquer palete ou caixa em cada fase da sua cadeia de abastecimento e saber exactamente que produto, de que fabricante, está no centro de distribuição e com que data de validade. Se um artigo de mercearia tiver de ser armazenado a uma determinada temperatura, a etiqueta RFID dirá à Wal-Mart quando é que a temperatura está demasiado alta ou demasiado baixa. Uma vez que cada uma destas etiquetas custa cerca de 20 cêntimos de dólar, a Wal-Mart está a reservá-las, actualmente, para grandes caixas e paletes, não para artigos individuais. Mas este é claramente o caminho do futuro. A tecnologia RFID e as ferramentas sofisticadas de análise de encomendas, que monitorizam até a actividade de mercado mais ínfima, estão a levar-nos na direcção do "Santo Graal" da indústria – o equilíbrio entre a oferta e a procura.

"Os equipamentos de RFID aumentam o conhecimento", disse Rollin Ford, *Vice President* da Wal-Mart para a área da logística. É possível dizer mais rapidamente quais as lojas que vendem mais determinada marca de champô às sextas-feiras e quais as que vendem mais aos domingos, e se os hispânicos preferem fazer compras ao sábado à noite, em vez de o fazerem à segunda-feira nas lojas das suas redondezas. "Quando toda esta informação é transmitida aos nossos modelos de procura, podemos tornar-nos mais eficientes em relação à altura em que devemos produzir um produto e quando devemos expedi-lo, e depois podemos colocá-lo exactamente no lugar certo nos camiões de forma a poder fluir de forma mais eficiente", acrescentou Ford. "Costumávamos ter de contar cada peça e passá-las no *scanner* [na extremidade receptora] o que provocava engarrafamentos. Agora [com o RFID], apenas temos de passar no *scanner* toda a palete embrulhada em bolha de ar. O sistema diz-nos que estão lá os 30 artigos que foram encomendados e a caixa diz-lhe: 'Isto é o que sou e como me estou a sentir, isto é a cor que tenho e estou em boa forma' – o que torna a recepção muito mais facilitada."

A porta-voz da Procter & Gamble, Jeannie Tharrington, falou à Salon.com (20 de Setembro de 2004) sobre a adopção do RFID pela Wal-Mart: "Vemos isto como algo benéfico para toda a cadeia de abastecimento. Neste momento, os nossos níveis de produtos esgotados são mais elevados do que gostaríamos e certamente mais elevados do que os consumidores gostariam. Pensamos que esta tecnologia poderá ajudar-nos a manter os produtos na prateleira com mais frequência." O RFID irá permitir também uma recombinação mais rápida da cadeia de abastecimento em resposta a determinados acontecimentos.

Quando surgem furacões, disseram-me alguns responsáveis da Wal-Mart, sabemos que são consumidos mais produtos do tipo Pop-Tarts (bolachas com cobertura ou recheio) – artigos não perecíveis e fáceis de armazenar – e que as suas lojas também vendem mais jogos para crianças que não necessitam de ligação à electricidade e que podem substituir a televisão. Sabe-se também que, quando estão a aproximar-se furacões, as pessoas têm tendência para beber mais cerveja. Por isso, assim que os meteorologistas da Wal-Mart comunicam à sede que está a dirigir-se um furacão para a Florida, a cadeia de abastecimento ajusta-se automaticamente ao acontecimento nas lojas deste Estado – mais cerveja no início, mais Pop-Tarts depois.

A Wal-Mart está sempre à procura de novas formas de colaboração com os seus clientes. Ultimamente, virou-se para a banca. Descobriu que, em zonas com uma elevada densidade de população hispânica, muitas pessoas não tinham qualquer ligação a um banco e estavam a ser defraudadas por *outlets* de *check-cashing**. Assim, a Wal-Mart disponibilizou-lhes o serviço de entrega de dinheiro contra os cheques dos seus salários, vales postais, transferências de dinheiro e até serviços de pagamento de contas para artigos normalizados, como facturas de electricidade: o serviço é prestado mediante o pagamento de uma taxa muito baixa. A Wal-Mart tinha capacidade interna para fazer isto com os seus colaboradores, mas decidiu também transformá-lo num negócio para o exterior.

Demasiado do que é bom

Infelizmente para a Wal-Mart, os mesmos factores que lhe guiaram o instinto para a inovação permanente – o seu isolamento do mundo, a sua necessidade de encontrar respostas e de ligar localidades longínquas a uma cadeia de abastecimento global – também lhe trouxeram problemas. É difícil exagerar-se quando se fala no quão isolada está Bentonville, no Arcansas, das correntes do debate global sobre direitos laborais e humanos e é fácil ver como esta empresa insular, obcecada com a diminuição dos preços, poderá ter abusado de algumas destas práticas.

Sam Walton alimentou não só uma espécie de cruzada implacável pela eficiência na melhoria da cadeia de abastecimento da Wal-Mart, mas também condições e comportamentos desumanos. Refiro-me a todas as práticas da Wal-Mart, que vieram recentemente a público, desde fechar colaboradores toda a noite nas suas lojas até permitir que os responsáveis pela manutenção recorressem a imigrantes ilegais como empregados de limpeza, passando pela experiência de arguida na maior acção judicial da História em defesa dos direitos civis, na sua recusa em vender algumas revistas – como a *Playboy* –, mesmo em pequenas cidades onde a Wal-Mart era a única grande loja. Tudo isto apesar de alguns dos maiores concorrentes da Wal-Mart se queixarem de terem sido obrigados a cortar nos benefícios com os cuidados de saúde e a criar uma plataforma de salários mais baixos para poderem competir com o gigante de Bentonville, que paga menos e cobre menos cuidados de saúde do que a maioria das grandes empresas norte-americanas (exploraremos este assunto mais adiante). Só se pode esperar que toda a má publicidade de que a Wal-Mart foi alvo nos últimos anos a obrigue a compreender que existe uma linha ténue a separar uma cadeia de abastecimento global hipereficiente que ajuda as pessoas a poupar dinheiro e a melhorar as suas vidas, de outra que deseja a redução de custos e o aumento das margens de lucro a ponto de retirar com uma mão os benefícios que oferece com a outra.

A Wal-Mart é a China das empresas. Tem um nível de alavancagem tal que consegue explorar qualquer fornecedor até ao último cêntimo. Quando necessário,

* **N.T.** Lojas onde um cheque pode ser trocado por dinheiro.

não hesita em recorrer à sua enorme capacidade e poderio para colocar os seus fornecedores nacionais e mesmo os estrangeiros uns contra os outros.

Alguns fornecedores encontraram formas de responder à pressão, florescendo e tornando-se melhores no que fazem. Se todos eles fossem oprimidos, então a Wal-Mart não teria fornecedores. É óbvio que muitos deles estão a expandir-se graças a esta parceria.

No entanto, não há dúvida de que alguns repercutiram a incessante pressão sobre os preços da Wal-Mart nos salários, que baixaram, e nos benefícios sociais, que reduziram. Outros transferiram os seus negócios para a China, país onde a cadeia de abastecimento da Wal-Mart recolheu produtos no valor de 18 mil milhões de dólares, em 2004, com origem em cinco mil fornecedores chineses. "Se a Wal-Mart fosse uma economia individual, estaria classificada como o oitavo maior parceiro comercial da China, suplantando a Rússia, a Austrália e o Canadá", disse à *China Business Weekly* (29 de Novembro de 2004) o porta-voz da Wal-Mart China, Xu Jun.

A geração sucessora da liderança de Sam Walton parece reconhecer que há uma imagem e uma realidade que precisam de ser mudadas. Até que ponto a Wal-Mart irá proceder a ajustamentos é algo que iremos ver. Quando questionei directamente o CEO da Wal-Mart, H. Lee Scott Jr., sobre estes assuntos, ele não se esquivou. Na verdade, queria falar sobre o tema. "O que penso que tenho de fazer é institucionalizar este sentido de obrigação para com a sociedade na mesma medida em que institucionalizámos o compromisso para com o cliente", disse Scott. "O mundo mudou e nós perdemos essa mudança. Acreditávamos que boas intenções, boas lojas e bons preços fariam com que as pessoas perdoassem aquilo em que não éramos tão bons e, afinal, estávamos enganados. Em determinadas áreas", acrescentou, "não somos tão bons quanto deveríamos ser. Temos de melhorar".

Uma tendência pela qual a Wal-Mart insiste em não ser responsável é o *offshoring* da indústria transformadora. "Para nós é melhor se pudermos comprar mercadoria fabricada nos Estados Unidos", disse Glass. "Passei dois anos a viajar pelo país a tentar convencer as pessoas a fabricar aqui. Pagaríamos mais para comprar no nosso país, porque ter instalações fabris nas nossas cidades criaria empregos para todos aqueles que compram nas nossas lojas. A Sanyo tinha uma fábrica aqui [no Arcansas] que fabricava televisores para a Sears. A Sears dispensou-os, por isso decidiram que iam encerrar a fábrica e transferir uma parte da produção para o México e a outra parte para a Ásia. O nosso Governador perguntou-nos se poderíamos dar uma ajuda. Decidimos que compraríamos aparelhos de televisão à Sanyo [se a empresa mantivesse a fábrica no Arcansas]. A empresa não aceitou. O Governador do Arcansas chegou mesmo a falar com a família japonesa detentora do capital da Sanyo, com o objectivo de manter a fábrica no Estado. Entre os esforços dele e os nossos, convencemo-los a ficar. São agora os maiores produtores mundiais de televisores. Acabámos de lhes comprar o nosso televisor número 50 milhões. A maioria, porém, abandonou o processo de fabrico nos Estados Unidos. Há quem comente: 'Quero vender-lhe a si, mas descarto qualquer responsabilidade nas instalações e no que respeita aos colaboradores [e cuidados de saúde]. Quero que isso seja feito noutro lado qualquer'. Desta forma, fomos forçados a comprar mercadorias noutras regiões do mundo", disse Glass, acrescentando que uma das suas preocupações é que um dia, quando o país deixar de produzir, os norte-americanos estejam todos a vender hambúrgueres uns aos outros.

A melhor forma de se ficar com uma ideia do poder da Wal-Mart enquanto força niveladora global, com uma quota-parte de responsabilidade no processo que está a tornar o mundo plano, é visitando o Japão. O comodoro Matthew Calbraith Perry mostrou o mundo ocidental à sociedade japonesa – extremamente fechada – em 8 de Julho de 1853, quando chegou à Baía de Edo (Tóquio) com quatro enormes navios a vapor carregados de armas. Segundo o *website* do Centro Histórico Naval, "os japoneses, que nem sabiam da existência de navios a vapor, ficaram chocados quando os viram, tendo pensado tratar-se de dragões gigantes a expelir fumo". O comodoro Perry regressou um ano mais tarde, em 31 de Março de 1854, para assinar o Tratado de Kanagawa com as autoridades japonesas, o que fez com que as embarcações norte-americanas tivessem acesso aos portos de Shimoda e Hakodate. Abriu ainda um consulado norte-americano em Shimoda. Este tratado teve como consequência um enorme aumento das trocas comerciais entre o Japão e os Estados Unidos, ajudou a abrir o Japão ao mundo ocidental de uma forma geral e foi fundamental no impulso de modernização do Estado japonês. Em muitas áreas, desde os automóveis à electrónica de consumo, passando pelas máquinas-ferramenta, desde o *Walkman* da Sony ao Lexus, os japoneses aprenderam todas as lições que puderam com as nações ocidentais. Depois começaram a ganhar-nos no nosso próprio jogo – excepto um: o do retalho, especialmente no que diz respeito às lojas de desconto. O Japão podia fabricar aqueles aparelhos Sony como ninguém, mas, na hora de os vender numa loja de desconto, a história já era outra.

Assim, 150 anos depois do comodoro Perry ter assinado aquele tratado, um outro tratado menos conhecido foi celebrado – na verdade, tratava-se de uma parceria entre empresas. Chamemos-lhe o "Tratado Seiyu – Wal-Mart", rubricado em 2003. Ao contrário do comodoro Perry, a Wal-Mart não teve de entrar no Japão com barcos de guerra. A sua reputação precedia-a e foi essa a razão por que foi convidada pela Seiyu, uma combativa cadeia retalhista japonesa, desejosa de adaptar a fórmula da Wal-Mart no Japão, um país conhecido por resistir às grandes lojas de desconto. Enquanto viajava no comboio de alta velocidade de Tóquio para Numazu (também no Japão), local da primeira loja Seiyu que estava a utilizar os métodos da Wal-Mart, o tradutor do *New York Times* salientou que este estabelecimento se localizava a cerca de 160 quilómetros de Shimoda e do primeiro consulado norte-americano no país. O comodoro Perry provavelmente teria adorado fazer compras na nova loja da Seiyu, onde a música ambiente é constituída por melodias ocidentais concebidas para levar os clientes a encher os seus carrinhos de compras e onde se pode comprar um casaco de homem – fabricado na China – por 65 dólares e uma camisa branca de cinco dólares para fazer conjunto. É aquilo a que por ali denominam de "Wal-Mart EDLP" – *Every Day Low Prices* (Preços Baixos Todos os Dias) – e foi uma das primeiras frases que os indivíduos da Wal-Mart aprenderam a dizer em japonês.

Os efeitos niveladores da Wal-Mart estão bem à vista na loja da Seiyu em Numazu – não apenas nos preços baixos praticados diariamente, mas também nos corredores largos, nas enormes paletes de artigos domésticos, nas colossais placas exibindo os preços mais baixos em cada categoria e no sistema informático da cadeia de abastecimento da Wal-Mart para que os gestores de loja possam rapidamente ajustar os *stocks*.

Perguntei ao CEO da Seiyu, Masao Kiuchi, qual a razão para ter escolhido a Wal-Mart. "A primeira vez que ouvi falar da empresa foi há cerca de 15 anos", explicou Kiuchi. "Fui a Dallas ver as lojas Wal-Mart e achei que se tratava de um método muito racional. Foi essencialmente por duas coisas: uma delas teve a ver com as placas dos preços. Eram de fácil compreensão. A segunda foi porque os japoneses pensavam que uma loja de desconto significava que se vendiam produtos fracos a preços baratos", disse ele. O que percebeu, ao fazer compras na Wal-Mart e ao ver um pouco de tudo à venda, desde televisores plasma a produtos topo de gama para animais de estimação, foi que a Wal-Mart vendia produtos de qualidade a preços baixos.

"Na loja em Dallas tirei fotografias, levei essas fotos aos meus colegas da Seiyu e disse-lhes: 'Olhem, temos de ver o que é que a Wal-Mart está a fazer no outro lado do planeta'. Mas mostrar fotografias não era o suficiente, porque é difícil compreender ao olhar apenas para fotos", explicou Kiuchi. Este responsável acabou por abordar a Wal-Mart e as duas empresas assinaram um acordo de parceria a 31 de Dezembro de 2003. A Wal-Mart comprou parte da Seiyu; em troca, permitiu-lhe aceder à sua singular forma de colaboração: um encadeamento do abastecimento global que leva aos consumidores os melhores produtos aos mais baixos preços.

No meio de tudo isto houve, no entanto, uma coisa importantíssima que a Seiyu ensinou à Wal-Mart, contou-me Kiuchi: como vender peixe cru. Todas as lojas de descontos e *department stores* japonesas têm secções de mercearia e todas elas vendem peixe aos exigentes consumidores nipónicos. A Seiyu vai baixando o preço do peixe várias vezes ao dia, à medida que este vai deixando de estar tão fresco.

"A Wal-Mart não percebe de peixe cru. Da parte deles, esperamos ajuda com as mercadorias em geral", disse Kiuchi.

Basta dar algum tempo à Wal-Mart. Espero que num futuro não muito distante possamos ver *sushi* Wal-Mart.

É bom que alguém avise o atum.

Acontecimento # 8

Insourcing – O que andam a fazer, na realidade, aqueles indivíduos de calções castanhos engraçados

Um dos aspectos mais agradáveis da investigação que fiz para este livro foi descobrir todo o tipo de coisas que acontecem à minha volta e com as quais eu nem sequer sonhava. Nada foi mais surpreendentemente interessante do que ver em funcionamento a UPS, United Parcel Service. Sim, ver em acção esses indivíduos que vestem calções castanhos engraçados e conduzem aqueles camiões castanhos invulgares. Efectivamente, enquanto dormia, a velha e pesada UPS tornou-se uma enorme força que contribuiu para o mundo ficar mais plano.

Uma vez mais, foi um dos meus tutores indianos, Nandan Nilekani, CEO da Infosys, que me alertou para o assunto. "A FedEx e a UPS devem ser um dos acontecimentos que contribuíram para o mundo se tornar mais plano. Estas empresas não procedem simplesmente à entrega de encomendas, também asseguram a logística", disse-me um dia ao telefone, de Bangalore. Naturalmente, registei esta sugestão, anotando-a para depois a verificar, sem ter a mais pequena ideia do que falava Nilekani. Meses mais tarde fui à China. Uma noite, durante a estada, estava aflito com o *jet lag* e liguei a CNN International para ver se o tempo passava mais depressa até de manhã. A dada altura vi um anúncio sobre a UPS. A mensagem final era o novo *slogan* da empresa: "O Seu Mundo Sincronizado."

Veio-me à memória um pensamento: deve ser disto que o Nandan falava! A UPS, pelo que percebi, já não se dedicava apenas a entregar encomendas; estava a sincronizar as cadeias de abastecimento global para pequenas e grandes empresas. No dia seguinte, marquei uma visita à sede da UPS, em Atlanta. Mais tarde, visitei o centro de distribuição UPS Worldport, adjacente ao Aeroporto Internacional de Louisville, que à noite está praticamente ocupado pela frota de aviões de carga da UPS, uma vez que as encomendas provenientes de todo o mundo são direccionadas para ali, classificadas e reenviadas algumas horas depois. (A frota de 270 aviões da UPS torna-a na 11ª maior operadora aérea do mundo.) O que descobri nestas visitas é que esta não é a UPS do tempo dos nossos pais. É verdade que grande parte do volume de negócios da UPS, no valor de 36 mil milhões de dólares, ainda provém da expedição de mais de 13,5 milhões de encomendas por dia de um ponto para outro do mundo. Paralelamente a esta fachada inócua, a empresa fundada em Seattle em 1907 como um serviço de mensagens, reinventou-se como uma empresa dinâmica, gestora de uma cadeia de abastecimento.

Pense nisto: se tiver um computador portátil Toshiba e este avariar ainda dentro do prazo de garantia, telefona para a Toshiba para que o reparem. Pedir-lhe-ão para que o deixe numa loja UPS, de onde será enviado para a Toshiba, será arranjado e reenviado para si. Mas eis aquilo que não lhe dizem: a UPS não procede apenas à recepção e entrega do seu portátil Toshiba. Na verdade, a UPS repara o computador numa oficina própria destinada unicamente a este efeito, bem como à reparação de impressoras, no seu centro de operações em Louisville. Visitei este centro esperando ver apenas encomendas de um lado para o outro, mas, em vez disso, dei por mim, de bata azul vestida, numa sala excepcionalmente limpa, a observar os colaboradores da UPS a substituírem *motherboards* em portáteis da Toshiba avariados. A Toshiba teve um problema de imagem há anos, provocado por reclamações de alguns clientes que se queixaram de atrasos na reparação dos aparelhos avariados. Consequentemente, a Toshiba encomendou à UPS que lhe concebesse um sistema mais eficaz. Ao que os responsáveis da UPS terão afirmado: "Oiçam, em vez de irmos buscar o aparelho aos vossos clientes, trazê-lo para o nosso centro de operações, transportá-lo de avião para o vosso centro de reparações e transportá-lo, de novo, para o nosso centro e deste para casa do cliente, por que não suprimimos todos estes passos intermédios? Nós, UPS, iremos buscar os aparelhos, repará-los-emos, enviando-os de volta para o cliente." Agora é possível enviar um portátil da Toshiba num dia, tê-lo arranjado no dia seguinte e recebê-lo de volta, em casa, no terceiro dia. Os responsáveis da UPS pelas reparações foram todos certificados pela Toshiba e as queixas dos clientes diminuíram substancialmente.

Este é apenas um aspecto ínfimo do que a UPS faz actualmente. Comeu uma *pizza* da Papa John ultimamente? Se vir passar um camião de abastecimento com a marca Papa John, pergunte quem é que está a fornecer os condutores e a calendarizar os carregamentos da mercadoria, como tomates, molho para *pizza* e cebolas. Resposta: a UPS. A UPS faz agora parte do processo interno de muitas empresas e conduz os veículos das suas marcas para assegurar as entregas a horas, o que, no caso da Papa John, inclui entregar a massa de pão da *pizza* das pastelarias para os *outlets* todos os dias a horas exactas, previamente determinadas. Está cansado de procurar ténis num centro comercial? Ligue-se à Internet e encomende um par Nike no *website* da empresa, Nike.com. Na realidade, a encomenda é encaminhada para a UPS. É, portanto, um colaborador da UPS que vai buscar, inspeccionar, embalar e expedir os seus Nike num armazém em Kentucky, gerido pela UPS. O mesmo acontece se encomendar roupa interior na Jockey.com. Os colaboradores da UPS, que gerem os produtos da Jockey num armazém da UPS, preenchem a nota de encomenda, embalam-na, registam-na e enviam-na para si. A sua impressora HP avaria-se na Europa ou na América Latina? O técnico, que se desloca a sua casa para a arranjar, trabalha para a UPS, que gere as peças sobressalentes e a divisão de reparações da HP nestes mercados. Encomendou alguns peixes tropicais à Segrest Farms, na Florida, para serem entregues em sua casa, no Canadá, pela UPS? Pois bem, a UPS trabalhou com essa empresa no sentido de desenvolver um modelo de embalagem especial para os peixes, de forma a que não se magoem enquanto passam pelos sistemas de separação de encomendas feitos pela empresa. Os peixes levam um sedativo leve que lhes permite fazerem uma viagem segura (como os comprimidos para o enjoo que se dão às crianças). "Queremos que tenham uma viagem agradável", sublinhou o porta-voz da UPS, Steve Holmes.

O que é que se passa nestes casos? Trata-se de um processo que passou a denominar-se *insourcing* – uma forma completamente nova de colaboração e de criação de valor horizontal, tornado possível pelo mundo plano e que o tem tornado ainda mais plano. Na secção anterior, referi o porquê do *supply-chaining* ser tão importante no mundo plano. No entanto, nem todas as empresas – na verdade, são poucas – têm capacidade financeira para desenvolver e apoiar uma cadeia de abastecimento global complexa com uma escala e alcance igual à que foi desenvolvida pela Wal-Mart. Foi isso que deu origem ao *insourcing*. O *insourcing* surgiu porque, assim que o mundo se tornou plano, os pequenos puderam agir em grande – de repente, as pequenas empresas puderam, por assim dizer, "passear-se" pelo mundo. Assim que o fizeram, perceberam que existiam muitos lugares onde poderiam vender ou fabricar os seus produtos e comprar as suas matérias-primas de forma mais eficiente. Porém, muitas empresas não só desconheciam como pôr a funcionar uma complexa cadeia de abastecimento global, como também não tinham capacidade financeira para geri-la individualmente. Mesmo entre as grandes empresas, muitas não queriam gerir esta complexidade, sentindo que estava fora do âmbito das suas competências essenciais. A Nike preferia investir na concepção de melhores ténis, não em cadeias de abastecimento.

Esta realidade criou uma oportunidade de negócio totalmente nova para as empresas tradicionais de entregas de encomendas, como a UPS. Em 1996, a UPS entrou no negócio das "soluções de comércio sincronizado". Desde essa altura, já despendeu mil milhões de dólares na compra de 25 empresas de logística de diferentes ramos de actividade e de transporte global, de forma a poder servir praticamente qualquer cadeia de abastecimento de qualquer lugar do mundo plano para o seu antípoda. O negócio arrancou a todo o vapor em 2000.

Gosto do termo "*insourcing*" porque retrata exemplarmente a realidade: os engenheiros da UPS entram directamente na empresa, analisam o seu processo de fabrico, a embalagem e os processos de expedição, e depois desenham, redesenham e gerem toda a cadeia de fornecimento global. E, se necessário, até financiam alguns segmentos da mesma, tais como os recebíveis* e pagamentos contra-entrega. Hoje em dia, existem empresas (muitas delas não querem ver os seus nomes mencionados) que deixaram de tocar nos seus próprios produtos. A UPS supervisiona todo o percurso, desde a fábrica até ao armazém, desde o cliente até ao serviço de reparações. É até responsável por receber o dinheiro do cliente, se preciso for. Esta forma de colaboração profunda, que envolve uma enorme dose de confiança

* **N.T.** Um título cujo valor será recebido num momento futuro.

e intimidade entre a UPS, o seu cliente e os clientes do seu cliente, contribui para tornar o mundo mais plano de uma forma nunca vista.

"Sabe quem são os nossos maiores clientes e parceiros? As pequenas empresas", disse o *Chairman* e CEO da UPS, Mike Eskew. E acrescentou: "É isso mesmo... Elas estão a pedir-nos que as globalizemos. Ajudamos estas empresas a ficarem ao nível das grandes."

Quando uma pequena empresa, ou um particular que trabalha em casa, consegue chegar à UPS fazendo com que esta se torne o seu gestor da cadeia de abastecimento global, a empresa em causa sempre pode fingir ser muito maior do que é. Quando os pequenos conseguem agir em grande, nivelam a competitividade do 'terreno de jogo'. A UPS comprou a Mail Boxes Etc. (que se chama agora "The UPS Store", nos Estados Unidos), de forma a poder oferecer aos particulares e às pequenas empresas todos os seus serviços da cadeia de abastecimento global. A UPS também ajuda as grandes a agirem como as pequenas. Quando um conglomerado, como a HP, consegue que as suas encomendas sejam entregues, ou os seus produtos sejam reparados rapidamente, em qualquer parte do mundo, pode, realmente, agir como uma pequena empresa.

Quando torna a expedição de bens e serviços para todo o mundo supereficiente e super-rápida – e em grandes volumes –, a UPS está a ajudar a tornar planas as barreiras alfandegárias e a harmonizar o comércio, conseguindo que, cada vez mais pessoas, adoptem as mesmas regras, etiquetagem e sistemas de localização no que diz respeito ao transporte de produtos. A UPS tem uma etiqueta inteligente em todas as suas encomendas para que cada uma delas possa ser localizada em qualquer ponto da sua rede.

Em parceria com o *U.S. Customs Service* (Serviços Alfandegários dos EUA), a UPS concebeu um programa de *software* que permite a uma alfândega agir em conformidade: "Quero ver todas as encomendas que transitam no vosso centro de operações Worldport que tenham sido enviadas de Cali, na Colômbia, para Miami, por alguém chamado Carlos." Ou "Quero ver todas as encomendas enviadas da Alemanha para os Estados Unidos por um Ussama". Quando a encomenda chega para classificação, os computadores da UPS encaminham-na automaticamente para um responsável alfandegário no centro de operações da UPS. Um braço computorizado retirá-la-á do transportador de correia e colocá-la-á num caixote para uma inspecção mais pormenorizada. Isso torna o processo de inspecção mais eficiente e não interrompe o fluxo geral das encomendas. Estas eficiências em termos de tempo e escala poupam dinheiro aos clientes da UPS, permitindo-lhes reinvestir e financiar mais projectos inovadores. O processo requer um grau de colaboração entre a UPS e os seus clientes fora do vulgar.

A Plow & Hearth é um grande retalhista norte-americano de vendas por catálogo na Internet, especializado em "*Products for Country Living*" (produtos para a vida no campo). A P&H consultou a UPS porque demasiadas mercadorias suas eram entregues em casa dos clientes com alguma peça danificada. Será que a UPS tinha ideias a sugerir? Tinha, obviamente. A UPS fez deslocar os seus "engenheiros de embalagens" à P&H, realizou um seminário sobre embalamento destinado ao departamento de aquisições da empresa, tendo ainda fornecido à P&H orientações para serem usadas na selecção dos seus fornecedores. O objectivo foi ajudar a P&H a perceber que as suas decisões de compras a este ou àquele fornecedor deveriam ser influenciadas não apenas pela qualidade dos produtos mas também pela forma como estes eram embalados e expedidos. A UPS não poderia ajudar o seu cliente P&H sem analisar profundamente o negócio deste e o dos seus fornecedores – que tipo de caixas e materiais de embalamento é que estavam a usar. Isto é *insourcing*.

Reflictamos sobre a colaboração existente entre os vendedores da eBay, a UPS, a PayPal e os compradores da eBay. Digamos que coloco à venda um taco de golfe na eBay e que você decide comprá-lo. Envio-lhe uma factura da PayPal, por *e-mail*, onde consta o seu nome e endereço físico. Simultaneamente, a eBay disponibiliza--me um ícone no seu *website* para poder imprimir uma etiqueta da UPS na encomenda que lhe vou enviar a si. Quando imprimo a etiqueta na minha impressora, esta vem com um código de barras localizador da UPS. Exactamente no mesmo minuto, a UPS, através do seu sistema informático, cria um número de localização que corresponde ao da etiqueta e que é automaticamente enviado por *e-mail* para si – que comprou o meu taco de golfe – de forma a que possa localizar regularmente a encomenda, *on-line*, e saber exactamente quando é que chegará até si.

Se a UPS não tivesse entrado e desenvolvido com tanto êxito este ramo de actividade, outra empresa tê-lo-ia feito. Com um tão elevado número de indivíduos a trabalhar em cadeias de abastecimento globais e horizontais, tão longe de casa, alguém teria de colmatar as inevitáveis lacunas e estreitar os frágeis laços. "O indivíduo que está no Texas e vende peças para máquinas está preocupado com a possibilidade de o seu cliente na Malásia ser um risco em termos de crédito. Entramos em cena como corretores fidedignos. Se controlarmos aquela encomenda, podemos receber o dinheiro contra-entrega e eliminar as letras de crédito. Pode criar-se confiança através das relações pessoais ou de sistemas e controlos. Se não sente confiança no cliente, pode confiar numa empresa de expedição, que não entregará a sua encomenda antes de esta estar paga. Temos mais capacidade do que um banco para gerir estas situações, uma vez que temos a encomenda e o relacionamento (actual) com o cliente como garantia adicional. Temos, pois, dois pontos de alavancagem", disse Kurt Kuehn, *Senior Vice President* da UPS para a área de vendas e *marketing*.

Desde 1997, mais de 60 empresas transferiram as suas operações para estarem mais perto do centro operacional da UPS, em Louisville, de forma a poderem fabricar os seus produtos e expedi-los directamente do centro sem terem de os armazenar. Não são só as pequenas e médias empresas que beneficiam de uma melhor logística e de cadeias de abastecimento mais eficientes, em resultado do *insourcing*.

Em 2001, a Ford Motor Co. transferiu para a UPS a sua rede de distribuição, desorganizada e morosa, autorizando a UPS a analisar profundamente todos os seus departamentos para detectar quais eram os estrangulamentos e a aperfeiçoar a sua cadeia de abastecimento.

"Durante anos, o descrédito da maioria dos representantes da Ford foi a aplicação do sistema tipo Rube Goldberg*, usado pelo fabricante automóvel para transportar os carros directamente da fábrica para o salão de exposições", referiu a *BusinessWeek* num artigo publicado em 19 de Julho de 2004. "Os automóveis podiam levar um mês a chegar – isto quando não se perdiam no caminho. E a Ford Motor Co. nem sempre era capaz de dizer aos seus representantes o que é que estava exactamente para chegar ou inventariar a mercadoria existente na estação da via-férrea mais próxima. Perdíamos o rasto a comboios inteiros carregados com automóveis", recorda Jerry Reynolds, proprietário da Prestige Ford, em Garland, Texas. "Era de loucos." No entanto, depois de a UPS ter tomado conta da logística da Ford, "os engenheiros da UPS... redesenharam toda a rede norte-americana de entregas da empresa, organizando tudo, desde o percurso dos automóveis saídos da fábrica até à forma como eram tratados nos centros de classificação regionais", incluindo a colocação de códigos de barras nos pára-brisas dos quatro milhões de automóveis que saíam das fábricas norte-americanas da Ford, de forma a poderem ser localizados da mesma forma que as encomendas. Como resultado, a UPS reduziu em 40 por cento, para uma média de dez dias, o tempo necessário para que os automóveis chegassem aos representantes. Segundo a *BusinessWeek*, "isto faz com que a Ford poupe anualmente milhões de dólares em custos de exploração e simplifica, aos seus 6,5 mil representantes, a tarefa de localização dos modelos mais procurados... 'Foi a transformação mais espectacular a que alguma vez assisti', diz Reynolds, maravilhado. 'O meu último comentário à UPS foi: Conseguem fazer-nos chegar peças sobressalentes da mesma forma?'"

A UPS mantém um *think tank***, denominado *Operations Research Division* ("Divisão de Investigação de Operações"), em Timonium, Maryland, que estuda a aplicação de algoritmos nas cadeias de abastecimento. A esta "escola" de matemática dá-se o nome de *package flow technology* (tecnologia de fluxo de encomendas) e está concebida para conjugar constantemente o destacamento de camiões, barcos e aviões da UPS, bem como as capacidades de separação, com o fluxo diário de enco-

---

* **N.T.** Rube Goldberg, um *cartoonista*, escultor e autor norte-americano, cujos desenhos mostravam máquinas ligadas de maneira absurda e extremamente complexas para produzirem um resultado simples. É normalmente associado a qualquer sistema intrincado de concretização de uma tarefa.

** **N.T.** Grupo de especialistas contratados para discutir um tema.

mendas de todo o mundo. "Actualmente, podemos proceder a mudanças na nossa rede em apenas algumas horas, de forma a ajustarmo-nos a alterações em termos de volume", refere o CEO da UPS, Mike Eskew. "Optimizar toda a cadeia de abastecimento é a chave para a matemática." A equipa da UPS, em Timonium, constituída por 60 pessoas, é essencialmente composta por licenciados em Engenharia e Matemática, incluindo alguns com mestrado.

A UPS tem também os seus próprios meteorologistas e especialistas em geopolítica cujo objectivo é detectar tempestades atmosféricas ou acontecimentos políticos, que terá de enfrentar num determinado dia. Para facilitar o progresso das suas cadeias de abastecimento, a UPS é o maior utilizador privado mundial da tecnologia sem fios, uma vez que só os seus condutores fazem mais de um milhão de telefonemas por dia durante os processos de recolha e entrega de encomendas através dos seus 88 mil carros, carrinhas, tractores e motociclos destinados ao transporte de encomendas. Segundo a UPS, todos os dias se pode encontrar dois por cento do PIB mundial nos camiões de entregas ou nos veículos de transporte de encomendas da UPS. Ah, já vos disse que a UPS dispõe também de um braço financeiro – a UPS Capital – que adianta o capital necessário a uma pequena empresa para a transformação da sua cadeia de abastecimento?

A título de exemplo, Mike Eskew salienta que a UPS estava, a dada altura, a concretizar um negócio com uma pequena empresa de biotecnologia do Canadá, que vendia tiras adesivas com produto cicatrizante, uma alternativa às suturas, mas altamente perecível. A empresa tinha um mercado em crescimento entre as grandes cadeias hospitalares, mas debatia-se com dificuldades para aguentar o ritmo da procura e com problemas de financiamento. Dispunha de centros de distribuição nas costas Leste e Oeste dos EUA. A UPS reformulou o sistema da empresa baseado num centro de refrigeração em Dallas e financiou-a através da UPS Capital. O resultado, disse Eskew, foi menos *stock* acumulado, mais *cash flow*, melhor serviço ao cliente – e mais um cliente onde a UPS estava "infiltrada". Um fabricante de véus e grinaldas em Montreal queria melhorar o seu relacionamento de negócio com os Estados Unidos. Mike Eskew recorda-se: "Concebemos um sistema consolidado de certificados de saída da alfândega, para que os véus e grinaldas não tivessem de atravessar a fronteira um a um. Depois colocámos a mercadoria num armazém em [*upstate* – Norte e Oeste da cidade de] Nova Iorque. Recebíamos as encomendas pela Internet, etiquetávamo-las, expedíamo-las e recebíamos o pagamento. Transferíamos esse dinheiro, através da UPS Capital, para os bancos da empresa, por via electrónica, para que tivessem o dinheiro de volta. Isso permitia-lhes entrar em novos mercados e reduzir o *stock*."

Eskew explicou: "Quando os nossos avós eram proprietários de lojas, o *stock* era aquilo que estava nas traseiras. Hoje, é uma caixa a duas horas de caminho, que vem num carro de transporte de encomendas, ou poderão ser centenas delas a atravessar o país de comboio ou de avião, havendo mais uns milhares a atravessar o oceano. Uma vez que todos temos visibilidade naquela cadeia de abastecimento, podemos coordenar todos os modos de transporte."

De facto, à medida que foram sendo delegados poderes aos consumidores para escolher os seus próprios produtos via Internet e de os encomendar segundo as suas próprias especificações, a UPS deu consigo na interessante posição de não ser apenas a empresa que recebe as encomendas, mas também, no que diz respeito ao serviço de expedição, aquela que entrega os produtos ao comprador à porta de sua casa. Consequentemente, outras empresas reagiram: "Vamos tentar colocar o máximo possível de produtos diferenciados no fim da cadeia de abastecimento, em vez de os colocarmos no início." Uma vez que a UPS era o último elo da cadeia de abastecimento antes de estes produtos serem carregados para os aviões, comboios e camiões, assumiram muitas destas funções, criando um negócio totalmente novo chamado *End of Runway Services* ("Serviços de final de linha").

No dia em que visitei Louisville, duas jovens colaboradoras da UPS estavam a embalar máquinas fotográficas Nikon, com cartões especiais de memória e bolsas de cabedal, um serviço extra de fim-de-semana encomendado por uma loja. Estavam a acondicioná-las em caixas especiais só para aquela loja. Ao assumir esta função, a UPS dá às empresas mais opções para terem produtos feitos à sua medida e à última hora.

A UPS também aproveitou bem as forças catalisadoras de transformação do mundo plano, que foram a Netscape e a sistematização do fluxo de trabalho. Antes de 1995, a localização e detecção das encomendas UPS para clientes era feita através de um *call center*. Bastava ligar para o número 800, da UPS, e perguntar a um operador onde estava a encomenda. Na semana antes do Natal, os operadores da UPS atendiam 600 mil telefonemas nos dias mais movimentados. Cada um desses telefonemas custava 2,10 dólares à empresa. Durante a década de 90, à medida que cada vez mais clientes da UPS se iam sentindo confortáveis com a Internet e que o seu próprio sistema de localização e de detecção aumentava em eficiência devido aos progressos da tecnologia sem fios, a UPS convidou os seus clientes a localizarem pessoalmente as suas encomendas através da Internet. Cada pesquisa custava à UPS entre cinco e dez cêntimos de dólar.

"Desta forma, reduzimos drasticamente os custos do nosso serviço e melhorámo-lo", disse o *Vice President* da UPS, Ken Sternad. Isto é ainda mais importante agora que a UPS recebe uma média diária de sete milhões de pedidos de localização de encomendas, número que ascende aos 12 milhões nos dias mais movimentados. Simultaneamente, a empresa delegou mais poder aos seus condutores através dos DIAD – *Driver Delivery Information Acquisition Services.* Trata-se de placas electrónicas de memória de transferência, de cor castanha, que os condutores da UPS levam para todo o lado. A última geração de DIAD diz a cada condutor onde colocar cada encomenda dentro do camião – a posição exacta na prateleira. Também lhe diz qual é a próxima paragem. No caso de este ir a uma morada errada, o sistema GPS inserido no DIAD não lhe permitirá entregar a encomenda. O sistema permite igualmente que uma mãe se ligue à Internet e saiba a que horas é que o condutor estará na sua zona a entregar a encomenda.

Insourcing é diferente de *supply-chaining* porque vai muito além da gestão da cadeia de abastecimento. Como se trata de logística gerida por terceiros, exige um tipo de colaboração muito mais próximo e amplo entre a UPS e os seus clientes e os clientes dos seus clientes. Em muitos casos, hoje em dia, a UPS e os seus colaboradores estão tão embrenhados nas infra-estruturas dos seus clientes que é quase impossível determinar onde é que acaba um e começa o outro. O pessoal da UPS não trata meramente da sincronização das suas encomendas – sincroniza toda a sua empresa e a interacção da mesma com os clientes e fornecedores.

"Já não se trata de um relacionamento entre vendedor e cliente", disse Eskew. "Nós atendemos os vossos telefonemas, falamos com os vossos clientes, armazenamos o vosso *stock* e dizemo-vos o que se vende e o que não se vende. Temos acesso à vossa informação e vocês confiam em nós. Gerimos concorrentes e a única forma de isto funcionar, conforme os nossos fundadores disseram à Gimbels e Macy's*, é 'confiem em nós'. Não violaremos esse compromisso. Porque estamos a pedir que nos entreguem parte dos vossos negócios, o que realmente exige confiança."

A UPS está a disponibilizar plataformas que permitem a qualquer um tornar a sua empresa global, ou melhorar significativamente a eficiência da sua cadeia de abastecimento global. É um negócio totalmente novo e a UPS está convencida de que este tem um crescimento praticamente ilimitado. O tempo o dirá. Se bem que as margens ainda sejam pequenas neste tipo de trabalho, só em 2003 o *insourcing* gerou 2,4 mil milhões de dólares de receitas à UPS. A minha intuição diz-me que os indivíduos que vestem calções castanhos engraçados e conduzem camiões castanhos invulgares estão a caminho de um acontecimento muito grande – algo que se tornou possível apenas pelo facto de o mundo estar a ficar plano e que o ajudará a ficar ainda muito mais.

Acontecimento # 9

In-forming – Motores de busca Google, Yahoo! e MSN

Eu e uma amiga conhecemos um indivíduo num restaurante. A minha amiga gostou logo dele, mas eu fiquei curiosa e desconfiada. Bastou-me fazer uma pesquisa no Google para, minutos depois, descobrir que ele tinha estado preso por um crime federal. Apesar de, uma vez mais, ter ficado desapontada com a qualidade

* **N.T.** Dois grandes armazéns norte-americanos.

do grupo promotor de encontros, pelo menos pude avisar a minha amiga sobre o passado violento daquele indivíduo.

– *Testemunho de uma utilizadora do Google*

Estou completamente fascinado com o serviço de tradução. A minha companheira conseguiu arranjar dois colaboradores para ajudarem num trabalho de demolição. Houve um erro de comunicação: ela pediu aos trabalhadores para aparecerem às 11 da manhã e o serviço de emprego enviou-os às 8.30 horas. Eles falavam apenas espanhol. Eu falo inglês e um pouco de francês. Os nossos vizinhos hispânicos não estavam em casa. Com a ajuda do serviço de tradução, conseguimos comunicar, pedir desculpa pela interpretação errada das horas, estabelecer expectativas e pedir para regressarem às 11 horas. Obrigado por fornecerem esta ligação... Obrigado, Google.

– *Testemunho de um utilizador do Google*

Só quero agradecer ao Google por me ensinar a encontrar o amor. Enquanto procurava o meu irmão, há muito tempo desaparecido, dei com um *website* mexicano para *strippers* masculinos – e fiquei chocada. O meu irmão trabalhava como prostituto! Na primeira oportunidade que tive, apanhei um avião até à cidade onde trabalhava para o libertar da sua profissão degradante. Fui ao clube onde trabalhava e encontrei-o. Mas, mais do que isso, encontrei um dos seus colegas de profissão... Casámos no passado fim-de-semana [no México] e tenho a certeza de que, sem os serviços do Google, nunca teria descoberto o meu irmão, o meu marido ou a natureza surpreendentemente lucrativa da indústria do *striptease* masculino no México! Obrigada, Google!

– *Testemunho de uma utilizadora do Google*

A sede do Google, em Mountain View, Califórnia, transmite-nos uma sensação idêntica à de um parque temático como o Epcot Center: tantos e tão engraçados brinquedos da era espacial com que brincar e tão-pouco tempo para isso. Numa ponta localiza-se um globo giratório que emite feixes luminosos com base no número de pessoas que estão a pesquisar no Google. Conforme seria de esperar, a maioria dos raios de luz pisca na América do Norte, na Europa, na Coreia, no Japão e no litoral da China. O Médio Oriente e a África estão praticamente apagados. Numa outra ponta encontra-se um ecrã que exibe uma amostra de temas que estão a ser pesquisados, naquele preciso momento, em todo o mundo. Quando, em 2001, estive em Mountain View, perguntei aos meus anfitriões quais tinham sido, ultimamente, os temas de pesquisa mais frequentes. Um, claro, era "sexo", eterno favorito dos utilizadores do Google. Outro era "Deus". Muitas pessoas procuram por Ele ou Ela. Uma terceira era "empregos" – não se encontram os suficientes. E qual era o quarto item mais procurado quando por lá passei? Não sabia se havia de rir ou chorar: "luta greco-romana profissional". A busca mais estranha de todas, contudo, é o livro de receitas do Google. Funciona assim: as pessoas apenas têm de abrir o frigorífico, ver o que têm lá dentro, escrever o nome de três ingredientes no Google e esperar um pouco para ver a receita que aparece no monitor.

Felizmente, não há uma única palavra ou assunto que seja responsável por mais de um ou dois por cento de todas as pesquisas no Google, num dado momento. Ninguém tem de ficar demasiado preocupado com o destino da humanidade em resultado dos temas mais procurados no Google. Na verdade, é a extraordinária diversidade de pesquisas feitas em tantas e tão diferentes línguas que tornam este motor de busca (bem como os motores de busca em geral) uma força tão importante no processo do mundo se tornar mais plano. Nunca antes na História do planeta houve tantas pessoas – *por iniciativa própria* – com capacidade para encontrar tanta informação sobre temas tão diversificados e sobre tantas outras pessoas.

Sergey Brin, co-fundador de origem russa do Google, afirmou que "se alguém tiver banda larga, *dial-up* ou acesso à Internet num local público, seja um miúdo no Camboja, um professor universitário ou eu, que administro este motor de busca, todos temos o mesmo acesso de base a toda a informação que quisermos pesquisar. Trata-se de um equalizador total. Muito diferente daquilo que existia quando eu cresci. O melhor lugar para pesquisar era uma biblioteca e nenhuma dispunha de tanto material. Às vezes era preciso esperar por um milagre, ou procurar algo muito simples ou muito recente".

O objectivo do Google é este – tornar facilmente disponível todo o conhecimento mundial, em todas as línguas. Os seus responsáveis esperam que, a seu tempo, com um PalmPilot ou um telemóvel, todos os indivíduos, independentemente do sítio onde estejam, possam ter oportunidade de transportar nos seus bolsos um instrumento mínimo que lhes permita aceder ao conhecimento global. "Tudo" e "todos" são palavras-chave que se ouvem permanentemente no Google. Com efeito, a história oficial do Google descrita na sua *home page* (página principal) salienta que o nome dado ao motor de busca deriva da palavra "googol", termo matemático para o número um, seguido de cem zeros. A utilização deste termo simboliza a missão do Google: "Organizar a imensa, aparentemente infinita, quantidade de informação disponível na *Web*." O que o sucesso do Google reflecte é a forma como as pessoas estão interessadas em ter exactamente isso – todo o conhecimento do mundo ao alcance de um clique. Não existe maior força de nivelamento em todo o processo que está a tornar o mundo plano do que a ideia de disponibilizar todo o conhecimento do mundo, ou mesmo apenas uma parte dele, a tudo e a todos, independentemente da hora e do lugar onde se encontrem.

"Só não pode usar o Google quem não tiver acesso a um computador. Quem puder teclar, pode usar o Google", acrescentou o CEO da empresa, Eric Schmidt. Se o facto de o mundo se tornar plano significa alguma coisa, esse significado é o de que "não há discriminação no acesso ao conhecimento. O Google pode ser actualmente pesquisado em cem línguas diferentes e, de cada vez que descobrimos uma, melhoramo-lo. Imaginemos um grupo com um iPod Google, um dia, podendo transmitir por voz o que deve pesquisar – isso ajudaria as pessoas que não podem usar um computador – e então a questão do acesso ao Google passa a girar em torno do preço a que conseguimos aparelhos baratos para as pessoas manejarem", acrescentou o mesmo responsável.

De que forma é que a pesquisa se encaixa no conceito de colaboração? Eu chamo-lhe "*in-forming*". O *in-forming* é o equivalente pessoal de um indivíduo ao *uploading*, *outsourcing*, *insourcing*, *supply-chaining* e *offshoring*. O *in-forming* é a capacidade para criar e utilizar a sua própria cadeia de abastecimento – uma cadeia de abastecimento de informação, conhecimento e lazer. O *in-forming* tem a ver com a autocolaboração – tornar-se no seu próprio investigador, editor e seleccionador de actividades de lazer, investindo em competências e liderando-se a si próprio, sem ter de se deslocar à biblioteca, ao cinema ou ligar-se a uma rede de televisão. O *in-forming* é a procura de conhecimento. Tem a ver com a procura de pessoas e comunidades que pensam como você. A fenomenal popularidade global do Google, que impulsionou o Yahoo! e a Microsoft (através do seu novo MSN Search) a disponibilizar também nos seus *websites* motores de busca e importantes características do *in-forming*, demonstra o quanto as pessoas estão ávidas por esta forma de colaboração. O Google processa actualmente mil milhões de pesquisas diárias, contra 150 milhões há apenas três anos.

Quanto mais fácil e exacta for a pesquisa, mais global se torna a base de utilizadores do Google e mais poderoso se torna como nivelador, acrescentou Larry Page, outro co-fundador do Google. A cada dia que passa, cada vez mais pessoas estão aptas a proceder ao seu próprio *in-forming*, na sua própria língua. Actualmente, disse Page, "apenas um terço das pesquisas feitas no nosso motor de busca provém dos Estados Unidos e menos de metade é em inglês". Além disso, acrescentou, "como as pessoas, cada vez mais, procuram temas curiosos ou desconhecidos, a publicação destes também aumentou", o que tem como consequência um maior efeito nivelador do *in-forming*. Todos os grandes motores de busca tornaram recentemente possível aos utilizadores a procura na *Web* não só de informação, mas também de palavras, dados ou *e-mails* que estejam no disco rígido (*hard drive*) dos seus próprios computadores e de cuja localização se tenham esquecido. Quando é possível pesquisar a própria memória do computador, mais eficientemente, isso é o verdadeiro *in-forming*. Em finais de 2004, o Google anunciou planos para digitalizar os conteúdos totais das bibliotecas da Universidade de Michigan e da Universidade de Stanford e disponibilizar *on-line* dezenas de milhares de livros para leitura e pesquisa.

No início, os motores de busca tiveram um efeito fascinante devido à possibilidade que davam de se poder encontrar a informação procurada; os momentos *eureka* eram surpresas constantes e inesperadas, conta Jerry Yang, co-fundador do Yahoo! "Actualmente, a atitude das pessoas é muito mais 'previsível'. Parte-se do princípio que a informação que se procura está disponível de certeza e que basta que os responsáveis pelas tecnologias lhe facilitem o acesso, através de menos operações no teclado", disse. "A democratização da informação está a ter um profundo impacto na sociedade. Os consumidores de hoje são muito mais eficientes – conseguem encontrar informação, produtos e serviços mais rapidamente [através dos motores de busca] do que através dos meios tradicionais. Estão mais bem informados sobre os assuntos relacionados com trabalho, saúde, lazer, etc. As pequenas cidades já não estão em desvantagem face às que têm melhor acesso à informação. As pessoas têm capacidade para se 'ligarem' melhor ao que lhes interessa, para rápida e facilmente se tornarem especialistas em determinados assuntos e para se 'ligarem' com outras que partilham os seus interesses."

Os fundadores do Google compreenderam que, em finais dos anos 90, centenas de milhares de páginas *Web* estavam a ser adicionadas diariamente à Internet e que os motores de busca que na altura existiam, com tendência para procurarem através de palavras-chave, poderiam não acompanhar o ritmo.

Brin e Page, que se conheceram na Universidade de Stanford enquanto tiravam os seus cursos de Informática, em 1995, desenvolveram uma fórmula matemática que classificava uma página *Web* pela forma como muitas outras páginas *Web* estavam ligadas a ela (*PageRank*), partindo do princípio que quanto mais pessoas acedessem a uma determinada página, mais importante ela seria. O principal progresso tecnológico que permitiu ao Google tornar-se no maior motor de busca foi a sua capacidade para conjugar a sua tecnologia *PageRank* com uma análise do conteúdo da página, que determina quais as páginas mais relevantes para uma determinada pesquisa que está a ser feita. Apesar de o Google ter entrado no mercado depois de outros grandes motores de busca, as suas respostas eram vistas pelas pessoas como sendo mais exactas e relevantes em relação àquilo que procuravam. O facto de ser ligeiramente superior aos seus concorrentes fez com que milhões de pessoas transferissem as suas preferências para o Google. (O Google emprega actualmente um grande número de matemáticos que trabalha nos seus algoritmos de pesquisa, num esforço para se manter um passo à frente da concorrência.)

Por alguma razão, disse Brin, "subestimou-se a importância de encontrar informação, por oposição a outras coisas que podiam ser feitas *on-line*. Se estiver à procura de algo relacionado com um tema de saúde, é porque realmente quer saber sobre esse tema; nalguns casos, é um assunto de vida ou morte. Temos pessoas que procuram 'sintomas de ataque cardíaco' no Google e que logo a seguir telefonam para as emergências médicas". No entanto, na maior parte das vezes as informações pedidas são mais simples.

Quando estive em Pequim, em Junho de 2004, uma manhã estava a descer de elevador com a minha esposa, Ann, e a minha filha de 16 anos, Natalie, que levava consigo muitos postais ilustrados que tinha escrito para os seus amigos. A Ann disse-lhe: "Trouxeste as moradas deles?" Natalie olhou para ela como se, decididamente, a mãe fosse do século passado. "Não", disse ela, com um tom de voz de "estás-tão-por-fora-das-coisas-mãe". "Basta-me escrever os números de telefone deles no Google e as moradas de casa aparecem imediatamente."

Livro de endereços? Que tonta, mamã.

Natalie estava apenas a fazer *in-forming*, utilizando o Google, de uma forma que eu nem imaginava ser possível. Graças ao Google, toda a informação digitalizada que estávamos a criar com os nossos PC passou subitamente a poder ser pesquisada. De um momento para o outro, pôde ser explorada. O mais desconcertante é a quantidade de informação disponível – informação que nunca foi pesquisada, mas que o será no futuro, graças a motores de busca cada vez mais inteligentes, que estarão aptos a esquadrinhar volumes cada vez maiores de diferentes tipos de dados – como imagens, vídeos, anúncios imobiliários, informações de trânsito, jornais escolares e curas para doenças. "As pessoas pensavam que o texto era a única fonte de informação", afirmou Kai-Fu Lee, que instalou o centro de investigação da Microsoft em Pequim e hoje dirige as operações do Google na China. "Porém, há imagens, vídeos, livros – nalguns casos muito antigos – que podem agora ser pesquisados. Existe a informação geográfica, os mapas, bem como a informação local e a informação pessoal. Informação no seu computador... Na prática, tudo o que vemos, ouvimos, tocamos, lemos e escrevemos é informação – e, actualmente, a pesquisa na Internet apenas cobre uma fracção residual de tudo o que pode ser procurado, pesquisado e navegado." Com o tempo, os indivíduos terão o poder de encontrar tudo o que quiserem no mundo, em qualquer momento e a partir de qualquer tipo de dispositivo – o que concederá um enorme poder. "O que me atrai é o poder", acrescentou Lee. "Poderei concentrar o meu tempo, a minha atenção e a minha inteligência naquilo que faço melhor, que não é pesquisar coisas." É construir, conceber, imaginar e criar coisas.

Durante a nossa viagem à China, a Natalie também trazia o seu iPod, o que lhe dava poder para se *in-form* de outra maneira – com entretenimento em vez de conhecimento. Ao descarregar todas as suas canções favoritas para o seu iPod, levando-as consigo por toda a China, Natalie tinha-se tornado a sua própria editora musical. Durante décadas, a indústria radiofónica foi construída em torno da ideia de pôr anúncios no ar à espera que alguém os estivesse a ouvir. Graças às tecnologias que contribuem para tornar o mundo plano na área do lazer, o velho mundo da indústria radiofónica está a desaparecer rapidamente. Agora, com a

TiVo*, pode tornar-se no seu próprio editor de televisão. A TiVo permite aos telespectadores gravar digitalmente os seus programas favoritos e saltar por cima dos anúncios, excepto daqueles que queiram ver. Apenas se vê aquilo que se quer e quando se quer. Com a TiVo pode ver somente os espectáculos que pretende e os anúncios relativos aos produtos nos quais poderá estar interessado.

Tal como o Google, também a TiVo pode localizar aquilo que procura. Na TiVo é possível saber quais são os espectáculos e anúncios que está a passar por cima, os que está a guardar e os que está a rever na sua própria televisão. Eis um questionário sobre notícias: Sabe qual foi o momento mais revisto na história da TV? Resposta: a exibição do seio de Janet Jackson, ou, como é eufemisticamente referido, "o defeito do seu vestido", no *Super Bowl* (final do campeonato de futebol americano), em 2004. Basta perguntar à TiVo. Num *press release,* que difundiu em 2 de Fevereiro de 2004, a TiVo foi clara sobre o assunto: "Justin Timberlake e Janet Jackson arrebataram o espectáculo no *Super Bowl* de domingo, atraindo quase o dobro de telespectadores em relação ao número que assistiu aos momentos mais emocionantes em campo, de acordo com uma avaliação anual de audiências, segundo a segundo, nos lares que utilizam TiVo. O momento Jackson-Timberlake foi responsável pelo maior pico de audiências que a TiVo alguma vez registou. O número de telespectadores aumentou 180 por cento, enquanto, em centenas de milhares de lares, os cidadãos recorriam às capacidades únicas da TiVo para pararem e reverem aquele momento televisivo, que tinha sido exibido em directo, vezes sem conta."

Assim, se cada pessoa pode, cada vez mais, ver aquilo que quer, as vezes que quer e quando quer, o conceito global de emissão televisiva (que é que se coloca programas no ar uma vez, a par dos anúncios, e depois se tenta calcular as audiências) irá fazer cada vez menos sentido. As empresas nas quais o utilizador vai certamente apostar são aquelas que, à semelhança do Google, Yahoo! ou TiVo, aprendem a colaborar com os seus utilizadores e lhes oferecem espectáculos e anúncios feitos exactamente à medida deles. Consigo imaginar o dia, que está para breve, em que os anunciantes só pagarão por isso.

Empresas como a Google, a Yahoo!, a Amazon.com e a TiVo prosperaram não por impingir produtos e serviços aos seus clientes, mas por criarem sistemas colaborativos, que permitem que os clientes os encaixem à sua medida, e por responderem com rapidez ao que lhes é pedido. É muito mais eficiente.

"Pesquisar é um processo de tal forma pessoal, que delega poder ao homem como nenhum outro", salientou o CEO da Google, Eric Schmidt. "É a antítese

---

* **N.T.** Empresa norte-americana que fornece tecnologia e presta serviços associados aos gravadores de vídeo digitais. Esta nova tecnologia permite gravar, ver e controlar os programas televisivas ao gosto do utilizador.

de nos dizerem ou de nos ensinarem o que quer que seja. Tem a ver com autodelegação de poderes; dá a todos o poder de fazer o que acharem melhor com a informação que pretendem. É muito diferente de qualquer outra coisa que já tenha surgido. O rádio foi um-para-muitos. A televisão foi uma-para-muitos. O telefone foi um-para-um. A pesquisa é a expressão, no seu nível máximo, do poder pessoal, através da utilização de um computador, para observar o mundo e descobrir exactamente o que se deseja – e todas as pessoas são diferentes quando se chega a essa fase."

O que tornou o Google não só um motor de busca mas também um negócio altamente lucrativo foi a percepção tida pelos seus fundadores de que poderiam criar um modelo de publicidade direccionada, isto é, que desse ao utilizador a mensagem que fosse relevante para este enquanto pesquisasse um determinado assunto, podendo cobrar aos anunciantes em função do número de vezes que os utilizadores clicavam nos seus anúncios. Enquanto a CBS, ao transmitir um filme, não tem uma ideia exacta de quem está a assistir ou de quem vê os seus anúncios, o Google sabe exactamente o que interessa a quem o utiliza – afinal de contas, está à procura disso – e pode ligá-lo através de *links* a anunciantes directa ou indirectamente relacionados com as suas pesquisas. Em finais de 2004, o Google deu início a um serviço através do qual, suponhamos, se estiver a passear por Bethesda, Maryland, e lhe apetecer *sushi*, basta-lhe enviar uma SMS do seu telemóvel para o Google, na qual escreve "Sushi 20817" – o código postal de Bethesda – e ser-lhe-á enviada de volta uma mensagem de texto com as escolhas possíveis. Só Deus sabe onde é que isto irá dar.

No entanto, o *in-forming* também envolve a procura de amigos, aliados e colaboradores. Está a possibilitar a criação de comunidades globais, atravessando todas as fronteiras internacionais e culturais, o que representa um outro acontecimento extremamente importante no processo de tornar o mundo plano. As pessoas podem agora procurar companheiros, ou colaboradores, seja para que efeito, assunto, projecto ou tema for – particularmente através de portais como o Yahoo! Groups. O Yahoo! tem cerca de 300 milhões de utilizadores e quatro milhões de grupos activos. Esses grupos têm 13 milhões de participantes singulares que acedem aos mesmos, todos os meses, de todos os cantos do mundo.

"A Internet está a crescer na área dos *self-services* e o Yahoo! Groups exemplifica essa tendência", refere Jerry Yang. "Disponibiliza um fórum, uma plataforma, um conjunto de ferramentas que permite a realização de reuniões privadas, semiprivadas ou públicas na Internet, independentemente da geografia ou das horas. Possibilita aos consumidores reunirem-se em torno de tópicos que têm significado para eles, de formas que não são práticas nem possíveis *off-line*. Os grupos podem servir de conjunto de apoio para completos desconhecidos que são galvanizados por um tema comum (lidar com doenças raras, ser pai ou mãe pela primeira vez, cônjuges de militares no activo) ou que procuram pessoas com quem partilhar interesses semelhantes (*hobbies* tão esotéricos quanto trenós puxados por cães, jogos de *blackjack* e frequência de solários têm imensos membros). As comunidades existentes podem migrar *on-line* e florescer num ambiente interactivo (liga de futebol infantil local, grupo de jovens cristãos, associações de antigos alunos universitários), fornecendo uma casa virtual aos grupos interessados em partilhar, organizar e comunicar informação valiosa para cultivar comunidades com elevado nível de interacção. Alguns existem apenas *on-line* e nunca poderiam ser bem sucedidos *off--line*, enquanto outros retratam comunidades reais. Os grupos podem ser criados e dissolvidos instantaneamente; os tópicos podem mudar ou ter cariz permanente. Esta tendência irá crescer à medida que os consumidores se tornarem cada vez mais editores das suas vontades, podendo procurar a afinidade e a comunidade que *eles* escolherem – quando, onde e como a escolhem."

Ser bom

Quando os indivíduos têm o poder de se informar através de todos estes métodos novos, estamos perante um acontecimento que torna o mundo tremendamente plano – mas também tremendamente assustador. Porquê? Porque as pessoas poderão obter informações sobre mim e sobre si – um facto que costumava ser impossível ou muito difícil de concretizar. As nossas vidas e as dos nossos antepassados costumavam estar cobertas de betão. Era preciso perfurar muito e, mesmo quando se conseguia entrar, era muito difícil descobrir o que aí se passava. Sim, estas paredes de betão também podiam proteger pessoas más – desde vigaristas a pedófilos – à medida que mudavam de casa. Porém, também nos protegiam e à nossa privacidade, dificultando a vida dos curiosos que queriam saber demasiado sobre o nosso passado ou presente. No entanto, o Google, o Yahoo! e o MSN Search estão a furar essas paredes, muito rapidamente, permitindo que qualquer pessoa vasculhe o passado de outrem ao premir algumas teclas no PalmPilot. É impossível saber que tipo de impressões digitais estamos a deixar nas bases de dados, que pensamos serem privadas e que são, ou serão brevemente, "pesquisáveis". É possível que fique chocado ao descobrir tudo o que as pessoas ou empresas podem saber a seu respeito – como o seu salário e a sua morada ou os seus livros favoritos – apenas 'Googlando" o seu nome.

Num mundo plano, não pode fugir, não pode esconder-se e cada vez mais as pequenas pedras serão reviradas. Viva a sua vida honestamente porque, o que quer que faça, seja quais forem os erros que cometa – tudo será um dia "pesquisável". Quanto mais plano se tornar o mundo mais transparente se tornarão as pessoas comuns.

Antes de a minha filha Orly ir para a universidade, no Outono de 2003, já me falava sobre os seus companheiros de quarto. Quando lhe perguntei como é que sabia algumas das coisas que mostrava saber – tinha falado com eles ou recebido *e-mails* deles? – ela respondeu-me que não tinha sido nada disso. Bastou-lhe procurar por eles no Google. Teve como resultado material proveniente de jornais escolares, documentos locais, etc., e felizmente não havia registos policiais. São assim os miúdos do liceu!

"Neste mundo, é melhor fazer as coisas de forma correcta – já não se fazem as malas e se muda de cidade tão facilmente sem deixar rasto", disse Dov Seidman, que gere a LRN, uma empresa de consultadoria em conformidade legal e ética empresarial. "Através do Google, a sua reputação segui-lo-á como uma sombra até à próxima etapa da sua vida. Chega lá antes de si... A reputação começa agora mais cedo. Não precisa de passar quatro anos a embebedar-se. A sua reputação começa a formar-se desde muito cedo. 'Diga sempre a verdade', disse Mark Twain, 'e assim não terá de estar a recordar-se daquilo que disse'." Muitos podem ser investigadores privados da sua vida e podem também partilhar as suas descobertas com muitos outros.

Na era da pesquisa super-rápida, todos são celebridades. O Google nivela a informação – não há fronteiras de classe ou instrução. "Se tiver acesso ao Google, consigo descobrir qualquer coisa", disse Alan Cohen, *Vice President* da Airespace, que vende tecnologia sem fios. "O Google é como Deus. Deus não tem fios, Deus está em todo o lado e Deus vê tudo. Quaisquer que sejam as perguntas que haja no mundo, basta fazê-las ao Google."

Alguns meses depois de Alan Cohen me ter feito este comentário, dei com a seguinte história da área empresarial na CNET News.com: "O gigante motor de busca Google anunciou, na quarta-feira, a compra da Keyhole, uma empresa especializada em *software* para *Web*, que permite às pessoas ver imagens por satélite de todo o planeta... O *software* dá aos utilizadores a possibilidade de fazer *zoom* a partir do espaço; em alguns casos, podem fazer *zoom* até terem a perspectiva de uma determinada rua. A empresa não dispõe de imagens de alta resolução para todo o globo, mas o seu *website* faculta uma lista de cidades que estão disponíveis para um visionamento mais pormenorizado. A empresa concentrou-se mais em cobrir grandes áreas metropolitanas nos Estados Unidos e está a trabalhar no sentido de expandir a sua cobertura."

Acontecimento # 10

Os Esteróides – Digitais, Móveis, Pessoais e Virtuais

O verdadeiro factor diferenciador do iPaq* é o facto de não necessitar de fios. É o primeiro equipamento *palmtop*** que pode ligar-se à Internet e a outros dispositivos, de qua-

---

* **N.T.** PC de bolso da Hewlett-Packard.
** **N.T.** Extensão ou complemento móvel de um PC.

tro maneiras, sem fios. Para distâncias até cerca de 75 centímetros, o iPaq pode emitir informação, como o seu Vcard*, para outro *palmtop*, utilizando um transmissor por infravermelhos. Para distâncias até cerca de 9 metros, criou a ligação via BlueTooth...** Para distâncias até 45 metros, tem uma antena *Wi-Fi*. No que diz respeito às transmissões para todo o planeta, o iPaq está equipado com outro factor surpreendente: tem um telemóvel incorporado. Se, no escritório, não conseguirem contactá-lo desta forma, é porque está numa Estação Espacial Internacional.

– Retirado de um artigo publicado no New York Times
sobre o novo PC de bolso da HP, em 29 de Julho de 2004

Viajo no comboio de alta velocidade, de Tóquio para Mishima, em direcção a sudoeste. A paisagem é espectacular: aldeias piscatórias à minha esquerda e o Monte Fuji, coberto de neve, à minha direita. O meu colega Jim Brooke, repórter do *The New York Times* em Tóquio, senta-se na coxia. Não presta atenção à vista. Está concentrado no computador. Na verdade, também estou, mas com uma diferença: enquanto ele está *on-line* através de uma ligação sem fios, eu estou apenas a escrever um artigo para um jornal no meu computador portátil sem ligação à net. Desde que no outro dia apanhámos juntos um táxi, na baixa de Tóquio, e o Jim pegou no seu portátil sem fios, o colocou no banco de trás e me enviou um *e-mail* através do Yahoo!, que tenho vindo a falar do excelente grau de penetração da tecnologia sem fios e da sofisticação tecnológica no Japão. Exceptuando algumas ilhas e aldeias montanhosas longínquas, pode ficar *on-line* em qualquer parte do Japão, desde o interior das estações de metropolitano ao interior dos comboios de alta velocidade, desde que tenha um cartão sem fios no seu computador ou um telemóvel japonês. Jim sabe que estou um pouco obcecado com o facto de o Japão ter uma infra-estrutura tecnológica para a Internet sem fios muito melhor do que os Estados Unidos. De qualquer forma, Jim gosta de insistir nesse assunto.

"Olha, Tom, neste momento estou *on-line*", diz ele, à medida que os meus olhos desfilam pela paisagem japonesa. "Um amigo meu, correspondente do *Times,* em Alma Ata, acabou de ser pai. Estou a enviar-lhe os parabéns. A filha nasceu na noite passada." Jim continua a pôr-me ao corrente do que está a fazer. "Agora estou a ler os destaques!" – um resumo das principais notícias do dia no *New York Times*. Por fim, solicitei a Jim, que fala um pouco de japonês, que pedisse ao maquinista para vir ter connosco. Ele vai, sem pressas. Depois, peço-lhe que pergunte a que velocidade vai. Eles falam em japonês durante alguns segundos, antes de Jim traduzir: "240 quilómetros por hora." Abanei a cabeça, incrédulo. Estamos num comboio de alta velocidade, a 240 km por hora, o meu colega está a responder a um *e-mail* do Caza-

---

* **N.T.** Cartão-de-visita electrónico.

** **N.T.** Tecnologia para a comunicação sem fios entre dispositivos.

quistão e eu nem consigo conduzir de minha casa, nos subúrbios de Washington, para a baixa da cidade sem que o meu serviço de telemóvel seja interrompido pelo menos duas vezes! No dia anterior, estava em Tóquio à espera de uma reunião com o colega de Jim, Todd Zaun, e ele estava inquieto com o seu telemóvel japonês, que se liga à Internet com grande facilidade em qualquer lugar. "Sou surfista", explicou Todd, enquanto usava o seu polegar para manipular o teclado numérico. "Por três dólares por mês, subscrevo um *site* [japonês] que me informa todas as manhãs sobre a altura a que estão as ondas nas praias perto de minha casa. Dou uma olhadela e decido qual é o melhor sítio para ir surfar naquele dia."

(Quanto mais pensava nisto, mais queria concorrer a presidente para fazer campanha com base num só tema: "Prometo, se for eleito, que, dentro de quatro anos, os Estados Unidos terão uma cobertura de rede para os telemóveis tão boa como o Gana e, dentro de oito anos, tão boa quanto a do Japão – desde que os japoneses assinem um acordo de não progressão e não inovem durante 8 anos, de forma a podermos alcançá-los." O meu cartaz de campanha seria muito simples: "E agora, já consegue ouvir-me?")

Sei que os Estados Unidos, mais tarde ou mais cedo, irão alcançar o resto do mundo no que diz respeito à tecnologia sem fios. Já está a acontecer. O último dos dez acontecimentos que tornaram o mundo mais plano não aborda apenas a tecnologia sem fios. Introduz aquilo a que chamo "esteróides". Dou este nome a algumas novas tecnologias porque estão a amplificar e a dinamizar os outros nove acontecimentos. Elas assumem todas as formas de colaboração analisadas ao longo deste capítulo – *outsourcing*, *offshoring*, *uploading*, *supply-chaining*, *insourcing* e *in-forming* – e possibilitam a concretização, de cada uma e de todas elas, de uma forma que é "digital, móvel, virtual e pessoal", como foram caracterizadas pela antiga CEO da HP, Carly Fiorina.

Com "digital", Fiorina queria dizer que, graças às revoluções PC-Windows-Netscape – sistematização do fluxo de trabalho, todo o conteúdo e processos analógicos, desde a fotografia ao entretenimento, das comunicações ao processamento de texto, do *design* arquitectural à gestão dos sistemas de rega do relvado de uma casa – estão a ser digitalizados e, consequentemente, podem ser configurados, manipulados e transmitidos nos computadores, Internet, satélites ou cabos de fibra óptica. Com "virtual", ela referia-se ao processo de configuração, manipulação e transmissão deste conteúdo digitalizado e à forma como pode ser realizado a ritmos muito elevados, com total à-vontade, pelo que nunca tem de pensar nisso – como resultado de todas as vias, protocolos e padrões digitais subjacentes que já foram instalados. Com "móvel", ela queria dizer que, graças à tecnologia sem fios, tudo isto pode ser feito em qualquer lugar, por qualquer pessoa, através de qualquer dispositivo, e ser transportado para todo o lado. E, com "pessoal", ela quis dizer que pode ser feito por si, só para si, no seu próprio aparelho.

A que se assemelha o mundo plano quando se reúnem todas estas novas formas de colaboração e se melhoram significativamente? Deixe-me dar-lhe apenas um exemplo. Bill Brody, reitor da Universidade Johns Hopkins, contou-me esta história no Verão de 2004: "Estava num congresso de Medicina, em Vail, quando um médico citou um estudo da Universidade Johns Hopkins. Ele estava a tentar reunir adeptos para uma nova abordagem de tratamento do cancro da próstata contrária ao actual método cirúrgico. Tratava-se de uma abordagem minimamente invasiva ao cancro da próstata. O referido médico citou, então, um estudo feito pelo Dr. Patrick Walsh, que tinha desenvolvido um padrão moderníssimo de cuidados na cirurgia da próstata. O orador propunha um método alternativo – controverso, portanto –, mas citou o estudo de Walsh, na Hopkins, de uma forma que sustentava a sua abordagem. Ao ouvi-lo, exclamei para comigo: 'Não me parece nada o estudo do Dr. Walsh!' Por isso, e como tinha um PDA (assistente pessoal digital)* –, pus-me imediatamente *on-line* [sem fios] e acedi ao portal da Johns Hopkins. Entrei na secção de Medicina e fiz uma pesquisa enquanto estava sentado. Num instante apareceram todos os resumos dos trabalhos de Walsh. Cliquei num, li-o e não tinha nada a ver com o que o indivíduo dizia que era. Quando chegou a sessão de perguntas e respostas, levantei o dedo para falar. Li duas linhas do resumo. O referido médico ficou vermelho."

A digitalização e o armazenamento de todas as investigações médicas, na Johns Hopkins, nos últimos anos, possibilitaram a Brody pesquisá-las instantaneamente e praticamente sem ter de reflectir. Os progressos da tecnologia sem fios permitiram-lhe fazer a pesquisa naquele lugar e sem qualquer dispositivo. E o seu computador pessoal portátil permitiu-lhe fazer aquela pesquisa pessoalmente – ele, apenas para ele.

Quais são os esteróides que tornaram tudo isto possível?

O primeiro tem a ver com computação: uma forma simples de reflectir sobre a computação, a qualquer escala, é que esta é composta por três factores: capacidade computacional, capacidade de armazenamento e capacidade de entrada/saída – a velocidade através da qual a informação entra e sai dos complexos computador/armazenamento. Estes factores têm vindo a crescer de forma constante e sistemática desde os dias dos primeiros *mainframes* volumosos. Este progresso de consolidação mútua é um esteróide muito importante. Em resultado disso, ano após ano, fomos sendo capazes de digitalizar, configurar, processar e transmitir mais palavras, música, dados e entretenimento do que alguma vez tinha sido possível.

A título de exemplo, há várias décadas que os fabricantes de *chips* "reduzem [constantemente] a dimensão dos transístores dos *chips*, no sentido de encurtar as distâncias que os electrões têm de percorrer, permitindo assim aumentar a velocidade do processamento de dados", salientou a *BusinessWeek* (Junho de 2005). MIPS

---

* **N.T.** Espécie de computador de bolso.

significa "milhões de instruções por segundo" e é uma medida da capacidade computacional dos *microchips* de um computador. Em 1971, o microprocessador Intel 4004 produzia 0,06 MIPS, ou 60 mil instruções por segundo. O actual Intel Premium Processor Extreme Edition (com processador duplo) tem uma capacidade de processamento teórica superior a 20 mil milhões de instruções por segundo. Em 1971, o microprocessador Intel 4004 continha 2300 transístores. O mais recente processador da Intel – Itanium – engloba 1,7 mil milhões de transístores.

No entanto, há um problema: estes circuitos minúsculos estão todos a ser enfiados em espaços tão diminutos que aquecem de tal forma que afectam o desempenho dos *chips*. Não se preocupe. Os fabricantes continuam a inovar este esteróide para fazerem *chips* cada vez mais super-rápidos, substituindo o poderoso microprocessador único, que se encontra no coração do PC, por dois ou mais "núcleos computacionais" que trabalham em conjunto num microprocessador, salientou a *BusinessWeek*. Estes núcleos podem partilhar a carga, para que nenhum sobreaqueça ou use demasiada energia.

Neste intervalo, a entrada e saída de dados deu um salto em frente, a um ritmo surpreendente. À velocidade que as *drives* do disco operavam nos primeiros tempos, de 286 a 386 *chips*, demoraria cerca de um minuto a descarregar uma única foto da minha máquina digital mais recente. Actualmente, consigo fazê-lo em menos de um segundo com uma ligação USB 2.0 e um processador Pentium. Ao mesmo tempo, a quantidade de material que agora se pode armazenar para entrada e saída "excede as previsões, graças aos progressos constantes dos dispositivos de armazenamento", disse Craig Mundie, responsável da Microsoft pela área da tecnologia. "O armazenamento está a crescer de forma exponencial, o que é verdadeiramente um factor a ter em conta nesta revolução." É o que tem vindo a permitir que todas as formas de conteúdos se tornem digitais e, até certo ponto, portáteis. Está também a tornar-se suficientemente acessível, do ponto de vista financeiro. Há cinco anos, ninguém teria acreditado que seria possível vender iPod com discos de 40 *gigabytes*, capazes de armazenar milhares de músicas, a preços acessíveis para os adolescentes. Agora, são vistos como banais. No que diz respeito ao transporte de todos estes *bits*, o mundo da computação foi dinamizado. Os avanços tecnológicos na fibra óptica em breve permitirão que uma só fibra transporte um *terabit* por segundo. Com 48 fibras num cabo, teremos 48 *terabits* por segundo. Henry Schacht, antigo CEO da Lucent, empresa que se especializou nesta tecnologia, salientou que, graças à incrementação desta capacidade, será possível "transmitir todo o material impresso do mundo em minutos, através de um único cabo. Isto significa uma capacidade ilimitada de transmissão a um custo adicional zero". Apesar de as velocidades a que Schacht aludia se aplicarem apenas à espinha dorsal da rede de fibra e não ao último quilómetro que chega até à sua casa e ao seu computador, não deixa de ser um grande salto em frente neste admirável mundo novo.

No meu livro *O Lexus e a Oliveira,* escrevi sobre um anúncio, posto em 1999 na Qwest, que mostrava um empresário, cansado e com o fato empoeirado, a fazer o *check-in* num motel à beira da estrada, no meio do nada. Ele pergunta à recepcionista, que aparenta um ar visivelmente entediado, se tem serviço de quartos e outras comodidades. Ela responde que sim. A seguir ele quer saber se existe televisão e material de lazer no seu quarto. Num tom monocórdico, do género "o-que-é-que-acha-seu-parvo", a recepcionistas não se faz esperar: "Todos os quartos dispõem de qualquer filme que queira escolher, em todas as línguas. Pode vê-los a qualquer hora, de dia ou de noite."

Na altura, referi o caso como um exemplo do que acontece quando nos ligamos à Internet. Hoje, é um exemplo do quanto se pode agora estar *desligado* da Internet, porque nos próximos anos, à medida que expandir a capacidade de armazenamento, tornando-se mais e mais miniaturizada, qualquer cidadão poderá comprar capacidade de armazenamento suficiente para transportar no seu bolso muitos filmes.

O segundo esteróide envolve inovações ao nível das mensagens instantâneas e da partilha de ficheiros. A partilha de ficheiros, o modelo *peer-to-peer* (entre pares), permite que os utilizadores de computadores partilhem uns com os outros, *on-line*, músicas, vídeos e outros tipos de ficheiros. As redes *peer-to-peer* surgiram aos olhos do público com o Napster, que permitia que duas pessoas partilhassem músicas armazenadas nos computadores uma da outra. "No seu auge," segundo a Howstuffworks.com "o Napster foi talvez o *website* mais popular alguma vez criado. Em menos de um ano, passou de zero para 60 milhões de visitantes por mês. Depois, foi encerrado por decisão do tribunal devido à violação dos direitos de autor e só voltaria a ser relançado, em 2003, como um *site* de *download* legal de música. O Napster original tornou-se muito popular rapidamente porque oferecia um produto único – música gratuita que se podia obter, quase sem esforço, a partir de uma gigantesca base de dados." Essa base de dados era, na verdade, uma arquitectura de partilha de ficheiros através da qual o Napster facilitava a ligação entre o meu computador e o seu, de forma a podermos trocar ficheiros de música. O Napster original morreu, mas a tecnologia de partilha de ficheiros ainda existe e está a tornar-se cada vez mais sofisticada, promovendo significativamente a colaboração entre cibernautas. De acordo com uma notícia da Associated Press datada de 22 de Junho de 2005, no ano de 2004 aproximadamente 330 milhões de faixas foram compradas *on-line* em lojas virtuais, como a iTunes da Apple, não obstante cerca de cinco mil milhões terem sido descarregadas gratuitamente por utilizadores de redes de partilha de ficheiros, utilizando programas de partilha de ficheiros gratuitos, como o eDonkey, o BitTorrent e o Kazaa.

O terceiro esteróide envolve inovações ao nível das chamadas telefónicas através da Internet. Com a informação digitalizada, a colaboração estará cada vez mais facilitada e barata devido a outro esteróide em fase de florescimento – voz sobre uma rede de Protocolo Internet, conhecida como VoIP (voz sobre IP). A VoIP permite-lhe fazer telefonemas na Internet, transformando sinais de voz em pacotes de dados que são transmitidos pelas redes IP e reconvertidos para o sinal de voz original na outra extremidade. A VoIP permite que qualquer um que subscreva o serviço, junto da sua companhia telefónica ou operador privado, receba chamadas telefónicas ilimitadas, locais e de longa distância, via Internet, através do seu computador pessoal, portátil ou PDA – bastando, para o efeito, ter apenas um pequeno microfone. É pessoal e será entregue virtualmente – as vias subjacentes farão com que aconteça sem que tenha sequer de pensar nisso. Tornará todos os telefonemas profissionais ou pessoais para qualquer parte do mundo tão baratos quanto uma chamada local – i.e., quase de graça. Se isso não massificar todas as formas de colaboração, então não sei o que poderá fazê-lo.

Analisemos este artigo, publicado a 1 de Novembro de 2004, na *BusinessWeek*, sobre a empresa Skype, pioneira no sistema de VoIP: "A Eriksen Translations Inc. é uma pequena empresa com um grande raio de acção. Esta empresa, de Brooklyn (Nova Iorque), conta com cinco mil *freelancers* espalhados por todo o mundo para a ajudar a traduzir documentos económicos em 75 línguas para clientes norte-americanos, o que representa facturas telefónicas de aproximadamente mil dólares por mês. Por esta razão, quando a gestora de desenvolvimento de negócio, Claudia Waitman, ouviu falar na Skype Technologies, uma empresa nova que oferece chamadas de voz gratuitas, pela Internet, para outros utilizadores do sistema Skype em qualquer parte do mundo, deu um pulo. Seis meses depois da adesão ao sistema, os custos da Eriksen com o telefone já tinham diminuído dez por cento. Melhor, ainda, os seus empregados e colaboradores em regime de *freelance* trocam impressões mais frequentemente, o que lhes permite trabalhar mais depressa e de forma mais eficiente. 'Alterou por completo a forma como trabalhamos'," conta Waitman. Em finais de 2005, a Skype lançou uma versão beta 2.0 do seu *software* de chamadas telefónicas que, segundo alguns, irá popularizar ainda mais esta tecnologia. Inclui a possibilidade de chamadas em videoconferência, um interface mais simples e fácil de utilizar, bem como um sistema de mãos-livres que permite fazer chamadas telefónicas pela Internet sem estar "atado" a um microfone ligado no seu computador. São cada vez mais os pais que me contam que têm filhos a estudar ou a viver no estrangeiro, com quem agora falam regularmente, por um preço praticamente irrisório, graças ao Skype ou outros sistemas VoIP.

A VoIP vai revolucionar a indústria das telecomunicações que, desde o seu início, se tem baseado na noção de que as empresas de telecomunicações cobram em função da duração de uma chamada e da distância geográfica entre os utilizadores. À medida que os consumidores vão dispondo de mais opções VoIP, a concorrência será de tal forma cerrada que as empresas de telecomunicações não vão poder cobrar durante muito mais tempo com base na duração e na distância.

A voz irá tornar-se gratuita. Estas empresas vão passar a competir pelos extras e serão pagas por esses serviços. A antiga plataforma de voz não se adaptou bem à inovação. No entanto, quando se introduziu a voz numa plataforma Internet, tornou-se possível todo o tipo de opções inovadoras. Com uma lista de amigos, bastará apenas clicar duas vezes num nome para que o telefonema tenha início. Quer saber a identidade de quem lhe está a telefonar? A fotografia surgirá no ecrã do seu computador. As empresas irão competir pelos SoIP (*Services over the Internet Protocol* – serviços sobre IP): Quem conseguirá oferecer-lhe o melhor sistema de videoconferência enquanto fala através do seu computador de secretária, PDA ou computador portátil? Quem lhe facilitará a possibilidade de falar com alguém enquanto convida facilmente uma terceira ou quarta pessoa para entrar na conversa? Quem lhe abrirá o caminho para que fale e troque ficheiros de documentos e envie mensagens de texto ao mesmo tempo, para que possa trocar ideias e trabalhar num documento enquanto mantém a conversação? Poderá deixar uma mensagem de voz que pode ser convertida para texto, juntamente com um documento em anexo em que ambos possam estar a trabalhar. "Não terá a ver com a distância nem com a duração da conversa, mas com a forma como se cria valor em torno da comunicação por voz. Não se pagará pelo uso da voz; as funcionalidades a oferecer aos clientes, essas, sim, irão diferenciar as empresas", disse Mike Volpi, *Senior Vice President* da Cisco para a área da tecnologia de *routing*.

Quem vive em Bangalore ou Pequim poderá estar listado nas Páginas Amarelas de Nova Iorque. Procura um contabilista? Faça um duplo clique sobre o nome Hang Zhou, em Pequim, Vladimir Tolstoy, em Moscovo, ou Ernst & Young, em Nova Iorque. Escolha onde quer que tratem da sua contabilidade: Praça de Tiananmen, Praça Vermelha ou Union Square*. Eles terão muito gosto em colaborar consigo no preenchimento das declarações de impostos.

O quarto esteróide é a videoconferência, que está a atingir um nível completamente novo. A HP e o estúdio de cinema DreamWorks SKG colaboraram na concepção de uma sala para videoconferência – com a DreamWorks a contribuir com os seus conhecimentos de som e imagem e a HP com a sua tecnologia computacional e de compressão – que é de cortar a respiração. Cada participante na videoconferência senta-se a uma mesa comprida, em frente a uma parede com ecrãs planos de televisão e com câmaras apontadas a eles próprios. Os ecrãs planos exibem as pessoas que estão no outro lugar, seja ele qual for. Cria-se um efeito como se todos estivessem sentados à mesma mesa e é, aparentemente, uma experiência qualitativamente diferente de tudo quanto existia antes. Tive oportunidade de participar numa demonstração desta tecnologia e foi de tal forma realista que praticamente podia sentir a respiração dos outros participantes na videoconferência, quando – de facto – metade do grupo

* **N.T.** Uma das principais praças de Manhattan, em Nova Iorque.

estava em Santa Barbara e a outra metade a 800 quilómetros de distância. Uma vez que a DreamWorks faz filmes e trabalhos de animação por todo o mundo, achou que tinha de dispor de uma solução de videoconferência que permitisse aos seus criativos transmitir, de forma absolutamente verosímil, todos os seus pensamentos, expressões faciais, sentimentos como raiva, entusiasmo ou desconfiança. A directora de estratégia e tecnologia da HP, Shane Robison, disse-me ser intenção da empresa ter estas salas de videoconferência à venda em 2005, a um custo unitário de aproximadamente 250 mil dólares. Trata-se de um valor insignificante comparativamente com os bilhetes de avião e o desgaste dos executivos que têm de viajar regularmente para Londres ou Tóquio para participar em reuniões. As empresas podem facilmente recuperar o investimento feito numa sala destas ao fim de um ano. Quando atingir este nível de expansão, a videoconferência tornará o desenvolvimento à distância, o *outsourcing* e o *offshoring* muito mais fáceis e eficientes.

Um quinto esteróide envolve os recentes avanços ao nível dos gráficos informáticos – influenciados, em parte, pelas inovações registadas nos jogos de computador. Estes avanços estão a impulsionar grandemente a colaboração e informática ao nível do vídeo, ao oferecer geralmente imagens muito mais nítidas e um número crescente de métodos para ilustrar e manipular essas imagens nos ecrãs. Irving Wladawski-Berger (da IBM) apresentou-me este esteróide no seu blogue. "Uma das áreas mais entusiasmantes da inovação está a emergir em torno do que gostaria de denominar de 'Interfaces de Utilizador da 3ª Geração', inspiradas pelos utilizadores de jogos de computador," escreveu. "Estas prometem oferecer interfaces interactivos e altamente visuais a todo o tipo de aplicações nas áreas da saúde, educação, ciência e negócios." Isto é importante, acrescentou, "porque sempre que um novo paradigma emerge ao nível da forma como as pessoas interagem com os computadores, assistimos ao aparecimento de todo o tipo de aplicações novas, qualitativamente melhores e diferentes do que existia anteriormente... Os jogos de computador são particularmente importantes a este respeito porque, além das suas imagens visuais de grande realismo e do som de elevada qualidade, são altamente interactivos e cada vez mais orientados para a colaboração, sendo, por conseguinte, um bom ponto de partida para reflectir sobre como podem as pessoas interagir melhor com todos os tipos de aplicações informáticas e entre elas no futuro."

O sexto esteróide e talvez o mais importante – que é, na prática, um grupo de esteróides – abrange as novas tecnologias e dispositivos sem fios (*wireless*). São estes esteróides superiores (*übersteroids*) que nos tornam, e a todas as novas formas de colaboração, móveis, permitindo-nos agora manipular, partilhar e moldar os nossos conteúdos digitais em qualquer local e com qualquer pessoa, ou seja, de uma forma totalmente móvel.

"O estado natural das comunicações é sem fios", defendeu Alan Cohen, *Senior Vice Presidente* da Airespace. Começou com a voz, pois queríamos poder fazer telefonemas a qualquer hora, de qualquer lugar para qualquer lugar. É por isso que o telemóvel é, para muitos, o mais importante meio de comunicação que possuem. No início do século XXI, começámos a criar esse mesmo tipo de expectativa, e inerente desejo, em relação à comunicação de informação – a capacidade para aceder à Internet, ao *e-mail* ou a quaisquer documentos relacionados com o trabalho, em qualquer lugar, utilizando um telemóvel, um PalmPilot ou outro dispositivo pessoal. (E agora entra em cena um terceiro elemento, criando uma maior procura da tecnologia sem fios e contribuindo para tornar o mundo mais plano: máquinas que falam com máquinas, sem necessidade de fios, tais como os *chips* RFID, da Wal-Mart, os pequenos dispositivos sem fios que transmitem automaticamente informação aos computadores dos fornecedores, permitindo-lhes saber onde estão os seus produtos.)

Na génese das Ciência Computacionais, a Globalização 2.0, trabalhava-se no escritório. Havia um grande computador *mainframe*: tinha-se, literalmente, de contorná-lo até chegar às pessoas que o geriam para retirar ou introduzir a informação desejada. Era como um oráculo. Depois, graças ao PC e à Internet, ao *e-mail*, ao computador portátil, ao *browser* e ao servidor do cliente, passei a poder aceder – a partir do meu próprio monitor – a todo o tipo de dados e informação que eram guardados na rede. Nesta era não estava ligado a partir do escritório e podia trabalhar em casa, na casa de praia ou num hotel. Agora, estamos na era Globalização 3.0: devido à digitalização, miniaturização, virtualização, personalização e ligação sem fios posso processar, recolher ou transmitir voz ou informação de e para qualquer lugar – como indivíduo ou máquina.

"Actualmente, a sua secretária vai consigo para todo o lado", referiu Cohen. E quanto mais pessoas tiverem capacidade para retirar e introduzir informação de e para todo o lado, mais depressa as barreiras à concorrência e à comunicação irão desaparecer. Subitamente, o meu negócio conquista uma capacidade de distribuição fenomenal. Não importa se está em Bangalore ou Bangor, porque conseguirei contactá-lo e você conseguirá contactar-me. Cada vez mais, as pessoas desejam e esperam que a mobilidade sem fios seja uma realidade tal como a electricidade. Estamos a caminhar rapidamente para a era do "encaminha-me isso" (*mobile me)*, disse Padmasree Warrior, responsável pela área tecnológica da Motorola. Se os consumidores estão a pagar para terem acesso a qualquer forma de conteúdo, seja informação, entretenimento, dados, jogos ou resumos da bolsa, cada vez mais quererão estar aptos a aceder a isso a qualquer hora e em qualquer lugar.

Neste momento, os consumidores estão como que no labirinto da oferta da tecnologia sem fios e padrões, ainda não totalmente interoperacionais. Há tecnologia sem fios que funciona num determinado bairro, Estado ou país, mas não noutro.

A revolução do *mobile me* estará completa quando for possível comunicarmos de forma perfeitamente consistente para uma cidade, país, ou para todo o mundo com o aparelho que desejamos. A tecnologia está a chegar a essa fase e, quando estiver completamente disponível, o *mobile me* atingirá o seu pleno efeito catalisador para tornar o mundo plano.

Tive uma amostra do que nos reserva o futuro próximo quando passei uma manhã na sede da NTT DoCoMo, em Tóquio. O gigante nipónico das comunicações móveis está na vanguarda deste processo, muito à frente dos Estados Unidos, oferecendo já total interoperacionalidade em território japonês. DoCoMo é uma abreviatura de *Do Communications over the Mobile Network* ("Comunique através da rede móvel") e também significa "em qualquer lugar", em japonês. O dia nas instalações da DoCoMo começou com uma visita conduzida por um robô, que me fez, na perfeição, a tradicional vénia japonesa. Em seguida, deu uma volta comigo pela sala de exposições da DoCoMo, que na altura tinha expostos telemóveis com vídeo incorporado, que possibilitava que visualizássemos no ecrã com quem estávamos a falar.

"Os jovens estão actualmente a usar os nossos telemóveis como videofones bidireccionais", explicou Tamon Mitsuishi, *Senior Vice President* do Departamento de Produtos de *Software* Ubíquo da DoCoMo. "Agarram nos seus telefones, ligam e mantêm conversas visuais. Claro que há quem prefira não visualizar os rostos."

Graças à tecnologia DoCoMo, se não quiser mostrar o rosto, pode substituí-lo por uma personagem de desenhos animados e manipular o teclado para que o boneco não só fale por si mas também se mostre zangado ou feliz em seu nome. "Trata-se de um telemóvel com câmara de vídeo incorporada, que evoluiu ao ponto de ter funcionalidades semelhantes a um PC", acrescentou o mesmo responsável. "Precisa de ser rápido a mexer nas teclas [com o seu polegar]. Autodenominamo-nos 'a geração do polegar'. As alunas do liceu conseguem hoje mexer mais rapidamente os seus polegares do que teclar num PC."

A propósito, perguntei, o que é que faz o "Departamento da Ubiquidade"?

"Agora que assistimos à disseminação da Internet por todo o mundo, pensamos ter de dar um próximo passo no desenvolvimento. A comunicação na Internet tem sido essencialmente feita entre indivíduos – através de *e-mail* e outro tipo de informação. Mas aquilo que já estamos a começar a perspectivar é a comunicação entre indivíduos e máquinas e entre máquinas e máquinas. Caminhamos para aí, porque as pessoas anseiam por melhores padrões de vida, enquanto as empresas procuram práticas mais eficientes... Por essa razão, na vida profissional os jovens utilizam o PC no escritório, mas apoiam o seu estilo de vida pessoal no telemóvel. Assiste-se a um crescente 'movimento' no sentido de todos os serviços serem pagos via telemóvel. Com um cartão inteligente poderá fazer pagamentos em lojas virtuais e lojas inteligentes. Junto à caixa registadora haverá um leitor de cartões inteligentes e bastar-lhe-á passar o seu telefone num *scanner* para que este se torne num cartão de crédito..."

"Acreditamos que o telemóvel terá um controlo total na vida de qualquer pessoa", acrescentou Mitsuishi, desconhecedor do duplo significado da palavra inglesa "controlo"*. "A título de exemplo, no campo da Medicina será o seu sistema de autenticação e com ele poderá analisar os seus relatórios médicos. E para efectuar pagamentos, terá de possuir um telemóvel. Não será possível viver sem ele. Este utensílio tornar-se-á igualmente indispensável para regular a actividade doméstica. Acreditamos ser necessário expandir a variedade de máquinas que podem ser reguladas por telemóvel." Ainda em relação aos telemóveis, há também muito com que nos preocuparmos no futuro, desde as crianças serem seduzidas por predadores sexuais *on-line* através dos seus telemóveis, até aos colaboradores que desperdiçarão demasiado tempo a brincar com jogos que não acrescentam valor, passando pela utilização das câmaras incorporadas para todo o tipo de actividades ilícitas. No Japão já houve quem ganhasse o hábito de se dirigir às livrarias, retirar livros de cozinha das estantes e fotografar receitas, saindo a seguir da loja. Felizmente, os telefones com câmara incorporada emitem um som quando tiram uma fotografia, o que faz com que o proprietário de uma loja, ou quem estiver ao seu lado no vestiário, saiba se está a ser "apanhado". O telefone com câmara e acesso à Internet não é apenas uma máquina fotográfica, é também uma fotocopiadora, com um potencial de distribuição mundial.

A DoCoMo está actualmente a trabalhar em conjunto com outras empresas japonesas com vista à criação de um novo tipo de serviço. Imagine que vai a passar na rua e vê um cartaz a anunciar um concerto da Madonna, em Tóquio. O cartaz terá um código de barras. Para poder comprar os bilhetes para o concerto bastará tão-somente passar com o *scanner* nesse mesmo código. Outro cartaz pode anunciar um novo CD da Madonna. A operação repete-se: passa o *scanner* no código de barras com o seu telemóvel e receberá uma amostra das músicas. Se gostar delas, torna a passar o *scanner* e poderá comprar todo o álbum, que lhe será entregue em casa. Não admira que o meu colega do *New York Times,* no Japão, Todd Zaun, que está casado com uma japonesa, me tenha dito "que é tanta a informação a que os japoneses têm acesso a partir dos telemóveis ligados à Internet que, mal têm uma dúvida, a primeira coisa a fazer é tentar solucioná-la através do telefone".

Fiquei exausto só de escrever sobre tudo isto. Ao contrário do que poderá parecer, é difícil exagerar-se quando se fala sobre o impacto que este décimo acontecimento – os esteróides – terá na amplificação e na delegação de mais poderes a todas as formas de colaboração. Estes esteróides deverão tornar o *uploading* muito mais aberto, na medida em que permitirão que mais indivíduos colaborem entre si, de todas as maneiras possíveis e imagináveis e a partir de quaisquer lugares, como nunca antes aconteceu. Impulsionarão o *outsourcing*, uma vez que será muito mais fácil a colaboração de um departamento de uma empresa com o seu congénere de uma outra.

---

* **N.T.** *Control*, em inglês, pode significar controlo ou regular.

Expandirão o *supply-chaining*, pois as sedes das empresas de distribuição conseguirão estar ligadas, em tempo real, a cada colaborador que abastece as prateleiras, a todas as encomendas individuais e a todas as fábricas chinesas responsáveis pelo fabrico dos produtos que estão dentro dessas encomendas. Impulsionarão o *insourcing* – veja-se o exemplo de uma empresa como a UPS, que se insere profundamente nas actividades de um retalhista e gere toda a sua cadeia de abastecimento, dispondo de motoristas que podem interagir com os seus armazéns e com todos os clientes, transportando o seu próprio PDA. E... mais do que é óbvio, expandirão o *in-forming* – a capacidade para gerir a sua própria cadeia de abastecimento do conhecimento.

Sir John Rose, Director-Geral da Rolls-Royce, deu-me um exemplo fantástico de como a tecnologia sem fios e outros esteróides estão a estimular a capacidade da Rolls-Royce para proceder à sistematização do fluxo de trabalho, bem como a demais formas inovadoras de colaboração com os seus clientes. Suponhamos que a companhia aérea British Airways está a sobrevoar o Atlântico, com um Boeing 777. Nos céus da Gronelândia, um dos motores Rolls-Royce do avião é atingido por um raio. Os passageiros e pilotos poderão estar preocupados, mas não há necessidade disso. A Rolls-Royce sabe exactamente o que se passa. O motor em causa está ligado, por *transponder*, a um satélite, que envia, constantemente, dados acerca da sua situação e desempenho para um computador instalado na sala de operações da Rolls-Royce. Situações do género têm acontecido em pleno voo. A inteligência artificial do computador da Rolls-Royce, baseado em complexos algoritmos, consegue detectar anomalias nos motores desta marca, enquanto estes estão em actividade. O sistema de inteligência artificial sabe que provavelmente o motor foi atingido por um raio e envia um relatório para o departamento de engenharia da empresa.

"Com os dados que recebemos em tempo real via satélite, conseguimos identificar um 'acontecimento' e os nossos engenheiros podem fazer diagnósticos a longa distância", afirmou John Rose. "Em circunstâncias normais, depois de um motor ser atingido por um raio, seria necessário aterrar o avião, chamar um engenheiro, proceder a uma inspecção visual, tomar uma decisão acerca da extensão dos potenciais danos e decidir se o avião teria de atrasar a continuação do voo de forma a que pudesse ser feita a reparação. Mas estas companhias aéreas não dispõem de muito tempo de regeneração. Se este avião se atrasar, perderá esta tripulação, agendada para outro voo, e o piloto terá de largar os comandos para regressar a casa. Fica muito dispendioso. Podemos monitorizar e analisar automaticamente o desempenho do motor, em tempo real, e os nossos engenheiros tomarão decisões sobre tudo o que é necessário estar a postos quando o avião aterrar. Se conseguirmos determinar, em função de toda a informação disponível sobre o motor, que não é preciso intervir, nem inspeccioná-lo, então este poderá regressar a horas, o que nos faz poupar dinheiro e tempo aos clientes."

Em resultado destes esteróides, os motores conseguem falar com os computadores, as pessoas conseguem falar com outras pessoas, os computadores conseguem falar com computadores e as pessoas conseguem falar com os computadores muito mais longe, mais rapidamente, a um custo mais reduzido e mais facilmente do que nunca. E, com isto, mais pessoas de mais lugares começaram a fazer umas às outras as mesmas duas perguntas: Consegue ouvir-me agora? Podemos agora trabalhar juntos?

Capítulo III

A Tripla Convergência

O que é a tripla convergência? Para explicar aquilo que quero dizer, vou contar-vos uma história pessoal e partilhar convosco um dos meus anúncios televisivos preferidos. A história ocorreu em Março de 2004. Tinha feito planos para viajar de Baltimore para Hartford, na Southwest Airlines, para visitar a minha filha Orly, que estava a estudar em New Haven, Connecticut. Como sou um viciado em tecnologias, não me dei ao trabalho de ter um bilhete na mão, optando por comprar um bilhete electrónico, através da American Express. Quem viaja regularmente na Southwest sabe que esta companhia aérea se diferencia pelos preços baixos, não tendo lugares reservados. Quando se faz o *check-in*, o bilhete apenas diz A, B ou C; os A embarcam em primeiro lugar, os B em seguida e os C no fim. Como os passageiros regulares também sabem, ninguém gosta de ter a letra C no bilhete.

Aliás, nem quererá ter um B, se quiser ter a certeza que tem espaço para colocar as roupas de Verão, que leva para a sua filha, no compartimento destinado à bagagem de mão, por cima do assento, e que não fica no lugar do meio. Se quiser sentar-se junto à janela ou na coxia e arrumar a sua bagagem de mão, na Southwest Airlines terá de ter um bilhete A. Apesar de ter adquirido um bilhete electrónico, levantei-me cedo para ter a certeza de que chegava, ao aeroporto de Baltimore, 95 minutos antes da hora prevista para a partida. Dirigi-me, de imediato, à máquina de bilhetes electrónicos da Southwest Airlines, introduzi o meu cartão de crédito e toquei nas opções do ecrã, para obter o bilhete – um passageiro verdadeiramente moderno, não concorda? Bem, o bilhete que saiu tinha a letra B.

Fiquei furioso. "Como é que é possível o bilhete ter saído com a letra B?", interroguei-me, confirmando as horas no meu relógio. "Não é possível ter estado aqui tanta gente antes de mim. Esta máquina está viciada! Aqui há batota! Isto não passa de uma *slot machine*!" Afastei-me em passo apressado, passei pela segurança, comprei um *Cinnabon** e fiquei meio amuado na fila para a letra B, esperando ser encaminhado para bordo e poder arranjar lugar para a minha bagagem de mão nos compartimentos por cima do meu assento. Quarenta minutos depois, começaram a chamar os passageiros para o voo. Da fila B, observei com inveja todos os que tinham bilhete A a entrar antes de mim, com um certo ar de superioridade.

* **N.T.** Bolos doces, de origem europeia, à base de canela.

Foi então que percebi.

Muitos dos que estavam na fila A não tinham bilhetes electrónicos normais como o meu. Seguravam o que me pareceu serem pedaços amarrotados de folhas brancas para impressão. Mas não estavam em branco. Tinham impressos cartões de embarque e códigos de barras. Era como se todos aqueles detentores de bilhetes A tivessem feito em casa o *download* dos seus cartões de embarque, através da *Web*, tendo-os depois impresso na impressora lá de casa. Percebi logo que *era exactamente isso que eles tinham feito*. Eu não sabia desta novidade, mas a Southwest tinha recentemente anunciado que, a partir das 0h01 do dia em que está marcado o voo, uma pessoa poderia fazer o *download* do seu bilhete em casa e imprimi-lo. Antes de entrar no avião, bastava passar o código de barras do bilhete no *scanner* junto ao responsável da porta de embarque.

"Friedman, és tão século XX... És tão Globalização 2.0", disse para comigo. Pense nisto: na Globalização 1.0, havia alguém responsável pela emissão do bilhete. Eu tinha de me deslocar ao balcão da companhia aérea, na baixa de Washington D.C., tirar um número, esperar na fila para, por fim, ficar cara-a-cara com esse alguém com quem negociaria as condições do meu voo. Na Globalização 2.0, uma máquina de bilhetes electrónicos substituiu o funcionário. Achámos que era o máximo. E isso foi apenas há alguns anos. Porém, enquanto dormíamos, entrámos na Globalização 3.0 e agora somos nós – os indivíduos – os nossos próprios agentes emissores de bilhetes. Ou, analisando isto de outra perspectiva, tornámo-nos colaboradores da Southwest Airlines. Ou ainda uma perspectiva diferente: se contabilizarmos o tempo que ficamos acordados depois da meia-noite, na véspera do voo, para emitir o nosso próprio bilhete, nós, os indivíduos, estamos a *pagar* à Southwest Airlines para sermos colaboradores dela!

Um dos meus anúncios televisivos preferidos é o da Konica Minolta Business Technologies, que nos dá a conhecer e nos tenta aliciar com o seu novo aparelho multifuncional chamado *bizhub*. É um equipamento para escritório que lhe permite imprimir a preto e branco ou a cores, copiar um documento, enviá-lo por fax, digitalizá-lo, digitalizá-lo para enviar por *e-mail* e proceder a operações de Internet-fax* – tudo isto com a mesma máquina. O anúncio começa com a imagem a passar rapidamente: mostra cenas de dois indivíduos, um no seu gabinete e o outro de pé, junto a uma *bizhub*. Estão suficientemente perto para falarem um com o outro, se levantarem um pouco o tom de voz. Dom é sénior em autoridade, mas lento a actualizar-se – o tipo de indivíduo que ainda não conseguiu acompanhar o ritmo da mudança tecnológica (o meu género de pessoa!). Ele consegue ver Ted junto à máquina *bizhub* quando se estica na cadeira e espreita pela porta do seu gabinete.

---

* **N.T.** Envio de faxes utilizando a Internet – a custos de chamada local.

Dom: (*sentado junto à sua secretária*) Ei, preciso daquele gráfico.

Ted: (*junto à bizhub*): Estou a enviá-lo por *e-mail*, neste preciso momento.

Dom: Estás a enviá-lo por *mail* pela fotocopiadora?

Ted: Não, estou a enviá-lo por *mail* pela *bizhub*.

Dom: *Bizhub*? Espera, já me tiraste as fotocópias que pedi?

Ted: Assim que digitalizar isto.

Dom: Estás a digitalizar numa máquina de envio de *e-mails*?

Ted: Máquina de envio de *e-mails*? Estou na máquina *bizhub*.

Dom: (*desnorteado*) A fotocopiar?

Ted: (*tentando ser paciente*) A fazer o envio de *e-mails*, depois a digitalizar e em seguida a fotocopiar.

Dom: (*pausa demorada*) *Bizhub*?

Voz *off*: (*enquanto é exibido um gráfico animado da* bizhub *ilustrando as suas múltiplas funções*) Espantosa versatilidade e cor a preços acessíveis.

(*Passa para uma cena em que se vê o Dom sozinho, junto à máquina* bizhub, *tentando ver se também deita café na sua chávena*.)

A Southwest conseguiu disponibilizar a emissão de bilhetes em casa e a Konica Minolta conseguiu apresentar a *bizhub* devido àquilo a que chamo a tripla convergência. Quais são as componentes desta tripla convergência? A resposta curta é esta: Primeiro, no ano 2000, os dez acontecimentos analisados no capítulo anterior começaram a convergir uns com os outros e a funcionar em conjunto, relacionando-se mutuamente, o que levou à criação de um novo 'terreno de jogo' mais plano e global. À medida que este novo 'terreno de jogo' foi ganhando forma, tanto as empresas como os particulares começaram a adoptar novos hábitos, competências e processos com o objectivo de conquistar o melhor resultado face ao novo enquadramento. Abandonaram os processos maioritariamente verticais de criação de valor, em prol de processos mais horizontais. A fusão do novo 'terreno de jogo', onde se realizam os negócios, com os novos processos de fazer negócio foi a segunda convergência, tendo uma enorme importância para que o mundo se tornasse ainda mais plano. Por fim, enquanto todos estes fenómenos estavam a acontecer, um grupo de pessoas totalmente novo – vários milhares de milhões, com efeito – entrou no 'terreno de jogo'. Esse grupo provinha da China, da Índia e do antigo Império Soviético. Graças ao novo mundo plano e às suas novas ferramentas, algumas das quais se revelaram plenamente aptas para ligar e entrar no 'terreno de jogo' (*plug and play*), competir, conectar e colaborar com os nossos filhos de uma forma mais directa, mais barata e mais poderosa do que nunca. Esta foi a terceira fase de convergência. Analisemos pormenorizadamente cada uma delas.

Convergência I

Temos conhecimento dos dez acontecimentos abordados no capítulo anterior desde a década de 90, se não mesmo antes. Os mesmos tiveram de se disseminar, ganhar raízes e interligar-se para que o seu poder funcionasse em pleno em todo o mundo. A título de exemplo, em determinada altura do ano 2003, a Southwest Airlines percebeu que não dispunha de um volume suficiente de PC, banda larga, armazenagem nos computadores, clientes familiarizados com a Internet e *know-how* em termos de *software* que lhe permitisse criar um plano de sistematização do fluxo de trabalho que delegasse nos seus clientes o poder de fazer o *download* e imprimir os seus próprios cartões de embarque de uma forma tão fácil quanto o *download* de parte de um *e-mail*. A Southwest conseguiu colaborar com os seus passageiros e eles com a empresa de uma forma completamente inovadora. Mais ou menos na mesma altura, o *software* e *hardware* de sistematização do fluxo de trabalho convergiram de tal forma que a Konica Minolta conseguiu disponibilizar a digitalização, envio de *e-mails*, impressão, fax e fotocópias, *tudo na mesma máquina*. Esta foi a primeira grande convergência.

Conforme Paul Romer, economista da Universidade de Stanford, salientou, os economistas souberam durante muito tempo que "existem bens que são complementares – pelo que o bem A é muito mais valioso se tiver também o bem B. Era bom ter papel e era bom ter lápis; e quando conseguia mais de um e mais do outro, bem como melhor qualidade de um e melhor qualidade do outro, a sua produtividade melhorava. Isto é conhecido como a melhoria simultânea dos bens complementares".

Acredito que a queda do Muro de Berlim, o crescimento dos PC, a Netscape, a sistematização do fluxo de trabalho, o *outsourcing*, o *offshoring*, o *uploading*, o *insourcing*, o *supply-chaining*, o *in-forming* e os esteróides se reforçaram uns aos outros como bens complementares. Estas forças niveladoras precisaram de tempo para começar a funcionar em conjunto, de uma forma que permitisse o reforço mútuo. Esse ponto de viragem aconteceu por volta do ano 2000, quando os dez acontecimentos que tornaram o mundo plano convergiram de tal modo e com tanta intensidade que milhões de pessoas, em todos os continentes, começaram subitamente a sentir que algo... algo... era novo. Nem sempre conseguiam descrever o que estava a acontecer, mas, por volta do ano 2000, aperceberam-se que estavam em contacto com pessoas com quem nunca tinham estado em contacto, que estavam a ser desafiadas por pessoas que nunca as tinham desafiado, que estavam a competir com pessoas com quem nunca tinham competido, que estavam a colaborar com pessoas com quem nunca tinham colaborado e que estavam a fazer coisas, *como indivíduos*, que nunca tinham sonhado poder fazer.

O que estavam a sentir, era o mundo a ficar plano.

A convergência dos dez acontecimentos que tornaram o mundo plano criou uma plataforma totalmente nova. É uma plataforma global, impulsionada pela Web, *para múltiplas formas de colaboração. Esta plataforma permite que os indivíduos, os grupos, as empresas e as universidades de todo o mundo colaborem – tendo como objectivo a inovação, a produção, a educação, a investigação, o entretenimento e, infelizmente, a guerra – como nunca antes aconteceu. Esta plataforma opera actualmente sem tomar em conta a geografia, a distância, os fusos horários e, num futuro próximo, até a língua. Avançando no tempo, esta plataforma irá estar no centro de tudo. A riqueza e o poder irão cada vez mais beneficiar aqueles países, empresas, indivíduos, universidades e grupos que cumprirem três requisitos básicos: a implementação da infra-estrutura para se ligar à plataforma que tornou o mundo plano, a educação-instrução de cada vez mais pessoas para inovar, trabalhar e colaborar nesta plataforma, e, finalmente, a orientação governamental para aproveitar ao máximo esta plataforma e acautelar os seus piores efeitos secundários.*

Não, nem todas as pessoas têm ainda acesso a esta nova plataforma, a este novo "terreno de jogo". Não, quando digo que o mundo está a ficar plano, não estou a dizer que estamos a ficar todos iguais. O que quero dizer é que há, hoje, mais do que nunca, cada vez mais pessoas e em mais locais que têm o poder para aceder à plataforma que torna o mundo plano – para se ligar, competir, colaborar e, infelizmente, destruir.

Já depois da primeira edição deste livro, Kevin Kelly, um dos fundadores da revista Wired, *escreveu um ensaio onde realçava o décimo aniversário da admissão em bolsa da Netscape e onde concluía igualmente, à sua maneira, que esta plataforma (que ele apelida de "A Máquina") para múltiplas formas de colaboração era, de facto, o início de algo muito, muito inovador e muito, muito grande. Como refere na edição de Agosto de 2005 da* Wired: *"Daqui a três mil anos, quando os estudiosos analisarem o passado, creio que a nossa antiguidade, hoje, no início do terceiro milénio, será vista como [o início de uma importante nova época histórica.] Nos anos mais ou menos coincidentes com a admissão em bolsa da Netscape, os humanos começaram a animar objectos inertes através de pequenos rasgos de inteligência, ligando-os a um ambiente global e ligando as suas próprias mentes a uma única coisa. Isto será considerado o acontecimento maior, mais complexo e mais surpreendente do planeta. Ao conjugar a fibra óptica com ondas de rádio, a nossa espécie começou a ligar todas as regiões, todos os processos, todos os factos e noções numa grandiosa rede. Esta rede neuronal embrionária gerou uma interface de colaboração para a nossa civilização."*

Convergência II

As plataformas – os sistemas operativos que estão na base da inovação e da produção – não mudam com muita frequência. E a introdução de uma nova tecnologia ou plataforma como o mundo plano não é suficiente, por si só, para impulsionar a produtividade. Os grandes aumentos de produtividade surgem quando uma nova tecnologia, ou uma nova plataforma de tecnologias, é conjugada com novas *formas* de fazer negócio, o que leva sempre algum tempo. Demora sempre tempo até que todas as tecnologias laterais, processos empresariais e hábitos necessários para se obter o melhor de cada um deles se tornem convergentes de forma a alavancarem uma evolução radical ao nível da produtividade. Introduzir uma nova tecnologia, por si só, nunca é suficiente. Uma evolução radical da produtividade acontece quando uma nova tecnologia é conjugada com novas *formas* de fazer negócio. A Wal-Mart obteve elevados ganhos de produtividade quando conjugou grandes lojas de retalho – onde as pessoas podiam comprar sabonetes para seis meses – com novos sistemas de gestão horizontal da cadeia de abastecimento, que lhe permitiram passar a fazer instantaneamente a ponte entre os produtos que um consumidor tirava da prateleira numa loja Wal-Mart em Kansas City e aquilo que um seu fornecedor na China meridional poderia produzir. Estamos hoje no limiar de uma mudança de hábitos maciça e mundial, à medida que cresce o número de pessoas que têm acesso a esta plataforma e que aprendem a utilizá-la. Gosto de chamar "horizontalização" a este processo. E é a segunda grande convergência que está a acontecer para tornar o mundo plano. Passo a explicar a minha teoria.

Quando os computadores começaram a ser introduzidos nos escritórios, todos esperavam um grande aumento de produtividade. Mas isso não aconteceu de imediato, o que provocou algum desânimo e alguma confusão. O reconhecido economista Robert Solow disse, sarcasticamente, que os computadores estão por todo o lado – excepto "nas estatísticas da produtividade".

Num ensaio pioneiro feito em 1989, intitulado "Computer and Dynamo: The Modern Productivity Paradox in a Not-Too Distant Mirror" ("Computadores e Dínamo: o moderno paradoxo da produtividade não é uma imagem assim tão distante"), o historiador económico Paul A. David explicou esse desfasamento ao chamar a atenção para um precedente histórico. Salientou que, apesar de a lâmpada ter sido inventada em 1879, foram precisas várias décadas para que a electrificação desse um salto em frente e tivesse um grande impacto económico e ao nível da produtividade. Porquê? Porque não bastava instalar motores eléctricos e deitar fora a velha tecnologia – as máquinas a vapor. Todo o processo de fabrico teve de ser reconfigurado. No caso da electricidade, David sublinhou que o verdadeiro progresso tecnológico estava na forma como os edifícios e linhas de montagem eram redesenhados e geridos. As fábricas da era do vapor eram tendencialmente instalações pesadas, dispendiosas e com vários andares, concebidas para suportar correias pesadas e outros grandes aparelhos de transmissão necessários para accionar os sistemas alimentados a vapor. Nestes espaços, de reduzida dimensão, foram introduzidos os potentes motores eléctricos. Todos esperavam um rápido aumento da produtividade. No entanto, demorou tempo. Para obter todas as sinergias, era necessário redesenhar muitas instalações. Eram precisas fábricas que tivessem um só piso, grande extensão e pouca altura, sendo mais baratas de construir. Essas fábricas comportariam máquinas de todos os tamanhos, alimentadas por motores eléctricos pequenos. Só quando surgiu uma quantidade significativa de profissionais experientes ao nível de arquitectos de fábricas, engenheiros eléctricos e gestores, que compreendiam as complementaridades do motor eléctrico, a nova concepção da fábrica e da linha de produção, é que a electrificação produziu o tão desejado desenvolvimento da produtividade na área de fabrico.

O mesmo está a acontecer hoje com o facto de o mundo se estar a tornar plano. Muitos dos dez acontecimentos já surgiram há vários anos. No entanto, para que se sintam plenamente os seus efeitos niveladores, precisamos não só que os dez acontecimentos convirjam, mas também de um outro factor. Precisamos que surja um vasto grupo de gestores, inovadores, consultores de empresas, escolas de Ciências Empresariais, *designers*, especialistas em TI, CEO e colaboradores que se sintam à-vontade nesta nova realidade e desenvolvam formas de colaboração horizontal e processos de criação de valor, bem como hábitos, que possam tirar proveito deste novo 'terreno de jogo' mais plano. Resumindo, a convergência dos dez acontecimentos levou à convergência de um conjunto de competências e práticas empresariais capaz de retirar o que o mundo plano tem de melhor para oferecer. Foi então que ambos os lados começaram a reforçar-se mutuamente.

"Quando me perguntavam por que motivo a revolução das TI não tinha provocado o aumento imediato da produtividade, eu respondia que era por ser necessário algo mais do que apenas ter computadores novos", disse Romer. "Eram precisos novos processos empresariais e novos tipos de competências para os acompanhar." A "nova forma de fazer as coisas" torna as Tecnologias da Informação mais valiosas e as inovadoras e sofisticadas TI aumentam essa possibilidade. A Globalização 2.0 foi verdadeiramente a era da computação ao nível do *mainframe*, muito vertical – orientada por um sistema de comando e controlo, em que as empresas e cada um dos seus departamentos tinha tendência para se organizar em silos verticais. A Globalização 3.0, que se constrói em torno da convergência dos dez acontecimentos, especialmente a combinação dos PC, microprocessadores, Internet e fibra óptica, fez com que o 'terreno de jogo' fosse retirando do campo os sistemas *top-down*, substituindo-os por sistemas mais igualitários. Esta situação, naturalmente, induziu e exigiu novas práticas empresariais, que tinham muito menos a ver com comando e controlo e muito mais com ligação e colaboração horizontal.

"A cadeia de comando de criação de valor passou de vertical a muito mais horizontal", explicou Carly Fiorina. As inovações em empresas como a HP, afirmou esta responsável, resultam, cada vez mais, da colaboração horizontal entre diferentes departamentos e equipas espalhadas por todo o mundo. A título de exemplo, a HP, a Cisco e a Nokia colaboraram recentemente no desenvolvimento de um telemóvel com câmara incorporada que transfere as suas fotos digitalizadas para uma impressora HP – que as imprime rapidamente. Cada uma destas empresas desenvolveu uma especialidade tecnológica bastante sofisticada, mas só foi possível acrescentar valor quando cada especialidade se conjugou horizontalmente com as outras duas.

"A forma como se colabora e gere horizontalmente exige um conjunto de competências totalmente diferente" das tradicionais abordagens *top-down*, acrescentou Fiorina.

Deixe-me fornecer-lhe alguns exemplos. Nos últimos cinco anos, a HP deixou de ser uma empresa com 87 cadeias de abastecimento diferentes – cada qual gerida de forma vertical e independente, com a sua própria hierarquia de gestores e apoio do departamento operacional – para passar a ser uma empresa com apenas cinco cadeias de abastecimento que administram negócios no valor total de 50 mil milhões de dólares e onde funções como contabilidade, facturação e recursos humanos são geridas através de um sistema à escala da empresa.

A Southwest Airlines aproveitou a convergência dos dez acontecimentos para criar um sistema que possibilita aos seus clientes fazer em casa o *download* dos seus cartões de embarque. Mas enquanto não alterei os meus hábitos de compra de passagens aéreas e procedi a uma "reengenharia" pessoal para poder colaborar horizontalmente com a Southwest, este progresso tecnológico não representou um desenvolvimento ao nível da produtividade para mim ou para a Southwest. (Mas, da próxima vez, irei "horizontalizar-me". Ficarei acordado até à meia-noite e um minuto no dia anterior ao do meu voo e irei imprimir o meu próprio cartão de embarque e código de barras, chegando ao aeroporto de Baltimore 45 minutos antes da partida, em vez de 95 minutos. E, fazendo isto, irei ganhar 50 minutos de produtividade para mim próprio.) O anúncio à *bizhub* retrata bem a diferença entre o colaborador que compreende as tecnologias convergentes na nova máquina *bizhub* (e de que forma pode obter o melhor delas) e o que trabalha no mesmo escritório, mas que não as compreende. Só quando este último alterar os seus hábitos de trabalho é que a produtividade naquele escritório irá aumentar, apesar de já dispor – antes disso acontecer – daquela maravilhosa máquina nova.

Por último, analisemos o exemplo da WPP – o segundo maior consórcio mundial na área da publicidade, *marketing* e comunicação. Há 20 anos, a WPP, com sede em Inglaterra, não era a empresa que agora conhecemos. Ela é produto da consolidação de alguns dos maiores nomes naquela área de negócio – desde a Young & Rubicam à Ogilvy & Mather, passando pela Hill & Knowlton. A aliança foi acordada para captar cada vez mais necessidades de *marketing* dos grandes clientes, tais como a publicidade, o *direct mail* (publicidade enviada por correio), a compra de espaço publicitário nos meios de comunicação e o *branding*. "Durante anos, o maior desafio para a WPP foi conseguir que as suas próprias empresas colaborassem", disse Allen Adamson, Director Executivo da empresa de *branding* da WPP, a

Landor Associates. "No entanto, hoje em dia não basta que as empresas do Grupo WPP trabalhem em conjunto *per se*. Cada vez mais damos connosco a reunir indivíduos de cada uma destas empresas, no sentido de formar uma equipa cooperante à medida de um único cliente. A solução passível de criar valor para esse cliente não existia em qualquer uma das empresas, nem sequer quando se verificava uma integração tradicional de empresas. Tinha de ser criada de forma muito específica, à medida do cliente. Por esta razão, tivemos de procurar dentro do grupo e escolher, por exemplo, o indivíduo ideal para a publicidade, para trabalhar com o profissional adequado na área do *branding* e com o profissional certo em relações públicas – tudo para este cliente específico."

Quando a GE decidiu, em 2003, transferir os seus negócios de seguros para uma empresa à parte (*spin off*), a WPP criou uma equipa específica para gerir todo o processo, desde o nome da nova empresa – Genworth – até à sua primeira campanha publicitária e programa de *marketing* directo. "Na qualidade de líder nesta organização, tem de descobrir a proposta de valor que cada cliente necessita e a seguir identificar talentos individuais que se encontrem entre os colaboradores da WPP e reuni-los numa equipa que irá, com efeito, formar uma empresa virtual apenas para aquele cliente. No caso da GE, chegámos a dar um nome à equipa de colaboração virtual que formámos: Klamath Communications", acrescentou Adamson.

Quando o mundo começou a ficar plano, a WPP adaptou-se para maximizar os recursos que tinha. Mudou as práticas e a arquitectura do escritório – deitando abaixo os seus muros e silos – tal como outras empresas tinham ajustado o motor eléctrico às suas fábricas alimentadas a vapor. Ao abrir-se desta forma, a WPP libertou muito mais energia e inteligência. De repente, podia encarar os colaboradores de todas as suas empresas como uma plataforma/reunião alargada de especialistas individuais que poderiam ser reunidos horizontalmente em várias equipas de cooperação, consoante as exigências específicas de cada projecto. Essa equipa tornar-se-ia, então, numa nova empresa *de facto*, com o seu próprio nome.

O pensamento horizontal aplica-se a tudo, desde os negócios à educação e ao planeamento militar. É necessário fazer alguns ajustamentos para passar de um pensamento vertical para um horizontal, como aconteceu com a WPP, porque o pensamento vertical requer muitas vezes que comecemos por perguntar quem controla que sistema, ao invés de qual o resultado ou efeito que pretendo criar. Por exemplo, se eu for um general no Iraque, o efeito que pretendo criar é melhorar o serviço de informações em tempo real no campo de batalha. Assim, se for este o caso, a minha principal prioridade não é controlar a aeronave que sobrevoa o campo de batalha e tira fotografias aéreas. Não, a minha principal prioridade é descobrir uma forma de conseguir analisar as fotografias o mais depressa e o mais aprofundadamente possível. Quando essa é a minha prioridade é porque começo a pensar horizontalmente. Em suma, começo a pensar sobre a forma de utilizar a plataforma que tornou o mundo plano – isto é, como poderei utilizar a minha própria rede ou rede de redes – para receber o ficheiro de vídeo daquela aeronave e enviá-lo, em tempo real, para monitores planos na CIA, na DIA, na NSA, nos serviços secretos do exército e da força aérea, integrando em seguida todos estes analistas numa única *chat room*, onde possam inserir as suas reacções ao que estão a ver e ao tipo de ameaça que representa, enquanto corre o ficheiro de vídeo. Entretanto, as suas reacções aparecerão transcritas ao lado da imagem, permitindo-nos analisar a informação em conjunto. Através desta abordagem, afastei-me do pensamento vertical – em que eu, a força aérea, controlo a aeronave a partir do meu silo e, por conseguinte, só os meus analistas é que podem analisar o vídeo e depois informar o exército, no seu silo, do que descobri. Ao invés, estou a dizer que o efeito que pretendo criar é a obtenção da melhor análise em tempo real e a forma como consigo isto é ligando horizontalmente vários pontos na totalidade da minha rede. Tendo em conta que muitas cabeças pensam melhor do que apenas uma, a minha prioridade não é quem controla o vídeo, mas sim descobrir como criar um sistema de resposta horizontal no sentido de extrair o máximo de inteligência, de todos nós, para compreender as imagens do vídeo.

Vai demorar algum tempo até que este novo 'terreno de jogo' e as novas práticas empresariais estejam plenamente alinhados. Deixo-vos, contudo, um pequeno aviso. Isso já está a acontecer, a um ritmo muito mais rápido do que pensa. Mais... Está a acontecer a nível global.

Não se esqueça que era uma tripla convergência!

Convergência III

Como assim? Tínhamos acabado de criar este novo 'terreno de jogo', mais horizontal, com as empresas e os particulares – inicialmente no Ocidente – a começar rapidamente a adaptar-se a ele, quando, subitamente, três mil milhões de pessoas que tinham estado fora deste jogo tiveram possibilidade de ligar-se a todas as outras.

Exceptuando uma ínfima minoria, estas três mil milhões de pessoas nunca tinham tido a possibilidade de competir e colaborar, porque viviam em grandes economias fechadas, com estruturas políticas e económicas bastante verticais e hierárquicas. Refiro-me a quem vive na China, na Índia, na Rússia, na Europa de Leste, na América Latina e na Ásia Central. Todas estas economias e sistemas políticos se abriram durante a década de 90 e quem lá vivia foi ganhando cada vez mais liberdade para entrar no jogo do mercado livre. Quando é que estas três mil milhões de pessoas entraram em convergência com o novo 'terreno de jogo' e os novos processos? No preciso momento em que, mais do que nunca, o terreno começava a tornar-se plano; exactamente na altura em que milhões delas começaram a poder competir e colaborar de forma mais igual, mais horizontal e com ferramentas de sistematização do fluxo de trabalho mais baratas e mais rapidamente disponíveis. Como resultado e devido ao facto de o mundo se ter tornado plano, muitos destes novos intervenientes nem sequer tiveram de sair de casa para participar no processo. Graças aos dez acontecimentos, o "terreno de jogo" foi até eles!

É esta tripla convergência – de novos jogadores, num novo 'terreno de jogo', que desenvolvem novos processos e hábitos para uma colaboração horizontal – que creio ser a força catalisadora mais importante na configuração da economia e da política global no início do século XXI. Dar a muitos o acesso a todas estas ferramentas de colaboração, a par com a capacidade de – com recurso aos motores de busca e à Web *– aceder a milhares de milhões de páginas de informação em bruto, garante que a próxima geração de inovações virá do Planeta Plano. A escala da comunidade global que em breve estará apta a participar em todos os tipos de descobertas e inovações atingirá uma dimensão nunca antes vista no mundo.*

"Durante a Guerra Fria apenas existiam três grandes blocos comerciais – a América do Norte, a Europa Ocidental e o Japão mais o Sudeste Asiático: a concorrência entre estes era relativamente controlada, uma vez que todos eram aliados; estavam, portanto, do mesmo lado do mundo, à época dividido em dois grandes blocos político-económico-militares. Existiam igualmente muitos muros por detrás dos quais o trabalho e as indústrias podiam esconder-se. Os salários nestes três blocos comerciais eram praticamente idênticos, as equipas de trabalho tinham dimensões similares e os níveis de instrução equiparavam-se. A concorrência era um tanto ou quanto cavalheiresca", recordou Craig Barret, *Chairman* da Intel.

Foi, então, que surgiu a tripla convergência. O Muro de Berlim caiu, o centro de Berlim abriu-se e, subitamente, três mil milhões de pessoas que tinham estado atrás da Cortina de Ferro entraram na "praça" pública global e cada vez mais "plana".

Em números redondos, eis como parecia ser: de acordo com um estudo de Novembro de 2004 apresentado pelo economista Richard B. Freeman, da Universidade de Harvard, em 1985 "o mundo económico global" abrangia a América do Norte, a Europa Ocidental e o Japão, bem como algumas regiões da América Latina, de África e países do Sudeste Asiático. A população total deste mundo económico global, que participava nas trocas e no comércio internacional, aproximava-se dos 2,5 mil milhões de pessoas.

No ano 2000, em resultado da queda do comunismo na Europa de Leste e do desmembramento da antiga União Soviética, a Índia abandonou o isolacionismo, a China começou a abrir-se à economia de mercado e a população cresceu por todo o lado, tendo o mundo económico global passado a ter seis mil milhões de pessoas.

"Devido a este alargamento, um número adicional de aproximadamente 1,5 mil milhões de novos trabalhadores entrou para as estatísticas da mão-de-obra económica global, o que corresponde a praticamente o dobro do número existente em 2000 se a China, a Índia e a antiga União Soviética e países satélites não se tivessem juntado a este movimento", afirmou Freeman.

É verdade que, desta potente força de trabalho de 1,5 mil milhões de pessoas que entrou na economia global, talvez apenas dez por cento tivesse um grau de instrução e de conectividade suficiente para colaborar e competir de forma visível. Mesmo assim, trata-se de 150 milhões de pessoas, o equivalente a toda a mão-de--obra dos EUA. "Não se introduz, do dia para a noite, três mil milhões de pessoas na economia mundial sem grandes consequências, especialmente quando provêm de três sociedades [como a Índia, a China e a Rússia] com importantes heranças de formação", referiu Craig Barret.

Isto é inteiramente verdade. Estas sociedades em que estamos a penetrar possuem uma noção ética de educação muito elevada. Veja-se esta história tirada do *Education Week*, o semanário dos professores norte-americanos. Na sua edição de 30 de Novembro de 2005, publicou um artigo especial sobre a classe média indiana e as suas aspirações. A história passa-se em Chennai, Índia, e começa assim: "Numa das inúmeras aulas de formação académica de Chennai, uma centena de alunos do 12º ano enche uma sala de cor avermelhada, com aproximadamente nove metros de comprimento e sete de largura. A temperatura, desgastante, situa-se muito acima dos 37 graus centígrados, apesar do constante ruído das ventoinhas suspensas no tecto. Num estrado de madeira, Muthukrishnan Arulselvan desenha um triângulo, assinala os ângulos no seu interior e explica uma fórmula geométrica ao microfone. Os alunos ouvem com profunda atenção, apesar de serem quase dez horas da noite. Quando o Professor Arulselvan faz uma pergunta, os alunos apressam-se a responder em coro. Quando pede a resolução de um problema, enfiam as cabeças nos cadernos, roendo os lápis, ansiando por serem os primeiros a descobrir a solução. Esta aula intensiva, que se repete todos os dias da semana, é a imagem do dia-a-dia destes alunos indianos do ensino secundário, que esperam entrar numa das faculdades de Engenharia de Chennai... Quando regressam a casa, a maioria engole uma caneca de café forte para poder continuar a estudar durante várias horas... Na Índia, conseguir pôr um filho numa faculdade de Medicina ou de Engenharia é, para muitas famílias da classe média, uma missão de vida que não tem praticamente qualquer correspondência nos Estados Unidos. No país que inventou a escala decimal, génios da Matemática e das Ciências, há muito desaparecidos, como Srinivasa Ramanujam e Aryabhatta, continuam a ser reverenciados e as crianças que se destacam nestas áreas são consideradas especialmente dotadas."

Segundo o Instituto de Educação Internacional, em 2004-05, a Índia enviou mais alunos para universidades norte-americanas do que qualquer outro país. Ainda segundo este Instituto, 80 466 alunos estrangeiros matriculados nos Estados Unidos provinham da Índia, seguidos de 62 523 da China e 53 358 da Coreia do Sul. A maioria destes alunos estuda Gestão de Empresas, Engenharia, Matemática ou Ciências Computacionais. A Índia é um país muito longínquo. É uma cultura muito diferente. Não é fácil vir de tão longe. É preciso ter verdadeira "fome" de conhecimento.

É um facto que muitos destes novos "jogadores" provenientes da Índia, da China e do antigo Império Soviético não estão apenas a entrar no terreno do mundo plano com a sua "fome" gigantesca de chegar ao topo, através da obtenção de mais competências do que os seus concorrentes. O que estamos a testemunhar é uma libertação louca de energia – gerada ao longo de 50 anos de aspirações reprimidas em locais como a Índia, a China e a antiga URSS, onde os jovens usufruiam de bons sistemas educacionais, não tendo, no entanto, depois empresas onde aplicar o seu potencial. Imagine o que é agitar uma garrafa de champanhe durante 50 anos e, por fim, abri-la. O som da rolha a saltar deve ser impressionante. Este é o tipo de explosão de aspirações que provém actualmente da Índia, da China e da antiga União Soviética. Por certo, não quererá estar no caminho desta rolha.

É por essa razão que não estamos perante uma convergência tripla a velocidade lenta. Tudo está a acontecer muito rapidamente. Dado que, em determinada altura, o mundo se tornou plano e um número crescente de pessoas passou a dispor das novas formas de colaboração, os vencedores serão aqueles que aprendem os hábitos, os processos e as competências de forma mais rápida – e nada garante que sejam os norte-americanos ou os europeus ocidentais a continuar a liderar esta corrida. É de realçar que estes novos "jogadores" entram muitas vezes no "terreno de jogo" sem carregar qualquer legado, ou seja, muitos deles estavam de tal forma atrasados que podem passar directamente às novas tecnologias sem terem de se preocupar com os avultados custos dos sistemas antigos. Isto significa que podem adoptar muito rapidamente novas tecnologias de ponta, o que explica por que razão há mais telemóveis em utilização na China do que pessoas nos Estados Unidos. Muitos chineses nem passaram pela fase das comunicações por cabo. Por outras palavras, muitos chineses passaram da fase em que não tinham sequer telefone para a fase dos telemóveis, no espaço de uma década. Leccionei um curso sobre globalização em parceria com outro professor, em Harvard, na Primavera de 2005. Um dia, depois das aulas, um dos meus alunos contou-me a seguinte história: Ele e alguns colegas de Harvard tinham formado uma associação de estudantes com alunos da China. Ajudavam-se mutuamente em muitas áreas, desde a elaboração de currículos à realização de projectos de estudo em conjunto. O aspecto interessante, contudo, era a forma como comunicavam. Utilizavam as chamadas de voz gratuitas do Skype através da Internet. Mas o mais interessante era o seguinte: foram os estudantes chineses que apresentaram o Skype aos estudantes norte-americanos. E a maioria destes estudantes chineses, realçou, não vinham de grandes cidades, mas de pequenas vilas do país.

Temos tendência para pensar em economia e comércio global como algo que é motivado pelo FMI (Fundo Monetário Internacional), pelo G-8 (Grupo dos oito países mais industrializados – EUA, Rússia, Canadá, França, Alemanha, Itália, Reino Unido e Japão), pelo Banco Mundial e pela OMC (Organização Mundial do Comércio) e que consiste em tratados comerciais celebrados por ministros do Comércio. Não pretendo sugerir que estas instituições são irrelevantes. Não o são. Mas estão a tornar-se menos importantes. No futuro, a globalização vai ser cada vez mais conduzida pelos *indivíduos* que compreendem o mundo plano, se adaptam rapidamente aos seus processos e tecnologias e andam em frente – sem quaisquer tratados ou conselhos por parte do FMI. Eles serão todas as cores do arco-íris e provirão de todos os cantos do mundo.

A partir de agora, a economia global será menos configurada por deliberações ponderadas dos ministros das Finanças e mais pela explosão espontânea de energia proveniente dos *zippies**. Sim, os norte-americanos cresceram com os *hippies* nos anos 60. Devido à revolução das altas tecnologias, muitos de nós tornámo-nos *yuppies* nos anos 80. Agora deixe-me que lhe apresente os *zippies*.

"The Zippies Are Here" ("Os *Zippies* Estão Aqui"), declarou a revista semanal indiana *Outlook*. Os *zippies* formam o grande grupo de jovens indianos, que foram os primeiros a atingir a maioridade quando a Índia se afastou do seu antigo modelo político de referência e mergulhou de cabeça no comércio global e na revolução da informação, ao tornar-se o centro de serviços mundial.

A *Outlook* chamou aos *zippies* indianos "Crianças da Liberalização" e definiu um *zippie* como um "jovem habitante de uma cidade ou arredores, entre os 15 e os 25 anos de idade, que caminha a passos rápidos**. Pertence à Geração Z. Pode ser rapaz ou rapariga, estudar ou trabalhar. Transparece atitude, ambição e tem objectivos. É 'fixe', confiante e criativo. Procura desafios, adora o risco e evita ter medo". Os *zippies* indianos não se sentem culpados por ganharem dinheiro ou por o gastarem. Segundo um analista indiano citado pela *Outlook*, "são guiados para o destino e não pelo destino, olham para fora e não para dentro, deslocam-se em direcção ascendente e não como se estivessem presos à posição social". Considerando que 54 por cento da população da Índia tem menos de 25 anos – o que corresponde a 555 milhões de pessoas –, seis em cada dez lares indianos têm pelo menos um potencial *zippie*. Os *zippies* não procuram apenas bons empregos; eles querem ter uma vida boa.

Tudo aconteceu muito depressa. P. V. Kannan, CEO e co-fundador da empresa indiana de *call center* "24/7 Customer", contou-me que, na última década, passou da fase em que andava muito ansioso por não saber se alguma vez teria a oportunidade de ir trabalhar para os Estados Unidos, para a fase de ir trabalhar para os Estados Unidos e tornar-se uma das figuras líderes no *outsourcing* de serviços dos EUA para o resto do mundo.

---

* **N.T.** Uma versão cibernáutica dos *hippies* da década de 60.

** **N.T.** *With a zip in the stride* – daí a denominação de *zippies*.

"Nunca esquecerei quando pedi um visto para ir para os Estados Unidos", recordou Kannan. "Foi em Março de 1991. Possuía um B.A.* como revisor oficial de contas no Instituto [indiano] de Revisores Oficiais de Contas. Tinha 23 anos e a minha namorada 25. Ela era também revisora oficial de contas. Eu tinha acabado os estudos com 20 anos e trabalhávamos os dois no grupo Tata Consultancy. Ambos recebemos ofertas de trabalho, através de uma *body shop* [empresa de recrutamento especializada na importação de talentos indianos para empresas nos EUA], para irmos como programadores para a IBM. Foi assim que nos dirigimos ao Consulado dos EUA em Bombaim, onde estava sediado o serviço de recrutamento. Nessa altura, havia sempre uma fila enorme de pessoas que pretendiam obter vistos para os Estados Unidos. Alguns dormiam na fila e guardavam lugares, que eram vendidos por 20 rupias. Esperámos na fila, até que, finalmente, entrámos para a entrevista. O entrevistador era um norte-americano [funcionário do consulado]. Tinha como função fazer perguntas e tentar perceber se íamos apenas trabalhar, regressando mais tarde à Índia, ou se tentaríamos fixar-nos para sempre nos Estados Unidos. Éramos julgados através de uma fórmula secreta. Chamávamos-lhe "a lotaria" – íamos, aguardávamos na fila e, no final, era uma questão de lotaria da vida. Era tão aleatório!

Existiam na Índia livros e seminários inteiramente dedicados à forma como nos devíamos preparar para uma entrevista na embaixada dos EUA com a finalidade de obter um visto de trabalho. A ida para a América era a única forma de os engenheiros indianos especializados conseguirem explorar o talento que possuíam. "Uma das pistas que nos davam era para irmos sempre vestidos de forma profissional", recordou Kannan, "por essa razão eu e a minha namorada envergávamos as nossas melhores roupas. Depois de concluída a entrevista, o homem não dizia nada. Tínhamos de esperar até ao final do dia para sabermos os resultados. Eram horas de espera infernais! Para descontrair, fomos passear pelas ruas de Bombaim e fizemos algumas compras. De vez em quando éramos assaltados pela incerteza: 'E se eu consigo e tu não? E se tu consegues e eu não?' É impossível descrever o nosso estado de ansiedade... era tanta coisa que estava em causa. Foi uma tortura. No final do dia, ambos obtivemos vistos, mas eu consegui direito de permanência para cinco anos – podíamos entrar e sair quando quiséssemos, durante esse período. A minha namorada conseguiu apenas um visto de seis meses. Começou a chorar. Ela não entendia o que aquilo significava. 'Só posso ficar por seis meses?' Tentei explicar-lhe que o mais importante era poder entrar, o resto resolvia-se".

Apesar de muitos indianos ainda sonharem ir para os Estados Unidos estudar e trabalhar, a tripla convergência permitiu que muitos competissem a um nível mais exigente, com salários decentes, sem terem de abandonar as suas casas. Num

---

* **N.T.** *Baccalaureus Artrium* é o grau de bacharel em Filosofia recebido por estudos na Faculdade de Filosofia, Ciências e Letras.

mundo plano, é possível inovar sem ter de emigrar. "A minha filha nunca terá de passar pelo que eu passei. Num mundo plano não existem vistos que nos possam manter fora do sistema... É um mundo onde nos podemos ligar e entrar no 'jogo' (*plug-and-play*)", disse Kannan. Porque hoje é possível inovar sem ter necessidade de emigrar, um volume crescente de inovação de valor mundial, nomeadamente ao nível do *software*, tem origem na Índia – não sendo apenas trabalhada na Índia. Isto permite manter os indianos no seu país e atrair estrangeiros. P. Anandan, um engenheiro informático norte-americano de origem indiana, que trabalhou na Microsoft em Redmond, regressou à Índia em 2005 para inaugurar o centro de investigação da Microsoft em Bangalore. "Tenho duas pessoas que não são indianas a trabalhar para mim, uma é japonesa e outra é norte-americana, e podiam trabalhar em qualquer local do mundo," contou-me Anandan. Acrescentou que, quando concluiu o seu curso de Engenharia na Índia, há 28 anos, a competição consistia em obter um trabalho no estrangeiro. Actualmente, a competição mais feroz consiste em obter um trabalho no sector das TI na Índia: "Deixou de ser 'Bem, tenho que ficar por cá' para ser 'Será que conseguirei ficar cá?' "

Um dos casos mais dinâmicos de *plug-and-play* que conheci na Índia foi Rajesh Rao, fundador e CEO da Dhruva Interactive, uma pequena empresa indiana de jogos sediada em Bangalore. Se tivesse de personificar em alguém a tripla convergência, essa pessoa seria Rajesh. Ele e a sua empresa mostram-nos o que acontece quando um *zippie* indiano se "liga" aos dez acontecimentos que contribuíram para que o mundo se tornasse plano.

A Dhruva situa-se numa casa remodelada, numa rua calma de um bairro residencial de Bangalore. Quando fui visitar a empresa, deparei-me com dois andares cheios de *designers* e criativos indianos responsáveis pela concepção de jogos, com formação em gráficos computorizados, que trabalhavam em PC, desenhando vários jogos e personagens animadas para clientes norte-americanos e europeus. Os criativos e *designers* ouviam música nos *headphones* enquanto trabalhavam. Ocasionalmente, faziam uma pausa e jogavam um jogo de computador em grupo, no qual todos os *designers* tentavam perseguir-se e matar-se uns aos outros, à vez, nos monitores dos seus PC. A Dhruva já produziu alguns jogos computorizados muito inovadores – desde um jogo de ténis, que é possível jogar no ecrã do telemóvel, até um jogo de bilhar, que pode jogar no seu computador de secretária ou no portátil. Em 2004, comprou os direitos de utilização da imagem de Charlie Chaplin em jogos para telemóveis. É isso mesmo – uma *start-up* indiana especializada em jogos detém actualmente os direitos de utilização da imagem de Chaplin para os jogos nos telemóveis.

Em Bangalore, e mais tarde através de conversas por *e-mail*, pedi a Rajesh – que tem trinta e poucos anos de idade – que me explicasse como se tinha tornado um actor importante no negócio global dos jogos, a partir de Bangalore.

"O primeiro momento visionário aconteceu no início da década de 90", disse Rajesh, uma figura baixinha, com bigode e a ambição de um jogador de boxe na categoria de pesos-pesados. "Vivi e trabalhei na Europa enquanto estudava, mas decidi que não deixaria a Índia por nada deste mundo. Queria realizar o meu projecto no meu país, fazer algo que fosse globalmente respeitado e que pudesse fazer a diferença na Índia. Fundei a minha empresa, em Bangalore, como empresário em nome individual, em 15 de Março de 1995. O meu pai cedeu-me o capital necessário para que me concedessem o financiamento bancário que serviu para comprar um computador e um *modem* de 14,4 Kbp. Decidi lançar-me nas aplicações multimédia destinadas aos sectores da educação e da indústria. Em 1997, já éramos uma equipa de cinco. Fizemos algum trabalho pioneiro no sector de actividade que escolhemos, mas percebemos que precisávamos de mais desafios. Fim da Dhruva 1.0."

"Em Março de 1997, fizemos uma parceria com a Intel e demos início ao nosso processo de reinvenção como empresa de jogos. Em meados de 1998, estávamos a provar aos 'jogadores' globais aquilo de que éramos capazes, ao nível da concepção de jogos e do desenvolvimento de partes de jogos desenhados por outros e que nos eram subcontratados. Em 26 de Novembro de 1998, assinámos o primeiro grande projecto de desenvolvimento de jogos com a Infogrames Entertainment, uma empresa francesa do sector. Analisando em retrospectiva, penso que este acordo se deveu, mais do que a qualquer outra coisa, ao pragmatismo de um homem na Infogrames. Fizemos um excelente trabalho ao nível do 'jogo', mas este nunca foi publicitado. Foi um duro golpe para nós, mas a qualidade do nosso trabalho falou por si e a empresa sobreviveu. A lição mais importante tirada desta experiência foi percebermos que éramos capazes de desenvolver um produto com êxito, mas que teríamos de nos tornar mais inteligentes. Apostar tudo ou nada – ou seja, assinar um contrato com vista à criação de um jogo completo, ou não assinar nada. De outro modo, não era sustentável. Tínhamos de nos posicionar de forma diferente. Fim da Dhruva 2.0."

Isto levou ao início da era Dhruva 3.0 – durante a qual a Dhruva se posicionou como fornecedora de serviços no âmbito do desenvolvimento de jogos. O negócio dos jogos de computador era já muito grande e gerava anualmente mais receitas do que a indústria cinematográfica de Hollywood. Contava igualmente com alguma tradição no *outsourcing* de personagens de jogos para países como o Canadá e a Austrália. "Em Março de 2001, lançámos, a nível mundial, a demo do nosso novo jogo, *Saloon*", disse Rajesh. "O tema era o *Wild, Wild West**. O cenário era um *saloon* numa pequena cidade, depois de um dia de trabalho, com o *barman* a fazer limpeza... Nunca nenhum de nós tinha visto um verdadeiro *saloon*, mas fizemos pesquisas sobre a decoração e o ambiente [de um *saloon*] recorrendo ao Google, através da Internet. A escolha do tema foi deliberada. Queríamos que os potenciais clientes

* **N.T.** Baseado no filme americano com o mesmo nome.

nos EUA e na Europa se convencessem de que os indianos conseguiam 'lá chegar'. A demo foi um êxito, valeu-nos uma série de negócios via *outsourcing* e, desde então, somos uma empresa de sucesso."

Teriam conseguido fazer isto uma década mais cedo, antes de o mundo se tornar tão plano?

"Nunca", afirmou Rajesh. Para isso teriam de se reunir vários factores. O primeiro foi a existência de suficiente largura de banda instalada para que uma empresa indiana e os seus clientes norte-americanos pudessem trocar constantemente entre si, via *e-mail*, o conteúdo dos jogos e as instruções dos mesmos. O segundo factor, disse Rajesh, foi a disseminação dos PC de utilização profissional e doméstica, contribuindo para que mais pessoas se sentissem à-vontade a utilizá-los. "Os PC estão por todo o lado. Actualmente, a sua penetração é relativamente importante", acrescentou.

O que possibilitou à Dhruva entrar, desde o primeiro dia, no negócio dos jogos como minimultinacional foi o terceiro factor, traduzido no aparecimento de *software* de sistematização do fluxo de trabalho e aplicações para Internet: Word, Outlook, NetMeeting e 3D Studio MAX. Mas o Google foi o factor-chave. "É fantástico!", exclamou Rajesh. "Um dos tópicos que os nossos clientes ocidentais mais abordam é: 'Serão os indianos capazes de compreender as *nuances* subtis dos conteúdos que vêm do Ocidente?' Em larga medida, esta é uma pergunta muito válida. A Internet ajudou-nos a sermos capazes de agregar diferentes tipos de conteúdo só com o toque numa tecla; e se actualmente alguém nos pedir para fazer algo parecido com o *Tom and Jerry*, basta pesquisarmos no Google e obteremos toneladas de imagens, informação, análises e relatórios sobre o *Tom and Jerry*. Todos estes dados podem ser lidos e simulados."

Embora o mundo estivesse concentrado no *boom* e posterior estoiro das *dot-com*, a verdadeira revolução estava a acontecer de forma muito silenciosa, explicou Rajesh. E traduzia-se no facto de as pessoas de todo o mundo, de forma massificada, estarem a começar a sentir-se à-vontade com a nova infra-estrutura global. "Estamos apenas na fase inicial da sua utilização com eficiência", sublinhou. "Podemos fazer muito com esta infra-estrutura, à medida que cada vez mais pessoas deixarem de usar papel nos seus locais de trabalho e se aperceberem que as distâncias realmente não importam... Isso dinamizará tudo o resto." O mundo vai realmente ser diferente.

Nos primórdios desta revolução, os programas de *software* eram vendidos a preços não acessíveis para uma pequena *start-up* indiana da área dos jogos. No entanto, isso já não acontece, em parte devido ao movimento de *software* livre em código aberto. "O custo das ferramentas de *software* ter-se-ia mantido no nível em que as partes interessadas queriam que estivesse se não fosse a avalanche de produtos de *freeware* e *shareware,* bastante eficientes, que surgiu no início da década de 2000. O Microsoft Windows, o Office, o 3D Studio MAX, o Adobe Photoshop – cada um destes programas seria hoje vendido a preços muito mais elevados, se não existissem programas de *freeware/shareware*, muito equivalentes e confiáveis. A Internet trouxe para a mesa o elemento de escolha e a comparação instantânea que antes não existia para uma pequena empresa como a nossa... Agora temos, na indústria de jogos, criativos e *designers* que trabalham a partir de casa, o que seria inimaginável há apenas alguns anos, atendendo a que o desenvolvimento de jogos é um processo altamente interactivo. Estão ligados ao sistema interno da empresa através da Internet, utilizando uma solução de segurança chamada VPN [*Virtual Private Network* – rede privada virtual], fazendo com que a sua presença não seja muito diferente da do indivíduo do gabinete ao lado."

A Internet faz agora com que todo este mundo seja como "um mercado único", adiantou Rajesh. "Esta infra-estrutura não só irá facilitar o recrutamento de trabalho externo, ao melhor preço, com a melhor qualidade e do melhor lugar, mas também irá permitir um grande volume de partilha de práticas e conhecimento. Porque 'eu posso aprender contigo e tu podes aprender comigo', as consequências serão muito positivas para o mundo. A economia vai motivar a integração e esta vai motivar a economia."

"Não há qualquer razão para que os Estados Unidos não beneficiem desta tendência", insistiu Rajesh. O que a Dhruva está a fazer é ser pioneira no âmbito dos jogos de computador na sociedade indiana. Quando o mercado indiano começar a aceitar os jogos como uma actividade social principal, a Dhruva já estará posicionada para tirar partido disso. Nessa altura, argumentou, o mercado "será tão grande que existirão muitas oportunidades para a entrada de conteúdos vindos de fora. E os norte-americanos estão mais avançados para perceberem os jogos que podem funcionar ao nível do *design* vanguardista – por isso, todo o processo é bilateral... Cada dólar ou oportunidade que se perca hoje [de um ponto de vista norte-americano devido ao *outsourcing*] é devolvido dez vezes mais, uma vez que aqui o mercado está desenfreado... Lembre-se de que a classe média indiana é composta por 300 milhões de pessoas – muito maior do que a norte-americana ou a de qualquer país europeu".

Sim, acrescentou, a Índia tem neste momento a grande vantagem de ter uma plataforma humana com elevado nível de instrução, oferecer baixos salários, ter como língua o inglês, ter uma etiqueta de sentido forte no seu ADN, bem como um forte espírito empreendedor. "Neste momento, seguramente, lideramos a tão falada vaga de *outsourcing* de serviços de vários tipos", disse Rajesh. "Mas acredito que não deve haver dúvidas de que estamos apenas no começo. Se os indianos pensam que de todo este movimento existe alguma parte que poderão reservar só para eles, estarão a cometer um grande erro, porque a Europa de Leste está a acordar e a China está tão-só à espera de entrar no universo dos serviços para assumir várias funções. Quero com isto dizer que, hoje em dia, é possível eleger o melhor produto, serviço, capacidade ou competência em qualquer parte do mundo, devido a toda esta infra-estrutura que está a ser edificada. À medida que mais empresas e pessoas se forem familiarizando com a utilização desta infra-estrutura, assistiremos a uma enorme explosão. É uma questão de cinco a sete anos até termos uma enorme quantidade de talentosos licenciados chineses fluentes em inglês a saírem das suas universidades. Os polacos e os húngaros já estão muito bem ligados e as suas culturas são muito similares às da Europa Ocidental. A Índia actualmente lidera, mas terá de trabalhar muito se quiser manter esta posição. Nunca poderá deixar de inventar e de se reinventar a si mesma."

A ambição pura de Rajesh e de tantos outros da sua geração é digna de nota por parte dos norte-americanos – uma questão que abordarei em pormenor mais à frente.

"Não podemos descansar", disse Rajesh. "No caso dos Estados Unidos, penso que foi um pouco isso que aconteceu. Por favor, olhem para mim: eu sou indiano. Já estivemos num patamar muito diferente em termos de tecnologia e de negócios. Mas quando percebemos que tínhamos uma infra-estrutura que transformava o mundo num lugar pequeno, rapidamente tentámos usá-la da melhor forma. Percebemos que havia muitas coisas que era possível fazer. Fomos em frente e aquilo a que actualmente assisto é resultado disso... Não há tempo para descansar. O descanso pertence ao passado. Existem dúzias de pessoas que estão a fazer o mesmo que você e que o estão a tentar fazer ainda melhor. É como o movimento do fluxo da água, que segue o caminho de menor resistência. Isso é o que vai acontecer a muitos empregos – irão para aquele canto do mundo onde existe menor resistência e mais oportunidades. Se houver uma pessoa competente em Timbuktu, essa pessoa terá emprego se souber como aceder ao resto do mundo, o que é bastante fácil nos dias de hoje. Pode criar um *website* e ter um endereço de *e-mail* e está pronto para trabalhar. Se puder mostrar o seu valor, utilizando a mesma infra-estrutura, se houver quem lhe ofereça trabalho e se for diligente e honesto nas transacções, então estará pronto para fazer negócio."

Em vez de se queixarem do *outsourcing*, disse Rajesh, "seria melhor que os norte-americanos e os europeus ocidentais pensassem na forma de aumentar a sua fasquia no que diz respeito a produzir melhor. Os norte-americanos lideraram constantemente a inovação ao longo do século passado. Norte-americanos lamuriosos – nunca tal havia visto. Pessoas como eu aprenderam muito com os norte-americanos. Aprendemos a tornarmo-nos um pouco mais agressivos na forma como nos colocamos no mercado, coisa que nunca teríamos feito devido ao nosso típico *background* britânico".

"Então, qual é a mensagem geral?", perguntei a Rajesh antes de sair, com a cabeça a andar à roda.

"O que está a acontecer é apenas a ponta do icebergue... O que é realmente necessário é que todos acordem para o facto de que existe um período de transição fundamental, que está a traduzir-se na forma como as pessoas vão fazer negócios.

Todos terão de melhorar e estar preparados para competir. Só irá existir um único mercado global. Note, acabámos de mandar fazer bonés de basebol para a Dhruva oferecer, que foram fabricados no Sri Lanka."

"Não vieram de uma fábrica de Bangalore-Sul?", perguntei.

"Não vieram de Bangalore-Sul", respondeu Rajesh, "se bem que Bangalore seja um dos centros de exportação de peças de roupa. De entre os três ou quatro bonés diferentes que nos foram apresentados, o do Sri Lanka era o melhor em termos de qualidade e preço, e considerámos o acabamento excelente."

"É esta situação que verá cada vez com mais frequência", concluiu Rajesh. "Se se apercebe de toda esta energia nos indianos, é porque fomos um povo oprimido e temos aquela motivação para ter sucesso e chegar lá... A Índia vai ser uma superpotência e vamos governar."

"Governar quem?", perguntei.

Rajesh riu-se da sua própria escolha das palavras. "Não tem a ver com governar alguém. É essa a questão. Já não há ninguém para governar. Está relacionado com a forma como podemos criar uma grande oportunidade e agarrarmo-nos a isso ou continuarmos a criar novas oportunidades onde for possível florescer. Penso que hoje a regra tem a ver com eficiência, colaboração, competitividade e em ser um 'jogador'. Tem a ver com mantermo-nos perspicazes e em jogo... Agora, o mundo é um campo de futebol e temos de ser perspicazes para estarmos na equipa principal. Se não formos suficientemente bons, ficamos a ver o jogo no banco dos suplentes. É só isso."

Como se diz *Zippie* em chinês?

Conforme acontecia em Bangalore há dez anos, o melhor lugar para conhecer *zippies* em Pequim é na fila do departamento consular da embaixada norte-americana. Em Pequim, no Verão de 2004, descobri que a procura de vistos por parte de estudantes chineses para estudar ou trabalhar nos Estados Unidos era tão intensa que tinha dado origem a salas de *chat* na Internet, nas quais os estudantes chineses partilhavam os argumentos que funcionavam melhor junto dos responsáveis consulares. Até chegaram ao ponto de darem nomes aos diplomatas norte-americanos, como "Amazon Goddess" (Deusa Amazona), "Too Tall Baldy" (Careca Muito Alto) e "Handsome Guy" (Indivíduo Atraente). Representantes da embaixada norte-americana contaram-me terem-se dado conta da intensidade com que os estudantes chineses cimentavam as suas estratégias na Internet quando, certo dia, um responsável do departamento consular recebeu vários estudantes com a mesma explicação, sugerida, certamente, nalguma sala de *chat,* que consistia numa espécie de palavra-chave com vista à obtenção de um visto: "Quero ir para os Estados Unidos para ser um professor universitário famoso."

Depois de ter passado um dia inteiro a ouvir esta frase, o responsável norte-americano ficou surpreendido quando um estudante lhe disse: "A minha mãe tem um membro artificial e eu quero ir para os Estados Unidos para aprender a fazer um membro artificial melhor." Aliviado por ouvir uma frase nova, ele disse ao rapaz: "Sabes, esta é a melhor história que ouvi em todo o dia. Dou-te os parabéns. Vais ter o teu visto."

Agora, adivinhe lá...

No dia seguinte, uma enorme quantidade de estudantes apareceu na embaixada a dizer que pretendia um visto para ir para os EUA aprender a fazer membros artificiais melhores para as suas mães.

Ao falar com estes representantes da embaixada dos Estados Unidos em Pequim, que protagonizam o acesso aos vistos, apercebi-me rapidamente da ambivalência dos seus sentimentos relativamente ao processo. Se, por um lado, ficavam satisfeitos por tantos chineses quererem ir estudar e trabalhar para os EUA, por outro, atormentava-os a necessidade de lançar um alerta os jovens norte-americanos: Têm noção do que vai entrar no vosso caminho? Conforme me disse um representante da embaixada norte-americana: "O que vejo acontecer na China é aquilo que tem sucedido nas últimas décadas no resto da Ásia – explosões tecnológicas em catadupa e uma tremenda erupção de energia humana. Vi isso por todo o lado, mas agora está a acontecer aqui."

No Verão de 2004, visitei a Universidade de Yale. Enquanto deambulava pela praça central, perto da estátua de Elihu Yale, surgiram duas excursões de chineses, com gente de todas as idades. Os chineses começaram a passear-se pelo mundo cada vez em maior número e, à medida que o país continua a evoluir na direcção de uma sociedade mais aberta, é bastante provável que venham a modificar toda a indústria do turismo mundial.

Os turistas não visitam Yale apenas para admirarem a sua botânica. Analisemos as estatísticas do departamento de admissões da Universidade de Yale. No semestre do Outono de 1985 havia 71 estudantes provenientes da China e apenas 1 da União Soviética. No semestre do Outono de 2003 havia 297 chineses e 23 russos. O contingente total internacional de Yale passou de 386 no Outono de 1985 para 1775 no Outono de 2003. As candidaturas de estudantes chineses e russos de escolas secundárias para frequentar Yale passaram de um total de 40 chineses no curso que terminou em 2001 para 276 no curso que termina em 2008, e de 18 russos no curso que terminou em 2001 para 30 no curso que termina em 2008. Em 1999, Yiting Liu, uma jovem com bolsa de estudo, proveniente de Chengdu, na China, conseguiu ser aceite em Harvard com direito a uma bolsa completa. Na sequência da sua admissão, os pais da jovem estudante escreveram um livro de bolso, do tipo "faça-você-mesmo", explicando a forma como conseguiram preparar a sua filha para ser admitida em Harvard. O livro, escrito em chinês, com o título *Harvard Girl Yiting Liu* ("Yiting Liu, a Menina de Harvard"), oferecia "métodos cientificamente comprovados" para se conseguir a admissão de um filho em Harvard. O livro tornou-se rapidamente um *bestseller* na China. Em 2003, já tinha vendido três milhões de cópias e dado origem a mais de uma dúzia de livros sobre a temática. Além de Harvard, foram escritos outros manuais de admissão para as Universidades de Columbia, Oxford e Cambridge.

Embora muitos chineses aspirem a entrar em Harvard e em Yale, não se limitam a ficar à espera de uma universidade norte-americana. Também estão a tentar ter a sua Harvard e a sua Yale.

Em 2004, fui orador no 150º aniversário da Universidade de Washington, em St. Louis, um estabelecimento de ensino conhecido pela sua solidez em Ciências e Engenharia. Antes da cerimónia, estive a conversar com Mark Wrighton, o sensato reitor da universidade. Ele mencionou, de passagem, que no semestre da Primavera de 2002 tinha sido convidado (a par com muitos outros académicos norte--americanos e estrangeiros de renome) a deslocar-se à Universidade de Tsinghua, em Pequim, uma das melhores da China, para participar na celebração do seu 9º aniversário. Disse-me que o convite começou por o deixar confuso: Por que razão uma universidade celebra o seu 9º aniversário e não o 100º?

"Será que é uma tradição chinesa?", interrogou-se Wrighton. Quando chegou a Tsinghua, obteve a resposta. Os chineses tinham convidado académicos de todo o mundo – estiveram presentes na cerimónia mais de dez mil pessoas – para declararem "que no 100º aniversário, a Universidade de Tsinghua estaria entre as melhores do mundo", explicou-me Wrighton, mais tarde, num *e-mail*. "O evento envolveu todos os líderes do governo chinês, desde o Presidente da Câmara Municipal de Pequim até ao Chefe de Estado. Todos expressaram a convicção de que um investimento na universidade, para apoiar o seu desenvolvimento como uma das melhores universidades do mundo no prazo de dez anos, seria bastante recompensador. Com a Universidade de Tsinghua a ser já vista como uma das principais universidades da China, centrada em Ciências e Tecnologia, o objectivo de lutar pela liderança mundial em todas as áreas ligadas à inovação tecnológica, é levado a sério."

Considerando a extraordinária motivação da China para ser bem sucedida, o *Chairman* da Microsoft, Bill Gates, disse-me que "a lotaria ovariana" mudou – bem como toda a relação entre geografia e talento. "Há 30 anos, se fosse possível optar entre nascer um génio nos subúrbios de Bombaim ou Xangai, ou nascer como um indivíduo mediano em Poughkeepsie*, qualquer um escolheria Poughkeepsie, porque as hipóteses de prosperar e viver uma vida confortável nesse local, mesmo possuindo um talento mediano, eram muito maiores. No entanto, à medida que o mundo se foi tornando plano, o talento natural começou a triunfar sobre a geografia", disse Gates.

"Actualmente, preferia ser um génio nascido na China do que um indivíduo com capacidades medianas nascido em Poughkeepsie", explicou.

---

* **N.T.** Zona de Nova Iorque.

Foi isso que aconteceu quando o Muro de Berlim se transformou em "centro comercial" de Berlim, dando origem a que três mil milhões de pessoas convergissem num só sentido munidas de todas as novas ferramentas de colaboração. "Vamos explorar a energia e o talento de cinco vezes mais pessoas do que antes", afirmou Bill Gates.

Da Rússia, com amor

Não tive oportunidade de visitar a Rússia e entrevistar *zippies* russos, mas dei o passo seguinte. Pedi ao meu amigo Thomas R. Pickering, ex-embaixador dos EUA em Moscovo, actualmente executivo de topo na área das relações internacionais da Boeing, que me explicasse um novo desenvolvimento de que tinha ouvido falar: que a Boeing estava a recorrer a engenheiros e cientistas russos que tinham trabalhado com MiG, para ajudarem a empresa aeronáutica a desenhar a sua nova geração de aviões de passageiros.

Pickering deslindou a história. E contou-ma. Em 1991, a Boeing começou a recrutar cientistas russos, de forma a tirar partido dos seus conhecimentos periciais em aerodinâmica e novas ligas para aviões. Em 1998, a Boeing decidiu dar mais um passo em frente, tendo aberto um gabinete de *design* de engenharia aeronáutica em Moscovo. A empresa sediou o gabinete na torre moscovita de 12 andares que a McDonald's construiu com os rublos provenientes da venda de Big Mac's em Moscovo antes do fim do comunismo – dinheiro que a McDonald's tinha prometido não retirar do país quando lá se instalou.

Em 2005, isto é, apenas sete anos depois, salientou Pickering, "tínhamos já 800 engenheiros e cientistas russos a trabalhar para nós. O objectivo é atingir, pelo menos, mil e, talvez, com o tempo, mil e quinhentos".

Funciona assim: a Boeing contrata diferentes fabricantes de aviões. São empresas que ganharam prestígio durante a Guerra Fria por fabricarem aviões de combate, entre as quais destaque para a Ilyushin, a Tupolev e a Sukhoi. Estas empresas fornecem "engenheiros por encomenda" para os vários projectos da Boeing. Os engenheiros russos colaboram com os seus colegas na Boeing America – tanto em Seattle como em Wichita, Kansas – no que diz respeito ao *design* [de aviões] assistido por computador. A Boeing estabeleceu dias de trabalho de 24 horas, que correspondem a dois turnos em Moscovo e a um nos Estados Unidos. Utilizando cabos de fibra óptica, avançadas tecnologias de compressão e *software* aeronáutico de sistematização do fluxo de trabalho, "os engenheiros vão enviando os seus *designs* de Moscovo para os EUA", explicou Pickering. Existem salas para videoconferência em todos os andares da representação da Boeing em Moscovo, pelo que os engenheiros não dependem do *e-mail* quando surge um problema para resolver com os seus congéneres norte-americanos. Tudo se resolve, assim, numa conversa frente-a-frente.

A Boeing começou a fazer o *outsourcing* do *design* dos seus aviões para Moscovo a título de experiência, como uma ocupação secundária; mas, hoje em dia, com a escassez de engenheiros aeronáuticos nos Estados Unidos, tornou-se numa necessidade. A capacidade da Boeing para integrar engenheiros russos, de menor custo, em equipas de desenhadores norte-americanos, mais avançadas e de maior custo, está a permitir-lhe competir renhidamente com a sua grande rival, a Airbus Industries, subsidiada por um consórcio de governos europeus e que, por sua vez, também está a recorrer aos talentos russos. Um engenheiro aeronáutico norte-americano custa 120 dólares por hora; um russo custa cerca de um terço deste valor.

Contudo, aqueles que são subcontratados também subcontratam. Os engenheiros russos recorrem à subcontratação de uma parte do seu trabalho à Hindustan Aeronautics, em Bangalore, cuja especialização é a digitalização de *design* de aviões de forma a torná-los mais fáceis de serem fabricados. Mas isto é apenas uma parte. Nos bons velhos tempos, sublinhou Pickering, a Boeing diria aos seus subcontratados japoneses: "Vamos enviar-vos os planos para fabricarem as asas do 777. Fabriquem algumas, depois, claro, contamos que nos comprem os aviões completos. É um acordo *win-win* (em que ambos vencem)."

Hoje, a Boeing comunica ao gigante industrial japonês Mitsubishi: "Estes são os parâmetros gerais para as asas do novo 7E7. Desenhem o produto e fabriquem-no." No entanto, os engenheiros japoneses são bastante caros. O que acontece então? A Mitsubishi subcontrata componentes das asas do 7E7 aos mesmos engenheiros russos a que a Boeing recorre para fabricar outras peças do avião. Entretanto, já se assiste à saída de alguns engenheiros e cientistas de grandes empresas russas de construção de aviões, para criarem as suas próprias empresas. A própria Boeing está a ponderar comprar participações em algumas destas *start-ups* de forma a garantir, no futuro, uma importante reserva de capacidade de engenharia.

Todo este movimento de recrutamento global tem como objectivo acelerar e tornar mais barato o *design* e o fabrico de aviões, para que a Boeing possa investir em inovação na nova geração de aeronaves e sobreviver à concorrência fulminante da Airbus. Graças à tripla convergência, a Boeing precisa actualmente de apenas 11 dias para construir um 737, contra 28 dias há poucos anos. A Boeing irá construir a sua próxima geração de aviões em três dias, dado que todas as peças para montagem estão a ser desenhadas por computador. Além disso, a cadeia de abastecimento global da Boeing irá permitir a transferência de peças de uma instalação para outra no minuto exacto.

No sentido de garantir que está a conseguir os melhores acordos para o fabrico das suas peças, bem como com outros fornecedores, a Boeing gere agora "leilões invertidos"*. Os contratos postos em leilão abrangem de tudo, desde papel higiénico para as fábricas da Boeing até porcas e parafusos – produtos não personaliza-

* **N.T.** Ao contrário dos leilões tradicionais, neste tipo de leilões há muitos fornecedores para um só comprador. O objectivo é fazer com que os vendedores vão descendo o preço de licitação, o que ajuda o comprador a obter o melhor preço.

dos – para as cadeias de abastecimento da empresa. A Boeing anuncia cada leilão para uma determinada hora, num *site* da Internet especificamente destinado para o efeito. O preço base de cada artigo a ser fornecido é fixado num valor considerado justo. Depois, basta ficar sentado a observar até que ponto cada fornecedor desce os seus preços relativamente aos propostos pela concorrência para conseguir ganhar o negócio. Os licitadores são pré-qualificados pela Boeing e todos podem ver as licitações uns dos outros à medida que estas vão sendo feitas.

"É possível observar as pressões do mercado e a forma como funcionam. É como assistir a uma corrida de cavalos", comparou Pickering.

A outra tripla convergência

Uma vez ouvi Bill Bradley contar uma história acerca de uma mulher da alta sociedade, de Boston, que vai a São Francisco pela primeira vez. De volta a casa, uma amiga pergunta-lhe se tinha gostado, ela responde: "Nem por isso – fica muito longe do oceano."

A perspectiva e predisposição de cada indivíduo é extremamente importante na configuração daquilo que vê e não vê. Isso ajuda a explicar o porquê de tantas pessoas não terem dado conta de um acontecimento tão importante como o da tripla convergência. As suas mentes estavam num lugar completamente diferente, apesar de tudo estar a acontecer diante dos seus olhos. Três outros factores (uma outra convergência) aconteceram em simultâneo e ajudaram a criar este "painel de fumo".

O primeiro foi o estoiro das *dot-com*, que teve início em Março de 2001. Conforme referi anteriormente, muitas pessoas equipararam erradamente o *boom* das *dot-com* à globalização. Assim, quando a bolha estoirou e tantas empresas destas implodiram, muitos acreditaram que a globalização também estava a implodir. Supôs-se que o súbito fracasso de *sites* como o comidaparacaes.com e de dezenas de outros *websites* que entregavam em sua casa 4,5 quilogramas de *snacks* para cachorros em apenas 30 minutos fosse uma prova de que a globalização e a revolução das TI não eram sustentáveis.

Foi um perfeito disparate. Quem pensou que a globalização era o mesmo que o *boom* das *dot-com* e que o estoiro da bolha tinha marcado o fim da globalização, *não poderia estar mais errado*. Repito, na realidade, o estoiro das *dot-com* desencadeou a hipermoda da globalização, ao forçar as empresas a proceder ao *outsourcing* e ao *offshoring* de cada vez mais funções. Tudo com o objectivo de cortar custos. Este foi um factor-chave na criação de alicerces para a Globalização 3.0. Entre o estoiro da bolha das *dot-com* e os dias de hoje, o Google passou do processamento de aproximadamente 150 milhões de pesquisas por dia para mais de mil milhões, das quais apenas um terço tem origem nos Estados Unidos. Uma vez que o seu modelo de leilões foi bem recebido no mundo inteiro, a eBay passou de 1200 colaboradores no início de 2000 para 6300 em 2004, tudo isto num período em que supostamente a globalização teria "terminado". Entre 2000 e 2004, a utilização total da Internet cresceu 125 por cento, incluindo 186 por cento em África, 209 por cento na América Latina, 124 por cento na Europa e 105 por cento na América do Norte, de acordo com a Nielsen/NetRatings. Sim, é claro que a globalização acabou...

Não foi apenas o estoiro das *dot-com* e todo o ar quente gerado em torno do fenómeno que toldou a visão a muitos. Outras duas grandes nuvens surgiram no horizonte. A maior, obviamente, foi o 11 de Setembro, que representou um profundo choque para a classe política norte-americana. Atendendo ao "11/9", bem como às invasões subsequentes do Afeganistão e do Iraque, não é de surpreender que a tripla convergência se tenha perdido no nevoeiro da guerra e na tagarelice da televisão por cabo. A segunda nuvem personificou o escândalo da falência fraudulenta da Enron, rapidamente seguido dos colapsos da Tyco e da WorldCom – que colocaram os respectivos CEOs e a Administração Bush nas primeiras páginas dos jornais. Os CEOs, com alguma justificação, foram tidos como culpados, até prova da sua inocência, relativamente à má gestão dos conselhos de administração a que presidiam e até os servilmente apoiantes do desenvolvimento empresarial e da Administração Bush tinham consciência de poderem parecer – em público – excessivamente ansiosos face aos escândalos daquelas empresas.

Na Primavera de 2004, encontrei-me com o líder de uma das maiores empresas tecnológicas dos EUA, que tinha ido a Washington para fazer *lobby* no sentido de obter um maior financiamento federal para a *National Science Foundation* e ajudar a criar uma base industrial norte-americana mais forte.

Perguntei-lhe por que razão o Executivo não marcava uma cimeira de CEOs para debater este assunto. Em resposta, ele apenas abanou a cabeça e sussurrou uma palavra: "Enron."

Resultado: no preciso momento em que o mundo estava a tornar-se plano e em que a tripla convergência e a comunidade empresarial global estavam a ser reconfiguradas – exigindo alguns ajustamentos muito importantes na sociedade norte-americana, bem como em muitos países desenvolvidos do Ocidente –, os políticos norte-americanos não só não estavam a informar os seus cidadãos, como estavam a trabalhar activamente no sentido de os manter ignorantes relativamente aos factos. Durante a campanha eleitoral de 2004, vimos os Democratas debaterem até que ponto o NAFTA (Acordo Norte-Americano de Comércio Livre) era uma boa ideia e a Casa Branca, de Bush, a "amordaçar" N. Gregory Mankiw, Presidente do Conselho de Assessores Económicos da Casa Branca, colocando-o na alçada do Vice-Presidente Dick Cheney – tudo porque Mankiw, autor de importantes ensaios económicos, se atreveu a falar de forma positiva do *outsourcing*, considerando-o "a mais recente manifestação dos ganhos comerciais de que os economistas têm andado a falar pelo menos desde o tempo de Adam Smith".

Esta afirmação de Mankiw deu origem a um concurso de respostas ridículas. O vencedor foi o líder da Câmara dos Representantes, Dennis Hastert, ao afirmar que "a teoria de Mankiw falha no teste básico da economia real". E que teste era esse, Dennis? Depois disto, pouco se ouviu falar do pobre Mankiw.

Alguns adormecidos, outros entretidos com situações do género desta, a verdade é que a maioria não se deu conta de que a tripla convergência estava aí. Algo realmente importante estava a acontecer. E, por incrível que pareça, não fazia parte do discurso público na América ou na Europa. Até ter visitado a Índia, em inícios de 2004, também eu desconhecia em grande medida este facto, embora já dispusesse de alguns sinais de que algo estava a acontecer.

Um dos mais ponderados líderes da área dos negócios que conheci ao longo destes anos é Nobuyuki Idei, *Chairman* da Sony. Sempre que ele fala, presto toda a atenção. Encontrámo-nos duas vezes em 2004. Em ambas, ele disse coisas que, no meio do seu forte sotaque japonês, me ficaram no ouvido. Idei referiu que se aproximava uma mudança no mundo da tecnologia empresarial e que, na devida altura, esta seria recordada como "o meteorito que colidiu com a Terra e matou todos os dinossauros". Conclui que as empresas globais vanguardistas sabiam o que estava a passar-se e que as melhores se adaptavam calmamente à nova realidade de forma a não se tornarem num desses dinossauros.

Quando comecei a fazer pesquisas para este livro, por vezes senti que estava num episódio da *Twilight Zone**. Eu entrevistava CEOs e responsáveis tecnológicos de grandes empresas, tanto norte-americanos como estrangeiros, e eles respondiam, cada qual à sua maneira, mas invariavelmente com os mesmos argumentos que resumi naquilo que designei por tripla convergência. Por todas as razões que expliquei anteriormente, a maioria dos que visionavam já uma nova realidade calava-se perante os políticos e a opinião pública. Estavam distraídos, ou talvez muito concentrados nos seus negócios, ou com muito receio. Era como se todos fossem "pessoas nos seus casulos", habitando num universo paralelo, mas que guardavam um grande segredo. Sim, todos eles conheciam o segredo. Já estavam a inovar a partir da plataforma que tornou o mundo plano. Não tinham escolha. Tinham que o fazer se quisessem que as suas empresas sobrevivessem, já para não falar em prosperar. Ao fazê-lo, estavam igualmente a fortalecer e a disseminar a plataforma pelo mundo inteiro. *Mas ninguém o queria contar aos "miúdos".*

Eis a verdade que ninguém lhe quis dizer: em resultado da tripla convergência, esta nova plataforma que tornou o mundo plano está, na prática, a destruir os nossos muros, tectos e soalhos – tudo ao mesmo tempo. Isto é, a ligação do mundo por cabos de fibra óptica, a Internet e o *software* de sistematização dos fluxos de trabalho deitaram abaixo muitos dos muros que impediam a colaboração. Indi-

* **N.T.** Série televisiva, traduzida em Portugal como "A Quinta Dimensão".

víduos que nunca tinham sonhado que poderiam trabalhar juntos e postos de trabalho que nunca ninguém sonhara que podiam ser transferidos de país para país estão subitamente em movimento, desde que muitos dos muros tradicionais foram derrubados. Esta mesma plataforma também rebentou com os nossos tectos. Indivíduos que nunca tinham sonhado que poderiam fazer *upload* – das suas opiniões em blogues ou de uma nova visão política ou de uma enciclopédia ou de um novo fragmento de *software* – descobriram subitamente que podem ter um impacto global no mundo, *como indivíduos*. Assim que se consumou a destruição dos tectos tradicionais, passaram a poder fazer coisas anteriormente inimagináveis. E, finalmente, desaparecerem os soalhos. Graças à nova indústria denominada "pesquisa", os indivíduos podem agora descobrir e pesquisar factos, citações, história e dados pessoais de estranhos, como nunca antes se viu. Os antigos soalhos de betão armado, que limitavam a nossa capacidade de investigar o passado ou o presente de qualquer assunto ou pessoa, desapareceram.

É óbvio que estes muros, tectos e soalhos tinham vindo a sofrer de erosão desde há algum tempo. Os acontecimentos que tornaram o mundo plano iniciaram-se em finais dos anos 80; porém, através da tripla convergência, alcançaram agora massa crítica e passaram a envolver muitas mais pessoas e locais.

Deixo-vos este pensamento: Lembram-se da "revolução das TI" de que a imprensa económica tem vindo a falar nos últimos 20 anos? Lamento, mas isso foi apenas o prólogo. Os últimos 20 anos só tiveram a ver com a moldagem, aperfeiçoamento e distribuição de todas as novas ferramentas com as quais podemos colaborar e ligar-nos. É *agora* que a verdadeira revolução das TI está prestes a iniciar-se, quando todas as complementaridades entre estas ferramentas começarem a funcionar em conjunto, tornando mais plano o 'terreno de jogo'. Uma das pessoas que afastou a cortina e chamou este momento pelo seu verdadeiro nome foi Carly Fiorina, da HP, que em 2004 começou a declarar nos seus discursos públicos que o *boom* e o estoiro das *dot-com* eram apenas "o fim do princípio". Os últimos 25 anos na área da tecnologia, salientou Fiorina (na altura, ainda CEO da HP), foram apenas "para aquecer". O principal acontecimento ainda está para vir, adiantou Fiorina, "e por principal acontecimento entendo uma era em que a tecnologia irá literalmente transformar todos os aspectos da economia, todos os aspectos da vida e todos os aspectos da sociedade".

Capítulo IV

A Grande Reclassificação

À medida que o mundo passa de um sistema essencialmente vertical – *comandar e controlar* – de criação de valor para um sistema mais horizontal – *ligar e colaborar* – e à medida que destruímos simultaneamente mais muros, tectos e soalhos, as sociedades irão ter de enfrentar um grande número de mudanças profundas. Estas alterações não irão afectar apenas a forma de fazer negócios. Irão afectar igualmente a forma como os indivíduos, as comunidades e as empresas se organizam; onde começam e acabam as empresas e as comunidades; como os indivíduos equilibram as suas várias identidades, enquanto consumidores, colaboradores, accionistas e cidadãos; como as pessoas se definem politicamente; e o papel que os governos desempenham na gestão de todo este fluxo. Tudo isto não irá acontecer de um dia para o outro, mas, com o passar do tempo, muitos papéis, hábitos, identidades políticas e práticas de gestão, a que estávamos habituados no mundo redondo, terão de ser profundamente ajustados à era do mundo plano. Dito de uma forma mais simples, na sequência da grande tripla convergência, que se iniciou por volta do ano 2000, iremos viver aquilo que denominaria por "a grande reclassificação".

Comecei a reflectir sobre esta reclassificação depois de uma conversa com o reconhecido teórico político da Universidade de Harvard, Michael J. Sandel. Confesso que Sandel me surpreendeu ao afirmar que o processo que está a tornar o mundo plano, tal como eu o descrevia, tinha, na realidade, sido identificado por Karl Marx e Friedrich Engels no *Manifesto Comunista*, publicado em 1848. Embora o processo que está a encurtar e a tornar o mundo plano a que estamos a assistir tenha uma amplitude diferente da observada por Marx na sua época, a verdade é que se trata de dar continuidade histórica à tendência enfatizada por ele nos seus escritos sobre o capitalismo: a implacável marcha da tecnologia e do capital no sentido de remover todas as barreiras, fronteiras, fricções e restrições ao comércio global, sublinhou Sandel.

"Marx foi um dos primeiros a vislumbrar a possibilidade de o mundo poder vir a ser um mercado global, sem a complicação das fronteiras nacionais", explicou Sandel. "Marx foi o crítico mais feroz do capitalismo, mas entendeu o poder da ausência de barreiras e da criação de um sistema mundial de produção do consumo. No *Manifesto Comunista*, ele descreveu o capitalismo como uma força que dissolveria todas as identidades feudais, nacionais e religiosas, dando origem a uma civilização universal regida pelos imperativos do mercado. Marx considerava inevitável que o capital encontrasse o seu caminho – inevitável e também desejável. Porque assim que o capitalismo tivesse destruído todas as obediências nacionais e religiosas, pensava Marx, poria a descoberto a luta tenaz entre capital e trabalho. Forçados a competir numa corrida global em direcção ao topo, os trabalhadores de todo o mundo iriam unir-se numa revolução global para acabarem com a opressão. Privados de distracções reconfortantes, como o patriotismo e a religião, eles veriam claramente a exploração de que eram alvo e levantar-se-iam para acabar com ela."

Ao ler hoje o *Manifesto Comunista*, descubro a forma incisiva como Marx analisou as forças que estavam a tornar o mundo plano quando se deu a Revolução Industrial e o quanto anteviu a forma como essas forças continuariam a tornar o mundo plano até ao presente. Naquela que é, provavelmente, a principal passagem do *Manifesto Comunista*, Marx e Engels escreveram: "Todas as relações fixas e enferrujadas, com o seu cortejo de preconceitos e intuições antiquadas, são dissolvidas, todas as recém-formadas envelhecem antes de poderem ossificar-se. Tudo o que era dos estados [ou ordens sociais – *ständisch*] e estável volatiliza-se, tudo o que era sagrado é dessacralizado, e os homens são por fim obrigados a encarar com olhos prosaicos a sua posição na vida, as suas ligações recíprocas. A necessidade de expandir constantemente o mercado para os seus produtos persegue a burguesia por todo o globo terrestre. É obrigada a implantar-se em toda a parte, instalar-se em toda a parte, estabelecer contactos em toda a parte. A burguesia, pela exploração que faz do mercado mundial, configurou de um modo cosmopolita a produção e o consumo de todos os países. Para grande pesar dos reaccionários, tirou à indústria o solo nacional onde firmava os pés. As antiquíssimas indústrias nacionais foram aniquiladas e são ainda diariamente aniquiladas. São desalojadas por novas indústrias cuja introdução se torna uma questão vital para todas as nações civilizadas, por indústrias que já não usam matérias-primas locais, mas matérias-primas oriundas das zonas mais afastadas, e cujos fabricos são consumidos não só no próprio país como simultaneamente em todas as partes do mundo. Para o lugar das velhas necessidades, satisfeitas por artigos do país, entram [necessidades] novas que exigem para a sua satisfação os produtos dos países e dos climas mais longínquos. Para o lugar da velha auto-suficiência e do velho isolamento locais e nacionais entram um intercâmbio omnilateral, uma dependência das nações umas das outras. À semelhança do que sucede com a produção material, o mesmo acontece com a produção intelectual. As criações intelectuais de cada nação tornam-se um bem comum. A unilateralidade e as mentalidades nacionalistas tornam-se inviáveis, e das muitas literaturas nacionais e locais forma-se uma literatura mundial. A burguesia, pelo rápido melhoramento de todos os instrumentos de produção, pelas comunicações infinitamente facilitadas, arrasta todas as nações, mesmo as mais bárbaras, para a civilização. Os preços baratos das suas mercadorias são a artilharia pesada com que deita por terra 'todas as muralhas da China', com que força à capitulação o mais obstinado ódio dos bárbaros ao estrangeiro. Compele todas as nações a apropriarem o modo de produção da burguesia, se não quiserem arruinar-se; compele-as a introduzirem no seu seio a chamada civilização, i.e., a tornarem-se burguesas. Numa palavra, ela cria para si um mundo à sua própria imagem."*

É difícil acreditar que Marx publicou estas palavras em 1848. Referindo-se ao *Manifesto Comunista*, Sandel disse-me: "Está a defender uma coisa semelhante. Aquilo que você diz é que o desenvolvimento das tecnologias da informação está a permitir às empresas acabar com todas as ineficiências e a fricção dos seus mercados e operações económicas. O seu conceito de 'tornar plano' significa realmente isso. Mas um mundo plano e sem fricções é uma bênção mista. Pode ser, como você sugere, positiva para os negócios à escala global. Ou pode ser, conforme Marx acreditava, um bom augúrio para a revolução do proletariado. Mas poderia também constituir uma ameaça para os diferentes locais e comunidades que nos dão rumo, que nos situam no mundo. Desde os primeiros augúrios do capitalismo que a possibilidade do mundo como um mercado perfeito tem sido imaginado – livre de pressões proteccionistas, de sistemas jurídicos díspares, de diferenças culturais e linguísticas ou desacordos ideológicos. No entanto, esta visão sempre chocou com o mundo como ele é na realidade – repleto de fontes de fricção e ineficiência. Alguns obstáculos ao mercado global sem atritos são certamente fontes de desperdício e de oportunidades perdidas. No entanto, algumas destas ineficiências são instituições, hábitos, culturas e tradições valorizados pelos indivíduos precisamente porque reflectem valores não comercializáveis como a coesão social, a fé religiosa e o orgulho nacional. Se os mercados globais e as novas tecnologias da comunicação conseguirem tornar planas estas diferenças, poderemos perder um património extremamente importante. É por esta razão que o debate sobre o capitalismo se tem concentrado, desde o início, na detecção das fricções, barreiras e fronteiras, meras fontes de desperdício e ineficiência, e nas fontes de identidade e sentido de pertença que devemos tentar proteger. Desde o telégrafo até à Internet, qualquer nova tecnologia ao nível das comunicações teve sempre como objectivo encurtar a distância entre as pessoas, aumentar o acesso à informação e aproximar-nos cada vez mais do sonho de um mercado global perfeitamente eficiente e sem atritos. Cada vez que isso aconteceu, a sociedade colocou uma questão com uma nova urgência: Até que ponto devemos manter-nos à parte, 'seguir o programa' e fazer tudo o que nos for possível para suprimir mais ineficiências, e até que ponto

* **N.T.** Excerto adaptado do "Manifesto do Partido Comunista", numa edição dirigida por José Barata-Moura e Francisco Melo.

devemos nós lutar contra a corrente, em nome de valores que os mercados globais não conseguem fornecer? Vale a pena proteger algumas fontes de fricção, mesmo perante uma economia global que ameaça torná-las planas?"

A maior fonte de fricção, obviamente, sempre foi o Estado-nação, com as suas leis e fronteiras claramente definidas. Eram os Estados-nações que tradicionalmente proporcionavam os muros, os tectos e os soalhos que organizavam uma parte substancial das nossas vidas. As fronteiras nacionais são uma fonte de fricção que devemos querer preservar, ou que conseguiremos preservar, num mundo plano? E em relação às barreiras legais à livre circulação de informação, propriedade intelectual e capital – tais como direitos de autor, protecção dos trabalhadores e salários mínimos? No seguimento da tripla convergência, quanto mais os acontecimentos niveladores reduzem a fricção e as barreiras, mais acentuado será o desafio que colocarão ao Estado-nação e às culturas, valores, identidades nacionais, tradições democráticas e laços específicos que têm dado, ao longo da história, protecção e comodidade aos trabalhadores e comunidades. Quais é que mantemos e quais é que deixamos que se desvaneçam no ar, de forma a todos podermos colaborar mais facilmente?

É certo que os muros, os tectos e os soalhos, que estruturavam a nossa vida económica e política, não irão desaparecer todos ao mesmo tempo, em todo o lado e à mesma velocidade. Mas não tenhamos dúvidas que vão desaparecer. Algumas pessoas irão reagir a esta situação com um sentimento de regozijo e liberdade – uma oportunidade para voar, expandir-se, cavar ou construir em todas as direcções com um novo conjunto de ferramentas. Outras irão reagir com a ansiedade que caracteriza uma pessoa em queda livre, não tendo onde se agarrar ou como parar em qualquer lado, e nada para proteger a sua privacidade. Algumas sentir-se-ão totalmente libertas, enquanto outras ficarão totalmente desorientadas. O que os antropólogos e sociólogos nos dizem sobre as sociedades que passam por mudanças rápidas, mesmo que apenas num único sentido, é que podem ser altamente desestabilizadoras. O que irá acontecer a uma sociedade que passe por tantas mudanças, provenientes de três sentidos diferentes, é totalmente incógnito. Só de pensar, ficamos tensos. As antigas fronteiras – muros, tectos e soalhos – vão desaparecer, mas não sabemos ainda muito bem o que irá substituí-las. Porém, sabemos que ainda somos seres humanos e que os seres humanos precisam de muros, tectos e soalhos – necessitamos de estipular normas de comportamento e regras de comércio. Necessitamos de estipular formas de estabelecimento da autoridade e de construção de comunidades, de formas de trabalho, de protecção dos direitos de autor e de determinar em quem se pode confiar.

Os seguidores do movimento *open-source* dir-lhe-ão que "a rede" irá estabelecer novas normas. Isto é verdade – até certo ponto. É verdade que no caso, por exemplo, da comunidade eBay – um mercado virtualmente sem muros, tectos e soalhos –, a comunidade adoptou um sistema de normas, em que se atribuem estrelas pelas transacções honestas e em que se oferece aos utilizadores a oportunidade de dar *feedback*, tornando o historial de transacções dos utilizadores totalmente transparente a todos os membros da comunidade. O resultado é uma estrutura que estimula o bom comportamento, que emergiu em grande parte da comunidade e que é certamente mantido de baixo para cima. Todavia, os seguidores do *open-source* revelam alguma ligeireza quando afirmam que se pode confiar sempre na "rede" para estabelecer estas normas. Pois, no fundo, a al-Qaeda também é uma rede, mas os seus valores dificilmente promovem a paz, a tranquilidade e a comunidade global. As redes também podem difundir rumores e mentiras, mais depressa do que alguma vez se viu, e nem sempre os corrigem imediatamente. Veja-se o veneno disseminado pela *Wikipédia* acerca de John Seigenthaler Sr. A grande mentira de que os judeus tinham sido alertados para não ir trabalhar no *World Trade Center*, na manhã dos ataques de 11 de Setembro, começou algures no mundo muçulmano e espalhou-se rapidamente pela Internet. No entanto, apesar da quantidade avultada de notícias a desmentir o facto, não foi possível erradicar o rumor. Em grande parte, penso que isto depende da diversidade da comunidade. A rede que espalhou a mentira, de que os judeus tinham sido avisados para não ir trabalhar no dia 11 de Setembro, era uma rede altamente homogénea e totalmente composta, creio eu, por pessoas que pensavam da mesma maneira, que queriam acreditar na mentira que estavam a espalhar e que não se abriam ou expunham a pontos de vista alternativos. Isto acontece em muitas redes no mundo plano.

Por todas estas razões, os tectos, muros e soalhos, que nos irão definir no futuro, serão provavelmente modelos mistos. Isto é, os Estados-nações tradicionais, os governos, as empresas e as novas organizações terão de trabalhar em conjunto com redes emergentes e comunidades e empresas virtuais para estipular gradualmente novas normas, novas fronteiras, para poderem operar no mundo plano. Tudo isto fará parte da grande reclassificação, que estará certamente na linha da frente do debate político, tanto internamente como entre os Estados-nações, e dentro e entre as redes do mundo plano. Em seguida, apresentarei alguns exemplos do que quero dizer.

Índia *versus* Indiana: Quem explora quem?

O Professor Sandel argumentou que, aquilo que denomino de colaboração, poderia ser visto pelos outros como apenas um nome simpático para a capacidade de contratar mão-de-obra barata na Índia. Não se pode negar isso – quando se observa de uma perspectiva norte-americana. No entanto, isso só é verdadeiro se analisarmos a situação apenas de um lado. Vista na perspectiva do trabalhador indiano, esta mesma forma de colaboração, o *outsourcing*, pode ser vista como uma forma diferente de garantir a emancipação dos indivíduos no mundo em desenvolvimento, como nunca antes aconteceu, permitindo-lhes alimentar, explorar e lucrar com a dádiva que constituem os seus talentos intelectuais – talentos que, antes de o mundo se tornar plano, apodreciam muitas vezes nas docas de Mumbai e Calcutá. Visto da perspectiva do canto norte-americano do mundo plano, pode concluir-se que as fricções, barreiras e valores que refreiam o *outsourcing* deviam ser mantidas ou mesmo reforçadas. Porém, do ponto de vista dos indianos, a equidade, a justiça e as suas próprias aspirações requerem que estas mesmas barreiras e fontes de fricção sejam removidas. No mundo plano, a emancipação económica de uma pessoa pode significar o desemprego de outra.

Vejamos este caso verídico: Em 2003, o Estado de Indiana abriu concurso para um contrato de melhoria dos sistemas informáticos estatais que fazem o processamento dos pedidos de subsídio de desemprego. Adivinhe quem ganhou? A Tata America International, que é a filial nos EUA da empresa indiana Tata Consultancy Services Ltd. A proposta de 15,2 milhões de dólares feita pela Tata foi 8,1 milhões de dólares mais baixa do que a dos seus concorrentes mais próximos, as empresas nova-iorquinas Deloitte Consulting e a Accenture Ltd. Nenhuma empresa do Estado de Indiana apresentou qualquer proposta, por ser um trabalho demasiado vasto e complexo.

Por outras palavras, uma empresa indiana de consultoria ganhou o contrato para fazer um *upgrade* do departamento de desemprego do Estado de Indiana! Isto nem inventado. O Estado de Indiana estava a proceder ao *outsourcing* do departamento que iria compensar as pessoas desse mesmo Estado pelos efeitos do *outsourcing*. A Tata estava a planear enviar cerca de 65 colaboradores contratados para trabalhar no centro governamental de Indiana, ao lado de 18 trabalhadores estatais. A Tata anunciou também que iria proceder a algum recrutamento local, mas a maioria dos colaboradores iria da Índia para fazer a vistoria aos computadores e, quando tivessem terminado, "deveriam acelerar o processamento dos pedidos de subsídio de desemprego, bem como poupar nas franquias e reduzir os incómodos para as empresas que pagam *unemployment taxes*"*, relatou o *Indianapolis Star*, na sua edição de 25 de Junho de 2004. Deve imaginar como é que a história terminava: "Os assistentes principais do então governador Frank O'Bannon aceitaram este contrato politicamente sensível, com a duração de quatro anos, antes da sua morte, em 13 de Setembro de 2003." Mas quando o teor do contrato foi tornado público, os Republicanos fizeram disso tema de campanha. Tornou-se de tal forma numa batata quente política que o governador Joe Kernan, um Democrata que tinha sucedido a O'Bannon, mandou a agência estatal, que apoia os desempregados residentes no Estado de Indiana, cancelar o contrato – e tam-

* **N.T.** Imposto pago pelas entidades patronais para financiar o seguro de desemprego dos seus colaboradores.

bém introduzir algumas barreiras legais de forma a impedir que voltasse a suceder algo semelhante. Ordenou também que o contrato fosse dividido em segmentos mais pequenos, para que as empresas do Estado de Indiana pudessem apresentar as suas propostas – o que era bom para as empresas daquele Estado, mas muito dispendioso e ineficiente para o próprio Estado. O *Indianapolis Star* relatou que foi enviado um cheque no valor de 993 587 dólares para pagar à Tata por oito semanas de trabalho, durante as quais a empresa deu formação a 45 programadores estatais sobre desenvolvimento e engenharia do *software* de actualização: "Foi muito bom trabalhar com aquela empresa," disse Alan Degner, responsável pela área do desenvolvimento profissional em Indiana.

Exposto o facto, faço uma pergunta simples: Quem é o explorador e quem é o explorado nesta história Índia-Indiana? A filial norte-americana de uma empresa de consultoria indiana propõe poupar aos contribuintes de Indiana 8,1 milhões de dólares para renovar os seus computadores – recorrendo tanto a colaboradores indianos como a contratados locais. O acordo iria beneficiar largamente a filial norte-americana da consultora indiana; iria beneficiar alguns profissionais da área tecnológica do Estado de Indiana; e iria fazer poupar aos residentes de Indiana preciosos dólares provenientes dos impostos e que poderiam ser assim utilizados para contratar mais trabalhadores estatais para outros empreendimentos ou para construir novas escolas que iriam diminuir o número de desempregados daquele Estado. Mesmo assim, o contrato – que foi assinado por Democratas pró-trabalho, foi cessado devido às pressões dos Republicanos, adeptos do comércio livre.

Agora reclassifiquem isto.

No velho mundo, em que o valor era criado, em grande medida, verticalmente, por norma no seio de uma única empresa e em regime *top down*, era muito fácil ver quem estava no topo e quem estava na base, quem estava a explorar e quem estava a ser explorado. No entanto, quando o mundo começou a tornar-se plano e o valor começou a ser criado, cada vez mais, de forma horizontal (através de múltiplos tipos de colaboração, em que os indivíduos e pessoas não muito importantes tinham muito mais poder), torna-se muito complicado perceber quem está no topo e quem está na base, quem explora e quem é explorado. Alguns dos nossos antigos reflexos políticos já não são aplicáveis à nova realidade. Será que os engenheiros indianos não estavam a ser "explorados" quando o seu governo lhes permitiu que estudassem em alguns dos melhores institutos técnicos do mundo, no seu próprio país, a Índia, numa altura em que o mesmo governo abraçava uma política económica centralizadora totalmente destituída de interesse profissional para esses engenheiros, que caso não conseguissem emigrar teriam de conduzir táxis para poderem sobreviver? Estarão agora esses mesmos engenheiros a ser explorados ao trabalharem para a maior consultora da Índia, ao receberem um salário bastante confortável para o nível do país, podendo aplicar as suas competências técnicas a nível global? Ou estarão esses engenheiros a explorar os habitantes de Indiana ao possibilitar-lhes a renovação dos sistemas informáticos de atribuição de subsídios de desemprego estatais por muito menos dinheiro do que uma empresa de consultoria norte-americana? Ou estaria a população do Estado de Indiana a explorar os engenheiros indianos contratados por um preço mais baixo do que o dos seus congéneres americanos? *Afinal quem está a explorar quem nesta história?* De que lado fica a esquerda tradicional nesta história? Com os profissionais do conhecimento, provenientes do mundo em vias de desenvolvimento, a quem é pago um salário decente, que estão a tentar aplicar os seus talentos, conquistados com esforço, no mundo desenvolvido? Ou com os políticos de Indiana, que queriam retirar o trabalho aos engenheiros indianos para que pudesse ser feito, ainda que implicando maiores custos, pelos seus eleitores? E de que lado fica a direita tradicional nesta história? Com aqueles que querem diminuir os impostos e consequentemente reduzir os gastos orçamentais do Estado de Indiana, através do recurso ao *outsourcing*, ou com aqueles que dizem: "Vamos aumentar mais os impostos de forma a preservar postos de trabalho apenas para os habitantes de Indiana?" Com aqueles que querem manter alguma resistência no sistema, mesmo que isso vá contra a filosofia Republicana de comércio livre, apenas para ajudar a população de Indiana? Se está contra a globalização porque pensa que prejudica as pessoas nos países em vias de desenvolvimento, de que lado está nesta história: do lado da Índia ou do Estado de Indiana?

A contenda Índia *versus* Indiana ilustra as dificuldades em separar os interesses de duas comunidades que nunca antes tinham imaginado poder estar ligadas, muito menos em regime de colaboração. No entanto, eis que, subitamente, cada uma delas acorda e descobre que, no mundo plano, em que o trabalho é feito, cada vez mais, em regime de colaboração horizontal, não só estavam "ligadas" e a colaborar mas também precisavam, desesperadamente, de um contrato social para gerir as suas relações.

O aspecto mais importante que se coloca é este: quer estejamos a falar de ciência económica e empresarial ou de ciência política, fabrico ou investigação e desenvolvimento, muitos, muitos intervenientes e processos terão de lidar com a "horizontalização". E vai precisar de haver muita reclassificação.

Onde é que as empresas param e começam?

No mundo plano a relação entre diferentes grupos de trabalhadores terá de ser reclassificada, o que também acontecerá com a relação entre empresas e as comunidades onde as primeiras operam. Que valores irão reger uma empresa e quais os interesses que ela respeitará e promoverá? É óbvio que, num mundo plano, as empresas globais irão adaptar-se no sentido de aproveitar ao máximo as oportunidades globais e os recursos globais – e isto significa cada vez mais adaptar-se ao mundo plano. No passado, contudo, os países beneficiavam e dependiam do sucesso ou da hegemonia das suas empresas de topo para definir o seu bem-estar económico e a sua posição no mundo. O que acontece quando as empresas definem os seus interesses e as suas oportunidades laborais mais em termos globais do que internos, e quando a totalidade do processo accionista requer cada vez mais que estas empresas operem de costas voltadas para os padrões, oportunidades e recursos globais? O que acontece é que os interesses e as necessidades destas empresas coincidem cada vez menos com os interesses e as necessidades dos territórios nacionais (os países) onde estão sediadas. Era comum dizer: "Se a General Motors vai bem, os Estados Unidos também." No entanto, hoje, o normal é dizer: "Como estiver a Dell, assim estão a Malásia, Taiwan, a China, a Irlanda, a Índia..."

A HP conta actualmente com bem mais de 150 mil efectivos em pelo menos 170 países. Não só é a maior empresa de tecnologia de consumo do mundo, como é a maior empresa de TI da Europa, da Rússia, do Médio Oriente e da África do Sul. Apesar de a sua sede estar localizada em Palo Alto, será a HP uma empresa norte-americana quando a maioria dos seus colaboradores e clientes não vive nos Estados Unidos? As grandes empresas não conseguem sobreviver hoje se limitarem a sua actividade a um único Estado, nem mesmo quando se trata de um país tão vasto como os Estados Unidos. Por esta razão, o assunto que "tira o sono" aos Estados-nações e aos seus cidadãos é a forma como lidar com essas empresas. A quem serão leais?

"Os EUA empresariais fizeram muito bem ao alinhar-se com o mundo plano", disse Dinakar Singh, gestor de *hedge funds*. "Fizeram-no recorrendo ao *outsourcing* de empresas fornecedoras de componentes, tanto quanto possível, mais baratos e eficientes. Se a Dell pode fabricar cada componente dos seus computadores na China meridional e vendê-los nos EUA, a empresa sai beneficiada e os consumidores norte-americanos também, mas é difícil demonstrar que o mesmo acontece no mundo laboral." A Dell ambiciona por um mundo que seja o mais plano e com as menores fricções e barreiras possíveis. O mesmo acontece com a maioria das grandes empresas, uma vez que esta nova realidade permite-lhes fabricar produtos nos mercados de mais baixo custo e vendê-los nos mercados mais lucrativos. Não há praticamente nada na Globalização 3.0 que não seja bom para o capital. Os capitalistas podem sentar-se, comprar sistematicamente uma inovação, recrutar os melhores colaboradores e também os mais baratos, em qualquer lugar do mundo, para procederem à investigação, desenvolvimento, produção e distribuição. Os títulos, os accionistas e os clientes da Dell saem-se bem, assim como o Nasdaq*. Tudo o que se relaciona com capital está a revelar bons desempenhos. No entanto,

* **N.T.** Índice tecnológico norte-americano.

apenas alguns trabalhadores norte-americanos beneficiarão desse facto. Os outros irão sentir os dissabores que um mundo plano pode trazer.

Desde que as multinacionais começaram a dominar os mercados e a procura de mão-de-obra, os seus interesses ultrapassaram sempre os do Estado-nação onde estavam sediadas. A realidade do mundo plano constitui, no entanto, uma tal diferença de grau que corresponde a outro patamar. As empresas nunca tiveram tanta liberdade e sentiram tão pouca fricção ao atribuírem os seus projectos de investigação e fabrico. Não está ainda claro o que é que isto irá significar na relação de longo prazo entre as empresas e o país onde têm as suas sedes sociais.

Este exemplo é sintomático: Em 7 de Dezembro de 2004, a IBM anunciou que iria vender a totalidade da sua unidade de negócio de fabrico de computadores pessoais à empresa chinesa de computadores Lenovo, com o intuito de criar uma nova empresa de PC a nível mundial – a terceira maior do mundo* – com receitas anuais de, aproximadamente, 12 mil milhões de dólares. Simultaneamente, a IBM anunciou que passaria a deter 18,9 por cento do capital da Lenovo, criando uma aliança estratégica entre ambas as empresas para a área dos PC, no que diz respeito à venda, financiamento e fornecimento de serviços em todo o mundo. Segundo foi anunciado, a nova sede social da empresa, a nível mundial, ficaria em Nova Iorque, os seus principais centros de produção localizar-se-iam em Pequim e Raleigh (Carolina do Norte); os centros de investigação seriam na China, nos Estados Unidos e no Japão; e os departamentos de vendas estariam espalhados por todo o mundo. A Lenovo seria o fornecedor predilecto (de PC) da IBM, enquanto esta forneceria preferencialmente serviços e financiamento à Lenovo.

Cerca de dez mil pessoas passaram da IBM para a Lenovo, que foi criada em 1984 e foi a primeira empresa a introduzir o conceito de computador pessoal na China. Desde 1997 que esta empresa lidera o segmento dos PC neste país do Sudeste Asiático. A minha parte preferida do comunicado à imprensa é a que identifica os executivos seniores da nova empresa e diz o seguinte: "Yang Yuanqing – *Chairman of the Board* [é actualmente CEO da Lenovo]. Steve Ward – CEO [é actualmente o *Senior Vice President* e Director-Geral do Grupo de Sistemas Pessoais da IBM]. Fran O'Sullivan – COO [é actualmente Directora-Geral da divisão de PC da IBM]. Mary Ma – CFO [ocupa actualmente esse mesmo cargo na Lenovo]."

Falemos de criação horizontal de valor: esta nova empresa de computadores maioritariamente detida por capitais chineses, com sede social em Nova Iorque e fábricas em Raleigh e Pequim, terá um *Chairman of the Board* chinês, um CEO norte-americano, uma COO norte-americana e uma CFO chinesa, e estará cotada na Bolsa de Hong Kong. Chamar-lhe-ia uma empresa norte-americana? Uma

* **N.T.** Atrás da Dell e da HP.

empresa chinesa? A que país se sentirá a Lenovo mais ligada? Ou apenas se verá a si mesma como que flutuando acima do mundo plano?

Esta pergunta foi antecipada no comunicado à imprensa que anunciava a criação da nova empresa: "Onde será a sede social da Lenovo?", questionava.

Resposta: "Na qualidade de empresa global, a Lenovo ficará geograficamente dispersa, com pessoas e activos físicos localizados por todo o mundo."

Agora, reclassifiquem isto.

A verdade, nua e crua, é que para a equipa de gestão, para os accionistas e para os investidores é-lhes indiferente de onde provêm os lucros, ou mesmo onde é criado emprego. O único objectivo é ter uma empresa sustentável. Os políticos, contudo, são compelidos a estimular a criação de postos de trabalho num determinado lugar. E os locais – quer sejam norte-americanos, europeus ou indianos – querem saber que os bons empregos vão ficar perto de suas casas.

O CEO de uma grande multinacional europeia disse-me o seguinte: "Somos agora uma empresa global de investigação." São óptimas notícias para os accionistas e investidores. A empresa tem agora hipótese de contratar os melhores talentos do planeta, independentemente do lugar onde se encontrem, e ganha em rentabilidade ao decidir não concentrar toda a equipa de investigação no seu país. "Mas, em última instância, isto irá ter implicações nos empregos disponíveis no meu próprio país – talvez não este ano, mas dentro de cinco ou 15 anos", confidenciou-me ele. Na qualidade de CEO e cidadão da União Europeia, "poderá dialogar com o seu governo sobre como podem reter capacidades [no seu próprio país] – mas, no dia-a-dia, terão de ser tomadas decisões tendo em conta os accionistas".

Tradução: Se posso ter cinco investigadores brilhantes na China ou na Índia pelo preço de um na Europa ou na América, optarei pelos cinco; e se, a longo prazo, isso significar que a sociedade onde estou inserido irá perder parte da sua base de competências, então que seja. A única forma de convergir os interesses de ambas as partes – empresa e país de origem – é ter uma população com elevados níveis de educação e formação de forma a fazer dela uma vantagem competitiva extrema. "Crescemos viciados nos nossos salários elevados e agora vamos ter mesmo de fazer alguma coisa para os merecermos", referiu aquele CEO.

Identificar o país de origem de uma empresa é cada vez mais difícil nos dias de hoje. *Sir* John Rose, CEO da Rolls-Royce, confessou-me certa vez (Gerhard Schroeder era, na altura, chanceler da Alemanha): "Temos um grande negócio na Alemanha. Somos o maior empregador na área da alta tecnologia no Estado de Brandemburgo. Estive recentemente num jantar com o chanceler Gerhard Schroeder e ele perguntou-me: 'A sua empresa é alemã, por que razão não integra a minha comitiva na visita que vou fazer à Rússia?' – para tentar atrair negócios para as empresas alemãs." Segundo Rose, o chanceler alemão "estava a reconhecer que, apesar da sede social da minha empresa ser em Londres, esta estava envolvida na criação de valor na Alemanha, o que poderia ser construtivo na relação deste país com a Rússia".

Eis a Rolls-Royce, empresa britânica que é sinónimo de classe e qualidade, que – apesar de ter sede social em Inglaterra – opera hoje através de uma cadeia de abastecimento global horizontal. E o seu CEO, um cidadão britânico condecorado com a ordem de cavaleiro pela rainha, está a ser cortejado pelo chanceler da Alemanha para o ajudar a atrair negócios na Rússia, dado que um elo de ligação da cadeia de abastecimento da Rolls-Royce é gerido via Brandemburgo.

O meu amigo Glen Fukushima é um norte-americano de origem japonesa. O seu pai, que também era norte-americano de origem japonesa, esteve destacado no Japão ao serviço do exército norte-americano, pelo que Glen nasceu, em 1949, num hospital militar dos EUA no Japão. Formou-se em Stanford e Harvard, tendo acabado por abandonar a advocacia em 1985 para se tornar responsável pelos negócios com o Japão no gabinete do Representante Norte-Americano para o Comércio (USTR) e, mais tarde, adjunto do USTR para o Japão e China, representando os Estados Unidos nas duras disputas comerciais com estes dois gigantes asiáticos. Em 1990, mudou-se para Tóquio, onde assumiu uma série de cargos executivos de topo na AT&T e noutras empresas multinacionais norte-americanas. Em 1997, foi eleito pelos seus homólogos norte-americanos para a presidência da Câmara de Comércio Americana no Japão, um cargo voluntário que exerceu com grande distinção. Quando passei por Tóquio, em Setembro de 2005, tomámos o nosso pequeno-almoço habitual na sua mesa de canto no Hotel Okura. Quando lhe perguntei pelo seu trabalho, surpreendeu-me ao anunciar que tinha um novo emprego: acabara de se tornar presidente das operações no Japão do consórcio europeu Airbus. Estava agora a gerir o negócio japonês da jóia da coroa das empresas aeronáuticas da Europa, tendo o objectivo de vencer a jóia da coroa das empresas aeronáuticas dos Estados Unidos, a Boeing, em termos de vendas de aviões de passageiros para o Japão, o país dos seus antepassados.

"Quando entrei para a Airbus, a embaixada norte-americana informou-me que já não estava autorizado a comparecer na reunião mensal que o conselho de governadores da Câmara de Comércio Americana no Japão tinha com o embaixador norte-americano", referiu Fukushima que, enquanto presidente dessa Câmara, presidiu ao seu 50º aniversário. Os colaboradores da embaixada não queriam, obviamente, que um representante do maior consórcio industrial da Europa obtivesse qualquer tipo de assistência por parte da embaixada dos Estados Unidos que pudesse ajudá-lo a competir com uma das maiores empresas industriais norte-americanas. Todavia, Fukushima argumentou que "estou a fazer algo de novo e diferente que reflecte o tempo em que vivemos e que desafia as categorias nacionais 'muito arrumadinhas'." Já não existe qualquer correlação, afirmou, entre a nacionalidade dos executivos de uma empresa global, a localização geográfica da sede da empresa e o mercado onde os seus executivos de topo estão a realizar os seus negócios mais importantes. Já agora, uma parte do novo Boeing 787 será construída no Japão e outra parte substancial na Europa. Tal como o avião europeu, o Airbus, o avião norte-americano, o Boeing, vai depender de componentes e de *designs* provenientes de todo o mundo plano.

Agora, reclassifiquem lá isto.

Do comando e controlo para a colaboração e ligação

Antes de Colin Powel ter-se demitido do cargo de Secretário de Estado norte-americano, entrevistei-o no seu gabinete localizado no 17º andar do Departamento de Estado, tendo também estado presentes dois dos seus assessores de imprensa. Não resisti a perguntar-lhe onde e como é que se apercebera que o mundo se tinha tornado plano. Ele respondeu com uma única palavra: "Google." Powell contou que, quando assumiu as funções de Secretário de Estado, em 2001, sempre que precisava de uma informação – um documento relativo a uma resolução da ONU, por exemplo – tinha de pedir ajuda e esperar durante minutos ou mesmo horas até que alguém lhe encontrasse o que pretendia.

"Agora, basta-me escrever no Google: '*UNSC Resolution 242*' (Resolução 242 do Conselho de Segurança das Nações Unidas) e o texto aparece", disse-me. De seguida, explicou-me que, com o passar dos anos, tinha dado por si a fazer cada vez mais as suas próprias pesquisas. Nessa altura, um dos seus assessores de imprensa interveio: "Sim, o Powell já deixou de nos pedir qualquer informação. Ele já tem a informação, o que nos pede é acção."

Colin Powell, antigo membro do Conselho de Administração da AOL, usava também – regularmente – o *e-mail* para contactar outros Ministros dos Negócios Estrangeiros (MNE). Segundo um dos seus assessores, durante as cimeiras mantinha-se em contacto constante com o Ministro dos Negócios Estrangeiros britânico, Jack Straw, através de mensagens instantâneas*, como se fossem dois colegas de escola. Graças aos telemóveis e à tecnologia sem fios, contou Powell, nenhum MNE podia fugir ou esconder-se dele. Comentou ainda que procurara o Ministro dos Negócios Estrangeiros russo na semana anterior e que conseguira localizá-lo primeiro no seu telemóvel em Moscovo, depois no seu telemóvel na Islândia e, por fim, sempre através do telemóvel, apanhou-o em Vientiane, no Laos. "Temos os números dos telemóveis uns dos outros", afirmou Powell, referindo-se aos seus homólogos.

---

* **N.T.** *Instant Messaging* – Mensagens Instantâneas. Refere-se a um *software* e simultaneamente a um serviço de comunicações através da Internet.

A conclusão que retiro desta conversa é que, quando o mundo se torna plano, as hierarquias não são niveladas apenas por "pequenas" pessoas* que sonham agir como as "grandes"**. Também são niveladas por pessoas "grandes" com capacidade para agir como as "pequenas" – no sentido de poderem fazer mais coisas por elas mesmas, sem necessitarem de assistentes. Fiquei realmente surpreendido quando a assessora mais recente de Powell, uma mulher jovem, ao acompanhar-me à saída do gabinete do Secretário de Estado comentou que, devido ao *e-mail*, Powell podia estar em contacto com ela e com o superior hierárquico dela através dos seus Blackberry***. E realmente estava.

"Não consigo livrar-me dele", disse ela, gracejando, devido às constantes instruções recebidas por *e-mail*. Ela contou-me que, no fim-de-semana anterior, estava a fazer compras num centro comercial, com alguns amigos, quando recebeu uma mensagem de Powell, no seu telemóvel, pedindo-lhe para desempenhar uma determinada tarefa relacionada com os assuntos internos. "Os meus amigos ficaram muito impressionados", disse ela. "Eu, tão insignificante, a falar com o Secretário de Estado!"

É o que acontece quando se passa de um mundo vertical (sistema de comando e controlo) para um mundo plano, muito mais horizontal (ligação e colaboração). O seu chefe consegue fazer o trabalho dele *e o seu*. Ele consegue ser Secretário de Estado e o seu próprio secretário. Pode dar-lhe instruções de dia ou de noite. Por isso, você nunca está de fora. Está sempre dentro. Além disso, está sempre em cima do acontecimento. Os chefes, se estiverem dispostos a isso, podem colaborar mais directamente com mais elementos da sua equipa, de forma nunca antes vista – independentemente de quem sejam ou de onde estejam em termos hierárquicos. Mas os elementos da equipa também têm de se esforçar muito mais para estarem mais bem informados do que os seus chefes. Actualmente, há muitas mais conversas entre os chefes e os seus subordinados que começam assim: "Já sei disso! Pesquisei eu mesmo no Google. A minha questão é: o que faço em relação a isso?"

Problemas de múltipla identidade

Não são apenas as comunidades e as empresas com múltiplas identidades que vão precisar de se reclassificar no mundo plano. Os indivíduos também. Neste mundo, as tensões entre as nossas identidades como consumidores, colaboradores, cidadãos, contribuintes e accionistas serão grandes, o que potenciará conflitos.

---

* **N.T.** No sentido de pessoas comuns.

** **N.T.** No sentido de pessoas importantes.

*** **N.T.** O *software* Blackberry permite gerir *e-mails* e anexos a partir do telemóvel de forma sincronizada com o correio recebido no PC através do Outlook.

"No século XIX, as forças antagónicas eram: o trabalho e o capital. Agora são: o cliente e o trabalhador; a empresa e o indivíduo que está no meio. O consumidor vira-se para a empresa e manda: 'Dê-me mais, por um preço mais baixo.' A empresa aperta com os seus colaboradores e diz-lhes: 'Se não lhes oferecermos mais, a preços mais baixos, estaremos em apuros. Não posso garantir-vos o vosso emprego, nem tão-pouco um agente sindical o pode; só o cliente é que pode fazê--lo'," referiu a propósito o consultor de Gestão Michael Hammer.

O jornal *The New York Times* informou (na edição de 1 de Novembro de 2004) que a Wal-Mart tinha despendido cerca de 1,3 mil milhões de dólares – dos seus 256 mil milhões de dólares de receitas em 2003 – nos cuidados de saúde dos seus colaboradores, com o objectivo de fornecer seguros a cerca de 537 mil pessoas, o que correspondeu a aproximadamente 45 por cento dos seus efectivos. No entanto, a maior concorrente da Wal-Mart, a Costco Wholesale, fez um seguro a 96 por cento dos seus colaboradores a tempo inteiro ou parcial. Os colaboradores da Costco tornam-se aptos a beneficiar de um seguro de saúde após três meses de trabalho a tempo inteiro, ou de seis meses a tempo parcial. Na Wal-Mart, a maioria dos colaboradores a tempo inteiro tem de esperar seis meses até se tornar elegível, enquanto os que estão a tempo parcial não são elegíveis, pelo menos nos primeiros dois anos. De acordo com a *Times*, os colaboradores a tempo inteiro na Wal-Mart recebem cerca de 1200 dólares por mês, ou oito dólares à hora. A Wal-Mart exige que os colaboradores cubram 33 por cento do custo dos seus benefícios e planeia reduzir essa contribuição dos colaboradores para 30 por cento. Os planos de saúde patrocinados pela Wal-Mart têm prémios mensais para a protecção familiar, que podem ir até 264 dólares, e despesas correntes até 13 mil dólares em alguns casos. Segundo a *Times,* os custos médicos tornam a cobertura da saúde inacessível, em termos monetários, até para muitos colaboradores da empresa que estão cobertos.

O mesmo artigo acrescenta ainda que: "Se há lugar onde os custos laborais da Wal-Mart encontram compreensão, é em Wall Street, onde a Costco foi 'massacrada' pelos analistas, porque, segundo eles, os custos da empresa com os trabalhadores são demasiado elevados." A Wal-Mart conseguiu suprimir excessos desnecessários ("gordura"), mas provocou mais litígios do que a Costco – esta última sente ter uma obrigação diferente para com os seus colaboradores. A margem de lucros antes de impostos da Costco é de apenas 2,7 por cento das receitas, o que corresponde a menos de metade da margem de 5,5 por cento da Wal-Mart.

Mas espere um minuto. O comprador Wal-Mart que "existe" em nós não deseja o preço mais baixo possível, com todos os intermediários, excessos e fricções suprimidos? E não serão os norte-americanos mais pobres – aqueles que muitas vezes não dispõem de seguros de saúde – a beneficiar mais com isto? Este é um argumento esgrimido por Sebastian Mallaby, num artigo de opinião no *Washington Post* (28 de Novembro de 2005): "Os críticos da Wal-Mart alegam que o retalhista é mau para os norte-americanos pobres. Esta afirmação é retrógrada, pois pegando nas palavras de Jason Furman da Universidade de Nova Iorque, a Wal-Mart é 'uma história de sucesso progressivo'. Furman foi conselheiro de John 'Benedict Arnold' Kerry na campanha de 2004 e nunca recebeu qualquer pagamento da Wal-Mart; não é um apologista da empresa. Todavia, refere que só os baixos preços dos alimentos na Wal-Mart impulsionam o bem-estar dos compradores norte-americanos em pelo menos 50 mil milhões de dólares anuais. A poupança é possivelmente cinco vezes superior se considerarmos todos os produtos da Wal-Mart. Estes ganhos são especialmente importantes para as famílias pobres e de baixo rendimento. O cliente médio da Wal-Mart aufere 35 mil dólares por ano, comparativamente aos 50 mil dólares do cliente Target e aos 74 mil dólares do cliente Costco. Além disso, os 'preços baixos de todos os dias' fazem a maior diferença para os mais pobres, dado que gastam uma grande parcela dos seus rendimentos com a alimentação e outros produtos de primeira necessidade. Enquanto força contributiva para o alívio da pobreza, o apoio aos consumidores no valor de mais de 200 mil milhões de dólares da Wal-Mart pode até rivalizar com muitos programas federais."

Assim, o accionista e o comprador Wal-Mart que "existem" em nós querem que a Wal-Mart seja inflexível em relação à remoção dos excessos e das fricções na sua cadeia de abastecimento e nos pacotes de benefícios dos seus colaboradores, no sentido de engordar os lucros da empresa – e de manter os preços baixos. Mas o colaborador da Wal-Mart que "existe" em nós odeia os pacotes de benefícios limitados e os baixos salários que a Wal-Mart oferece aos recém-admitidos. E o cidadão Wal-Mart que "existe" em nós sabe que, pelo facto de a Wal-Mart – maior empresa dos Estados Unidos – não cobrir todos os seus colaboradores com planos de saúde, alguns deles acabarão por recorrer aos serviços de urgência do hospital local e que a factura será paga pelo contribuinte.

A revista *Times* relatou que uma sondagem realizada por responsáveis do Estado da Georgia concluiu que "mais de dez mil filhos dos colaboradores da Wal-Mart estavam inseridos no programa estatal de seguro de doença para crianças, com um custo anual para os contribuintes de, aproximadamente, dez milhões de dólares". Da mesma forma, segundo a revista, "um hospital da Carolina do Norte descobriu que 31 por cento dos 1900 pacientes que dizem ser colaboradores da Wal-Mart estavam cobertos pela Medicaid*, enquanto 16 por cento não tinham qualquer seguro".

No seu livro de 2004, intitulado *Selling Women Short: The Landmark Battle for Workers' Rights at Wal-Mart*, a jornalista Liza Featherstone abordou o badalado caso contra a Wal-Mart por discriminação das mulheres. Numa entrevista acerca deste

* **N.T.** Sistema público de seguro de saúde para famílias com baixos rendimentos.

texto, publicada na Salon.com (a 22 de Novembro de 2004), a autora refere com veemência: "Os contribuintes norte-americanos desembolsam para que muitos colaboradores a tempo inteiro da Wal-Mart tenham um seguro de saúde adicional, habitações sociais e ajuda alimentar – há muitos aspectos em que os colaboradores da Wal-Mart não conseguem ser auto-suficientes. Isto é bastante irónico, porque Sam Walton é tido como o símbolo norte-americano da auto-suficiência. É realmente preocupante e desonesto que a Wal-Mart apoie candidatos Republicanos da forma como o faz, destinando-lhes 80 por cento das contribuições da empresa para campanhas. É também sabido que os Republicanos não têm tendência para apoiar os tipos de programas públicos de que a Wal-Mart depende. Seria lícito que a Wal-Mart propusesse fazer uma cruzada pelo direito aos seguros de saúde nacionais para os seus colaboradores. Os responsáveis da empresa deveriam, pelo menos, ter consciência de que, pelo facto de não providenciarem estes benefícios, nós deveríamos ter um Estado mais providente."

À medida que o indivíduo vai classificando e avaliando as suas múltiplas identidades – de consumidor, colaborador, cidadão, contribuinte e accionista – terá de decidir: prefere a abordagem da Wal-Mart ou a da Costco? Esta vai ser uma questão política importante num mundo plano: até que ponto deseja que as empresas se tornem planas quando tem de ter em conta as suas diferentes identidades? É que quando retira o intermediário do negócio, torna a sua cadeia de abastecimento totalmente plana, ao mesmo tempo que retira alguma humanidade à sua vida.

A mesma pergunta é válida para o governo. Quão plano quer que o governo seja? Que volume de fricção gostaria de ver o governo suprimir, através da desregulamentação, para facilitar a concorrência entre empresas num Planeta Plano?

"Quando estive na Casa Branca, dinamizámos o processo de aprovação de medicamentos por parte da FDA* para responder às preocupações em torno da sua natureza burocrática. Demos esses passos com um objectivo em mente: colocar os medicamentos o mais rapidamente possível no mercado. O resultado foi uma relação cada vez mais afável entre a FDA e a indústria farmacêutica, o que pôs a saúde pública em risco. O colapso do Vioxx [um medicamento anti-inflamatório que se descobriu que aumentava o risco de ataques cardíacos e enfartes] mostra até que ponto a atenção dada à segurança de um medicamento retrocedeu, só para poder ser aprovado mais rapidamente. Uma audição recente do Senado sobre a recolha do Vioxx revelou grandes deficiências na capacidade da FDA para retirar medicamentos perigosos do mercado", esclareceu o congressista Rahm Emanuel, um Democrata de Illinois que foi Conselheiro sénior do Presidente Clinton.

---

* **N.T.** *Federal Drug Administration* (agência federal norte-americana reaponsável pelo controlo dos medicamentos).

Como consumidores, queremos os medicamentos mais baratos que as cadeias de abastecimento global conseguirem oferecer, mas, como cidadãos, precisamos que o governo supervisione e regule a cadeia de abastecimento, mesmo que isso signifique manter ou aumentar a fricção com a indústria.

Agora, reclassifiquem isto.

Quem é dono de quê?

Existe ainda mais um aspecto que terá de ser reclassificado num mundo plano: Quem é dono de quê? Como é que criamos barreiras legais para proteger a propriedade intelectual de uma inovação para que o seu autor possa recolher os respectivos benefícios financeiros e utilizá-los numa nova invenção? E, por outro lado, de que forma podemos manter os muros suficientemente baixos de maneira a incentivar a partilha da propriedade intelectual que é determinante para se fazer inovação de ponta?

"Decididamente, o mundo não é plano no que diz respeito à uniformização do tratamento da propriedade intelectual", disse Craig Mundie, responsável máximo pela área tecnológica da Microsoft. Salientou que é maravilhoso ter um mundo em que um único inovador consegue concentrar tantos recursos sozinho, reunir uma equipa de parceiros de todo o mundo plano e operar um verdadeiro progresso com algum produto ou serviço. "Mas o que faz esse maravilhoso engenheiro inovador", perguntou Mundie, "quando outra pessoa utiliza a mesma plataforma do mundo plano e trabalha no sentido de clonar e distribuir o seu maravilhoso (novo) produto?" Isto acontece diariamente no mundo do *software*, no mundo musical e no mundo farmacêutico. E a tecnologia está a chegar a um ponto em que "deve partir do princípio de que não há nada que não possa ser rapidamente alvo de contrafacção" – desde o Microsoft Word até às peças para aviões, acrescentou o mesmo responsável. Quanto mais plano o mundo se torna, mais nós iremos precisar de um sistema de gestão global que acompanhe o ritmo de todas as novas formas legais e ilegais de colaboração.

Também podemos observar este fenómeno no caso da lei de patentes, à medida que esta foi evoluindo nos Estados Unidos. As empresas podem fazer uma de três coisas com uma inovação: podem patentear o engenho que inventam e vendê-lo elas mesmas; podem patenteá-lo e licenciar o seu fabrico a outrem; e podem patenteá-lo e proceder ao intercâmbio de licenças com outras empresas para que todas elas tenham liberdade de acção para fabricar um produto – como um PC – que surja da fusão de várias patentes diferentes. A legislação norte-americana sobre patentes é tecnicamente neutra neste aspecto. Mas a forma como a criação de casos legais evoluiu, contaram-me os especialistas na área, decididamente desfavorece o intercâmbio de licenças e outros acordos que incentivam a colaboração ou a liberdade de acção para tantos intervenientes quantos possíveis; está mais concentrada na protecção dos direitos de empresas individuais para que fabriquem as suas próprias patentes. Num mundo plano, as empresas precisam de um sistema de patentes que incentive as duas abordagens. Quanto mais a sua estrutura legal promover o intercâmbio de licenças e padrões, mais inovação em regime de colaboração terá. O PC é o resultado do intercâmbio de imensas licenças entre a empresa que tinha a patente do cursor e a empresa que tinha a patente do rato e do monitor.

Assim, perante o aumento da inovação que emerge das colaborações e comunidades *open-source*, a lei da propriedade intelectual tem de se ajustar – senão a sociedade não receberá os benefícios ou não estará protegida contra os inconvenientes de um mundo plano. "Para que a inovação proveniente da colaboração possa florescer, devemos repensar as nossas ideias sobre a propriedade intelectual", argumenta o *Chairman* da IBM, Sam Palmisano. "As leis da propriedade intelectual foram criadas para permitir que os indivíduos e as instituições possam colher os frutos das suas invenções, permitindo simultaneamente que a sociedade no seu todo desfrute destes activos intelectuais. No âmbito desta estrutura algo delicada, existem opiniões divergentes acerca dos interesses que devem ser satisfeitos em primeiro lugar. Alguns acreditam que a melhor forma de proporcionar incentivos à inovação é protegendo ferozmente os interesses de propriedade do inventor. Outros argumentam que deveríamos abrir as portas e permitir um acesso ilimitado aos activos intelectuais. Acredito que precisamos de seguir um caminho novo, uma abordagem que possa equilibrar estes dois extremos. Temos de proteger os interesses dos indivíduos e das empresas que criam invenções verdadeiramente novas, inovadoras e úteis. Ao mesmo tempo, contudo, é preciso proteger os interesses das comunidades inovadoras, dos ecossistemas criativos – grupos que não estão legalmente constituídos nem certificados, mas que, não obstante, estão empenhados em inovações genuínas e genuinamente importantes. São necessárias noções abrangentes de propriedade, para um mundo pós-industrial."

Enquanto vai reclassificando esta questão da propriedade, reclassifique também o seguinte: A 13 de Novembro de 2004, o fuzileiro naval norte-americano Justin M. Ellsworth, de 20 anos, foi morto por uma bomba na berma da estrada durante um patrulhamento a pé no Iraque. Em 21 de Dezembro de 2004, a agência noticiosa Associated Press (AP) anunciou que os familiares do falecido exigiam que o Yahoo! lhes facultasse a *password* da sua conta de *e-mail*, para assim poderem aceder ao conteúdo do seu correio electrónico – tanto as mensagens enviadas como as recebidas. "Quero poder recordá-lo através das suas palavras. Sei que ele pensava estar a fazer o que era necessário ser feito. Quero ter isso para o futuro", declarou à AP o pai de Justin, John Ellsworth. "É a última coisa que tenho do meu filho."

Estamos a caminhar em direcção a um mundo onde cada vez mais a comunicação é feita sob a forma de *bits* que viajam através do ciberespaço e se armazenam em servidores localizados por todo o mundo. Nenhum governo controla este reino cibernético. Por isso, a questão que se coloca é a seguinte: Quem é detentor dos seus *bits* quando você morre? A AP noticiou que o Yahoo! negou a *password* à família de Ellsworth* referindo que a política do Yahoo! é apagar todas as contas de *e-mail* que se mantenham inactivas durante 90 dias consecutivos e que os utilizadores do Yahoo! concordam, aquando da assinatura do contrato de serviço, que o direito a aceder aos elementos identificativos de um membro ou aos conteúdos das contas termina com a sua morte. "Se bem que nos solidarizemos com a dor de qualquer família, as contas do Yahoo! e quaisquer conteúdos das mesmas não são passíveis de transferência", nem mesmo depois da morte, disse à AP a porta-voz do Yahoo!, Karen Mahon.

À medida que nos vamos livrando da papelada e comunicamos cada vez mais através de formatos digitalizados, é melhor definirmos antes de morrermos – e incluir isso no testamento – a quem, se houver alguém, queremos legar os nossos *bits*. O assunto é realmente importante de mais para ser ignorado. Armazenei alguns capítulos deste livro na minha conta AOL, sentindo que estariam mais seguros no ciberespaço. Se me tivesse acontecido alguma coisa enquanto o escrevia, a minha família e a minha editora teriam de pôr a AOL em tribunal para tentarem conseguir o meu texto. Por favor, haja alguém que reclassifique isto.

Morte dos vendedores

No Outono de 2004, fui a Minneapolis visitar a minha mãe. Na agenda levava marcados três encontros sobre a temática do mundo plano. Assim que saí de Washington, liguei para o 411 – serviço telefónico de informações – para tentar obter o número de telefone de um amigo em Minneapolis. Um computador respondeu-me e uma voz computorizada pediu-me para pronunciar o nome da pessoa cujo número queria saber. Por qualquer razão, não consegui que o computador me ouvisse correctamente e dizia-me, repetidamente, numa voz computorizada: "Como disse?" Continuei a repetir o apelido numa voz que disfarçava o meu estado de exasperação (caso contrário, o computador nunca iria compreender-me). "Não, eu não disse isso... Eu disse..." A ligação acabou por ser transferida para um operador, mas não gostei desta experiência, sem fricções, com o assistente electrónico. Quase implorei por alguma fricção com outro ser humano. Poderá ser mais barato e mais eficiente ter um computador que faculta números de telefone, mas só me deixou frustrado.

---

* **N.T.** No entanto, por decisão do tribunal de Oakland, Michigan – em finais de Abril de 2005 –, o Yahoo! foi obrigado a fornecer a respectiva *password*.

Quando cheguei a Minneapolis, jantei com amigos da família, um dos quais passou a sua vida a trabalhar como grossista na região do Midwest, a vender produtos aos maiores retalhistas da região. É um vendedor nato. Quando lhe perguntei por novidades, suspirou e disse que o negócio já não era o que costumava ser. Estava tudo a ser vendido com margens de um por cento, explicou-me. Não havia problema. Ele vendia essencialmente mercadorias, por isso, atendendo aos volumes de vendas que conseguia, podia gerir a estreita margem de lucro. Mas o que o aborrecia, comentou, era o facto de já não ter contacto humano com alguns dos seus maiores clientes. Mesmo as mercadorias e os produtos de baixos custos têm alguns elementos diferenciadores que precisam de ser vendidos e salientados. "Agora funciona tudo por *e-mail*", contou. "Estou a negociar com um jovem que está num dos maiores retalhistas da nação e ele diz: 'Envie-me a sua proposta por *e-mail*.' Nunca falei com ele. Metade das vezes não me responde. Não sei bem como hei-de negociar assim... Antigamente, costumava chegar aos escritórios, distribuía aos compradores uns quantos bilhetes para verem os Vikings*. Éramos amigos... Tommy, actualmente, tudo o que importa é o preço."

Felizmente, o meu amigo é um empresário de sucesso e tem várias empresas. Mas, quando, mais tarde, reflecti sobre aquilo que tinha dito, senti-me como que transportado para aquela cena do livro *Morte de Um Caixeiro-Viajante***, em que Willy Loman*** diz que, ao contrário do seu colega Charley, ele pretende ser "bem-amado". Ele diz aos seus filhos que, nos negócios e na vida, o carácter, a personalidade e os laços humanos são mais importantes do que ser astuto. "O homem que marca presença no mundo dos negócios, o homem que cria interesse pessoal, é o homem que vai em frente. Sejam amados e nunca passarão privações", sublinha Willy.

Não é isso, no entanto, que acontece quando o mundo se torna plano. É difícil criar laços humanos via *e-mail* e a navegar na Internet. No dia seguinte, jantei com o meu amigo Ken Greer, que gere uma empresa na área dos *media* – da qual falarei adiante mais em pormenor. Ken lamentou-se de forma semelhante: são imensos os contratos celebrados actualmente com empresas de publicidade que estão a vender apenas números, não instinto criativo. Na sequência da conversa, Ken disse uma coisa que realmente me soou familiar: "É como se eles tivessem retirado a gordura do negócio" e transformado tudo num jogo de números. "Mas a gordura é aquilo que dá o gosto à carne", acrescentou Ken. "As partes mais magras da carne não sabem tão bem. Queremos sempre que tenham um pouco de gordura."

---

* **N.T.** Equipa de futebol americano do Minnesota.

** **N.T.** Autoria de Henry Miller.

*** **N.T.** Personagem principal, o caixeiro-viajante.

O processo que está a tornar o mundo plano retira implacavelmente a gordura do negócio e da vida, mas, conforme Ken salientou, a gordura é aquilo que dá à vida gosto e textura. A gordura é também aquilo que nos mantém aquecidos.

Sim, o consumidor que "existe" em nós quer os preços da Wal-Mart sem a gordura. Mas o colaborador que "existe" em nós quer que "se deixe um pouco de gordura junto ao osso", conforme a Costco faz, de forma a poder oferecer planos de saúde praticamente a todos os seus colaboradores, em vez de o fazer apenas a metade deles como a Wal-Mart. Mas o accionista que "existe" em nós quer as margens de lucro da Wal-Mart, não as da Costco. Sim, o cidadão que "existe" em nós quer os benefícios da Costco, em detrimento dos da Wal-Mart, porque a diferença – em última instância – poderá ter de ser paga pela sociedade. O consumidor que "existe" em mim quer contas de telefone mais baixas, mas o ser humano que "existe" em mim também quer falar com um operador quando liga para o 411. Sim, o leitor que "existe" em mim adora navegar na net e ler os blogues, mas o cidadão que "existe" em mim também deseja que alguns desses blogues tenham um editor, um intermediário, para lhes dizer que verifiquem mais uma vez alguns dos factos que expõem, antes de carregarem na tecla "enviar" e contarem ao mundo inteiro que alguma coisa está errada ou é injusta.

Tendo em conta estas emoções e pressões em conflito, existe aqui potencial suficiente para o sistema político norte-americano ser completamente remodelado – com os colaboradores e os interesses empresariais a realinharem-se em partidos diferentes. Pense nisso: os conservadores sociais da ala direita do Partido Republicano, que não gostam da globalização ou de uma integração mais estreita com o mundo porque isso traz demasiados estrangeiros e tradições culturais para os Estados Unidos, podem-se alinhar com os sindicatos da ala esquerda do Partido Democrata, que não gostam da globalização por facilitar o *outsourcing* e o *offshoring* dos postos de trabalho. Deveriam denominar-se o Partido do Muro (*Wall Party*) e militarem a favor de mais "fricção" e "gordura" por todo o lado. Encaremos a realidade: os conservadores culturais Republicanos têm muito mais em comum com os trabalhadores de aço de Youngstown, Ohio, com os agricultores da China rural e com os *mullahs** do centro da Arábia Saudita que também gostam de mais muros, do que com os bancos de investimento de Wall Street ou com os trabalhadores da área dos serviços para a economia global, muitos localizados em Palo Alto, que têm vindo a enriquecer com todo o processo que está a tornar o mundo plano.

Entretanto, a ala empresarial do Partido Republicano, que acredita no comércio livre, desregulamentação, mais integração e impostos mais baixos – tudo o que tornaria o mundo ainda mais plano –, poderá acabar por se alinhar com os liberais sociais do Partido Democrata, muitos dos quais são trabalhadores da indústria

* **N.T.** Muçulmanos versados em teologia.

dos serviços na Costa Leste e na Costa Oeste dos EUA. A eles poderão também juntar-se Hollywood e outros profissionais da área do entretenimento. Todos eles são grandes beneficiários do mundo plano. Eles poderão ser denominados de Partido da Rede (*Web Party*), cuja principal plataforma seria promover uma integração mais global. Muitos residentes de Manhattan e Palo Alto têm mais interesses em comum com as pessoas de Xangai e Bangalore do que com os residentes de Youngstown ou de Topeka. Em suma, num mundo plano, é provável ver muitos liberais sociais, típicos empregados de escritório da indústria global de serviços e financeiros de Wall Street motivados conjuntamente, assim como é provável ver muitos conservadores sociais, típicos empregados de escritório da indústria local de serviços e sindicatos motivados pela mesma causa.

Os espectadores de *A Paixão de Cristo*[*] estarão na mesma trincheira dos Teamsters[**] e da AFL-CIO[***], ao passo que os liberais de Hollywood e de Wall Street, bem como os adeptos de *You've Got Mail*[****] estarão do mesmo lado que os trabalhadores da alta tecnologia de Silicon Valley e os fornecedores de serviços globais de Manhattan e São Francisco. Será Mel Gibson e Jimmy Hoffa Jr. *versus* Bill Gates e Meg Ryan.

Cada vez mais, a política no mundo plano irá consistir em esclarecer que valores, tensões e "gordura" vale a pena preservar – e que se deve, na linguagem de Marx, manter sólidos – e quais os que se deve deixar desvanecer. Os países, empresas e indivíduos só conseguirão dar respostas inteligentes a estas perguntas se compreenderem a verdadeira natureza e textura do 'terreno de jogo' global e o quanto ele é diferente daquele que existia durante o período da Guerra Fria e antes. Os países, empresas e indivíduos só conseguirão fazer escolhas políticas sólidas se apreciarem plenamente o 'terreno de jogo' plano e se compreenderem todas as novas ferramentas que têm agora disponíveis para colaborar e competir entre si. Espero que este livro funcione de forma estrutural neste debate político tão importante e que contribua para tornar mais clara a necessidade da grande reclassificação... que já aí está ao virar da esquina.

As próximas três partes analisam a forma como o mundo plano e a tripla convergência afectarão os norte-americanos, os países em vias de desenvolvimento e as empresas.

Retempere forças: está prestes a entrar no mundo plano.

---

[*] **N.T.** Filme de Mel Gibson.

[**] **N.T.** Sindicato dos camionistas, presidido por Jimmy Hoffa.

[***] **N.T.** Maior confederação sindical dos EUA.

[****] **N.T.** Título de filme protagonizado por Tom Hanks e Meg Ryan, que em Portugal foi traduzido como "Você Tem Uma Mensagem".

Parte 2
Os Estados Unidos e o Mundo Plano

Capítulo V

Os Estados Unidos e o Comércio Livre
Ricardo ainda tem razão?

Como norte-americano que sempre acreditou nos méritos do comércio livre, tinha de responder a uma pergunta importante depois da minha viagem à Índia: deveria continuar a acreditar no comércio livre num mundo plano? Este era um assunto que precisava de definir imediatamente – não só porque estava a tornar-se num tema quente na política nacional, mas também porque toda a minha perspectiva do mundo plano dependeria da minha perspectiva do comércio livre. Sei que o comércio livre não irá necessariamente beneficiar todos os norte-americanos e que a sociedade terá de ajudar aqueles que são prejudicados por isso. Mas, para mim, a pergunta-chave era: o comércio livre irá beneficiar os Estados Unidos *como um todo* quando o mundo se tornar tão plano a ponto de muitas mais pessoas poderem colaborar e competir com as minhas filhas? Parece que muitos empregos que consideramos "norte-americanos" estarão disponíveis apenas para quem tiver garra. Não estariam os norte-americanos melhor se o governo do país adoptasse algumas políticas proteccionistas e banisse parte do *outsourcing* e do *offshoring*?

Comecei por me intrigar com este tema enquanto filmava o documentário para o Discovery Times, em Bangalore. Um dia, fomos ao *campus* da Infosys por volta das 17 horas – altura em que os colaboradores do *call center* da empresa começavam a chegar para o turno da noite, a pé, em miniautocarros e em pequenas motorizadas, enquanto muitos dos engenheiros mais talentosos saíam, depois de cumprirem o seu horário diurno. Eu e a minha equipa estávamos à porta a observar aquela multidão de jovens instruídos a entrar e a sair, muitos deles em animadas conversas. Todos tinham o ar de quem tinha obtido uma classificação de 1600 pontos nos seus exames SAT* e senti que estava a ser verdadeiramente invadido pela curiosidade. A minha mente não parava de me dizer: "Ricardo tem

* N.T. *Scholastic Assessment Test* – exame de avaliação de conhecimentos para estudantes do ensino secundário que pretendem ter acesso ao ensino superior norte-americano.

razão, Ricardo tem razão, Ricardo tem razão." David Ricardo (1772-1823) foi o economista inglês que desenvolveu a teoria da vantagem comparativa do comércio livre, que diz que se cada nação se especializar na produção de bens nos quais tem uma vantagem comparativa em termos de custos e depois estabelecer trocas comerciais com outras nações pelos bens nos quais elas se especializam, haverá um ganho geral no comércio, e os níveis de receitas gerais aumentam em cada país. Assim, se todos aqueles *techies* indianos estavam a fazer aquilo que era a sua vantagem comparativa e depois utilizavam os seus rendimentos para comprar todos os produtos norte-americanos que são a nossa vantagem comparativa – desde o Corning Glass* ao Microsoft Windows –, ambos os países iriam beneficiar disso, mesmo que alguns indianos ou norte-americanos, a título particular, tivessem de mudar de emprego durante esta transição. Estão à vista as provas desta vantagem mútua: um forte aumento das exportações e importações entre os Estados Unidos e a Índia nos últimos anos.

Mas o meu instinto curioso continuou a olhar para todos aqueles *zippies* indianos e a dizer-me algo mais: "Oh, meu Deus, eles são tantos e todos parecem tão sérios e tão ávidos por trabalhar. E continuam a chegar, uns atrás dos outros. Como será possível que seja positivo para as minhas filhas e para milhões de outros jovens norte-americanos que estes indianos consigam desempenhar as mesmas tarefas do que eles, por um salário muito mais baixo?" Quando Ricardo desenvolveu a sua teoria, as mercadorias eram transaccionáveis, mas o conhecimento e os serviços não. Naquela altura, não havia cabos submarinos de fibra óptica para tornar as profissões do conhecimento transaccionáveis entre os norte-americanos e os indianos. À medida que eu ia ficando cada vez mais preocupado, a porta-voz da Infosys que me acompanhava confirmou que, no ano anterior, a Infosys India recebeu "um milhão de candidaturas" por parte de jovens indianos para o preenchimento de nove mil postos de trabalho na área da tecnologia.

Tenham um bom dia.

Fartei-me de pensar no que será possível fazer perante este cenário. Não quero ver nenhum norte-americano a perder o seu emprego a favor da concorrência externa ou da inovação tecnológica. E sei que não gostaria de perder o meu. Quando se perde o emprego, a taxa de desemprego não é de 5,2 por cento; é de 100 por cento. Nenhum livro sobre o mundo plano seria autêntico se não desse a conhecer essas preocupações ou se não tivesse consciência de que os economistas andam a discutir até que ponto é que Ricardo ainda *tem* razão. No entanto, depois de ter ouvido os argumentos de ambos os lados, chego à conclusão a que chegou a grande maioria dos economistas – que Ricardo ainda tem razão e que será positivo para mais norte-americanos não impor barreiras ao *outsourcing*, ao *supply-chaining* e ao *offshoring*.

---

* **N.T.** Corning Glass – a empresa norte-americana que criou o pirex, da cidade de Corning.

Esta é a mensagem simples deste capítulo: mesmo à medida que o mundo vai ficando plano, os Estados Unidos – como um todo – irão beneficiar mais se se mantiverem fiéis aos princípios básicos do comércio livre, como sempre fizeram, do que se tentarem "levantar" muros, que apenas servirão para incentivar os outros a fazer o mesmo e para nos empobrecer a todos. Mas o argumento mais abrangente de toda esta parte do livro – "Os Estados Unidos e o Mundo Plano" – é que, enquanto o proteccionismo seria contraproducente, uma política de comércio livre, quando necessária, não é suficiente por si só. Tem de ser acompanhada de uma estratégia interna focalizada com o objectivo de melhorar a educação de todos os norte-americanos, para que estejam aptos a competir por novos empregos num mundo plano. E tem também de ser acompanhada de uma estratégia externa que promova a abertura de mercados de acesso restrito em todo o mundo (incluindo alguns dos norte-americanos, como a agricultura), para que traga mais países ao sistema global de comércio livre – que irá aumentar a procura de bens e serviços, incentivar a inovação e reduzir o desemprego e a migração em busca de trabalho por todo o globo.

É óbvio que a escola defensora do proteccionismo / *anti-outsourcing* não concorda com esta posição. Esta escola insiste que nenhuma destas estratégias terá qualquer futuro. Os detractores do *outsourcing* argumentam que, num mundo plano, não se regista apenas um acréscimo de bens transaccionáveis, mas também de muitos serviços – os próprios empregos de serviços que sustentam a classe média norte-americana, mas que nunca estiveram expostos às forças da automatização ou do *outsourcing* ao nível que estão agora. Devido a esta mudança, o poder económico e os níveis de vida dos Estados Unidos e de outros países desenvolvidos podem ser conduzidos ao declínio absoluto, não só a um declínio relativo, a menos que determinados postos de trabalho, quer sejam de fábrica ou de escritório, sejam formalmente protegidos da concorrência externa. É impossível incorporar tantos novos "jogadores" na economia global, ao nível dos serviços e da indústria de ponta – áreas há muito dominadas pelos norte-americanos, pelos europeus e pelos japoneses –, sem que se estabeleça um novo equilíbrio salarial mais baixo.

Quais são os principais contra-argumentos dos defensores do comércio livre / *outsourcing*, onde me incluo, que ainda acreditam que Ricardo estava certo? Para começar, embora possa haver uma fase de transição em determinadas áreas, durante a qual os salários são reduzidos nos países desenvolvidos, não há motivo para acreditar que esta depressão será permanente ou transversal, desde que o bolo global continue a crescer. Sugerir que é permanente é invocar a tão conhecida teoria de que há uma quantidade fixa de trabalho no mundo e que, assim que essa quantidade seja absorvida – quer seja por norte-americanos, indianos ou japoneses –, já não haverá mais empregos para procurar. Se nós tivermos actualmente a maior quantidade de trabalho e os indianos se oferecerem para fazer esse mesmo trabalho, por menos dinheiro, eles obterão uma maior porção dessa quantidade, enquanto nós ficaremos com a menor.

A principal razão para a teoria da quantidade de trabalho estar errada reside no facto de ter a sua base no princípio de que tudo o que vai ser inventado já foi inventado e que, por isso, a concorrência económica é um jogo de soma zero, uma luta por uma quantidade já fixada. Este pressuposto ignora o facto de que, apesar de os empregos se perderem muitas vezes em grande quantidade – em favor do *outsourcing* e do *offshoring* – nas grandes empresas individuais e de esta perda ter tendência para ser alvo de manchete num jornal, também estão a ser criados novos empregos em várias pequenas empresas que não "conseguimos ver". Muitas vezes é preciso uma grande fé para acreditar que isso está a acontecer. *Mas está a acontecer.* Se não estivesse, a taxa de desemprego dos EUA seria muito mais elevada do que os actuais cinco por cento. A razão pela qual está a acontecer prende-se com o facto de, à medida que os empregos no sector dos serviços de gama mais baixa e na indústria da transformação transitarem da Europa, dos EUA e do Japão para a Índia, a China e a ex-União Soviética, o bolo global não só aumenta – porque há mais pessoas com mais recursos para gastar – mas também se torna mais complexo conforme vão sendo criados mais empregos e novas áreas de especialização.

Deixe-me ilustrar isto com um exemplo simples. Imagine que existem apenas dois países no mundo – os Estados Unidos e a China. E imagine que a economia norte-americana apenas tem cem pessoas. Dessas cem pessoas, 80 são profissionais do conhecimento, com elevados níveis de qualificação, e 20 são trabalhadores com menos competências técnicas e graus académicos mais baixos. Agora imagine que o mundo se torna plano e que os Estados Unidos fazem um acordo de comércio livre com a China, que tem mil habitantes, mas é um país menos desenvolvido. Assim, actualmente, a China também dispõe de 80 profissionais do conhecimento, com bons níveis de instrução, e os restantes 920 são trabalhadores com menos competências. Antes de os Estados Unidos assinarem o acordo de comércio livre com a China, apenas havia 80 profissionais do conhecimento no seu mundo. Agora, existem 160 no "nosso" mundo composto por dois países. Os profissionais do conhecimento dos EUA sentem que estão a enfrentar uma maior concorrência e na realidade estão. Mas se olhar para o prémio que tentam conquistar, o mercado está agora muito mais alargado e complexo. Passou de um mercado com cem pessoas para um mercado com 1100 pessoas, com muitas mais necessidades e carências. Por isso, deveria ser uma situação em que ambos ganham (*win-win*), tanto os profissionais do conhecimento norte-americanos como os chineses.

É óbvio que alguns dos profissionais norte-americanos poderão ter de evoluir *de uma forma horizontal*, para novas profissões do conhecimento, devido à concorrência da China. Mas com um mercado tão grande e tão complexo, pode ter a certeza de que estarão disponíveis novas profissões do conhecimento, com salários confortáveis, para todos os que evoluam nas suas competências. Por isso, não se preocupe com os profissionais do conhecimento norte-americanos ou chineses. Ambos os lados se sairão bem neste mercado muito maior.

"O que quer dizer com 'não se preocupe'?", perguntará. "Como é que lidamos com o facto de esses 80 profissionais do conhecimento provenientes da China estarem dispostos a trabalhar por menos dinheiro do que os seus 80 congéneres norte-americanos? Como é que se soluciona esta diferença?"

Não acontecerá do dia para a noite, por isso alguns profissionais norte-americanos do conhecimento poderão ser afectados na fase de transição, mas os efeitos não serão permanentes. Segundo Paul Romer, de Stanford, especialista em Nova Economia, aquilo que precisa de entender é o seguinte: os salários dos profissionais chineses do conhecimento eram baixos porque, apesar de as suas competências serem transaccionáveis a nível global, tal como as dos seus congéneres norte-americanos, eles estavam enclausurados numa economia fechada. Imagine o salário baixo que um perito informático ou neurocirurgião da Coreia do Norte recebe no grande enclausuramento que é aquela nação! Mas, conforme a economia chinesa se vai abrindo ao mundo e às reformas, os salários dos chineses que são profissionais do conhecimento irão subir até aos níveis norte-americanos. Não serão os dos norte-americanos que irão descer ao nível dos deles. Também pode observar este fenómeno em Bangalore, onde a grande procura de criadores de *software* indianos está a aproximar rapidamente os seus salários para os níveis dos EUA e da Europa – depois de décadas de salários miseráveis quando a economia indiana era fechada. É por este motivo que os norte-americanos devem fazer tudo o que puderem para promover a abertura e a reforma gradual, embora sustentada, das economias indiana e chinesa – porque, a longo prazo, os salários irão, em termos globais, crescer numa economia mundial mais aberta e produtiva.

Preocupe-se, contudo, com os 20 norte-americanos que não possuem grandes qualificações, que têm agora de competir mais directamente com os 920 chineses que estão na mesma situação. Uma razão por que os 20 norte-americanos com menos competências recebiam um salário decente relativamente aos 80 norte-americanos mais especializados, era por serem relativamente poucos. Todas as economias precisam de algum trabalho manual que exija menos competências. Mas agora que a China e os Estados Unidos assinaram o seu pacto de comércio livre, existe um total de 940 trabalhadores com menos competências e 160 profissionais do conhecimento no mundo integrado pelos dois países. Os trabalhadores norte-americanos com menos competências técnicas que exercem funções não especializadas – empregos que podem ser facilmente transferidos para a China – irão enfrentar dificuldades. Não há como negá-lo. Os seus salários provavelmente irão diminuir. Para manterem ou melhorarem os seus níveis de vida, terão de evoluir *vertical* e não horizontalmente. Terão de melhorar o seu nível de conhecimentos e competências para poderem ocupar um dos novos postos de trabalho que seguramente serão criados no mercado muito mais vasto Estados Unidos-China. (Nos próximos capítulos irei abordar a necessidade e a obrigação da nossa sociedade em garantir que todos tenham oportunidade de adquirir essas competências.)

Conforme Romer realça, a história dos Estados Unidos mostra-nos que um aumento do número de profissionais do conhecimento não conduz necessariamente a uma diminuição dos seus salários, conforme acontece com os trabalhadores com menos competências. Desde a década de 60 até à década de 80, a oferta de trabalhadores com instrução universitária cresceu muito e, no entanto, os seus salários aumentaram ainda mais rapidamente. Uma vez que o bolo aumentou em tamanho e em complexidade, o mesmo aconteceu com as carências das pessoas, o que levou a um aumento da procura de indivíduos capazes de executar funções complexas e tarefas mais especializadas. Romer explica isto, em parte, pelo facto de haver "uma diferença entre os bens que resultam de trabalho intelectual e os bens materiais". Se for um profissional do conhecimento que produz e vende algum tipo de produto com base em ideias – serviços financeiros ou de consultoria, ou ligados à música, ao *software*, ao *marketing*, ao *design* ou a novos medicamentos – quanto maior for o mercado, mais pessoas haverá a quem poderá vender o seu produto. E quanto maior for o mercado, mais especializações e nichos serão criados. Se você surgir com o próximo Windows ou Viagra, poderá potencialmente vender esse produto a qualquer pessoa no mundo. Por isso, os trabalhadores "das ideias" dão-se bem com a globalização. Os Estados Unidos, como um todo, têm mais trabalhadores motivados "por ideias" do que qualquer outro país do mundo.

Mas se vende trabalho manual – uma peça de madeira ou chapa de aço –, o valor daquilo que tem para vender não aumenta necessariamente com a expansão do mercado e pode até diminuir, afirma Romer. Existem muitas fábricas interessadas em comprar o seu trabalho manual, mas também existem muitas mais pessoas a vendê-lo. O que o trabalhador manual tem para vender pode ser comprado por apenas uma fábrica ou um consumidor de cada vez, explica Romer, enquanto aquilo que o criador de *software* ou o inventor de um medicamento têm para vender – produtos baseados em ideias – pode ser vendido a todas as pessoas de uma só vez, no mercado global.

É por esta razão que os Estados Unidos, como um todo, irão dar-se bem num mundo plano alicerçado no comércio livre – desde que continuem a produzir em série profissionais do conhecimento capazes de criar bens, com base em ideias, que possam ser vendidos globalmente e que sejam também capazes de preencher os empregos da área do conhecimento que serão criados, uma vez que não nos limitamos apenas a expandir a economia global mas também a ligar todas as plataformas de conhecimento de todo o mundo. Poderá existir um limite para o número de bons empregos fabris espalhados pelo mundo, *mas não há limite – em todo o mundo – para o número de empregos que têm origem nas ideias*.

Se vamos passar de um mundo em que existiam 15 empresas farmacêuticas e 15 empresas de *software* nos EUA (30 ao todo), bem como duas empresas farmacêuticas e duas empresas de *software* na China (quatro no total), para um mundo em que existem 30 empresas farmacêuticas e de *software* nos EUA e 30 empresas farmacêuticas e de *software* na China, isso significará mais inovação, mais curas, mais produtos novos, mais nichos em que se especializar e muitas mais pessoas com rendimentos elevados para poder comprar esses produtos.

"O bolo continua a crescer porque o que hoje parecem carências, amanhã são necessidades", disse Marc Andreessen, o co-fundador da Netscape, que ajudou a expandir uma indústria completamente nova, o comércio electrónico – que agora emprega milhões de especialistas em todo o mundo, especialistas cujos empregos não eram sequer imagináveis quando Bill Clinton assumiu a presidência dos EUA. Gosto especialmente de ir de vez em quando a cafés, mas agora que tenho aqui a Starbucks, *preciso* do meu café. Esta nova necessidade ajudou a expandir toda uma nova indústria. Sempre quis ter capacidade para procurar informações, mas desde que o Google foi criado, eu *tenho de* ter o meu motor de busca. Assim, foi criada uma indústria totalmente nova em torno das pesquisas e o Google está a contratar imensos especialistas em Matemática – antes de o Yahoo! ou a Microsoft o fazerem. Partimos constantemente do princípio de que tudo o que vai ser inventado já deve ter sido inventado. *Mas não foi*.

"Se acredita que as carências e as necessidades humanas são infinitas, então há ainda infinitas indústrias por criar, infinitos negócios para serem iniciados e infinitas tarefas para serem executadas, sendo a imaginação humana o único factor de limitação. O mundo está a ficar mais plano e a crescer ao mesmo tempo. E penso que a prova disso é muito clara: se analisarmos bem a História, de todas as vezes que tivemos mais comércio e mais comunicações, registou-se um enorme avanço na actividade económica e no nível de vida", disse Andreessen.

Os Estados Unidos integraram uma Europa arruinada e o Japão na economia global, depois da Segunda Guerra Mundial. Tanto a Europa como o Japão melhoraram, ano após ano, a sua indústria de transformação, o conhecimento e as competências ao nível dos serviços, muitas vezes importando e outras vezes roubando ideias e tecnologia aos Estados Unidos, tal como estes fizeram com a Grã-Bretanha no final da década de 70 do século XVIII. Ainda assim, nos 60 anos que se seguiram à Segunda Guerra Mundial, o nível de vida dos norte-americanos aumentou década após década, enquanto a taxa de desemprego – mesmo com todo o alarido em torno do *outsourcing* – se mantém apenas ligeiramente acima dos cinco por cento, o que corresponde a quase metade daquilo que se verifica na maioria dos países desenvolvidos da Europa Ocidental.

"Arrancámos recentemente com uma empresa que criou 180 novos postos de trabalho, no meio de uma recessão", disse Andreessen, cuja empresa – a Opsware – recorre à automação e a *software* para substituir as pessoas, instalando centros informatizados de dados que permitem às empresas gerir operações a nível mundial. Ao automatizar estas funções, a Opsware possibilita que as empresas cortem custos e libertem massa crítica de tarefas relativamente rotineiras para iniciarem novos negócios noutras áreas. O cidadão só deve recear os mercados livres, defendeu Andreessen, se acreditar que nunca vai precisar de novos medicamentos, de novo *software* de sistematização do fluxo de trabalho, de novas indústrias, de novas formas de diversão, de novos cafés e se acreditar que os cidadãos do seu país nunca terão a capacidade de desenvolver as competências necessárias para assumir os empregos que estes novos sectores ou modelos empresariais irão gerar.

"Sim, é preciso um grande acto de fé, com base na economia, para dizer que haverá novas tarefas para desempenhar", concluiu aquele responsável. Sempre houve novas funções para exercer, portanto, não há qualquer razão fundamental para acreditar que no futuro será diferente.

Há cerca de 150 anos, 90 por cento dos norte-americanos trabalhava na agricultura ou em sectores associados, guiando charruas puxadas por cavalos e fazendo as colheitas à mão. Hoje, em resultado da industrialização da agricultura, precisamos de menos de três por cento da população para cultivar todos os nossos alimentos e mais ainda. E se, há muitos anos, o governo tivesse decidido proteger e subsidiar todos os empregos existentes na agricultura e se tivesse recusado a abraçar a agricultura mecanizada e, por fim, computorizada? Pois, se os cavalos pudessem votar, nunca teríamos tido carros! Estariam hoje os EUA, no seu conjunto, melhor? Dificilmente. Como é óbvio, é verdade que à medida que os indianos ou os chineses sobem na cadeia de valor e começam a produzir produtos mais exigentes em matéria de conhecimento – o tipo de produtos em que os Estados Unidos são especialistas – a nossa vantagem comparativa nalgumas destas áreas irá diminuir, explica Jagdish Bhagwati, perito em comércio livre, da Universidade de Columbia. Haverá uma pressão descendente sobre os salários em determinados sectores e alguns empregos poderão mesmo transitar de forma permanente para outros países. É por esta razão que os profissionais do conhecimento terão de evoluir de forma horizontal. Mas o bolo que está a crescer irá seguramente criar novas especializações e novas áreas de vantagem competitiva impossíveis de prever neste momento.

A título de exemplo, houve uma altura em que a indústria norte-americana de semicondutores dominava o mundo, mas depois chegaram as empresas de outros países e absorveram produtos tipo *low-end** do mercado. Algumas até se posiciona-

* **N.T.** Produtos menos especializados e mais baratos.

ram em produtos do tipo *high-end**. As empresas norte-americanas foram obrigadas a descobrir especialidades novas e mais sofisticadas num mercado mais vasto. Se isso não tivesse acontecido, a Intel já teria acabado. Em vez disso, a empresa prospera. Paul Otellini, *President* da Intel, disse à revista *The Economist* (8 de Maio de 2003) que à medida que os *chips* se tornam suficientemente bons para determinadas aplicações, surgem novas aplicações que exigem *chips* mais potentes e mais complexos, que representam hoje o ramo de especialização da Intel.

Quando o Google, o Yahoo! e a Microsoft começarem a disponibilizar pesquisas por vídeo, por exemplo, serão necessários novos dispositivos e *chips* que as alimentem, coisas que há dez anos atrás a maioria de nós não imaginava ser possível. Este processo demora tempo a desenrolar-se. Mas, segundo Bhagwati, será uma realidade, porque aquilo que está hoje a acontecer no sector dos serviços é idêntico ao que sucedeu na indústria da transformação quando se reduziram as barreiras comerciais. Na indústria da transformação, refere ainda Bhagwati, à medida que o mercado global se foi expandindo e cada vez mais "jogadores foram entrando em campo", assistiu-se a um cada vez maior "comércio intra-indústrias". Assim, o México especializou-se no fabrico de pneus, a China na produção de árvores de cames e os Estados Unidos no *design* automóvel no seu todo. Conforme vamos entrando na economia do conhecimento, estamos a assistir a um volume cada vez maior de comércio intra-serviços, com muito mais especializações que emergem de vários sectores de serviços, à medida que se tornam mais complexos.

Por isso, pais e mães, não se surpreendam se, um dia, o seu filho ou filha, ao voltar da faculdade, lhes anuncie que quer ser "optimizador de motores de busca". É verdade que ficará tentado a responder: "Espera aí, mandei-te para a universidade para seres médico ou advogado! O que raio é isso de optimizador de motores de busca? Por que é que não podes ser oftalmologista, como o teu tio Louie?" Não deve, porém, ceder a estas palavras. Optimizador de motores de busca é apenas uma das novas especialidades que estão a emergir no mundo plano. Eis como as coisas acontecem: Suponha que existem duas empresas gigantes no sector das malas – a "Tom's Suitcases" e a "Samsonite". Pode significar milhões de dólares em lucros se, quando alguém pesquisa a palavra "mala", a Tom's Suitcases aparecer antes da Samsonite na primeira página de resultados de uma pesquisa no Google ou na Microsoft. É mais provável que um número maior de pessoas clique na Tom's Suitcases e, como as pessoas que visitam um *site* são as que têm mais probabilidades de comprar, a Tom's Suitcases beneficiará da maior quota de mercado. O que estes optimizadores de motores de busca (*Search Engine Optimizers* – SEO, como são conhecidos no meio) fazem é estudar constantemente os algoritmos que estão a ser utilizados pelos grandes motores de busca para produzir os seus resul-

---

* **N.T.** Produtos mais elaborados e por isso mais caros.

tados e depois tentar elaborar estratégias de *marketing* e para a *Web*, que farão com que a sua empresa suba nos *rankings*. Os SEO entusiasmam-se de tal forma com os algoritmos que são conhecidos como "algoólicos". O seu negócio envolve uma síntese de matemática e de *marketing* – uma especialização completamente nova criada inteiramente no decorrer do processo que está a tornar o mundo plano. Lembra-se de perguntar aos seus amigos, que estavam a tirar um mestrado em Matemática, "o que é que vais fazer com isso?" Bem, já não precisa de perguntar.

A optimização de motores de busca tem-se tornado um negócio tão grande que agora o Google organiza um baile (*dance*) anual na sua sede para todos os SEO que tentam quebrar o seu código. No dia 20 de Agosto de 2005, a Associated Press difundiu uma notícia que descrevia o Google Dance: "Cerveja à discrição, música ao vivo, *karaoke* e máquinas de jogos de vídeo mantiveram a festa animada no *Googleplex* uma noite destas, mas a verdadeira acção decorria no interior de uma sala de conferências estéril na sede da Google Inc. Foi onde os astutos empreendedores da área da Internet, que tentam constantemente manipular os resultados do motor de busca Google para uma margem competitiva, estiveram a tentar tirar o melhor partido possível da rara oportunidade que é trocar impressões cara-a-cara com os engenheiros de topo da empresa. Os peritos em falar sobre códigos do Google, apesar de se mostrarem muito prestáveis, não estavam dispostos a revelar o seu 'molho secreto' – a fórmula rigorosamente guardada que o Google tem para ordenar os *websites*... Os esforços para exceder em astúcia o Google deixaram irritados alguns dos gestores do *site*, como Shari Thurow, que diz que a melhor forma de aumentar o *ranking* de um *site* no motor de busca é oferecer produtos e conteúdos importantes."

Não há nada relativo ao mundo plano que torne obsoleta a revelação básica de Ricardo sobre a vantagem comparativa – mesmo nada. A novidade é a forma como os países desenvolvidos e em vias de desenvolvimento irão definir a sua vantagem comparativa num mundo plano – que novos e antigos serviços e indústrias é que as suas empresas irão escolher para se especializar em determinado momento. É aí que este novo desafio se irá colocar. Poderia parecer que, num mundo mais plano, um país pode e irá perder a sua vantagem comparativa num determinado campo com muito maior rapidez do que no mundo redondo. É óbvio, por exemplo, que países como a Índia e a China podem agora competir em muitos mais campos – campos estes que dantes eram vistos como reserva exclusiva de países ocidentais desenvolvidos. Estes países ocidentais desenvolvidos terão de se adaptar e avançar para campos ainda mais novos, com muito mais rapidez, se quiserem manter o seu nível de vida. Simultaneamente, enquanto a Índia e a China se desenvolvem, irão perder a sua vantagem comparativa em certos campos que se encontram num patamar inferior, como a manufactura básica ou os têxteis, para locais como o Vietname ou Madagáscar. Nenhuma comunidade está imune a estas leis económicas da gravidade. As boas notícias para os EUA, contudo, tal como tenho tentado sugerir, é que no mundo plano também haverá um fluxo imparável de novos empregos, na medida em que surge com cada vez mais rapidez todo um conjunto de novos campos onde nos podemos empenhar – empregos em que os norte-americanos e os europeus com estudos se deviam conseguir especializar, como a optimização de motores de busca. E, ao mesmo tempo, irá surgir um inexorável fluxo de empregos do mundo desenvolvido para o mundo em desenvolvimento, uma vez que estes novos empregos regularmente se tornam uma mercadoria e mais fáceis de negociar – e, por isso, é vantajoso que sejam exercidos na Índia ou na China.

Simultaneamente, graças aos dez acontecimentos que tornaram o mundo plano, cada vez mais empregos serão divididos, com as tarefas mais sofisticadas a serem executadas no mundo desenvolvido e as menos sofisticadas no mundo em vias de desenvolvimento – onde cada um tem a sua vantagem comparativa. E começará a assistir ao surgimento de mais inovações vindas da China e da Índia, com parte da produção, do *design* e do *marketing* a ser alvo de *outsourcing* para o Ocidente, onde, sim, poderemos continuar a ter alguma vantagem comparativa. Irá assistir a todas estas coisas – todas de uma vez. Mas, desde que o bolo continue a crescer e a tornar-se mais complexo, cada país irá encontrar aspectos em que se especializar – desde que continue a educar e a aumentar as capacidades da sua mão-de-obra.

Nunca se esqueça: *os indianos e os chineses não estão a empurrar-nos para o fundo. Eles estão a empurrar-nos para o topo – e isso é bom*! Eles querem níveis de vida mais elevados e não fábricas que exploram os operários; querem artigos de marca e não coisas velhas; querem trocar as suas motorizadas por automóveis e as suas canetas e lápis por computadores. E quanto mais o fazem, quanto mais alto escalam, mais espaço é criado no topo – porque quanto mais têm, mais gastam, mais diversificados se tornam os mercados de produtos e mais nichos de especialização são criados. Repare no que já está a acontecer: à medida que as empresas norte-americanas enviam trabalho das áreas do conhecimento para ser feito na Índia, as empresas deste país vão recorrendo ao investimento e à sua capacidade inovadora para criar produtos que se destinam aos indianos que, em consequência do *boom* económico, estão em vias de sair da pobreza e entrar na classe média, onde seguramente se tornarão consumidores de produtos norte-americanos. Tanto a China como a Índia estão a passar rapidamente de uma estratégia de cópia e de produção de baixo custo, para uma estratégia própria de inovação de baixo custo. Precisam de encontrar formas inovadoras e rentáveis de resolver os seus problemas – e é isso que estão a fazer. E quando aperfeiçoarem algumas destas soluções rentáveis nos seus mercados – um programa de seguros de saúde na Índia que cobre os mais carenciados por apenas dez dólares por ano, portáteis de baixo custo, telemóveis superbaratos e até uma companhia aérea *low-cost* indiana (75 dólares pela viagem de três horas entre Bangalore e Nova Deli) que venda bilhetes em quiosques da

Internet nas bombas de gasolina –, estarão em posição de as tornar globais. A *Business Week* (11 de Outubro de 2004) deu como exemplo a fábrica Tata Motors, perto de Pune, no Sul de Mumbai*, "onde um grupo de jovens desenhadores, técnicos e vendedores se debruçam sobre os desenhos e analisam amostras de aço e plástico compósito. No início do próximo ano, planeiam desenhar um protótipo para o projecto mais ambicioso do Tata Group: um automóvel compacto que será vendido por 2200 dólares. A empresa acredita que este modelo vai suplantar o compacto Maruti, da Suzuki, que é vendido a cinco mil dólares, tornando-se, assim, o automóvel mais barato da Índia – e excelente produto de exportação para o mundo em vias de desenvolvimento. 'Esta é a necessidade mais premente na Índia – um carro do povo', afirma Ratan Tata, *Chairman* do Tata Group, que está avaliado em 12,5 mil milhões de dólares. Os indianos estão a exigir, cada vez mais, melhores produtos e serviços, a um custo acessível. O forte crescimento económico deste ano só irá aumentar o nível de exigência. A expressão 'Made in India' pode começar a simbolizar inovação na nova economia global."

Raghuram Rajan, Director de Investigação e Economista Chefe do Fundo Monetário Internacional (FMI), pertence ao Conselho de Administração da HeyMath.com, uma empresa indiana muito inovadora no sector da educação que põe os estudantes indianos a trabalhar, através da Internet, como tutores de estudantes em Singapura e noutros locais, para além de empregar especialistas indianos, britânicos e chineses para ajudar a HeyMath a elaborar o melhor método para ensinar vários conceitos matemáticos e científicos a jovens até ao 12º ano. Ao trabalhar em parceria com várias escolas públicas de Singapura, e agora até dos Estados Unidos, a HeyMath ajuda os professores a fazer planos de aula, a preparar apresentações em PowerPoint, fornece-lhes pacotes de trabalhos de casa *on-line* e outras formas criativas de ensinar Matemática e Ciências. Isto poupa tempo aos professores, que o podem utilizar para adaptar algumas lições às suas turmas ou passar mais tempo em interacções individuais. A Heymath.com, com sede em Chennai, na Índia, é paga pelas escolas de Singapura e de outros locais. Mas a Universidade de Cambridge, em Inglaterra, também faz parte da equação, fornecendo os controlos gerais de qualidade e certificando os planos de aula e os métodos de ensino.

"Todos ganham", diz Rajan. "A empresa é gerida por dois indianos que trabalharam para o Citibank e o CSFB**, em Londres, e que regressaram à Índia para começar este negócio... A Universidade de Cambridge está a ganhar dinheiro com uma empresa que criou um nicho de mercado totalmente novo. Os estudantes indianos estão a ganhar uns trocos. E os estudantes de Singapura estão a aprender melhor." Entretanto, o *software* subjacente está provavelmente a ser fornecido

---

* **N.T.** Antiga Bombaim.

** **N.T.** Banco de investimento Crédit Suisse First Born.

pela Microsoft e os *chips* pela Intel, e os estudantes indianos enriquecidos estão provavelmente a comprar computadores pessoais baratos da Apple, da Dell ou da HP. *Mas nada disto é visível.* "O bolo cresceu, mas ninguém o viu crescer", disse Rajan. Ninguém em lado algum perdeu o emprego porque a HeyMath entrou no mercado, mas muitas pessoas em vários locais conseguiram empregos que não existiam há cinco anos.

Um ensaio publicado no *McKinsey Quartely*, com o título "Beyond Cheap Labor: Lessons for Developing Economies" (Janeiro de 2005), oferece um exemplo perfeito de empresas e países que mudam de uma vantagem comparativa para outra: "Na indústria têxtil e de vestuário do Norte de Itália... a maioria da produção de peças de vestuário é transferida para locais de mais baixos custos, mas o nível de emprego mantém-se estável porque as empresas alocaram recursos humanos para tarefas como o desenho de peças de vestuário e a coordenação global das redes de produção."

É muito fácil diabolizar os mercados livres – e a liberdade de proceder ao *outsourcing* e ao *offshoring* – porque é muito mais fácil ver as pessoas que são despedidas aos montes, que fazem as parangonas dos jornais, do que aquelas que são contratadas às cinco ou dez de cada vez por pequenas e médias empresas, o que raramente é notícia. Mas, ocasionalmente, um jornal tenta mergulhar um pouco mais no assunto. O jornal da minha terra natal, o *Star Tribune*, de Minneapolis, fez precisamente isso. Analisou com rigor a forma como a economia do Minnesota estava a ser afectada pelo mundo plano, atrevendo-se a publicar um artigo em 5 de Setembro de 2004 cujo título era "*Offshore Jobs Bring Gains at Home*"*. O artigo, que se iniciava com a localização do lugar descrito (neste caso: Wuxi, China), começava assim: "Lá fora, o ar está desagradavelmente húmido, poeirento e abafado. No interior, num ambiente seco, imaculado e fresco, centenas de antigos agricultores, cobertos dos pés à cabeça com fatos parecidos com modelos da NASA, trabalham para a Donaldson Co. Inc, sediada em Bloomington... No caso da Donaldson, a empresa tem o dobro de trabalhadores na China – 2500 – em comparação com os 1100 que tem em Bloomington. A operação na China não só permitiu à Donaldson continuar a fabricar um produto que já não poderia ser produzido com lucro nos Estados Unidos, mas também a ajudou a reanimar os postos de trabalho no Minnesota, que aumentaram em número de 400 desde 1990. Os muito bem pagos engenheiros, químicos e desenhadores da Donaldson, no Minnesota, passam os seus dias a desenhar filtros melhorados que a fábrica chinesa produzirá para serem utilizados em computadores, leitores de MP3 e videogravadores digitais. A diminuição dos preços das *drives* de discos, possível graças à produção chinesa, está a alimentar a procura de dispositivos electrónicos. 'Se não tivéssemos seguido a tendência,

---

* **N.T.** "A deslocalização dos postos de trabalho traz receitas à casa."

ficaríamos fora do negócio', disse David Timm, Director-Geral da unidade de *drives* de discos e microelectrónica da Donaldson. A Global Insight* estima que foram criados 1854 postos de trabalho no Minnesota em resultado do *outsourcing* para o estrangeiro em 2003. A empresa prevê que, em 2008, haja 6700 novos empregos no Minnesota como consequência desta tendência."

Os economistas comparam frequentemente a entrada da China e da Índia na economia global com o momento em que as linhas-férreas que atravessavam os EUA finalmente ligaram o Novo México à Califórnia, com a sua população muito mais vasta. "Quando os caminhos-de-ferro chegam à cidade, a primeira coisa a que se assiste é à capacidade extra; e todos os habitantes do Novo México pensam que aquelas pessoas – os californianos – vão destruir completamente as fábricas existentes ao longo da linha ferroviária. Isso acontecerá em algumas regiões e em algumas empresas. Há fábricas que irão desaparecer. Mas o capital será depois reinvestido. No final, todos os que se encontram ao longo da linha irão sair beneficiados. É certo que há medo e esse medo é bom porque estimula a vontade de mudar, de explorar e de descobrir mais coisas para se fazer melhor", salientou Vivek Paul, Presidente da empresa indiana Wipro até Junho de 2005.

Aconteceu quando ligámos Nova Iorque, o Novo México e a Califórnia. Aconteceu quando ligámos a Europa Ocidental, os EUA e o Japão. E acontecerá quando ligarmos a Índia e a China aos EUA, à Europa e ao Japão. Atingir o sucesso não acontece se impedir que a linha ferroviária chegue até si, mas sim se melhorar as suas competências e investir nas práticas que lhe permitirão, a si e à sua empresa, reclamar a correspondente fatia do bolo – maior mas também mais complexo.

---

* **N.T.** Empresa de consultoria económica, sediada em Lexington, Massachusetts.

Capítulo VI

Os Intocáveis

Encontrar o novo escalão médio das competências profissionais

Se o processo que está a tornar o mundo plano se tornar imparável e o seu potencial for tão benéfico para a sociedade norte-americana em geral quanto o foram as anteriores revoluções do mercado, como é que um indivíduo retira o melhor desta realidade? O que dizemos aos nossos filhos?

A minha resposta é simples: O mundo plano terá numerosos bons empregos para serem agarrados pelas pessoas com os conhecimentos, as competências, as ideias e a automotivação correcta. Todavia, este novo desafio não é "pêra doce": os jovens norte-americanos da actualidade devem ter a sensatez de pensar em si próprios como concorrentes dos jovens chineses, indianos e brasileiros. Na Globalização 1.0, os países tinham de pensar globalmente para prosperar ou, pelo menos, para sobreviver. Na Globalização 2.0, as empresas tinham de pensar globalmente para prosperar ou, pelo menos, para sobreviver. Na Globalização 3.0, os indivíduos têm de pensar globalmente para prosperar ou, pelo menos, para sobreviver. Isto exige não só um novo grau de competências técnicas, como também uma certa flexibilidade mental, automotivação e mobilidade psicológica. Estou convicto de que os norte-americanos podem, de facto, prosperar neste mundo. Mas também estou convicto de que não será tão fácil como foi nos últimos 50 anos. Cada um de nós, enquanto indivíduo, terá de trabalhar um pouco mais arduamente e correr um pouco mais depressa para manter o crescimento do nosso nível de vida.

"A globalização passou das indústrias para os indivíduos", afirmou Vivek Paul, *President* da Wipro até Junho de 2005. "Penso que as pessoas a trabalhar na maioria dos empregos sentem que o seu trabalho é integrado globalmente: 'Estou a trabalhar com alguém na Índia. Estou a comprar a alguém na China. Estou a vender a alguém na Inglaterra'. Como consequência da capacidade de deslocar o trabalho pelo mundo inteiro, passámos a ter uma consciência fabulosa do nosso papel de indivíduo: 'Não só o meu trabalho se tem de encaixar na cadeia de abastecimento global de alguém, como também tenho de compreender a necessidade de competir e de possuir as competências necessárias para trabalhar a um ritmo que se encaixe na cadeia de abastecimento. E tenho de o fazer tão bem ou melhor do que qualquer outra pessoa no mundo'." Este sentido de responsabilidade de cada um pelo seu desenvolvimento pessoal está hoje mais enraizado do que nunca. Actualmente, em muitos sectores globais, é preciso justificar diariamente o seu emprego com o valor que cria e com as competências únicas que aplica. Se não o fizer, esse emprego pode desaparecer mais depressa e ir para mais longe do que imagina.

Resumindo, nunca foi bom ser-se medíocre no desempenho de uma função, mas, num mundo com muros, a mediocridade não deixava de possibilitar um salário decente. Era possível manter o emprego e ganhar algum dinheiro. Num mundo mais plano, ninguém quererá *mesmo* ser medíocre. Não quer com certeza ver-se na pele de Willy Loman em *Morte de Um Caixeiro-Viajante*, quando o filho Biff repele a sua ideia de que a família Loman é especial, ao declarar: "Pára com isso! Eu não valho nada e tu também não!" E o furioso Willy responde: "Eu tenho valor! Sou o Willy Loman e tu és o Biff Loman!"

Eu não quero ter esta conversa com as minhas filhas, por isso o conselho que lhes darei neste mundo plano é breve e franco: "Meninas, quando estava a crescer, os meus pais costumavam dizer-me: 'Tom, termina o teu jantar – as pessoas na China e na Índia estão a morrer à fome'. O conselho que vos dou é: Meninas, terminem os vossos trabalhos de casa – as pessoas na China e na Índia estão ávidas pelos vossos empregos." E, num mundo plano, elas podem tê-lo, porque não existe o conceito de emprego norte-americano. Há apenas um emprego e, em mais casos do que alguma vez se viu, esse emprego irá para o trabalhador melhor, mais inteligente, mais produtivo ou mais barato – independentemente do seu local de residência.

O novo escalão médio

No entanto, será preciso mais do que apenas fazer os trabalhos de casa para prosperar num mundo plano. Será preciso igualmente fazer o *tipo correcto* de trabalho de casa. Porque as empresas que estão a adaptar-se melhor ao mundo plano não estão apenas a fazer pequenas mudanças. Estão a alterar todo o modelo do trabalho que fazem e como o fazem – para aproveitar a plataforma do mundo plano e competir com outras que estão a fazer o mesmo. Isto significa que os estudantes também têm de reorientar fundamentalmente o que estão a aprender e os professores a forma como o estão a ensinar. Não se podem limitar a manter o mesmo modelo que funcionou nos últimos 50 anos, quando o mundo era redondo. Irei explorar estas questões neste capítulo e no próximo: Que género de bons empregos da classe média estão hoje a criar as empresas e os empreendedores de sucesso? Como é que os trabalhadores se precisam de preparar para esses empregos e como é que os formadores os podem ajudar a fazer isso?

Vamos começar pelo princípio. A chave para prosperar, enquanto indivíduo, num mundo plano é descobrir como se tornar "intocável". É isso! Quando o mundo se torna plano, o sistema de selecção fica virado do avesso. Na Índia, os intocáveis são a classe social mais baixa, a base da pirâmide; mas, num mundo plano, todos os indivíduos devem querer ser intocáveis. Intocáveis, no meu léxico, são as pessoas cujos empregos não podem ser alvo de *outsourcing*, digitalizados ou automatizados. E lembre-se, como salienta o analista David Rothkopf, a maioria dos empregos perdidos não se deve ao *outsourcing* para a Índia ou para a China – a maioria dos empregos perdidos deve-se ao "*outsourcing* para o passado". Isto é, são informatizados e automatizados. A redacção do *New York Times* em Washington costumava ter uma recepcionista-telefonista. Actualmente, tem uma gravação com uma saudação e um *voice mail*. Este emprego de recepcionista não foi para a Índia, foi para o passado ou para um *microchip*. Quanto mais plano se torna o mundo, tudo o que pode ser informatizado, automatizado ou alvo de *outsourcing* será informatizado, automatizado ou alvo de *outsourcing*. Conforme o CEO da Infosys, Nandan Nilekani, gosta de dizer, num mundo plano existe "trabalho permutável e não permutável". O trabalho que pode ser facilmente digitalizado, automatizado e transferido para o estrangeiro é permutável. Uma das características mais diferenciadoras do mundo plano é a quantidade de empregos – não só os trabalhos desempenhados por operários, mas também os trabalhos de escritório – que se estão a tornar permutáveis. Dado que há cada vez mais trabalhos do sector dos serviços, mais pessoas serão afectadas.

Não tenha ilusões. Vivemos num mundo em que um número crescente de coisas é passível de ser transaccionado, argumentou Alan Blinder, o economista de renome de Princeton, num ensaio muito interessante, intitulado "Fear of Offshoring" ("O medo das deslocalizações"). Ele explicava:

Em qualquer momento, a tecnologia disponível – em especial as tecnologias de transportes e de comunicações – determina, em grande medida, quais os bens e serviços fáceis de transaccionar a nível internacional e quais os que são impossíveis ou difíceis de transaccionar. Simplificando esta realidade subjacente, os teóricos da economia costumam dividir os bens e serviços mundiais por dois sacos: o "transaccionável" e o "não transaccionável" [o que Nilekani denomina de permutáveis e não permutáveis]. Tradicionalmente, qualquer bem que pudesse ser posto numa caixa e transportado (regra geral, bens manufacturados) era considerado passível de ser transaccionado, ao passo que o que não pudesse ser posto numa caixa (como os serviços) ou fosse demasiado pesado para ser transportado (como o cimento) era considerado não transaccionável. Nos dias de hoje, contudo, a distinção entre "transaccional" e "não transaccional" está muito diluída.

Tendo em conta o aperfeiçoamento constante da tecnologia e o crescimento aparentemente mais fácil e mais barato do sector dos transportes ao longo do tempo, a fronteira entre o que pode ser transaccionado e o que não pode ser está em constante mudança... *Ao longo do tempo, cada vez mais coisas se tornaram transaccionáveis.* E as caixas já não são o que eram. A antiga divisa – se pode ser posto numa caixa, pode ser transaccionado – tornou-se totalmente obsoleta... Visto que os pacotes de informação digitalizada podem, actualmente, desempenhar o papel dessas caixas, *muitos serviços são hoje transaccionáveis e o mesmo irá certamente acontecer com muitos outros.*

Agora, deixe-me fazer uma previsão audaciosa... No futuro, e em grande medida já no presente, o aspecto diferenciador para o comércio internacional deixará de ser entre as coisas que podem ser postas numa caixa e as que não podem. Ao invés, a distinção será entre serviços que podem ser prestados por via electrónica a grandes distâncias, com pouca ou nenhuma degradação da qualidade, e os que não podem. O carácter transaccionável de um vasto conjunto de serviços é, como dizem, a Nova Novidade (*New New Thing*). E não há dúvida que a quantidade de serviços que podem ser prestados por via electrónica irá crescer (Princeton University Center for Economic Policy Studies Working Paper No. 119, Dezembro de 2005).

Então, se este for o caminho da economia global, quem serão os intocáveis? Que empregos não serão permutáveis, passíveis de automatizar e informatizar facilmente ou ser alvo de *outsourcing*? Diria que os intocáveis num mundo plano estarão incluídos em três grandes categorias. Em primeiro lugar, temos as pessoas realmente "especiais ou especializadas". Este rótulo poderia aplicar-se a Michael Jordan, Madonna, Elton John, J. K. Rowling, ao seu neurocirurgião e ao maior investigador na área do cancro nos Institutos Nacionais de Saúde. Estas pessoas desempenham funções de uma forma tão especial ou especializada, que impossibilita que sejam alvo de *outsourcing*, automatizadas ou passíveis de ser transaccionadas por transferência electrónica. São intocáveis. Têm um mercado global para os seus bens e serviços e podem estar no topo do *ranking* dos salários globais.

Em segundo lugar, temos as pessoas que estão realmente "localizadas" e "imobilizadas". Esta categoria inclui um número elevado de pessoas. São intocáveis porque o seu trabalho tem de ser executado num local específico, quer por envolver alguma competência local específica ou por exigir um contacto ou uma interacção personalizada e pessoal com um cliente, doente, colega ou audiência. Todas estas pessoas são intocáveis porque têm uma âncora profissional: o meu barbeiro, a empregada de mesa, o cozinheiro, o canalizador, as enfermeiras, o meu dentista, os cantores em bares, os massagistas, os funcionários dos serviços pós-venda, os mecânicos, os electricistas, as amas, os jardineiros, as empregadas de limpeza e os advogados especializados em divórcio. É de salientar que algumas destas pessoas têm empregos de topo (advogados, dentistas), vocacionais (canalizador, carpinteiro) ou de baixa qualificação (funcionários da recolha do lixo, empregadas de limpeza). Independentemente do grau de sofisticação destes trabalhadores, os seus salários serão estipulados pelas forças da oferta e da procura do mercado local.

Eis que chegamos à terceira grande categoria. Esta categoria inclui pessoas em muitos empregos que, antigamente, eram assumidos pela classe média – desde os trabalhos nas linhas de montagem, à inserção de dados, até aos analistas de títulos e a algumas funções de contabilidade e de radiologia. No passado, estes empregos eram considerados não permutáveis ou não transaccionáveis, mas estão actualmente a tornar-se bastante permutáveis e transaccionáveis, em resultado dos dez acontecimentos que tornaram o mundo plano. Vamos chamar-lhes os empregos do "antigo escalão médio". Muitos deles estão actualmente a ser pressionados pelos acontecimentos que tornaram o mundo plano. Nas palavras de Nandan Nilekani: "O problema [para os EUA] está no escalão médio. De facto já lá vão os dias em que se podia ter durante a vida inteira um emprego de responsável pelas contas a pagar. Muita da classe média tem as suas profissões neste [antigo] escalão de competências... não tendo ainda compreendido a intensidade competitiva futura. Se não a compreenderem, acabarão por não investir na reformulação das suas competências e nós acabaremos com um grande número de pessoas como que encalhadas numa ilha."

Não é algo que queiramos. A economia norte-americana costumava assemelhar--se à curvatura de um sino, com uma grande protuberância no meio. Esta protuberância de empregos da classe média tem sido a base da nossa estabilidade económica, bem como da nossa estabilidade política. A democracia não pode ser estável sem uma grande e profunda classe média. Não nos podemos dar ao luxo de passar de uma economia em forma de sino para uma economia em forma de haltere – com uma grande extremidade superior e uma extremidade inferior ainda maior, e nada no centro. Seria uma situação economicamente injusta e politicamente instável. Tal como argumenta acertadamente Gene Sperling, o antigo conselheiro económico de Bill Clinton, "se não crescermos juntos, acabaremos por nos separar".

Assim, se a próxima fase é a automatização e o *outsourcing* de um número crescente de antigos empregos da classe média, a grande questão para os Estados Unidos – e para todos os outros países desenvolvidos – é esta: Quais serão os novos empregos no escalão médio das competências profissionais e a que correspondem? Nos EUA estão a surgir constantemente novos empregos no escalão médio das competências profissionais; é por isso que não assistimos a uma taxa de desemprego em larga escala, apesar dos acontecimentos que tornaram o mundo plano. Todavia, para obter e manter estes novos empregos do escalão médio, são necessárias algumas competências inerentes ao mundo plano – competências que o podem tornar, pelo menos temporariamente, especial, especializado ou imobilizado e, por conseguinte, pelo menos temporariamente, um intocável. No novo escalão médio, somos todos trabalhadores temporários.

Os novos empregos no escalão médio das competências profissionais

Que competências são essas? A fim de responder a esta questão, tive de voltar um pouco atrás. Dirigi-me a empresas bem sucedidas do mundo plano nos EUA e coloquei-lhes uma questão simples: "É óbvio que tem muitos empregos de classe média. Quem trabalha aqui e que tipo de funções desempenha?" O que se segue é uma lista geral de categorias, onde serão enquadrados muitos empregos do novo escalão médio ou onde estes terão a sua origem, e o conjunto de competências profissionais necessárias. Por outras palavras, eis ao que se assemelha o anúncio "Precisa-se de" num mundo plano.

Grandes colaboradores e orquestradores

Um grande número de empregos do novo escalão médio das competências profissionais irá certamente envolver a colaboração com outras pessoas ou a orquestração de colaborações no seio e entre as empresas, em especial nas que empregam trabalhadores diferenciados em todo o mundo. À medida que um número crescente de empresas nasce, desde o primeiro dia, como empresas globais com cadeias de abastecimento globais, um emprego importante no novo escalão médio será o do gestor que é capaz de trabalhar e orquestrar cadeias de abastecimento 24/7/7, ou seja, cadeias de abastecimento a funcionar 24 horas por dia, sete dias por semana, em sete continentes.

Apercebi-me pela primeira vez desta realidade, no Verão de 2005, quando levei a minha filha Orly para Bangalore, onde se tinha oferecido para trabalhar como professora voluntária numa escola fora da cidade. Um dia, acompanhou-me numa visita aos meus amigos na Infosys. Quando chegámos à sede da empresa, uma porta-voz fez-nos uma visita guiada ao edifício. Enquanto andávamos, disse-me: "Os nosso estagiários souberam que estaria na empresa e pediram se podia falar com eles."

Claro, respondi, adoraria conversar com os estagiários. Gosto sempre de interagir com estes jovens indianos.

"Não, não", replicou. "São os nossos estagiários *norte-americanos.*"

"Têm estagiários *norte-americanos* na Infosys?!"

Claro que tinham, respondeu-me. Para as cerca de cem vagas de estágio disponíveis para esse Verão, a Infosys recebeu umas 9 mil candidaturas, principalmente da América do Norte, da China, da França e da Alemanha. Perguntei a um desses estagiários, Vicki Chen, uma aluna norte-americana de origem chinesa, que estava a tirar um curso de Gestão na Faculdade de Claremont, Califórnia, por que tinha concorrido para um estágio em Bangalore. "Todos os negócios estão a vir para a Índia, pelo que não vejo razão para não seguir o rumo dos negócios," respondeu. "Se é aqui que se encontra o centro de gravidade, temos de vir cá verificar e, depois, tornamo-nos mais valiosos".

Segundo Nilekani, CEO da Infosys, embora a empresa seja uma das maiores firmas de *outsourcing* do mundo sediada em Bangalore, "30 por cento dos nossos colaboradores vêm de fora da Índia, vêm de todo o mundo" – para trabalhar nos sectores administrativos, propor novos negócios, implementar *software* novo e gerir contas existentes. "Neste novo modelo de colaboração haverá muitos bons empregos na área ligada à administração", afirmou Nilekani. "Suponha que está a trabalhar numa grande empresa farmacêutica que começa a efectuar muito mais investigação na Índia. Serão necessárias pessoas para falar com o FDA (*Food and Drugs Administration* – órgão regulador norte-americano para os sectores farmacêuticos e alimentares) em Washington e para negociar com o mercado local. Existe sempre uma fase local neste processo global."

Estes novos empregos de colaboração do novo escalão médio das competências profissionais serão nos sectores de vendas, *marketing*, manutenção e gestão, mas vão todos exigir a capacidade de se ser um bom colaborador horizontal, a apetência para trabalhar numa empresa global (uma que tenha a sede em Pequim ou Bangalore, não em Boston) e a tradução dos seus serviços para o mercado local, onde quer que isso seja. É uma questão de aptidão para funcionar, mobilizar, inspirar e gerir uma força laboral multidimensional e multicultural.

Além disso, dado que muitos mais produtos passarão a fazer parte de cadeias de abastecimento global, muitos novos empregos do escalão médio de competências profissionais vão envolver o aperfeiçoamento das cadeias de abastecimento. Carlota Perez, uma especialista de origem venezuelana em desenvolvimento tecnológico e socio-económico, mais conhecida pelas suas análises detalhadas às variações dos grandes paradigmas tecno-económicos, afirma que "quanto mais complexas forem as redes globalizadas, mais as empresas terão necessidade de várias formas de coordenação e gestão em torno de especificações, compatibilidade, investigação e *design*, *marketing* global, cadeias de distribuição, partilha e armazenamento de dados e segurança." Irão existir muitos novos e bons empregos do novo escalão ao longo dessa cadeia.

Os grandes sintetizadores

Quanto mais alargarmos as fronteiras do conhecimento e da inovação, mais a próxima grande vaga de descobertas de grande valor – isto é, os novos produtos e os serviços mais vendidos – irão surgir a partir da conjugação de elementos díspares, que nunca pensámos que se podiam juntar. A optimização dos motores de busca, por exemplo, junta matemáticos e especialistas em *marketing*. A próxima grande descoberta ao nível da biociência irá resultar da parceria entre engenheiros informáticos, que poderão elaborar o mapa do genoma humano, e empresas farmacêuticas, que irão transformar estes conhecimentos em fármacos para salvar vidas. Os novos empregos terão origem nesta síntese.

Enquanto escrevo este capítulo, um dos novos negócios de maior sucesso envolve os denominados "*mash-ups*" (aplicações híbridas), onde se pode juntar duas ferramentas diferentes da Internet. Assim, por exemplo, um agente imobiliário local pode juntar a craiglist.org (comunidade *on-line* onde se pode publicitar gratuitamente imóveis, empregos, etc.) com o Google.com, o que significaria enquadrar o directório *on-line* das pessoas interessadas em vender uma casa ou arrendar um apartamento, numa determinada localidade, com os mapas do Google – produzindo instantaneamente um mapa imobiliário que identificaria todas essas casas e apartamentos – e que seria actualizado a cada segundo.

"Será possível juntar um artista e um engenheiro biomédico?", perguntou-me um dia o COO (*Chief Operating Officer*) da Infosys, S. "Kris" Gopalakrishnan, em Bangalore. "Se o valor provém da síntese, então precisamos de quem a faça. A nossa abordagem convencional a qualquer problema ou desafio passava pela sua decomposição em parcelas mais pequenas e passíveis de ser geridas, porém, hoje em dia, estamos a tentar criar valor a partir da síntese de elementos díspares. A IBM costumava fabricar o *chip*, o computador e o *software*, de uma forma totalmente vertical [e sem a intervenção de outras empresas]. Mas, se observarmos a estratégia da Dell, a sua participação no *design* e na produção é muito reduzida. Junta todos os componentes, produzidos por outras empresas, e coloca-os à frente do cliente. O valor da Dell está na sua capacidade de síntese, que é muito superior à das outras empresas. A chave está na síntese de vários componentes em função da procura... É por isso que, numa organização, precisamos dos minuciosos e dos que têm uma visão geral [que podem ligar as ideias dos minuciosos]. A mudança que está a acontecer na Índia e na Infosys reside no facto de sermos cada vez mais capazes de criar a síntese e de a oferecer ao cliente. Percebemos as tendências do sector e antecipamo-las, produzindo uma solução sintetizada."

Jeff Wacker, que se assume como o futurista da Electronic Data Systems Corporation (EDS), escreveu em tempos um memorando empresarial, onde prognosticava quais os empregos que deixariam de existir num espaço de 15 ou 20 anos. A sua primeira categoria era o CIO (*Chief Information Officer* - responsável pelos sistemas de informação). "Haverá sempre um CIO", escreveu, "mas o responsável pelos sistemas de informação será substituído por um responsável pelos sistemas de *integração*. As Tecnologias da Informação estarão de tal forma presentes em todos os aspectos de uma empresa, que a organização de TI se afastará da tecnologia e aproximará da integração de processos empresariais."

Os grandes explicadores

À medida que aumentar o número de bons sintetizadores – capazes de juntar os elementos mais díspares –, maior será a nossa necessidade de ter gestores, escritores, professores, produtores, jornalistas e editores que sejam igualmente bons explicadores – isto é, que sejam capazes de compreender a complexidade, mas também de a explicar com simplicidade. Marcia Loughry trabalha em arquitectura de sistemas empresariais e colabora igualmente na EDS. Ela é um exemplo clássico do que é um novo emprego no escalão médio das competências profissionais, por razões que irei explicar de forma breve. Uma das razões é que aprendeu a ser uma grande explicadora. É mais importante ser capaz de explicar uma tarefa a outra pessoa do que sentar-se e desempenhá-la pessoalmente, *explicou-me* numa visita à sede da EDS. "Tenho imensas pessoas que podem distribuir *software*," afirmou, "mas é preciso alguém que chegue junto do cliente e explique: 'Eis o que este sistema irá proporcionar-lhe, eis como irá integrar-se nos seus sistemas actuais, eis os benefícios que poderá obter e eis quanto custa'."

Pense nisto: se conseguir explicar bem as complexidades, terá maior facilidade em ver as oportunidades. Poderá, por exemplo, detectar quais são as partes que devem ser sintetizadas. Ao mesmo tempo, quanto mais conteúdos puder pesquisar e aceder, mais importantes serão os filtros e os explicadores. O valor da Amazon.com não reside apenas na venda de um livro com 30 por cento de desconto sobre o preço de capa, mas também na rapidez e facilidade de pesquisa no "mar" de livros que tem à sua disposição, permitindo-lhe encontrar os livros que poderá estar interessado em ler.

Howard Freeman tem 53 anos e possui um laboratório de fotografia por encomenda, em Aspen, Colorado, que dá pelo nome de SlideMaster Photo-Imaging. Conhecemo-nos quase por acidente. Ele era o meu instrutor de esqui. Um dia, enquanto almoçávamos no cume da Snowmass Mountain, explicou-me como o seu negócio estava a evoluir e eu expliquei-lhe, em função do que ele me tinha explicado, que ele tinha acabado de entrar no novo escalão médio das competências profissionais na qualidade de "Grande Explicador". Passo a explicar:

Quando Freeman iniciou o seu negócio em 1977, especializou-se na revelação, duplicação e ampliação de *slides*, tirados por fotógrafos profissionais, como os que trabalhavam para a *Architectural Digest*, ou por amadores já com grandes conhecimentos de imagem. Todavia, em resultado da tripla convergência e da emergência da fotografia digital, o número de pessoas a tirar fotografias em formato de *slide* ou com qualquer tipo de rolo fotográfico diminuiu radicalmente.

À medida que este negócio decrescia, Freeman passava diariamente mais tempo a explicar aos clientes como deveriam operar câmaras digitais e como processar e retocar digitalmente as fotografias, através de computador. Em certos dias, afirmou, sentia-se exausto às cinco da tarde – embora não tivesse praticamente estado envolvido no seu negócio principal. Passava a totalidade do seu tempo a explicar a clientes ou aos seus próprios colaboradores as virtudes do processamento digital na fotografia.

Um dia, recordou Freeman, disse para si próprio: "Já que passo metade do meu tempo a explicar a fotografia digital, o melhor é direccionar metade do meu negócio para esta área." No início de 2006, desfez-se dos enormes processadores de impressão, que utilizava para ampliar *slides*, e substituiu-os por uma dúzia de computadores (na maioria Macs da Apple) e várias impressoras digitais. Ele e os seus colaboradores começaram a utilizar os computadores para processar as fotografias digitais dos clientes, mas, ainda mais importante, para iniciar uma carreira na qualidade de explicadores. Convidaram potenciais clientes para virem, durante as horas de expediente ou fora delas, aprender – pagando – a processar, retocar e manipular fotografias digitais, utilizando o mais recente *software* informático. Ofereceram-se igualmente para dar estas explicações ao domicílio ou nos ambientes informáticos das empresas – o que permitia que a informação fosse imediatamente aplicada nos sistemas de fotografia digital dos próprios clientes.

"Costumávamos vender rolos fotográficos, revelar e imprimir fotografias – e oferecer gratuitamente o aconselhamento", explicou-me Freeman. "Agora, estamos a vender o aconselhamento e, embora não estejamos a dar os produtos, reduzimos drasticamente a sua importância na empresa... Estamos a transformar-nos num negócio de aconselhamento."

À luz destas considerações, Freeman contou-me ainda que teve de assumir perspectivas diferentes em relação aos seus colaboradores. O puro técnico da retaguarda, que não tem competências de relacionamento interpessoal, poderá ter menos procura. Pelo contrário, o colaborador que possui um óptimo relacionamento interpessoal, que pode estar apenas um degrau acima dos clientes em termos de conhecimentos sobre fotografia digital, torna-se mais valioso – porque ele ou ela é um excelente explicador.

Os grandes alavancadores

O homem que inventou o *outsourcing* das Tecnologias da Informação foi Ross Perot, o texano persuasor que se candidatou à presidência dos Estados Unidos em 1992. Depois de ter saído da Marinha em 1957, Perot foi trabalhar como vendedor para a IBM, onde identificou o que considerava ser uma oportunidade de negócio única – utilizar o tempo de inactividade nos computadores de uma empresa (no tempo em que os computadores eram pouco comuns e caros) para processar dados de outra empresa. Perot saiu da IBM em 1962 e fundou a EDS para fazer isso mesmo, fechando contratos com grandes empresas e, por fim, com o governo norte-americano. Esta actividade ficou conhecida como *outsourcing* de processos empresariais e espalhou-se do Texas até Bangalore, graças ao facto de o mundo estar a ficar plano. A EDS, que Perot vendeu em 1984, ainda está no negócio do *outsourcing* de processos empresariais – competindo com empresas na Índia e em todo o mundo.

Em Novembro de 2005, visitei o *campus* da EDS em Plano, no Texas, um empreendimento que combina relva, vidro e aço com uma estrutura imponente no centro, denominada SMC – *Systems Management Center* (Centro de Gestão de Sistemas). Existe um auditório onde os visitantes se sentam em cadeiras idênticas às de um cinema. Inicialmente, as cortinas estão cerradas, mas abrem-se subitamente para desvendar uma enorme sala de controlo, que mais parece as instalações da NASA. Existem sete enormes ecrãs de parede, mais abaixo estão pequenos ecrãs de TV e na base uma centena de compartimentos de controlo com monitores e mostradores. Actualmente, apenas uma vintena destes compartimentos de controlo está ocupada por pessoas, porque apenas 20 pessoas executam o trabalho que cem executavam há dez anos. A única forma de a EDS competir com os baixos salários auferidos na Índia é ter alguém que trabalhe melhor e mais depressa, em vez de mais arduamente e por um salário inferior. Estas 20 pessoas estão realmente aptas a alavancar cada pormenor de cada inovação tecnológica assim que esta aparece.

Ao observar esta cena, tinha de colocar uma questão: quem são estas 20 pessoas sentadas nos compartimentos e por que não foram ainda automatizadas ou alvo de *outsourcing*? Eis o que aprendi: quando o SMC foi construído, aquelas cem pessoas trabalhavam por turnos e constantemente de "olhos postos nos monitores" porque, quando se está a processar os dados de outra empresa, não se pode admitir que os seus sistemas informáticos – ou os dessas empresas – falhem, nem que seja 0,001 por cento. Têm de estar constantemente a funcionar na perfeição, senão os processos empresariais de uma empresa poderiam entrar em colapso. Assim, os operadores do SMC tinham de estar sentados naqueles compartimentos e vigiar constantemente a informação debitada em vários monitores pelos computadores da EDS, no decurso do processamento de dados para todo o tipo de clientes. É possível ver mil mensagens de informação e depois uma mensagem de erro que não se pode deixar passar.

Algumas das pessoas que trabalhavam no SMC não eram licenciadas, quanto mais especialistas em informática. A EDS apenas as treinou para não tirarem os olhos dos monitores e para lançarem um alerta quando surgia uma mensagem de erro. Assim, se detectasse subitamente uma mensagem de "serviço indisponível" e recebesse uma chamada telefónica da sede do cliente, a sua função, enquanto operador, era de perscrutar quatro monitores diferentes e tentar correlacionar toda a informação para descobrir a raiz do problema. Seria o *router*? Seria o servidor? E dois operadores diferentes reagiriam de forma diferente e dariam respostas diferentes.

Com o tempo, a EDS foi conseguindo alavancar cada vez mais poder informático e identificar automaticamente a raiz de qualquer problema. "Hoje, já não existe a cadeira giratória," explicou-me o guia da EDS, "e o monitor apenas apresenta uma mensagem que diz 'o *router* está com problemas'." Isso é fantástico, deve estar agora a pensar – já não precisa de tanta formação para conseguir arranjar um desses 20 empregos. Mas o contrário é que é verdade. Os empregos especiais ou especializados na EDS são detidos por aquelas pessoas que são capazes de alavancar a tecnologia, que são capazes de conceber os programas informáticos que permitem que os outros trabalhem melhor e mais depressa. Estas pessoas são intocáveis. Os novos empregos do escalão médio das competências profissionais na EDS, pelo menos por agora, são detidos pelas pessoas que aprendem a operar estes novos programas. O que é que isso implica?

Actualmente, as pessoas sentadas naqueles 20 compartimentos são engenheiros informáticos e muito competentes. "As pessoas que procuramos", explicou o futurista da EDS, Jeff Wacker, "são indivíduos que, além de serem capazes de detectar problemas, arranjam rapidamente soluções para os resolver definitivamente e para que não voltem a acontecer... Não somente apanham o peixe, como o arranjam e voltam a repovoar o viveiro... Descobrem o problema, corrigem-no e depois voltam a programar o sistema para que esse erro nunca mais ocorra – e não pode ser uma solução 'à pressão'." Tem de seguir um protocolo padrão para que, na sequência da correcção do problema e da reprogramação de uma determinada instrução, esta possa ser transposta para um formato de melhores práticas, que pode ser aplicado na totalidade do sistema EDS ou, melhor ainda, vendido a clientes.

"Neste momento, precisamos de pessoas que consigam compreender melhor o modo como as coisas se ligam de uma ponta à outra – e não se trata apenas da ligação entre o computador da nossa empresa e o do nosso cliente", refere Wacker. "É entre a nossa empresa e a empresa do nosso cliente e as empresas dos clientes dos nossos clientes. Temos clientes que podem ter clientes que podem servir a cadeia de abastecimento da Dell, pelo que são necessárias pessoas que conheçam a Dell e que saibam como alcança os seus objectivos empresariais." Por exemplo, a EDS trabalha para uma empresa canadiana de serração. A fim de se tornar mais eficiente, a empresa precisa de implementar sistemas tecnológicos que lhe permitam saber, antes mesmo de uma árvore ser cortada, se vai ser utilizada para pasta de papel ou madeira, em que fábrica irá ser processada, onde será armazenada e até qual a dimensão exacta de cada tábua de madeira e em que edifício, casa ou escritório será utilizada. Se a EDS puder ajudar a gerir os processos empresariais desta empresa canadiana, de forma a combinar perfeitamente os edifícios que os arquitectos estão a desenhar com os materiais que os empreiteiros estão a comprar e com o método de corte utilizado pela empresa de madeira, irá poupar dinheiro a todos os intervenientes, eliminará os desperdícios, reduzirá os custos com transportes e garantirá maior rentabilidade a todos.

Em suma, trata-se de combinar o melhor que os computadores podem fazer com o melhor que os humanos conseguem fazer e, em seguida, reintegrar constantemente as novas melhores práticas desenvolvidas pelos humanos nos sistemas, a fim de tornar o todo – as máquinas e as pessoas – muito mais produtivo. Existem muitos novos empregos do escalão médio das competências profissionais nesta combinação.

Os grandes adaptadores

A Gartner Group, uma empresa de consultoria em tecnologias, inventou um termo para descrever a tendência, a que se assiste no mundo das tecnologias da informação, que consiste em desvalorizar a especialização em favor da contratação de colaboradores mais adaptáveis e versáteis. Chama-lhes "versatilistas". Construir a versatilidade dos colaboradores e encontrar aqueles que já são ou que estão dispostos a tornar-se 'versatilistas' "será o novo lema para o planeamento de uma carreira," segundo diz um estudo da Gartner, citado pelo TechRepublic.com. O estudo da Gartner realçava que "os especialistas têm geralmente conhecimentos profundos mas um raio de acção pouco abrangente, ou seja, têm competências que são reconhecidas pelos seus pares, mas que raramente são valorizadas fora do seu domínio imediato. Os generalistas têm um raio de acção abrangente e conhecimentos superficiais, o que lhes permite responder ou agir com bastante rapidez, mas, muitas vezes, sem demonstrar ou ganhar a confiança dos seus colegas ou clientes. Os "versatilistas", em contrapartida, aplicam conhecimentos profundos a um leque progressivamente mais abrangente de situações e experiências, obtendo novas competências, cimentando relacionamentos e assumindo novos papéis." Os "versatilistas" são capazes de se adaptar constantemente, mas também de estar sempre a aprender e a crescer. A TechRepublic cita Joe Santana, director de formação na Siemens Business Services: "Perante orçamentos idênticos ou mesmo menores e com menos pessoas, os gestores precisam de aproveitar ao máximo aquelas de que dispõem... Já não podem encarar as pessoas como ferramentas especializadas. O seu pessoal tem de abandonar cada vez mais a imagem de ferramenta especializada e adoptar a do canivete suíço. Estes 'canivetes suíços' são os 'versatilistas'."

Temos de encarar a realidade. É óbvio que as minhas filhas têm muito poucas hipóteses de trabalhar para a mesma empresa durante 25 anos, tal como eu trabalhei. Têm de se tornar adaptáveis – canivetes suíços. Gene Sperling, antigo conselheiro económico do Presidente Clinton e autor de *The Pro-Growth Progressive* ("O Progressista Pró-Crescimento"), tem igualmente uma forma interessante de expressar esta ideia. Disse-me que os trabalhadores do presente têm de abordar o mercado de trabalho um pouco como os atletas que se preparam para as Olimpíadas, embora com uma diferença. "Têm de se preparar como alguém que está a treinar para os Jogos Olímpicos, mas que não sabe em que modalidade vai participar," referiu Sperling. "Têm de estar preparados para fazer o que quer que seja."

Se tudo isto for verdade, então Marcia Loughry, a arquitecta de sistemas empresarias que conheci na sede da EDS, ganha a medalha de ouro olímpica em adaptação. Para mim ela é o exemplo perfeito de uma pessoa que adaptou o seu percurso ao novo escalão médio das competências profissionais – mantendo-se sempre um degrau acima das forças devoradoras do mercado laboral, que são a automatização e o *outsourcing*.

"Por vezes, sinto que se tratou mais de um percurso aos tropeções do que linear para o novo escalão médio das competências profissionais", realçou a adaptadora, de 48 anos, visivelmente bem disposta, enquanto me contava o espantoso percurso da sua carreira na EDS. "Tudo começou em 1978. Como pensava que queria ser contabilista, matriculei-me na Universidade do Norte do Texas. Porém, estava impaciente por seguir com a minha vida, pelo que abandonei o curso e inscrevi-me numa escola pós-laboral, onde aprendi a escrever à máquina e a estenografar, e arranjei emprego no centro de processamento de texto da EDS." Isto foi antes da era dos PC, pelo que Loughry trabalhava com um processador de texto simples, digitando relatórios de vendas. Todavia, passados alguns anos, os PC apareceram nas secretárias de todos e os representantes de vendas passaram a digitar pessoalmente os seus relatórios. Foi o adeus a este emprego.

"A seguir, passei para a edição assistida por computadores", explicou. "Este trabalho era ligeiramente mais especializado e consistia em formatar textos e preparar documentos para serem publicados, utilizando computadores. Só que, entretanto, o *software* ficou mais sofisticado e as pessoas passaram a poder fazer isso elas próprias." Foi o adeus a este emprego.

Depois desta fase, Loughry passou algum tempo a ensinar os seus colegas da EDS a editar pessoalmente os seus documentos. "Automatizava o processo de formatação para que as pessoas pudessem editar os seus próprios documentos," afirmou. A seguir, passou para o *call center* e o serviço de apoio ao cliente da EDS. "Estive lá apenas um ano, porque percebi rapidamente que, para prestar um melhor apoio, deveria ter mais conhecimentos sobre a rede que estávamos a fornecer," recorda. "Assim, um dia levantei-me da secretária, pousei os auscultadores e perguntei a um dos responsáveis que trabalhava no SMC [Centro de Gestão de Sistemas], Sam Billings: 'Como posso aprender o que fazes? Ensina-me, Sam'. E foi isso que ele fez. Deixava-me observar o que fazia. Por vezes, pegava num manual que guardava debaixo da secretária e dizia: 'Precisas de saber isto'. Quando estava a corrigir algum problema, mostrava-me um diagrama da rede e dizia 'temos de pensar com lógica: estás a receber uma série de chamadas telefónicas de pessoas que apresentam o mesmo sintoma. O que significa isso? Junta as peças do *puzzle*'."

No decurso desta fase, Loughry apercebeu-se de que precisava de se mostrar e de se promover, bem como competir, enquanto indivíduo, contra outros indivíduos, dentro da EDS. "Visto haver muita gente que tinha conhecimentos tecnológicos, o que é que poderia diferenciar-me dos outros ou levar-me a conseguir aquele novo emprego?", interrogou-se. "Acabei por concluir que era necessário estar constantemente a aprender, pois havia sempre algo de novo a surgir em cada esquina. Então percebi que era uma 'Marcia, Lda'. Era da minha inteira responsabilidade continuar a aprender, os recursos estavam disponíveis e era apenas uma questão de tomar a iniciativa. Porém, decidi que precisava de algumas credenciais." Naquela época, o principal sistema operativo da EDS era o Novell Netware. Loughry começou a estudar por conta própria e conseguiu um certificado para trabalhar com este sistema. Aos fins-de-semana, aparecia no centro e observava os engenheiros que estavam a desenvolver um novo servidor.

"Mostravam-se muito disponíveis para me ajudar, penso que por reconhecerem o factor curiosidade, pelo que tive alguma experiência prática", recorda. "Um dia, um dos gestores chamou-me e disse: 'Este Centro de Gestão de Sistemas está a crescer rapidamente'. Informou-me que tinha cinco vagas e pediu-me para escolher uma. A minha escolha recaiu sobre o Windows NT, o sistema operativo de rede da Microsoft, tendo-me tornado num dos técnicos do primeiro servidor NT no SMC. Assim, ajudei a desenvolver uma equipa para prestar apoio a este sistema... Em seguida, comecei a dar-me com alguns dos técnicos de arquitectura de sistemas. Continuei sempre a estudar, tendo mudado para cursos relacionados com a *Web*. Acabei por escolher Engenharia." Ao longo deste percurso, escreveu um guia *Active Directory for Dummies* ("Directório Activo para Totós"). Isso, salienta Loughry, "foi uma manobra calculada para tentar aumentar a minha importância na EDS. Precisava de provar que era algo mais do que apenas um técnico de olhos postos no monitor e queria provar que era capaz de competir com os 'grandes' e respirar um pouco do seu ar raro. Isto porque, para chegar aos lugares de topo, é necessário publicar, criar patentes e trabalhar em projectos globalmente importantes." Actualmente, Marcia Loughry atingiu o segundo cargo mais importante do departamento de tecnologias da EDS – arquitecta de sistemas empresariais.

Loughry, mãe solteira, contou que o seu filho é um reservista da Marinha que acabou de regressar de uma missão no Iraque. "Falo muito com ele, mas não sei se ele me ouve realmente", afirma, como boa mãe que é. "Os conhecimentos profundos de Matemática e de Ciências poderão abrir-te algumas portas, mas não te vão garantir um emprego ou um sucesso desmedido. As competências principais são [apenas] os requisitos de entrada. O que te pode manter lá é o desenvolvimento de uma perspectiva mais abrangente. As empresas estão a tornar-se planas, tal como o mundo, e é preciso ver as coisas pela perspectiva da empresa, dos clientes e do mercado. Não te podes limitar a ficar cabisbaixo de olhos postos no monitor."

Ao recordar cada degrau da sua ascensão até onde está hoje, Loughry refere que a maioria já não existe: "Todos os cargos que assumi foram, em certa medida, automatizados ou estão a ser desempenhados [pelo menos em parte] na Índia... Talvez me tenha conseguido destacar em virtude da minha determinação obstinada. Adoro aprender e há aqui muita coisa para aprender." No entanto, Loughry sabe que mesmo o trabalho de arquitectura de sistemas empresariais poderia ser executado em qualquer local. "A minha capacidade de adaptação ainda não chegou ao fim – nem por sombras", afirma. "Sam disse-me, há muito tempo: 'Tens de ser uma especialista em três áreas, mas sabendo que estas três áreas estarão constantemente a mudar'. Assim, procuro ter algo que corresponde à minha 'área' principal, outra intimamente relacionada com aquela, e depois o que vou fazer a seguir."

Ah, esqueci-me de dizer que a Marcia ainda não concluiu a sua licenciatura – tem estado demasiado ocupada a adaptar-se. "Neste momento, estou a tirar um curso de Geografia", afirma rindo. "Estou quase a atingir o número de horas necessárias para obter uma licenciatura, mas a soma de todos os meus cursos financeiros e tecnológicos ainda não chegam para a licenciatura."

Os verdes

Quando três mil milhões de pessoas da China, da Índia e do antigo Império Soviético entram na plataforma do mundo plano, num curto espaço de tempo, e querem todas ter uma casa, um carro, um microondas e um frigorífico, se não aprendermos a fazer mais coisas com menos energia e menos emissões nocivas, iremos criar um desastre ambiental e tornar o planeta inabitável para os nossos filhos. Vamos, por isso, assistir a um aumento do número de empregos que envolvem as palavras "sustentável" e "renovável" – energias renováveis e sistemas sustentáveis a nível ambiental. Este vai ser um sector muito importante no século XXI. Nas palavras de Carlota Perez, "quanto mais a China, a Índia e outros países em desenvolvimento ou do antigo bloco soviético se industrializarem, maiores serão os problemas ambientais e maior será o mercado para a prevenção, mitigação ou resolução desses mesmos problemas." Não somente o progressivo desenvolvimento destes grandes países irá gerar a necessidade da existência destes sectores", acrescentou Perez, "como também o rigor da regulamentação global irá criar as condições para a sua emergência."

Steve Jurvetson, o investidor de capitais de risco e inovador que se tem concentrado ultimamente na ideia do investimento em tecnologia limpa, fala do que espera vir a ser "um renascimento biológico" – uma nova era em que os alunos universitários, ao invés de se tornarem médicos, poderão concentrar-se em soluções "bioderivadas" ou "bioinspiradas" para resolver os nossos iminentes problemas ambientais e energéticos. O número de postos de trabalho também vai ser elevado neste sector.

Os personalizadores apaixonados

Eu e a Ann partilhamos com uns amigos bilhetes de época para os jogos dos Baltimore Orioles (equipa de basebol da Liga Americana). Como todos os que assistem a jogos no Camden Yards sabem, há um tipo que vende limonada na cobertura inferior e que aperfeiçoou uma coreografia que executa enquanto agita e prepara a limonada. Saltita durante uns momentos e depois ergue o braço e bate com a palma da mão na sua (*high-five*) antes de lhe entregar a bebida. Adoro vê-lo trabalhar porque o que vende não passa de água com açúcar e limão num copo de plástico. Não é nada mais do que uma mercadoria comum. Não é nada mais do que um emprego básico. No entanto, apercebo-me sempre que, no final do jogo, anda com um maço de notas – e gorjetas – mais volumoso do que qualquer outro vendedor. Porquê? Porque pegou numa tarefa básica e deu-lhe um toque pessoal – o seu "molho" de chocolate único, com *chantilly* e uma cereja no topo – que o tornou especial. Podia comprar limonada a inúmeros vendedores. Podia beber Coca-Cola ou água, e ele está ciente disso. No entanto, eu e muitos outros desembolsamos muitas vezes 3,50 dólares (mais gorjeta) pela sua água açucarada com limão porque, além de me saciar a sede, me põe um sorriso nos lábios. O seu algo extra dá-me algo extra.

No fundo, o homem da limonada já era um intocável no sentido em que o seu emprego estava fixado em Baltimore. Estava a prestar um serviço localizado que não podia ser prestado com tanta qualidade por uma máquina ou alguém na Índia – porque me trazia a limonada até ao meu lugar para que eu não perdesse uma única jogada. Todavia, argumentaria que fez algo melhor, elevou-se a si próprio até ao novo escalão médio das competências profissionais mais bem pago, ao acrescentar uma dimensão pessoal e intangível ao seu trabalho básico. Esta dimensão pessoal é por vezes pura paixão, outras vezes é entretenimento puro ou um toque criativo que mais ninguém se lembrou de acrescentar, mas o que faz sempre é transformar uma tarefa rotineira num novo emprego do novo escalão médio. Há uma mulher afro-americana de meia-idade que faz café no Caribou Coffee, perto do meu escritório na K Street, em Washington. Sempre que lá vou, ela interrompe o que está a fazer para me vir perguntar pessoalmente em que me pode ajudar e como é que vai a minha vida – não de uma forma dissimulada e treinada, como os funcionários do Ritz-Carlton, mas de um modo sincero que considero encantador. É por isso que passo propositadamente nesta rua só para tomar café. Um dia destes, ela ainda acaba a gerir o estabelecimento – se é que já não o faz.

É interessante realçar que o economista de Princeton Alan Blinder argumenta num artigo sobre *outsourcing* que, devido ao facto de tantos novos empregos do novo escalão médio virem a exigir um certo tipo de toque pessoal, é provável que haja um ressurgimento das competências interactivas humanas, competências que foram atrofiando até certo ponto na sequência da era industrial e da Internet. A ênfase renovada nos serviços prestados pessoalmente, em oposição aos serviços prestados impessoalmente por vozes geradas por computador ou vozes da Índia, escreve Blinder, "poderá conduzir ao fenómeno oposto ao que Charlie Chaplin tão bem parodiou em *Tempos Modernos*. Os seres humanos são animais sociais que gostam do contacto humano. Nas últimas décadas, parecia que a vida económica moderna conspirava para minimizar o volume de contacto humano natural no seio das empresas. Nas próximas décadas, à medida que os serviços pessoais passarem a ter maior predominância, é provável que essa tendência se inverta – o que conduzirá provavelmente a um menor distanciamento e a uma maior satisfação laboral."

Os grandes localizadores

Apesar das grandes empresas serem obviamente muito importantes na criação de empregos para a classe média, o facto é que as pequenas e médias empresas são as que mais recrutam e despedem colaboradores. Quando estas pequenas e médias empresas estão a crescer e a recrutar pessoas, a economia está robusta, mas quando acontece o contrário, a economia entra em recessão. Assim, para haver um novo escalão médio, as pequenas e médias empresas têm de desempenhar um papel crucial. O que é estimulante e motivante na questão do mundo se estar a tornar plano – e em inovações como a *Web* Empresarial – é o facto de dar às pequenas empresas muito mais poder e permitir muito mais reduções de custos para inovar e competir globalmente. Joel Cawley, o estratega da IBM, denomina esta situação de "localização do global". Ele diz que "haverá um grande volume de negócios para aquelas pequenas e médias empresas que aprenderem a desenvolver as aptidões globais que estão à sua disposição e a adaptá-las às necessidades de uma comunidade local... É a localização do global e estamos apenas no início. Tem um enorme potencial de criação de emprego.

Os que forem bem sucedidos a este nível vão compreender a infra-estrutura global emergente e adaptar todas as novas ferramentas que oferece às necessidades e à procura local. Isto vai criar imensos novos empregos do escalão médio. A localização do global será o *freelancer* que encontra uma forma de utilizar uma antena parabólica, uma linha ADSL, um BlackBerry (telemóvel com uma solução que permite receber e enviar *e-mails* em tempo real), um PC ou um *software* novo para se tornar num editor livreiro, num produtor cinematográfico ou num empreendedor do eBay a partir do seu quarto. Será o dono do bar que aprende a utilizar múltiplas fontes de captação via satélite, em múltiplos ecrãs planos, para oferecer doze jogos da NFL (Liga de Futebol Americano) ao mesmo tempo, mais um torneio de golfe na Europa, um jogo de basquetebol na China e um jogo de futebol na Austrália aos seus clientes habituais dos domingos à tarde. Será o café que é capaz de manter os seus clientes nos seus lugares durante muito mais tempo, ao proporcionar uma ligação *wireless* (Internet sem fios) totalmente gratuita. Será o pequeno empreendedor que compreende que pode agora contratar a infra-estrutura logística global da Amazon.com para gerir as suas vendas de *ex-líbris* personalizados e que compreende que pode encontrar *on-line* uma empresa na China para produzir esses *ex-líbris*, transformando-se de um dia para o outro num importador de *ex-líbris* para livrarias, tudo *on-line*. Será a pessoa que abre um armazém da UPS e que se transforma de um momento para o outro num gestor de cadeias de abastecimento global para outras pequenas empresas. Será a oficina local de reparação de automóveis que descobre, de um momento para o outro, que pode obter tampões para as rodas dos BMW e limpa pára-brisas para os Mercedes a melhor preço num fornecedor na Roménia.

Por fim, serão as pessoas em todo o tipo de negócio ou sector que perceberem o poder da "modelagem" – e não estou a falar de Cindy Crawford. A partir de gráficos e de simulações em computador, é possível juntar todo o tipo de dados para criar modelos que mostrem como funcionam uma série de coisas complexas – antes de enveredar pelo processo oneroso da sua construção. Um vendedor de imóveis, que aprenda a modelar, pode apresentar aos potenciais clientes a planta de uma casa ou de um andar e deixar que eles mudem as paredes de lugar como bem entenderem. Um engenheiro, que aprenda a modelar, pode fazer o mesmo com pontes e estradas. O mesmo se pode dizer dos arquitectos paisagistas, dos consultores financeiros, dos decoradores e dos mediadores imobiliários que adquiram competências para trabalhar com clientes na construção, adaptação e interpretação de modelos. Estarão todos no caminho para o novo escalão médio das competências profissionais.

Estamos na presença de categorias gerais, sendo certo que estarão constantemente a surgir outras. E também é certo que não existem fronteiras rígidas entre estas diversas estratégias. As pessoas irão combiná-las com frequência. Vou dar-vos um último exemplo – o meu amigo de infância, Bill Greer, que considero hoje um grande adaptador, localizador e personalizador. Ele adoptou essas três estratégias para garantir um lugar no novo escalão médio. Greer tem 50 anos e tem ganho a vida, ao longo dos últimos 28, como artista e *designer* gráfico. Desde finais dos anos 70 até aproximadamente ao ano 2000, a forma como ele fez o seu trabalho e serviu os seus clientes foi praticamente sempre a mesma.

"Clientes, como o jornal *The New York Times*, queriam um trabalho final que fosse uma obra de arte", explicou-me Bill. Assim, se ele estava a executar uma ilustração para um jornal ou uma revista, ou a propor um novo logótipo para um produto, realmente criava uma obra de arte – fazia um esboço, coloria-o, fixava-o a uma base cartonada para suporte de ilustrações, embrulhava-o com tecido, colocava-o dentro de uma embalagem que se abria com duas abas e enviava-o através de um estafeta ou da FedEx. Ele chamava-lhe "arte das abas". Na indústria era conhecida como "arte pronta para a câmara", porque tinha de ser fotografada, impressa em quatro camadas diferentes da película a cores, ou "separações", e ser preparada para publicação. "Era um produto acabado e havia uma certa preciosidade nisso", salientou Bill. "Tratava-se de uma verdadeira obra de arte e por vezes as pessoas penduravam-nas nas paredes. Com efeito, o *New York Times* chegou a expor trabalhos criados por ilustradores para as suas publicações."

No entanto, nos últimos anos, "esta realidade começou a mudar", disse-me Bill. A mudança foi acontecendo à medida que as publicações e as agências de publicidade foram optando pela preparação digital, baseando-se no novo *software* existente – designadamente o Quark, o Photoshop e o Illustrator, aos quais os artistas gráficos dão o nome de "A Santíssima Trindade" – que tornou o desenho assistido por computador muito mais fácil. Todos os que frequentavam as escolas de arte receberam formação nesses programas. Como Bill me explicou, o desenho gráfico tornou-se de tal forma fácil que acabou por se vulgarizar. Transformou-se num "gelado de baunilha". "Em termos de *design*, a tecnologia forneceu a todos as mesmas ferramentas, por isso todos podiam desenhar linhas rectas e fazer um trabalho semidecente. Anteriormente era preciso ter olho para ver se as coisas estavam equilibradas e se o texto tinha o tipo de fonte certo, mas, de repente, todos começaram a fazer qualquer coisa aceitável", acrescentou Bill.

Tendo em conta esta realidade, Bill Greer decidiu subir a "escada" do conhecimento. Atendendo a que as publicações exigiam que os produtos finais fossem apresentados sobre a forma de ficheiros digitais que podiam ser transferidos e que deixou de haver procura para a preciosa arte das abas, ele transformou-se num consultor de ideias. "Ideação"* era aquilo que pretendiam os seus clientes, incluindo a McDonald's e a Unilever. Ele deixou de usar canetas e tinta. Começou a fazer esboços a lápis, que digitalizava, coloria-os usando o rato do computador e depois enviava-os por *e-mail* para o cliente, que teria artistas com menos competências a finalizá-lo.

"Era algo que fazia de forma inconsciente. Tinha de procurar trabalhos que nem todos conseguiriam fazer e que os jovens artistas não conseguiriam de todo fazer, recorrendo à tecnologia, por uma fracção daquilo que me pagavam. Por isso, comecei a receber propostas em que as pessoas me diziam: 'Pode fazer isto e dar-nos apenas uma ideia geral?' Davam-me um conceito e apenas queriam esboços, ideias, e não uma obra de arte final. Ainda recorro à competência-base do desenho, mas apenas para transmitir uma ideia – esboços rápidos, não arte final. E ainda continuam a pagar-me bem pelas ideias. Na verdade, isso transportou-me para um patamar diferente. É mais como se fosse um consultor do que um JAFA**. Existem muitos JAFA por aí. Por isso, agora sou um homem de ideias, transformei isso numa vantagem. Os meus clientes apenas compram conceitos", disse Bill Greer. Depois, os JAFA encarregam-se de criar a arte interna ou então esta é sub-

---

* **N.T.** Processo de gestação de ideias a partir de um tema.

** **N.T.** *Just Another Fucking Artist* – Uma expressão que significa "Mais um artista…".

contratada. "Eles podem agarrar nos meus esboços em bruto, terminá-los e ilustrá-los utilizando programas de computador e não seria assim que eu faria, mas é suficientemente bom", afirmou Bill Greer.

Foi, então, que aconteceu uma outra coisa. Apesar da evolução da tecnologia ter transformado uma parte do negócio do Bill Greer numa mercadoria, abriu-lhe um mercado totalmente novo: as revistas clientes de Greer. Um dia, um dos seus clientes habituais abordou-o e perguntou-lhe se podia fazer *morphs**. Os *morphs* são tiras humorísticas em que uma personagem se transforma noutra. Assim, a Martha Stewart está no *frame* de abertura e metamorfoseia-se na Courtney Love no último *frame*. A Drew Barrymore metamorfoseia-se na Drew Carey. A Mariah Carey metamorfoseia-se no Jim Carrey. A Cher metamorfoseia-se na Britney Spears.

Quando Bill Greer foi abordado pela primeira vez para fazer este tipo de trabalho, não fazia ideia por onde devia começar. Por isso, consultou a Amazon. com e encontrou algum *software* especializado que lhe permitiria criar *morphs*, comprou-o, testou-o durante alguns dias e produziu o seu primeiro *morph*. Desde então, especializou-se no processo e o mercado para os seus *morphs* expandiu-se, passando a incluir as revistas *Maxim*, *More* e *Nickelodeon* – uma delas é uma revista para homens, outra para mulheres de meia-idade e a outra para crianças.

Por outras palavras, alguém inventou um "novo molho" totalmente diferente para servir com o "gelado de baunilha" e Greer não deixou escapar a oportunidade. É exactamente isto que acontece no conjunto da economia global. "Eu tinha suficiente experiência para aprender a fazer estes *morphs* com bastante rapidez", disse Greer. "Agora, faço-os no meu portátil Mac onde quer que esteja, desde Santa Barbara a Minneapolis, passando pelo meu apartamento em Nova Iorque. Umas vezes são os clientes que me dão um tema e outras sou eu que o proponho. As metamorfoses costumavam ser uma daquelas coisas com verdadeiros acabamentos de qualidade que se viam na televisão. Depois, bem depois surgiu este programa de *software* e podemos facilmente fazer os *morphs*. Dei-lhes formas, para que as revistas pudessem usá-los. Basta-me fazer o *upload* desses *morphs* configurados numa série de ficheiros com extensão JPEG... Os *morphs* foram um bom negócio para diversas revistas. Até recebo *e-mails* de miúdos que são meus fãs!"

Greer nunca tinha feito *morphs* até a tecnologia ter evoluído e criado um novo nicho, especializado, mesmo na altura em que o aparecimento de um diferente tipo de mercado para os seus trabalhos o tinha deixado ávido para assimilar novas competências. "Gostaria de poder dizer que foi tudo intencional", confessou. "Mas o que se passou é que eu estava disponível para trabalhar e, por sorte, tive quem me desse uma oportunidade para fazer estas coisas. Conheço imensos artistas que foram postos de lado. Um amigo meu que era ilustrador tornou-se *designer* de

---

* **N.T.** Alterações digitais de desenhos e fotos originais.

embalagens, alguns saíram completamente desta área; um dos melhores *designers* que conheço tornou-se arquitecto paisagista. Continua a ser *designer*, mas mudou completamente o meio onde se movimentava. As pessoas visuais* podem adaptar--se, mas continuo nervoso em relação ao futuro."

Disse a Greer que a história dele se encaixava perfeitamente nalguns dos termos que estava a usar neste livro. Ele começou como "molho de chocolate" (um ilustrador clássico), transformou-se num "produto com sabor a baunilha" (um ilustrador clássico na era do computador), desenvolveu as suas competências e tornou-se novamente um "molho de chocolate", mas desta vez especial (consultor de *design*), depois aprendeu a ser "a cereja no topo do bolo" (artista criador de *morphs*) ao ser capaz de corresponder a um novo tipo de procura gerada por um mercado cada vez mais especializado.

Greer reflectiu sobre o meu elogio, por um momento. Depois comentou: "Tudo o que eu estava a tentar fazer era sobreviver – e é o que continuo a fazer." No entanto, quando se levantou para se ir embora, disse-me que ia encontrar-se com um amigo "para fazerem malabarismos em conjunto". Há vários anos que eles são parceiros de malabarismo. É um pequeno negócio lateral que, às vezes, executam na esquina de uma rua ou em festas privadas. Greer tem uma excelente coordenação entre mãos e olhos. "Mas até a prática do malabarismo está a ser mercantilizada", queixou-se ele. "Antigamente, se conseguisses fazer malabarismos com cinco bolas ao mesmo tempo eras verdadeiramente especial. Hoje, fazer malabarismos com cinco bolas é apenas como dar um pequeno contributo. O meu parceiro e eu costumávamos actuar juntos e quando o conheci era o campeão – com sete bolas. Actualmente, os miúdos com 14 anos conseguem manipular sete bolas sem qualquer problema. Agora têm à sua disposição livros como *Malabarismo para Totós* e *kits* que lhes ensinam a fazer malabarismos. Por isso, elevaram os padrões."

---

* **N.T.** Que recorrem muito à visão.

Capítulo VII

O Ingrediente Certo

Um amigo perguntou certa vez a Isidor I. Rabi, vencedor do Prémio Nobel da Física, como se tornara cientista. Rabi respondeu que todos os dias, depois das aulas, a mãe conversava com ele sobre o dia na escola. Ela não se mostrava muito interessada em saber o que ele aprendera, mas perguntava sempre: "Colocaste alguma pergunta pertinente, hoje?" "Colocar perguntas pertinentes", afirmou Rabi, "foi o que me tornou cientista."

Fonte desconhecida

Nos últimos dois anos, tive a oportunidade de viajar pelos Estados Unidos e de discursar sobre a globalização e o mundo plano perante muitas audiências diferentes, desde reformados em Palm Springs e directores de escolas secundárias em Bethesda, até pais em clubes literários suburbanos. O que mais me surpreendeu foi a corrente de preocupação que encontrei no país em torno das questões da educação e da concorrência. Se tivesse que descrever aquela ansiedade de forma resumida, diria o seguinte: os nossos pais tinham a certeza de que iriam viver melhor do que os seus pais e que nós, os seus filhos, iríamos viver melhor do que eles. Nós, infelizmente, estamos a crescer bastante preocupados com o facto de a nossa reforma não ser tão boa como a dos nossos pais e de a vida dos nossos filhos não ser tão boa como a nossa. Todos pareciam procurar a fórmula mágica que pouparia os filhos a um futuro de mobilidade descendente. Em duas situações, houve pais que me fizeram perguntas do género: "A minha filha está a estudar chinês. Ela vai safar-se, certo?"

"Bem", respondia, "não propriamente."

Porquê não propriamente? Porque não existe uma fórmula mágica. Nesta altura, penso que seria útil parar, respirar fundo e perguntar: se as estratégias detalhadas no capítulo anterior serão a melhor forma de os indivíduos obterem e manterem empregos no novo escalão médio das competências profissionais, então, em termos gerais, qual o tipo de educação correcta para preparar os nossos jovens para esses empregos? Nas palavras perspicazes de Alan Blinder, economista de Princeton, "é óbvio que os Estados Unidos e outros países ricos terão de transformar os seus sistemas educativos no sentido de produzir trabalhadores para os empregos que vão, na prática, existir nas suas sociedades... Em termos de equilíbrio, a oferta pura e simples de *mais* educação é provavelmente algo de positivo, em especial se uma força laboral mais educada for uma força laboral mais flexível, que pode enfrentar mais prontamente tarefas que não sejam rotineiras e alterações ocupacionais. Mas está longe de ser uma panaceia... No futuro, *como* educamos os nossos filhos poderá revelar-se mais importante do que *quanto* os educamos."

Neste capítulo, concentro-me no que aprendi com as respostas dos empregadores e dos professores às seguintes questões: Qual é o ingrediente certo? Qual é a "educação adequada" de que os jovens precisam para se prepararem para os empregos do novo escalão médio das competências profissionais? Por onde devemos começar? As ideias que partilharam comigo não apontavam para cursos específicos que deviam ser tirados, indicando, ao invés, alguns conjuntos de competências e atitudes – irei concentrar-me em quatro – que se revelam importantes para quem quiser seguir o caminho do novo escalão médio das competências profissionais.

A primeira e mais importante capacidade que pode desenvolver num mundo plano é a capacidade de "aprender como aprender" – de absorver constantemente conhecimentos e aprender novas formas de fazer coisas antigas ou novas formas de fazer coisas novas. Esta é uma capacidade que todos os trabalhadores deveriam cultivar numa época em que partes ou a totalidade de muitos empregos irão estar constantemente expostas à digitalização, à automatização e ao *outsourcing*; e em que novos empregos e sectores industriais totalmente novos irão surgir com cada vez maior rapidez. Num mundo assim, não é apenas o que se sabe, mas a forma como se aprende, que irá distinguir uma pessoa das restantes. Porque o que se sabe hoje estará desactualizado mais rapidamente do que pensa.

Numa conferência em St. Paul, Minnesota, apresentei este raciocínio e, durante o período de perguntas e respostas, um jovem na audiência levantou o braço, identificou-se como sendo aluno do 9º ano e perguntou: "Sr. Friedman, se é assim tão importante aprender como aprender, de que forma é que se aprende como aprender? Que curso devo tirar?"

Eis uma pergunta pertinente vinda de um jovem...

É uma pergunta lógica. Naquela altura, ainda não tinha reflectido em pormenor sobre este aspecto. Assim, tive que improvisar uma resposta, que me parece estar no caminho certo: "Coloque aos seus amigos uma única questão: 'Quem são os vossos professores preferidos?' Depois, faça uma lista desses professores e procure frequentar os seus cursos – independentemente das disciplinas que ensinam." Não interessa se ensinam Mitologia Grega, Cálculo Matemático, História da Arte ou Literatura Norte-americana – frequente os seus cursos. Quando penso nos meus professores preferidos, não me lembro do que me ensinavam, mas recordo-me certamente do entusiasmo que sentia por estar a aprender. O que retive não foram os factos que debitavam, mas o entusiasmo que inspiravam em torno da aprendizagem. Para aprender como aprender é preciso gostar de aprender – ou é preciso, pelo menos, sentir algum prazer – porque grande parte da aprendizagem se prende com a motivação para aprender. Embora algumas pessoas pareçam ter nascido com esta motivação, muitas outras podem desenvolvê-la ou assimilá-la com os professores (ou pais) certos.

QC + QP > QI

Isto leva-me para o meu segundo tema geral – paixão e curiosidade. Foi e será sempre uma grande vantagem sentir paixão e curiosidade em relação a algo. Porém, quando o mundo é plano, a curiosidade e a paixão por um emprego, pelo sucesso, por uma área de estudo ou mesmo por um passatempo são muito mais importantes. Isto porque, no mundo plano, dispomos de muitas mais ferramentas para satisfazer e aprofundar muito mais a nossa curiosidade.

Doc Searls, o editor sénior do *Linux Journal* e um dos escritores mais respeitados dos EUA sobre tecnologia, abordou esta questão numa crítica à primeira edição deste livro (28 de Abril de 2005): "No novo mundo plano, as oportunidades de educação são ilimitadas, mesmo sem o apoio da escola, do governo, das igrejas ou das empresas. Uma grande parte do que precisa de saber acerca de quase tudo está disponível algures na *Web* – em especial se a sua área for a tecnologia. É verdade que a *Web* não está em todo o lado. Contudo, está em todos os lugares planos e a área plana está a aumentar, rapidamente... É óbvio que existem ainda muitas pessoas medianas e medíocres; ninguém tem dúvidas disso. Mas pense um pouco: a maioria destas pessoas foi criada assim. Eram moldadas, em grande medida, pelos sistemas escolares que, desde o despontar da era industrial, tinham um objectivo principal: produzir colaboradores para posições fixas em organigramas empresariais, que tinham a forma de pirâmides – largas na base e estreitas no topo... Havia poucas alternativas na era industrial, tirando a agricultura e outras ocupações relativamente isoladas. Hoje, todavia, existem imensas alternativas, tantas quantos os indivíduos que têm acesso à banda larga."

Por todas estas razões, cheguei à conclusão que, num mundo plano, o QI – quociente de inteligência – ainda é importante, mas o QC e o QP – quociente de curiosidade e quociente de paixão – são ainda mais importantes. Vivo em função da equação QC+QP>QI. Se pegarmos num miúdo com paixão pela aprendizagem e curiosidade para a descoberta, este irá suplantar um miúdo menos apaixonado ainda que tenha um QI superior. Por serem curiosos, os miúdos apaixonados educam-se e motivam-se a eles próprios. Terão sempre a capacidade de aprender como aprender, especialmente na plataforma do mundo plano, onde se pode fazer *download* e *upload*. "O trabalho interessa", afirma Searls, "mas a curiosidade interessa ainda mais. Ninguém se dedica mais à aprendizagem do que um miúdo curioso."

Em minha opinião, deveriam gravar estas palavras na entrada de todas as escolas norte-americanas: *Ninguém se dedica mais à aprendizagem do que um miúdo curioso.*

Alguns miúdos já nascem assim, mas para os inúmeros que não têm esta característica, a melhor forma de os fazer gostar de aprender é incutir-lhes um sentimento de curiosidade, através de um ensino de qualidade, ou estimular o seu sentimento inato de curiosidade, disponibilizando-lhes todas as tecnologias da plataforma do mundo plano, para que se possam educar de uma forma bastante enriquecedora. Veja-se esta história publicada no Suplemento de Educação do *The New York Times* (24 de Abril de 2005). Era sobre Britney Schmidt, uma aluna da Universidade do Arizona, que se sentia totalmente desmotivada com as suas aulas, em grande parte porque os professores pareciam apenas estar interessados em dar as aulas e desaparecer.

"Estava a obter 'Excelentes' em todas as cadeiras, mas não estava a ser estimulada e não pensava em coisas novas", contou ao jornalista do *The New York Times*. Houve um semestre, contudo, em que teve de frequentar uma cadeira de Ciências Naturais, em que o professor e os assistentes se revelaram excelentes, o que estimulou a sua curiosidade e despertou a sua paixão. "Tive sorte", afirmou. "Estava a assistir a uma aula dada por alguém que se preocupava realmente." O resultado foi o nascimento de uma cientista. Após várias cadeiras de Ciências, Britney foi aceite na UCLA (Universidade da Califórnia e Los Angeles) para se especializar em Física Planetária e na Universidade de Chicago para se especializar em Cosmoquímica.

É impossível despertar o fogo da paixão em alguém, se não estiver, antes de mais, a ser consumido pelo mesmo fogo. Hilarie Rooney, a directora da Escola do 1º Ciclo de Laytonsville, no Condado de Montgomery em Maryland, veio um dia ter comigo depois de uma aula e disse-me que o que procurava saber quando contratava um professor era uma coisa simples: "Saber se gosta de crianças." Porque se não tiver uma ligação com as crianças, nunca conseguirá transmitir a matéria, afirmou. Se não conseguir sentir a música, nunca a poderá tocar.

"Mas se gostar de crianças", acrescentou, "e transmitir esse sentimento, mesmo que não seja muito bom na matéria que estiver a ensinar, as crianças sentir-se-ão inspiradas por si e procurarão aprender sozinhas. Consigo ensinar estratégia a qualquer pessoa, mas não consigo ensinar alguém a gostar de crianças. Isto é algo [saber se o professor gosta de crianças] que se sente, assim que se entra numa sala de aulas. No primeiro ciclo, todas as crianças gostam dos seus professores, mas consegue perceber-se quais são os professores que também gostam delas. Eles motivam as crianças a fazer o seu melhor por eles. Na prática, as crianças estão a esforçar-se por elas próprias, mas se virem que um professor se preocupa realmente, que está empenhado na sua aprendizagem, estas crianças nunca ficarão desmotivadas. Isto é que é a verdadeira aprendizagem."

Será possível criar o seu próprio QP (quociente de paixão) elevado pela aprendizagem de uma disciplina, sem o estímulo de um professor ou dos pais? É claro que sim. Basta recordar a sua infância, quando recebeu o seu primeiro carro de bombeiros ou boneca ou mala de médico ou capacete de astronauta, e disse a todos que queria ser bombeiro ou modelo ou médico ou astronauta quando crescesse. Esta paixão inocente por uma profissão, sem ter conhecimento da retribuição salarial, das horas de trabalho ou da preparação requerida, é o que precisa para estar novamente em jogo. É esse sentimento infantil do "eu quero fazer isto porque quero – e não tenho de explicar porquê" que todos temos de redescobrir. Por outras palavras, precisa de redescobrir o "carro de bombeiros" que existe no seu íntimo. Todos temos um e, quando o encontramos, sabemos que o encontrámos.

Relacionar-se bem com os outros

Em terceiro lugar – e isto é apenas uma variante do que Hilarie Rooney afirmou acerca do ensino – é necessário gostar-se de pessoas. É preciso ser-se bom a gerir ou a interagir com outras pessoas. Embora as competências no âmbito das relações interpessoais tenham sido sempre um activo no mundo do trabalho, sê-lo-ão ainda mais no mundo plano. Posto isto, não sei bem como o incluir num currículo escolar, mas alguém terá de descobrir.

Como é referido no capítulo anterior, vamos assistir ao aparecimento de uma grande quantidade de novos empregos no novo escalão médio das competências profissionais, que envolvem interacções personalizadas e de contacto com outros seres humanos – porque são precisamente esses contactos personalizados que nunca poderão ser automatizados ou alvo de *outsourcing* e que são quase sempre necessários em algum momento da cadeia de valor. Alan Blinder di-lo melhor e de forma mais provocadora: "Contrariamente ao que temos vindo a pensar nos últimos anos, talvez as competências pessoais se tornem mais valiosas do que as competências informáticas. Afinal, os 'malucos dos computadores' poderão não ser os herdeiros da terra."

O ingrediente do hemisfério direito

O quarto prende-se com um maior desenvolvimento do hemisfério direito do cérebro, bem como do esquerdo. Daniel Pink, autor de *A Whole New Mind: Moving from the Information Age to the Conceptual Age* ("A Revolução da Mente: Passar da Era da Informação para a Era Conceptual"), explica:

Há muito que os cientistas sabem que uma linha Maxon-Dixon* neurológica separa o cérebro em duas regiões – os hemisférios esquerdo e direito. Porém, nos últimos dez anos, em parte graças aos avanços das técnicas de visualização obtidas

---

* **N.T.** Linha de demarcação de quatro Estados norte-americanos, implementada na sequência de disputas fronteiriças entre antigas colónias britânicas.

por ressonância magnética funcional, os investigadores começaram a identificar com maior precisão as responsabilidades inerentes a cada hemisfério. O hemisfério esquerdo trata das deduções lógicas, do significado das palavras e do raciocínio. Quanto ao hemisfério direito, centra-se no contexto, na expressão emocional e na síntese. É óbvio que o cérebro humano é extremamente complexo, tendo em conta as suas cem mil milhões de células e mil biliões de transmissões. Os dois hemisférios trabalham de forma concertada e recorremos a ambos para quase todas as nossas actividades. Todavia, a estrutura do nosso cérebro pode ajudar a explicar os contornos dos nossos tempos.

Até há pouco tempo, as aptidões que conduziam ao sucesso escolar, laboral e empresarial eram características do hemisfério esquerdo. Eram as capacidades analíticas, lógicas e lineares, medidas em SAT* e concretizadas em CPA**. Actualmente, essas competências continuam a ser necessárias, porém deixaram de ser suficientes. Num mundo tombado pelo *outsourcing*, inundado de dados e entupido de escolhas, as competências mais importantes estão actualmente mais próximas, em espírito, das especialidades do hemisfério direito – capacidade artística, empatia, horizontes abrangentes e busca do transcendente.

Se quiser ter a certeza de que é o que eu chamo de intocável, argumenta Pink, uma pessoa com um trabalho que "um computador ou um robô não pode executar mais rapidamente ou um estrangeiro dotado não pode desempenhar a custo menor" e tão bem, precisa de se concentrar no desenvolvimento constante das competências do seu hemisfério direito – "tais como cultivar relacionamentos em vez de executar transacções, enfrentar novos desafios ao invés de resolver problemas rotineiros e sintetizar o todo em vez de analisar um único componente."

Não vamos todos perder os nossos empregos amanhã... Porém, à medida que os custos com as comunicações para o outro lado do planeta se aproximam praticamente do zero, à medida que a Índia se torna (o que acontecerá por volta de 2010) no país com mais pessoas a falar inglês no mundo, e à medida que os países em desenvolvimento continuam a gerar milhões de trabalhadores extremamente competentes, as vidas profissionais dos ocidentais irão alterar-se drasticamente. Se a conferência de números, a leitura de diagramas e a escrita de códigos podem ser realizadas com custos menores no estrangeiro e entregues instantaneamente aos clientes através de cabos de fibra óptica, é para aí que o trabalho seguirá.

No entanto, este conjunto de vantagens comparativas está apenas a derrubar alguns tipos de empregos administrativos – aqueles que podem ser reduzidos a um conjunto de regras, rotinas e instruções. É por isso que o trabalho limitado do

---

* **N.T.** Conjunto de exames escolares que as crianças no Reino Unido têm de fazer ao longo da sua vida escolar.

** **N.T.** Exame de certificação dos Técnicos Oficiais de Conta nos EUA.

hemisfério esquerdo, como a programação informática básica, a contabilidade, a investigação legal e a análise financeira, tem vindo a migrar para lá dos oceanos. Mas também é por isso que restam imensas oportunidades para as pessoas e para as empresas executarem trabalhos menos rotineiros – os programadores que conseguem criar sistemas inteiros, os contabilistas que se assumem como consultores familiares ou empresariais e os bancários menos especializados nos pormenores do Excel e mais na arte do negócio.

"Agora que há estrangeiros que conseguem executar o 'trabalho do hemisfério esquerdo' a menor custo", argumenta Pink, "os norte-americanos têm de aperfeiçoar o 'trabalho do hemisfério direito'." Este é, na minha opinião, o ponto fulcral: *Agora que há estrangeiros que conseguem executar o "trabalho do hemisfério esquerdo" a menor custo, os norte-americanos têm de aperfeiçoar o "trabalho do hemisfério direito".*

Pink aprofunda esta questão:

No século passado, as máquinas provaram que podiam substituir os músculos humanos. Neste século, as tecnologias estão a provar que podem ter um desempenho superior ao do hemisfério esquerdo do cérebro – são capazes de executar trabalho informático redutivo e sequencial de uma forma melhor, mais rápida e mais exacta do que os indivíduos com os QI mais elevados. (Basta perguntar ao campeão de xadrez, Garry Kasparov que perdeu um jogo contra um computador.) ...

A fim de prosperar na época actual, precisamos de conjugar as nossas bem desenvolvidas aptidões ao nível da alta tecnologia com aptidões em torno dos "conceitos sofisticados" (*high concept*) e do "factor humano" (*high touch*). Os conceitos sofisticados envolvem a capacidade de criar beleza artística e emocional, de detectar padrões e oportunidades, de elaborar narrativas agradáveis e de inventar coisas que o mundo não sabia que precisava. O factor humano envolve a capacidade de criar empatia, de compreender as subtilezas da interacção humana, de encontrar alegria em si mesmo e de a despertar nos outros e de extravasar o quotidiano em busca de objectivos e significados.

Nem todas as pessoas conseguirão desenvolver facilmente estas aptidões. Para alguns, parece uma perspectiva inatingível. Não tenha receio (ou pelo menos não tanto). As aptidões que são agora mais importantes são fundamentalmente atributos humanos. Afinal de contas, os nossos antepassados das cavernas não inseriam números em folhas de cálculo nem corrigiam erros de programação. Mas contavam histórias, demonstravam empatia e concebiam inovações. Estas aptidões sempre fizeram parte do que significa ser humano. O problema é que, passadas algumas gerações, na Era da Informação, muitos dos nossos "músculos" de conceitos sofisticados e de factor humano atrofiaram. O desafio consiste em voltar a desenvolvê-los.

Como é que se alimentam as competências do hemisfério direito? A forma de alimentar o seu hemisfério direito é fazendo algo que adora fazer – ou que, pelo menos, gosta de fazer – porque isso gera algo de intangível, algo que provém do seu hemisfério direito, que não pode ser facilmente repetido, automatizado ou alvo de *outsourcing*. Como diz Pink, "as aptidões que são agora mais importantes acabam por ser aquelas coisas que as pessoas fazem por motivação intrínseca. São raras as pessoas que se tornam contabilistas a partir de um sentimento de motivação intrínseca. Todavia, é a motivação intrínseca que impele os indivíduos a criar e a gerar empatia, a tornarem-se *designers* e contadores de histórias, conselheiros e consultores. Neste fim-de-semana, haverá contabilistas a pintar aguarelas na garagem e advogados a escrever argumentos. Mas garanto-vos que não vão encontrar nenhum escultor que, ao fim-de-semana, preencha as declarações de IRS de outras pessoas, por puro prazer. Por outras palavras, existe uma crescente consonância entre aquilo que as pessoas fazem porque gostam de o fazer e o que proporciona vantagens económicas."

Assim, conclui Pink, quando ouvirem os vossos pais ou o orador na vossa cerimónia de graduação dizer-vos "façam o que gostam", não estão a dar-vos nenhum "rebuçado". Estão a dar-vos uma estratégia de sobrevivência.

Tubas e tubos de ensaio

Voltemos um passo atrás. Se os empregos do novo escalão médio das competências profissionais exigem que seja um bom colaborador, alavancador, adaptador, explicador, sintetizador, construtor de modelos, localizador ou personalizador, e estas abordagens requerem que seja capaz, entre outras coisas, de aprender como aprender, de sentir curiosidade e paixão pelo seu trabalho, de ter um bom relacionamento com os outros e de alimentar as suas competências do hemisfério direito, qual é o significado específico que tudo isto tem para a educação?

Quero recordar-vos que não sou professor, pelo que abordo esta questão com grande humildade. Contudo, sou jornalista e posso informar-vos que alguns professores verdadeiros já tentaram abordar frontalmente esta questão. Estou impressionado com a quantidade de experimentação que tenho observado nas instituições universitárias, no sentido de tentarem conceber a "educação correcta" para o novo escalão médio das competências profissionais. Irei concentrar-me numa escola – o Instituto de Tecnologia da Georgia, em Atlanta – para ilustrar uma abordagem sensata.

G. Wayne Clough, o reitor desta escola, teve de repensar a ideia de educação num mundo plano por imperiosa necessidade. Clough tornou-se reitor em 1994. "Quando entrei no Tech [Instituto de Tecnologia da Georgia] nos anos 60, era um caloiro que sentia um profundo respeito mas também temor", contou-me Clough. "Os mais velhos tinham um exercício para os novos alunos, em que nos diziam: 'Olhem para a vossa esquerda. Olhem para a vossa direita. Apenas um de entre vós concluirá a licenciatura'."

Naquela época, o Georgia Tech não tinha uma política de admissões tão selectiva como actualmente, baseando-se num processo de tipo darwiniano, que consistia em eliminar as "ervas daninhas" unicamente através das notas. Segundo Clough, era um ambiente académico e social muito frio – pouco divertido. Mesmo no início dos anos 90, apenas 65 por cento dos alunos do Georgia Tech concluíam os seus cursos. Os alunos não chegavam ao fim dos cursos por acharem que tanto o currículo como a atmosfera eram bastante tristes – e que a escola era um local onde não se celebrava o sucesso dos alunos.

A visão de Clough, quando assumiu a reitoria da escola, era a de que o país precisava desesperadamente de mais cientistas, engenheiros e empreendedores de boa qualidade, pelo que a sua escola não se podia dar ao luxo de perder um terço dos seus potenciais licenciados. Clough concluiu que só oferecendo a educação certa, e não apenas mais educação, "se poderia fazer aumentar o número de candidaturas e o número de alunos licenciados."

Clough começou a repensar a abordagem do Georgia Tech, reflectindo nas suas próprias experiências enquanto engenheiro no activo. Alguns dos melhores engenheiros com quem tinha trabalhado, ao longo de vários anos, não tinham sido os melhores alunos de Engenharia. "Eles sabiam como pensar de forma criativa", referiu. "Podiam não ser aqueles que melhor resolviam as equações matemáticas, mas eram aqueles que melhor definiam o problema que a equação deveria resolver... Eram muitas vezes pessoas com carácter e que possuíam algo de intangível."

Quanto mais tempo Clough passava no *campus*, mais se apercebia de que "um grande número dos alunos talentosos se interessava por outras áreas criativas, para além daquelas que experimentava nas aulas" – a produção de filmes, a composição de músicas ou outros passatempos pouco convencionais. "Estes alunos revelavam-se pessoas interessantes quando se conversava com eles. Então, comecei a pensar: 'Seria bom ter mais pessoas deste tipo a frequentar a escola. Seria uma forma de tornar o local mais agradável, para além de ajudar os alunos com uma visão mais unidimensional a adoptar uma visão mais multidimensional, ao conviverem com este outro tipo de jovens'."

Assim, em finais dos anos 90, Clough começou gradualmente a alterar as políticas de admissão no Georgia Tech, fazendo com que os gabinetes de admissão se concentrassem especificamente no recrutamento e admissão de bons alunos de Engenharia que também tocassem um instrumento, cantassem num coro ou jogassem numa equipa.

"A ideia subjacente era que as pessoas com outros interesses tendem a ser capazes de comunicar, tendem a ser mais sociáveis, tendem a pedir ajuda mais prontamente quando precisam, tendem a ajudar quem precisa, tendem a pensar horizontalmente,... tendem a ser capazes de ligar elementos provenientes de disciplinas e campos diferentes."

O resultado, afirma Clough, é o facto de actualmente mais de 50 por cento dos caloiros do Georgia Tech já ter tocado um instrumento ou participado num qualquer grupo musical – são tantos que, hoje, um dos maiores desafios de Clough é construir no *campus* mais salas para recitais e áreas para concertos. "Criei um monstro", gracejou. Mas também criou mais licenciados. As taxas de conclusão de curso passaram de 65 por cento quando assumiu a presidência, para 76 por cento em 2005. E são vários tipos de licenciados.

"A resposta dos alunos tem sido estupenda", realçou Clough. "Temos assistido a um grande aumento do número de alunos a frequentar cursos musicais. Antigamente, tínhamos poucos alunos a enveredar pela música de câmara e, actualmente, temos mais de uma dúzia de grupos. Nunca tínhamos tido uma orquestra de câmara nesta escola. Hoje, existem cinco. Temos grupos que tocam música com sintetizadores, grupos de *jazz* e bateristas virtuais e automatizados por todo o lado." Bateristas virtuais e automatizados, só mesmo na escola de tecnologia!

Ao mesmo tempo, contou-me Clough, os grandes conjuntos musicais do Georgia Tech, como a banda filarmónica e a orquestra sinfónica, registaram um aumento significativo no número de participantes e no grau de sofisticação. O mesmo aconteceu com os grupos mais pequenos, como os orfeões e os grupos de música *a capella**. Atenção que estamos a falar do Georgia Tech, não do Juilliard**. "Temos tido tantos alunos a procurar este tipo de oportunidades", acrescentou Clough, "que tivemos de transformar uma antiga escola secundária inserida no *campus* no nosso edifício para a música e uma antiga igreja com um grande átrio principal é utilizada por alguns dos nossos grupos de canto. Também criámos mais locais um pouco mais informais para os alunos exercitarem os seus talentos, como é o caso de um palco no novo centro de actividades dos alunos."

O esforço de Clough para pôr o Georgia Tech a cantar teve uma ajuda preciosa, em 1996, quando a escola foi transformada em Aldeia Olímpica para albergar os atletas participantes nos Jogos Olímpicos de Atlanta. O director da banda do Georgia Tech foi escolhido para dirigir a Banda Olímpica de Atlanta. Quando os Jogos terminaram, o Georgia Tech teve a possibilidade de comprar muitos dos instrumentos utilizados por metade do preço. "Isto permitiu-nos duplicar a dimensão da nossa banda de um dia para o outro", salientou Clough. "Esta foi uma das razões que despoletaram o nosso arranque. Eram instrumentos de óptima qualidade. É por isso que temos actualmente 24 tubas na nossa banda. São muito poucas as escolas que têm 24 tubas. Esteja atento da próxima vez que assistir a um jogo da Liga de Futebol Americano."

E são muito poucos os reitores de grandes universidades de tecnologia que se vangloriam tanto das suas tubas como dos seus tubos de ensaio. Todavia, creio que Clough tem razões para se vangloriar porque, em minha opinião, ao ter posto o

---

* **N.T.** Interpretação sem acompanhamento musical.

** **N.T.** Um dos conservatórios de maior renome mundial, que fica situado em Nova Iorque.

Georgia Tech a cantar – além de ter implementado outras soluções de fácil utilização no sistema de ensino universitário e de ter facilitado aos alunos do Georgia Tech o acesso a universidades no estrangeiro – não só produz mais engenheiros como produz mais engenheiros do tipo certo.

"As pessoas que tocam instrumentos ou que fazem parte de uma banda têm mais competências sociais – não se cingem ao seu trabalho", referiu Clough. E este tipo de pessoa, acrescentou ele, tem mais hipóteses de sintetizar e de orquestrar conhecimentos de muitas áreas diferentes. Por exemplo, afirmou Clough, vamos assistir a uma grande procura de engenheiros na área da energia fotovoltaica – transformação da energia solar em electricidade. Isto vai exigir que sejam alunos treinados em engenharia básica, engenharia química e engenharia eléctrica. Clough citou o responsável de uma grande empresa de engenharia, que lhe dissera recentemente: "Não me envie engenheiros que possam ser substituídos por um computador. Estou a enviar esse trabalho para a Índia. Envie-me engenheiros com capacidade de adaptação – que sabem pensar no âmbito de várias disciplinas.

E para não fugir à regra, a Escola de Ciências Computacionais do Georgia Tech "pegou" nestas áreas abrangentes e transformou-as em cursos específicos. Após o estoiro da bolha das *dot-com*, as matrículas nos cursos de Ciências Computacionais do Georgia Tech começaram a cair drasticamente. "Todos liam os artigos acerca dos empregos que iam para a Índia e para a China," referiu Rich DeMillo, o antigo director da HP para a área tecnológica e que é actualmente Presidente do Departamento de Ciências Computacionais. "A primeira pergunta dos pais era: 'O que vai o meu filho fazer, se todos os empregos na área da programação forem para o estrangeiro'?" Assim, DeMillo e Merrick Furst, o *Vice President* que veio do Instituto Internacional de Ciências Computacionais de Berkeley, contactaram o mundo empresarial e colocaram duas perguntas simples às empresas: Que tipos de pessoas procuravam contratar e como estavam a ser utilizados os 'malucos dos computadores' para acrescentar valor nas suas empresas? Visitaram, por exemplo, a sede da CNN em Atlanta e depararam-se com quantidades avultadas de conteúdos analógicos e digitais que a estação tinha acumulado. Era óbvio que a gestão de todos estes conteúdos por via informática, bem como a necessidade de arranjar uma forma de os disseminar, desde as televisões aos telemóveis, aos iPods de vídeo e aos *websites*, representaria um sector de grande crescimento para os licenciados certos em Ciências Computacionais – aqueles que poderiam ajudar a contar histórias com tecnologia.

Após analisarem tudo isto, em 2004 DeMillo e Furst redesenharam o mestrado em Ciências Computacionais do Georgia Tech em torno de nove "*threads*"*, que é a

* **N.T.** Termo informático que designa uma sequência de instruções que podem ser executadas em paralelo com outras sequências.

forma como os designam. Cada *thread* é uma combinação de computação com outra área, o que produz uma síntese de conhecimento – onde será criado o valor real.

"Os *threads* representam o abandono dos currículos orientados verticalmente, cujo objectivo é a criação de alunos com um conjunto fixo de competências e de conhecimentos", explicou Furst na descrição do curso. "Um *thread* é uma ideia fundamentalmente horizontal, cujo objectivo é dar aos alunos um conjunto abrangente de competências e experiências de aprendizagem que necessitam para vencer na Era Conceptual globalmente competitiva. Um *thread* proporciona um conjunto de bases intuitivas, flexíveis e mutuamente reforçadas que permitem aos alunos construir o seu próprio futuro de forma distinta."

Os nove *threads* são Computação e Inteligência, Computação e Personificação, Computação e Funcionamento entre Redes, Computação e Plataformas, Computação e Informação, Computação e Pessoas, Computação e *Media*, Computação e Modelismo, e Bases de Computação. Hoje em dia, é preciso tirar dois *threads* para obter uma licenciatura em Ciências Computacionais no Georgia Tech.

O *thread* da Computação e *Media*, por exemplo, requer que os alunos tenham cadeiras de Ciências Computacionais, Comunicações, Escrita e Artes Liberais. A ideia subjacente a este *thread*, referiu Furst, é ensinar aos alunos "o que precisam de saber para contar histórias e criar experiências para os humanos através da tecnologia." Neste *thread*, as cadeiras abordam temas desde os gráficos computacionais a *Hamlet*, desde à percepção humana aos dispositivos de ficção interactiva, acrescentou Furst. Por conseguinte, se pretender, por exemplo, ser um excelente *designer* de jogos, é aqui que deve começar.

O *thread* da Computação e Pessoas prepara os alunos ao ajudá-los a compreender as bases teóricas e computacionais para conceber, construir e avaliar sistemas onde o ser humano é um componente central. Os alunos que se inscrevam em Computação e Pessoas poderão querer combiná-lo com o *thread* de Computação e Personificação, no sentido de estudar a interacção entre humanos e robôs. Existem quase tantas possibilidades de combinação destes *threads* como variedades de café no Starbucks.

"Imagine", escreveu DeMillo num ensaio que descreve o seu programa, "uma estudante universitária de Ciências Computacionais do Georgia Tech, no seu segundo ano, interessada em segurança informática. Pode combinar o *thread* de Computação e Informação – para aprender como se armazenam, recuperam, codificam e transmitem dados – com o *thread* de Computação e Pessoas – para aprender como as pessoas utilizam a tecnologia e como realizar experiências com elementos humanos... Ela irá criar uma valiosa identidade informática e tornar-se-á capaz de conceber, inventar e construir sistemas informáticos seguros, permitindo que as pessoas possam gerir a sua informação com segurança." O que estes *threads* proporcionam, individualmente ou combinados, é um conjunto de competências e uma base de referências que permite aos licenciados criar valor – de uma forma que nunca conseguiriam com um conjunto de ferramentas pouco abrangentes –, sendo certo que esse conjunto de competências terá valor no mercado emergente do mundo plano.

Há 25 anos, o mundo das Ciências Computacionais era fácil, acrescentou DeMillo. "Havia uma organização clara – *hardware*, *software* e algoritmos – e se conseguisse encaixar-se algures nessa organização, isso significava que tinha um emprego. Apenas precisava de escolher uma destas opções para se especializar e estava lançado profissionalmente. Podia trabalhar em *hardware*, podia programar *software* de base ou podia trabalhar em algoritmos de aplicações. Hoje, passados 25 anos, não existe nenhuma organização bem definida em torno de *hardware*, *software* e algoritmos. Em vez disso, temos processos empresariais, gestão da mudança e ERP (Planeamento de Recursos Empresariais). Hoje, é tudo horizontal e está em constante mudança. Assim, se for um professor, o que deve fazer? O que permanece inalterável é a necessidade de ser capaz de contar histórias, de ser capaz de construir coisas que contenham inteligência e de ser capaz de criar redes. Tudo isso se mantém constante. Mas, agora, a forma como o faz é juntando as peças horizontalmente. Os *threads* destinam-se a juntar coisas que façam sentido. É por isso que se deve gerir desta forma a universidade no seu todo. A noção de departamentos separados é uma loucura. É realmente necessário alterar totalmente a abordagem. Não se trata de fazer pequenos 'remendos'."

O que o modelo do Georgia Tech demonstra é que o mundo irá cada vez mais funcionar a partir da plataforma do mundo plano, por intermédio das suas ferramentas para todos os tipos de colaboração horizontal. Por conseguinte, as escolas deveriam assegurar-se de que incorporam estas ferramentas e conceitos de colaboração no processo educativo. "Tem de abranger todo o currículo", salientou Furst. "Não podemos ter cursos únicos, senão nunca conseguiremos gerar uma percentagem suficientemente elevada de população competitiva."

O país certo

Se estes são os empregos e os caminhos para o novo escalão médio das competências profissionais, até que ponto estão os EUA bem preparados, neste mundo cada vez mais plano, para criar estes empregos e trilhar estes caminhos? A resposta mais curta é que temos – em teoria – tudo o que precisamos para produzir os empregos e para educar os tipos de pessoas que irão prosperar num mundo plano. Sim, é verdade.

Em primeiro lugar, temos uma economia de mercado livre relativamente flexível e liberalizada, que contém muita experimentação e competição entre Estados e universidades – como o Georgia Tech. A flexibilidade geral da economia norte-americana é um enorme trunfo, numa altura em que é necessário mudar constantemente para se permanecer competitivo. Até agora, os EUA não sucumbiram aos proteccionistas económicos, que querem erguer muros para impedir a fuga dos empregos, nem aos proteccionistas da segurança nacional, que querem manter trabalhadores fora do país. O senador Jim DeMint, da Carolina do Sul, disse-me, um dia, que a única coisa que não podíamos fazer era tentar "proteger o nosso caminho em direcção à prosperidade."

É essencial que nos mantenhamos o mais abertos e flexíveis possível. A disponibilidade cultural norte-americana para derrubar coisas e reconstruí-las de novo garante-nos uma enorme vantagem na era do mundo plano, em que é cada vez mais necessário derrubar e construir para obter inovação e crescimento. Fizemos a transição da agricultura para a indústria e, mais tarde, da indústria para os serviços. Hoje, precisamos de avançar para a próxima fase, que consiste na prestação global de serviços. Estas transições foram dolorosas, cada uma à sua maneira, mas fomos capazes de as concretizar mais rápida e eficientemente do que qualquer outra economia importante, porque éramos abertos e flexíveis e deixámos o mercado fazer o seu trabalho – o que aconteceu, não obstante o sofrimento que causou a muitas pessoas. A transição para o mundo plano será particularmente dolorosa, porque irá provavelmente afectar um número muito superior de trabalhadores de "fato e gravata". No entanto, não é a altura de parar.

"Vocês [norte-americanos] têm tudo o que precisam para transferir os vossos profissionais dos velhos empregos de classe média para o novo escalão médio de competências profissionais", afirmou Nandan Nilekani da Infosys. "Se forem os primeiros a fazer esta transição, serão os maiores... Mas se as pessoas perderem o sangue-frio e os proteccionistas aparecerem a construir muros, irão fracassar. É um acto de fé – é preciso acreditar que irá acontecer."

Ao abrigo desta protecção que é a flexibilidade, os EUA têm inúmeros pontos fortes institucionais. É o caso da rede de universidades de investigação, que produz um fluxo contínuo de experiências competitivas, inovações e descobertas científicas – desde a Matemática, a Biologia, a Química e a Física. "O nosso sistema universitário é o melhor", afirmou Bill Gates. "Financiamos a nossas universidades para que façam muita investigação e isso é fantástico. As pessoas com QI elevados vêm para cá e nós damos-lhes meios para inovar e para transformar as suas inovações em produtos. Premiamos aqueles que correm riscos. O nosso sistema universitário é competitivo e experimental. As abordagens são diversificadas. Existe uma centena de universidades a contribuir para a robótica. Cada uma afirma que a outra está a fazer tudo mal ou que há pontos de contacto entre si. É um sistema caótico, mas é um grande motor de inovação no mundo e, com o dinheiro dos impostos federais e alguma filantropia, irá continuar a prosperar ... É preciso cometermos mesmo muitos erros para que a nossa riqueza absoluta não cresça. Se formos inteligentes, poderemos incrementá-la mais rapidamente através deste 'ingrediente'."

O *browser* da *Web*, a visualização por ressonância magnética (RM), os computadores super-rápidos, a tecnologia GPS, os dispositivos de exploração espacial e a fibra óptica são apenas algumas das muitas invenções que nasceram de simples projectos de investigação universitária. O BankBoston Economics Department (Departamento de Economia do BankBoston) realizou um estudo intitulado "MIT: O Impacto da Inovação". Uma das suas conclusões foi que os licenciados do MIT (*Massachusetts Institute of Technology* – Instituto Tecnológico de Massachusetts) tinham fundado quatro mil empresas, tendo criado pelo menos 1,1 milhão de postos de trabalho em todo o mundo e gerado um volume de vendas na ordem dos 232 mil milhões de dólares.

O que torna os EUA únicos não é o facto de terem construído o MIT ou de os seus licenciados gerarem crescimento económico e inovação, mas de todos os Estados do país terem universidades que procuram fazer o mesmo. "Os EUA têm quatro mil faculdades e universidades", afirmou Allan E. Goodman, Presidente do Instituto de Educação Internacional. "Os restantes países do mundo em conjunto têm 7 768 instituições de ensino superior. Só no Estado da Califórnia, existem cerca de 130 faculdades e universidades. Existem apenas 14 países no mundo que têm um número superior."

Veja-se o caso de um Estado que não utilizaríamos normalmente como exemplo nessa temática: Oklahoma. Este Estado norte-americano tem o seu próprio *Oklahoma Center for the Advancement of Science and Technology* (OCAST – Centro para o Desenvolvimento da Ciência e Tecnologia), que, no seu *site*, descreve a sua missão da seguinte forma: "A fim de poder competir eficazmente na nova economia, Oklahoma tem de continuar a desenvolver uma população com um nível escolar elevado; uma base tecnológica e uma investigação universitária centrada na colaboração; e um ambiente propício ao desenvolvimento de empresas inovadoras, desde as mais pequenas *start-ups* aos grandes grupos internacionais... [O OCAST promove] centros de tecnologia Universidade-Empresa, que podem abranger várias escolas e empresas, e que resultam no desenvolvimento de muitas empresas novas, de produtos novos e de tecnologia nova." Não admira, por conseguinte, que, em 2003, as universidades norte-americanas tenham arrecadado 1,3 mil milhões de dólares em patentes, segundo a Associação de Gestores de Tecnologia de Universidades.

A par destas máquinas únicas de criação de inovação norte-americanas – as universidades, os laboratórios públicos e privados de investigação e as empresas –, temos os mercados de capitais mais eficientes e bem regulamentados do mundo para pegar em novas ideias e transformá-las em produtos e serviços. Dick Foster, director da McKinsey & Co. e autor de dois livros sobre inovação, realçou:

"Temos uma 'política industrial' nos Estados Unidos – é a chamada bolsa de valores, quer seja a NYSE (Bolsa de Valores de Nova Iorque) ou o Nasdaq." É aqui que o capital de risco é captado e investido em ideias emergentes ou empresas em crescimento, referiu Foster, não havendo noutro país do mundo um mercado de capitais melhor e mais eficiente. O acesso facilitado ao capital de risco para financiar novos produtos e inovações é um facto de enorme importância na capacidade de os EUA aproveitarem ao máximo a plataforma do mundo plano. Porquê? Porque as antigas empresas tradicionais contam-se raramente entre as primeiras a inovar ou a adoptar as próximas grandes descobertas tecnológicas. Quem inventou a rádio não inventou a televisão. A CBS não inventou a CNN. O Lexis/Nexis não inventou o Google. Contudo, a existência de muitos capitalistas e capitais de risco, para arriscar e financiar o próximo Google, CNN ou outra inovação que não tenha sido testada, significa que os indivíduos que querem aproveitar ao máximo a plataforma do mundo plano, que compreendem realmente o seu poder para criar novos produtos, formas de entretenimento e comunidades, o podem fazer.

A mais-valia dos investimentos (de capital) nos Estados Unidos é a segurança e a regulamentação dos seus mercados de capitais, onde os accionistas minoritários são protegidos. É óbvio que existem fraudes, excessos e corrupção nos nossos mercados de capitais. Isso acontece sempre que há muito dinheiro em jogo. O que diferencia os nossos mercados de capitais não é o facto de não existirem 'Enrons' nos EUA – é óbvio que existem. O que os diferencia é que, quando acontecem, são expostos na opinião pública, quer pela Securities and Exchange Commission*, quer pela imprensa especializada, e são punidos. O que torna os EUA um país único não é a Enron, mas sim Eliot Spitzer, o Procurador-geral do Estado de Nova Iorque, que se esforçou insistentemente para limpar a imagem das empresas cotadas, bem como dos conselhos de administração das empresas. Este modelo de mercado de capitais revelou-se muito difícil de reproduzir fora de Nova Iorque, Londres, Frankfurt e Tóquio. Ainda segundo Foster, "a China, a Índia e outros países asiáticos não serão bem sucedidos ao nível da inovação enquanto não tiverem mercados de capitais bem sucedidos; e não terão mercados de capitais bem sucedidos enquanto não tiverem leis que protejam os interesses minoritários em condições de risco... Os norte-americanos são os felizes beneficiários de séculos de experimentação económica e são a experiência que funcionou."

Embora estes sejam os principais segredos do "molho" norte-americano, existem outros que devem ser preservados e estimulados. Por vezes, é preciso falar com pessoas de fora para lhes dar valor, como Vivek Paul, natural da Índia e *President* da Wipro até Junho de 2005. "Acrescentaria mais três à sua lista", disse-me. "Um é a abertura total da sociedade norte-americana." Os norte-americanos esquecem-se

---

* **N.T.** Órgão regulador dos mercados de capitais nos EUA.

muitas vezes de quão incrivelmente aberta é a sociedade nos Estados Unidos, onde se pode dizer tudo, fazer tudo, ir à falência e começar tudo novamente. Não existe lugar igual no mundo inteiro e a sua abertura é um grande activo e motivo de atracção para os estrangeiros, muitos dos quais provêm de países onde o céu não é o limite.

Outro dos segredos, afirma Paul, é a "qualidade das leis de propriedade intelectual nos Estados Unidos", que estimula e motiva as pessoas a apresentar novas ideias. Num mundo plano, existe um grande incentivo ao desenvolvimento de um novo produto ou processo, porque pode atingir uma escala global num instante. Mas se for a pessoa que tem essa nova ideia, vai querer que a sua propriedade intelectual esteja protegida. "Não há país que respeite e proteja melhor a propriedade intelectual do que os EUA", afirmou Paul, sendo por isso que muitos inovadores querem ir para os Estados Unidos para trabalhar e alojar a sua propriedade intelectual.

Os Estados Unidos são igualmente o país com as leis de trabalho mais flexíveis do mundo. Quanto mais fácil é despedir um trabalhador num sector moribundo, mais fácil é contratar um trabalhador num sector em crescimento, que ninguém sabia que existia cinco anos antes. Este é um grande activo, nomeadamente quando se compara a realidade norte-americana com os mercados de trabalho inflexíveis e excessivamente regulamentados, como o mercado alemão, repleto de restrições governamentais para contratar e despedir trabalhadores. Num mundo plano, a flexibilidade é essencial para canalizar rapidamente a mão-de-obra e o capital para as maiores oportunidades, e para ter a capacidade de os redireccionar se as oportunidades anteriores deixarem de ser lucrativas.

Outro dos segredos do "molho" norte-americano é o facto de possuir o maior mercado de consumo interno do mundo, para além de ser o mercado onde mais se adoptam inovações, o que significa que, se estiver a lançar um novo produto, tecnologia ou serviço, precisa de garantir a sua presença nos Estados Unidos. Tudo isto significa um fluxo constante de empregos para os norte-americanos.

Há também o atributo, pouco debatido, da estabilidade política norte-americana. É um facto que a China tem registado um grande desenvolvimento ao longo dos últimos 25 anos e que poderá fazer a transição do sistema comunista para um mais pluralista, sem grandes convulsões. Mas também pode acontecer o inverso. Quem gostaria de arriscar tudo nestas condições?

Se quisermos resumir o efeito líquido de todas estas instituições, normas culturais, práticas empresariais e sistemas jurídicos, podemos reduzi-lo a uma só palavra: confiança. Criam e inspiram um elevado nível de confiança – e um elevado nível de confiança é a característica mais importante que uma sociedade aberta pode possuir. Em muitos aspectos, a confiança é o produto de todos os ingredientes do "molho" secreto dos EUA.

"Somos um país com um elevado nível de confiança, porque concordamos que seremos governados por um conjunto de valores e princípios que são o reflexo das nossas instituições e leis – que são superiores e mais duradouras do que qualquer indivíduo", afirmou Dov Seidman, o fundador da LRN, a empresa que fornece aconselhamento ao nível da ética e da administração a empresas globais, um tema que irei abordar em pormenor no Capítulo 11. Em conjunto, estas normas e instituições criam previsibilidade e esperança, e isso cria confiança – a confiança de que as minhas inovações serão protegidas, a confiança na minha moeda e a confiança no meu sistema judicial. E todos estes factores, segundo Seidman, impulsionam a inovação.

Porquê? Porque numa sociedade com elevados índices de confiança, como é o caso da norte-americana, as pessoas sabem com o que podem contar em qualquer momento e podem confiar numa estrutura de regras e princípios para governar as suas vidas pessoais e empresariais. "Se saltar em cima de areia e outra pessoa saltar em cima de um piso firme", pergunta Seidman, "quem salta mais alto? É óbvio que é a pessoa que salta em cima de um piso firme. A confiança é esse piso firme. É o que proporciona a previsibilidade que nos permite dar um grande salto... Sem confiança, é impossível correr riscos e, sem correr riscos, é impossível criar inovações... Se quisermos que um número maior de pessoas corra os riscos necessários para inovar, basta-nos introduzir mais confiança." Nenhuma sociedade com baixos índices de confiança irá produzir inovação sustentada.

Num mundo plano, onde se observa um aumento do valor criado e das soluções para os problemas complexos, aos quais se liga de forma horizontal, a existência de uma sociedade com elevados níveis de confiança é uma vantagem acrescida. "A abundância de confiança é um factor crucial num mundo de colaboração", acrescentou Seidman, "porque quanto mais as pessoas confiarem umas nas outras, ou nos seus líderes, maiores serão as probabilidades de trabalharem bem em conjunto."

Os Estados Unidos tornaram-se, de facto, um dos grandes pontos de encontro do mundo, um local onde muitas pessoas diferentes estabelecem contactos, aprendem a confiar umas nas outras e constroem inúmeras amizades e alianças horizontais. Um aluno indiano que estude na Universidade de Oklahoma e que obtenha o seu primeiro emprego numa empresa de *software* na cidade de Oklahoma gera laços de confiança e compreensão muito importantes para uma possível colaboração futura, mesmo que regresse à Índia. O melhor exemplo deste argumento é o *outsourcing* de investigação da Universidade de Yale para a China. O reitor de Yale, Richard C. Levin, explicou-me que a universidade detinha actualmente duas grandes operações de investigação na China, uma na Universidade de Pequim e outra na Universidade de Fudan em Xangai. "A maioria destas colaborações institucionais não nascem de directivas *top-down* dos administradores das universidades, mas de relações pessoais de longa data entre investigadores e cientistas", salientou Levin.

Como surgiu a colaboração Yale-Fudan? Em primeiro lugar, referiu Levin, Tian Xu, professor de Yale e director deste projecto, tinha raízes profundas em ambas as instituições. Licenciou-se em Fudan e doutorou-se em Yale. "Cinco dos colaboradores do Professor Xu, que estão hoje a leccionar em Fudan, foram igualmente formados em Yale", explicou Levin. Um deles era amigo do Professor Xu, quando ambos estavam em Yale; outro era um investigador visitante no laboratório de um colega de Yale; outro ainda era um aluno de um programa de intercâmbio que veio de Fudan para Yale e regressou à China para concluir o seu doutoramento; e os dois últimos eram professores que realizavam um trabalho pós-doutoramento no laboratório do Professor Xu, em Yale. Uma história semelhante está na origem da formação do Centro Conjunto de Pequim-Yale, que se dedica à Genética Molecular das Plantas e à Agrobiotecnologia.

O Professor Xu é um especialista de renome em genética e obteve bolsas do National Institutes of Health e da Fundação Howard Hughes para estudar a ligação entre a genética e o cancro e algumas doenças neurodegenerativas. Este tipo de pesquisa requer o estudo de um grande número de mutações genéticas em animais no laboratório. "Quando se pretende testar muitos genes e identificar um determinado gene que possa ser responsável por algumas doenças, é preciso efectuar muitos testes. Por conseguinte, uma das grandes vantagens é ter uma equipa numerosa", explicou Levin. Em suma, Yale limitou-se a subcontratar o trabalho de laboratório a Fudan, através da criação do Centro de Pesquisa Biomédica de Fudan-Yale. No entanto, o dinheiro não muda de mãos, pois cada universidade paga o seu próprio pessoal e o seu trabalho de investigação. O lado chinês executa o trabalho técnico de base, que consiste na utilização de muitos técnicos e de animais de laboratório, que têm um custo muito inferior na China, enquanto Yale realiza a análise mais sofisticada dos dados. O pessoal, os alunos e os técnicos de Fudan beneficiam de um contacto privilegiado com investigação de ponta, enquanto Yale beneficia de vastas condições de pesquisa, que teriam um preço proibitivo se tentasse replicá-las em New Haven. Um laboratório de apoio nos Estados Unidos para um projecto deste tipo teria aproximadamente 30 técnicos, ao passo que o de Fudan tem 150.

"Os ganhos são claramente recíprocos", afirma Levin. "Os nossos investigadores beneficiam do grande aumento da produtividade, enquanto os chineses obtêm formação para os seus licenciados e os seus jovens professores passam a colaborar com os nossos professores, que são líderes nas suas áreas. Em suma, cria capital humano para a China e inovação para Yale." Licenciados de ambas as universidades viajam entre os dois países, gerando relacionamentos que, no futuro, irão sem dúvida produzir mais colaborações. Ao mesmo tempo, acrescenta, o aspecto legal não foi descurado nesta colaboração, no sentido de garantir que Yale pudesse colher os frutos da propriedade intelectual criada.

"Estamos na presença de um mundo de ciência", afirma Levin, "e este tipo de divisão internacional do trabalho faz todo o sentido." Além disso, referiu Levin, Yale insistiu para que as condições de trabalho nos laboratórios chineses fossem de classe mundial, tendo assim ajudado a melhorar a qualidade das instalações chinesas.

"As condições de vida dos animais no laboratório estão de acordo com os padrões norte-americanos", realçou Levin. "Não se trata de locais de exploração animal."

Se juntarmos todos os ingredientes acima referidos, teremos o "molho" secreto dos EUA – um misto de instituições, leis e normas culturais que produzem um grau de confiança, inovação e colaboração, que nos tem permitido renovar constantemente a nossa economia e elevar os nossos padrões de vida. Não há nada no mundo plano – mesmo nada – com que os norte-americanos não possam lidar, desde que arregacem as mangas, garantam aos seus jovens a educação adequada a estes tempos e continuem a dar atenção e a enriquecer os segredos do "molho". Será isso que estão a fazer? Esse é o tema dos dois próximos capítulos. Mas, deixem-me dar-vos uma dica: a resposta é não.

Capítulo VIII

A Crise Silenciosa

Nos Jogos Olímpicos anteriores, raramente os norte-americanos disputaram jogos renhidos, mas agora parece que começa a ser algo a que têm de se habituar.

– Artigo da AP, de 17 de Agosto de 2004, sobre os J.O. de Atenas, intitulado "U.S. Men's Basketball Team Narrowly Beats Greece" ("Equipa masculina de basquetebol dos EUA vence a Grécia à justa")

A pena que os chineses sentem por nós deve-se à crença de que somos um país em declínio. Mais do que uns quantos amigos chineses já me citaram o provérbio *fu bu guo san dai* (a riqueza não passa da terceira geração) quando se interrogam como nos tornámos tão indisciplinados, distraídos e dissolutos. A fúria em torno do Mónica[Lewinsky]-gate pareceu uma enorme perda de tempo a uma nação a cujos imperadores eram oferecidas milhares de concubinas. Os chineses estão também estupefactos por os norte-americanos permitirem afundar-se em dívidas e que haja um subfinanciamento das escolas públicas, enquanto os *media* se concentram em disputas sobre tubos de alimentação, evocações dos Dez Mandamentos e como comer o mais possível sem se ficar gordo.

– James McGregor, um jornalista que se tornou empresário na China, antigo Presidente da Câmara do Comércio Americana na China, num artigo do The Washington Post *de 31 de Julho de 2005*

Não é possível encontrar melhor metáfora para a forma como o resto do mundo está apto a competir com os EUA, do que as dificuldades enfrentadas pela equipa olímpica norte-americana de basquetebol em 2004. Constituída por estrelas da NBA*, a *dream team*** regressou a casa com uma medalha de bronze, depois de ter perdido com Porto Rico, Lituânia e Argentina. Em toda a história dos Jogos Olímpicos modernos, a equipa norte-americana de basquetebol apenas tinha sido derrotada num jogo. Recorda-se do tempo em que os Estados Unidos enviavam apenas estrelas da NCAA*** para os eventos olímpicos de basquetebol?

---

* **N.T.** Liga Norte-Americana de basquetebol profissional.

** **N.T.** Nome por que é conhecida, que significa "equipa de sonho".

*** **N.T.** Principal entidade responsável pelos desportos universitários.

Durante anos estas equipas dominaram completamente todos os seus adversários. Depois começaram a ser desafiadas. Começaram, então, a enviar os jogadores profissionais para as competições. E estes também começaram a ser desafiados. Uma vez que o mundo continua a aprender, a difusão do conhecimento acontece mais rapidamente; os treinadores de outros países podem agora descarregar da Internet os métodos de treino dos norte-americanos e assistir aos jogos da NBA nas suas próprias salas de estar, através da televisão por satélite. Muitos têm acesso ao ESPN*. Por outro lado, graças à tripla convergência, existem muitos talentos provenientes do mundo inteiro que entram no mundo da NBA – entre estes estão muitas novas estrelas da China, da América Latina e da Europa de Leste. Depois voltam a casa e participam nos Jogos Olímpicos com a camisola dos seus países, aplicando as técnicas que aprenderam nos EUA. Assim, a automática superioridade norte-americana de há 20 anos já não existe no basquetebol olímpico. O nível da NBA está a tornar-se uma "mercadoria" global – puro "gelado de baunilha". Se os Estados Unidos querem continuar a dominar o basquetebol olímpico, têm de subir a fasquia nos grandes desportos *cliché*. O antigo modelo já não funciona. Conforme me disse Joel Cawley, da IBM, "se avaliarmos estrela a estrela, as equipas de basquetebol de países como a Lituânia ou Porto Rico ainda não estão ao nível dos norte-americanos, mas quando essas estrelas jogam em equipa – quando *colaboram* melhor do que os norte-americanos – tornam-se extremamente competitivas".

John Feinstein, autor de livros sobre desporto, poderia estar a referir-se às competências dos norte-americanos tanto a nível da engenharia como do basquetebol quando escreveu, num ensaio da AOL (publicado a 26 de Agosto de 2004) sobre o basquetebol olímpico. Segundo ele, o desempenho da equipa norte-americana é o resultado da "elevação do jogador internacional" e do "declínio e queda do jogo norte-americano". E o declínio e queda do jogo norte-americano, argumentou Feinstein, resulta de duas tendências de longo prazo. A primeira é um declínio acelerado "nas competências do basquetebol", uma vez que os miúdos norte-americanos só querem encestar por detrás da linha de três pontos ou afundar a bola no cesto do adversário (o tipo de operação que é alvo de destaque no *Sports Center* do ESPN), em vez de aprenderem a fazer passes precisos, a ir à linha e tentar encestar por meio de um salto, ou a passar por entre jogadores altos para chegar à tabela. A aprendizagem destas competências técnicas exige muito trabalho árduo e orientação por parte dos treinadores. Actualmente, disse Feinstein, temos uma geração de norte-americanos que aposta quase exclusivamente no atletismo e praticamente nada nas técnicas de basquetebol. Existe também o horrível dilema da ambição. Enquanto o resto do mundo se empenhava em melhorar a sua

---

* **N.T.** O ESPN Classic Sport é o canal de desporto totalmente dedicado aos grandes momentos desportivos 24 horas por dia, sete dias por semana.

qualidade no basquetebol, "cada vez mais jogadores da NBA desvalorizavam a participação nos Jogos Olímpicos", salientou Feinstein. "Percorremos um longo caminho desde 1984, quando Bob Knight disse a Charles Barkley para aparecer na segunda sessão de treino olímpico com 120 quilos. Quando apareceu, Barkley pesava 127 quilos. Knight pô-lo de parte, nesse dia. No mundo de hoje, o treinador olímpico nem sequer teria confirmado o peso de Barkley. Teria enviado uma limusina ao aeroporto para o ir buscar e parado no Dunkin' Donuts no percurso até ao hotel, caso o jogador assim o quisesse... O mundo muda. No caso do basquetebol americano, não mudou para melhor."

Há um aspecto bem característico dos EUA pós-Segunda Guerra Mundial que me faz lembrar a clássica família abastada que, quando chega à terceira geração, começa a esbanjar a fortuna amealhada pelas duas gerações anteriores. Os membros da primeira geração são inovadores e empreendedores, que trabalharam arduamente; a segunda geração mantém tudo o que foi ganho; a seguir vêm os filhos, que vão ficando gordos, patetas e preguiçosos, e que aos poucos vão esbanjando todo o dinheiro. Sei que estas são palavras excessivamente duras e que estou a generalizar, mas existe alguma verdade nelas. A sociedade norte-americana começou a entrar em ponto morto nos anos 90, quando a terceira geração do pós-guerra atingiu a idade adulta. O *boom* das *dot-com* deixou em muitas pessoas a impressão de que podiam enriquecer sem trabalhar arduamente. Bastava ter um MBA e proceder a uma rápida IPO*, ou ter um contrato com a NBA, para resolver a vida. Quem precisava de educação? Quem precisava de suar para tirar um curso de Engenharia? Mas enquanto admirávamos o mundo plano que estávamos a criar, muitas pessoas na Índia, na China e na Europa de Leste tentavam descobrir uma forma de tirar proveito dele. Os Estados Unidos foram a única economia a ficar de pé a seguir à Segunda Guerra Mundial, sem enfrentar concorrência séria durante 40 anos. Este facto deu um grande avanço ao país mas também foi desenvolvendo um forte sentido de posse e uma cultura de complacência. Ou seja, uma tendência, que se acentuou nos últimos anos, para enaltecer o consumo em detrimento de trabalho árduo e do investimento, a gratificação imediata em detrimento de planeamento a longo prazo e sacrifício. Quando os EUA foram atingidos, em "11/9"**, essa teria sido uma oportunidade "única-numa-geração" para apelar à nação no sentido de fazer alguns sacrifícios, para resolver algumas das suas incapacidades prementes a nível fiscal e energético, a nível da ciência e educação. Mas o Presidente George W. Bush não pediu aos norte-americanos para fazerem sacrifícios. Pediu que fossem às compras.

Nos capítulos anteriores, tentei explicar por que é que tanto a teoria económica clássica como a inerente solidez da economia norte-americana me deixaram con-

---

* **N.T.** Oferta inicial em bolsa.

** **N.T.** 11 de Setembro.

vencido de que os norte-americanos podem prosperar e agarrar os empregos do novo escalão médio das competências profissionais – desde que estejamos preparados para competir, para levar cada indivíduo a pensar na melhor forma de desenvolver as suas competências académicas e para continuar a investir nos segredos do "molho" norte-americano. Nos capítulos anteriores abordei o que se deve e pode fazer. Este capítulo aborda o porquê de não o estarmos a fazer e o que acontecerá se não mudarmos de rumo.

A verdade é que os EUA estão actualmente em crise, mas é uma crise que se está a desenrolar de forma muito silenciosa. Somos um pouco como quem está a dormir num colchão de ar e o ar está a sair lentamente – tão lentamente que mal o sentimos, até ao momento em que batemos com a cabeça no chão. Nessa altura, é muito difícil voltar a encher o colchão. É "uma crise silenciosa", explicou, em 2004, Shirley Ann Jackson, *President* da *American Association for the Advancement of Science** e Directora do Instituto Politécnico Rensselaer desde 1999. (Rensselaer foi a primeira escola de Ciências e Engenharia Civil dos EUA, tendo sido fundada em 1824). Esta crise silenciosa envolve a erosão permanente da base científica e de engenharia dos EUA, que desde há muito tem sido a fonte da inovação norte-americana e a responsável pela melhoria do seu nível de vida.

"O céu não está a cair-nos em cima, nada de horrível está para acontecer hoje", disse Shirley Jackson, física de formação, que escolhe cuidadosamente as suas palavras. "Os EUA ainda são o principal motor mundial da inovação. Têm os melhores programas universitários, a melhor infra-estrutura científica e os mercados de capitais para os explorar. Mas está a acontecer uma crise silenciosa nas áreas da ciência e da tecnologia e os EUA têm de acordar para ela. Os Estados Unidos estão inseridos num ambiente global e os países concorrentes não só têm os olhos bem abertos como também estão a correr a maratona. Em contrapartida, os EUA andam a fazer *sprints* (corridas de velocidade). Se não se mexerem, esta situação pode desafiar a sua preeminência e capacidade para inovar."

Shirley Ann Jackson sabe do que fala. A sua carreira exemplifica – tal como a de muitas outras pessoas – a razão pela qual os EUA prosperaram tanto nos últimos 15 anos e a razão pela qual não irão automaticamente fazer o mesmo nos próximos 15. Shirley Jackson é uma afro-americana nascida em Washington, D.C., em 1946. Fez o pré-escolar numa escola pública segregada, mas foi uma das primeiras estudantes de escolas públicas a beneficiar da dessegregação, em resultado de uma decisão do Supremo Tribunal no caso *Brown versus Board of Education*. Na altura exacta em que ela teve oportunidade de ir para uma escola melhor, os russos lançaram o Sputnik, em 1957, e o governo norte-americano ficou obcecado com a ideia de educar os jovens no sentido de se tornarem cientistas e engenheiros,

---

* **N.T.** Associação Americana para o Progresso da Ciência.

uma tendência que foi intensificada com o empenho de John F. Kennedy num programa espacial tripulado. Quando Kennedy falou em levar o homem à lua, Shirley Ann Jackson foi uma entre os milhões de jovens norte-americanos que o ouviram. As suas palavras, recorda-se ela, "inspiraram, ajudaram e lançaram muitos jovens da minha geração nas áreas da Ciência, Engenharia e Matemática" e os progressos e invenções que daí decorreram foram muito além do programa espacial. "A corrida ao espaço foi realmente uma corrida à ciência", enfatizou ela.

Em parte devido à dessegregação, tanto a vocação como o intelecto de Shirley Jackson foram rapidamente reconhecidos e ela acabou por se tornar na primeira afro-americana a obter um mestrado em Física no MIT (o tema da sua tese foi a física das partículas elementares). A partir daí, passou muitos anos a trabalhar na AT&T Bell Laboratories e, em 1995, foi nomeada pelo Presidente Clinton para presidir à Comissão Nuclear Reguladora dos EUA.

No entanto, com o passar do tempo, Shirley Jackson começou a perceber que os jovens norte-americanos estavam a diminuir o interesse pelos desafios nacionais, como a corrida à lua, e pelas áreas da Matemática, Ciência e Engenharia. Nas universidades, salientou ela, a inscrição de licenciados em programas de Ciências e Engenharia – que crescera durante décadas – começou a diminuir em 1993 e, apesar de alguns progressos recentes, continua ainda abaixo do nível de há uma década. As fornadas de especialistas em Ciências e Engenharia que se sucederam à geração de Shirley Jackson diminuíram consideravelmente face às necessidades do país. Quando ela aceitou o cargo de Directora do Instituto Politécnico Rensselaer, com o intuito de se empenhar de alma e coração no revigorar das Ciências e da Engenharia dos EUA, compreendeu que se estava a formar uma "tempestade perfeita" – que constituía um perigo real, no longo prazo, para a saúde económica dos EUA – e começou a alertar para esse facto.

"A expressão 'a tempestade perfeita' está associada a eventos meteorológicos registados em Outubro de 1991", disse Shirley Jackson num discurso feito em Maio de 2004, quando "um poderoso sistema climatérico ganhou força, abatendo-se sobre o oceano Atlântico durante vários dias, e causando a morte a vários pescadores de Massachusetts e prejuízos no valor de milhares de milhões de dólares. Os meteorologistas enfatizaram a improvável confluência de condições que convergiram para dar origem a um acontecimento de magnitude devastadora. Uma situação semelhante no pior dos cenários poderia travar o progresso da nossa capacidade científica e tecnológica nacional. As forças que entram em acção são múltiplas e complexas. São demográficas, políticas, económicas, culturais e até sociais". No fundo, esta tempestade envolve o conflito de uma geração mais antiga de engenheiros e cientistas norte-americanos, que se estão a reformar, ao mesmo tempo que uma geração mais nova não os substitui em número suficiente – e ao mesmo tempo que os estrangeiros, que costumavam fazer a diferença, estão a ficar nos seus países de origem ou são mantidos à margem dos Estados Unidos por razões de segurança. Individualmente, cada uma destas forças seria problemática, acrescentou Shirley Jackson. Conjugadas, poderiam ser devastadoras. "Pela primeira vez em mais de um século, os Estados Unidos podem perfeitamente dar por si a ficar atrás de outros países ao nível da sua capacidade para fazer novas descobertas científicas, promover a inovação e o desenvolvimento económico."

Embora o conhecimento tenha sido sempre um aspecto importante, hoje em dia a sua importância é maior do que nunca. Nas palavras do economista Jeffrey Sachs, até ao início da revolução científica no século XVII, praticamente todos os indivíduos do planeta viviam no limiar da subsistência. Mas após três séculos de avanços tecnológicos e científicos, a subsistência deixou de ser a norma. A energia do vapor, as ferramentas mecânicas, a electricidade e, mais recentemente, os computadores e a Internet permitiram que os indivíduos se tornassem bastante mais produtivos. Actualmente, a Era Industrial e a Era da Informação estão a dar lugar à Era do Talento. As forças que tornaram o mundo plano levaram as ferramentas da Era Industrial e da Era da Informação a mais pessoas e a mais locais do que alguma vez acontecera. Na medida em que estas ferramentas se transformaram em mercadorias, amplamente disseminadas pelo mundo inteiro, o estratega empresarial John Hagel III realçou que "o único limiar sustentável" das empresas e dos países é o talento e o empreendedorismo distintivo das suas forças laborais. A economia pode sempre ser uma situação *win-win* (em que ambas as partes ganham). No entanto, aqueles que mais vão ganhar no presente, acrescentou Hagel, serão os que conseguirem atrair melhor e mais rapidamente o talento.

É por isso que insisto que a riqueza na era do mundo plano será cada vez mais canalizada para os países que conseguirem acertar em três aspectos essenciais: a infra-estrutura para se ligar o mais eficiente e rapidamente possível à plataforma do mundo plano, os programas escolares adequados e as competências certas para permitir que um número crescente dos seus cidadãos inove e execute trabalho de valor acrescentado nesta plataforma, e, por fim, a governação certa – isto é, as políticas fiscais correctas, as leis de investimento e comércio correctas, o apoio correcto à investigação, as leis correctas ao nível da propriedade intelectual e, principalmente, a liderança inspirativa correcta – para aumentar e gerir o fluxo com o mundo plano.

Infelizmente, os Estados Unidos registam o desenvolvimento de falhas graves em todas estas áreas. Nos anos da Guerra Fria, uma das maiores preocupações da sociedade norte-americana era a suposta disparidade a nível da posse de mísseis entre os EUA e a União Soviética, o que constituía uma ameaça externa aos Estados Unidos. Hoje, deveríamos preocupar-nos com a disparidade existente na nossa educação, infra-estruturas e ambições, que poderão vir a constituir uma ameaça interna. Estas disparidades são os nossos pequenos segredos sujos. Se continuarmos a ignorá-los, esta crise deixará de ser silenciosa, afirmou Shirley Jackson, "será o caso sério."

O pequeno segredo sujo número 1
A disparidade nos números

O pequeno segredo sujo número um prende-se com o facto de a geração de cientistas e engenheiros, que se sentiram motivados a seguir a via científica devido à ameaça do Sputnik, em 1957, e à inspiração de JFK, estar a atingir a idade de reforma e não ter sido substituída na proporção correcta, para que uma economia avançada como a dos Estados Unidos continuasse na linha da frente. De acordo com a *National Science Foundation* (Fundação Norte-americana para a Ciência), metade dos cientistas e engenheiros norte-americanos tem 40 anos ou mais e a média etária está a aumentar de forma constante.

Tomemos um exemplo – o da NASA*. Uma análise aos registos da NASA, realizada pelo jornal *Florida Today* (7 de Março de 2004), que faz a cobertura do Centro Espacial Kennedy, mostrou o seguinte: quase 40 por cento das 18 146 pessoas que trabalham na NASA têm idade superior ou igual a 50 anos. Os que têm 20 anos de serviço no governo podem pedir reforma antecipada. Vinte e dois por cento dos trabalhadores da NASA têm 55 anos ou mais. Os que têm mais de 60 anos ultrapassam em número os que têm menos de 30, à razão de três para um. Apenas quatro por cento dos trabalhadores da NASA têm menos de 30 anos.

Um estudo do Gabinete de Contabilidade do governo, realizado em 2003, concluiu que a NASA estava a ter dificuldade em contratar pessoas com competências em Ciência, Engenharia e Tecnologias da Informação, áreas do conhecimento extremamente importantes para as suas operações. Muitos dos empregos da Agência estão reservados unicamente a cidadãos norte-americanos, porque se trata de matéria de segurança nacional. O então Administrador da NASA, Sean O'Keefe, testemunhou perante o Congresso em 2002: "A nossa missão de compreensão e protecção do planeta em que vivemos e de exploração do universo e procura de vida extraterrestre não será levada a cabo se não tivermos pessoas para isso." A Comissão Nacional norte-americana para o Ensino de Matemática e Ciências no Século XXI, presidida pelo antigo astronauta e senador John Glenn, concluiu que em 2010 dois terços dos professores de Matemática e Ciências dos EUA terão atingido a idade da reforma.

Tradicionalmente, os Estados Unidos têm colmatado a escassez de professores de Engenharia e Ciências educando mais em casa e importando mais do estrangeiro. Estes expedientes estão, no entanto, a deixar de funcionar.

De dois em dois anos, o *National Service Board* (NSB)** supervisiona a recolha de um vasto conjunto de dados sobre tendências na área das ciências e tecnologia

---

* **N.T.** Agência espacial norte-americana.
** **N.T.** Academia Nacional de Ciências.

nos Estados Unidos, que são publicados como *Indicadores de Ciência e Engenharia*. Aquando da preparação dos *Indicadores* de 2004, o NSB anunciou: "Observámos um preocupante declínio no número de cidadãos norte-americanos que estão a formar-se para se tornarem cientistas e engenheiros, enquanto o número de empregos que exigem formação em Ciências e Engenharia continua a crescer."

Estas tendências ameaçam o bem-estar económico e a segurança do país, referiu o NSB, acrescentando que se as tendências identificadas nos *Indicadores* de 2004 não forem travadas, acontecerão três coisas: "O número de empregos da economia norte-americana que exige formação em Ciências e Engenharia irá aumentar; o número de cidadãos norte-americanos preparados para estas funções irá, quanto muito, estar equiparado às necessidades; e a disponibilidade de pessoas de outros países que têm formação em Ciências e Engenharia irá diminuir, quer devido aos entraves à entrada no país colocados pelas restrições norte-americanas de segurança, quer devido à intensa concorrência global por pessoas que oferecem essas competências."

O relatório do NSB concluiu que o número de norte-americanos entre os 18 e os 24 anos que obtém licenciatura em Ciências desceu para a 70ª posição a nível mundial, quando ainda há três décadas se posicionava no 3º lugar do *ranking*. O mesmo documento referiu que, dos 2,8 milhões de bacharelatos em Ciências e Engenharia atribuídos a nível mundial em 2003, 1,2 milhões tinham sido obtidos por estudantes asiáticos em universidades asiáticas, 830 mil foram atribuídos na Europa e 400 mil nos Estados Unidos. Na área específica de Engenharia, as universidades dos países asiáticos atribuem oito vezes mais bacharelatos do que os EUA.

Além disso, "a ênfase proporcional dada às Ciências e Engenharia é maior noutras nações", salientou Shirley Ann Jackson. Os diplomas de Ciências e Engenharia representam actualmente 60 por cento de todos os bacharelatos obtidos na China, 33 por cento na Coreia do Sul e 41 por cento em Taiwan – e cerca de 31 por cento nos EUA. Os Estados Unidos dependeram sempre da capacidade inventiva do seu povo para competirem no mercado mundial, referiu o NSB. "A preparação de profissionais na área de Ciências e Engenharia é vital para a competitividade do país. No entanto, mesmo que viessem a ser tomadas medidas com vista a alterar esta tendência, os seus resultados só seriam visíveis entre uma a duas décadas." Os estudantes que, em 2004, entraram no mercado de trabalho das Ciências e da Engenharia com graus académicos avançados, decidiram tirar os cursos de Matemática necessários para acesso a esta carreira profissional quando andavam na escola preparatória, há 14 anos, salientou o NSB. Os estudantes que estão na preparatória e tomam hoje essa decisão só concluirão os seus estudos avançados para funções em Ciências e Engenharia entre 2018 e 2020. "Se não tomarmos medidas imediatas para modificar estas tendências, podemos chegar ao ano 2020 e descobrir que a capacidade das instituições norte-americanas de investigação e ensino para se regenerarem se deteriorou e que a sua preeminência se perdeu em proveito de outras regiões do mundo."

Estas carências não poderiam acontecer em pior altura – exactamente agora quando o mundo se está a tornar plano. "O número de empregos que exigem competências em Ciências e Engenharia no mercado de trabalho norte-americano está a crescer quase cinco por cento ao ano. Em comparação, o restante mercado de trabalho está a crescer apenas pouco mais de um por cento. Antes do 11 de Setembro de 2001, o *Bureau of Labor Statistics* (BLS – Gabinete de Estatísticas do Trabalho dos EUA) previa que as ocupações em Ciências e Engenharia aumentariam à razão de três vezes a taxa da ocupação total", referiu o NSB. Infelizmente, a média de idades dos profissionais na área das Ciências e Engenharia está a aumentar, acrescentou o mesmo NSB.

"Muitos dos que entraram no mercado de trabalho em expansão das Ciências e Engenharia, nos anos 60 e 70 (geração *baby boom*), deverão reformar-se ao longo dos próximos 20 anos e os seus filhos não estão a escolher carreiras de Ciências e Engenharia na mesma proporção numérica", confirmou o relatório do NSB. "A percentagem de mulheres, por exemplo, que escolhe carreiras nas áreas da Matemática e das Ciências Computacionais diminuiu quatro pontos percentuais entre 1993 e 1999." Os indicadores NSB de 2002 mostraram que o número de doutoramentos em Ciências e Engenharia obtidos nos EUA desceram de 29 mil em 1998 para 27 mil em 1999. O número total de estudantes universitários de Engenharia nos EUA caiu cerca de 12 por cento entre meados dos anos 80 e 1998.

Apesar destes indicadores, nos EUA o número dos que trabalham em Ciências e Engenharia cresceu a um ritmo bastante mais acelerado do que a produção de diplomas nesses ramos do saber, devido à imigração de um grande número de licenciados em Ciências e Engenharia. A proporção de estudantes e de profissionais destas duas áreas, nascidos no estrangeiro, continuou a aumentar de forma constante na década de 90.

Segundo o NSB, os nascidos fora dos Estados Unidos detinham 14 por cento de todas as ocupações nas áreas de Ciências e Engenharia em 1990. Entre 1990 e 2000, a proporção de pessoas com naturalidade estrangeira, detentoras de bacharelatos, a desempenharem funções naquelas áreas, subiu de 11 para 17 por cento; a proporção de pessoas com naturalidade estrangeira, detentoras de mestrados, passou de 19 para 29 por cento; e a proporção de pessoas com naturalidade estrangeira e doutoramento, com empregos nas áreas de Ciências e Engenharia, aumentou de 24 para 38 por cento. Ao atraírem cientistas e engenheiros nascidos e formados noutros países, os EUA mantiveram o crescimento de profissionais nestas áreas, sem que houvesse um aumento proporcionado no apoio aos custos de longo prazo para formar e atrair para elas cidadãos dos EUA nascidos em território norte-americano.

Porém, o facto de o mundo se tornar simultaneamente plano e interligado deu aos estrangeiros a possibilidade de inovar sem terem de emigrar. Eles conseguem agora desempenhar tarefas de classe mundial para empresas de classe mundial, com salários bastante confortáveis, nos seus países. Conforme Allan E. Goodman, Presidente do *Institute of International Education* (Instituto de Educação Internacional), disse: "Quando o mundo era redondo, eles não podiam regressar a casa, porque lá não tinham laboratórios nem Internet. Hoje em dia, todas estas ferramentas estão disponíveis, razão pela qual não há impedimento ao seu regresso. A opinião é geralmente unânime: 'Se consigo viver mais confortavelmente em casa do que na cidade de Nova Iorque e posso fazer um bom trabalho, por que razão não havia de regressar'?" Esta tendência começou ainda antes das preocupações com a emissão de vistos, resultantes do 11 de Setembro, afirmou Goodman. "O ganho de cérebros* passou a escoamento de cérebros** por volta do ano 2000."

Como salienta o estudo do NSB, "desde a década de 80 que outros países vêm a incrementar o investimento no ensino de Ciências e Engenharia, bem como o mercado de trabalho nessas áreas, a ritmos mais elevados do que os Estados Unidos. Entre 1993 e 1997, os países da OCDE [Organização para a Cooperação e Desenvolvimento Económico, um grupo de 40 nações com economias de mercado altamente desenvolvidas] aumentaram em 23 por cento o seu número de empregos na área da investigação em Ciências e Engenharia, o que corresponde a mais do dobro do aumento de 11 por cento verificado nos Estados Unidos no mesmo segmento".

Além disso, referiu ainda o estudo, o processo de emissão de vistos para estudantes e trabalhadores da área das Ciências e Engenharia tem sido mais lento desde os acontecimentos do 11 de Setembro, devido às maiores restrições em matéria de segurança, mas também devido a uma diminuição das candidaturas. O Departamento de Estado norte-americano emitiu menos 20 por cento de vistos para estudantes estrangeiros em 2001 do que em 2000. Este ritmo diminuiu ainda mais nos anos seguintes.

Embora os reitores de algumas universidades me tenham dito, em 2004, que a situação estava a melhorar e que o Departamento de Segurança Interna estava a tentar acelerar e simplificar os seus procedimentos para a emissão de vistos para estudantes e cientistas estrangeiros, já se tinha verificado uma enorme deterioração e a situação dos estudantes e cientistas estrangeiros que pretendam trabalhar em quaisquer áreas vistas como tendo implicações ao nível da segurança nacional está a tornar-se num grande problema. Não admira que Sam Dillon, colunista do *New York Times* versado na área da educação, tenha escrito, em 21 de Dezembro de 2004, que "as candidaturas de estrangeiros a escolas norte-americanas desceram 28 por cento este ano. A actual inscrição de estudantes estrangeiros para tirar cursos superiores nos EUA diminuiu seis por cento. As inscrições de todos os estudantes estrangeiros, em programas ao nível do ensino secundário, universitário

---

* **N.T.** *Brain gain.*

** **N.T.** *Drain Brain.*

e de pós-doutoramento, desceram pela primeira vez em três décadas, segundo um censo anual publicado este Outono. Paralelamente, tem crescido o número de inscrições para universidades inglesas e alemãs, entre outras. As candidaturas de chineses a escolas norte-americanas caíram 45 por cento neste ano, ao contrário do que se verificou em alguns países da Europa."

Alguns analistas têm argumentado que podemos ser induzidos em erro ao considerar o número total de engenheiros recém-licenciados anualmente na Índia, na China e nos Estados Unidos – e, por conseguinte, concluir que os EUA estão a ficar para trás – porque, além de ser difícil obter estatísticas precisas, estas ignoram muitas vezes a diferença qualitativa das licenciaturas de Engenharia nos respectivos países. Por exemplo, um estudo realizado em Dezembro de 2005, no âmbito do Programa de Gestão do Mestrado de Engenharia da Universidade de Duke, intitulado "Estruturar o Debate sobre o *Outsourcing* da Engenharia: colocar os Estados Unidos ao mesmo nível da China e da Índia", concluiu que os números indianos e chineses incluem frequentemente licenciados e cursos com uma duração de dois a três anos – ao passo que os números norte-americanos apenas contemplam normalmente programas certificados de licenciaturas de quatro anos. O estudo de Duke diferencia igualmente dois grupos de licenciados em Engenharia, os "engenheiros dinâmicos" e os "engenheiros transaccionáveis". Os engenheiros dinâmicos, segundo o estudo, "são indivíduos capazes de pensar de forma abstracta e de resolver problemas com elevado grau de dificuldade, utilizando conhecimentos científicos." Estes engenheiros dinâmicos são normalmente oriundos de cursos certificados de Engenharia, que têm uma duração mínima de quatro anos, e cujos empregos dificilmente são alvo de *outsourcing*. Os engenheiros transaccionáveis são muitas vezes indivíduos com cursos técnicos ou equiparados, ao invés de licenciaturas, e que, embora tenham alguns conhecimentos básicos de Engenharia, não têm a experiência ou a competência para aplicar os seus conhecimentos a situações mais problemáticas, segundo refere o estudo de Duke. Estes empregos podem ser facilmente alvo de *outsourcing*. Ainda segundo o estudo da Universidade de Duke, os EUA continuam a produzir uma proporção relativamente elevada de engenheiros dinâmicos e cientistas informáticos, comparativamente à Índia e à China, o que lhes permite continuarem a ser bastante competitivos.

Acrescentaria, contudo, uma advertência a esta advertência: Em primeiro lugar, poderia apostar que um grande número das licenciaturas de Engenharia, atribuídas por universidades norte-americanas, não se destina a cidadãos norte-americanos, mas a alunos estrangeiros que acabarão por regressar aos seus países de origem. Em segundo lugar, é um facto que a maior parte das licenciaturas em Engenharia na Índia e na China não têm a mesma qualidade dos quatro anos certificados pelas universidades norte-americanas. Numa linguagem mais simples: existem muito mais indianos e chineses do que norte-americanos, e uma percentagem muito superior está a estudar Ciências, Ciências Computacionais e Engenharia – nos seus países de origem e em universidades norte-americanas. Num mundo plano, as melhores práticas transmitem-se rapidamente. Pelo que não tenho dúvidas de que, nos próximos 20 anos, a qualidade média das licenciaturas de Engenharia na China e na Índia irá começar a equiparar-se à média norte-americana. Analisem as tendências, não se fiquem pelos factos do presente.

O pequeno segredo sujo número 2
A disparidade na educação de topo

A razão mais importante para a disparidade nos números é, como é óbvio, a disparidade na educação. Simplesmente não estamos a educar ou sequer a despertar o interesse de um número suficiente de jovens pela Matemática, pelas Ciências e pela Engenharia. Atentemos no exemplo que nos é dado pela Feira Internacional de Ciência e Engenharia da Intel, que tem uma periodicidade anual. Nela participam cerca de 40 países, que dão a conhecer os seus talentos através de feiras locais associadas ao evento. Segundo os dados da empresa, em 2004 a Feira da Intel atraiu aproximadamente 65 mil miúdos norte-americanos. E na China, como foi? Foi isso que perguntei a Wee Theng Tan, Presidente da Intel China, durante uma visita a Pequim. Na China decorre uma feira nacional de ciências que actua como "sistema de alimentação" para recrutar miúdos para a feira mundial da Intel. "Quase todas as províncias têm estudantes que vão a uma destas feiras associadas," disse Tan. "Temos seis milhões de miúdos a competir, se bem que nem todos concorram nos níveis mais elevados… Mas sabemos o quanto eles levam aquilo a sério. Os seleccionados para irem à feira internacional [da Intel] são imediatamente dispensados de fazer os exames de admissão à universidade" e basicamente adquirem o direito de escolher qualquer universidade chinesa de topo. Na Feira de Ciência da Intel, de 2004, a China regressou a casa com 35 prémios, mais do que qualquer outro país asiático, incluindo um dos três melhores prémios mundiais.

Não admira, por isso, que a revista *Education Week*, que é lida por professores no país inteiro [Estados Unidos], tenha publicado um artigo (28 de Julho de 2004) com o título "Os filhos dos imigrantes têm as classificações mais elevadas nos concursos de Matemática e Ciências." O artigo continuava: "Um estudo conduzido pela Fundação Nacional para a Política Norte-americana revela que 60 por cento dos melhores alunos de Ciências do país e 65 por cento dos melhores alunos de Matemática são filhos de imigrantes recentes, de acordo com uma análise aos vencedores de três competições escolares… a *Intel Science Talent Search* ("Busca de talentos científicos por parte da Intel"), a equipa norte-americana para as Olimpíadas Internacionais da Matemática e a equipa norte-americana para as Olimpíadas da Física." O autor do estudo, Stuart Anderson, atribuía o sucesso dos alunos imigrantes "em parte à insistência dos seus pais para que gerissem com sensatez os seus tempos de estudo", refere a *Education Week*. "Muitos pais imigrantes encorajavam igualmente os filhos a seguir áreas relacionadas com a Matemática e as Ciências, por acreditarem que estes conhecimentos poderiam suscitar boas oportunidades profissionais e imunizá-los contra os preconceitos e a falta de conhecimentos no mercado de trabalho... Uma grande percentagem destes alunos eram filhos de pais que tinham entrado nos Estados Unidos com vistos H-1B, reservados para trabalhadores especializados. Os legisladores norte-americanos que apoiam políticas de imigração globalmente restritivas correm o risco de interromper uma infusão constante de conhecimentos tecnológicos e científicos", afirma Anderson, o Director Executivo da Fundação. O artigo citava Andrei Munteanu, de 18 anos, finalista do concurso Intel de 2004, cujos pais tinham vindo da Roménia para os Estados Unidos há cinco anos. Munteanu entrou no ensino público norte-americano no sétimo ano e achou que era muito fácil, em comparação com o ensino romeno. "As aulas de Ciências e de Matemática abordavam os mesmo temas que eu tinha dado na Roménia... quanto estava no quarto ano!", afirmou.

Não parece vir qualquer ajuda a caminho. De quatro em quatro anos, os Estados Unidos participam no Estudo das Tendências das Ciências e Matemática Internacionais, que avalia estudantes com o 4° e o 8° ano completos. Ao todo, a investigação mais recente envolveu aproximadamente meio milhão de estudantes de 41 países e o uso de 30 línguas diferentes, tornando-o no mais abrangente e polivalente estudo internacional de educação que alguma vez foi realizado.

Os resultados de 2004 (relativos aos testes feitos em 2003), revelaram que os estudantes norte-americanos apenas registaram melhorias marginais face aos resultados de 2000, que demonstraram que os trabalhadores norte-americanos eram mais fracos em Ciências do que os dos países seus pares. A Associated Press relatou, em 4 Dezembro 2004, que os norte-americanos do 8° ano melhoraram os seus resultados a Ciências e Matemática desde 1995, quando foi feito o 1° teste, mas a melhoria a Matemática ocorreu sobretudo entre 1995 e 1999, e não nos anos mais recentes. Os resultados em alta dos estudantes norte-americanos do 8° ano a Ciências constituiu uma melhoria face a 1999 e fez elevar os Estados Unidos para uma melhor posição no *ranking* relativamente a outros países. Contudo, as notícias preocupantes foram que as classificações dos estudantes norte-americanos do 4° ano estagnaram, nem melhorando nem piorando a Matemática e a Ciências desde 1995. Consequentemente, os EUA desceram nos *rankings* internacionais, enquanto outros países subiram. "Os países asiáticos estão a acertar o passo na Matemática e nas Ciências Avançadas", disse Ina Mullis, co-directora do Centro de Estudos Internacionais do Boston College, que gere o estudo. "A título de exemplo, 44 por cento dos alunos do 8° ano de Singapura classificaram-se ao mais alto nível a Matemática, tal como 38 por cento de Taiwan. Apenas sete por cento o conseguiram nos

Estados Unidos." Os resultados de outro teste internacional de educação também foram divulgados em Dezembro de 2004, a partir do Programa para a Avaliação do Estudante Internacional. Este mostrou que os norte-americanos com 15 anos de idade estão abaixo da média internacional quando se trata de aplicar os conhecimentos de Matemática a tarefas da vida real.

Isto pode explicar-se, em parte, através de um estudo de 2005, realizado pela Academia Nacional [norte-americana] das Ciências, a Academia Nacional [norte-americana] de Engenharia e o Instituto de Medicina, e que se intitulava: "Elevar-se acima da tempestade em formação". O estudo revelava que, em 1999, apenas 41 por cento dos alunos norte-americanos do 8º ano tinha professores de Matemática especializados nessa matéria, um número substancialmente inferior à média internacional de 71 por cento. A educação nas escolas norte-americanas, em particular do 3º ciclo, assemelha-se a um buraco negro que está a minar o interesse dos jovens, nomeadamente do sexo feminino, quando se trata de Ciências.

Em Outubro de 2005, eu e a minha mulher fomos a New Haven para passar o fim-de-semana com a nossa filha que estudava em Yale. Ao almoço, fomos comer uma *pizza* com a nossa filha e as suas companheiras de quarto e o namorado de uma delas. Sentei-me em frente ao namorado, Eric Stern, de 24 anos, que estava a tirar um doutoramento em Engenharia Biomédica na Universidade de Yale, tendo escolhido a especialidade de Nanotecnologia. Eric é precisamente o tipo de jovem que queremos que o sistema escolar norte-americano continue a produzir em série. O seu avô era relojoeiro e o seu pai era médico e professor de Ciências na Universidade de Columbia, pelo que desde tenra idade se interessou pelas Ciências – por um lado, por andar a passear no laboratório do pai e, por outro, por construir coisas com o avô. Concluiu o ensino secundário em Westinghouse na área das Ciências, licenciou-se em Yale e estava agora a fazer o seu doutoramento, estando a trabalhar num projecto financiado pelo governo, em que a Nanotecnologia é utilizada para detectar várias toxinas no ar, uma solução que pode vir a ter uma aplicação abrangente na guerra contra o terrorismo. Ao fim de poucos minutos, estávamos os dois a conversar sobre o estado actual do ensino das Ciências nos EUA.

Para começar, afirmou: "Olhe à volta desta mesa", apontando para as cinco estudantes universitárias de Yale. "Estou sentado a comer *pizza* com todas estas mulheres inteligentes e nunca lhes ocorreu estudar Ciências." Estavam todas em Letras. Porquê?, perguntei a Stern. Havia uma variedade de razões e que se aplicavam tanto aos jovens do sexo feminino como do sexo masculino nos EUA do presente, salientou. Antes de mais, "as pessoas querem fazer coisas que sejam divertidas. Só que nem a Álgebra, nem a memorização da tabuada são actividades divertidas. Todavia, [estes princípios] acabam por ser a base da Química. E isso também é aborrecido. Não encontramos aspectos positivos nesta disciplina. Só começa a ser divertida numa fase mais avançada do percurso escolar. No entanto, a aquisição prévia daquelas bases é essencial ... e adquiri-las não é divertido... A cultura actual está orientada para o divertimento."

No que respeita a Yale, Stern confessou-me: "adoro estar aqui, mas nenhum dos meus amigos está realmente interessado em saber o que eu faço; se eu quisesse dizer-lhes o que faço, teria de o tornar muito interessante. O negócio [de Yale] é fazer presidentes e tem sido bem sucedido. Não se trata de fazer cientistas. Porém, os presidentes nascidos em Yale não valorizam as Ciências, porque não andam com aqueles miúdos – e que melhor exemplo do que Bush?" Stern acrescentou ainda: "Estive recentemente num casamento, em que todos os meus amigos de faculdade presentes, actualmente banqueiros [de investimento], estavam a falar dos seus ganhos. Pelo que comecei a calcular os meus e concluí que ganhava três dólares por hora a trabalhar 80 horas por semana. Mas também nunca pensei nisso por este prisma."

Os jovens norte-americanos que queriam ser advogados trocaram as suas preferências e optaram por ser engenheiros e cientistas nos anos 70 e no princípio dos anos 80. Com o *boom* das *dot-com*, aqueles que queriam ir para escolas de Ciências Empresariais para obterem um MBA suplantaram os estudantes de Engenharia e Direito nos anos 90.

Stern afirmou acreditar que a cultura norte-americana ainda produz alguns dos mais criativos cientistas e engenheiros, embora outras sociedades estejam a reduzir o hiato, ao dedicarem-se ao ensino de princípios de base e ao seu interesse recém-descoberto na adopção de abordagens mais criativas nos seus sistemas escolares. Daí que, acrescentou Stern, a par da necessidade de os jovens norte-americanos aumentarem os seus conhecimentos de base ao nível da Matemática e das Ciências, temos de o fazer sem abandonar aquelas características da nossa cultura que são inspiradoras e que estimulam a criatividade. Nesse sentido, argumenta que é uma loucura as escolas públicas estarem a acabar com os programas de Música e de Artes. "Uma componente muito formativa da minha vida, que suscitou o meu pensamento criativo e a minha ética profissional, foi a Música", afirmou. "Eu era um intérprete muito empenhado de música clássica, algo que nos ensina o que é o trabalho árduo – e, neste caso, o trabalho árduo individual – ao contrário das modalidades desportivas em equipa. Além disso, também nos ensina a interpretar, à nossa maneira, temas e ideias."

Ainda bem que a sociedade norte-americana ainda produz jovens como Eric Stern, mas não tenhamos ilusões: ele e os seus colegas das Ciências são uma minoria cada vez menor. Na sociedade norte-americana actual, acrescentou Stern, "a profissão mais apetecida é a de médico, advogado ou banqueiro de investimento – não é a de engenheiro ou cientista." O que o preocupa, refere, é saber de onde irá surgir a inovação.

"Iremos transaccionar os nossos produtos ou os da China?", perguntou. "Eu quero ter a certeza de que vamos transaccionar os nossos produtos." Mas isso leva-nos novamente à necessidade dos nossos jovens adquirirem bases sólidas. A Ciência e a Engenharia estão em grande parte relacionadas com a ética profissional – a predisposição para assimilar não só os princípios de base, como também para se manter fiel a uma experimentação, mesmo que fracasse as primeiras 20 vezes, referiu Stern. O aspecto que mais o impressiona nos estudantes asiáticos, e nos melhores estudantes norte-americanos, é a sua ética profissional. "Quando um estudante chinês vem ter comigo ao laboratório e me pergunta 'como é que consegues trabalhar tanto?' – isso é o melhor elogio que posso receber."

Eu gostaria que um número maior de jovens norte-americanos pensassem assim, mas as estatísticas dizem o contrário – e o problema não se resume às Ciências e à Matemática. Afecta agora as tradicionais competências de leitura e escrita. No dia 16 de Dezembro de 2005, o *The New York Times* publicou uma história, que relatava que a literacia média em inglês dos licenciados norte-americanos tinha sofrido uma redução drástica, ao longo da última década, de acordo com um teste nacional amplamente reconhecido. Estamos a falar de pessoas licenciadas – não estamos a falar de pessoas que abandonaram a escola! "O *National Assessment of Adult Literacy*, segundo dados de 2003 do Departamento de Educação, é o teste mais importante dos EUA para avaliar a capacidade de leitura dos norte-americanos adultos," afirmou o *The Times*. "O teste encontrou igualmente um declínio acentuado na literacia em inglês dos hispânicos nos Estados Unidos e aumentos significativos entre as populações negras e asiáticas. A última vez que o teste tinha sido realizado, em 1992, 40 por cento dos licenciados obteve um resultado positivo, o que significava que eram capazes de ler textos longos e complexos em inglês, bem como tirar conclusões complicadas. No teste de 2003, contudo, apenas 31 por cento dos licenciados demonstrou possuir essas competências elevadas. Eram 26,4 milhões de licenciados... Grover J. Whitehurst, director de um instituto sob a alçada do Departamento de Educação e que ajudou a corrigir o teste, afirmou que acreditava que a literacia dos licenciados tinha diminuído porque um número crescente de jovens norte-americanos tinha, nos últimos anos, passado os seus tempos livres a ver televisão e a navegar na Internet. 'Observamos um declínio substancial da leitura por prazer e isso é visível nos nossos níveis de literacia', afirmou."

O pequeno segredo sujo número 3
A disparidade na ambição

O nosso amor pela televisão, pelo vídeo e pelos jogos de computador ajuda a explicar o nosso terceiro pequeno segredo sujo, que vários CEOs de grandes empresas norte-americanas me contariam apenas em sussurro: sempre que transferem empregos para o estrangeiro não só poupam 75 por cento em salários, mas também obtêm um aumento de cem por cento da produtividade. Em parte, é compreensível. Quando se transfere um emprego de pouco prestígio e baixo salário, caso de operador de *call center*, dos EUA para a Índia, onde é um emprego de elevado prestígio e alto salário, acaba-se por ficar com colaboradores que ganham menos, mas que estão mais motivados. "O pequeno segredo 'sujo' é que [*outsourcing*] não só é mais barato e eficiente, como também permite um aumento quantitativo e qualitativo da produtividade", afirmou um norte-americano, CEO de uma multinacional com sede social em Londres. Além da redução dos salários, disse ele, um colaborador indiano de Bangalore, que receba formação para o efeito, faz o trabalho de dois ou três europeus e em Bangalore ninguém tira seis semanas de férias. "Quando pensamos que tem tudo a ver com salários, ainda nos é possível manter a dignidade, mas o facto de trabalharem melhor é uma sensação horrível", acrescentou o mesmo responsável.

Pouco tempo depois de ter regressado da Índia, fui abordado num aeroporto por um jovem que queria tecer algumas considerações sobre textos que eu tinha escrito enquanto estive lá. A conversa foi agradável, pedi-lhe o seu cartão de visita e iniciámos uma amizade por *e-mail*. O seu nome é Mike Arguello e é um arquitecto de sistemas de Tecnologias da Informação (TI) que vive em San Antonio. Ele desenha sistemas de TI com acabamentos de alta qualidade e não se sente ameaçado pela concorrência externa. Também dá aulas de Ciências Computacionais. Quando lhe perguntei o que, no entender dele, os EUA precisavam de fazer para continuar a dar cartas no mundo plano, deu-me a seguinte resposta por *mail*:

"Dei aulas numa universidade local. Era desanimador ver a fraca ética profissional de muitos dos meus alunos. De todos os estudantes a quem dei aulas ao longo de seis semestres, apenas pensaria em contratar dois. Aos restantes faltava-lhes criatividade, capacidade de resolução de problemas e paixão pela aprendizagem. Conforme sabe, a maior vantagem da Índia sobre a China e a Rússia é a língua inglesa. Seria, no entanto, errado partir do princípio que os indianos de topo na área de desenvolvimento de *software* são melhores do que os seus congéneres norte-americanos. A vantagem deles resulta do elevado número de entendidos que conseguem reunir para resolver um problema. Os indianos com quem trabalho são a nata da nata. Na Índia ministra-se formação académica equivalente à do MIT, existindo um elevado número de instituições desse nível no país. Se me acompanhasse diariamente nas minhas reuniões veria que passo grande parte do tempo a trabalhar com indianos. A maioria dos gestores ainda deve pensar que os indianos apenas são responsáveis pelo desenvolvimento do *software* menos importante – 'linguagem de montagem de *software*'. Mas as tecnologias, tais como o Linux, estão a permitir-lhes começar a ter empregos de elevada remuneração, associados ao desenho de sistemas, trabalho que antes era do domínio exclusivo dos norte-americanos. Facultaram-lhes os meios necessários para elevar a cadeia de alimentação da tecnologia, colocando-os ao mesmo nível dos trabalhadores dos

EUA. É massa cinzenta contra massa cinzenta, e, nesta área, os indianos são formidáveis. Numa perspectiva tecnológica, o mundo é plano e está a ficar cada vez mais plano. As únicas duas áreas onde ainda não vi o trabalho dos indianos são as de arquitectura de redes e arquitectura de sistemas; penso, no entanto, que é apenas uma questão de tempo. Os indianos são muito talentosos e estão a perceber rapidamente, através da sua interacção com arquitectos de sistemas, como é que todas as peças do *puzzle* das TI se encaixam... Se o Congresso aprovasse legislação no sentido de deter o fluxo de trabalho indiano, existiriam grandes sistemas de *software* com os quais ninguém saberia lidar. É inquietante que muitas posições de gestão na área das TI sejam ocupadas por gestores não técnicos que poderão não ter consciência da importância da sua posição... Sou perito em sistemas de informação, não em economia, mas sei que um emprego bem remunerado exige que se seja capaz de criar algo com elevado valor acrescentado. A economia está a produzir empregos sofisticados e não sofisticados, mas cada vez mais os empregos sofisticados estão apenas a ficar ao alcance de alguns. Um baixo nível de instrução significa, pura e simplesmente, um emprego com baixo salário e é nesta situação que cada vez mais norte-americanos se encontram. Muitos não conseguem acreditar que não têm qualificações para empregos bem remunerados. Chamo a isto o 'problema *Ídolo Americano*'. Se alguma vez observou a reacção dos concorrentes do programa televisivo *American Idol** quando o jurado Simon Cowell** lhes diz que não têm talento, a expressão deles é de pura incredulidade. Só espero que um dia não me dêem um abanão assim tão duro."

Mas o problema inicia-se na escola secundária ou mesmo antes. No Verão de 2005, recebi a seguinte carta de Malcolm Davidson, um professor do ensino secundário do Estado de Washington:

"Caro Sr. Friedman, sou professor de Leitura e Estudos Sociais do quinto ano na Annie Wright School, uma escola privada em Tacoma, Washington. Embora muitos dos meus alunos sejam provenientes de famílias diversificadas e com níveis de escolaridade acima da média, a maioria é branca e da classe média alta. Acabei recentemente de ler o seu novo livro *O Mundo é Plano* (Malcom Davidson referia-se à primeira edição). Houve dois capítulos, 'A Tripla Convergência' e 'A Crise Silenciosa', que não foram novidade para mim, pois já tivera essa experiência há alguns anos, muito antes de os ter escrito. Ao lê-los, apercebi-me realmente de que o mundo era plano. Gostaria de ter partilhado estas ideias consigo, antes de o senhor as começar a pôr no papel. As reuniões com os pais são um dos aspectos mais interessantes da minha profissão, embora nunca me tivesse apercebido de que

---

* **N.T.** Que procurava novos talentos musicais e que em Portugal também já passou, com o nome de "Ídolos".

** **N.T.** Um dos maiores críticos musicais e conhecido pelos seus comentários corrosivos durante as avaliações de desempenho dos candidatos a cantores.

eram realmente estudos culturais. Houve duas reuniões de pais, há dois anos, que se revelaram como o meu momento 'mundo plano'. Uma das reuniões foi com Deven e Swati Vora (adivinhem de onde provinha a família Vora?). Enquanto conversávamos acerca da sua filha Sonia, disseram-me que a nossa escola não pedia trabalhos de casa suficientes e que não era muito estimulante. Noutra reunião no mesmo dia, Irena Mikeladze, uma imigrante da Europa de Leste, queria saber por que motivo o seu filho Timothy não tinha um livro de Ciências e qual a razão do programa de Ciências ser tão superficial. Como poderíamos ser uma escola competitiva, se não tínhamos um livro de Ciências? Representando duas vertentes nacionais diferentes, estes três pais fizeram-me pensar. Infelizmente, muitos pais ... norte-americanos, brancos e da classe média disseram-me que o programa do 5º ano era demasiado difícil para os seus filhos. Era impossível que o concretizassem e que tivessem simultaneamente tempo 'para serem crianças'. O futebol, a ginástica, as aulas de música e jantar fora deixavam muito pouco tempo para a escola. Alguns pais pediam-nos mesmo que abrandássemos o ritmo. Estes pais aborrecidos estavam apenas a baixar o nível de expectativas das crianças com a sua constante ingerência; os pais amedrontados...acham que está tudo bem e nunca exigem mais. Se os seus filhos tiverem boas notas e se divertirem é porque estão a ter uma boa educação. As nossas escolas ainda vivem na mentalidade que existia antes do 11 de Setembro. A minha escola tece comparações com outras escolas na mesma localidade ou na cidade mais próxima. Se os pais dos meus alunos acharem que somos melhores do que as escolas públicas, paroquiais e privadas da localidade, sentir-se-ão felizes. A partir das suas palavras, e das conclusões que tirei das duas reuniões com pais, a verdadeira competição já não provém da cidade mais próxima ou do Estado vizinho. Tem toda a razão – estamos, em muitos aspectos, a enganar-nos a nós próprios. Em termos académicos, perdemos a nossa fome (excepto para as claques, o futebol e para esquecer os endividamentos). Somos complacentes e procuramos os problemas. Infelizmente, a liderança nacional está preocupada em não deixar as crianças para trás e Estados como o Kansas e a Georgia parecem mais interessados em eliminar Darwin e promover o *design* inteligente. Se encostarmos o ouvido ao mundo plano, podemos ouvir a concorrência dos antípodas. O meu objectivo, enquanto professor, é fazer com que a minha escola deixe de ser a melhor escola local ou regional e comece a ser melhor do planeta."

No fundo, antes de o mundo começar a ficar plano, os Estados Unidos eram uma ilha – uma ilha de inovação, de segurança e de rendimentos crescentes. É por isso que se tornou num íman para o capital e os talentos do mundo. Quando a nossa moeda é a moeda mundial e todos os cérebros querem vir trabalhar para o nosso território, começa-se a tomar tudo como garantido.

Os países asiáticos não tiveram esse luxo. No Inverno de 2004, tomei chá em Tóquio com Richard C. Koo, Economista-chefe do Nomura Research Institute

(Instituto de Investigação de Nomura). Testei em Richard o meu "coeficiente de planura do mundo": a noção de que quanto mais plano um país for – ou seja, quanto menos recursos naturais possuir – melhor desempenho terá num mundo plano. O país ideal, num mundo plano, é o que *não dispõe de recursos naturais*, porque os países nessa situação tendem a resolver as suas situações internamente. Tentam produzir energia, empreendedorismo, criatividade e inteligência em vez de perfurarem um poço de petróleo. Taiwan é um rochedo estéril rodeado de mar numa zona de tufões, praticamente sem recursos naturais. Conta somente com a energia, a ambição, o talento e a vontade indomável do seu próprio povo. Actualmente, tem as terceiras maiores reservas financeiras do mundo. O sucesso de Hong Kong, do Japão, da Coreia do Sul e da China costeira tem origem numa situação de planura muito semelhante.

"Sou taiwanês-americano, filho de pai taiwanês e mãe japonesa", disse-me Koo. "Nasci no Japão e foi aí que frequentei o ensino básico. Depois fui para os Estados Unidos. Há um ditado na China que diz que o que puseres na tua cabeça e no teu estômago ninguém o pode tirar de ti. A máxima está-nos no ADN em toda esta região. Basta estudar arduamente e seguir em frente. Os meus professores disseram-me relativamente cedo: 'Nunca poderemos viver como os norte-americanos e os canadianos. Nós não temos recursos naturais como eles. Temos de estudar arduamente, trabalhar arduamente e exportar arduamente'."

Pouco tempo depois, li uma coluna de opinião de Steven Pearlstein, comentador da área de negócios no *The Washington Post*, com o título "A Cortina do Capitalismo da Europa". De Wroclaw, na Polónia (23 de Julho de 2004), escreveu: "Uma cortina desceu sobre a Europa. De um lado, está a esperança, o optimismo, a liberdade e expectativas de uma vida melhor. Do outro lado, está o medo, o pessimismo, regras governamentais sufocantes e a sensação de que os melhores tempos já passaram." Esta nova cortina, referiu Pearlstein, divide a Europa de Leste, que abraçou o capitalismo, e a Europa Ocidental, que deseja desesperadamente que este desapareça.

"Desta vez, contudo, é o Leste que tem mais probabilidades de levar a melhor", continuou ele. "A energia e o sentido de oportunidade são mais palpáveis aqui... O dinheiro e as empresas continuam a afluir – não só as empresas de renome como a Bombardier, a Siemens, a Whirlpool, a Toyota e a Volvo, mas também a rede de fornecedores que inevitavelmente as acompanha. Ao princípio, a maioria dos novos empregos era de uma variedade semiespecializada. A estes, têm-se sucedido empregos da área do *design* e engenharia com o objectivo de explorar o recurso constituído pela maior concentração de estudantes universitários da Europa de Leste... O segredo não se prende apenas com os baixos salários. É também a atitude dos trabalhadores, que sentem orgulho e estão desejosos de fazer o necessário para serem bem sucedidos, mesmo que isso signifique subcontratar a produção de peças, trabalhar aos fins-de-semana ou alterar o esquema de folgas – aspectos que certamente dariam origem a conflitos laborais seguidos de negociações durante meses na Europa Ocidental. 'Quem está no meu país de origem não faz ideia do quanto necessita de mudar se quiser preservar o que tem', disse Jose Ugarte [um basco que lidera as operações de fabrico de utensílios da Mondragon, a grande cooperativa industrial espanhola]. 'O perigo, para estas pessoas, é enorme. Elas não se apercebem da rapidez a que o mundo está a mudar...' O sonho de serem ricas não entusiasma tanto as pessoas de Wroclaw como a motivação de trabalharem arduamente, sacrificarem o que precisa de ser sacrificado e mudarem o que precisa de ser mudado para diminuírem o fosso com o Ocidente. Segundo o Presidente da Câmara Municipal de Wroclaw, Rafal Dutkiewicz, é esse orgulho e motivação que explica o porquê de representarem uma ameaça à 'sociedade do tempo do lazer' que está do outro lado da cortina."

O pequeno segredo sujo número 4
A disparidade na educação de base

Se observarmos os Estados Unidos no primeiro terço do século passado, encontraremos as raízes do sistema escolar público do presente – um sistema antiquado para um mundo plano. No princípio do século XX, os EUA decidiram organizar o seu sistema escolar através de uma delegação de poderes e responsabilidades aos conselhos directivos das escolas locais. Em suma, autorizámos as comunidades a organizar os seus próprios sistemas escolares, a adoptar as suas abordagens de ensino e de livros escolares, e a definir as suas estruturas salariais – em oposição à abordagem nacional, como acontece na maioria dos países, ou à abordagem por Estado, como é o caso, por exemplo, da Alemanha. O efeito prático desta abordagem, argumenta Marc Tucker, Presidente do *National Center on Education and the Economy* (Centro Nacional [norte-americano] para a Educação e a Economia), era um sistema remendado, em que delegávamos o poder da educação aos conselhos directivos locais "que se organizam em função da riqueza". Isto é, "os distritos escolares traçados por estes conselhos directivos estavam basicamente organizados em torno do padrão de vida dos residentes", explica Tucker. "Esta situação permitiu que pessoas relativamente ricas se organizassem em distritos escolares e definissem o valor das propinas. Isso significava que as pessoas mais abastadas, associadas umas com as outras, podiam definir propinas de baixo valor e mesmo assim produzir orçamentos escolares muito elevados *per capita* e por aluno" devido as suas propriedades de maior dimensão e impostos mais elevados sobre a propriedade. No outro extremo, estavam as pessoas relativamente pobres, associadas umas com as outras, que pagavam uma percentagem muito superior dos seus rendimentos em propinas e que, mesmo assim, não conseguiam cobrir as despesas muito reduzidas por aluno. Estas comunidades também se caracterizavam pela elevada contestação social e pelas baixas expectativas.

Esta situação foi grandemente reforçada pelo advento dos subsídios às hipotecas e à construção de auto-estradas após a Segunda Guerra Mundial, salientou Tucker, o que ajudou a criar os subúrbios como os conhecemos. Assim, apesar das regalias obtidas graças ao movimento dos direitos civis, os anos 60 testemunharam uma crescente segregação racial nas escolas, à medida que as famílias brancas com filhos abandonavam as cidades, deixando para trás aquilo que hoje sabemos ser uma cidade ainda mais segregada (em termos de raça e de classe). Todos estes desenvolvimentos do pós-guerra permitiram criar vastas áreas metropolitanas nos Estados Unidos, circundadas por subúrbios, que são delimitados por fronteiras rigorosamente seleccionadas em função da raça e da classe e que, muitas vezes, coincidem com distritos escolares.

Os distritos escolares mais abastados atraíam, sem sombra de dúvida, os melhores professores, directores e conselhos curriculares, juntamente com as mais exigentes associações de pais e de professores; ao passo que os distritos escolares mais pobres atraíam os professores e os directores mais fracos, bem como pais que tinham de ter três empregos para sobreviver (deixando-os com menos tempo para ajudar os seus filhos a fazer os trabalhos de casa). Em contrapartida, outros países industrializados financiam as suas escolas em função do que é necessário para oferecer um currículo padrão, sendo o dinheiro retirado do orçamento geral do Estado.

Os norte-americanos sempre quiseram e esperaram que as suas escolas públicas fossem o agente da mobilidade social, ou seja, o principal processo que permitia aos pobres subir a pulso e conquistar o sonho americano. Esta deixou, contudo, de ser a realidade em muitas zonas do país, devido à forma como são feitos os financiamentos.

Os Estados Unidos conseguiram manter este sistema durante tanto tempo, acrescentou Tucker, porque, no início dos anos 30, quando a produção em massa assumiu o seu domínio na economia, "estávamos realmente a fazer algo com muita eficiência. Estávamos a dar a educação necessária a um grupo de trabalhadores da produção e a financiar as elites que podiam inovar." Assim, se fosse para uma escola privada de elite ou para uma escola pública situada num bairro abastado, a educação reforçava a inovação e a criatividade, enquanto as piores escolas públicas se concentravam apenas em ensinar os mínimos necessários. Esta situação não suscitou problemas enquanto existiram muitas unidades de produção em massa, que pagavam salários decentes e que conseguiam absorver os que saíam das escolas.

Infelizmente, à medida que o mundo se tornou plano, estes empregos começaram a ser automatizados ou alvo de *outsourcing*. Existem cada vez menos empregos decentes para as pessoas sem grandes competências. Existem, por exemplo, várias cidades norte-americanas, cujo maior empregador era, há 30 anos, uma unidade fabril e que, hoje, é um centro médico ou um pólo tecnológico. Por isso, actualmente uma escola que não tenha grandes financiamentos e que apresente um quadro de pessoal medíocre é um beco sem saída. "Este sistema já não tem futuro", afirmou Tucker. "Por conseguinte, temos de encontrar uma forma de garantir padrões escolares muito elevados para todos os nossos jovens. Caso contrário, se não aumentarmos as suas competências, a única forma de os trabalhadores menos especializados competirem é nivelando por baixo os seus salários."

O pequeno segredo sujo número 5
A disparidade no financiamento

Por ora, os Estados Unidos ainda sobressaem no ensino das Ciências e da Engenharia ao nível superior, bem como na investigação universitária. Todavia, tendo em conta o aumento do número de licenciados produzidos pelas escolas e universidades chinesas, "estarão ao nosso nível no espaço de uma década", afirmou o *Chairman* da Intel, Craig Barrett. "Não estamos a produzir licenciados em número suficiente, não podemos colocar um cadeado nas infra-estruturas, não podemos colocar um cadeado nas novas ideias e estamos a congelar ou a reduzir os nossos investimentos em Ciências Físicas."

A manutenção da liderança tecnológica norte-americana, ao nível da criação dos empregos de amanhã, acrescentou Barrett, requer "que se assuma, hoje, um compromisso em prol do financiamento da investigação." Infelizmente, a *Task Force on the Future of American Innovation* (organismo composto por organizações empresariais e académicas que pugnam pelo reforço dos apoios federais à investigação no âmbito das Ciências e da Engenharia), criada em 2004, concluiu que o financiamento federal para a investigação no âmbito das Ciências Físicas, Matemática e Engenharia, em percentagem do PIB, decresceu 37 por cento entre 1970 e 2004. No orçamento de estado de 2005, aprovado pela maioria republicana do Congresso, em Novembro de 2004, a parcela para a *National Science Foundation** (NSF), o organismo federal que tem maior responsabilidade pela promoção da investigação e pelo financiamento de mais e melhor educação científica, sofreu um corte de 1,9 por cento, ou seja, 105 milhões de dólares. A História irá demonstrar que, quando os EUA deveriam ter duplicado o financiamento à NSF, o seu Congresso aprovou um orçamento "eleitoralista" que reduzia o apoio às áreas da Ciência e da Engenharia. O orçamento de 2006 apresentou uma ligeira melhoria – um aumento de 2,4 por cento. O *Departament of Energy's Office of Science*, o mais importante financiador da investigação na área da Física nos Estados Unidos, recebeu apenas um aumento de 2,9 por cento no orçamento de 2005 e de 0,9 por cento em 2006, o que representa uma redução tendo em conta a inflação. Isto é um escândalo.

---

* **N.T.** Fundação Nacional [norte-americana] para a Ciência.

No seu discurso sobre o Estado da Nação, em Janeiro de 2006, o Presidente Bush prometeu solenemente que iria inverter este declínio de uma forma clara. Veremos. O que deveríamos estar a fazer? Em Outubro de 2005, o relatório da Academia Nacional [norte-americana] das Ciências, da Academia Nacional [norte-americana] de Engenharia e do Instituto de Medicina, intitulado "Elevar-se acima da tempestade em formação", e que foi elaborado por um painel conceituado de cientistas e empreendedores, concluía que os Estados Unidos – para estarem preparados para o século XXI – deveriam aumentar o investimento federal para este tipo de investigação em *dez por cento ao ano durante os próximos sete anos*. Além disso, recomendava a atribuição de novas bolsas de investigação, no valor unitário de 500 mil dólares anuais durante cinco anos, a duzentos dos investigadores mais promissores em início de carreira. O congressista republicano do Michigan, Vern Ehlers, uma espécie de voz que prega no deserto, fez a seguinte declaração após a aprovação pelo Congresso da diminuição do orçamento da NSF para 2005: "Embora entenda a necessidade de se fazerem escolhas difíceis face aos condicionalismos fiscais, não vejo qual é a ideia de colocar o financiamento para a Ciência atrás de outras prioridades... Não só não estamos a acompanhar o crescimento da inflação, como também estamos a reduzir a quantia que a investigação de base tem consignada no orçamento geral. Esta decisão demonstra uma perigosa falta de atenção ao futuro da nossa nação e estou simultaneamente preocupado e surpreendido com o facto de tomarmos esta decisão numa altura em que outras nações continuam a ultrapassar os nossos estudantes a Matemática e a Ciências e a aumentar consistentemente o seu financiamento à investigação de base. Não podemos esperar conseguir lutar pelos empregos perdidos para a concorrência internacional sem uma força de trabalho com um bom nível de instrução e formação."

Os efeitos desta realidade estão a começar a revelar-se. De acordo com o *National Science Board**, a percentagem de ensaios científicos escritos por norte-americanos caiu dez por cento desde 1992. A percentagem de ensaios norte-americanos publicados na melhor revista de Física, a *Physical Review*, desceu de 61 para 29 por cento desde 1983. Estamos agora a começar a observar um aumento da atribuição de patentes a países asiáticos. De 1980 a 2003, a quota japonesa de patentes industriais a nível mundial aumentou de 12 para 21 por cento e a de Taiwan de zero para três por cento. Em contrapartida, a quota de patentes norte-americana passou de 60 para 52 por cento, desde 1980.

O Congresso tem uma longa história de desperdiçar dinheiro em projectos propagandistas para construir auto-estradas. A partir de agora, deveríamos desperdiçar o nosso dinheiro em projectos para tubos de ensaio – por via das dúvidas.

---

* **N.T.** NSB – Academia Nacional de Ciências.

O pequeno segredo sujo número 6
A disparidade nas infra-estruturas

Thomas Bleha, um antigo funcionário do Ministério dos Negócios Estrangeiros a trabalhar no Japão, escreveu um artigo notável para a revista *Foreign Affairs* (Maio-Junho de 2005) que começava assim: "Nos primeiros três anos da Administração Bush, os Estados Unidos caíram do 4º para o 13º lugar no *ranking* global de utilização da Internet de banda larga. Hoje, a maioria das famílias norte-americanas tem apenas um acesso de banda larga "básico", ou seja, o acesso mais lento, mais caro e menos fiável do mundo desenvolvido. Além disso, os Estados Unidos perderam ainda mais lugares no *ranking* do acesso à Internet através de telemóvel. O atraso resulta do fracasso da Administração Bush em dar prioridade ao desenvolvimento destas redes. Aliás, os Estados Unidos são o único país industrializado que não possui uma política clara para a promoção da banda larga."

Desde a sua eleição em 2001, a equipa de Bush deixou bem claro que as suas prioridades eram a redução de impostos, a defesa antimísseis e a guerra contra o terrorismo – e não a manutenção dos Estados Unidos na linha da frente da inovação ao nível da Internet. Entretanto, a situação tem mesmo vindo a piorar desde que Bleha escreveu o seu artigo, tendo por base dados estatísticos de 2004. Segundo dados divulgados em Abril de 2005 pela União Internacional das Telecomunicações (UIT), os Estados Unidos registam uma queda do 13º para o 16º lugar no *ranking* global de penetração da banda larga. Em 31 de Dezembro de 2004, os EUA tinham 11,4 assinantes de acesso à banda larga por cada 100 habitantes, isto é, menos de metade da Coreia do Sul – o país mais ligado do mundo – com 24,9 assinantes de acesso à banda larga por cada 100 habitantes. "A Noruega, Israel e a Finlândia ultrapassaram pela primeira vez os Estados Unidos neste *ranking*", relata o *National Journal* na sua edição de 25 de Abril de 2005. "Além disso, o lançamento agressivo da banda larga em França quase levava à perda de mais um lugar dos Estados Unidos naquele *ranking*. A utilização da Internet de alta velocidade, em França, duplicou de 5,61 assinantes por 100 habitantes, em finais de 2003, para 11,2 assinantes por 100 habitantes o ano passado, colocando este país em 17º lugar, logo atrás dos Estados Unidos."

Nos três primeiros anos de mandato da actual Administração, salientou Bleha, o Presidente George W. Bush só mencionou a banda larga em duas ocasiões e apenas de passagem. Mas há mais, a velocidade do serviço de banda larga nos Estados Unidos – 200 Kbps – "não chega aos calcanhares da maior parte dos restantes países do mundo", salienta Mark Lloyd, num artigo no Relatório de Progressos diário para o *Center for American Progress* – Centro para o Progresso Norte-americano (7 de Outubro de 2004). No Japão, por exemplo, os consumidores pagam o equivalente a dez dólares por mês por um serviço 40 vezes mais rápido do que 200

Kbps. Os países e as cidades mais dinâmicas do mundo estão a oferecer aos seus residentes não só a banda larga mais rápida, como também os preços mais baixos para as áreas mais vastas.

Por que devem preocupar-se os norte-americanos?

As tecnologias da informação e a banda larga são importantes porque são grandes negócios globais, além de serem essenciais para desenvolver a produtividade e a inovação em todos os sectores da economia. Quanto mais ligarmos, de uma forma fácil e rentável, uma população com formação à plataforma do mundo plano, maior será o número de coisas que poderão automatizar e, por conseguinte, mais tempo e energia terão para inovar. Quanto mais inovam, mais produzem coisas que aperfeiçoam a plataforma. É um ciclo virtuoso, um daqueles que vale sempre a pena encorajar o máximo possível.

Se a plataforma do mundo plano torna a inovação e a produção muito mais eficientes, "mas as pessoas não conseguem aproveitar as suas vantagens, porque não têm as infra-estruturas ou a formação adequadas", salientou Craig Mundie da Microsoft, "então, mais cedo ou mais tarde, serão rejeitadas."

O aspecto crucial

Quando inquiri Bill Gates acerca da suposta vantagem educacional norte-americana – uma educação que se focaliza na criatividade e não na aprendizagem baseada na memorização – ele negou-a terminantemente. Na sua opinião, aqueles que pensam que os sistemas de aprendizagem da China e do Japão, mais baseados na memorização, não conseguem produzir inovadores capazes de competir com os norte-americanos, estão lamentavelmente enganados. "Nunca conheci alguém que fosse capaz de criar *software* sem saber a tabuada.... Quem é que tem os videojogos mais criativos do mundo? O Japão! Nunca conheci estas 'pessoas que decoram tudo'.... Alguns dos meus melhores criativos no desenvolvimento de *software* são japoneses. É preciso compreendermos as coisas para podermos inventar para além delas," disse Bill Gates.

Nunca é de mais insistir: os jovens chineses, indianos e polacos não estão a competir connosco pelos últimos lugares. Estão a competir pelos lugares cimeiros. Eles não querem trabalhar para nós; nem sequer querem estar na nossa pele. Querem dominar – no sentido de quererem criar as empresas do futuro, que as pessoas do mundo inteiro admirarão e onde desejarão trabalhar. Eles não estão, de maneira alguma, satisfeitos com o que já conseguiram. Conversei com um sino-americano que trabalha para a Microsoft e que tem acompanhado Bill Gates nas suas visitas à China. Contou-me que Gates é reconhecido na China, em qualquer lado que vá. Os jovens penduram-se em vigas e esfolam-se por bilhetes apenas para o ouvir falar. O mesmo se passou com Jerry Yang, co-fundador do Yahoo!

Na China de hoje, Bill Gates é a Britney Spears. Nos EUA de hoje, a Britney Spears é a Britney Spears – e esse é o nosso problema.

E não é de admirar. Bill Brody, reitor da Universidade Johns Hopkins, contou-me que "mais de 60 por cento dos nossos estudantes formados em Ciências são estrangeiros e a maioria provém da Ásia. A determinada altura, há quatro anos, todos os nossos estudantes de Matemática do ensino superior eram da RPC [China comunista]. Só descobri isto porque recorremos a eles para professores assistentes e alguns não falam muito bem inglês." O pai de um aluno da Universidade Johns Hopkins escreveu a Brody para se queixar de que o seu filho não percebia o seu professor de Cálculo devido à sua pronúncia chinesa acentuada e ao seu fraco inglês.

Há um velho ditado *techie* que diz que, em locais como a China e o Japão, a unha que se mantém rija é esmagada, mas em Silicon Valley a unha que se mantém rija conduz um Ferrari e possui direitos de opção. Subjacente a este ditado esteve sempre uma certa autoconfiança norte-americana de que o que falta aos EUA ao nível do encorajamento dado ao nível da Matemática e Ciências, é compensado pelo encorajamento dado aos seus melhores alunos para serem pensadores independentes, criativos. Existe aqui muita verdade. Até os chineses lhe irão dizer que, até agora, têm sido bons a fazer aquilo que vai estar na moda a seguir e a copiar aquilo que vai estar na moda a seguir, mas não a *imaginar* aquilo que vai estar na moda a seguir. Contudo, isso poderá estar prestes a mudar. Confiantes de que os seus alunos até ao 12º ano irão geralmente obter um melhor desempenho do que os seus congéneres norte-americanos em Matemática e Ciências, a China está agora concentrada em proporcionar um maior desenvolvimento ao nível dos poderes criativos e inovadores da sua juventude.

Em Outubro de 2005, numa visita a Pequim, entrevistei Wu Qidi, Vice-ministra chinesa da Educação. Eis o que me disse enquanto tomávamos chá no seu gabinete no Ministério da Educação – actualmente o mais recente e mais bonito edifício governamental de Pequim: "Embora estejamos a registar um crescimento muito rápido da nossa economia, detemos muito pouca propriedade intelectual. Temos muito orgulho nas quatro grandes invenções da China [no passado]: a bússola, o papel, a impressão e a pólvora. O problema é que, nos séculos subsequentes, não mantivemos este ritmo inventivo. Estas invenções são uma prova clara do que o povo chinês é capaz – então, por que não agora? Temos de voltar a este espírito."

Estimular mais "o pensamento criativo e o empreendedorismo são precisamente os aspectos a que damos, hoje, mais atenção", acrescentou a Vice-ministra Wu. É óbvio que é mais fácil dizer do que fazer. Choca frontalmente com uma cultura e uma política chinesa que ainda valoriza o conformismo. Mas não se engane a si próprio: as culturas podem mudar. E a China está a mudar, em particular porque um número crescente de jovens chineses é educado nos Estados Unidos e na Europa.

"Desde que foram implementadas as políticas reformistas e se procedeu à abertura do país, um grande número de bolseiros e professores tem ido para o estrangeiro", referiu a Vice-ministra Wu, "estando agora num processo de evolução e mudança, fazendo reflectir essas mudanças nos alunos a quem dão aulas. E compreendemos agora que o mundo está a mudar e que a Internet está a modificar o nosso mundo muito rapidamente... Creio que as Artes irão desempenhar um papel importante. É ainda mais importante a existência de uma integração entre as Artes e a Ciência, no sentido de estimular o pensamento criativo e independente... Existem alguns professores que não têm a formação adequada para concretizar a integração das Artes e da Ciência".

O discurso dela assemelhava-se muito ao de Wayne Clough do Georgia Tech. E aí é que está o cerne da questão. *A China está empenhada em superar os seus pontos fracos – começando pelo pensamento criativo – para igualar os nossos pontos fortes.*

Isto vai demorar, provavelmente mais do que a China pensa. Porém, quando se observa o que a China tem feito, não tenho quaisquer dúvidas de que atingirá os seus objectivos. Vejamos o caso do *Microsoft Research Asia*, o centro de investigação que Bill Gates implementou em Pequim para aproveitar os cérebros chineses. A Microsoft tem quatro grandes centros de investigação em todo o mundo: em Cambridge, Inglaterra; em Redmond, Washington, onde fica a sua sede social; em Pequim; e, mais recentemente, em Bangalore, Índia. Bill Gates disse-me que poucos anos após a abertura, em 1998, do *Microsoft Research Asia* – nome pelo qual é conhecido o centro de investigação em Pequim –, este tornou-se o centro mais produtivo de investigação na Microsoft "em termos de qualidade de ideias. O que é espantoso".

Na China, onde existem 1,3 mil milhões de pessoas e as universidades estão a começar a atingir a liderança dos *rankings*, a competição por um lugar de topo numa empresa é feroz. O "salmão" das Ciências e da Matemática, que "nada rio acima" na China e consegue ser admitido numa das mais prestigiadas universidades do país, ou ser contratado por uma empresa estrangeira, é um "peixe esperto". Na Microsoft existe um ditado sobre o centro de investigação da empresa em Pequim, que para os cientistas e engenheiros é um dos lugares mais cobiçados para trabalhar em toda a China: "Lembre-se de que, na China, quando você é um entre um milhão – existem outras 1300 pessoas iguais a si."

Por outras palavras, o "cérebro" que chega ao centro de investigação em Pequim é já um entre um milhão.

Kai-Fu Lee, que entretanto saiu da Microsoft, tinha a incumbência inicial de construir o centro de investigação de Pequim. A primeira pergunta que lhe coloquei foi: "Como é que fez para recrutar o pessoal?" Lee disse que a sua equipa se deslocou a universidades de toda a China e simplesmente fez testes de programação, matemática e de QI a estudantes ou cientistas com doutoramento.

"No primeiro ano, fizemos cerca de dois mil testes por todo o lado", explicou. Desses, seleccionámos 400 através de testes suplementares, depois 150, "no final contratámos 20". Foram-lhes oferecidos contratos de dois anos e, no fim desse tempo, dependendo da qualidade do seu trabalho, ser-lhes-ia oferecido um contrato de mais longo prazo ou atribuído um grau de pós-doutoramento pelo *Microsoft Research Asia*. Sim, leu bem. O governo chinês concedeu à Microsoft o direito de atribuir pós-doutoramentos. Dos 20 inicialmente contratados, 12 sobreviveram ao corte. No ano seguinte, foram testadas perto de quatro mil pessoas. Depois disso, disse Lee, "parámos de fazer o teste. Naquela altura tornámo-nos conhecidos como a melhor empresa para trabalhar e por isso éramos vistos como o lugar onde todos os informáticos e matemáticos inteligentes queriam trabalhar... Ficámos a conhecer todos os estudantes e professores. Os professores enviariam os seus melhores alunos ao nosso centro, sabendo que se eles não produzissem os resultados esperados, seria a sua credibilidade que estaria em jogo. Agora temos os melhores professores, das melhores escolas, a recomendarem-nos os seus melhores alunos. Muitos estudantes querem ir para Stanford ou para o MIT, mas primeiro querem passar dois anos na Microsoft, como estagiários, para depois conseguirem uma simpática carta de recomendação que diz que eles são de qualidade MIT".

"Encaram isto como uma oportunidade única na vida em termos de rendimentos", diz Lee acerca da equipa do *Microsoft Research Asia*. "Viram os seus pais passar pela Revolução Cultural. O melhor que lhes podia acontecer era tornarem-se professores, paralelamente participarem num pequeno projecto, porque os professores são muito mal remunerados, e talvez conseguirem publicar uma tese. Agora têm este local onde tudo o que fazem é investigação, com bons computadores e muitos recursos. Eles têm secretárias – contratamos pessoal para fazer o trabalho mais administrativo. Simplesmente custa-lhes a acreditar que estão a ter 'aquela oportunidade'. Trabalham voluntariamente 15 a 18 horas por dia e aparecem aos fins-de-semana. Trabalham nos feriados, porque o sonho deles é entrar na Microsoft." Lee, que trabalhou para outras empresas norte-americanas de alta tecnologia antes de ir para a Microsoft, disse que, até dar início ao projecto *Microsoft Research Asia*, nunca tinha visto um laboratório de investigação que transpirasse o entusiasmo de uma *start-up*.

Hoje, tem 200 investigadores a tempo inteiro. Harry Shum, o engenheiro formado no Carnegie-Mellon que gere actualmente o *Microsoft Research Asia*, tem uma opinião muito clara daquilo que os inovadores chineses podem fazer quando dispõem do ambiente adequado. ACM Siggraph é a principal conferência global sobre gráficos computacionais e tecnologias interactivas. Na Siggraph 2005, foram publicados 98 artigos de universidades e institutos de investigação de todo o mundo. Nove deles – quase dez por cento – eram oriundos do centro de investigação de Pequim da Microsoft, ultrapassando o MIT e Stanford. Shum refere: "Em 1999, publicámos um artigo. Em 2000, publicámos um. Em 2001, publicámos dois. Em 2002, publicámos quatro. Em 2003, publicámos três. Em 2004, publicámos cinco e, este ano, temos muita sorte em publicar nove." Vislumbra alguma tendência em desenvolvimento?

Além disso, o *Microsoft Research Asia* já contribuiu com mais de cem inovações tecnológicas para os actuais produtos da Microsoft – desde a Xbox ao Windows. É um grande salto em sete anos, porém, tirando os grandes como a Microsoft, a China ainda tem muito trabalho pela frente.

Shum continuou: "Um jornalista chinês perguntou-me uma vez: 'Harry, diga-me, honestamente, qual é a diferença entre a China e os Estados Unidos? Quanto é que a China está atrás?' Em tom de gracejo, respondi: 'Bem, a diferença entre o sector de alta tecnologia na China e o sector de alta tecnologia nos Estados Unidos é de apenas três meses – se não contar com a criatividade.' Quando era estudante na China, há 20 anos, nem sabíamos o que se passava nos Estados Unidos. Hoje, sempre que um indivíduo do MIT põe alguma coisa na Internet, os alunos na China podem absorvê-la em três meses. Mas será que alguém aqui a poderia ter criado? Isso é uma questão totalmente diferente. A maior parte da minha aprendizagem sobre o modo correcto de fazer investigação foi obtida no Carnegie-Mellon... Antes de criar algo de novo, é necessário compreender o que já existe. Quando se tem esta base, a criatividade pode ser treinada. A China está a construir essa base. Assim, dentro de muito pouco tempo – dez ou 20 anos –, assistiremos a um fluxo de artigos de investigação de alta qualidade oriundo da China."

Assim que comecem a surgir mais ideias originais na China, ainda será necessário mais capital de risco e uma legislação adequada para implementar essas ideias no mercado. "Alguns aspectos da cultura chinesa não estimulavam o pensamento independente", refere Shum. (Acrescentaria, obviamente, que a estrutura política comunista não promove igualmente o pensamento livre.) "No entanto, a entrada de capital de risco no país irá certamente inspirar uma nova geração de empreendedores chineses. No próximo ano, irei leccionar um curso na Universidade de Tsinghua sobre como criar negócios baseados em tecnologia...Existe tecnologia nas universidades [chinesas], mas as pessoas não sabem o que fazer com ela – como comercializá-la."

Alguns dos seus investigadores chineses apresentaram-me os seus novos protótipos. Apercebi-me de que alguns desses investigadores tinham pequenos blocos de granito alinhados nas suas prateleiras. Perguntei a uma investigadora, que tinha sete ou oito desses blocos na sua prateleira, "o que é isso?" Ela respondeu-me que os investigadores recebiam um desses blocos da Microsoft sempre que inventavam "algo que depois era patenteado."

Como é que se diz Ferrari em Chinês?

No dia 15 de Dezembro de 2004, o Conselho para a Competitividade (*Council on Competitiveness*) organizou uma Cimeira de Incentivo à Inovação Nacional, no Edifício Ronald Reagan em Washington D.C., para divulgar o seu estudo a longo prazo "Inovar os EUA: Prosperar num mundo de desafios e mudanças" – uma análise bipartidária e detalhada, elaborada pelos maiores tecnólogos e industriais dos Estados Unidos, sobre a forma de estimular novamente a competitividade norte-americana através de mais investigação, educação e inovação. Vários meses após a divulgação do relatório, o Conselho para a Competitividade foi contactado pela Embaixada da China em Washington e informado de que o Vice-ministro chinês da Ciência e Tecnologia estaria de visita a Washington e gostaria de convidar os membros do Conselho para um almoço. Deborah Wince-Smith, a dinâmica Presidente do Conselho para a Competitividade, contou-me que os seus colegas teriam todo o prazer em partilhar o seu relatório com o visitante chinês, tal como fariam com qualquer outro visitante estrangeiro. Todavia, não foi necessário.

"Ele informou-nos que já tinham mandado traduzir o relatório e que estavam a planear integrá-lo no seu plano estratégico a 20 anos", afirmou Wince-Smith, acrescentando que, enquanto o Conselho tinha tomado a iniciativa de partilhar o relatório com outros países, "foram os chineses que vieram ter connosco – não fomos nós a ir ter com eles." Era óbvio que seguiam atentamente o trabalho do Conselho, que está publicado no seu *site*. Entretanto, Wince-Smith confessou que se interrogava agora, "se o relatório "Inovar os EUA" seria implementado pelos EUA ou pela China."

Não se ria. No dia em que foi divulgado o relatório "Inovar os EUA", em Washington, os autores, que – como já disse anteriormente – eram um grupo poderoso de líderes empresariais e universitários, suplicaram à Casa Branca que o Presidente Bush estivesse presente na cerimónia, na esperança que utilizasse o seu famoso púlpito para destacar o relatório e captar a atenção nacional. Os assistentes do Presidente recusaram o pedido por pensarem, aparentemente, que atenuaria a sua mensagem do dia.

E onde estava o Presidente Bush a discursar nesse dia? Estava literalmente na sala ao lado, nesse mesmo Edifício Ronald Reagan, à mesma hora da divulgação do relatório "Inovar os EUA". E o que estava o Presidente a fazer de mais importante? Estava a presidir à sua própria cimeira económica, discursando para uma audiência cuidadosamente seleccionada, que incluía muitos financiadores da campanha Republicana, para defender o seu plano de privatização parcial da segurança social que, em última análise, acabou por fracassar. A sala onde discursava o Presidente tinha como pano de fundo as palavras "Assegurar o Nosso Futuro Económico". Assim, o Presidente procurava destruir a velha *New Deal** – quando o que deveria era utilizar o seu mandato para promover uma *New New Deal* para o século XXI. Entretanto, na sala ao lado, um grupo bipartidário liderado por Sam Palmisano, CEO da IBM, e G. Wayne Clough, Reitor do Georgia Tech, estava a

* **N.T.** Política de recuperação económica introduzida, nos anos 30, pelo Presidente Franklin D. Roosevelt.

oferecer uma agenda para uma *New New Deal* no âmbito da Cimeira de Incentivo à Inovação Nacional e o Presidente não podia dedicar-lhes cinco minutos do seu tempo. Em contrapartida, os chineses não perderam tempo e traduziram de imediato essa agenda. E não estou a inventar.

Pouco tempo depois, falei com Craig Barrett, o *Chairman* da Intel, que parecia exasperado com o facto de Washington, incluindo os dois maiores partidos políticos, não estar a compreender a extensão desta crise silenciosa – ou, pelo menos, não com a urgência necessária.

"Iremos contratar os talentos onde quer que estejam", refere Barrett. "Ainda temos bons alunos a sair das nossas escolas". Se analisar onde está a Intel a fazer muitos dos seus novos investimentos ao nível da Engenharia, acrescentou, verá que é em quatro ou cinco países – na Rússia, na China, na Índia e, em menor grau, na Malásia e em Israel. Estes e outros mercados emergentes são igualmente os locais onde a Intel tem vendido cada vez mais *chips*.

Em seguida, Barrett afirmou algo sobre a Intel, que é totalmente verdade num mundo plano, mas que poderá chocar muitos norte-americanos. A Intel pode prosperar, enquanto empresa, "mesmo que nunca mais contratemos norte-americanos." No entanto, acrescentou logo que essa não era a intenção ou o desejo da Intel. "Ainda contratamos muitos norte-americanos", referiu. "Hoje em dia, contudo, podemos contratar os melhores talentos em qualquer parte do mundo e sermos muito bem sucedidos."

A Intel tem de procurar QI (e QC e QP) em todo o lado, porque é isso que os seus concorrentes estão a fazer. Não se esqueça, salientou Tracy Koon, directora de negócios empresariais da Intel, de que os *chips* da Intel são feitos a partir de apenas duas coisas - areia e massa cinzenta (o silicone é feito a partir de areia) - "e, neste momento, a massa cinzenta é o problema... Precisamos de um sistema de imigração mais forte, que preste mais apoio se quisermos contratar as pessoas que queiram cá ficar. Caso contrário, iremos até onde elas estiverem. Quais são as alternativas? Não estou a falar de programadores de dados ou de [pessoas com] bacharelatos em Ciências Computacionais. Estamos a falar de Engenharia especializada de topo. Acabámos de iniciar uma operação de Engenharia na Rússia, onde os engenheiros dispõem de uma formação espantosa – e falam de subemprego! Nós estamos a reforçar isso. Por que não?"

Esta é a tempestade perfeita de Shirley Ann Jackson – não deixamos entrar os talentos do estrangeiro como costumávamos fazer, as crescentes oportunidades para as nossas empresas residem cada vez mais nos mercados externos e não estamos a proporcionar uma formação adequada aos nossos filhos para preencher as lacunas. Se esta tempestade nos atingir, as empresas norte-americanas, como a Intel, descolarão do território norte-americano como foguetões. Irão pairar sobre os EUA. Iremos continuar a considerá-las empresas norte-americanas, porque estarão cotadas na Bolsa de Valores de Nova Iorque e porque terão apartados postais nos Estados Unidos, mas na realidade serão empresas do mundo plano. O mais importante é onde surge a inovação, porque é aí que estarão os melhores empregos e esses melhores empregos irão despoletar mais bons empregos e empregos decentes em cada comunidade. É importante que a Microsoft esteja sediada em Redmond, Washington. É importante que o Google esteja sediado em Mountain View, Califórnia. E, um dia, será preocupante se já não estiverem.

"O nível de vida está relacionado com o valor médio acrescentado pela sua força de trabalho", afirma Barrett, "e isso está relacionado com o nível escolar médio dessa força de trabalho. Se baixar o nível escolar da sua força de trabalho, em relação à sua concorrência, o seu nível de vida irá diminuir."

Veja-se a grande importância atribuída pelo Congresso ao caso dos esteróides na principal liga de basebol norte-americana e compare-a com a importância que tem sido atribuída à crise da educação científica nas principais cidades norte-americanas. Quanto tempo tivemos de esperar para o Congresso abrir um inquérito sobre o caso dos esteróides na principal liga de basebol? Praticamente nenhum. A crise da ciência? Essa pode esperar. O Congresso tem medidas eleitoralistas para tomar. O Presidente tem outras prioridades.

"Como a minha mulher gosta de dizer", refere Barrett, "quando estudamos História e analisamos as civilizações que cresceram e morreram, todas deixaram um vestígio – um grande coliseu desportivo no centro das suas capitais."

O nosso destino pode ser diferente, mas apenas se começarmos a agir de forma diferente. São necessários 15 anos para formar um cientista ou um engenheiro de topo, desde que uma criança se apaixona por Ciências e Matemática na escola primária. Por conseguinte, deveríamos pôr imediatamente mãos à obra e implementar programas intensivos de educação no âmbito das Ciências e da Engenharia, sem restringir os apoios ou limitar os orçamentos. Os cientistas e os engenheiros não crescem das árvores. O seu processo de educação é longo porque, senhoras e senhores, isto *é* realmente a ciência dos foguetões.

O facto de não estarmos a fazer isto é uma crise. Poderá ser uma crise lenta e silenciosa, mas existe e é real. Como Paul Romer, o economista de Stanford, alertou de forma perspicaz:

"Não se pode desperdiçar uma crise."

Capítulo IX

Isto não é um Teste

Temos o poder de moldar a civilização que desejamos. Se quisermos criar esse tipo de sociedade, precisamos da vossa vontade, do vosso trabalho, dos vossos corações. Aqueles que chegaram a esta terra pretendiam construir mais do que apenas um país. Procuravam um novo mundo. Por isso, vim hoje até aqui, ao vosso *campus*, para vos dizer que podemos fazer da visão deles a nossa realidade. Por isso, a partir deste momento, deixem que iniciemos o nosso trabalho com vista a que, no futuro, os homens olhem para trás e digam: foi nessa altura, depois de um longo e fatigante caminho, que o homem recorreu às proezas do seu poder intelectual e criativo para um total enriquecimento da sua vida.

– "Great Society", discurso do então Presidente norte-americano Lyndon B. Johnson, 1964

Aqui, a maioria dos políticos não sabe a diferença entre um servidor e um empregado de mesa. É por isso que os miúdos na Coreia do Sul têm melhor acesso à Internet do que os miúdos no sul do Bronx.

– Andrew Rasiej, candidato ao cargo de Provedor da cidade de Nova Iorque, nas eleições de 2005, que pretendia implementar uma plataforma orientada para o desenvolvimento das infra-estruturas de TI na cidade de Nova Iorque (não foi eleito)

Como alguém que cresceu durante o período da Guerra Fria, lembrar-me-ei sempre de ir a conduzir e a ouvir a rádio quando, subitamente, a música parava e entrava no ar um locutor que dizia num tom de voz sinistro: "Este é um teste ao sistema de transmissão em caso de emergência", logo a seguir soaria uma sirene, num tom agudo, durante 30 segundos. Felizmente, nunca tivemos de passar pelo momento em que o locutor diria: "Isto não é um teste." E, é isso mesmo que pretendo dizer-vos: *Isto não é um teste.*

As oportunidades e desafios de longo prazo que o mundo plano apresenta aos Estados Unidos são profundos. Por isso, a capacidade para deixar de fazer as coisas da forma como têm sido feitas – ou seja, nem sempre para enriquecer o "molho secreto" – já não será suficiente. "Para um país tão rico como os EUA, é espantoso o pouco que está a ser feito para engrandecer a sua competitividade natural", disse Dinakar Singh, o gestor indo-americano de *hedge funds.* "Vivemos num mundo que dispõe de um sistema que já permite a convergência entre muitos milhares de milhões de pessoas e era melhor que parássemos um pouco e percebêssemos o que é que isso significa. Seria uma feliz coincidência se tudo o que antes era verdade o continuasse a ser – mas existem umas quantas coisas que na realidade é preciso fazer de forma diferente... É preciso que haja um debate nacional muito mais profundo."

Se este momento tem algum paralelo na história norte-americana, é com o pico da Guerra Fria, por volta de 1957, quando a União Soviética ultrapassou os Estados Unidos na corrida ao espaço com o lançamento do satélite Sputnik. Sim, existem muitas diferenças entre essa época e esta em que vivemos. O principal desafio, naquela altura, veio daqueles que queriam construir muros; o principal desafio que os EUA actualmente enfrentam resulta do facto de todos os mitos estarem a ser derrubados, podendo os outros países competir directamente com eles. O principal desafio de então era colocado pelos países comunistas, nomeadamente a Rússia, a China e a Coreia do Norte. O principal desafio com que os EUA se confrontam hoje tem origem naqueles que exercem um capitalismo extremo, nomeadamente a China, a Índia e a Coreia do Sul. O principal objectivo durante a Guerra Fria era edificar um Estado forte; o principal objectivo desta época é criar indivíduos fortes.

O que esta época tem em comum com a época da Guerra Fria prende-se com o facto de ser necessária uma resposta tão polivalente, enérgica e concentrada para atender aos desafios do mundo plano, como a que foi necessária para atender ao desafio do comunismo. Exige a nossa própria versão da Nova Fronteira e da Grande Sociedade* adaptadas à era do mundo plano. Exige que um presidente seja capaz de instar a nação a tornar-se mais inteligente e a aplicar-se mais no estudo das Ciências, da Matemática e da Engenharia para poder alcançar as novas fronteiras do conhecimento que o mundo plano está rapidamente a abrir e a obrigar a desbravar. Exige também uma Grande Sociedade que comprometa o governo na criação de infra-estruturas, redes de segurança e instituições que ajudarão cada norte-americano a tornar-se mais "empregável" numa época em que não é possível garantir a ninguém um emprego vitalício. O nome que dou à minha própria versão desta abordagem é *"um mundo plano solidário"*.

Conseguir que os norte-americanos apoiem um mundo plano solidário é muito mais difícil do que conseguir que apoiem o anticomunismo. "O perigo nacional é muito mais fácil de transmitir do que o perigo individual", salientou Michael Mandelbaum, especialista em política externa na Universidade Johns Hopkins. Como foi realçado, a economia não é como a guerra, porque a economia pode sempre ser um jogo em que todos ganham. Porém, por vezes, gostaria que a econo-

---

* **N.T.** Programas propostos por John F. Kennedy e Lyndon B. Johnson, respectivamente, com o intuito de tentarem recuperar o famoso *New Deal*, de Franklin Roosevelt.

mia fosse mais como a guerra. Na verdade, durante o período da Guerra Fria, os norte-americanos chegaram a ver os soviéticos a desfilar os seus mísseis na Praça Vermelha. O medo chegou a tocar uma ponta à outra do país e todos os políticos norte-americanos tiveram de se concentrar e pensar seriamente em reunir os recursos necessários e os programas educacionais para garantir que poderiam acompanhar o ritmo da União Soviética.

Graças a Deus, hoje não há nenhuma ameaça de mísseis proveniente da Índia. A *hot line*[*], que ligava o Kremlin à Casa Branca, foi substituída pela *help line*[**], que faz a ligação de todos os norte-americanos a *call centers* em Bangalore. Apesar de no outro lado da *hot line* poder ter estado Leonid Brezhnev a ameaçar com uma guerra nuclear, no outro lado da *help line* apenas está uma voz suave, desejosa de ajudá-lo a discriminar a sua factura da AOL ou a colaborar consigo no que diz respeito a um novo elemento de *software*. Não, aquela voz nada tem de parecido com a ameaça de Nikita Khrushchev a bater ruidosamente com um sapato na mesa durante uma reunião da ONU e nada tem a ver com o "rosnar" sinistro das personagens malvadas do filme *From Russia with Love*[***]. Não há nenhum Boris ou Natasha dizendo, com um sotaque russo cerrado: "Vamos enterrá-lo." Não, aquela voz do outro lado da *help line* tem uma amigável melodia indiana que retira qualquer sensação de ameaça ou desafio. Simplesmente diz: "Olá, o meu nome é Rajiv. Posso ajudá-lo?"

Não, Rajiv, na verdade não pode.

No que diz respeito à resposta a dar aos desafios do mundo plano, não temos *help line* para onde telefonar. Temos de descobri-la dentro de nós mesmos. Nos EUA existem todas as ferramentas para o fazer, conforme defendi no Capítulo VII. Mas, como disse no Capítulo VIII, os EUA não têm estado a usar essas ferramentas como deviam. Daí a crise silenciosa. Partir do princípio de que, porque a economia norte-americana dominou o mundo durante mais de um século, assim será e terá de continuar a ser, é hoje uma ilusão tão perigosa quanto foi, em 1950, a ilusão de que os Estados Unidos iriam dominar sempre a área das Ciências e da Tecnologia. O futuro não vai ser fácil. Conseguir que a sociedade norte-americana esteja à altura e ao ritmo de um mundo plano vai ser um processo extremamente doloroso. Vai ter de começar a fazer muitas coisas de forma diferente. Vai ser necessário o tipo de concentração e vontade nacional a que o Presidente John F. Kennedy apelou no seu famoso discurso ao Congresso sobre as "necessidades nacionais urgentes", em 25 de Maio de 1961. Naquela altura, os

[*] **N.T.** Linha telefónica segura.

[**] **N.T.** Linha de ajuda.

[***] **N.T.** Filme que faz parte da série do agente secreto 007 e que em Portugal teve o título *Ordem para Matar*.

EUA estavam a recuperar dos choques do lançamento do Sputnik e da colocação no espaço, por parte dos soviéticos, do cosmonauta Yuri Gagarin, menos de dois meses antes de Kennedy ter proferido o seu discurso. Kennedy sabia que, apesar de os EUA terem gigantescos activos humanos e institucionais – muito mais do que a União Soviética –, estes não estavam a ser plenamente utilizados.

"Acredito que possuímos todos os recursos e talentos necessários", disse o Presidente Kennedy. "Mas a verdade é que nunca tomámos as decisões nacionais ou reunimos os recursos nacionais necessários para essa liderança. Nunca especificámos objectivos de longo alcance num prazo urgente nem gerimos os nossos recursos e o nosso tempo para garantir o seu cumprimento." Depois de ter delineado todo o seu programa para colocar o homem na lua num prazo de dez anos, o Presidente Kennedy acrescentou: "Que fique claro que estou a pedir ao Congresso e ao país que aceitem um firme compromisso com um novo rumo de acção, um rumo que perdurará por muitos anos e que tem implícitos pesados custos... Esta decisão exige um grande compromisso nacional em termos de cientistas e técnicos, material e instalações, bem como a possibilidade do seu desvio de outras actividades importantes em que já estejam levemente disseminados. Significa um grau de dedicação, organização e disciplina que nem sempre caracterizou os nossos esforços ao nível da investigação e do desenvolvimento."

Nesse discurso, Kennedy fez um voto que ainda tem um eco espantoso nos dias de hoje: "Assim, estou a transmitir ao Congresso um novo programa de Formação e Desenvolvimento de Potencial Humano, destinado a orientar ou a reorientar várias centenas de milhares de trabalhadores, especialmente nas áreas onde existe um desemprego crónico em resultado de factores tecnológicos, ao nível das novas competências ocupacionais durante um período de quatro anos – com vista a substituir essas competências, tornadas obsoletas pela automação e transformação industrial, pelas novas competências que os novos processos exigem."

Ámen. Hoje os norte-americanos também têm de fazer as coisas de forma diferente. Vão ter de escolher o que é para manter, o que é para descartar, o que é para adaptar, o que é para adoptar, onde devem ser redobrados os esforços e onde se deve intensificar a sua focalização. É sobre tudo isto que este capítulo se debruça. Trata-se apenas de uma intuição, mas o facto de o mundo estar a tornar-se plano vai ser altamente disruptivo para as sociedades – quer as tradicionais quer as desenvolvidas. O fraco irá cair atrás do mais rápido. O tradicional irá sentir muito mais profundamente a força da modernização. O novo rapidamente se transformará em velho. O desenvolvido será muito mais profundamente desafiado pelo subdesenvolvido. Preocupo-me com este facto, porque muita da estabilidade política é construída com base na estabilidade económica e a estabilidade económica não vai ser uma característica do mundo plano. Junte tudo isto e poderá ver que as rupturas vão surgir mais rapidamente e serão mais duras. Ninguém está imune – nem eu, nem você, nem a Microsoft. Estamos a entrar numa era de destruição criativa baseada nos esteróides. Mesmo que o seu país tenha uma estratégia polivalente para lidar com o mundo plano, irá ser um desafio de uma dimensão totalmente nova. Mas se nem sequer tem uma estratégia... bem, não diga que não o avisaram.

Isto não é um teste.

Pelo facto de ser norte-americano, estou especialmente preocupado com o meu país. Como é que os norte-americanos irão maximizar os benefícios e oportunidades do mundo plano e proteger aqueles que têm dificuldades no processo de transição? Alguns irão dar as tradicionais respostas conservadoras; outros irão oferecer as tradicionais respostas liberais. Eu sugiro um mundo plano solidário. Um mundo plano solidário é a minha definição de progresso num mundo plano. Em primeiro lugar, salvo se houver alguma convulsão geopolítica, suponho que o mundo irá ficar cada vez mais globalizado e mais plano – isto é tão certo como o amanhecer se seguir ao anoitecer. Num mundo cada vez mais plano, a função do governo e dos políticos é mais importante do que nunca. Esta função consiste em aproveitar a globalização e compreender que uma sociedade mais justa, mais solidária e mais igualitária reside numa teia de políticas que não se destinam a fortalecer o velho Estado-providência – nem a aboli-lo e deixar tudo à mercê do mercado –, mas a reconfigurá-lo e a oferecer a mais norte-americanos a perspectiva, a educação, as competências e as redes de protecção de que precisam para competir com outros indivíduos no mundo plano. É isso que significa um mundo plano solidário, que é construído em torno de cinco grandes categorias de acção: liderança, criação de músculos, amortecimento, activismo social e educação dos filhos.

Liderança

A função dos políticos nos Estados Unidos, quer seja a nível local, estadual ou nacional, deve ser, em larga medida, a de ajudar a instruir e explicar às pessoas em que mundo vivem e o que devem fazer se quiserem prosperar nele. No entanto, um problema que actualmente enfrentamos prende-se com o facto de muitos políticos norte-americanos não parecerem ter a mais pequena ideia do que é o mundo plano. Como John Doerr, investidor de capital de risco, me confessou: "Fala-se com os líderes na China, que são praticamente todos engenheiros, e compreendem imediatamente o que se está a passar. Os norte-americanos não, porque são todos advogados."

A esta opinião, Bill Gates acrescentou: "Os chineses diminuíram o risco e o trabalho pesado, são instruídos e, quando nos encontramos com políticos chineses, são invariavelmente cientistas e engenheiros. É possível ter uma conversa sobre números com eles – nunca se debatem temas como 'diga-me uma pequena piada com a qual eu possa embaraçar os meus rivais políticos'. Estamos reunidos com uma burocracia inteligente."

Quando o Primeiro-ministro da China, Wen Jiabao, visitou pela primeira vez a Índia, em Abril de 2005, não viajou para a capital, Nova Deli – como faz a maioria dos líderes estrangeiros. Viajou directamente de Pequim para Bangalore – para uma visita tecnológica – e depois seguiu viagem para Nova Deli. Nenhum presidente ou vice-presidente norte-americano visitou alguma vez Bangalore. Não estou a dizer que devíamos exigir a todos os políticos que tivessem cursos de Engenharia, mas seria útil se tivessem um conhecimento básico das forças que estão a tornar o mundo plano, se tivessem capacidade para as explicar aos eleitores e para estimular uma resposta. Existem demasiados políticos hoje em dia nos EUA que parecem fazer o oposto. De facto, parecem desviar-se do seu caminho para fazer dos seus eleitores "estúpidos" – incentivando-os a acreditar que alguns empregos são "empregos norte-americanos" e que podem ser protegidos da concorrência estrangeira, ou que, como os EUA sempre dominaram economicamente durante toda a sua vida, assim continuará, ou que a compaixão deve ser equiparada ao proteccionismo. É difícil haver uma estratégia nacional norte-americana para lidar com o mundo plano se as pessoas nem sequer reconhecem que está a surgir uma disparidade ao nível do grau de instrução, ao nível da ambição e que se está a criar uma crise silenciosa. Por exemplo, de todas as escolhas políticas que o Congresso com maioria Republicana poderia ter feito para elaborar o orçamento do ano fiscal de 2005, como é possível que tenha decidido reduzir o financiamento à Fundação Nacional para a Ciência em mais de cem milhões de dólares?

Precisamos de políticos que sejam capazes, e tenham vontade, de explicar e de inspirar. E o que mais precisam de explicar aos norte-americanos é sensivelmente o mesmo que Lou Gerstner explicou aos colaboradores da IBM quando tomou posse como *Chairman*, em 1993, ocasião em que a empresa estava a perder milhares de milhões de dólares. Nessa altura, a IBM passava por uma experiência de quase morte devido à sua incapacidade para se adaptar e tirar proveito do mercado do negócio dos computadores que tinha inventado. A IBM tornou-se arrogante. Criou toda a sua imunidade ao ajudar os clientes a resolver problemas. Mas, passado pouco tempo, deixou de ouvi-los. Pensou que não era preciso. No entanto, quando deixou de ouvir os clientes, deixou de criar o valor que lhes interessava e que tinha sido toda a força do seu negócio. Um amigo que, naquela altura, trabalhava na IBM disse-me que ainda durante o seu primeiro ano na empresa, onde fazia uma formação interna, o seu formador vangloriou-se dizendo que a IBM era uma empresa tão maravilhosa que conseguia fazer "coisas extraordinárias com pessoas medianas". No entanto, à medida que o mundo começou a ficar plano, a IBM descobriu que não conseguia continuar a prosperar com um excesso de pessoas medianas a trabalhar para uma empresa que deixou de ser uma boa ouvinte.

Quando uma empresa é a pioneira, a vanguardista, a melhor, a jóia da coroa, é difícil olhar-se ao espelho e aceitar que está numa crise não muito silenciosa e que é melhor começar a escrever uma nova História ou, então, passará de vez à História. Gerstner decidiu que seria esse espelho. Defendeu que não fazia sentido a IBM ter uma estratégia construída maioritariamente à volta da concepção e venda de computadores – em vez dos serviços e estratégias destinados a tirar melhor partido desses computadores para cada cliente. Escusado será dizer que estas palavras foram um choque para os IBM*.

"A transformação de uma empresa começa com a percepção de uma crise ou de uma urgência", comentou Gerstner aos alunos da Harvard Business School, numa palestra em 9 de Dezembro de 2002. "Nenhuma instituição passará por uma transformação essencial a não ser que acredite estar com grandes problemas e que precisa de fazer algo diferente para sobreviver." É impossível ignorar o paralelo com os EUA como um todo, no início do século XXI.

Quando Lou Gerstner chegou, uma das primeiras medidas que tomou foi substituir a noção de emprego vitalício pela noção de empregabilidade vitalícia. Um amigo meu, Alex Attal, engenheiro de *software* nascido em França, que trabalhava na empresa, descreveu a transição desta maneira: "Em vez de a IBM te dar garantia de emprego, tu é que tinhas de garantir que tinhas capacidade para continuar a ser empregável. A empresa fornecia-te a estrutura, mas tu próprio tinhas de a construir. É tudo uma questão de adaptação. Tinha sido chefe de vendas da IBM França, em meados dos anos 90. Disse aos meus colaboradores que, nos velhos tempos, o [conceito de] emprego vitalício era da exclusiva responsabilidade da empresa, não uma responsabilidade pessoal. Mas assim que mudámos para um modelo de empregabilidade, passou a ser uma responsabilidade mútua. A empresa dar-te-á acesso ao conhecimento, mas tens de tirar partido disso... Tens de construir as técnicas porque vais ser tu a concorrer com os outros."

Quando Gerstner começou a mudar o paradigma da IBM, continuou a dar ênfase à questão da delegação de poderes a título individual. "Percebeu que uma empresa extraordinária só poderia ser construída com base num importante conjunto de pessoas extraordinárias", disse Attal.

O que sucedeu na IBM sucedeu nos Estados Unidos. Um qualquer Joe mediano tem de se tornar no Joe especial, especializado, sintetizador ou adaptável. O papel do governo e das empresas não é garantir um emprego vitalício – esses dias acabaram. Esse contrato social foi rasgado quando o mundo começou a tornar-se plano. O que o governo pode e deve garantir aos seus cidadãos é a oportunidade de os tornar mais empregáveis. Não queremos que os EUA sejam para o mundo o que a IBM estava a tornar-se para a indústria informática nos anos 80: os indivíduos que desbravaram o 'terreno de jogo', mas que depois se tornaram demasiado

* **N.T.** Quem trabalhava para a IBM.

tímidos, arrogantes e medíocres para jogar nele. Nós queremos que os EUA sejam a IBM renascida.

No entanto, explicar um novo desafio não passa apenas por diagnosticar o problema e por dizer a verdade às pessoas sobre o nosso atraso. Passa igualmente por abrir as suas mentes ao poder das novas tecnologias para resolver velhos problemas. A liderança política é mais do que um concurso para ver quem pode oferecer as redes de segurança mais vastas e mais fortes. Sim, temos de atender aos receios das pessoas, mas temos também de alimentar a sua imaginação. Os políticos podem deixar-nos mais receosos e, consequentemente, tornarem-se forças incapacitantes, ou podem inspirar-nos e tornarem-se, assim, forças facilitadoras.

Não é fácil que as pessoas se apaixonem pelo mundo plano. É necessária uma certa imaginação. O Presidente Kennedy compreendeu que a disputa com a União Soviética não era uma corrida espacial, mas, sim, uma corrida à educação. No entanto, a maneira que o Presidente escolheu para empolgar os norte-americanos no sentido de se sacrificarem, custasse o que custasse, para ganhar a Guerra Fria – que exigiu um grande empurrão na Ciência e na Engenharia –, foi pôr um homem na lua e não um míssil em Moscovo. Se o Presidente Bush está à procura de um projecto semelhante para deixar o seu legado, ele já existe. Uma iniciativa no âmbito científico nacional será o "objectivo lua" da nossa geração: um programa de choque que tenha em vista a obtenção de uma energia alternativa e a sua preservação, de forma a tornar os EUA auto-suficientes a nível energético daqui a dez anos. Se o Presidente Bush fizesse da auto-suficiência a nível energético a sua "ida à lua", acabaria de um só golpe com as receitas para o terrorismo e forçaria o Irão, a Rússia, a Venezuela e a Arábia Saudita a entrar no caminho da reforma como países produtores de petróleo – o que nunca acontecerá com o barril de petróleo a 50 dólares –, fortaleceria o dólar e melhoraria a sua própria posição na Europa ao fazer qualquer coisa de grande para reduzir o aquecimento global. De igual modo, criaria um verdadeiro íman para motivar os jovens na guerra contra o terrorismo ao tornarem-se – uma vez mais – cientistas, engenheiros e matemáticos. "Isto não é apenas um jogo em que todos ganham", diz Michael Mandelbaum. "Isto é um jogo em que todos ganham-ganham-ganham-ganham-ganham."

Apercebi-me, de forma consistente, de que, das colunas que escrevi no jornal, as que tiveram o *feedback* mais positivo, especialmente por parte dos jovens, foram aquelas que instaram o Presidente a apelar à nação para desempenhar esta tarefa. Concentrarmos todas as nossas energias e competências na produção de um combustível do século XXI é a oportunidade de George W. Bush ser simultaneamente o Nixon na ida à China e o JFK na ida à lua. O Sr. Bush reconheceu este facto com alguma tensão no seu discurso sobre o Estado da Nação em 2006, mas não foi, nem lá perto, suficientemente longe.

Músculos

Na medida em que o emprego vitalício é um tipo de "gordura" que o mundo plano já não pode suportar, um mundo plano solidário procura concentrar a sua energia na forma como o governo e as empresas podem melhorar a *empregabilidade vitalícia* de cada trabalhador. O emprego vitalício depende da preservação de muita "gordura". A empregabilidade vitalícia exige que se substitua essa "gordura" por massa muscular. O contrato social que as forças progressistas deveriam tentar fazer acordar e, consequentemente, cumprir entre o governo e os trabalhadores, bem como entre as empresas e os empregados, poderia ter uma redacção deste género: "Não podemos garantir-lhe um emprego vitalício. Mas podemos garantir-lhe que iremos concentrar-nos em fornecer-lhe as ferramentas que o tornem mais vitaliciamente empregável – mais apto a adquirir o conhecimento ou a experiência necessários para ser um bom adaptador, sintetizador, colaborador, etc." No mundo plano, o trabalhador individual tornar-se-á cada vez mais responsável pela gestão da sua própria carreira, riscos e segurança económica, enquanto o papel do governo e da empresa é ajudar os trabalhadores a criar os músculos necessários para o fazerem.

Os "músculos" de que os trabalhadores mais precisam são regalias portáteis e oportunidades de aprendizagem ao longo de toda a vida. Porquê? Porque se trata dos activos mais importantes para que um trabalhador seja móvel e adaptável. Conforme salienta Robert Lawrence, economista da Universidade de Harvard, o maior activo singular da economia norte-americana sempre foi a flexibilidade e a mobilidade da sua força de trabalho e das suas leis laborais.

Segundo Lawrence, e atendendo a esta realidade, torna-se cada vez mais importante para a sociedade fazer com que as regalias e a formação – os dois principais pressupostos da empregabilidade – sejam tão flexíveis quanto possível. Não quer que as pessoas sintam que têm de ficar eternamente numa empresa simplesmente para manterem as suas pensões e benefícios de saúde. Quanto mais a força de trabalho se sentir móvel – em termos de cuidados de saúde, regalias de pensões e oportunidades de formação permanente –, mais disposta e preparada estará para dar o salto para as novas indústrias e novos nichos de emprego disseminados pelo mundo plano e para transitar de empresas moribundas para empresas promissoras.

A criação de estruturas jurídicas e institucionais para a portabilidade universal de pensões e planos de saúde – além da Segurança Social, Medicare e Medicaid* – ajudará as pessoas a criar esses músculos. Hoje, aproximadamente 50 por cento dos norte-americanos não têm um plano de reforma com base num emprego sem

* **N.T.** Dois serviços públicos de saúde norte-americanos para cobertura de custos médicos a pessoas com baixos rendimentos – o Medicare ao nível dos cuidados médicos e o Medicaid ao nível dos cuidados medicamentosos.

ser a Segurança Social. Os que são suficientemente afortunados para ter um, não podem fazer facilmente a sua transição de emprego para emprego. O que faz falta é um único esquema universal simples de pensão portátil, a par das directrizes propostas pelo Instituto de Política Progressiva*, que contribuiria para acabar com a confusa balbúrdia de 16 opções diferentes de tributação diferida que são actualmente disponibilizadas pelo governo e que as consolidaria num único instrumento. Este plano universal, que seria possível abrir aquando do primeiro emprego, incentivaria os trabalhadores a estabelecer planos de poupança do tipo 401(k)**, dedutíveis nos impostos. Cada trabalhador e a respectiva entidade empregadora poderia fazer contribuições em dinheiro, bónus, partilha de lucros ou acções, dependendo do tipo de regalias que o empregador específico oferecesse. Estes activos poderiam ser criados, livres de impostos, sobre quaisquer poupanças ou opções de carteira de investimentos que o trabalhador escolhesse. Quando chegasse a altura de mudar de emprego, o trabalhador poderia levar todo o portfólio consigo e não ter de devolver o seu valor em dinheiro nem de deixá-lo sob a alçada da anterior entidade patronal. As provisões *rollover**** ainda existem actualmente, mas são complicadas e por causa disso muitos trabalhadores não retiram qualquer partido delas.

O formato universal de pensão de reforma tornaria o *rollover* simples, fácil e previsível, pelo que a imobilização das pensões *per se* nunca faria com que alguém deixasse de transitar de um emprego para outro. Cada entidade patronal poderia continuar a oferecer o seu próprio plano específico de regalias 401(k) como um incentivo para atrair os colaboradores. Mas assim que um trabalhador transitasse para outra empresa, os investimentos nesse 401(k) específico seriam automaticamente depositados na sua conta de pensão universal. Com cada novo emprego, poderia ser iniciado um novo 401(k) e, com cada transferência, as regalias seriam depositadas na mesma conta de pensão universal.

Além deste programa de pensões, simples, portátil e universal, Will Marshall, Presidente do Instituto de Política Progressiva (IPP), propõe uma legislação que tornaria muito mais fácil e provável os trabalhadores conseguirem ser detentores de *stock options***** das empresas para as quais trabalham. Esta legislação daria incentivos fiscais às empresas que facultassem *stock options* a mais trabalhadores, mais cedo, e penalizaria as empresas que não o fizessem. Parte do processo com vista a aumentar a mobilidade dos trabalhadores consiste na criação de alternativas que lhes permitam ser detentores de mais activos financeiros e não apenas do próprio trabalho. "O mundo plano quer intervenientes que se vejam a si próprios como

---

* **N.T.** Progressive Policy Institute.

** **N.T.** Plano de previdência norte-americano com óptimas regalias fiscais.

*** **N.T.** Extensão de uma operação para além da sua data de vencimento original.

**** **N.T.** Opções de compra de acções da empresa a um preço predeterminado depois de decorrido um período de maturidade pré-acordado.

uma *stakeholder**, que participem na criação de capital e não sejam apenas simples candidatos no mercado global de trabalho", defendeu Marshall. "Todos nós temos de ser proprietários, bem como ganhadores de salários. É nesse aspecto que a política pública se concentra – para garantir que as pessoas têm activos geradores de riqueza conforme vamos entrando no século XXI, da mesma forma que se conseguiu isso no século XX com o direito à compra de casa."

Porquê? Porque é do senso comum que as *stakeholders*, isto é, quem detém uma fatia do bolo, "estão mais profundamente empenhadas no sistema de capitalismo democrático e nas políticas que o mantêm dinâmico", sublinhou Marshall. É outra forma, além do direito a ser-se proprietário da sua casa, de sustentar a legitimidade do capitalismo democrático. Representa igualmente outra forma de lhe dar energia, dado que os colaboradores que também são proprietários são mais produtivos no seu trabalho. Além disso, num mundo plano, em que cada trabalhador terá de enfrentar uma concorrência feroz, quantas mais oportunidades tiver para gerar riqueza através do recurso aos mercados, mais capacidade terá para ser auto-sustentável. Precisamos de dar aos trabalhadores todos os estabilizadores que pudermos e tornar tão fácil para eles a obtenção de *stock options* como é para os plutocratas**. Em vez de apenas se estar concentrado na protecção dos que já têm capital, como tão frequentemente os conservadores parecem estar, concentrem-se antes no alargamento do círculo de detentores de capital.

No que diz respeito aos cuidados de saúde, de que não falarei em grande pormenor, uma vez que seria preciso um livro inteiro dedicado ao tema, é essencial que desenvolvamos um esquema para o seguro de saúde "portátil", que reduza parte dos encargos sobre os empregadores – que têm de participar financeiramente neste tipo de cobertura e geri-la. Praticamente todos os empresários com quem falei referiram os galopantes e descontrolados custos com os cuidados de saúde nos EUA como uma razão para transferirem as suas fábricas para países onde as regalias são mais limitadas, ou inexistentes, ou onde existe um seguro de saúde nacional. Uma vez mais, defendo o tipo de "programa portátil" de cuidados de saúde proposto pelo IPP. A ideia é criar plataformas colectivas, em cada Estado, da mesma forma que o Congresso e os colaboradores federais são actualmente cobertos. Estas plataformas estabeleceriam as regras e criariam o mercado, no qual as companhias de seguros poderiam oferecer um *menu* de opções. Cada entidade patronal seria então responsável pela disponibilização deste *menu* de opções a cada novo colaborador. Os trabalhadores poderiam escolher entre uma cobertura elevada, média ou baixa. No entanto, todos teriam de estar cobertos. Dependendo da entidade empregadora, esta cobriria parte ou a totalidade dos prémios, cabendo ao

* **N.T.** Parte interessada.

** **N.T.** Pessoa influente e poderosa pela sua riqueza.

colaborador o restante. Mas o colaborador não seria responsável pela negociação dos planos com as companhias de seguros, onde têm pouca influência individual. As plataformas estatais ou federais encarregar-se-iam disso. Desta forma, os colaboradores seriam totalmente móveis, podendo levar a sua cobertura dos cuidados de saúde para onde quer que fossem. Este tipo de plano funcionou como um atractivo para os membros do Congresso, por isso qual a razão para não o disponibilizar a uma comunidade mais vasta? Os trabalhadores necessitados e com baixos rendimentos que não tivessem capacidade financeira para aderir a um plano obteriam algum subsídio governamental para esse efeito. Mas a ideia principal consiste em estabelecer um mercado de seguros privados supervisionado, regulado e subsidiado pelo governo, em que este defina as regras gerais para que os trabalhadores mais abastados não apanhem "a cereja do bolo" ou para que não haja recusa arbitrária de tratamento. Os cuidados de saúde, por si mesmos, são administrados de forma privada e o papel das entidades patronais é facilitar a entrada dos seus colaboradores numa dessas plataformas estatais e, idealmente, ajudá-los a pagar parte ou a totalidade dos prémios, mas não serem eles os responsáveis pela prestação dos cuidados de saúde. Contudo, durante a fase de transição, as entidades patronais poderiam continuar a disponibilizar planos de cuidados de saúde como uma forma de incentivo e os colaboradores teriam a opção de avançar com o plano oferecido pelos seus patrões ou com o *menu* de opções disponível através das plataformas de compras do Estado (para mais pormenores sobre este assunto, queira consultar o *site*: ppionline.org).

Qualquer um pode ser evasivo em relação aos pormenores de qualquer uma destas propostas, mas penso que a inspiração de base de cada uma delas está absolutamente correcta: num mundo que está a tornar-se plano, em que a segurança do trabalhador já não pode ser garantida pelas grandes empresas que constam na lista *Fortune 500*, com pensões e planos de saúde num sistema *top-down*, precisamos de mais soluções em regime de colaboração – entre o governo, os trabalhadores e as empresas – que promovam colaboradores autónomos, mas não os deixem entregues a eles mesmos.

No que diz respeito à criação de músculos de empregabilidade, o governo tem mais um papel importantíssimo a desempenhar: aumentar o nível escolar de toda a força laboral norte-americana. No Capítulo VII, abordei o tema da educação certa para os empregos que correspondem ao escalão médio das competências profissionais. Mas antes de poderem aprender como aprender, a estimular o hemisfério cerebral apropriado, a serem adaptáveis e a tornarem-se sintetizadores, as pessoas têm de começar por adquirir bases sólidas. A educação adequada só pode ser construída sobre uma sólida aprendizagem das bases – compreensão da leitura, escrita, aritmética e ciência básica. Se não tivermos mais cidadãos norte-americanos com estas bases sólidas, nunca poderemos construir um escalão médio das competências profissionais com a dimensão necessária para manter o crescimento do nosso nível de vida.

Já não é a primeira vez que nos encontramos nesta situação. Século após século, conforme vamos derrubando as fronteiras do conhecimento humano, o trabalho a qualquer nível torna-se mais complexo, exigindo maior reconhecimento de padrões e resolução de problemas. De alguma forma, conseguimos realizar esta transição de uma sociedade que há 150 anos tinha por base a agricultura para uma sociedade assente na indústria – e conseguimos alcançar esse patamar com um melhor nível de vida para a vasta maioria dos norte-americanos. Como é que o fizemos? Começámos por tornar obrigatório o ensino secundário.

"Dissemos que todos teriam de passar a completar o ensino secundário", disse Paul Romer, economista na Universidade de Stanford. "Era esse o tema do movimento a favor da escola secundária que surgiu nos primeiros anos do século XX." Conforme os historiadores da área da Economia demonstraram numa variedade de estudos (consulte, em especial, o trabalho realizado por Claudia Goldin e Larry Katz, economistas de Harvard), tanto a tecnologia como o comércio estão a tornar o bolo maior, mas estão também a transferir as fatias do bolo do trabalho não especializado para o trabalho que requer um elevado nível de competências. À medida que a sociedade norte-americana foi produzindo especialização, ao tornar o ensino secundário obrigatório, delegou poderes a mais gente para conseguir uma maior fatia do bolo, também ele cada vez maior e mais complexo. Com o avançar do século, acrescentámos – sobrepondo-se ao movimento pela escola secundária – a lei dos ex-combatentes (*GI Bill*)* e o moderno sistema universitário.

"Estas foram grandes ideias", salientou Romer, "e aquilo que neste momento falta é imaginação política sobre como podemos fazer algo de tão grande amplitude e tão importante para a transição para o século XXI como fizemos para os séculos XIX e XX". O desafio óbvio, acrescentou Romer, é tornar a educação terciária, se não obrigatória, pelo menos subsidiada pelo governo durante um mínimo de dois anos, quer se trate de uma universidade estatal, uma faculdade comunitária** ou um instituto técnico. O ensino superior vai sendo mais importante conforme o mundo se vai tornando mais plano, porque a tecnologia irá acabar com antigos postos de trabalho e expandir novos empregos mais complexos, a um ritmo muito mais célere do que durante a transição da economia agrícola para a economia industrial.

Educar mais pessoas ao nível terciário tem dois efeitos. Primeiro, produz mais pessoas com as competências necessárias para reivindicar empregos de maior valor acrescentado, em novos nichos do mercado laboral que requeiram maior poder de

---

* **N.T.** Em 1944, o governo federal dos Estados Unidos aprovou a *G.I. Bill* que prometia aos homens e mulheres das forças armadas que, quando a guerra terminasse, Washington pagaria os seus estudos numa faculdade ou escola profissionalizante.

** **N.T.** Instituição onde vigora um programa de dois anos destinado a acomodar os alunos de escolas secundárias que desejam ampliar a sua educação, mas que, por algum motivo, não podem ou não querem inscrever-se numa faculdade ou universidade padrão de quatro anos.

reconhecimento de modelos, de síntese e de resolução de problemas complexos. Em segundo lugar, reduz o grupo de pessoas que procuram tarefas menos especializadas, desde a manutenção de estradas até às reparações domésticas, passando por um emprego na cadeia de lojas de café da Starbucks. Ao reduzir o grupo de trabalhadores pouco especializados, ajudamos a estabilizar os seus salários (desde que também controlemos a imigração não qualificada), porque existem menos pessoas disponíveis para esses trabalhos. Não é por acaso que os canalizadores podem cobrar 75 dólares à hora em grandes áreas urbanas ou que boas empregadas domésticas ou cozinheiras sejam difíceis de encontrar. E isso é bom. Queremos que tenham maior procura e que possam ter salários decentes.

A capacidade dos norte-americanos, desde o século XIX até meados do século XX, para formar pessoas, limitar a imigração e tornar o trabalho menos especializado suficientemente escasso para poder ganhar bons salários foi a chave para criar uma classe média sem aumentar demasiado a disparidade em termos de rendimentos. "De facto, desde finais do século XIX até meio do século XX, foi estreitado o fosso em matéria de rendimentos. Nos últimos 20 a 30 anos, assistimos a um aumento dessa disparidade. Estes acontecimentos estão a dizer-nos que temos de correr mais depressa para conseguirmos manter-nos na mesma posição", disse Romer. Cada avanço tecnológico e aumento na complexidade dos serviços exige um nível ainda mais elevado de competências para executar as novas tarefas. Passar de trabalhador agrícola para operador telefónico que fala inglês correcto e saber ser bem-educado é uma coisa. Mas deixar de ser operador telefónico – depois dessa função ter sido alvo de *outsourcing* para a Índia – para passar a ser alguém capaz de instalar ou reparar sistemas de *phone-mail** – ou criar o seu *software* – exige um salto de tamanho astronómico.

Apesar de a expansão das universidades, que apostam na investigação dos processos especializados, ser importante, também o é a disponibilidade de institutos técnicos e faculdades comunitárias. Todos devem ter a oportunidade de aceder a níveis de educação mais elevados do que o nível do ensino secundário. Caso contrário, os miúdos provenientes de famílias com rendimentos mais elevados adquirirão essas competências e a sua fatia do bolo, e os miúdos de famílias com baixos rendimentos nunca terão a mesma oportunidade. Os subsídios governamentais terão de aumentar para possibilitar que um maior número de miúdos frequente faculdades comunitárias e que cada vez mais os trabalhadores não especializados possam receber novos tipos de formação.

JFK queria colocar o homem na lua. A minha visão é colocar cada norte-americano num *campus* universitário.

As entidades patronais podem dar um importante contributo para a garantia de um emprego vitalício aos seus colaboradores, que começa quando os ajudam a

---

* **N.T.** Que permite ao utilizador escutar as mensagens da sua caixa de *e-mail* pelo telefone.

tornar-se mais adaptáveis através de formação contínua. Veja-se, por exemplo, a CapitalOne, empresa global emissora de cartões de crédito, que começou a proceder ao *outsourcing* de elementos das suas operações internas para a Wipro e para a Infosys na Índia, ao longo dos últimos anos. Competindo no mercado global de serviços financeiros, a empresa sentiu que tinha de aproveitar todas as oportunidades para reduzir os custos, à semelhança do que faziam as suas concorrentes. No entanto, a CapitalOne começou por tentar dar formação aos seus colaboradores através de *workshops* sobre competitividade da empresa. Tornou bem claro que já não há lugares seguros, em que seja possível um emprego vitalício – tanto dentro como fora da CapitalOne. Em seguida, desenvolveu um programa completo para a formação transversal de programadores informáticos, os mais afectados pelo *outsourcing*. A empresa pegava num programador especializado em *mainframes* e ensinava-o a ser também um programador de sistemas distribuídos. A CapitalOne procedeu a uma formação transversal semelhante em todos os campos da sua área de negócios, desde os empréstimos automóveis até à gestão de riscos. Consequentemente, os colaboradores que iriam acabar por ficar sem emprego em resultado do *outsourcing* eram agora sintetizadores muito melhores, muito mais versáteis e, por conseguinte, encontravam-se numa situação muito melhor para conseguir novos trabalhos, uma vez que tinham recebido formação em novas áreas. Aqueles que receberam esse tipo de formação, mas que ficaram na empresa, tornaram-se mais versáteis, com mais valor, porque conseguiam realizar múltiplas tarefas.

É por isso que a sociedade no seu todo é beneficiada, quando o governo proporciona subsídios ou incentivos fiscais às empresas para que ofereçam um leque de oportunidades internas de aprendizagem o mais vasto possível. O *menu* de programas de formação para colaboradores, baseados na Internet, é hoje enorme – desde programas *on-line* para obtenção de diplomas até à formação interna com orientadores para diferentes especializações. (E, semanalmente, surge uma descoberta tecnológica que torna isto mais fácil e mais rico. Por exemplo, ainda nem começámos a aproveitar o potencial de transpor para vídeo as aulas dos grandes professores. Porquê suportar aulas dadas por maus professores, quando os bons estão apenas à distância de um ecrã plano?) Não só o *menu* é muito variado e está sempre a crescer, como o custo para a empresa pela oferta destas opções educacionais é bastante baixo. Quanto mais oportunidades de aprendizagem contínua forem oferecidas pelas empresas, mais estas estarão a ampliar a base de competências dos seus colaboradores e a cumprir uma obrigação moral para com aqueles cujos empregos são subcontratados, para que estes saiam numa situação de maior empregabilidade do que quando entraram. Se já existisse um novo contrato social implícito entre patrões e trabalhadores, poderia consubstanciar-se mais ou menos desta forma: *dás-me o teu trabalho e eu garanto-te que, enquanto aqui trabalhares, terás ao teu alcance todas as oportunidades que surjam – através da progressão na carreira ou formação – de forma a poderes tornar-te mais empregável e mais versátil.*

George Miller, um sábio e experiente Congressista eleito pelo partido Democrata no distrito de East Bay em São Francisco, que está bastante envolvido nas escolas públicas da sua região, disse-me certa vez que "a educação é um processo, não é um local." A educação pode e tem de continuar a obter-se em todo o lado e durante todo o tempo – nas escolas, nos escritórios, em casa, *on-line*, na sala de aula, através do seu iPod – com professores convencionais, métodos de auto-aprendizagem, jogos *on-line*, tudo o que dê resultado. Não pode parar, pois algures lá fora está um concorrente que não pára.

Embora os EUA precisem de redobrar esforços com vista à criação de músculos individuais, temos igualmente de continuar a importar músculos do estrangeiro, para compensar o que não podemos ensinar aqui. A maioria dos engenheiros, físicos e cientistas indianos, chineses, russos, japoneses, coreanos, iranianos, árabes e israelitas que vão trabalhar ou estudar para este país tornam-se óptimos cidadãos. São orientados para os valores familiares, têm bons níveis de instrução e revelam-se trabalhadores empenhados. A maioria daria saltos de alegria face à perspectiva de adquirir a nacionalidade norte-americana. São exactamente o tipo de pessoa que este país precisa. Não se pode deixar que o FBI, a CIA e a Segurança Nacional, que zelam para manter fora do país o próximo Mohammed Atta*, também excluam o próximo Sergey Brin – um dos co-fundadores do Google, nascido na Rússia. Conforme um arquitecto de computadores meu amigo costuma dizer: "Se alguém que nasceu no estrangeiro vai um dia ocupar o meu posto de trabalho, eu preferiria que fosse cidadão norte-americano – para ajudar a pagar os meus benefícios da reforma."

Eu votaria a favor de uma política de imigração que concedesse um visto válido por cinco anos a qualquer cidadão estrangeiro que obtivesse um doutoramento numa universidade norte-americana acreditada, independentemente do tema da sua tese. Não me interessa se seja Mitologia Grega ou Matemática. Se conseguirmos aproveitar o primeiro conjunto dos melhores projectos intelectuais de todo o mundo, isso acabará por ser sempre uma mais-valia para os EUA. Se o mundo plano está em vias de interligar todas as plataformas de conhecimento, o objectivo é que a dos EUA seja a maior. "Estamos empenhados numa busca global de talentos, por isso devemos fazer tudo o que estiver ao nosso alcance nos EUA para acolher esses melhores projectos, pois um deles será o próximo Babe Ruth**. Então por que razão devemos deixá-lo ir para outro lado?", referiu Bill Brody, reitor da Universidade Johns Hopkins.

---

* **N.T.** Que pilotava o primeiro avião que embateu contra as Torres Gémeas do *World Trade Center* no 11 de Setembro.

** **N.T.** Um dos maiores jogadores de basebol.

A boa "gordura"
Amortecedores que vale a pena manter

Embora muitas das antigas redes de segurança empresariais e governamentais acabem por desaparecer com a concorrência global, no mundo plano vai ser preciso manter e eventualmente acrescentar alguma "gordura". Como sabe quem se preocupa com a sua saúde, existem as "boas gorduras" e as "más gorduras". Todos precisamos, portanto, de alguma gordura. O mesmo vai acontecer com os países no mundo plano. A Segurança Social é uma "boa gordura". Precisamos de a conservar. Um Estado-providência, que desencoraja o trabalho devido aos elevados benefícios que concede, é "má gordura". A variante da "boa gordura" que precisa de ser acrescentada a um mundo plano é a do seguro sobre os salários (*wage insurance)**.

De acordo com um estudo de Lori Kletzer, economista da Universidade da Califórnia, Santa Cruz, nos anos 80 e 90, dois terços dos trabalhadores que perderam os seus empregos na indústria transformadora, prejudicados pela concorrência externa, passaram a ganhar menos no emprego seguinte. Vinte e cinco por cento dos trabalhadores que perderam o emprego e que foram reempregados viram os seus rendimentos cair 30 por cento ou mais. Perder um emprego, seja por que razão for, é sempre um trauma – para o trabalhador e para a sua família –, mas trabalhadores com mais idade dificilmente se adaptam a novas técnicas de produção, ou não dispõem de um nível de formação que lhes permita procurar empregos mais especializados.

A ideia de estabelecer um seguro sobre os salários foi proposta pela primeira vez por Robert Lawrence e Robert E. Litan (ambos ex-alunos de Harvard), da Instituição Brookings**, num livro intitulado *Saving Free Trade* ("Salvar o comércio livre"). A ideia manteve-se no anonimato, até que voltou a ser alvo de particular atenção depois da actualização da temática, feita, em 2001, por Kletzer e Litan. Nesse mesmo ano, ganhou notoriedade política através da Comissão bipartidária norte-americana do Défice Comercial. Esta comissão não obteve conclusões substanciais sobre nenhum aspecto (incluindo as causas ou o que fazer com o défice comercial) com excepção do seguro sobre salários e da forma sensata como este foi encarado.

"O comércio cria vencedores e vencidos e o que propusemos foram mecanismos através dos quais os vencedores poderiam compensar os vencidos, particularmente os que recebiam salários elevados num determinado emprego e que, por circunstâncias várias, perderam essas regalias. Apesar de terem conseguido arranjar um

---

* **N.T.** Sugere que os desempregados que encontrem um novo emprego, mas com um salário mais baixo do que o do emprego anterior, sejam indemnizados na proporção desse desfazamento.

** **N.T.** Instituição pluridisciplinar que desenvolve, entre outros, um programa dedicado à Política Externa, que incluí vários projectos de investigação.

novo emprego, o seu salário diminuiu muito", disse Lawrence. Cada trabalhador oferece "competências gerais e competências específicas" pelas quais é remunerado. Pode deter um diploma universitário e um CPA*, ou ter um diploma do ensino secundário e capacidade para trabalhar com um torno mecânico. As duas competências reflectem-se no seu salário. Suponha que um dia o seu emprego na área da contabilidade é alvo de *outsourcing* para a Índia; terá de procurar um novo trabalho. O seu novo chefe não pretenderá compensá-lo grandemente pelas suas competências específicas, porque o seu conhecimento de contabilidade geral provavelmente não lhe será de grande utilidade. Será pago pelas suas competências gerais, pela sua formação académica ao nível do ensino secundário ou superior. O seguro sobre o salário poderia compensá-lo pelas suas antigas competências específicas, durante um período de tempo preestabelecido, enquanto progride no novo trabalho e ganha novas competências específicas.

O programa estatal de subsídio de desemprego (*unemployment insurance*), nos moldes existentes, alivia parte das carências dos trabalhadores, mas não atende às suas preocupações no que diz respeito à diminuição da remuneração num novo emprego e à impossibilidade de pagar o seguro de saúde enquanto está desempregado e à procura de trabalho. Para terem direito ao seguro sobre salário (*wage insurance*), os trabalhadores que procuram ser indemnizados pela perda de emprego deveriam preencher três requisitos. Em primeiro lugar, teriam de ser "deslocados", ou seja, ter perdido o seu emprego em resultado de vários acontecimentos como o *offshoring*, o *outsourcing*, o *downsizing* ou o encerramento da fábrica onde trabalhavam. Em segundo, teriam de ter estado naquele emprego durante pelo menos dois anos. Em terceiro lugar, o seguro sobre salário não seria pago enquanto os trabalhadores não encontrassem um novo emprego, o que poderia representar um forte incentivo para procurarem emprego rapidamente e aumentarem as hipóteses de poderem receber formação no novo local de trabalho. Este tipo de formação é sempre a melhor forma de conquistar novas competências – em vez de ter de se inscrever num qualquer programa de formação apoiado pelo Estado, sem promessa de emprego no final, e fazendo com que nesse espaço de tempo continue desempregado.

Os trabalhadores que preenchessem estes três requisitos receberiam, então, pagamentos, durante dois anos, que cobrissem metade do valor correspondente à diminuição de rendimento face ao emprego anterior (com uma quantia máxima estabelecida em dez mil dólares por ano). Kletzer e Litan também propuseram que o governo pagasse metade dos prémios dos seguros de saúde para todos os trabalhadores "deslocados", até seis meses. O seguro sobre salário parece-me ser uma ideia muito melhor do que contar apenas com o tradicional subsídio de desemprego oferecido pelo Estado, que normalmente cobre apenas 50 por cento do salário anterior

---

* **N.T.** *Certified Public Accoutant* – contabilista certificado.

da maioria dos trabalhadores, é limitado a seis meses e não ajuda os trabalhadores com perda de rendimentos depois de terem arranjado um novo emprego.

Como Kletzer e Litan salientaram, apesar de todos os trabalhadores despedidos terem o direito de adquirir seguros de saúde, sem subsídios por parte da sua antiga entidade empregadora, caso a cobertura de saúde tenha sido oferecida enquanto ainda estavam empregados, muitos desempregados não têm dinheiro para aproveitar esta garantia. Além disso, apesar de os desempregados poderem receber subsídio de desemprego adicional, por mais 52 semanas, se estiverem inscritos num programa certificado de requalificação, eles não têm qualquer garantia de que terão um emprego quando esse programa terminar.

Por todas estas razões, considero que a proposta Kletzer-Litan faz muito sentido e vejo-a como um benefício adequado para amortecer as perdas dos trabalhadores no mundo plano. Além do mais, existem recursos financeiros para um programa deste tipo. Litan estimou que, com uma taxa de desemprego em cinco por cento, o seguro sobre salários e o subsídio de saúde custariam actualmente cerca de oito mil milhões de dólares por ano, o que é uma ninharia quando comparado com o impacto positivo que poderia ter sobre os trabalhadores. Este programa não substituiria o clássico subsídio de desemprego, mas, se funcionasse como previsto, poderia reduzir o custo dos programas actualmente existentes ao fazer com que os trabalhadores voltassem rapidamente ao activo.

Alguns podem perguntar: Por que motivo devemos mostrar solidariedade? Por que razão devemos manter alguma "gordura", fricção ou barreira? Deixem-me responder de forma directa: se não é adepto de um mundo plano solidário – se é apenas um adepto de um mundo plano em mercado livre – não só é cruel, como também pateta. Com essa atitude, está a procurar uma repercussão política por parte daqueles que podem e conseguirão pactuar com este processo que está a tornar o mundo plano, e essa repercussão poderá tornar-se feroz se cairmos numa qualquer espécie de recessão prolongada.

A transição para um mundo plano irá provocar ansiedade em muitos. "Sabe o que é passar por uma experiência dolorosa e precisar de uma folga, mas a folga nunca mais aparecer. Pense nos colaboradores das companhias de aviação. Vivem o terrível acontecimento do 11 de Setembro e a administração da empresa, bem como os sindicatos, negoceiam durante quatro meses até que a administração diz: 'Se os sindicatos não reduzirem em dois mil milhões de dólares os salários e as regalias que pretendem, a companhia aérea terá de encerrar.' E depois destas angustiantes negociações, os sindicatos concordam. Só posso rir-me do sucedido, pois bem sabe que, passados alguns meses, a administração vai voltar à carga... Isto não tem fim. Ninguém tem de me pedir para cortar no meu orçamento este ano. Todos sabemos que, ano após ano, é esperado que façamos mais com menos. Se for gerador de receitas, esperam que apresente anualmente mais receitas. Se for controlador de despesas, esperam que apresente mais poupanças todos os anos. Nunca se consegue sair disto", confessou-me Joshua S. Levine, responsável tecnológico máximo da E*Trade.

Se as sociedades não forem capazes de gerir as tensões resultantes de um mundo plano, existirão reacções e as forças políticas tentarão reinserir algumas forças de fricção e barreiras proteccionistas eliminadas pelas forças catalisadoras do mundo plano. Mas fá-lo-ão de forma cruel, que irá, em nome da protecção dos mais fracos, acabar por diminuir o nível de vida de todos. O antigo Presidente mexicano Ernesto Zedillo é muito sensível a este problema, ao ter gerido a transição do México para o NAFTA, com todas as tensões que isso provocou na sociedade mexicana. Ao conversarmos sobre o processo que torna o mundo plano, explicou-me: "Teria sido muito difícil detê-lo, mas pode ser interrompido por algum tempo. Talvez não se possa interrompê-lo totalmente, mas é possível abrandá-lo. E faz muita diferença chegar lá ao fim de 25 ou depois de 50 anos. Nesse entretanto, duas ou três gerações – que poderiam ter beneficiado imenso com uma expansão do comércio e da globalização – acabarão por apanhar apenas as migalhas."

Nunca se esqueça, disse Zedillo, que por detrás de toda a tecnologia está a infra-estrutura política que permite que ela funcione. "Houve uma série de decisões políticas concretas, tomadas ao longo dos últimos 50 anos, que colocaram o mundo onde ele está agora", acrescentou. "Por esta razão, também existem decisões políticas que poderiam destruir todo o processo."

De acordo com o ditado: se quer viver como um Republicano, vote como um Democrata – cuide bem dos vencidos e dos que são deixados para trás. A única forma de ser um adepto do mundo plano é defendendo um mundo plano solidário.

Activismo social

Uma nova área que vai precisar de ser reclassificada é a relação entre as empresas globais e as suas próprias consciências morais. Pode parecer um absurdo, alguns até poderão rir com a noção de que uma empresa global pode ter uma consciência moral ou que se espere que desenvolva uma. Mas algumas têm e outras vão ter de a desenvolver por uma razão muito simples: no mundo plano, com cadeias de abastecimento global muito extensas, o equilíbrio de poderes entre as empresas globais e as comunidades de indivíduos na qual estas operam está a pender cada vez mais para o lado das empresas, muitas delas sediadas nos EUA. Como tal, estas empresas disporão de mais poder, não apenas para criar valor mas também para transmitir valores, do que quaisquer outras instituições transnacionais do planeta. Os activistas sociais e ambientais, bem como as empresas progressistas, podem agora colaborar de forma a tornar ambas as partes mais lucrativas e o mundo plano mais habitável. O mundo plano solidário procura activamente a promoção deste tipo de colaboração.

Ilustro este meu raciocínio com alguns exemplos. Se pensar nas forças que estão a devorar a biodiversidade de todo o planeta, nenhuma delas é mais poderosa do que a dos agricultores. Não é que pretendam ser prejudiciais, está apenas na natureza daquilo que fazem. Assim sendo, o método e o local escolhido pelas pessoas para praticar actividades agrícolas ou para pescar é realmente importante para a forma como preservamos os *habitats* naturais e as espécies. A Conservação Internacional*, uma das maiores ONG mundiais de preservação do ambiente, tem como principal missão preservar a biodiversidade. Também acredita fortemente na tentativa, quando possível, de colaboração com grandes empresas, porque, quando se tem ao lado um importante interveniente global, o impacto desse acontecimento sobre o ambiente pode ser enorme. Em 2002, a McDonald's e a Conservação Internacional fizeram uma parceria com vista a usar a cadeia de abastecimento global da McDonald's – um gigante que devora carne, peixe, frango, porco, pão, alface, *pickles*, tomate e batatas dos quatro cantos do mundo – para produzir não só valor, mas também diferentes valores acerca do ambiente. "Nós e a McDonald's analisámos uma série de assuntos de cariz ambiental e dissemos: 'Aqui estão as coisas que os fornecedores de comida poderiam fazer para reduzir o impacto ambiental, com poucos ou nenhuns custos'," explicou Glenn Prickett, *Senior Vice President* da Conservação Internacional.

Em seguida, a McDonald's reuniu-se com os seus principais fornecedores e elaborou, com eles e com a CI, um conjunto de orientações a que a McDonald's denominou de "fornecimento socialmente responsável de alimentos". Para os conservadores da natureza, o desafio é saber como chegar a centenas de milhões de decisões e decisores da área da agricultura e pescas que apenas têm o mercado como único coordenador", explicou Prickett. "Assim, aquilo que procuramos são parceiros que possam colocar o seu poder de compra por detrás de um conjunto de práticas ambientais amigáveis de uma forma que lhes seja benéfica, que funcione para os produtores e que seja benéfica para a biodiversidade. Dessa forma, é possível começar a captar muito mais decisores... Não há uma autoridade governamental global que proteja a biodiversidade. Tem de se colaborar com os intervenientes que podem marcar a diferença e um deles é a McDonald's."

A Conservação Internacional já está a observar melhorias na conservação da água, energia e refugo, bem como nos passos a dar para incentivar uma melhor gestão das pescas, entre os fornecedores da McDonald's. Mas ainda é cedo e será preciso proceder a uma avaliação durante alguns anos, com uma recolha exaustiva de dados, para se perceber até que ponto isto está a ter um impacto positivo sobre o ambiente. Esta forma de colaboração não pode e não deve nunca substituir os regulamentos ou a supervisão governamental. Mas, se funcionar, poderá ser um veículo

---

* **N.T.** CI, fundada em 1987.

para que as normas governamentais sejam implementadas. Os ambientalistas que preferem uma regulamentação governamental aos esforços mais colaboradores ignoram frequentemente o facto de as normas rígidas impostas contra vontade dos agricultores acabarem por ter pouca aplicação – ou não serem sequer cumpridas.

O que é que a McDonald's ganha com isto? Trata-se de uma grande oportunidade de melhorar a sua marca global, agindo como um bom cidadão global. Sim, isto é, à partida, uma oportunidade de negócio para a McDonald's. Por vezes, a melhor forma de mudar o mundo é conseguindo que os grandes intervenientes façam as coisas certas pelas razões erradas, porque esperar que façam as coisas certas pelas razões certas pode significar ficar eternamente à espera. A Conservação Internacional conseguiu colaborações similares junto das cadeias de abastecimento da Starbucks, que estabeleceu normas para a sua cadeia de abastecimento de produtores de café, e junto do Office Depot, que actuou ao nível da sua cadeia de abastecimento de fornecedores de artigos de papel.

Estas colaborações começam a "derrubar os muros entre os diferentes grupos de interesse", explicou Prickett. Normalmente, teríamos os ambientalistas de um lado e os agricultores do outro e cada um deles tentaria convencer o governo a elaborar os regulamentos de forma a servir os seus respectivos interesses. O governo acabaria por elaborar normas que beneficiariam significativamente os negócios. "Agora, em vez disso, temos uma entidade privada que diz: 'Queremos usar a nossa cadeia de abastecimento global para fazermos algum bem', mas compreendemos que, para se ser eficaz, tem de haver uma colaboração entre os agricultores e os ambientalistas – isto se queremos que haja algum impacto", disse Prickett.

Imbuído do mesmo espírito, na qualidade de adepto do mundo plano solidário, gostaria de ver uma marca em todos os artigos electrónicos que referisse se a cadeia de abastecimento que o produziu cumpre as normas estabelecidas pela nova aliança HP-Dell-IBM. Em Outubro de 2004, estes três gigantes uniram forças num esforço de colaboração com elementos-chave das suas cadeias de fornecimento de computadores e de impressoras, com o objectivo de promover um código unificado de práticas de fabrico socialmente responsáveis em todo o mundo. O novo Código de Conduta da Indústria Electrónica proíbe oficialmente os subornos, o trabalho infantil, os desfalques, a extorsão e violações da propriedade intelectual, e inclui normas que regem a utilização de águas residuais, materiais perigosos, poluentes e regulamentos relativos à comunicação de ferimentos no exercício da actividade profissional. Vários grandes fabricantes de electrónica que fornecem as cadeias de abastecimento da IBM, da Dell e da HP colaboraram na elaboração deste código, nomeadamente a Celestica, a Flextronics, a Jabil, a Sanmina-SCI e a Solectron.

A título de exemplo, é exigido a todos os fornecedores da HP que se rejam pelo código, se bem que haja flexibilidade quanto à forma como o cumprem. "Estamos inteiramente preparados e cortámos relações com os fornecedores que descobrimos serem continuamente irresponsáveis", afirmou a porta-voz da HP, Monica Sarkar. Em Outubro de 2004, a HP avaliou mais de 150 dos seus 350 fornecedores, incluindo fábricas na China, no México, no Sudeste Asiático e na Europa de Leste. Criou uma comissão de organização com a IBM e a Dell de forma a perceber exactamente como é que podiam, colectivamente, avaliar o cumprimento do código e punir os violadores permanentes. O cumprimento é tudo, mas, uma vez mais, continua a ser visto apenas como uma forma de as empresas se mostrarem vigilantes perante os seus fornecedores. No entanto, o recurso às cadeias de abastecimento para criar valores – não apenas valor – poderá ser uma onda do futuro.

"Conforme começámos a olhar para outros fornecedores [*offshore*] para executar a maioria da nossa produção, tornou-se claro que tínhamos de assumir alguma responsabilidade pela forma como trabalham", explicou Debra Dunn, *Senior Vice President* da HP na área de relações institucionais e cidadania global. Antes de mais, é exactamente isso que muitos dos clientes da HP desejam. "Os clientes preocupam-se", disse Dunn, "e os clientes europeus lideram essa preocupação. Os grupos defensores dos direitos humanos, bem como as ONG, que estão a ganhar cada vez mais influência global à medida que a confiança nas grandes empresas diminui, estão basicamente a dizer: 'São vocês que têm o poder nesta matéria. Como empresas globais podem definir as expectativas que influenciarão as práticas ambientais e as relacionadas com os direitos humanos nos mercados emergentes'."

Essas vozes têm razão e podem, caso queiram, usar a Internet para surtir um maior efeito no sentido de obrigar as empresas globais a serem cumpridoras.

"Se dispusesse dos dólares que a HP e a McDonald's têm para escolher os seus fornecedores, todos quereriam fazer negócios consigo. Estaria, portanto, em vantagem e em posição de estabelecer as normas e, por conseguinte, ter responsabilidade no estabelecimento das mesmas", referiu Dunn. A função das empresas globais na definição das normas nos mercados emergentes é duplamente importante, porque, muitas vezes, os governos locais desejam realmente melhorar os seus padrões ambientais. Sabem que é importante no longo prazo, mas a pressão para criar empregos e viver com as restrições orçamentais é esmagadora e, consequentemente, a pressão para desviar o olhar também é esmagadora. Dunn adiantou que países como a China procuram uma força externa, como uma coligação empresarial global, que exerça pressão de forma a motivar novos valores e padrões no território onde operam. Normas para impor aos seus próprios burocratas. No meu livro *O Lexus e a Oliveira*, denominei esta forma de criação de valor de "globalução" (*globalution*), ou a revolução que "vem de fora".

"Costumávamos dizer que o que se esperava de nós era apenas que cumpríssemos a legislação local. Mas, agora, o desequilíbrio de poder é tão grande que não é viável dizer que a Wal-Mart ou a HP podem fazer o que desejarem, desde que o governo estatal ou o país não as impeça. Temos poder para transmitir uma governação global ao nosso universo de fornecedores, colaboradores e consumidores, o que, *per se*, constitui um universo bastante vasto", explicou Dunn.

Esta mesma responsável salientou que, num país como a China, existe uma feroz concorrência entre empresas locais para integrarem a cadeia de abastecimento da HP, da Dell ou da Wal-Mart. Apesar de se tratar de uma pressão fortíssima, significa um volume de negócios considerável – o tipo de volume que pode fazer crescer ou destruir uma empresa. Em resultado disso, a HP representa uma forte alavancagem para os seus fornecedores chineses e estes mostram-se bastante abertos à introdução de padrões de exigência mais elevados nas suas fábricas. Sabem que, se atingirem o nível da HP, poderão beneficiar desta experiência como alavanca para conseguir negócios com a Dell ou a Sony.

Os defensores de um mundo plano solidário têm de educar os consumidores para o facto de as suas decisões de compra e poder de compra serem políticas. Cada vez que, na qualidade de consumidor, toma uma decisão, estará a apoiar todo um conjunto de valores. Estará a revelar quais as barreiras e forças de fricção que quer preservar ou eliminar. Os progressistas têm de disponibilizar mais facilmente esta informação aos consumidores, para que um maior número possa optar pelo caminho certo, apoiando assim o tipo adequado de comportamento empresarial global.

Educação dos filhos

Nenhum debate sobre o mundo plano solidário estaria completo sem se analisar a necessidade de uma melhor educação familiar. Ajudar os indivíduos a adaptarem-se a um mundo plano não é apenas tarefa dos governos e das empresas. É também uma tarefa dos pais. Também eles precisam de saber em que mundo é que os seus filhos estão a crescer e o que terão de fazer para prosperar. Em suma, precisamos de uma nova geração de pais preparados para dar amor duro: chega a altura em que temos de pôr de lado os Game Boys, desligar a televisão, largar o iPod e pôr os nossos filhos a trabalhar.

O sentimento de posse; o sentimento de que, porque um dia os Estados Unidos dominaram o comércio e a geopolítica – e o basquetebol olímpico – irão dominar para sempre; o sentimento de que o reconhecimento tardio é uma punição pior do que uma tareia; o sentimento de que as crianças têm de ser colocadas numa redoma para que nada de mau, decepcionante ou angustiante alguma vez lhes aconteça na escola é, simplesmente, um cancro que alastra na sociedade norte-americana. Se não revertermos esta tendência, estas crianças irão sofrer um choque enorme e socialmente disruptivo quando enfrentarem o mundo plano. Apesar de ser necessária uma nova abordagem por parte dos políticos, esta não vai ser suficiente.

Pouco tempo depois do lançamento da primeira edição deste livro, a minha mulher (que é professora) chamou-me a atenção para uma carta ao editor do *The*

New York Times (1 de Setembro de 2005), a propósito de uma coluna sobre a vacilante educação norte-americana, escrita pelo meu colega Bob Herbert. A carta resumia precisamente os meus sentimentos: "Ao Editor: Em relação ao estado da educação nos Estados Unidos, Bob Herbert escreve: 'Creio respeitosamente que possamos estar perante uma crise'... Na qualidade de professora altamente qualificada de Inglês, no ensino secundário, estou de acordo. No entanto, esta crise que vemos nas nossas escolas tem as suas raízes nos lares norte-americanos, cada vez mais desprovidos de livros e material impresso, onde as crianças se concentram exclusivamente na televisão, nos computadores e nos videojogos de entretenimento – e vêem os adultos em seu redor a fazer o mesmo. A tecnologia de gratificação imediata substituiu, para muitos estudantes, a tarefa – e a emoção – de ler. Ninguém pode desenvolver competências sólidas de escrita, sem antes possuir uma boa capacidade de leitura; o subdesenvolvimento destas competências traduz-se nas baixas classificações obtidas em testes padronizados, realizados por todas as classes económicas e raciais, e em todas as disciplinas. A educação começa num lar onde a leitura é uma actividade intrinsecamente valiosa e necessária; onde o reconhecimento do trabalho árduo associado à educação e a obtenção de boas notas na escola constituem prioridades de topo; e onde os pais, a par das escolas, têm expectativas elevadas em relação ao sucesso dos filhos. Sem esta base inicial e um apoio contínuo em casa, os professores estão de mãos atadas na escola. Jo Ann Price, Freehold, New Jersey."

David Baltimore, reitor da Caltech* e vencedor de um Prémio Nobel, sabe o que é necessário para preparar o seu filho para competir contra a "nata" da sociedade global. Ele contou-me que está surpreendido com o facto de quase todos os estudantes que entram na Caltech, uma das melhores universidades de Ciências do mundo, virem de escolas públicas e não de escolas privadas – que por vezes alimentam a ideia de que, só porque se está ali, é-se especial e merecedor. "Eu olho para os jovens que vêm para a Caltech e estes cresceram no seio de famílias que os encorajaram a trabalhar arduamente, a adiar algum reconhecimento para o futuro e a compreender que precisam de aperfeiçoar as suas competências para desempenharem um papel importante no mundo", disse Baltimore.

"Atribuo grande crédito aos pais por isto, porque estes miúdos vêm todos de escolas públicas que, na generalidade, são consideradas um falhanço. A educação pública está a produzir estes estudantes notáveis – por isso, *pode* ser feito. Os seus pais educaram-nos de modo a que eles se apercebessem do potencial que têm. Penso que os EUA precisam de uma revolução, no que diz respeito à educação parental em torno da educação", salientou Baltimore.

---

* **N.T.** Instituto de Tecnologia da Califórnia.

Os pais nascidos noutros países, nomeadamente na Ásia e na Europa de Leste, parecem muitas vezes fazer isto melhor. "Cerca de um terço dos nossos estudantes tem ascendência asiática ou são imigrantes recentes", referiu Baltimore. Uma maioria significativa dos estudantes que frequentam as disciplinas de Engenharia da Caltech nasceu no estrangeiro e uma larga parcela do actual corpo docente é de origem estrangeira. "Em Biologia, ao nível do pós-doutoramento, a predominância de estudantes chineses é esmagadora", acrescentou. Não admira que nas grandes conferências científicas de hoje, a maioria das teses de investigação em torno da Biociência de ponta tenha, pelo menos, um nome chinês. A propósito, quase 90 por cento dos jovens que vão para o MIT, uma escola idêntica à Caltech, provêm igualmente de lares tradicionais, onde os pais podem ajudar a educar uma criança de acordo com elevados padrões de conduta.

Em Julho de 2004, o comediante Bill Cosby aproveitou a sua presença na conferência anual da Coligação, de Jesse Jackson, Rainbow/PUSH e do Fundo de Educação para a Cidadania para repreender os afro-americanos por não ensinarem gramática aos seus filhos e por os jovens negros não se esforçarem por a aprender. Cosby já tinha declarado: "Toda a gente sabe que é importante falar inglês, à excepção destes teimosos. Com as asneiras que dizem, nunca serão médicos." Referindo-se aos afro-americanos que desperdiçaram a oportunidade de ter uma vida melhor, Cosby disse à Coligação Rainbow: "Têm de parar de bater nas vossas mulheres só porque não conseguem arranjar um emprego. Não quiseram estudar e agora recebem o salário mínimo. Pois bem, deveriam ter pensado mais em vocês quando estavam na escola, quando tiveram uma oportunidade." As declarações de Cosby provocaram imensas críticas. O reverendo Jackson defendeu-o, argumentando: "Bill apela a que lutemos, a que façamos a luta certa. Vamos tornar plano o 'terreno de jogo'. Pessoas embriagadas não o podem fazer. Pessoas analfabetas também não."

É verdade. Os norte-americanos são quem tem cada vez mais necessidade de tornar plano o 'terreno de jogo' – não empurrando os outros para baixo, não sentindo pena de si próprios, mas puxando-se para cima. No que diz respeito à forma de o fazer, Cosby dizia algo muito importante para os norte-americanos, negros e brancos, ricos e pobres. A educação, venha ela dos pais ou das escolas, tem de ultrapassar as competências cognitivas. Tem também de incluir a formação do carácter. O facto é que os pais, as escolas e as culturas podem formar e formam pessoas. A influência mais importante da minha vida, fora da minha família, foi a minha professora de Jornalismo no liceu, Hattie M. Steinberg. Ela incutiu os fundamentos do jornalismo nos seus alunos – não simplesmente ensinando a fazer um título de jornal ou a transcrever de forma precisa uma citação, mas, mais importante ainda, a comportarmo-nos com profissionalismo. Hattie M. Steinberg tinha perto de 60 anos. Eu tive-a como professora e conselheira do jornal do liceu no final dos anos 60. Ela era o pólo oposto do "porreiro", mas nós passávamos o tempo na sua sala de aula como se fosse uma cafetaria* e ela fosse Wolfman Jack**. Nenhum de nós conseguiria admiti-lo na altura, mas era porque gostávamos de ouvir os seus discursos, que ela nos disciplinasse e ensinasse. Era uma mulher de princípios e determinada numa época de incertezas. Eu sento-me direito, quando penso nela! Os filhos dos norte-americanos vão, cada vez mais, competir lado a lado com miúdos chineses, indianos e asiáticos, cujos pais têm uma abordagem à formação de carácter muito mais parecida com a de Hattie do que os seus pais. Não estou a sugerir que militarizemos a educação, mas estou a sugerir que façamos mais para empurrar a juventude para lá das suas zonas de conforto, a fazer as coisas correctamente, a estar preparada para sofrer alguma dor de curto prazo para ganhar mais à frente.

Infelizmente, há demasiado tempo que os EUA não têm um líder apto e disposto a pedir algo de difícil à nação – para dar alguma coisa, não só esperar receber mais, e sacrificar-se por uma grande causa nacional no futuro, ao invés de viver apenas o presente. Todavia, é provável que tenhamos os líderes que merecemos – um reflexo perfeito de quem somos e de como educamos os nossos filhos. Paul A. Samuelson, economista do MIT e vencedor do Prémio Nobel, cujos livros têm moldado os alunos de Economia em todo o mundo, ao longo de quase cinco décadas, deu uma das suas raras entrevista ao semanário alemão *Der Spiegel*, para uma edição especial intitulada *Globalização: O Novo Mundo* (Dezembro de 2005). Questionado sobre como via o futuro da economia norte-americana, Samuelson respondeu: "Ainda podemos ser o ciclista que vai à frente e corta o vento para os que vêm atrás, mas os outros estão a aproximar-se. O estatuto dos Estados Unidos, enquanto nação líder, apresenta-se cada vez mais ténue, porque nos transformámos numa sociedade de baixa poupança. Somos uma sociedade do eu, eu, eu e agora – não pensamos nos outros, nem em amanhã. Suponho que o problema seja o eleitorado, não os líderes... No passado, os miúdos inteligentes, que acabaram por se tornar matemáticos, resolviam *puzzles* difíceis. Hoje, vêem televisão. Existem demasiadas distracções, sendo por isso que temos esta atitude do eu, eu, eu e agora."

Se isto é um teste, e eu penso que seja, os nossos líderes e os nossos pais não prepararam, como seria desejável, os nossos jovens para o mundo do futuro. "Somos como uma proveta de vidro que está cheia até três quartos e o líquido é a nossa riqueza", afirmou Steve Jobs, o fundador da Apple Computer e um dos maiores inovadores dos EUA. "Há uma outra proveta muito maior ao lado, mas que está muito menos cheia. O que estamos a fazer hoje é a ligar com um tubo estas duas provetas, que nunca tinham estado ligadas." Em resultado, afirma, o nosso nível de vida irá quase de certeza decrescer, a não ser que possamos continuar a ser "incrivelmente inovadores."

---

* **N.T.** *Malt shop*, antigos estabelecimentos onde imperavam as *juke boxes*.

** **N.T.** Um dos DJ de culto dos anos 60.

Mas, acrescentou Jobs, "receio que esteja perto de ser demasiado tarde. Visto não ser possível alterar o sistema escolar no curto prazo, é provável que comecemos agora a pagar o preço pela negligência dos últimos 20 anos." Jobs salientou que a sua empresa tinha recentemente decidido construir uma grande fábrica na China e que tinha ficado surpreendido com a rapidez do governo chinês a decidir a localização da fábrica, a angariar capital para financiar a sua construção e a apoiar a contratação dos trabalhadores. "*Boom*, aconteceu num instante", afirmou. "Há 15 anos, dez anos, isto teria acontecido no Texas ou noutro local nos EUA. Agora acontece na China. Por conseguinte, o líquido já está a fluir de uma proveta para a outra. E passará a fluir ainda mais quando começarem a desenhar os produtos. Sou optimista [em relação ao futuro dos EUA], mas se ficarmos sentados a ver Roma a arder, é difícil estar optimista."

O apelo de Steve Jobs para que ponhamos mãos à obra é uma boa imagem para terminar este capítulo, um capítulo que se iniciou com o apelo do Presidente Kennedy para que o país unisse forças para pôr um homem na lua. Porque, até certo ponto, estavam ambos empenhados no mesmo esforço – apelar aos norte-americanos para fazerem o que melhor sabem, ou seja, inventar o futuro.

No dia 24 de Outubro de 2005, a revista *Time* publicou uma história acerca da última invenção da Apple. A capa da revista mostrava Jobs a segurar o mais recente iPod da Apple, que permite ver vídeos para além de ouvir música. E o título dizia: "O homem que parece saber sempre... O QUE VEM A SEGUIR." Esta é a única forma de os EUA prosperarem num mundo plano – se continuarmos a inventar a próxima novidade. O meu amigo Jerry Rao, o empreendedor indiano que fundou a MphasiS, disse-me um dia algo de forma espontânea e que me ficou no ouvido. O futuro para a China e para Índia é muito claro, disse ele. Sabem exactamente o que vão fazer no futuro. "Vamos fazer no futuro aquilo que os norte-americanos fazem no presente", afirmou. "A vossa função é inventar o futuro". Isto está absolutamente certo – a função dos EUA não é lutar contra a Índia e a China para ganhar o novo escalão médio das competências profissionais, mas sim inventar o novo escalão médio e muito mais. "Isto é sempre difícil", afirmou Jerry, "porque não sabem como será o futuro", e porque é necessário um acto de fé para acreditar que serão sempre capazes de inventar a novidade que se segue.

Mas essa é a nossa missão – e a nossa melhor esperança. Foi isso que o Presidente Kennedy compreendeu. É o que compreendem Steve Jobs, Marc Andreessen, Shirley Ann Jackson, Michael Dell, Craig Barrett e Bill Gates. A *única* forma de mantermos o crescimento do nosso nível de vida é construindo uma sociedade que produza pessoas que possam continuar a inventar o futuro. Porém, à medida que o conhecimento avança rapidamente, inventar o futuro é uma tarefa cada vez mais árdua – uma tarefa que requer a educação adequada, a infra-estrutura adequada, a ambição adequada, a liderança adequada, a educação adequada dos filhos. Temos de congregar o país inteiro no cumprimento deste objectivo.

O futuro não irá esperar por nós e, se não o inventarmos, outros o farão. Porque, como nos diz Jerry Rao, a Índia e a China estarão a fazer amanhã aquilo que os EUA fazem hoje, mas, graças à plataforma do mundo plano, depois de amanhã, a Índia, a China e muitos outros estarão igualmente a inventar o futuro. Como tentei sublinhar, a Globalização 3.0, que nos trouxe a este mundo plano, não é apenas uma versão reforçada da Globalização 2.0. É um modelo completamente diferente. Não se limita à capacidade dos países desenvolvidos entrarem em mais mercados ou acederem a mão-de-obra mais barata. É uma diferença tão substancial em termos de nível – o nível de interligação de baixo custo, o nível de autonomia individual, o nível de redes globais para a colaboração – que se torna uma *diferença em termos de tipo*. Altera tudo em relação a quem compete e como compete. Um ensaio publicado na edição de Novembro de 2005 do *Mercer Management Journal*, "Já está a usufruir da Globalização?", resumia muito bem estas diferenças, salientando que o mundo plano oferece a mais pessoas e em mais lugares a capacidade de conjugar a mão-de-obra barata e a tecnologia de ponta. Nunca se tinha observado esta combinação – e que é, por si só, um desafio para os países desenvolvidos. Porém, as Índias e as Chinas já estão a acrescentar algo mais à mão-de-obra barata e à tecnologia de ponta: uma imaginação desenfreada – isto é, elevadas capacidades de inovação e de criatividade. Vão em primeiro lugar concentrar-se em resolver os seus problemas com a mão-de-obra barata, a alta tecnologia e a elevada criatividade – reinventando o seu próprio futuro. Em seguida, vão concentrar-se nos nossos. Devemos ter pessoas, muitas pessoas, que possam fazer o mesmo. Assim, alerto-vos pela última vez. Isto não é um teste.

Parte 3
Os Países em Vias de Desenvolvimento e o Mundo Plano

Capítulo X

A Virgem de Guadalupe

Não é que estejamos a ficar mais anglo-saxões.
Estamos é a ter um encontro com a realidade.
– *Frank Schirrmacher, director do jornal alemão* Frankfurter Allgemeine Zeitung, *comentando no* The New York Times *a necessidade dos trabalhadores alemães arranjarem outros instrumentos de trabalho e trabalharem mais horas.*

Procurem o conhecimento até mesmo na China.
– *pensamento do Profeta Maomé*

Quanto mais trabalhava neste livro, mais dava por mim a perguntar a quem ia conhecendo nos quatro cantos do mundo onde é que estavam quando tinham descoberto que o mundo era plano. No espaço de duas semanas, tive duas respostas reveladoras, uma no México e a outra no Egipto. Estava na Cidade do México, na Primavera de 2004. Coloquei a questão na mesa durante um almoço com alguns colegas jornalistas mexicanos. Um deles disse que se tinha apercebido de que estava a viver num mundo novo quando começou a ler notícias na imprensa mexicana e na Internet de que algumas estatuetas da Santa Padroeira do México, a Virgem de Guadalupe, estavam a ser importadas pelo México à China, provavelmente através dos portos da Califórnia. Quando se é o México, que é conhecido por se ser um país de mão-de-obra barata na indústria transformadora, e há quem importe da China estatuetas da própria santa padroeira, porque este país consegue fazê-las e transportá-las através do Pacífico a custos mais baixos do que ficariam se fossem fabricadas no México, então alguma coisa está a acontecer. O mundo está a ficar verdadeiramente plano.

Mas existe um problema. No Banco Central do México, perguntei ao seu governador, Guillermo Ortiz, se estava a par deste assunto. Revirando os olhos, respondeu-me que há algum tempo, só pela análise de uns números no monitor do seu computador, conseguia sentir que o competitivo 'terreno de jogo' estava a ser nivelado – e que o México estava a perder as vantagens geográficas naturais que detinha face ao mercado dos Estados Unidos. "Começámos a analisar os números em 2001 – foi o primeiro ano, em duas décadas, que as exportações [do México] para os Estados Unidos diminuíram", sublinhou. "Foi um autêntico choque. Começámos a reduzir a nossa de quota de mercado e depois começámos a perdê-la. Percebemos que estava a acontecer uma grande mudança... E que tinha a ver com a China."

A China consegue ser uma potência na produção de baixo custo. Apesar do NAFTA ter dado ao México uma vantagem nas relações comerciais com os Estados Unidos e mesmo sendo o México um país vizinho, em 2003 a China substituiu o México como segundo maior exportador para os Estados Unidos. (O Canadá mantém o primeiro lugar.) O México continua a ter uma posição forte nas exportações de grande envergadura, cujo transporte é caro, como os automóveis, componentes automóveis e frigoríficos, mas a China está a ter uma presença muito forte e já substituiu este país em áreas como as componentes de computadores, componentes eléctricas, brinquedos, têxteis, artigos de desporto e ténis. Mas, o que é ainda pior para o México é que a China está a destronar algumas empresas mexicanas dentro do seu próprio país: roupa e brinquedos fabricados na China estão, actualmente, a surgir nas prateleiras de todas as lojas. Não admira que um jornalista mexicano me tenha contado um episódio relacionado com o dia em que entrevistou um responsável do Banco Central da China, que fez o seguinte comentário sobre a relação da China com os EUA, que o deixou realmente aturdido: "Primeiro tínhamos medo do lobo, depois quisemos dançar com o lobo e agora queremos ser o lobo."

Uns dias depois de chegar do México, tomei o pequeno-almoço em Washington com uma amiga egípcia, Lamees El-Hadidy, jornalista com muitos anos de experiência nas áreas de negócios no Cairo. Perguntei-lhe onde é que se encontrava quando descobriu que o mundo estava a ficar plano. Respondeu-me que tinha sido apenas umas semanas antes, durante o mês sagrado para os muçulmanos, o Ramadão. Ela tinha feito uma peça para a CNBC Arabiya Television sobre as lanternas coloridas chamadas *fawanis*, cada uma com uma vela acesa lá dentro, que as crianças egípcias em idade escolar trazem tradicionalmente durante o Ramadão. Uma tradição que no Egipto remonta ao período Fatimida. Os miúdos balançam as lanternas e cantam canções, e as pessoas dão-lhes doces ou presentes, como no Dia das Bruxas (*Halloween*) nos Estados Unidos. Durante séculos, pequenas lojas artesanais, que vivem da mão-de-obra barata nos bairros mais antigos do Cairo, fabricaram estas lanternas – até há poucos anos.

De repente, o mercado começou a ser inundado por lanternas de plástico para o Ramadão, fabricadas na China, que são alimentadas por pilhas em vez da vela, deixando as tradicionais lojas artesanais do Egipto sem negócio. "Eles estão a invadir a nossa tradição – de uma maneira inovadora – e nós não estamos a fazer nada em resposta... Estas lanternas vêm da nossa tradição, da nossa alma, mas as versões chinesas são mais criativas e avançadas do que as egípcias", comentou Lamees. A minha amiga acrescentou que, quando perguntava aos egípcios se eles sabiam onde é que aquelas lanternas eram fabricadas, eles respondiam que não. A seguir, viravam as lanternas e viam que tinham sido fabricadas na China.

No entanto, muitas mães, como Lamees, apreciaram o facto de as versões chinesas serem mais seguras do que as tradicionais egípcias, que são feitas de arestas de metal afiado e vidro, e que normalmente ainda usam velas. As lanternas chinesas são feitas de plástico, têm luzes que piscam e contêm um *microchip* que toca músicas tradicionais egípcias do Ramadão e, até, o genérico da popular série de desenhos animados do Ramadão, *Bakkar*. Conforme referiu a *Business Monthly*, publicada pela Câmara de Comércio Americana no Egipto, na sua edição de Dezembro de 2001, os importadores chineses "lutam não só uns contra os outros mas também contra a indústria egípcia, com vários séculos de existência. Mas os modelos chineses estão destinados a prevalecer, de acordo com um famoso importador, Taha Zayat. 'As importações reduziram, definitivamente, as vendas das *fawanis* tradicionais', adiantou. 'De todas as *fawanis* no mercado, não creio que mais de cinco por cento sejam actualmente fabricadas no Egipto'. Quem tem laços com a indústria egípcia das *fawanis* acredita que a China tem uma clara vantagem sobre o Egipto. Com a sua tecnologia mais avançada, a China consegue produzir quantidades maciças, o que ajuda a manter os preços relativamente baixos. A indústria tradicional egípcia das *fawanis*, pelo contrário, é composta por um elevado número de oficinas artesanais, especializadas nas diferentes fases do processo de produção. Vidreiros, pintores, soldadores e metalúrgicos, todos têm o seu papel. 'Há-de haver sempre *fawanis* no Ramadão, mas, no futuro, penso que as lanternas fabricadas no Egipto acabarão por desaparecer', afirmou Zayat. 'Não existe forma de competir com os produtos fabricados na China'."

Pensem na insanidade desta conclusão: o Egipto tem quantidades maciças de mão-de-obra barata, tal como a China. Está situado nas imediações da Europa, no Canal do Suez. Podia e deveria ser a Taiwan do Mediterrâneo oriental mas, em vez disso, está a render-se à China ateísta no que diz respeito ao fabrico de um dos artefactos culturais mais apreciados do Egipto muçulmano. Ibrahim El Esway, um dos principais importadores de *fawanis* da China, mostrou à *Business Monthly* o seu armazém na cidade egípcia de Muski: em 2004, ele tinha importado da China 16 modelos diferentes de lanternas. "No meio da multidão em Muski, El Esway fez um gesto a um dos seus colaboradores, que prontamente abriu uma caixa coberta de pó e tirou de lá *fawanis* de plástico com o formato de Simba, personagem de *O Rei Leão*. 'Este é o primeiro modelo que importámos em 1994', disse ele, enquanto ligava uma lanterna. Quando uma luz azul se acendeu na cabeça do leão, começou a ouvir-se a canção 'It's a Small Word'."

Introspecção

Na secção anterior analisámos a forma como os indivíduos, particularmente os norte-americanos, deviam enfrentar os desafios colocados pelo mundo plano. Este capítulo concentra-se nas políticas que os países em vias de desenvolvimento precisam de seguir para criar o ambiente certo para que as suas empresas e empreendedores prosperem num mundo plano, embora algumas destas políticas também se apliquem a muitos países desenvolvidos.

Quando os países em vias de desenvolvimento analisam o desafio colocado pelo mundo plano, a primeira coisa que precisam de fazer é uma introspecção profunda e honesta. Um país, o seu povo e os seus líderes têm de ser honestos consigo e olhar de forma lúcida para a sua posição relativamente a outros países e para os dez acontecimentos que contribuíram para que o mundo se tornasse plano. Têm de se interrogar: "Até que ponto é que o meu país está a avançar ou a ficar atrasado devido ao mundo plano e até que ponto está a adaptar-se e a retirar vantagens de todas as novas plataformas para a colaboração e a concorrência?" Como aquele responsável do Banco Central da China se gabou junto do meu colega mexicano, a China é, de facto, o lobo. Dos dez acontecimentos catalisadores, a entrada da China no mercado mundial é, sem dúvida, o mais importante para os países em vias de desenvolvimento e até para muitos países desenvolvidos.

A China consegue produzir alta qualidade a baixo custo, melhor do que qualquer outro país. Cada vez mais também poderá produzir alta qualidade a um custo mais elevado. Com a China e os outros nove catalisadores a surgirem tão fortes, nenhum país pode, hoje, dar-se ao luxo de não ser profundamente honesto em relação à sua própria realidade. Para o efeito, creio que aquilo que o mundo precisa actualmente é de um clube à imagem e semelhança dos Alcoólicos Anónimos (A.A.). Chamar-se-ia Países em Vias de Desenvolvimento Anónimos (PVDA). E, tal como na primeira reunião dos A.A. em que temos de nos levantar e dizer "O meu nome é Thomas Friedman e sou alcoólico", na primeira reunião dos Países em Vias de Desenvolvimento Anónimos, cada um teria de se levantar e dizer: "O meu nome é Síria e sou subdesenvolvida." Ou: "O meu nome é Argentina e estou a subproduzir. Não vivo de acordo com o meu potencial."

Todos os países precisam de "capacidade para fazer a sua própria introspecção", uma vez que "nenhum se desenvolve sem antes fazer uma radiografia que mostre onde é que se situa em termos de competitividade e onde estão os seus limites", explicou Luís de la Calle, um dos principais negociadores mexicanos do NAFTA. Os países que caem do comboio do desenvolvimento são um pouco como os alcoólicos: para voltarem a encarrilar, têm de aprender a ver-se como são realmente. O desenvolvimento é um processo voluntário. É necessária uma decisão positiva para dar os passos certos, mas começa com uma profunda análise interna – observando de uma forma brutalmente honesta os seus pontos fortes e os seus pontos fracos, e o que irão significar num mundo plano.

"Quando eu e você nascemos," disse-me de la Calle, "a nossa concorrência era os nossos vizinhos do lado. Actualmente, a nossa concorrência é um japonês ou um francês ou um chinês. Sabemos muito rapidamente em que posição estamos num mundo plano... Hoje, estamos a competir com todos." O melhor talento num mundo plano é o que irá ganhar mais, acrescentou, "e se não estiver à altura, outra pessoa o substituirá – e não será o indivíduo do lado."

Consigo-lhe isso "por atacado"

Tal como tenho procurado explicar ao longo deste livro, a decisão que um país toma de se desenvolver, quando o mundo se torna plano, é na prática uma decisão de se concentrar em acertar em três aspectos básicos: as infra-estruturas para ligar mais pessoas à plataforma do mundo plano – desde larguras de banda da Internet e de telemóveis mais baratas, até aos *modems*, aeroportos e estradas; a educação certa para aumentar o número de pessoas a inovar e a colaborar na plataforma do mundo plano; e a governação certa – desde a política financeira às leis – para gerir, o mais produtivamente possível, o fluxo entre as pessoas e a plataforma do mundo plano.

Em finais dos anos 70, mas particularmente após a queda do Muro de Berlim, quando o mundo começava realmente a ficar plano, um grande número de países começou a tentar implementar reformas em conformidade com a nova realidade. Apostaram na melhoria da educação e das infra-estruturas e, em particular, na adopção de melhores formas de governação. Todavia, a maior parte das medidas no sector da governação limitou-se à adopção de políticas macroeconómicas mais direccionadas para o mercado. É o que denomino de reforma "por atacado".

A era da Globalização 2.0, quando o mundo passou de um tamanho médio para um tamanho pequeno, foi a era da reforma "por atacado", uma era de vastas reformas macroeconómicas. Estas reformas realizadas, em alguns casos sob a forma de terapias de choque, começaram num pequeno número de países como a China, a Rússia, o México, o Brasil e a Índia. Estes pequenos grupos de reformadores contaram, muitas vezes, com a alavancagem dos sistemas políticos autoritários para libertar as forças do mercado, reprimidas pelo Estado. Eles empurraram os seus países para estratégias de mercado livre, mais orientadas para a exportação – baseadas na privatização de empresas públicas, desregulamentação dos mercados financeiros, ajuste das paridades cambiais, investimento directo estrangeiro, subsídios reduzidos, diminuição das barreiras alfandegárias proteccionistas e introdução de leis de trabalho mais flexíveis – num sistema de *top down*, sem nunca chegarem a consultar as pessoas. Ernesto Zedillo, que foi Presidente do México entre 1994 e 2000 e Ministro do Planeamento e das Finanças antes disso, comentou, uma vez, que todas as decisões sobre a abertura da economia mexicana tinham sido tomadas por três pessoas. Quantas pessoas pensa que Deng Xiaoping consultou antes de declarar: "Ficar rico é glorioso" e de ter aberto a economia chinesa, ou quando aniquilou os que questionaram a transição da China do comunismo para a economia de mercado, com o argumento de que o importante eram os empregos e os rendimentos e não as ideologias? Deng deixou para trás décadas de ideologia comunista apenas com uma frase: "Não importa se o gato é preto ou branco, o que importa é que apanhe ratos." Em 1991, quando o Ministro das Finanças indiano, Manmoham Singh, deu os passos experimentais no sentido de abrir a economia indiana ao comércio externo, ao investimento e à concorrência, isso resultou não de um sério debate e diálogo nacional mas sim do facto de a economia indiana naquele momento estar tão debilitada, tão pouco atractiva para os investidores estrangeiros, que quase perdia as suas reservas de divisas externas. Quando Mikhail Gorbachev avançou com a Perestroika, fê-lo de costas voltadas para a muralha do Kremlin e com alguns aliados na liderança Soviética. O mesmo aconteceu com Margaret Thatcher quando travou uma guerra contra a greve do sindicato dos mineiros de carvão, em 1984, e forçou a reforma "por atacado" da frágil economia britânica da altura.

Todos estes líderes foram confrontados com o facto irrefutável de que os mercados mais abertos e competitivos são o único veículo sustentável para fazer crescer uma nação, porque são a única garantia de que novas ideias, tecnologias e práticas fluirão facilmente no país e que as empresas privadas, e mesmo o governo, terão o incentivo competitivo e flexibilidade necessários para adoptar estas novas ideias e transformá-las em empregos e produtos. É por isso que os países que não se globalizaram, aqueles que recusaram qualquer tipo de reforma "por atacado" – a Coreia do Norte, por exemplo –, acabaram por ver o crescimento do seu PIB *per capita* abrandar nos anos 90, enquanto países que transitaram de um modelo mais socialista para um modelo assente na globalização assistiram, na mesma altura, a um aumento do seu PIB *per capita*. Conforme David Dollar e Art Kray concluíram no seu livro intitulado *Comércio, Crescimento e Pobreza*, o crescimento económico e o comércio continuam a ser o melhor programa antipobreza do mundo.

O Banco Mundial revelou que, em 1990, existiam aproximadamente 375 milhões de pessoas na China a viver em condições de pobreza extrema, com menos de um dólar por dia. Em 2001, existiam 212 milhões de chineses nessa situação e, em 2015, se a tendência tiver mantido, existirão apenas 16 milhões a viver com menos de um dólar por dia. No Sul da Ásia – essencialmente na Índia, no Paquistão e no Bangladesh – os números apontam para 462 milhões de pessoas, em 1990, a viver com menos de um dólar por dia, 431 milhões em 2001 e uma previsão de 216 milhões em 2015. Em contrapartida, na África Subsaariana, onde a globalização tem demorado a criar raízes, em 1990 existiam 227 milhões de pessoas a viver com menos de um dólar por dia, sendo esse número de 313 milhões em 2001 e prevendo-se que ascenda a 340 milhões em 2015.

O problema, para qualquer país em vias de se globalizar, reside no facto de se considerar que consegue parar uma reforma "por atacado". Nos anos 90, alguns países consideravam que lhes bastava adoptarem dez "mandamentos" da reforma económica por "atacado" – privatizarás as indústrias estatais, desregulamentarás os serviços públicos, reduzirás os preços e encorajarás as indústrias de exportação, etc. – para terem uma estratégia de desenvolvimento de sucesso. À medida que o mundo começou a ficar mais plano e, portanto, mais pequeno – permitindo à China competir em todo o lado com um amplo leque de produtos manufacturados, possibilitando à Índia exportar a sua inteligência para todos os lugares, facilitando às empresas recorrer ao *outsourcing* de qualquer tarefa em qualquer parte do mundo, e fazendo com que os indivíduos possam competir globalmente como nunca – a reforma "por atacado", limitada em grande medida à macroeconomia, deixou de ser suficiente para manter os países numa trajectória de crescimento sustentável. Era necessária uma reforma mais profunda – uma que transformasse a educação, as infra-estruturas e a governação de uma forma muito mais profunda.

Só consigo a "retalho"*

E se as regiões do mundo fossem como bairros de uma cidade? Qual seria o aspecto do mundo? Eu descrevê-lo-ia do seguinte modo: A Europa Ocidental seria um centro de dia, com uma população envelhecida servida sumptuosamente por enfermeiras turcas. Os Estados Unidos seriam um condomínio fechado com um detector de metais no portão principal e uma série de gente sentada nos seus quintais a queixar-se do quão preguiçosas são as pessoas, apesar de nas traseiras haver uma pequena abertura no gradeamento a permitir a entrada dos trabalhadores mexicanos e outros imigrantes cheios de energia que ajudaram a que o condomínio fechado funcionasse. A América Latina seria a parte divertida da cidade, a zona dos bares, onde um dia de trabalho não começa antes das dez da noite e toda a gente dorme até ao meio-dia. É, decididamente, o lugar para se ir sair, à excepção da rua onde vivem os chilenos. Os senhorios, nestes bairros, quase nunca reinvestem aqui os seus lucros, depositando-os em bancos espalhados pela cidade. A Rua Árabe seria um beco escuro por onde os estranhos temem andar, à excepção de umas ruas chamadas Dubai, Jordânia, Bahrein, Qatar e Marrocos. Os únicos novos estabelecimentos são as bombas de gasolina, cujos proprietários, tal como as elites do bairro da América Latina, raramente reinvestem os seus fundos. Muitas

* **N.T.** O autor joga com as palavras nestes dois subcapítulos, ao falar de "por atacado" – *wholesale* – e "a retalho" – *retail*.

casas da Rua Árabe têm as suas cortinas corridas, as persianas fechadas e placas nos seus relvados que dizem "Não entrar. Cuidado com o cão". A Índia, a China e a Ásia Oriental seriam a "zona marginal". O seu bairro é um enorme e fervilhante mercado, constituído por pequenas lojas e fábricas *open-space*, intercaladas por centros educacionais Stanley Kaplan de preparação para o exame SAT de acesso ao ensino superior, bem como por faculdades de Engenharia. Ninguém dorme neste bairro, todos vivem no seio de famílias numerosas e todos estão a trabalhar e a poupar tanto quanto podem para conseguir ir para a "zona bem". Nas Ruas Chinesas não existe lei, mas estão todas pavimentadas; não há buracos e os candeeiros de iluminação pública funcionam. Em contrapartida, nas Ruas Indianas ninguém repara os candeeiros de iluminação pública, as ruas estão cheias de valas, mas a polícia é muito zelosa da lei. É preciso uma licença para abrir uma banca para vender limonada nas Ruas Indianas. Por sorte, os polícias locais podem ser subornados e todos os investidores de sucesso têm os seus próprios geradores para as suas fábricas laborarem e telemóveis topo de gama para ultrapassarem o facto de os postes telefónicos estarem todos avariados. A África, infelizmente, é aquela parte da cidade onde os estabelecimentos fecharam as portas, a esperança de vida está a decrescer e os únicos edifícios novos são as clínicas médicas.

Com isto, pretendo demonstrar que todas as regiões do mundo têm os seus pontos fortes e os seus pontos fracos, e todas elas necessitam, até certo ponto, de uma reforma "a retalho". O que é a reforma "a retalho"? Simplificando, é mais do que simplesmente abrir o país a mais comércio e investimento estrangeiro e fazer algumas mudanças políticas de topo a nível macroeconómico. A reforma "a retalho" pressupõe que já se tenha feito a reforma "por atacado". Implica avaliar as infra-estruturas, a educação e a governação e aperfeiçoar cada uma delas, de forma a permitir que mais pessoas tenham as ferramentas e a estrutura legal para inovar e colaborar ao mais alto nível.

Muitos dos elementos-chave da reforma "a retalho" foram definidos na investigação levada a cabo pela Corporação Financeira Internacional (CFI) do Banco Mundial* e pela sua equipa de análise económica liderada pelo seu economista-chefe, Michael Klein. O que é que aprendemos com o trabalho deles? Para começar, não se tira um país da pobreza garantindo emprego a todos. O Egipto garante todos os anos um emprego a todos os recém-licenciados das suas universidades e tem sido um atoleiro de pobreza com uma economia em fraco crescimento nos últimos 50 anos.

"Se fosse apenas uma questão do número de empregos, as soluções seriam fáceis", salientam Klein e Bita Hadjimichael no seu estudo do Banco Mundial, intitulado *O Sector Privado em Desenvolvimento*. "A título de exemplo, as empresas estatais

---

* **N.T.** Que promove o investimento no sector privado.

podiam absorver todos os que precisam de emprego. O verdadeiro problema não é só o emprego, mas o emprego cada vez mais produtivo – que permita que o nível de vida aumente." As empresas estatais e as empresas privadas subsidiadas pelo Estado, por norma, não atingem um crescimento de produtividade sustentável e nem sequer lá chegam outras abordagens consideradas como "elixires" de crescimento, acrescentam os autores do estudo. Atrair apenas mais investimento estrangeiro para um país também não é forma de conseguir automaticamente o seu crescimento. E nem avultados investimentos na educação o garantirão.

"O crescimento da produtividade, e, consequentemente, a porta de saída da pobreza, não é simplesmente uma questão de 'atirar' recursos ao problema", defendem Klein e Hadjimicheal. "Mais importante é a questão de usar bem os recursos." Por outras palavras, os países saem da pobreza quando se tomam medidas para lá das políticas monetárias e financeiras estruturais, ou seja, fazendo uma reforma "por atacado". Nos últimos anos, muita atenção e preocupação moral têm sido dedicadas ao problema da pobreza persistente, nomeadamente em África. Isto é um aspecto positivo. Porém, a pobreza persistente, além de ser um problema moral, é um problema prático, daí que não ganhemos nada em nos concentrar nos nossos desaires morais, ao invés de abordar as insuficiências práticas dos países e governos envolvidos. Os pobres saem da pobreza quando os seus governantes criam um ambiente no qual os trabalhadores com formação e os capitalistas têm ao seu dispor infra-estruturas físicas e legais que facilitem a criação de novas empresas, o acesso ao capital e a criação de uma classe empreendedora. Sujeitar a população a, pelo menos, alguma concorrência externa é igualmente vantajoso – porque as empresas e os países inovam mais e mais depressa quando acossados pela concorrência.

A CFI comprovou este princípio num estudo que envolveu mais de 130 países, intitulado *Fazer Negócios em 2004*. A CFI colocou cinco questões básicas a cada um destes países sobre como fazer negócios. As perguntas debruçavam-se sobre a facilidade ou dificuldade em 1) iniciar um negócio, no que diz respeito a regras locais, à regulamentação e custos respectivos; 2) contratar e despedir trabalhadores; 3) fazer cumprir um contrato; 4) obter crédito; e 5) encerrar um negócio que vá à falência ou que não esteja a dar os resultados previstos. Traduzindo isto para a minha própria terminologia, os países que fazem estas coisas com relativa facilidade e sem fricções empreenderam a reforma "a retalho", e aqueles que não o fazem estão atolados na reforma "por atacado" e não parece que consigam vencer num mundo plano. Os critérios da CFI foram inspirados no trabalho brilhante e inovador de Hernando de Soto, que demonstrou, no Peru e noutros países em vias de desenvolvimento, que se se alterar o ambiente legislativo e empresarial tornando-o mais favorável para os "pobres", e se lhes der as ferramentas para colaborar, eles farão o resto.

Fazer Negócios em 2004 tenta explicar cada um dos seus pontos com alguns exemplos ilustrativos: "Teuku, um empresário em Jacarta, quer abrir uma fábrica têxtil. Ele tem uma lista de clientes, maquinaria importada e um plano de negócios promissor. O primeiro encontro de Teuku com o governo é quando quer registar a sua empresa. Ele compra os formulários necessários no Ministério da Justiça, preenche-os e formaliza-os no notário. Teuku prova que é um residente local e que não tem cadastro criminal. Consegue um número de contribuinte, requer um alvará de licença de utilização da fábrica e deposita no banco o mínimo de capital social exigido (três vezes o rendimento nacional *per capita*). De seguida, publica o contrato de constituição da empresa no jornal local, paga o imposto de selo, faz o registo no Ministério da Justiça e aguarda 90 dias antes de poder inscrever-se na Segurança Social. Cento e oitenta dias depois de ter iniciado este processo, Teuku está legalmente habilitado para iniciar a sua actividade. Entretanto, os seus clientes já fecharam um contrato com outra empresa."

"No Panamá, uma outra empresária, Ina, regista a constituição da sua empresa em apenas 19 dias. O negócio está a expandir-se e Ina quer contratar uma pessoa por dois anos. Mas a lei do emprego apenas permite contratos a termo certo para o desempenho de funções específicas e, mesmo nesse caso, o prazo máximo do contrato é de um ano. Ao mesmo tempo, um dos seus actuais colaboradores sai muitas vezes mais cedo, sem qualquer justificação, e comete erros que causam prejuízos. Para o substituir, Ina precisa de notificar o sindicato, obter a autorização deste e pagar uma indemnização correspondente a cinco meses de ordenado. Ina rejeita o candidato mais qualificado que queria contratar e mantém o trabalhador incompetente."

"Ali, um comerciante dos Emirados Árabes Unidos, contrata e despede pessoal com bastante facilidade. Mas um dos seus clientes recusa-se a pagar equipamento que foi entregue três meses antes. São necessários 27 requerimentos e 550 dias para a questão do pagamento ser resolvida em tribunal. Quase todos os requerimentos têm de ser feitos por escrito, exigem extensa fundamentação legal e obrigam à contratação de advogados. Depois desta experiência, Ali decide que apenas fará negócios com clientes que conheça bem."

"Timnit, uma jovem empresária da Etiópia, quer expandir o seu bem sucedido negócio de consultoria, contraindo um empréstimo. Mas tem de demonstrar o seu perfil de risco, pois não existem registos de informação sobre crédito. Apesar de o seu negócio ter activos em créditos contabilísticos, as leis restringem a sua utilização, pelo banco, como garantia. O banco sabe que não poderá recuperar a dívida se houver incumprimento por parte de Timnit, pois os tribunais são ineficientes e as leis atribuem poucos poderes aos credores. O empréstimo é recusado. O negócio não cresce."

"Tendo já registado a sua empresa, contratado pessoal, executado contratos e obtido crédito, Avik, um homem de negócios da Índia, não consegue ter lucros e encerra. Perante um processo de falência que dura dez anos, Avik foge à acção da justiça, deixando os seus trabalhadores, o banco e o fisco sem nada."

Se quer saber por que é que duas décadas de reforma "por atacado" ao nível macroeconómico não travaram a propagação da pobreza e não criaram novos empregos em número suficiente para satisfazer as necessidades da procura em países-chave da América Latina, de África, do mundo Árabe e da antiga União Soviética, é porque não aconteceram reformas "a retalho" suficientes. De acordo com o relatório da CFI, se quiser criar empregos produtivos (os que levam ao aumento do nível de vida) e quiser estimular o crescimento de novos negócios (os que inovam, competem e criam riqueza), é necessária regulamentação que facilite a criação de empresas, possibilite o ajustamento das empresas às mudanças das circunstâncias e oportunidades do mercado, e facilite o encerramento de um negócio que vai à falência, para que o capital seja libertado para fins mais produtivos.

"Na Austrália, leva-se dois dias para iniciar uma empresa, mas levam-se 203 dias no Haiti e 215 na República Democrática do Congo", concluiu o estudo da CFI. "Não há custos pecuniários para iniciar uma nova empresa na Dinamarca, mas custa mais de cinco vezes o rendimento *per capita* no Camboja e ultrapassa as 13 na Serra Leoa. Hong Kong, Singapura, Tailândia e mais de três dúzias de outras economias não exigem um mínimo de capital social às *start-ups*. Em contrapartida, na Síria, a exigência de capital social é equivalente a 56 vezes o rendimento *per capita*... Na República Checa e na Dinamarca, as empresas podem contratar pessoas em *part-time* ou a termo certo para qualquer trabalho, sem especificar a duração máxima do contrato. Contrariamente, as leis laborais de El Salvador permitem contratos a termo certo apenas para certas actividades e exigem que a sua duração seja pelo menos de um ano... Um simples contrato comercial é executado em sete dias na Tunísia e em 39 dias na Holanda, mas demora quase 1500 dias na Guatemala. Na Áustria, no Canadá e no Reino Unido, o custo da execução corresponde a menos de um por cento da quantia em disputa, mas é superior a cem por cento no Burquina-Faso, na República Dominicana, na Indonésia... e nas Filipinas. As agências de crédito na Nova Zelândia, na Noruega e nos Estados Unidos possuem o historial dos créditos de quase toda a sua população adulta. Porém, nos Camarões, no Gana, no Paquistão, na Nigéria e na Sérvia e Montenegro, os registos dos créditos abrangem menos de um por cento da população adulta desses países. No Reino Unido, as leis sobre garantias adicionais e falências atribuem aos credores amplos poderes para recuperar o seu capital se um devedor tiver crédito malparado. Já na Colômbia, na República Democrática do Congo, no México, em Omã e na Tunísia, um credor não tem tais poderes. Um processo de falência leva menos de seis meses a ser resolvido na Irlanda e no Japão, mas mais de dez anos no Brasil e na Índia. Na Finlândia, na Holanda, na Noruega e em Singapura, custa menos de um por cento do valor dos bens julgar uma insolvência – e quase metade do valor dos bens no Chade, no Panamá, na Macedónia, na Venezuela, na Sérvia e Montenegro e na Serra Leoa."

Conforme salienta o relatório da CFI, o excesso de legislação tende a prejudicar mais quem supostamente deveria proteger. Os ricos, ou os bem relacionados, limitam-se a comprar ou a contornar as regras onerosas. Nos países onde o mercado de trabalho é sujeito a muita legislação, onde é difícil contratar e despedir pessoas, torna-se muito difícil, principalmente para as mulheres, arranjar emprego.

"Boa regulamentação não é sinónimo de inexistência de regulamentação", conclui o estudo da CFI. "Não existe um nível óptimo de regulamentação, mas pode ser menos do que aquilo que se verifica actualmente na maior parte dos países, em especial nos países pobres." O estudo da CFI oferece aquilo a que chamo a lista dos cinco passos para uma reforma "a retalho". O primeiro consiste em simplificar e desregulamentar sempre que possível em mercados competitivos, pois a concorrência pode ser a melhor fonte de pressão para as melhores práticas, tanto para os consumidores como para os trabalhadores, e um excesso de regulamentação apenas abre as portas aos burocratas corruptos para exigir subornos. "Não há qualquer razão para que Angola tenha uma legislação laboral das mais rígidas, se Portugal, cujas leis aquele país adaptou, já as reviu duas vezes de forma a flexibilizar o mercado laboral", diz o estudo da CFI. O segundo é concentrar-se na melhor forma de intensificar a protecção do direito de propriedade. Por iniciativa de Hernando de Soto, o governo peruano emitiu, na última década, 1,2 milhões de títulos de registo de propriedade sobre casas devolutas. "Assegurar o direito de propriedade permitiu aos pais sair das suas casas e ir arranjar trabalho em vez de ficarem a proteger a sua propriedade", acrescenta o estudo. "Os mais beneficiados são os filhos deles, que agora podem ir para a escola." O terceiro é expandir a utilização da Internet para o cumprimento das regulamentações, o que o tornará mais rápido, mais transparente e muito mais incorruptível. O quarto passo consiste em reduzir a intervenção dos tribunais em questões do âmbito empresarial. E, por último, mas certamente não menos importante, o estudo da CFI aconselha a que se "faça da reforma um processo contínuo... Os países que têm revelado um desempenho positivo e consistente através dos indicadores do *Fazer Negócios*, conseguem-no devido a uma reforma contínua".

O que é impressionante nos critérios da CFI é que muitas pessoas pensam que eles apenas são relevantes para o Peru e a Argentina, quando, de facto, alguns dos países com piores classificações são a Alemanha e a Itália (na realidade, o governo alemão reclamou de algumas das conclusões do estudo).

Sigam os duendes saltitantes

Um dos melhores exemplos de um país que deu um enorme salto em frente, ao escolher a via do desenvolvimento e a reforma "a retalho" do seu modelo de governação, infra-estruturas e educação, é a Irlanda. Eis algo que provavelmente não sabia: a Irlanda é actualmente o país mais rico da União Europeia a seguir ao Luxemburgo. É verdade, o país que, durante centenas de anos, ficou mais conhecido pela sua emigração, poetas trágicos, fome, guerras civis e duendes, tem hoje um PIB *per capita* superior ao da Alemanha, da França e da Grã-Bretanha. A forma como a Irlanda passou do parente pobre da Europa para o parente rico, em menos de uma geração, é uma história fantástica. A reviravolta irlandesa iniciou-se, de facto, em finais dos anos 60, quando o governo eliminou as propinas no ensino secundário, permitindo que um número superior de jovens das classes operárias pudessem concluir o ensino secundário ou tirar um curso técnico. Em resultado disso, nos anos subsequentes à adesão da Irlanda à Comunidade Europeia, em 1973, conseguiu produzir uma força laboral com mais habilitações do que nas gerações anteriores. Assim, por volta de meados dos anos 80, a Irlanda tinha conseguido aproveitar os benefícios iniciais da adesão à CE – subsídios para a construção de melhores infra-estruturas e um mercado mais alargado para vender os seus produtos. Não tinha, contudo, produtos suficientemente competitivos para vender, tendo em conta o legado de anos de proteccionismo e de má gestão orçamental. O país estava a ficar falido e a maioria dos licenciados estava a emigrar. Não tinha acertado o seu tipo de governação.

"Estávamos a endividar-nos, a gastar e a cobrar demasiados impostos, e isso quase nos afundou", disse-me a Vice-Primeira-Ministra Mary Harney, quando visitei a Irlanda em Junho de 2005. "E foi por nos termos quase afundado que tivemos a coragem de mudar." E foi isso que aconteceu. Num desenvolvimento algo invulgar, o governo, os principais sindicatos, os agricultores e os industriais juntaram-se e acordaram um programa de austeridade orçamental, baixando os impostos das empresas para 12,5 por cento (muito abaixo dos restantes países da Europa), apostando na moderação salarial e dos preços, e atraindo com determinação o investimento estrangeiro. Em 1996, a Irlanda eliminou as propinas do ensino universitário público, o que permitiu criar uma força laboral ainda mais instruída. Os resultados foram espectaculares. Actualmente, nove das dez maiores empresas farmacêuticas do mundo têm operações na Irlanda, tal como 16 das 20 maiores empresas de dispositivos médicos e sete das dez maiores empresas de *software*. Em 2004, a Irlanda captou mais investimento estrangeiro directo dos Estados Unidos do que a China. Entretanto, a globalidade das receitas fiscais do governo tem crescido de uma forma constante.

"Instalámo-nos na Irlanda em 1990", explicou-me Michael Dell, o fundador da Dell Computer, numa mensagem de *e-mail*. "O que nos atraiu? Uma força laboral com habilitações elevadas – e boas universidades nas redondezas. Além disso, a Irlanda tem uma política fiscal e industrial que favorece de forma consistente as empresas, independentemente do partido político que estiver no governo. Penso que isto se deve ao facto de haver ainda muitas pessoas que se recordam do mau momento por que passaram para despolitizar o desenvolvimento económico. A Irlanda tem igualmente uma boa infra-estrutura de transportes e de logística, para além de estar bem localizada – permite movimentar fácil e rapidamente produtos para os principais mercados da Europa." Por fim, acrescentou Dell, "são competitivos, querem ter sucesso, têm fome e sabem como vencer. A nossa fábrica está situada em Limerick, mas também temos vários milhares de colaboradores no sector das vendas e técnico na periferia de Dublin. O talento na Irlanda revelou-se um recurso fantástico para nós. Um pormenor engraçado: somos os maiores exportadores da Irlanda."

A Intel inaugurou a sua primeira unidade de produção de *chips* na Irlanda em 1993. James Jarrett, um dos *Vice Presidents* da Intel, afirmou que a Intel foi atraída pelo grande número de jovens com habilitações elevadas, os baixos impostos empresariais e outros incentivos, que permitiram à Intel poupar praticamente mil milhões de dólares ao longo de dez anos. O sistema nacional de saúde da Irlanda – que certamente reduz as obrigações da Intel ao nível da cobertura de serviços de saúde – também não constituiu um problema. "Temos quatro mil e setecentos colaboradores em quatro unidades de produção irlandesas e estamos mesmo a conceber *chips* de última geração na fábrica de Shannon com engenheiros irlandeses", afirmou.

Harry Kraemer Jr., o antigo CEO da Baxter International, um fabricante de equipamento médico que fez vários investimentos na Irlanda, explicou que "o grau de motivação, a ética profissional e a optimização fiscal, bem como a flexibilidade laboral" tornaram a Irlanda num país muito mais atractivo para o investimento do que a França ou a Alemanha, onde é extremamente oneroso despedir nem que seja um colaborador. Os irlandeses, acrescentou, tinham suficiente autoconfiança para acreditar que, se mantivessem as suas leis laborais flexíveis, alguns empregos desapareceriam, mas novos continuariam a surgir – e foi exactamente isso que aconteceu. A Irlanda está "a jogar ao ataque", afirmou Kraemer, ao passo que a Alemanha e a França estão "a jogar à defesa" e quanto mais tentam proteger os velhos empregos, menos atraem os novos. Vejam os resultados: em 1990, havia no total 1,1 milhões de trabalhadores na Irlanda. Em finais de 2005, este número era de aproximadamente dois milhões, com uma taxa de desemprego real praticamente inexistente.

No entanto, a Irlanda começou igualmente a "jogar ao ataque" numa série de outras áreas. Inicialmente, concentrou-se em atrair investimentos de empresas norte-americanas de alta tecnologia, oferecendo-lhes infra-estruturas de qualidade, uma força laboral flexível e com habilitações elevadas, e impostos empresariais reduzidos. Hoje, contudo, explicou a Ministra irlandesa da Educação, Mary Hanafin, o país quer fazer evoluir a reforma "a retalho" do sector da educação para um novo nível. Iniciou uma campanha que tem por objectivo duplicar o número de doutorados em Ciências e Engenharia até 2010, para além de ter implementado vários fundos no sentido de captar empresas globais e talentos de todas as áreas para virem trabalhar em investigação na Irlanda. Actualmente, a Irlanda está a recrutar, em particular, muitos cientistas chineses. "É bom que os nossos estudantes de qualidade se misturem com estudantes de qualidade de outros países", salientou Hanafin. "A indústria seguirá as principais unidades de investigação." A Irlanda criou uma fundação científica para atribuir bolsas aos investigadores de qualquer parte do mundo, que tenham uma ideia para desenvolver na Irlanda e que possa um dia gerar um produto ou uma empresa. Entre 2001 e 2005, a *Science Foundation Ireland* (Fundação Irlandesa para a Ciência) implementou mais de 160 novos grupos de investigação, 34 dos quais liderados por cientistas de renome, que vieram de laboratórios estrangeiros para a Irlanda, segundo um relatório independente encomendado pelo governo irlandês. O primeiro responsável pela *Science Foundation Ireland* foi, por acaso, um norte-americano que tinha trabalhado na *National Science Foundation* (Fundação Norte-americana para a Ciência).

A história da Irlanda demonstra que o capital não se movimenta pelo mundo apenas em busca de mão-de-obra barata. Se assim fosse, todos os empregos estariam no Haiti e no Bangladesh. A sua intenção é encontrar a mão-de-obra mais produtiva ao mais baixo preço e isso exige que se acerte naquelas três condições básicas. John Chambers, CEO da Cisco Systems, que utiliza uma rede global de abastecimento para fabricar *routers* que permitem o funcionamento da Internet e que é regularmente abordada para investir em vários países, conseguiu dizê-lo da melhor maneira: "Os empregos estão a ir para o lugar onde está a força laboral mais qualificada, com a infra-estrutura mais competitiva, que ofereça um ambiente para a criatividade e um governo que apoie. É inevitável. Por definição, estas pessoas terão o melhor nível de vida. Isto pode acontecer, ou não, nos países que lideraram a Revolução Industrial".

De facto, *Sir* John Rose, o director executivo da Rolls-Royce, disse-me certa vez que, em relação àquilo que denomino de mundo plano, iremos falar cada vez menos de "países desenvolvidos, em desenvolvimento e subdesenvolvidos" e cada vez mais de "países inteligentes, mais inteligentes e extremamente inteligentes".

Pelo menos alguns países estão atentos. O Primeiro-ministro irlandês, Bertie Ahern, contou-me em Junho de 2005: "Encontrei-me cinco vezes com o Primeiro-ministro chinês nos últimos dois anos."

Assuntos culturais: "glocalização"

Apesar de a fasquia da reforma "a retalho" estar mais alta do que nunca, e de a maioria dos países estar ciente disso, basta dar uma vista de olhos pelo mundo para perceber que nem todos os países podem transpô-la. Ao contrário da reforma "por atacado", que podia ser realizada por meia dúzia de pessoas com ordens administrativas ou apenas com autoridade para o fazer, a reforma "a retalho" requer uma base de apoio pública e parlamentar muito mais vasta, se quiser reformar direitos políticos e económicos adquiridos. Por que é que alguns países conseguem ultrapassar as dificuldades inerentes a esta reforma "a retalho", com líderes capazes de mobilizar a população para aperfeiçoar realmente as suas infra-estruturas, educação e governação, e outros países protelam esta situação?

Uma das respostas reside na cultura.

Reduzir o desempenho económico de um país à sua cultura é curto de vista, mas analisar o desempenho económico de um país sem referência à cultura é igualmente redutor, embora seja o que muitos economistas e comentadores políticos querem fazer. Este tema é altamente controverso e é visto como politicamente incorrecto para abordar. Por conseguinte, trata-se muitas vezes do problema que todos fingem ignorar e sobre o qual ninguém quer falar. Mas vou falar sobre isso por uma simples razão: conforme o mundo vai ficando plano e as ferramentas de colaboração são distribuídas e mercantilizadas, a disparidade entre as culturas que têm vontade, meios e objectividade para rapidamente adoptarem e aplicarem as novas ferramentas e as que não têm será cada vez mais importante. As diferenças entre ambas serão amplificadas.

Um dos livros mais importantes sobre este tema é *A Riqueza e a Pobreza das Nações*, escrito pelo economista David Landes. Ele argumenta que, apesar do clima, dos recursos naturais e da localização geográfica desempenharem papéis na explicação do porquê de alguns países serem capazes de dar o salto para a industrialização e outros não, o factor-chave consiste, na realidade, nas estruturas culturais do país, particularmente no que diz respeito ao grau de interiorização dos valores do trabalho árduo, da poupança, da honestidade, da paciência e da tenacidade, bem como ao grau de abertura face à mudança, a novas tecnologias e à igualdade para as mulheres. Pode concordar-se ou discordar-se com o balanço que Landes faz entre estes dados culturais e outros factores que moldam o desempenho económico. No entanto, considerei inovadora a sua insistência em sublinhar a questão cultural e a sua recusa em cair em argumentos de que a contínua estagnação de alguns países se deve ao colonialismo ocidental, à localização ou ao legado histórico.

Durante as minhas viagens, houve dois aspectos culturais que me impressionaram como particularmente relevantes neste mundo plano. Um deles prende-se com a forma como a cultura está aberta ao exterior: de que forma é receptiva a ideias e influências estrangeiras? Até que ponto procede a uma correcta "glocalização"? O outro, mais intangível, prende-se com a forma como a cultura está muito virada para dentro de si mesma. Ou seja, pretendo saber até que ponto existe um sentimento de solidariedade nacional e um objectivo de desenvolvimento; até que ponto existe confiança dentro da sociedade perante os estrangeiros para colaborarem mutuamente; e até que ponto estão as elites de um país preocupadas com as massas e preparadas para investir localmente, ou estarão indiferentes perante os seus próprios pobres e mais interessados em investir no estrangeiro?

Quanto mais uma cultura se "glocaliza" naturalmente – isto é, quanto mais a nossa cultura absorve facilmente ideias exteriores e boas práticas e as funde com as suas próprias tradições – maior será a vantagem que terá num mundo plano. A capacidade natural para "glocalizar" tem sido uma das forças da cultura indiana, da cultura norte-americana, da cultura japonesa e, ultimamente, da cultura chinesa. Os indianos, por exemplo, pensam desta forma: os mongóis chegam, os mongóis partem; os britânicos chegam, os britânicos partem; nós absorvemos o que de melhor eles têm e deixamos o resto de parte – mas continuamos a comer caril, as nossas mulheres continuam a vestir saris e continuamos a viver em famílias numerosas e fortemente ligadas. É a "glocalização" no seu melhor.

"As culturas que se mostram abertas e dispostas a mudar têm uma grande vantagem neste mundo", afirmou Jerry Rao, CEO da MphasiS, que lidera a Associação Comercial de Alta Tecnologia indiana. "A minha bisavó era analfabeta. A minha avó foi até ao segundo grau de ensino. A minha mãe não foi para a faculdade. A minha irmã tem um mestrado em Economia e a minha filha está na Universidade de Chicago. Fizemos tudo isto recordando sempre os nossos entes queridos como se estivessem vivos, mas também temos mostrado que temos vontade de ir mudando... É preciso ter uma cultura forte, mas ter também abertura para adaptar e adoptar as culturas dos outros. Os exclusivistas culturais têm uma grande desvantagem. Pense nisso, pense no tempo em que o imperador chinês expulsou o embaixador britânico. Quem se magoou? Foram os chineses. A exclusividade é algo perigoso."

A abertura é muito importante, acrescentou Rao, "porque se começa a respeitar as pessoas, os seus talentos e capacidades. Quando se está a conversar na Internet com alguém que também desenvolve *software* e que está num outro canto do mundo, não se sabe qual a cor dele ou dela. Lida-se com as pessoas com base no seu talento – não raça ou etnia – e, se se estiver num mundo baseado no talento e no desempenho em vez de num mundo baseado no sangue ou no nome da família, com o passar do tempo isso vem alterar, de forma subtil, a visão que se tem do ser humano."

Isto ajuda a explicar o motivo de tantos países muçulmanos terem vindo a travar lutas à medida que o mundo se torna plano. Por razões históricas e culturais complicadas, muitos deles não "glocalizam" bem, apesar de haver muitas excepções – nomeadamente a Turquia, o Líbano, o Bahrein, o Dubai, a Indonésia e a Malásia. Todavia, estes últimos tendem a ser nações muçulmanas mais seculares. Num mundo em que a maior vantagem que uma cultura pode ter é a capacidade para promover o sentido de adaptação e de adopção, o actual mundo muçulmano é dominado por um clero religioso que bane literalmente a *ijtihad*, a reinterpretação dos princípios do Islão à luz das actuais circunstâncias.

Pense em toda a atitude mental da Al-Qaeda. Consiste em limpar a Arábia Saudita de todos os estrangeiros e influências estrangeiras. É exactamente o oposto de "glocalizar" e colaborar. A cultura e o pensamento tribal ainda dominam em muitos países árabes e a atitude mental tribal também bane a colaboração. Qual é o lema do tribalista: "Eu e o meu irmão contra o meu primo; eu, o meu irmão e o meu primo contra o intruso." E qual é o lema dos "globalistas", aqueles que criam cadeias de abastecimento colaborantes? "Eu, o meu irmão e o meu primo, três amigos de infância, quatro pessoas na Austrália, duas em Pequim, seis em Bangalore, três da Alemanha, e mais quatro pessoas que só conhecemos pela Internet constituímos uma única cadeia de abastecimento global." No mundo plano, a divisão do trabalho está a tornar-se cada vez mais complexa: muito mais pessoas interagem com muitas outras que não conhecem pessoalmente e que talvez possam nunca vir a conhecer. Se quer ter uma moderna e complexa divisão do trabalho, terá de confiar mais em estranhos.

No mundo árabe-muçulmano, argumenta David Landes, algumas atitudes culturais transformaram-se, de muitas formas, em barreiras ao desenvolvimento, especialmente a tendência para continuar a tratar as mulheres como uma "fonte de perigo" ou de "poluição" que deve ser eliminada do espaço público e a quem deve ser negada a participação em actividades económicas. Quando uma cultura defende algo semelhante, está a perder grande parte do seu potencial produtivo. Um sistema que privilegia os homens desde que nascem, simplesmente pelo facto de serem homens, e que lhes dá poder sobre as suas irmãs e outros membros da sociedade que sejam do sexo feminino, é mau para os homens, defende Landes. Cria nele um sentimento de posse que desencoraja a fazer o que é preciso ser feito para melhorar, para progredir, para concretizar. Este tipo de discriminação, salienta o mesmo autor, não está limitado aos árabes do Médio Oriente. É possível encontrar ramificações deste tipo de atitude por todo o mundo, em diferentes níveis, mesmo nas chamadas sociedades industriais avançadas.

Alguns comentadores árabes liberais estão agora a concentrar as suas atenções na resistência do mundo árabe-muçulmano à "glocalização". Basta analisar um artigo de 5 de Maio de 2004, publicado no diário saudita de língua inglesa *Arab News*, pelo jornalista liberal saudita Raid Qusti, intitulado "Quanto tempo falta até darmos o primeiro passo?"

"Incidentes terroristas na Arábia Saudita estão a tornar-se mais ou menos notícia diária. Cada vez que espero e rezo para que termine, só parece piorar", escreveu Qusti. "Uma explicação para o facto de tudo isto estar a acontecer foi aflorada pelo chefe de redacção do jornal *Al-Riyadh*, Turki Al-Sudairi, num programa em que se tentou determinar quais as causas dos ataques terroristas. Ele referiu que quem pratica os ataques partilha os ideais do movimento *Juhaiman* que tomou de assalto a Grande Mesquita nos anos 70*. Eles acusavam os outros de serem infiéis e sentiam-se no direito de os matar, fossem eles ocidentais – que tinham de ser escorraçados da Península Arábica – ou crentes muçulmanos que não lhes seguiam as pisadas. Desapareceram praticamente nos anos 80 e 90 e mais tarde voltaram a surgir com a sua força destruidora. O que Al-Sudairi se esqueceu de questionar foi o seguinte: O que é que nós, sauditas, vamos fazer em relação a isto? Se, como nação, preferirmos não olhar para as causas do problema, conforme fizemos nas últimas duas décadas, será apenas uma questão de tempo até surgir outro grupo de pessoas imbuídas de ideais semelhantes. Será que ajudámos a criar estes monstros? O nosso sistema de educação, que não tolera outras fés – exceptuando a tolerância para com os seguidores de outras escolas islâmicas de pensamento –, tem de ser totalmente reavaliado. A cultura saudita e o facto de a maioria de nós não aceitar outros estilos de vida, impondo o nosso próprio estilo aos outros povos, é outro assunto que tem de ser analisado. E o facto de, entre o 4° e o 12° ano de escolaridade, não ensinarmos às nossas crianças que existem outras civilizações no mundo e que fazemos parte da comunidade global, chamando apenas a atenção constante para os países islâmicos, também é algo que vale a pena reavaliar."

Relativamente às actividades económicas, é frequente esquecermo-nos com facilidade que uma das maiores virtudes que um país ou comunidade pode ter é uma cultura de tolerância. Quando a tolerância é a norma, todos prosperam – porque a tolerância alimenta a confiança e a confiança é a base da inovação e do empreendedorismo. Aumente-se o nível de confiança em qualquer grupo, empresa ou sociedade e daí só podem resultar coisas boas. "A China só iniciou a sua espantosa descolagem comercial e industrial quando a odiosamente intolerante forma de comunismo de Mao Zedong foi posta de lado, em prol daquilo a que se poderá chamar um *laissez-faire* totalitário", escreveu o historiador britânico Paul Johnson, em 21 de Junho de 2004, num artigo na revista *Forbes*. "A Índia é outro exemplo. Está na natureza da religião hindu ser tolerante e, de uma maneira muito própria e curiosa, permissiva... Quando ficam entregues a eles mesmos, os indianos (à semelhança dos chineses) prosperam sempre como comunidade. Observe o exemplo dado pela população indiana do Uganda, que foi expulsa pelo terrível ditador Idi Amin e recebida na tolerante sociedade da Grã-Bretanha. Existem actualmente mais milionários neste grupo do que em qualquer outra comunidade de imigrantes na Grã-Bretanha. São um exemplo impressionante de como o trabalho árduo, fortes laços familiares e devoção ao ensino escolar podem orientar um povo a quem

---

* **N.T.** No dia 20 de Novembro de 1979, a Grande Mesquita de Meca foi ocupada por um comando chefiado por um muçulmano xiita iluminado, Juhaiman al-Oteibi.

foram retirados todos os seus activos no mundo." O Islão, ao longo dos séculos, prosperou quando e sempre que promoveu uma cultura de tolerância, veja-se os mouros em Espanha. No entanto, na sua forma moderna, em demasiados casos, o Islão foi captado e interpretado por líderes espirituais que não acatam a cultura da tolerância, da mudança ou inovação. Isso, salientou Johnson, certamente contribuiu para atrasar o crescimento económico em muitas regiões muçulmanas.

Eis que voltamos à questão do coeficiente do mundo plano. É muito mais provável que os países sem recursos naturais, através da evolução humana, desenvolvam os hábitos de abertura a novas ideias, porque é a única forma de poderem sobreviver e avançar na senda do desenvolvimento.

Contudo, as boas notícias são que a cultura não só interessa como também evolui. As culturas não estão ligadas ao ADN humano. São um produto do contexto – geografia, grau de instrução, liderança e experiência histórica – de qualquer sociedade. Da mesma forma que estes factores mudam, também a cultura pode mudar. O Japão e a Alemanha passaram de sociedades altamente militarizadas para sociedades altamente pacifistas e resolutamente democráticas, nos últimos 50 anos. O Bahrein foi um dos primeiros países árabes a descobrir petróleo. E foi a primeira nação árabe do Golfo Pérsico a realizar eleições parlamentares em que as mulheres puderam ser candidatas e votar.

A China, durante a Revolução Cultural, parecia uma nação presa a uma cultura de loucura ideológica. A China de hoje é sinónimo de pragmatismo. A Espanha muçulmana foi uma das sociedades mais tolerantes de toda a história da humanidade. A Arábia Saudita muçulmana de hoje é uma das mais intolerantes. A Espanha muçulmana assentava numa cultura e num comércio prósperos. Às pessoas era dado espaço para viver dos seus expedientes, por conseguinte, aprenderam a viver bem com os outros povos; a Arábia Saudita de hoje sai-se bem só com a venda de petróleo. Sim, mesmo ao lado da Arábia Saudita está o Dubai, um emirado árabe que utilizou os seus petrodólares para construir *o* centro de comércio, turismo, serviços e computação do Golfo Pérsico. O Dubai é um dos locais mais tolerantes e cosmopolitas do mundo, com mais *sushi bars* e campos de golfe do que mesquitas – e os turistas nem sequer precisam de visto para entrar. Por isso, sim, a cultura importa, mas a cultura está encaixada em contextos, não em genes – e da mesma forma que esses contextos e líderes locais precisam de mudar e adaptar-se, também a cultura precisa.

Os factores intangíveis

Já tem muito de que falar só com a comparação das linhas do horizonte. À semelhança do que acontece com muitos indo-americanos, Dinakar Singh, o gestor de *hedge funds*, desloca-se regularmente à Índia para visitar a família. No

Verão de 2004, esteve em Nova Deli. Quando o encontrei, alguns meses mais tarde, contou-me o momento em que se apercebeu da razão pela qual a economia da Índia, como um todo, não descolou tanto quanto deveria ter acontecido – à margem do sector das Tecnologias da Informação.

"Estava no sexto andar de um hotel em Nova Deli e quando olhei pela janela tinha uma vista que se prolongava por quilómetros. Como é que era possível? Como ainda não há energia eléctrica suficiente para mover os elevadores em Deli, não há muitos edifícios altos", comentou Singh. Nenhum investidor sensato construiria um arranha-céus numa cidade onde a energia eléctrica pode ir abaixo a qualquer momento, sendo preciso subir a pé 20 lances de escadas. O resultado é uma zona urbana horizontal e uma ineficiente utilização do espaço. Disse a Singh que a sua história me fazia lembrar uma viagem que fiz a Dalian, na China. Tinha estado em Dalian em 1998 e, quando lá voltei, em 2004, não reconheci a cidade. Havia tantos edifícios novos, incluindo modernas torres de vidro e aço, que comecei a questionar-me se realmente teria visitado aquela cidade em 1998. Depois juntei mais uma recordação. Fui para a escola no Cairo, no Verão de 1974*. Naquela época, os três edifícios mais proeminentes da cidade eram o Nile Hilton, a Torre Cairo e o edifício da TV egípcia. Trinta anos mais tarde, em 2004, continuam a ser os edifícios mais notáveis da cidade; a linha do horizonte do Cairo praticamente não mudou. Sempre que vou ao Cairo, sei exactamente onde estou. Visitei a Cidade do México, pouco antes de Dalian, onde não ia há cinco anos. Achei-a muito mais limpa do que aquilo que me recordava, graças a uma campanha feita pelo Presidente da Câmara por toda a cidade. Havia também uns novos edifícios de pé, mas não tantos como eu esperava depois de o país já fazer parte do NAFTA há dez anos. No interior dos edifícios, descobri que os meus amigos mexicanos estavam um pouco deprimidos. Contaram-me que o México tinha descarrilado – já não estava a crescer como antes e a autoconfiança começava a desvanecer-se.

Por conseguinte, em Deli, é possível vislumbrar a paisagem sem nunca chegar à linha do horizonte. No Cairo, essa linha parece ser sempre a mesma. Na China, se deixar de visitar uma cidade durante um ano, quando lá voltar é como se nunca lá tivesse estado. Na Cidade do México, na altura exacta em que os mexicanos pensavam que tinham dobrado a esquina para sempre, levaram um encontrão da China, que tinha virado a esquina pelo outro lado e que estava a correr muito mais depressa.

O que explica estas diferenças? Conhecemos a fórmula básica para o sucesso económico – a reforma "por atacado", seguida da reforma "a retalho", além de uma boa governação, educação, infra-estruturas e capacidade para "glocalizar".

---

* **N.T.** O autor viveu nessa região nos anos 70 e 80.

No entanto, o que não sabemos – e que eu engarrafaria e venderia se soubesse – é a resposta para as seguintes perguntas: Por que motivo é que um país consegue conjugar todos estes factores, actuando de uma forma sustentada, e outro não? Por que motivo é que a linha do horizonte de um país muda do dia para a noite e a de outro não muda em mais de meio século? A única resposta que consegui descobrir é algo que não pode ser definido: chamo-lhe *"os factores intangíveis"*. Trata-se, essencialmente, de duas qualidades: a capacidade e disposição de uma sociedade para se esforçar em conjunto e fazer sacrifícios em nome do desenvolvimento económico, bem como a presença, numa sociedade, de líderes com capacidade de ver o que é necessário ser feito em termos de desenvolvimento e com vontade de usar o poder que têm para promover a mudança em vez de enriquecer com ela e preservar o *status quo*.

Países como a Coreia do Sul e Taiwan parecem ser capazes de concentrar as suas energias na prioridade do desenvolvimento económico e outros, como o Egipto e a Síria, distraem-se com a ideologia ou contendas locais. Alguns países têm líderes que utilizam o tempo que passam no gabinete para tentar impulsionar a modernização em vez de tentar aumentar a sua fortuna pessoal. Outros países têm elites mercenárias, que utilizam o tempo que passam no gabinete para encher os seus próprios bolsos e depois investir essas fortunas em imóveis na Suíça. O facto de a Índia ter tido líderes que mandaram construir institutos de tecnologia e o Paquistão ter tido líderes que não o fizeram, resulta de factores históricos, geográficos e culturais, cuja importância apenas consigo resumir na expressão "factores intangíveis". Apesar de muitos não serem facilmente avaliados, a verdade é que são extremamente importantes.

A melhor forma que conheço para exemplificar isto é comparando o México e a China. Olhando no mapa, o México parecia perfeitamente posicionado para prosperar num mundo plano: é o vizinho do lado da maior e mais poderosa economia do mundo. Assinou um acordo de comércio livre com os Estados Unidos e o Canadá nos anos 90* e tinha condições para ser o trampolim destas duas enormes economias para a América Latina. Além disso, dispunha de um valioso recurso natural, o petróleo, que representava mais de um terço das receitas do Estado. Em contrapartida, a China estava a milhares de quilómetros de distância, sobrecarregada com uma população numerosa, com poucos recursos naturais, com a sua melhor mão-de-obra concentrada numa planície costeira e com o oneroso legado de 50 anos de liderança comunista. Há dez anos, se retirasse os nomes a estes dois países e apenas apresentasse os seus perfis, a aposta teria sido feita no México. No entanto, a China ultrapassou-o como o segundo maior exportador de bens para os Estados Unidos. Existe um sentimento generalizado, mesmo entre

* **N.T.** NAFTA.

os mexicanos, de que apesar de a China estar a milhares de quilómetros dos EUA, está a ficar cada vez mais perto deles economicamente, enquanto o México – que faz fronteira com os EUA – está a ficar cada vez mais distante.

Não estou, de forma alguma, a excluir o México. O México, no caso de se empenhar totalmente, poderá vir a ser a lenta-mas-segura tartaruga da lebre chinesa. A China ainda tem de passar por um enorme processo de transição política, que eventualmente poderá vir a derrapar. Além disso, o México tem muitos empresários que são tão chineses quanto o mais empreendedor dos chineses. Se não fosse o caso, o México não teria exportado bens no valor de 318 mil milhões de dólares para os Estados Unidos em 2003. Muitos chineses das zonas rurais não estão mais avançados nem são mais produtivos do que os mexicanos das zonas rurais. Mas, se olharmos para os pratos da balança, quando se junta tudo, o facto é que a China se tornou a lebre e o México não, apesar de o México parecer ter começado com muito mais vantagens naturais quando o mundo se tornou plano. Porquê?

Esta é uma pergunta que os próprios mexicanos estão a colocar. Quando visitamos a Cidade do México, os mexicanos dizem-nos que estão a ouvir em estéreo aquele "enorme ruído sugador"*. "Estamos encurralados entre a Índia e a China", disse-me em 2004 o antigo Ministro dos Negócios Estrangeiros mexicano, Jorge Castaneda. "É muito difícil competirmos com os chineses, excepto no que diz respeito às indústrias de elevado valor acrescentado. Na área em que devíamos estar a competir, que é a dos serviços, estamos a ser ultrapassados pelos indianos com os seus gabinetes de apoio aos processos internos das empresas e *call centers.*"

Sem dúvida que a China, até certo ponto, está a beneficiar do facto de ainda ter um sistema autoritário que pode esmagar interesses estabelecidos e práticas arcaicas. Os líderes em Pequim podem ordenar muitas reformas num sistema de *top down*, quer se trate de uma nova estrada ou da adesão à Organização Mundial do Comércio. Mas a China de hoje dispõe igualmente de melhores factores intangíveis – capacidade para reunir e concentrar as energias locais para levar a cabo uma reforma "a retalho". A China pode ser um Estado autoritário, mas continua a ter fortes instituições estatais e uma burocracia que tenta promover pelo mérito, para posições de topo, além de que tem também uma certa intrepidez pública. A tradição mandarim de promover burocratas que consideram que a sua função é promover e proteger os interesses do Estado está ainda muito viva na China. "A China tem uma tradição meritocrática – uma tradição que também existe na Coreia e no Japão", afirmou Francis Fukuyama, autor do clássico *O Fim da História e o Último Homem*. "Todos estes países dispõem também de um sentido básico de 'Estado', no

* **N.T.** *Giant Sucking Sound* – Expressão utilizada há mais de uma década por um candidato presidencial norte-americano, Ross Perot, ao referir-se aos postos de trabalho norte-americanos que estavam a passar a fronteira, para sul.

qual se espera que os funcionários públicos tenham em conta os interesses de longo prazo do Estado", sendo recompensados pelo sistema por o fazerem.

Em contrapartida, o México passou – nos anos 90 – de um Estado autoritário e basicamente unipartidário para uma democracia multipartidária. Por isso, numa altura em que o México precisa de reunir e concentrar toda a sua vontade e energia na reforma "a retalho" a um nível micro, tem de passar por um processo democrático muito mais lento, se bem que mais legítimo, de criação de eleitorado. No México, "implementámos as primeiras fases da reforma estrutural de cima para baixo (*top down*)", referiu Guillermo Ortiz, o governador do Banco Central. "A próxima fase é muito mais difícil. Temos de trabalhar de baixo para cima. É necessário criar um consenso amplo para avançar com as reformas num contexto democrático." Por outras palavras, qualquer presidente mexicano que pretenda fazer mudanças terá de reunir muito mais grupos de interesse – com espíritos independentes – para implementar uma reforma do que os seus antecessores autocráticos, que o podiam fazer por decreto. Muitos destes grupos de interesse, sejam sindicatos ou oligarquias, têm poderosos interesses estabelecidos no *status quo* e poder suficiente para reprimir reformas. E o sistema mexicano de organização por Estados, como o de tantos outros dos seus vizinhos latino-americanos, tem uma longa história de ser apenas um instrumento de patrocínio do partido no poder ou dos interesses locais, não do interesse nacional.

Outro factor intangível tem a ver com o quanto uma cultura valoriza a educação. Tanto a Índia como a China têm uma longa tradição de pais que dizem aos filhos que a melhor coisa que podem ser na vida é engenheiros ou médicos. Criar nas escolas mexicanas uma mentalidade semelhante é algo que simplesmente ainda não aconteceu. A Índia e a China têm mais de 50 mil alunos a estudar actualmente nos Estados Unidos. Provêm de regiões com até 12 horas de diferença em relação aos EUA. O México, que é de menor dimensão mas fica mesmo ao lado, apenas tem cerca de dez mil estudantes nos EUA. O México também fica mesmo ao lado da maior economia mundial, que fala inglês. Mas o México não lançou nenhum programa de choque para o ensino do inglês nem investiu em bolsas de estudo para enviar bastantes alunos mexicanos para estudar nos EUA. Há uma "desconexão", afirmou o Presidente Zedillo, entre o estabelecimento político mexicano, os desafios da globalização e a dimensão com que se estão a educar e a encaminhar os mexicanos para esta tarefa. Seria difícil encontrar um programa do ensino superior em Ciências ou Matemática numa universidade norte-americana que fosse dominado pelos estudantes mexicanos da mesma forma que a maioria é dominada pelos estudantes chineses e indianos.

Seria fácil concluir, olhando para o México e para a China, que a democracia é um obstáculo à reforma "a retalho". No entanto, penso que é prematuro concluir isso. Acredito que a verdadeira questão tem a ver com liderança. Existem democracias que são abençoadas por terem líderes capazes de "fazer a venda" e conseguirem que o seu povo se concentre em reformas "a retalho" – vem-me à cabeça Margaret Thatcher, em Inglaterra; existem democracias que andam ao sabor da corrente durante muito tempo, sem enfrentarem estoicamente uma situação complicada – a Alemanha moderna, por exemplo; existem autocracias que realmente conseguem concentrar-se – a China moderna; e existem outras sem qualquer rumo, sem mostrarem realmente vontade de reunir o seu povo, porque os líderes são verdadeiramente ilegítimos – como o Zimbabué.

O México e a América Latina possuem, de uma forma geral, um "potencial fantástico", diz o Presidente Zedillo. "Há 30 anos, a América Latina estava à frente de todos, mas, nos últimos 25, basicamente estagnámos, enquanto outros países estão a movimentar-se bem perto de nós e muitos à nossa frente. Os nossos sistemas políticos não são capazes de processar, adoptar e executar as ideias defendidas na reforma 'a retalho'. Ainda estamos a discutir a pré-história. Há aspectos que já são dados como garantidos em todo o lado, mas que nós ainda estamos a debater como se estivéssemos nos anos 60. Até hoje, não se pode falar abertamente sobre uma economia de mercado na América Latina." A China avança a cada mês que passa," acrescentou Zedillo, "e nós estamos a demorar anos e anos a decidir reformas elementares cujas necessidades deviam ser notavelmente urgentes para qualquer ser humano. Nós não somos competitivos porque não dispomos de infra-estruturas; são precisos contribuintes que paguem impostos. Quantas novas auto-estradas, ligando o México aos Estados Unidos, foram construídas desde a assinatura do NAFTA? Praticamente nenhuma. Muitos dos que beneficiariam das despesas governamentais não pagam impostos. A única forma de o governo lidar com o facto é fazendo com que os cidadãos paguem impostos mais altos. Na maior parte das vezes, porém, o populismo vem ao de cima e destrói tudo".

Recentemente, um jornal mexicano publicou uma história sobre a forma como a empresa de calçado desportivo Converse estava a fabricar ténis na China, usando cola mexicana. "O artigo inteiro debruçava-se sobre o porquê de lhes estarmos a fornecer cola", disse Zedillo, "quando a atitude correcta seria 'quanta mais cola lhes poderemos vender ainda?' Continuamos a precisar de derrubar algumas barreiras mentais."

Não é que o México não tenha conseguido modernizar as suas indústrias exportadoras. Está é a perder terreno para a China, essencialmente porque este país mudou ainda mais depressa e mais amplamente, em especial na qualificação dos profissionais do conhecimento. Conforme Daniel H. Rosen, consultor de empresas, salientou num ensaio publicado na revista *The International Economy* (Primavera de 2003), tanto o México como a China viram a sua quota de exportações globais crescer em muitas das mesmas áreas durante o *boom* dos anos 90 – desde componentes para automóveis até à electrónica, passando por brinquedos e artigos desportivos –, mas a quota da China cresceu mais depressa. Este facto não se deveu apenas ao que a China estava a fazer correctamente, mas também ao que o México estava a fazer de errado, que não era aguçar solidamente a sua competitividade através de micro-reformas. Aquilo em que o México teve êxito foi na criação de ilhas de competitividade, como Monterrey, onde foi capaz de tirar partido da proximidade com os Estados Unidos, mas o governo mexicano nunca teve uma estratégia para fundir estas ilhas com o resto do país. Isto ajuda a explicar o porquê de, entre 1996 e 2002, o México ter descido no *ranking* do Relatório sobre a Competitividade Global, enquanto a China subiu. Isso não teve apenas a ver com baixos salários, disse Rose. Mas sim com as vantagens da China ao nível da educação, da privatização, das infra-estruturas, do controlo de qualidade e da gestão intermédia e com a introdução de novas tecnologias.

"Por conseguinte, a China está a comer o almoço do México", concluiu Rose, "tudo em resultado mais da incapacidade mexicana para capitalizar os seus sucessos e fomentar uma reforma mais vasta, do que propriamente devido aos trabalhadores chineses com baixos salários *per se*." Por outras palavras, tem a ver com a reforma "a retalho". De acordo com o relatório *Fazer Negócios em 2005*, são necessários em média 58 dias para que uma empresa possa abrir portas no México, contra oito dias em Singapura e nove na Turquia. São precisos 74 dias para registar uma propriedade no México, mas apenas 12 nos Estados Unidos. A taxa do IRC no México, de 34 por cento, é duas vezes a da China.

O relatório "Beyond Cheap Labor" ("Para lá da mão-de-obra barata") da *McKinsey Quartley** salientou que, desde 2000, quando a China aderiu à OMC e começou a tirar partido do facto de o mundo se estar a tornar plano, o México perdeu 270 mil postos de trabalho na área da montagem e centenas de fábricas encerraram. Mas o principal conselho que o relatório deixou ao México e a outros países com receitas médias que se sentiam oprimidos pela China foi o seguinte: "Em vez de se concentrarem na perda de postos de trabalho para a China, devem lembrar-se de um facto da vida económica: nenhum lugar pode permanecer eternamente como o produtor mundial de mais baixos custos – até a China perderá esse título, um dia. Em vez de tentarem proteger os empregos mal remunerados do sector da montagem, o México e outros países com receitas médias devem concentrar-se na criação de postos de trabalho que acrescentem mais valor. Só quando empresas mais produtivas – com actividades de maior valor acrescentado – substituírem as menos produtivas, é que as economias com receitas médias poderão seguir a via do desenvolvimento."

Em suma, o México só poderá prosperar quando tiver uma estratégia de reformas "a retalho" que lhe permita ultrapassar a China nas posições de topo, não nas

* **N.T.** Revista trimestral da McKinsey.

do fundo, porque a China não está tão concentrada em superar o México como está em superar os EUA. Para ganhar este tipo de corrida pela liderança, é necessária vontade e enfoque nos factores intangíveis.

Não é possível manter um aumento do nível de vida num mundo que se está a tornar plano quando se luta com concorrentes que estão a conseguir obter correctamente não só as suas bases mas também os factores intangíveis. A China não quer apenas enriquecer. Quer ser poderosa. A China não quer apenas aprender a fabricar automóveis da General Motors (GM). Quer ser a GM e retirar a GM do negócio. Quem quer que duvide disto devia passar algum tempo junto de jovens chineses.

"Quanto mais autoconfiança temos, mais os nossos mitos e complexos diminuem. Um dos aspectos mais fantásticos do México no início da década de 90 foi o facto de os mexicanos terem percebido que eram capazes de fazer as coisas", referiu Luis Rubio, Presidente do Centro de Investigação e Desenvolvimento do México. No entanto, o México tem vindo a perder muita dessa autoconfiança nos últimos anos, porque o governo deixou de avançar com reformas. "A falta de autoconfiança leva a que um país continue virado para o passado", acrescentou Rubio. "A falta de confiança que existe [no México] significa que a mentalidade que prevalece é a de que os Estados Unidos os vão reduzir a empregados de limpeza." É por essa razão que o NAFTA foi tão importante para a autoconfiança do México. "O NAFTA conseguiu que os mexicanos pensassem com os olhos postos no futuro e no exterior, em vez de olharem para trás e apenas para o interior. Mas o NAFTA foi visto [pelos seus arquitectos] mais como um fim do que como um princípio. Foi visto como a conclusão de um processo de reformas políticas e económicas." Infelizmente, acrescentou o mesmo responsável, "o México não tinha uma estratégia para seguir em frente".

Will Rogers* disse há muito tempo: "Mesmo que estejas no caminho certo, serás atropelado se te limitares a ficar sentado." Quanto mais plano o mundo se torna, mais rapidamente isso irá acontecer. O México conseguiu entrar no caminho certo com as reformas "por atacado", mas, depois, devido a inúmeras razões tangíveis e intangíveis, limitou-se a ficar sentado e as reformas "a retalho" não aconteceram. Quanto mais tempo o México se limitar a ficar sentado, mais facilmente será atropelado e não será caso único.

---

* **N.T.** Humorista norte-americano do início do século XX.

Parte 4
As Empresas e o Mundo Plano

Capítulo XI

Como as Empresas Lidam com o Assunto

Da confusão nasce a simplicidade.
Da discórdia nasce a harmonia.
No meio da dificuldade está a oportunidade.
– *Albert Einstein*

À medida que fazia a investigação para este livro, ouvia constantemente a mesma expressão por parte de diferentes executivos de negócios. Era estranho; todos a usavam, como se tivessem estado a falar uns com os outros. A frase era: "Só nos últimos dois anos..." Repetidamente, empreendedores e gestores de diferentes tipos de negócios, responsáveis por grandes e pequenas empresas, confessaram que "só nos últimos dois anos" tinham conseguido fazer coisas que antes nunca pensaram ser possível fazer, ou tinham sido obrigados a fazer coisas que antes nunca sonharam ser necessário.

Estou convencido de que estes empresários e CEOs estavam a responder à tripla convergência. Cada um deles, estava a tentar delinear uma estratégia para que a sua empresa prosperasse ou, pelo menos, sobrevivesse nesta nova era. Tal como os indivíduos, as empresas precisam de uma estratégia para lidar com o facto de o mundo estar a tornar-se plano. O meu tutor de Economia, Paul Romer, gosta de dizer que "todos querem o crescimento económico, mas ninguém quer mudar". Infelizmente, não é possível ter um sem o outro, especialmente quando o 'terreno de jogo' está a mudar de forma tão significativa desde o ano 2000.

Se quiser crescer e prosperar no mundo plano, é melhor que compreenda que *o que puder ser feito, sê-lo-á – e muito mais rapidamente do que pensa.* A única questão pendente é saber se será feito *por si* ou *para si.* Vai ser o motor da inovação ou algum dos seus concorrentes a vai utilizar para passar por cima de si?

Não sou jornalista de Economia e este não é um livro sobre "como ser bem sucedido nos negócios". O que aprendi ao pesquisar para este livro é que as empresas que conseguiram crescer nos dias de hoje são as que estavam mais bem preparadas para a mudança. São as que reconheceram – melhor e mais rapidamente do que os seus concorrentes – tudo o que podia ser feito graças à tripla convergência e que desenvolveram estratégias próprias para explorá-la ou, pelo menos, para lidar com ela, em vez de tentar resistir-lhe.

Este capítulo é um esforço para realçar algumas das suas regras e estratégias:

Regra 1: Quando o mundo se torna plano – e você sente que também está a ficar plano – não hesite! Procure uma pá e "escave" interiormente. Aprofunde o que se está a passar. Não tente construir muros.

Aprendi esta valiosa lição com os meus melhores amigos do Minnesota, Jill e Ken Greer. A ida à Índia fez-me pressentir que o mundo era plano, mas só quando regressei às minhas raízes e falei com os meus amigos do Minnesota é que percebi o quão plano ele é. Há uns 25 anos, Jill e Ken (cujo irmão Bill destaquei antes) fundaram a sua própria empresa de multimédia, a Greer & Associates, especializada na feitura de anúncios para a televisão e fotografia comercial para catálogos de venda a retalho. Eles construíram um negócio simpático em Minneapolis, com mais de 40 colaboradores, incluindo artistas gráficos e desenhadores de páginas *Web*, o seu próprio estúdio e um pequeno grupo de clientes locais e nacionais. Na qualidade de média empresa, a Greer sempre teve de batalhar por trabalho mas, ao longo dos anos, Ken arranjou sempre forma de se sair bem.

No início de Abril de 2004, Ken e Jill vieram a Washington passar um fim-de-semana, para comemorarem o 50º aniversário da minha esposa. Posso dizer que Ken tinha muitas ideias para o seu negócio. Demos um longo passeio, uma manhã, pela Virgínia rural. Falei-lhe sobre o livro que estava a escrever e ele falou-me sobre o seu negócio. Pouco tempo depois, percebemos que estávamos ambos a falar da mesma coisa: o mundo tornou-se plano e isso aconteceu tão depressa e mexeu com o negócio dele tão profundamente que ainda estava a lutar para encontrar uma forma de se ajustar à nova realidade. Era claro para ele que estava a enfrentar concorrência e pressão dos preços de uma maneira e com uma intensidade inédita.

"*Freelancers!*", disse Greer, ao falar sobre estes trabalhadores independentes como se eles fossem uma praga de gafanhotos que, de repente, caíra no seu negócio, comendo tudo o que estava à vista. "Agora estamos a competir com *freelancers*! Nunca antes tínhamos verdadeiramente competido com *freelancers*. A concorrência com a qual nos confrontávamos costumava surgir sob a forma de empresas com uma dimensão e capacidade similar à nossa. Costumávamos fazer coisas parecidas, de maneira mais ou menos diferente, e cada empresa conseguia encontrar um nicho e ganhar a vida." Actualmente, a dinâmica é totalmente diferente, disse. "Os nossos concorrentes não são apenas essas empresas com as quais sempre competimos. Agora, temos de lidar com empresas gigantes, que têm a capacidade de manusear os pequenos, médios e grandes postos de trabalho e também com os trabalhadores por conta própria, que trabalham fora dos seus escritórios e que fazendo uso da tecnologia e do *software* dos nossos dias podem teoricamente fazer a mesma coisa que uma pessoa sentada no escritório. Qual é a diferença em termos de produção, do ponto de vista dos nossos clientes, entre a empresa gigante que contrata um miúdo desenhador gráfico e o coloca em frente a um computador, a nossa empresa, que contrata um miúdo desenhador gráfico e o coloca em frente a um computador, e o miúdo desenhador gráfico com um computador em sua própria casa?... A tecnologia e o *software* delegam-nos tanto poder que fazem com que todos se pareçam iguais. No último mês, perdemos três trabalhos para *freelancers* que já tinham trabalhado para boas empresas e tinham experiência, mas que de repente saíram e começaram a trabalhar por conta própria. Todos os nossos clientes nos disseram a mesma coisa: 'A sua empresa tinha realmente óptimas qualificações. Mas o John era bastante qualificado. O John era mais barato.' Costumávamos sentir-nos mal ao perder trabalho para outra firma, mas neste momento estamos a perdê-lo para outra *pessoa*!"

Como é que esta mudança aconteceu tão depressa?

Grande parte deste negócio é a fotografia, tanto de produtos como modelos para catálogos, explicou-me Ken Greer. Durante 25 anos, a forma de funcionamento do negócio processava-se com a atribuição de projectos à Greer & Associates. O cliente dizia-lhes exactamente que tipo de fotografia estava à procura e "confiava" na equipa da Greer para criar a imagem certa. Tal como todos os fotógrafos profissionais, esta empresa usava uma máquina Polaroid para tirar uma fotografia do modelo ou produto que estava a promover, para verificar se o seu instinto criativo estava certo, e depois fotografava com um rolo a sério. Quando tirava as fotos, a Greer enviava o rolo para um laboratório de fotografia para ser revelado e fazer a separação de cores. Se uma fotografia precisava de ser retocada, seria enviada para outro laboratório especializado nessa tarefa.

"Há 20 anos, decidimos que não revelaríamos o rolo com que fotografássemos", lembrou Greer. "Deixaríamos esse aspecto técnico para outros profissionais que tinham a tecnologia exacta, formação e conhecimentos periciais – e que desejavam ganhar a vida dessa forma. Nós queríamos fazer dinheiro a fotografar. Na altura foi uma boa estratégia e pode até ser nos dias de hoje, mas deixou de ser possível."

Porquê? Porque o mundo se tornou plano e todos os processos analógicos se tornaram digitais, virtuais, móveis e pessoais. Nos últimos três anos, as máquinas fotográficas digitais para fotógrafos profissionais atingiram um nível técnico completamente novo que as equiparou, se é que não as tornou superiores, às tradicionais máquinas fotográficas.

"Assim sendo, experimentámos várias máquinas diferentes e escolhemos a mais moderna e sofisticada, que fosse parecida com as tradicionais máquinas com rolos", adiantou Greer. "Chama-se Canon D1 e é exactamente igual à nossa máquina fotográfica tradicional, exceptuando o facto de ter um computador inserido, com um pequeno ecrã na parte posterior que nos mostra a fotografia que estamos a tirar. No entanto, usa as mesmas lentes, os preparativos são feitos da mesma forma, é possível ver a velocidade do obturador e a abertura, e tem a mesma ergonomia. Foi a primeira máquina fotográfica digital a funcionar exactamente da mesma forma que uma máquina com rolo. Tratou-se de um momento de definição."

"O facto de termos adquirido esta máquina digital foi incrivelmente libertador no início", afirmou Greer. "Toda a emoção e empolgamento da fotografia estava lá – a única excepção era não haver rolo. Visto ser uma máquina digital, não tínhamos de comprar rolos e não tínhamos de ir ao laboratório revelá-los, ficando à espera que as fotografias nos fossem entregues. Agora estando no local, a fotografar fosse o que fosse, poderíamos ver imediatamente se o resultado tinha saído bem. Havia uma recompensa instantânea. Chamámos-lhe a 'Polaroid electrónica'. Costumávamos ter um director de arte que supervisionava tudo para garantir que estávamos a captar a imagem que queríamos criar, mas nunca tínhamos a certeza até o rolo ser revelado. Tínhamos de nos basear na convicção, na confiança. Os nossos clientes pagavam-nos honorários profissionais porque sentiam que precisavam de um perito que não clicasse apenas num botão, mas que soubesse exactamente de que forma configurar e emoldurar a imagem. E eles *confiavam* em nós para fazer esse trabalho."

Durante mais ou menos um ano, houve uma nova sensação de mais poder, liberdade, criatividade e controlo. Mas foi então que Ken e a sua equipa descobriram que esta nova tecnologia libertadora também podia escravizá-los. "Percebemos que passámos a ter não só a responsabilidade de tirar a fotografia e definir a desejada expressão artística, mas também de estar envolvidos na tecnologia da fotografia. Passámos a ter que ser o laboratório. Certa manhã acordámos e dissemos: 'Nós somos o laboratório'."

Como? As máquinas digitais deram à Greer a capacidade de fazer o *download* dessas imagens digitais para um PC ou um computador portátil, com *software* e *hardware* de certa forma mágicos, e desempenhar todo o tipo de novas funções. "Assim, além de sermos o fotógrafo, tivemos de nos tornar no laboratório de revelação e no responsável pela separação de cores", explicou Greer. Assim que a tecnologia permitiu que se fizesse isso, os clientes da Greer passaram a exigi-lo. Atendendo a que a Greer *podia* controlar a imagem até à cadeia de abastecimento, eles disseram que a empresa *devia* controlá-la, *tinha* de controlá-la. E depois também disseram que, como agora tudo era digital, estando tudo sob controlo da Greer, devia incluir-se nos serviços que a sua equipa prestava a criação fotográfica da imagem. "Os clientes disseram: não vamos pagar um extra por esse trabalho", contou-me Greer. "Costumávamos recorrer a um serviço externo para retocar as fotografias – retirar os olhos vermelhos ou manchas – mas agora temos de ser também os retocadores. Eles esperam que o efeito dos olhos vermelhos seja removido por nós, digitalmente, mesmo antes de verem a fotografia. Durante 20 anos, apenas praticámos a arte da fotografia – a cor, a composição e a textura, bem como deixar as pessoas à-vontade perante uma câmara. É nisso que somos bons. Agora tivemos de aprender a ser bons em todos estes aspectos. Não foi a isso que nos propusemos, mas o mercado competitivo e a tecnologia obrigaram-nos a isso."

Greer disse que cada departamento da sua empresa passou por um processo semelhante de nivelamento. A produção dos filmes passou a ser digital e o mercado e a tecnologia forçaram os seus próprios editores de imagem a terem o seu estúdio gráfico, instalações de produção de som e tudo o mais, incluindo serem produtores dos seus próprios DVD. Cada uma destas funções costumava ser delegada a outra empresa. Toda a cadeia de abastecimento acabou por tornar-se plana e reduziu-se à dimensão de uma "pasta" inserida no computador da secretária de alguém. O mesmo aconteceu com a parte gráfica do negócio: a Greer & Associates tornou-se a sua própria máquina de composição tipográfica, ilustradora e, por vezes, até mesmo impressora, porque compraram impressoras digitais a cores. "As coisas deveriam ter-se tornados mais fáceis. No entanto, agora sinto-me como se fosse à McDonald's e, em vez de me darem *fast food*, me pedissem também que limpasse a minha mesa e lavasse a loiça", explicou.

"É como se os fabricantes de tecnologia se tivessem reunido com os nossos clientes e nos tivessem subcontratado para todas estas diferentes tarefas. Se nós batermos o pé e dissermos que é preciso que nos paguem por cada um destes serviços, alguém que está por perto dirá imediatamente: 'Eu farei isso tudo'. Assim sendo, os serviços exigidos são cada vez mais e os honorários que se cobram continuam a ser os mesmos ou diminuíram", acrescentou ele.

Chama-se a isto mercantilização e, na sequência da tripla convergência, trata-se de algo que está a acontecer cada vez mais depressa em todo um vasto leque de indústrias. À medida que cada vez mais processos analógicos se tornam digitais, virtuais, móveis e pessoais, cada vez mais empregos e funções estão a ser uniformizados, digitalizados e a tornarem-se mais fáceis de manipular e de estar disponíveis para mais jogadores.

Quando tudo é o mesmo e o fornecimento é abundante, explicou Greer, os clientes dispõem de muitas mais escolhas e nenhuma base quanto à escolha certa. E quando isso acontece, você torna-se uma mercadoria. Transforma-se em "gelado de baunilha".

Felizmente, a Greer & Associates respondeu à mercantilização quando optou pela única estratégia de sobrevivência que funciona: uma pá, não um muro. Ken Greer e os seus associados "escavaram interiormente" até localizarem uma área de negócio verdadeiramente competitiva: e isso tornou-se a maior fonte de energia de propulsão do negócio no mundo plano. "O que vendemos agora," disse Greer, "é o conhecimento estratégico, o instinto criativo e o talento artístico. Vendemos soluções inspiradoras e criativas, vendemos personalidade. O valor da nossa competência e o nosso enfoque estão agora em tudo aquilo que não pode ser digitalizado. Será por isso que os nossos clientes actuais e os nossos clientes de amanhã procurarão os nossos serviços e ficarão connosco... Nesse sentido contratámos quem pensasse em alternativas e subcontratámos mais componentes tecnológicas."

Nos velhos tempos, recordou Greer, muitas empresas "escondiam-se atrás da tecnologia. Podia ser-se muito bom, mas não tinha de se ser o melhor do mundo, porque nunca se pensou que se estava a competir com o mundo. Existia um horizonte algures e ninguém conseguia ver para além dele. Mas, em apenas meia dúzia de anos, deixámos de competir com empresas que se situavam na mesma rua para passarmos a competir com empresas do mundo inteiro. Há três anos, era inconcebível que a Greer & Associates perdesse um contrato para uma empresa na Inglaterra e agora perdemos. Hoje, todos podem ver o que os outros estão a fazer e todos têm as mesmas ferramentas, por isso tem de se ser o melhor, ter as ideias mais criativas".

O "gelado de baunilha" já não basta para alegrar a sobremesa de uma refeição. "É preciso oferecer algo único", disse Greer. "Agora precisamos de saber fazer Chocolate Chip Cookie Dough, Cherry Garcia ou Chunky Monkey" – três das marcas mais exóticas dos gelados Ben & Jerry, que não são nada de baunilha. "Antigamente, tudo girava em torno daquilo que éramos capazes de fazer," explicou Greer. "Os clientes diziam: 'Pode fazer isto? Pode fazer aquilo?' Agora tem muito mais a ver com o talento criativo e a personalidade que pode ser transmitida [à tarefa consignada]... É tudo uma questão de imaginação."

Regra 2: O pequeno deve agir "em grande"... Uma forma de as pequenas empresas prosperarem no mundo plano é aprender a agir "em grande". A chave para ser pequeno e agir "em grande" é ser rápido para ganhar vantagem sobre todas as novas ferramentas de colaboração para chegar mais longe, mais rápido, ter uma acção mais vasta e profunda.

Não consigo imaginar uma forma melhor de ilustrar esta regra que não seja contar a história de um outro amigo, Fadi Ghandour, co-fundador e CEO da Aramex, o maior centro de distribuição de encomendas do mundo árabe e a primeira e única empresa árabe a ser cotada no Nasdaq. A família de Ghandour, originária do Líbano, mudou-se para a Jordânia nos anos 60, onde o seu pai, Ali, fundou a Royal Jordanian Airlines. Assim, Ghandour sempre teve nos seus genes o negócio das companhias aéreas. Pouco tempo depois de se licenciar na Universidade George Washington, em Washington, D.C., Ghandour regressou a casa e descobriu um nicho de negócio que pensou poder desenvolver: ele e um co-fundador norte-americano, William Kingson, reuniram algum capital e, em 1982, arrancaram com uma mini-Federal Express para fazer entrega de encomendas no Médio Oriente. Nessa altura, apenas existia um serviço de entregas a funcionar no mundo árabe: a DHL, actualmente propriedade dos serviços postais da Alemanha. A ideia de Ghandour e Kingson era abordar empresas norte-americanas, como a Federal Express e a Airbone Express, que não estavam presentes no Médio Oriente, e oferecer-se para ser o seu serviço local de entregas, jogando com o facto de que uma empresa árabe conheceria a região e saberia contornar situações desagradáveis como os conflitos israelo-árabes, a guerra Irão-Iraque e a invasão norte-americana do Iraque. "Dissemos-lhes: 'Reparem que não competimos convosco localmente, no vosso mercado interno, mas compreendemos o mercado do Médio Oriente. Por que é que não nos entregam as vossas encomendas para distribuirmos aqui?'", esclareceu Ghandour, quando me contou a história da Aramex. "Seremos a vossa sucursal de entregas no Médio Oriente. Porquê dá-las aos vossos concorrentes globais, como a DHL?" A Airbone respondeu positivamente e Ghandour usou isso para criar o seu próprio negócio e para comprar e associar-se a pequenas empresas de entregas do Egipto à Turquia, passando pela Arábia Saudita e, mais tarde, pela Índia, Paquistão e Irão – criando a sua própria rede regional. A Airbone não tinha acesso ao capital de que a Federal Express dispunha para investir numa rede de operações próprias em cada região do planeta, por isso fez uma aliança, reunindo cerca de 40 empresas regionais de distribuição, como a Aramex, numa única rede global virtual. Os parceiros da Airbone conseguiram algo que nenhum deles individualmente conseguiria oferecer – uma presença geográfica global e um sistema computorizado de localização e detecção das encomendas, de forma a competir com a FedEx ou a DHL.

A Airbone "disponibilizou a todos os seus parceiros o seu sistema computorizado de localização e detecção, por isso havia uma linguagem única e um conjunto de normas de qualidade quanto à forma como todos os que faziam parte da aliança Airbone deviam distribuir, localizar e detectar encomendas", explicou Ghandour. Tendo sediado a sua empresa em Amã, na Jordânia, Ghandour explorou o sistema da Airbone, através da concessão de uma linha de dados que ligava Amã e o grande computador *mainframe* da Airbone na sua sede em Seattle. Por intermédio de terminais de conversação no Médio Oriente, a Aramex localizava e detectava as suas encomendas utilizando a rectaguarda da Airbone. A Aramex, com efeito, foi a primeira a adoptar o sistema da Airbone. Quando os colaboradores jordanos de Ghandour começaram a conseguir ganhar velocidade através deste sistema, a Airbone contratou-os para correrem mundo com o intuito de instalar sistemas e dar formação aos outros parceiros da aliança. Assim, estes jordanos, todos eles a falar um inglês fluente, foram para locais como a Suécia e o Extremo Oriente ensinar os métodos de localização e detecção da Airbone. A Airbone acabou por comprar nove por cento da Aramex para aprofundar a relação comercial.

O acordo funcionou bem para todos e a Aramex acabou por dominar o mercado de distribuição de encomendas no mundo árabe, de tal forma bem que, em 1997, Ghandour decidiu cotar a empresa na Broadway, também conhecida como Nasdaq. A Aramex continuou a crescer até se tornar numa empresa com um volume de negócios anual de, aproximadamente, 200 milhões de dólares, com 3200 colaboradores – e sem quaisquer contratos governamentais. O seu negócio foi construído para e com o sector privado, o que é pouco comum no mundo árabe. Devido ao *boom* das *dot-com*, que diminuiu o interesse por empresas tradicionais como a Aramex, e depois do estoiro da bolha das *dot-com*, que afectou fortemente o Nasdaq, o preço por acção da Aramex nunca chegou a "descolar". Pensando que o mercado simplesmente não sabia apreciar o seu valor, Ghandour, juntamente com uma empresa de fundos de investimento do Dubai, voltou a comprar a empresa aos seus accionistas em inícios de 2002.

Sem que Ghandour o soubesse, este passo coincidiu com a altura em que o mundo começou a tornar-se plano. De repente descobriu que não só podia fazer novas coisas, como também tinha de fazer coisas que nunca tinha imaginado fazer. A primeira vez que sentiu que o mundo estava a tornar-se plano foi em 2003, quando a Airbone foi comprada pela DHL. A Airbone anunciou, em 1 de Janeiro de 2004, que o seu sistema de localização e detecção deixaria de estar disponível para os antigos parceiros da aliança. Vemo-nos mais tarde. Boa sorte para ti, estás por tua conta.

À medida que o mundo se tornava mais plano, a Airbone (a empresa importante) tornava-se mais plana, enquanto Ghandour (o homem da empresa pequena) subia degraus para a substituir. "Assim que a Airbone anunciou que estava a ser adquirida e que dissolvia a aliança, marquei uma reunião em Londres com todos os grandes parceiros do grupo e a primeira coisa que fizemos foi encontrar uma nova aliança", afirmou Ghandour, que, segundo contou, também levava uma proposta para apresentar: "Disse-lhes que a Aramex estava a desenvolver *software* na Jordânia para substituir o sistema de localização e detecção da Airbone e prometi a todos que o nosso sistema estaria a postos e a funcionar antes de a Airbone desligar o seu."

No fundo, Ghandour disse-lhes que o rato iria substituir o elefante. Não só a sua empresa relativamente pequena iria fornecer o mesmo apoio de bastidores a partir de Amã que a Airbone tinha providenciado a partir de Seattle com o seu grande *mainframe*, mas também iria encontrar mais parceiros globais para colmatar as lacunas deixadas na aliança com a partida da Airbone. Para tal, ele disse aos potenciais parceiros que iria contratar profissionais jordanos para gerir todas as necessidades internas da aliança por uma fracção do preço que estavam a pagar para terem tudo feito a partir da Europa ou da América. "Não sou a maior empresa do grupo, mas assumi a liderança. Os meus parceiros alemães eram uma empresa no valor de

1,2 mil milhões de dólares, mas não conseguiram reagir tão rapidamente", explicou Ghandour, que está agora com 40 e tal anos, mas continua cheio de energia.

Como é que conseguiu mexer-se tão depressa? Tudo consequência da tripla convergência.

Em primeiro lugar, uma nova geração de *software* e engenheiros industriais jordanos tinha acabado de atingir a maioridade e saiu para o 'terreno de jogo' mais plano. Descobriram que todas as ferramentas de colaboração de que precisavam para agir "em grande" estavam tão disponíveis para eles como para os colaboradores da Airbone em Seattle. Tratava-se apenas de ter a energia e a imaginação necessárias para adoptar estas ferramentas e usá-las da forma correcta.

"A chave era surgir com a tecnologia necessária para substituir imediatamente a tecnologia da Airbone, porque sem um sistema *on-line* de localização e detecção em tempo-real das encomendas, não seria possível competir com os grandes. Com os nossos próprios engenheiros de *software* criámos um sistema *on-line* de localização e detecção das encomendas, bem como de gestão das entregas."

Gerir o apoio de bastidores de todos os parceiros da aliança, pela Internet, era na verdade muito mais eficiente do que ligá-los a todos ao *mainframe* da Airbone em Seattle, que estava bastante centralizado e já tinha enfrentado dificuldades para se adaptar à nova arquitectura da *Web*. Ghandour acrescentou que, com a Internet, todos os colaboradores de cada empresa da aliança passaram a poder aceder ao sistema da Aramex de localização e detecção, através de terminais inteligentes nos PC ou aparelhos portáteis, recorrendo à Internet e à ligação sem fios. Alguns meses depois de ter apresentado a sua proposta em Londres, Ghandour reuniu todos os futuros parceiros em Amã para lhes mostrar o sistema, propriedade da Aramex, que estava a desenvolver e para que conhecessem alguns dos seus profissionais de *software* e engenheiros industriais da Jordânia. (Parte da programação estava a ser feita em território nacional, na Aramex, e outra parte era subcontratada. O *outsourcing* significava que a Aramex também conseguia ter acesso aos melhores talentos.) Os parceiros gostaram do que viram e assim nasceu a Global Distribution Alliance (Aliança de Distribuição Global) – com a Aramex a facultar o apoio de bastidores a partir de Amã, por onde Lawrence da Arábia já tinha deambulado, substituindo a Airbone, que estava localizada no final da via rápida da Microsoft e de Bill Gates.

Outro motivo pelo qual Ghandour conseguiu substituir a Airbone tão rapidamente foi o facto de não estar preso a qualquer sistema "herdado" que teria de adaptar, explicou. "Podia ir directamente à Internet e utilizar as mais recentes tecnologias", afirmou. "A Internet permitiu-me agir 'em grande' e fazer uma réplica de uma tecnologia maciça em que os grandes tinham investido milhões, por uma fracção do custo... Na perspectiva dos custos, para mim – o pequeno indivíduo – isso era o ideal... Sabia que o mundo era plano. Todos os discursos que fiz aos nossos colaboradores, na qualidade de CEO, foi no sentido de que era possível sermos competitivos, de que as regras do jogo estavam a mudar e que não era preciso ser-se um gigante para se descobrir um nicho de mercado e tecnologia que nos permitisse competir com os grandes."

Quando se iniciou o ano de 2004 e a Airbone começou a desligar o seu sistema, a Aramex já estava preparada para o próximo passo. Como a Aramex estava apta para fazer funcionar o seu novo sistema numa plataforma de Internet, com *software* concebido essencialmente por programadores jordanos com remunerações mais baixas, a instalação do novo sistema decorreu virtualmente, sem que a Aramex tivesse de enviar os seus engenheiros para dar formação aos parceiros da aliança. Cada empresa parceira podia criar a sua própria base de clientes na Internet, através do sistema da Aramex, proceder individualmente à localização e detecção e fazer parte de uma nova rede virtual global de frete aéreo.

"Assim, neste momento estamos a gerir esta rede global, com 40 parceiros na aliança, e cobrimos todas as áreas geográficas do mundo", disse Ghandour. "Poupámos muitos custos... Com o nosso sistema baseado na Internet, só é preciso um *browser* e uma *password* para se aceder à rede da Aramex, e subitamente entra-se num sistema global de gestão de entregas." A Aramex deu formação a muitos dos colaboradores das outras empresas da aliança – sobretudo a forma de utilização do sistema – por meio de vários canais *on-line*, incluindo voz sobre IP, salas de conversação e outras ferramentas virtuais de formação disponíveis na intranet da Aramex – o que tornou a formação incrivelmente barata.

À semelhança da UPS, a Aramex optou rapidamente pelo *outsourcing*. Os bancos árabes e estrangeiros no Médio Oriente subcontratataram a entrega dos seus cartões de crédito à Aramex; as empresas de telemóveis estão a recorrer aos paquetes da Aramex para cobrar facturas em seu nome, tendo o paquete apenas de passar o cartão de crédito do cliente num *scanner* e depois emitir um recibo. (A Aramex pode ser uma empresa ligada à alta tecnologia, mas não diminuiu moralmente por recorrer a jumentos para passar pelos bloqueios de estradas feitos pelos militares e entregar encomendas na Cisjordânia quando os conflitos entre israelitas e palestinianos obrigaram ao corte de estradas.)

"Somos uma organização bastante plana", explicou Ghandour. "Não temos um funcionamento tradicional, porque as instituições árabes no sector privado tendem a parecer governos – muito hierárquicas e muito patriarcais. Não é assim que a Aramex funciona. Não há mais de dois ou três níveis hierárquicos entre a minha pessoa e qualquer outra na empresa. Cada profissional do conhecimento que trabalha nesta organização tem um computador com *e-mail* e acesso à Internet. Aqui mesmo, do seu computador, posso aceder à minha intranet e ver exactamente o que está a acontecer na organização sem que o pessoal sénior tenha de me fazer um relatório."

Resumindo, Fadi Ghandour aproveitou algumas novas formas de colaboração – *supply-chaining, outsourcing, insourcing* e todos os esteróides – para tornar a sua pequena empresa com um volume de negócios de 200 milhões de dólares por ano numa grande empresa. Ou conforme disse com um sorriso: "Eu era grande a nível local e pequeno a nível internacional – e inverti essa situação."

Regra 3: O grande deve agir "em pequeno"... Uma das vias que contribuiu para que as grandes empresas prosperassem no mundo plano foi terem aprendido a agir "em pequeno", permitindo aos seus clientes agir "em grande".

Howard Schultz, o fundador e *Chairman* da Starbucks, diz que segundo cálculos da empresa existe a possibilidade de fazer 19 mil variedades de café a partir dos *menus* disponíveis em qualquer estabelecimento Starbucks. Por outras palavras, o que a Starbucks fez foi fazer com que os seus clientes criassem as suas próprias bebidas e permitir-lhes que as parametrizassem com especificações exactas. A Starbucks nunca pensou disponibilizar leite de soja, disse-me Schultz, até que os gerentes de loja começaram a ser bombardeados com esses pedidos pelos clientes, a ponto de irem à mercearia do outro lado da rua, a meio do dia, comprar pacotes deste leite. A Starbucks aprendeu com os seus clientes e, hoje, cerca de oito por cento de todas as bebidas que vende incluem leite de soja. "Não sonhávamos com as misturas tão diferentes que se podiam fazer com leite de soja, explicou Schultz, mas os clientes sim." A Starbucks apenas colaborou com eles. As grandes empresas mais activas compreenderam perfeitamente que a tripla convergência lhes permite colaborar com os seus clientes de uma forma totalmente inovadora – e, ao fazê-lo, actuam realmente de uma forma "pequena" (localizada).

A via para as grandes empresas agirem "em pequeno" não é considerar cada consumidor individual, nem tentar servir cada cliente como um só. Isso seria impossível e excessivamente dispendioso. Elas fazem-no ao transformar o seu negócio, o mais possível, num *buffet*. Estas empresas criaram uma plataforma que permite aos clientes individuais *servirem-se a eles próprios* de maneira personalizada, ao seu próprio ritmo, à hora que quiserem, de acordo com os seus gostos. Na realidade, estão a transformar os seus clientes em seus colaboradores e ao mesmo tempo a fazê-los pagar à empresa por esse prazer!

Uma das grandes empresas que aprendeu a agir assim foi a E*Trade, banco e corretora *on-line*. Conseguiu fazê-lo ao reconhecer que, por detrás de toda a excitação em torno do *boom* e do estoiro das *dot-com*, alguma coisa muito importante estava a acontecer, explicou Mitchell H. Caplan, CEO da empresa, assim como meu amigo e vizinho. "Alguns pensaram que a Internet iria revolucionar tudo no mundo, sem limites – iria curar a constipação comum", disse Caplan. Obviamente, era uma perspectiva extrapolada e conduziu a avaliações e expectativas irreais, que acabaram por ser goradas. No entanto, e com bastante menos burburinho, a

Internet criava "uma nova plataforma de distribuição para as empresas chegarem aos consumidores de uma forma inovadora e para os consumidores chegarem à sua empresa de maneira igualmente inovadora", salientou Caplan. "Enquanto dormíamos, a minha mãe percebeu como é que o *e-mail* funcionava e como poderia conectar-se com os filhos. Os meus filhos enviavam mensagens instantâneas a todos os seus amigos. A minha mãe descobriu como ficar *on-line* e consultar os seus extractos na E*Trade."

As empresas atentas perceberam que estavam a testemunhar o nascimento do "consumidor autocomandado", porque a Internet e todas as outras ferramentas do mundo plano criaram maneiras de cada consumidor parametrizar exactamente o preço, a experiência e o serviço que pretende ter. As grandes empresas que tinham capacidade para adaptar as suas tecnologias e processos de negociação, de forma a delegar poderes a este consumidor autocomandado, conseguiram agir "em pequeno" *ao permitirem que os seus clientes agissem "em grande"*. Elas conseguiram fazer com que o consumidor sentisse que cada produto ou serviço foi concebido à medida das suas necessidades e desejos específicos, quando na realidade tudo o que a empresa estava a fazer era a criar um *buffet* digital para os clientes se servirem a eles próprios.

Na indústria dos serviços financeiros, isto representou uma profunda alteração em termos de abordagem. Historicamente, os serviços financeiros eram dominados por grandes bancos, grandes casas de corretagem e grandes companhias de seguros que nos diziam o que iríamos ter, como iríamos ter, quando e onde o iríamos ter, e qual o preço a pagar por isso. Os clientes reagiam a estas grandes empresas com sentimentos que oscilavam entre a indiferença e a repugnância. Mas se eu não gostasse da maneira como o meu banco me tratava, na realidade não tinha muita escolha. Depois, o mundo tornou-se plano e a Internet chegou. Os consumidores começaram a sentir que poderiam ter mais controlo sobre os seus fornecedores e quanto mais se foram sentindo à-vontade em comprar na Internet, mais empresas – desde os livreiros aos serviços financeiros – tiveram de se adaptar, oferecendo-lhes as ferramentas necessárias à satisfação das suas necessidades.

"Sim, os títulos de empresa de Internet caíram substancialmente quando a bolha estoirou, mas, apesar disso, os consumidores estavam a saborear um gostinho do poder e, depois de o terem provado, as empresas deixaram de controlar o comportamento dos consumidores e estes passaram a controlar o comportamento das empresas. As regras de compromisso mudaram e se não fôssemos capazes de responder e oferecer aos clientes aquilo que eles desejavam, outra pessoa o faria e num instante estaríamos fora do negócio", afirmou Caplan, que viu os títulos da sua empresa descer drasticamente com a tempestade do mercado bolsista. Onde antes as empresas de serviços financeiros actuavam "em grande", agora esforçam-se ao máximo para agir "em pequeno" e permitir que o consumidor actue "em grande". "As empresas que hoje prosperam são aquelas que compreendem o consumidor autocomandado", defendeu Caplan. Para a E*Trade, isso significou pensar na empresa não como um conjunto de serviços financeiros particulares – um banco, uma corretora, uma empresa de financiamento de capital – mas como uma experiência financeira integrada que poderia servir o mais autocomandado dos consumidores financeiros. "O consumidor autocomandado desejava fazer as suas operações financeiras numa só paragem", referiu Caplan. "Quando eles chegavam ao nosso *site*, queriam tudo integrado, com eles a assumir o controlo. No entanto, só recentemente é que conseguimos a tecnologia necessária para integrarmos verdadeiramente as nossas três áreas de negócio – banca, empréstimos e corretagem – e agregá-las para que não só mostrem o preço e o serviço, mas também a experiência total que os clientes desejavam."

Se fosse ao *site* da E*Trade há três ou quatro anos atrás, veria a sua conta da corretora numa página e o seu empréstimo noutra. "Hoje, numa só página é possível ver exactamente em que situação está em termos de corretagem em tempo real, incluindo o seu poder de compra, e consultar a sua conta bancária e o calendário do pagamento das prestações dos empréstimos contraídos: o que está pendente, qual é o saldo sobre a hipoteca da sua casa e qual é a sua linha de crédito. É-lhe dada a possibilidade, caso queira, de mexer nas três operações, de forma a maximizar a rentabilidade do seu capital", acrescentou Caplan.

Enquanto Fadi Ghandour lidou com a tripla convergência agarrando uma pequena empresa e delineando uma estratégia para a fazer actuar "em grande", Mitchell Caplan sobreviveu ao pegar numa grande empresa e fazendo-a actuar "em pequeno", para que os seus clientes pudessem agir "em grande".

Regra 4: As melhores empresas são as que mais colaboram. No mundo plano serão realizados cada vez mais negócios através da colaboração interna e da colaboração entre empresas, por uma razão muito simples: os próximos patamares de criação de valor – seja em tecnologia, *marketing*, biomedicina ou produção – estão a tornar-se de tal forma complexos que nenhuma empresa ou departamento conseguirá, a título individual, ser capaz de os dominar sozinha.

"Aquilo a que estamos a assistir em diferentes áreas vai exigir que os próximos patamares de inovação envolvam a interacção de especialidades muito avançadas. As mais recentes inovações técnicas em cada área do conhecimento são cada vez mais especializadas", afirmou Joel Cawley, Chefe do Departamento de Planeamento Estratégico da IBM. Na maioria dos casos, a sua própria empresa ou a própria especialização do seu departamento somente será aplicável a segmentos muito pequenos de qualquer negócio ou de um desafio social importante. "Por isso, para apresentarmos qualquer novo e valioso passo no progresso, será necessário estar apto para conjugar mais e mais especialidades que, por seu turno, serão cada vez mais específicas. É por isso que a colaboração é tão importante", afirmou Cawley. Assim, poderá descobrir que uma empresa farmacêutica inventou um novo *stent*[*] que lhe permite distribuir toda uma nova classe de medicamentos em que uma empresa biomédica tem estado a trabalhar, e o verdadeiro progresso – que gera o verdadeiro lucro para ambas as partes – está na colaboração mútua, de forma a obterem os medicamentos mais avançados de uma empresa, juntamente com o sistema de distribuição mais avançado da outra.

Analisemos um exemplo mais divertido: os jogos de vídeo. Os fabricantes comissionaram durante muito tempo música especial para acompanhar os jogos. Acabaram por descobrir que, quando conjugavam a música certa com o jogo certo, não só vendiam muito mais cópias desse jogo como também podiam separar as músicas para serem vendidas em CD ou para ser feito *download*. Descoberto o filão, algumas grandes empresas de jogos começaram recentemente a ter os seus próprios departamentos musicais e alguns artistas decidiram que tinham melhores hipóteses de que a sua música fosse ouvida se a lançassem com um novo jogo digital do que se fosse passada na rádio.

Como salientei anteriormente, muitos dos empregos do novo escalão médio das competências profissionais serão oferecidos às pessoas que se assumirem como grandes sintetizadoras – porque, quanto mais o mundo plano ligar todas as áreas do conhecimento, maior será o número de especialidades novas a brotar e maior será o grau de inovação proveniente da junção destas especialidades em combinações novas e diferentes. E, quanto mais isto for verdade, mais a boa gestão se irá centrar igualmente na necessidade de estimular o trabalho de síntese e de colaboração no seio da empresa – a um nível muito mais profundo. Na história de capa da revista *Times* (24 de Outubro de 2005) sobre Steve Jobs e o iPod de vídeo da Apple, houve um parágrafo que me chamou a atenção: "Os colaboradores da Apple mencionam constantemente expressões como 'colaboração profunda' ou 'polinização cruzada' ou 'engenharia concomitante'. Na prática, significa que os produtos não passam de equipa em equipa. Não existem estádios de desenvolvimento sequenciais e descontínuos. Ao invés, são simultâneos e orgânicos. Os produtos são concebidos em paralelo por todos os departamentos em simultâneo – *design*, *hardware*, *software* – em intermináveis rondas de revisão interdisciplinar de *design*. Noutras empresas, os gestores vangloriam-se do pouco tempo que desperdiçam em reuniões; em contrapartida, a Apple tem muitas reuniões e orgulha-se disso. 'O método tradicional de desenvolver produtos não funciona com pessoas tão ambiciosas como nós', afirma Jonathan Ive, um britânico afável, responsável pelo *design*. 'Perante

---

[*] **N.T.** O *stent* é um artefacto com uma mola, usado para desobstruir artérias. Conduzido através de um catéter até ao local entupido, ele empurra e sustenta as paredes do vaso de forma a que o fluxo sanguíneo seja restabelecido.

a actual complexidade dos desafios, é necessário desenvolver os produtos de uma forma mais integrada e em maior colaboração'."

Talvez a melhor forma de ilustrar a mudança de paradigma seja mostrar como um fabricante muito tradicional – a Rolls-Royce – se adaptou a ela. Quando ouvimos a palavra "Rolls-Royce", lembramo-nos de um automóvel brilhante, com um motorista envergando um uniforme, sentado no lugar do condutor, e um casal perfeito e em sintonia, no banco de trás, a caminho de Ascot* ou Wimbledon**.

Rolls-Royce, a empresa britânica que é sinónimo de classe e qualidade, não é? E se lhe dissesse que a Rolls-Royce já nem sequer fabrica automóveis (essa área de negócio foi vendida em 1972 e a marca foi licenciada à BMW em 1998); que 50 por cento das suas receitas provêm da prestação de serviços; e que, em 1990, todos os seus colaboradores estavam na Grã-Bretanha mas que, actualmente, 40 por cento trabalha fora do Reino Unido, estando integrados numa operação global que se estende da China a Singapura, passando pela Índia, Itália, Espanha, Alemanha e Japão até à Escandinávia?

Não, esta não é a Rolls-Royce do tempo do seu pai.

"Há bastante tempo atrás, dissemos: 'Não podemos ser somente uma empresa britânica'," contou-me *Sir* John Rose, Director Executivo da Rolls-Royce PLC, numa entrevista que lhe fiz quando ambos visitávamos a China. "O Reino Unido é um mercado pequeno. Em finais dos anos 80, 60 por cento do nosso negócio estava ligado ao sector da defesa (particularmente motores para aviões) e o nosso maior cliente era o governo de Sua Majestade. Mas precisávamos de nos tornar um interveniente mundial e, se o queríamos fazer, tínhamos de reconhecer que o maior cliente em tudo o que pudéssemos fazer seria os Estados Unidos e que tínhamos de ter êxito nos mercados não ligados à defesa. Assim, transformámo-nos numa empresa de tecnologia especializada em sistemas de potência." Hoje, a principal competência da Rolls-Royce é fabricar turbinas a gás para aviões civis e militares, helicópteros, navios e indústrias de geração de energia eléctrica, bem como para as indústrias petrolífera e gasífera.

A Rolls-Royce tem actualmente clientes em 120 países e emprega cerca de 35 mil pessoas, mas apenas 20 mil estão no Reino Unido, fazendo as restantes parte de uma rede global de colaboradores da área da investigação, serviços e fabrico. Metade das receitas da Rolls-Royce é hoje em dia gerada por negócios localizados fora do Reino Unido. "No Reino Unido somos vistos como uma empresa britânica," explicou Rose, "mas na Alemanha somos uma empresa alemã. Nos EUA somos uma empresa norte-americana, em Singapura somos uma empresa singapurense – é assim que tem de ser se quisermos estar próximos do cliente, mas também dos for-

---

* **N.T.** Onde se realizam corridas de cavalos.

** **N.T.** Onde se disputa um torneio de ténis.

necedores, dos colaboradores e das comunidades no seio das quais funcionamos." A Rolls-Royce emprega cerca de 50 nacionalidades diferentes, em 50 países, que falam mais de 50 línguas. Procede ao *outsourcing* e ao *offshoring* de aproximadamente 75 por cento dos componentes para a sua cadeia de abastecimento global.

"Os 25 por cento que fazemos nós mesmos são os elementos diferenciadores", referiu Rose. "E são eles o sistema de escape do motor, as turbinas, os compressores, as ventoinhas e as ligas, bem como a aerodinâmica do seu fabrico. Uma lâmina da turbina nasce de um único cristal num forno de vácuo de uma liga cuja fórmula é exclusiva, com um sistema de arrefecimento muito complexo. Este fabrico de alto valor acrescentado é uma das nossas principais competências." Resumindo, disse Rose, "ainda temos as tecnologias-chave e a capacidade para identificar e definir quais são os produtos procurados pelos nossos clientes; temos a capacidade para integrar os últimos progressos científicos no fabrico destes produtos, a via para comercializá-los e a capacidade para recolher e compreender os dados gerados pelos clientes que os utilizam, o que nos permite apoiar esse produto e acrescentar-lhe valor continuadamente".

Fora destas áreas-chave, a Rolls-Royce adoptou uma abordagem muito mais horizontal em relação ao *outsourcing* de componentes não-chave a fornecedores localizados em qualquer parte do mundo e procurou talentos fora das Ilhas Britânicas. Para obter progressos tecnológicos no negócio da geração de energia, hoje em dia, uma empresa tem de reunir conhecimentos de vários especialistas de todo o mundo, explicou Rose. Para estar apto a comercializar produtos resultantes do desenvolvimento futuro da energia – a tecnologia das células de combustível – terá de continuar a investir nesses progressos.

"Uma das competências-chave do negócio de hoje tem a ver com parcerias. Fazemos parcerias no âmbito dos produtos e da prestação de serviços, estabelecemos parcerias com universidades e com outros participantes na nossa indústria. Temos de ser disciplinados em relação àquilo que nos podem fornecer e ao que nós podemos assumir... Existe um mercado na área da I&D, um mercado ao nível dos fornecedores e um mercado para os produtos e é preciso ter uma estrutura que responda a todos eles", explicou Rose.

Há uma década, acrescentou este mesmo responsável, "realizávamos 98 por cento da nossa investigação e desenvolvimento no Reino Unido e agora fazemos menos de 40 por cento nesse país. Actualmente, também o fazemos nos Estados Unidos, na Alemanha, na Índia, na Escandinávia, no Japão, em Singapura, em Espanha e em Itália. Recrutamos a partir de um grupo muito mais internacional de universidades, de forma a anteciparmos o misto de competências e nacionalidades que desejaremos ter dentro de dez ou 15 anos".

Quando a Rolls-Royce era uma empresa que girava à volta do Reino Unido, referiu Rose, estava organizada de forma bastante vertical. "Mas tivemos de nos tornar planos", salientou, uma vez que cada vez mais mercados se abriram ao mundo, para os quais a Rolls-Royce podia passar a vender e dos quais poderia conquistar conhecimento.

O que acontecerá no futuro?

Esta abordagem à mudança que a Rolls-Royce aperfeiçoou em resposta ao facto de o mundo se estar a tornar plano vai ser norma para cada vez mais novas *start-ups*. Se abordasse empresas de capital de risco em Silicon Valley e lhes dissesse que pretendia criar uma nova empresa, mas que se recusava a proceder ao *outsourcing* ou ao *offshoring* do que quer que fosse, os responsáveis dessas empresas mostrar-lhe-iam imediatamente a porta da rua. As empresas de capitais de risco de hoje querem saber, desde o primeiro dia, que a sua *start-up* vai tirar partido da tripla convergência, colaborando com as pessoas mais inteligentes e eficientes que encontrar. É por este motivo que, no mundo plano, cada vez mais empresas estão a ser criadas com uma dimensão global.

"Nos velhos tempos, quando se fundava uma empresa, era provável pensar-se: 'Daqui a 20 anos, espero que sejamos uma multinacional'. Hoje dizemos que, no segundo dia de operações, já seremos uma multinacional e muitas empresas começam logo a funcionar com 30 colaboradores: 20 em Silicon Valley e dez na Índia... Se for uma empresa multiprodutos, provavelmente irá ter algumas relações de produção com a Malásia e com a China, parte da concepção em Taiwan, algum apoio ao cliente na Índia e nas Filipinas e, possivelmente, alguma engenharia na Rússia e nos Estados Unidos", afirmou Vivek Paul, que até Junho de 2005 foi Presidente da Wipro. São as chamadas micromultinacionais e que serão a vaga do futuro.

Actualmente, quando termina os estudos, a sua primeira tarefa na área da gestão pode ser reunir o conhecimento especializado de vários elementos de uma equipa que se repartem pela Índia (um terço), pela China (um terço), por Palo Alto e por Boston (com um sexto das pessoas em cada uma destas localidades). Isso requer uma competência especial que vai ser cada vez mais procurada no mundo plano.

Regra 5: Num mundo plano, as melhores empresas mantêm-se saudáveis fazendo radiografias regulares e vendendo depois os resultados aos seus clientes.

Uma vez que no mundo plano os nichos de negócio podem ser transformados em negócios mercantilizados tipo "gelado de baunilha" mais depressa do que nunca, as melhores empresas de hoje precisam realmente de fazer uma radiografia ao tórax com alguma regularidade – para identificar e fortalecer permanentemente os seus nichos, recorrendo ao *outsourcing* em tudo o que for muito diferenciador. O que quero dizer com radiografia?

Deixe-me apresentar-lhe Laurie Tropiano, *Vice President* da IBM para a área dos serviços de consultadoria empresarial, que é aquilo a que eu chamaria um radiologista de empresas. Basicamente, Tropiano e a sua equipa da IBM fazem radiografias a empresas e decompõem cada componente do negócio. Em seguida, expõem-lhe num ecrã de parede a radiografia efectuada de forma a permitir-lhe analisar a espinha dorsal da sua empresa. Cada departamento, cada função, tudo é decomposto, colocado numa caixa e identificado como sendo um custo para a empresa ou uma fonte de receitas, ou até um pouco de ambas as coisas, e se se trata de uma competência essencial e única da empresa ou de uma função "gelado de baunilha" que qualquer um pode assumir – provavelmente melhor e mais barato.

"Uma empresa típica tem entre 40 e 50 componentes", explicou-me Tropiano enquanto me mostrava num ecrã a espinha dorsal de uma empresa. "Por isso, aquilo que fazemos é identificar e isolar estes 40 a 50 componentes e depois sentarmo-nos e perguntarmos aos responsáveis da empresa: 'Quanto dinheiro é que estão a gastar com cada componente? Em que é que são os melhores? Em que áreas é que se diferenciam? Quais são os componentes totalmente indiferenciados do vosso negócio? Em que áreas pensam ter capacidades, mas sobre as quais não têm a certeza de que alguma vez possam ser bons devido ao facto de terem de investir mais do que querem ou podem?"

Quando tudo fica pronto, disse Tropiano, terá uma radiografia da empresa, identificando quatro ou cinco "pontos quentes". Um ou dois poderão ser competências essenciais; outros poderão ser competências que a empresa não sabia que possuía, mas que devem ser dinamizadas. Outros pontos detectados podem estar relacionados com cinco departamentos diferentes, que estão a duplicar funções ou serviços e que outras pessoas, exteriores à empresa, poderiam desempenhar da melhor forma, com uma remuneração mais baixa e que, por isso, devem ser subcontratadas – desde que se verifique que se continua a poupar, depois de terem sido ponderados todos os custos e desfasamentos derivados do *outsourcing*.

"Assim que olhar para esta radiografia dirá: 'Tenho aqui estas zonas que vão ser realmente especiais e essenciais'," explica Tropiano. "Em seguida, abrirá mão de tudo o que puder ser subcontratado, libertando esses fundos e concentrando-se nos projectos que poderão um dia fazer parte da sua competência essencial. Para uma empresa média, as coisas estarão a ser bem feitas se 25 por cento das suas competências forem essenciais, estratégicas e realmente diferenciadoras. O resto poderá continuar a ser alvo de melhoria ou ser subcontratado".

A primeira vez que me interessei por este fenómeno foi quando um título de uma notícia de Economia na Internet me chamou a atenção: "HP ganha 150 milhões de dólares com um contrato bancário na Índia." A história, publicada em

25 de Fevereiro de 2004 na Computerworld.com, citava uma informação da HP, segundo a qual a empresa tinha assinado um contrato de *outsourcing* válido por dez anos com o Bank of India, em Mumbai. O contrato, no valor de 150 milhões de dólares, foi o maior alguma vez conseguido pela HP Services na região da Ásia-Pacífico, de acordo com Natarajan Sundaram, responsável de *marketing* para a HP Services na Índia. O acordo estabelecia que a HP implantasse e gerisse um sistema bancário central ao longo das 750 sucursais do Bank of India. "Esta é a primeira vez que nós, na HP, estamos na mira do *outsourcing* das funções bancárias essenciais na região da Ásia-Pacífico", comentou Sundaram. Foram várias as multinacionais que concorreram para ganhar aquele contrato, incluindo a IBM. Nos termos do contrato, a HP encarregar-se-á do armazenamento de dados e da tecnologia de imagética para os documentos, do *telebanking* (banco por telefone), do banco pela Internet e dos ATM (caixas Multibanco) para toda a cadeia bancária.

Outras histórias explicavam que o Bank of India tinha vindo a confrontar-se com uma concorrência crescente por parte de bancos dos sectores público e privado e por parte de multinacionais. Por fim, compreendeu que precisava de adoptar o sistema de banco *on-line*, para uniformizar e melhorar os seus sistemas informáticos, reduzir os seus custos de transacção e, de uma forma geral, tornar-se mais facilmente acessível ao cliente. Fez o que nenhuma outra multinacional faria – uma radiografia – e decidiu subcontratar todas as funções que acreditava não fazerem parte das suas competências essenciais ou para as quais simplesmente não dispunha das competências internas necessárias para que fossem desempenhadas a um nível mais elevado.

Quando o Bank of India decidiu subcontratar apoio de *back-office* a uma empresa norte-americana de computadores, bem... pareceu-me tão estranho que nem consegui falar. "Deixem-me ler isto outra vez", disse para comigo, revirando os olhos. "A HP, os tipos a quem telefono quando a minha impressora se avaria, ganhou o contrato de *outsourcing* para gerir o apoio de *back-office* de 750 sucursais indianas de um banco público? Mas o que é que a Hewlett-Packard percebe da gestão de sistemas de apoio interno de um banco indiano?"

Por curiosidade, decidi ir visitar a sede da HP, em Palo Alto, para descobrir. Encontrei-me aí com Maureen Conway, *Vice President* da HP para soluções nos mercados emergentes, e coloquei-lhe as perguntas que me intrigavam.

"Como é que pensámos ser capazes de usar as nossas capacidades internas em proveito de outros?", perguntou-me ela, retoricamente. Resumindo, a HP está constantemente a receber visitas de clientes e, nessas ocasiões, os seus clientes empresariais deslocam-se à sede e observam as inovações que a HP trouxe à gestão dos seus próprios sistemas de informação, explicou. Muitos desses clientes ficam intrigados com a forma como esta grande empresa se adaptou ao mundo plano. Perguntam como é que a HP, que já teve 87 cadeias de abastecimento diferentes – cada uma delas gerida de forma vertical e independente, com a sua própria hierarquia de gestores e apoio interno – as comprimiu em apenas cinco cadeias de abastecimento que gerem 50 mil milhões de dólares em negócios e nas quais as funções como contabilidade, facturação e recursos humanos são geridas através de um sistema à escala de toda a empresa? Que tipo de computadores e processos empresariais teve a HP de instalar para consolidar toda esta eficiência? A HP, que está presente em 178 países, costumava gerir todas as suas contas de débitos e créditos para cada indivíduo de cada país. Era totalmente fragmentada. Nos dois últimos anos, a HP criou três centros de processamento de transacções – em Bangalore, Barcelona e Guadalajara – com normas uniformizadas e um *software* especial de sistematização do fluxo de trabalho que permitiu às representações da HP nos 178 países processar todas as funções de facturação através destes três centros.

Ao observar a reacção dos seus clientes perante as suas próprias operações internas, a HP ter-se-á um dia confrontado com o facto: "Ei, por que razão não comercializamos isto?" Segundo Conway, "esse tornou-se o núcleo do nosso serviço de *outsourcing* de processamento empresarial... Estávamos a fazer a nossa radiografia e descobrimos que tínhamos activos que eram importantes para outros, e que era uma área de negócio."

Por outras palavras, o facto de o mundo se ter tornado plano simbolizou simultaneamente a doença e a cura para o Bank of India. Era óbvio que não conseguia manter o mesmo ritmo que os seus concorrentes no ambiente bancário do mundo plano na Índia e, ao mesmo tempo, conseguiu que fosse feita a radiografia, tendo então decidido subcontratar a HP para fazer tudo aquilo que já não fazia sentido ser da responsabilidade do banco. A HP, que já tinha feito a sua radiografia, descobriu que tinha pela frente toda uma nova área de negócio dedicada à consultadoria. É claro que a maior parte do trabalho para o Bank of India será realizado pelos colaboradores da HP na Índia ou pelos colaboradores do Bank of India que se juntarão à HP. Mas alguns dos lucros encontrarão o caminho de volta para a casa-mãe em Palo Alto, que estará a apoiar toda a operação através da sua cadeia de abastecimento global de conhecimento.

A maioria das receitas da HP tem origem fora dos Estados Unidos. Mas as principais equipas da HP, no âmbito do conhecimento e das infra-estruturas, que conseguem criar os processos que ganham esses contratos – como é o caso da gestão do apoio de bastidores do Bank of India – ainda estão nos EUA.

"A capacidade para sonhar está aqui, mais do que noutras regiões do mundo", defendeu Conway. "O núcleo de criatividade está aqui, não porque as pessoas sejam mais inteligentes – é o ambiente, a liberdade de pensamento. A máquina do sonho ainda aqui está."

Regra 6: As melhores empresas subcontratam para ganhar, não para diminuir de dimensão. Elas subcontratam para inovar de forma mais rápida e mais barata, com o objectivo de crescer mais, conquistar quota de mercado e contratar mais e diferentes especialistas – não para poupar através do despedimento de mais pessoas.

Dov Seidman gere a LRN, empresa que dá formação *on-line* na área jurídica, cumprimento e ética a colaboradores de empresas globais, e ajuda os executivos e membros dos Conselhos de Administração a gerir responsabilidades da governação das sociedades empresariais. Estávamos a almoçar, num dia de Outono de 2004, quando Seidman mencionou por acaso que tinha assinado recentemente um contrato de *outsourcing* com a empresa de consultadoria indiana MindTree.

"Por que é que estão a cortar nos custos?", perguntei-lhe.

"Estou a subcontratar para ganhar, não para poupar dinheiro", respondeu Seidman. "Visite o nosso *site* na Internet. Neste momento tenho lá pedidos de candidaturas para 30 novos postos de trabalho e tratam-se de empregos na área do conhecimento. Estamos a expandir. Estamos a contratar pessoal. Estou a acrescentar pessoas e a criar novos processos."

A experiência de Seidman tem a ver com aquilo que é hoje o *outsourcing* – as empresas subcontratam para poder adquirir talentos da área do conhecimento e para poder fazer crescer os seus negócios, não somente para reduzir custos. A empresa de Seidman é líder numa dessas indústrias completamente novas que surgiram no mundo plano – ajudar as multinacionais a promover uma cultura empresarial ética numa base de colaboradores espalhada por todo o mundo. Se bem que a LRN seja uma empresa AE* – fundada dez anos antes do colapso da Enron – a procura dos seus serviços aumentou na era PE (Pós-Enron). Na sequência do colapso da Enron e de outros escândalos a nível da governação das sociedades empresariais, muito mais empresas começaram a interessar-se pelo que a LRN oferecia – programas *on-line* para as empresas definirem expectativas e interpretações comuns das suas responsabilidades legais e éticas, desde o Conselho de Administração até à fábrica. Quando as empresas assinam contrato com a LRN, os seus colaboradores recebem formação *on-line*, incluindo testes que abrangem um pouco de tudo, desde o código de conduta da sua empresa até saber quando é que se pode receber algum presente, passando por saber o que é preciso pensar antes de carregar no botão 'Enviar' num *e-mail* e em que é que consiste um suborno de um oficial estrangeiro.

Uma vez que o tema da governação das sociedades empresariais começou a dar que falar no início de 2000, Seidman percebeu que os seus clientes, como a E*Trade, iriam precisar de uma plataforma mais integrada. Apesar de ser óptimo

---

* **N.T.** Anterior à queda da Enron.

que ele instruísse os colaboradores das empresas através de um programa *on-line* e que prestasse aconselhamento aos Conselhos de Administração sobre assuntos éticos através de outro programa, ele sabia que os executivos das empresas desejavam uma interface única na *Web*, onde pudessem aceder a todas as questões com que se confrontavam relacionadas com a governação e a ética – quer se tratasse de formação aos colaboradores, informação sobre algum comportamento anómalo, gestão da boa reputação da empresa conseguida mediante trabalho árduo ou cumprimento das normas governamentais – e onde pudessem perceber imediatamente em que posição é que a empresa se encontrava.

Assim, Seidman enfrentou um duplo desafio. Ele precisava de fazer duas coisas de uma só vez: continuar a aumentar a sua quota de mercado na indústria da formação *on-line* sobre o cumprimento de normas e conceber uma plataforma integrada completamente nova para as empresas com as quais ele já estava a trabalhar. Esta plataforma exigiria um verdadeiro salto tecnológico. Foi quando se deparou com este desafio que decidiu optar pelo *outsourcing* e recrutou a MindTree, uma consultora da Índia que lhe oferecia cerca de cinco engenheiros de *software* muito qualificados pelo preço de um nos EUA.

"Repare", explicou Seidman, "quando as coisas estão em saldo, temos tendência para comprar mais. A MindTree ofereceu-me saldos não só para os produtos da estação anterior mas também para os engenheiros de *software* de primeira categoria que eu tanto precisava de encontrar em qualquer lado. Era necessário despender imenso dinheiro para proteger e ampliar o meu negócio central e para continuar a cuidar dos meus clientes, que estavam a funcionar com os programas que tinha disponíveis na altura. E, simultaneamente, tinha de dar um passo de gigante para oferecer aos meus clientes aquilo que eles estavam a pedir que lhes oferecesse: uma solução *on-line* muito mais robusta e global para todas as suas questões relativas à ética, à governação e ao cumprimento de normas. Se não satisfizéssemos as necessidades deles, alguém o faria. A parceria com a MindTree permite-me, basicamente, ter duas equipas – uma é constituída essencialmente por norte-americanos e está concentrada na protecção e expansão do nosso negócio central; e a outra inclui os nossos consultores indianos, concentrados em dar o passo estratégico para o crescimento do nosso negócio."

Atendendo a que a ética está no centro do negócio da empresa de Seidman, sediada em Los Angeles, *a forma como* ele encarou o *outsourcing* foi tão importante quanto os resultados fundamentais da relação. Em vez de anunciar a parceria com a MindTree como um acordo já selado, Seidman convocou uma reunião com os seus cerca de 170 colaboradores para debater o tipo de *outsourcing* que tinha em mente. Expôs todos os argumentos económicos, deixou que o seu pessoal os avaliasse e deu a todos uma ideia sobre quais eram os tipos de funções necessárias no futuro e de que forma se poderiam preparar para se ajustar. "Precisava de demonstrar à minha empresa que é isto que é necessário para vencer", disse ele.

Sem dúvida que existem empresas que subcontratam e continuarão a subcontratar bons empregos apenas para cortar custos de forma a poder gerar mais dividendos que distribuirão pelos seus accionistas ou pela equipa de gestão. Pensar que isso não está a acontecer ou que não irá acontecer é ser mais do que ingénuo. No entanto, as empresas que estão a recorrer ao *outsourcing* essencialmente como ferramenta para reduzir custos, não para melhorar a inovação e o ritmo do crescimento, são uma minoria, não a maioria – e não iria querer ser accionista de nenhuma delas. As melhores empresas estão a procurar meios para alavancarem o melhor que há na Índia com o melhor que há no Dacota do Norte, com o melhor que há em Los Angeles. Neste sentido, a palavra *outsourcing* deve mesmo ser abandonada. A palavra aplicável a esta situação é, na realidade, *sourcing*. É isso que o mundo plano permite e exige e as empresas que optam pelo *sourcing* certo acabam por ficar com maior quota de mercado e mais colaboradores um pouco por todo o lado – não uma menor quota e menos colaboradores.

"Isto tem a ver com tentar ser maior, mais depressa, com a forma como damos o nosso próximo passo em menos tempo, com maior garantia de sucesso", referiu Seidman relativamente à sua decisão de proceder ao *sourcing* de importantes áreas de desenvolvimento da sua nova plataforma junto da MindTree. "Não tem a ver com limar arestas. Hoje, temos mais de duas centenas de clientes por todo o mundo. Se conseguir que esta empresa cresça como desejo, terei capacidade para contratar ainda mais efectivos para todos os nossos escritórios, promover mais pessoas e dar aos nossos actuais colaboradores ainda mais oportunidades e perspectivas de carreira recompensadoras – porque a agenda da LRN vai ser mais vasta, mais complexa e mais global... Estamos num espaço muito competitivo. Esta decisão de recorrer ao *outsourcing* tem a ver com jogar na ofensiva, não na defensiva. Estou a tentar subir na classificação antes que seja desclassificado."

Regra 7: O *outsourcing* não é só para os Benedict Arnolds*. Também é para os idealistas.

Uma das mais novas figuras emergentes, nos últimos anos, no palco mundial é a do empreendedor social. Por norma, trata-se de alguém que deseja ardentemente provocar um impacto positivo no mundo, mas acredita que a melhor maneira de o fazer, como diz o ditado, não é dando peixe às pessoas pobres, alimentando-as

---

* **N.T.** Os norte-mericanos costumam chamar "Benedict Arnold CEOs" – CEO do tipo Benedict Arnold – àqueles que transferem postos de trabalho dos EUA para fora do país – e o autor aqui brinca com essa ideia de traição que muitas pessoas associam ao *outsourcing*.

por um dia, mas sim ensinando-as a pescar, na esperança de os alimentar uma vida inteira. Tenho vindo a conhecer alguns empreendedores sociais nos últimos anos e a maior parte deles combina um cérebro de licenciado em Gestão com um coração de assistente social. A tripla convergência e o facto de o mundo se ter tornado plano foram uma dádiva divina para eles. Aqueles que compreendem a nova realidade e estão a adaptar-se a ela começaram a lançar projectos bastante inovadores.

Um dos meus favoritos é Jeremy Hockenstein, um jovem que fez, inicialmente, um percurso convencional. Estudou na Universidade de Harvard e foi trabalhar para a empresa de consultadoria McKinsey. Contudo, algum tempo depois, ele e um outro colega da McKinsey decidiram mudar totalmente de rumo e criaram uma empresa sem fins lucrativos de inserção de dados. Esta procede à inserção de dados, por meio de *outsourcing*, para empresas norte-americanas num dos ambientes menos hospitaleiros para os negócios, o Camboja pós-Pol Pot.

Isto, só num mundo plano!

Em Fevereiro de 2001, Hockenstein e alguns colegas da McKinsey decidiram ir a Phnom Penh passar férias e, ao mesmo tempo, fazer uma missão de reconhecimento de algum projecto social. Ficaram surpreendidos por encontrar cibercafés e institutos de ensino de inglês espalhados pela cidade – mas não havia empregos ou, na melhor das hipóteses, havia poucos para aqueles que tinham tirado cursos superiores.

"Decidimos que utilizaríamos as influências que tínhamos na América do Norte para tentar suavizar as diferenças e gerar algumas oportunidades de criação de rendimento para os cambojanos", contou Hockenstein. Nesse Verão, depois de uma outra viagem autofinanciada, Hockenstein e os seus colegas abriram a Digital Divide Data, com um plano para iniciar uma pequena operação em Phnom Penh que faria inserção de dados – contratando habitantes locais que introduziriam no computador o material em formato de papel que as empresas norte-americanas queriam em formato digital, com o objectivo de esta informação ser armazenada em bases de dados e depois recuperada e pesquisada em computadores.

O material seria digitalizado nos Estados Unidos e os documentos transferidos através da Internet. O seu primeiro passo foi contratar dois gestores cambojanos. O colega de Hockenstein na McKinsey, Jaeson Rosenfeld, foi a Nova Deli e bateu à porta de todas as empresas indianas de introdução de dados para ver se encontrava uma – apenas uma – que aceitasse os seus dois gestores cambojanos como estagiários. Nove dessas empresas fecharam-lhe a porta. A última coisa que queriam era concorrência vinda do Camboja, com custos ainda mais baixos. Porém, uma generosa alma hindu concordou e Hockenstein conseguiu que os gestores recebessem formação. Depois, contrataram os seus primeiros 20 operadores, muitos deles refugiados de guerra cambojanos, compraram 20 computadores e uma ligação à Internet que lhes custava 100 dólares por mês. O projecto foi financiado com 25 mil dólares do seu próprio dinheiro e foram-lhes atribuídos mais 25 mil dólares por uma fundação de Silicon Valley. Abriram as portas em Julho de 2001 e o seu primeiro trabalho foi para o *Harvard Crimson*, o jornal diário dos estudantes de Harvard.

"O *Crimson* estava a digitalizar os seus arquivos, para os tornar acessíveis *on-line*, e como nós éramos licenciados de Harvard, eles deram-nos algum trabalho", disse Hockenstein. "Assim, o nosso primeiro projecto foi ter cambojanos a dactilografar artigos do *Harvard Crimson* escritos entre 1873 e 1899, que falavam das regatas disputadas entre Harvard e Yale*. Mais tarde, quando chegámos aos anos de 1969 a 1971, altura em que estavam a ocorrer os tumultos no Camboja, eles estavam a dactilografar histórias carmim** – sobre a sua própria história... Nos Estados Unidos, convertíamos os velhos *Crimson*, que estavam em microfilme, em imagens digitalizadas, através de uma empresa em Oklahoma especializada nesse tipo de trabalho e depois transferíamos as imagens digitalizadas para o Camboja por FTP***. Actualmente, é possível ir a thecrimson.com e fazer o *download* destas histórias." Os dactilógrafos cambojanos não tinham de saber inglês, apenas tinham de saber dactilografar caracteres ingleses; eles trabalhavam aos pares, cada um escrevendo o mesmo artigo e depois o programa informático comparava os seus trabalhos para ter a certeza que não existiam erros.

Hockenstein confirmou que cada dactilógrafo trabalhava seis horas por dia, seis dias por semana e recebia 75 dólares por mês, o dobro do salário mínimo no Camboja, onde o rendimento médio anual é inferior a 400 dólares. Cada dactilógrafo recebia ainda uma bolsa de estudos para ir à escola, o que para muitos significa terminar o ensino secundário, mas para outros é um passo para a universidade. "O nosso objectivo era quebrar aquele ciclo vicioso em que os jovens tinham de deixar a escola para sustentar as famílias," disse Hockenstein. "Tentámos ser pioneiros do *outsourcing* socialmente responsável. As empresas norte-americanas que trabalham connosco não estão apenas a poupar o que poderão investir noutro lugar. Na verdade, estão a criar condições para proporcionar vidas melhores a alguns dos cidadãos mais pobres do mundo."

Quatro anos após o seu arranque, a Digital Divide Data tem agora 170 colaboradores repartidos por três escritórios: Phnom Penh; Battambang, a segunda maior cidade do Camboja; e um novo escritório em Vientiane, no Laos. "Recrutámos os nossos dois primeiros gestores em Phnom Penh e mandámo-los para a

---

* **N.T.** A regata de remo Harvard *versus* Yale é o evento desportivo intercolegial mais antigo dos EUA, sendo disputada anualmente desde 1852.

** **N.T.** *Crimson* – carmim: a cor da universidade de Harvard é o carmim, daí o nome do jornal ser *Harvard Crimson*. Neste caso, o autor faz um jogo de palavras entre o nome do jornal e a cor das histórias sangrentas que vieram a lume na época de Pol Pot.

*** **N.T.** *File transfer protocol* – Protocolo de transferência de ficheiros.

Índia para aprenderem a fazer inserção de dados e, quando abrimos o escritório no Laos, recrutámos dois gestores que receberam formação no nosso escritório de Phnom Penh", referiu Hockenstein.

Esta árvore espalhou todo o tipo de sementes. Para além do *Harvard Crimson*, uma das maiores fontes de trabalho ao nível da inserção de dados tinha origem nas ONG, que desejavam ver digitalizados os resultados das suas sondagens sobre saúde, agregados familiares ou condições de trabalho. Assim, alguns trabalhadores cambojanos da primeira "leva" da Digital Divide Data deixaram a empresa e fundaram a sua própria empresa de criação de bases de dados para ONG que queriam fazer sondagens! Porquê? Porque enquanto trabalhavam para a Digital Divide Data, explicou Hockenstein, não paravam de receber encomendas de trabalhos de sondagens por parte das ONG. Estes trabalhos precisavam de ser digitalizados mas, uma vez que as ONG não tinham tratado previamente de uniformizar todos os dados que recolhiam, era muito difícil proceder à sua digitalização de forma eficiente. Por isso, estes cambojanos perceberam que havia valor a acrescentar no início da cadeia de abastecimento e que podiam receber mais dinheiro por isso – não por dactilografar, mas por criar formatos uniformizados para que as ONG recolhessem os seus dados sobre as sondagens, o que as tornaria mais fáceis de realizar e mais baratas de digitalizar, conferir e manipular. Assim, fundaram a sua própria empresa para fazer isso mesmo – a partir do Camboja.

Hockenstein referiu que nenhum dos trabalhos feitos no Camboja provinha dos Estados Unidos. Este tipo de trabalho básico de inserção de dados já tinha sido subcontratado à Índia e Caraíbas há muito tempo. No entanto, nada disto teria sido possível de estabelecer no Camboja há dez anos. Aconteceu tudo praticamente só nos últimos anos.

"O meu sócio é cambojano," disse Hockenstein. "O seu nome é Sophary e, até 1992, vivia num campo de refugiados, na fronteira do Camboja com a Tailândia, enquanto eu vivia em Harvard Square como estudante universitário. Os nossos mundos não podiam ser mais diferentes. Depois do Tratado de Paz da ONU [no Camboja], ele caminhou pelo seu próprio pé durante dez dias, em direcção à sua aldeia. Hoje, vive em Phnom Penh, dirigindo o escritório da Digital Divide Data." Presentemente, enviam mensagens instantâneas um ao outro, todas as noites, para colaborarem na distribuição de serviços às pessoas e empresas de todo o mundo. O tipo de colaboração que é possível hoje "permite-nos ser sócios e iguais", disse Hockenstein. "Nenhum de nós domina o outro; trata-se de uma verdadeira colaboração, que está a propiciar um futuro melhor para quem está quer na base quer no topo da pirâmide. É algo que está a dar mais sentido à minha vida e a criar oportunidades mais concretas para as pessoas que vivem com um dólar ou dois por dia... Vemos o respeito próprio e a confiança que existe em pessoas que nunca antes tinham tido uma rampa de lançamento para a economia global."

Por isso, Hockenstein e os seus sócios recebem telefonemas da Mongólia, do Paquistão, do Irão e da Jordânia, de pessoas interessadas em prestar ao mundo serviços na área das TI e que querem saber como poderão começar a colaborar. Em meados de 2004, um cliente pediu à Digital Divide Data para digitalizar um dicionário de inglês-árabe. Quase ao mesmo tempo, o escritório de Hockenstein recebeu um *e-mail* inesperado de uma empresa no Irão que geria uma firma de inserção de dados neste país. "Eles encontraram-nos através de uma pesquisa no Google, quando tentavam descobrir formas de expandir o seu negócio local de inserção de dados para além das fronteiras do Irão", explicou. Por isso, Hockenstein perguntou aos iranianos se eles poderiam tratar de um dicionário inglês-árabe, apesar de a língua do país ser o farsi, que usa algumas, mas não todas, as letras do alfabeto árabe. "Ele respondeu que podiam," referiu Hockenstein, "e partilhámos um projecto comum para este cliente, que foi digitalizar um dicionário de árabe." O que mais gosto nesta história, e por que é tão revelador de quão o mundo é plano, é este pormenor referido por Hockenstein: "Ainda não conheci pessoalmente o indivíduo [do Irão]. Tratámos de tudo por meio de mensagens instantâneas e do *e-mail* do Yahoo! Fizemos transferência bancária a partir do Camboja... Convidei-o para ir ao meu casamento, mas ele não pôde estar presente."

Parte 5
Geopolítica e o Mundo Plano

Capítulo XII

O Mundo não-Plano
Proibida a entrada de armas ou telemóveis

Construir poderá ser a mais lenta e árdua tarefa de vários anos.
Destruir pode ser um acto irreflectido de um único dia.
– Sir *Winston Churchill*

Numa viagem de regresso ao Minnesota, no Inverno de 2004, estava a almoçar com os meus amigos Ken e Jill Greer na casa de panquecas Perkins, quando Jill referiu o facto de o Estado ter recentemente aprovado uma nova lei sobre armas de fogo. A lei sobre ocultação e porte de armas, aprovada em 28 de Maio de 2003, instituiu que os xerifes locais poderiam atribuir licenças a qualquer indivíduo – excepto os que tivessem cadastro ou fossem declarados mentalmente incapacitados – que solicitasse o porte de armas de fogo escondidas para trabalhar (a não ser que o chefe negue explicitamente esse direito). Era normal que esta lei travasse os criminosos, porque se eles tentassem um assalto à mão armada, nada impedia que o agredido possuísse também uma arma. No entanto, a lei continha uma cláusula que permitia aos donos de negócios impedir os clientes de levarem armas escondidas para lugares como um restaurante ou um *health club*. Estipulava que qualquer empresa podia banir armas escondidas nas suas instalações desde que colocasse uma placa de aviso em cada um dos acessos indicando que não eram permitidas armas no local. (Isto levou, pelo que se soube, à criação de sinalética bastante criativa, com uma igreja a processar o Estado pelo direito a usar uma citação bíblica como placa de proibição de armas e um restaurante que usou a fotografia de uma mulher com um avental de cozinha a empunhar uma metralhadora.)

A razão deste assunto ter surgido durante o nosso almoço deveu-se ao facto de Jill ter mencionado que, nos *health clubs* da cidade, onde ela jogava ténis, tinha reparado em dois avisos afixados regularmente. No clube de ténis em Bloomington, por exemplo, existe uma placa na porta de entrada que diz: "Não são permitidas armas." E, perto daquele local, no acesso aos vestiários, está outra placa que refere: "Não são permitidos telemóveis."

Hummm. Não são permitidas armas nem telemóveis? Armas até entendo, mas porquê telemóveis?

Que tolo. Devia-se ao facto de algumas pessoas levarem para os vestiários telemóveis com máquina fotográfica incorporada, fotografando às escondidas homens e mulheres nus, para posteriormente enviarem as imagens por *e-mail* para todo o mundo. Em que irão eles pensar a seguir? Qualquer que seja a inovação, encontram sempre uma maneira de conseguir usá-la e abusar dela.

Enquanto entrevistava Promod Haque, da Norwest Venture Partners, em Palo Alto, fui apoiado pela directora de relações públicas da empresa, Katie Belding, que mais tarde me enviou este *e-mail*: "Estava a conversar com o meu marido sobre o seu encontro com Promod no outro dia... Ele é professor de História na escola secundária de San Mateo. Perguntei-lhe: 'Onde estavas quando o mundo se tornou plano?' Ele respondeu que só dera por isso muito recentemente, na escola, quando se encontrava numa reunião de professores. Um aluno foi suspenso por ajudar outro a copiar num teste – contudo, não estamos a falar nas tradicionais respostas escritas na sola do sapato ou na passagem de um papelinho..."

Intrigado, telefonei para o marido de Katie, Brian, que continuou a história: "No final da aula, quando todos os testes estavam a ser recolhidos, o estudante em causa pegou rápida e astutamente no seu telemóvel e conseguiu tirar uma fotografia de algumas perguntas do teste, enviando-a em seguida por *e-mail* para um seu amigo que teria o mesmo teste na aula seguinte. O seu amigo também tinha um telemóvel com câmara digital e capacidade de recepção de *e-mails*, pelo que, aparentemente, podia ver as perguntas antes da aula onde ia fazer o teste. O estudante foi apanhado por outro professor ao atender o telemóvel na aula em que estava. É contra as regras ter um telemóvel no *campus* – embora saibamos que todos os estudantes o têm. Ao confiscar o telemóvel o professor viu o teste. O responsável pela disciplina iniciou a nossa habitual reunião dizendo: 'Temos uma coisa nova com que nos preocupar'. Essencialmente, deixou-nos a seguinte recomendação: 'Tenham cuidado, mantenham os olhos abertos, porque os miúdos estão muito adiantados em relação a vós no que diz respeito à tecnologia'."

Mas nem tudo é mau com esta nova tecnologia, disse Brian: "Fui a um concerto do Jimmy Buffett no início deste ano. Não eram autorizadas máquinas fotográficas, mas telemóveis sim. De repente, quando o concerto começou, toda a gente agarrou no seu telemóvel e começou a tirar fotografias a Jimmy Buffett. Tenho uma, mesmo na minha parede. Estávamos sentados na segunda fila, o homem ao nosso lado agarrou no seu telemóvel e eu disse-lhe: 'Ei, não se importa de me enviar por *e-mail* algumas dessas? Ninguém vai acreditar que nos sentámos tão próximo do palco'. Ele respondeu: 'Claro' e nós demos-lhe um cartão com o nosso endereço de *e-mail*. Na verdade, não esperávamos ver nenhuma, mas no dia seguinte ele mandou-nos algumas."

A minha viagem a Pequim, que já mencionei, aconteceu mesmo depois do 15° aniversário do massacre na Praça de Tiananmen, que ocorreu em 4 de Junho de 1989, ou seja 4/6/89. Os meus colegas que são correspondentes do *New York Times* naquele país informaram-me que, naquele dia, a censura do governo chinês bloqueava mensagens SMS nos telemóveis que fizessem qualquer referência à Praça ou mesmo aos números 6 e 4. Por isso, se por acaso marcasse o número de telefone 664-6464, ou mandasse uma mensagem a alguém marcando um encontro para as 6 horas da tarde, no 4° piso, a censura chinesa bloqueava-o usando a sua tecnologia de interferência radiofónica.

Mark Steyn, num artigo na *National Review* (25 de Outubro de 2004), contou uma história publicada no jornal *Al-Quds-al-Arabi*, que tem versões em inglês e árabe, sobre a onda de pânico verificada em Cartum, no Sudão, depois de ter corrido na cidade o boato arrasador de que se um infiel* apertasse a mão de um homem, esse homem poderia perder a virilidade. "O que mais me chocou nesta história, escreveu Steyn, foi um pormenor: a histeria propagou-se pelos telemóveis e mensagens de texto. Pensem nisto: conseguem ter um telemóvel e mesmo assim acreditar que um aperto de mão de um estrangeiro pode derreter o seu pénis. O que irá acontecer quando este tipo de primitivismo tecnologicamente avançado for além das mensagens de texto?"

Este não é um capítulo sobre telemóveis, portanto qual foi o motivo para contar estas histórias? Porque desde que comecei a escrever sobre globalização, tenho sido desafiado pelos críticos em relação a um assunto em particular: "Não há aí um certo determinismo tecnológico no seu argumento? A darmos-lhe ouvidos, Friedman, existem estes dez acontecimentos catalisadores de um mundo plano, que estão a convergir e a nivelar o planeta, não havendo nada que as pessoas possam fazer a não ser fazer-lhes uma vénia e juntar-se ao cortejo. Após uma fase de transição, todos ficarão ricos e mais espertos e 'tudo vai ficar bem'. Mas está enganado, porque a história do mundo mostra que surgiram sempre alternativas ideológicas e de poder a qualquer sistema, pelo que com a globalização não será diferente."

Esta é uma pergunta legítima, por isso deixe-me tentar dar-lhe uma resposta directa: *sou um determinista tecnológico! Sou considerado culpado das acusações que me são feitas.*

Acredito que as aptidões criam intenções. Se criamos uma Internet onde as pessoas podem abrir uma loja *on-line* e ter fornecedores globais, clientes globais e concorrentes globais, elas abrirão essa loja, banco ou livraria *on-line*. Se criamos plataformas de sistematização dos fluxos de trabalho, que permitam às empresas

---

* **N.T.** Acepção religiosa.

desagregar qualquer função e agregá-la ao centro do conhecimento, em qualquer parte do mundo, que consiga desempenhar essa tarefa mais eficientemente e a um custo menor, as empresas procederão a esse tipo de *outsourcing*. Se criarmos telemóveis com câmaras incorporadas, as pessoas irão usá-las para todo o tipo de funções, desde copiar nos testes até telefonar para o lar onde está a avó, no seu 90° aniversário, a partir do cume de uma montanha na Nova Zelândia. A história do desenvolvimento económico ensina isto, vezes sem conta: se o podes fazer, deves fazê-lo, senão os teus concorrentes fá-lo-ão. Conforme este livro tentou demonstrar, existe um novo universo de coisas que as empresas, os países e os indivíduos a título particular podem e devem fazer para prosperar num mundo plano.

Apesar de ser um determinista tecnológico, *não sou um determinista histórico*. Não existem quaisquer garantias de que todos usarão estas novas tecnologias, ou a tripla convergência, em benefício próprio, dos países ou da humanidade. São apenas tecnologias. Usá-las não o torna moderno, inteligente, ético, sábio, justo ou decente. Apenas lhe dá a possibilidade de comunicar, competir e cooperar com locais mais longínquos e de forma rápida. Se não houver uma guerra mundial desestabilizadora, cada uma destas tecnologias ficará mais barata, mais leve, mais pequena e mais pessoal, móvel, digital e virtual. Por isso, cada vez mais pessoas encontrarão cada vez mais maneiras de utilizá-las. Só podemos esperar que cada vez mais pessoas, em mais regiões, as usem para criar, colaborar e melhorar os seus níveis de vida, não o contrário. Mas isso não tem de acontecer.

Para ser franco, eu não sei quais serão os resultados do mundo plano. Aliás, deixe-me ir mais longe e fazer uma confissão mais profunda: eu sei que o mundo não é plano.

Sim, leu correctamente: *eu sei que o mundo não é plano*. Não se preocupe, eu sei. No entanto, tenho a certeza de que o mundo tem estado desde há algum tempo a encolher e a tornar-se mais plano, e que o processo acelerou drasticamente nos últimos anos. Hoje em dia, metade do mundo está directa ou indirectamente a participar neste processo ou a sentir os seus efeitos. Permiti-me uma liberdade literária ao intitular este livro *O Mundo é Plano* com o intuito de chamar a atenção para este processo e para o seu ritmo célere, porque considero que se trata da única tendência importante no mundo de hoje.

Estou igualmente certo que não é historicamente inevitável que o resto do mundo se torne plano ou que as regiões do mundo que já estão planas não fiquem irregulares devido à guerra ou a uma perturbação económica ou política. Existem centenas de milhões de pessoas neste planeta que foram deixadas para trás na sequência do processo que está a tornar o mundo plano ou que se sentiram esmagadas por ele, e algumas delas têm acesso às ferramentas que contribuíram para o mundo se tornar mais plano e utilizam-nas contra o sistema, não em seu nome. Como é que o processo que está a tornar o mundo plano pode correr mal é o tema deste capítulo e eu irei abordá-lo quando responder às seguintes perguntas: Quais são as maiores forças, interesses ou problemas que dificultam o processo de tornar o mundo mais plano e de que forma poderemos colaborar para ultrapassá-los?

Demasiado doente

Uma vez, ouvi Jerry Yang, co-fundador do Yahoo!, citar um responsável sénior do governo chinês como tendo dito: "Onde as pessoas têm esperança, temos uma classe média." Penso que se trata de uma perspectiva muito útil. A existência de vastas classes médias estáveis em todo o mundo é crucial para a estabilidade geopolítica, mas a classe média é um estado de espírito, não uma declaração de rendimentos. É por isso que a grande maioria dos norte-americanos se descreve sempre como sendo "classe média", mesmo que, pelo que dizem as estatísticas de rendimentos, alguns deles não sejam considerados como tal.

A "classe média" é outra maneira de descrever as pessoas que acreditam que existe uma via para saírem da pobreza ou da categoria de baixo rendimento, que as encaminhará para um melhor nível de vida e para um futuro melhor para os seus filhos. Poderá achar que pertence à classe média, quer ganhe dois ou 200 dólares por dia, se acreditar na mobilidade social – que os seus filhos têm uma hipótese de viver melhor do que você – e que, com trabalho árduo e agindo segundo as regras da sociedade, conseguirá chegar onde deseja.

A linha que separa aqueles que estão no mundo plano e aqueles que não estão é a linha da esperança. Hoje em dia, a boa notícia para a Índia, para a China e para a antiga União Soviética e seus antigos satélites é que, com todos os seus defeitos e contradições internas, estes países acolhem agora centenas de milhões de pessoas que têm esperança de vir a pertencer à classe média. A má notícia para África, assim como para as zonas rurais da Índia, da China, da América Latina e de imensos lugares problemáticos do mundo desenvolvido é que existem centenas de milhões de pessoas que não têm qualquer esperança e, por isso, nenhuma hipótese de conseguir chegar à classe média. Não têm réstia de esperança por duas razões: ou estão demasiado doentes ou os seus governos locais estão demasiado falidos para acreditar que existe luz ao fundo do túnel.

O primeiro grupo, o dos que estão demasiado doentes, engloba aqueles cujas vidas são perseguidas diariamente pelo HIV/SIDA, pela malária, pela tuberculose e pela poliomielite, e que nem sequer sabem o que é ter electricidade ou água potável. Muitas destas pessoas vivem numa escandalosa proximidade com o mundo plano. Quando estive em Bangalore, visitei uma escola-piloto, Shanti Bhavan, ou "Refúgio de Paz". Está localizada perto da aldeia de Baliganapalli, na província indiana de Tamil Nadu, a cerca de uma hora de caminho dos centros de alta tecnologia construídos com vidro e aço, na baixa de Bangalore – um dos quais é convenientemente apelidado de "O enclave Dourado". Quando íamos a caminho, a directora da escola, Lalita Law, uma cristã indiana emotiva e mordaz, explicou-me, com uma raiva mal contida na voz, que a escola tinha 160 crianças, cujos pais eram todos "intocáveis" da aldeia mais próxima.

"Os pais destes miúdos são trapeiros*, assalariados e trabalhadores em pedreiras", disse ela enquanto saltávamos dentro do jipe, nas estradas esburacadas, em direcção à escola. "Eles vêm de agregados familiares que estão abaixo do limiar da pobreza e provêm da casta mais baixa, os 'intocáveis', que supostamente estão a cumprir o seu destino e que devem ser deixados onde estão. Nós recebemos estas crianças com idades compreendidas entre os quatro e os cinco anos. Elas não sabem o que é beber um copo de água potável. Estão habituadas a beber água imunda da valeta, se tiverem a sorte de ter uma valeta perto do local onde vivem. Nunca viram uma casa de banho, não se lavam... Nem sequer têm uma peça de roupa limpa. Primeiro temos de começar por sociabilizá-las. Quando chegam aqui pela primeira vez, correm lá para fora e urinam e defecam onde querem. No início não os pomos a dormir em camas, porque é um choque cultural."

Eu escrevia freneticamente no meu computador portátil, na parte de trás do jipe, para conseguir acompanhá-la naquele monólogo ardente que relatava a vida na aldeia.

"Esta coisa da 'Índia Brilhante' [o *slogan* do partido no poder, Bharatiya Janata, BJP, nas eleições de 2004] irrita pessoas como nós," acrescentou ela. "É preciso vir às aldeias rurais e ver onde é que a Índia está a brilhar, e olhar o rosto de uma criança e ver onde é que a Índia está a brilhar. A Índia brilha muito bem nas revistas lustrosas, mas basta sair de Bangalore para ver que tudo o que se diz sobre a Índia reluzente é refutado... Nas aldeias o alcoolismo é comum e o infanticídio de crianças do sexo feminino e o crime estão a crescer. É preciso pagar subornos para se ter electricidade, água; é preciso subornar o avaliador fiscal para que avalie correctamente uma casa. Sim, as classes médias e altas estão a descolar, mas tudo o que os 700 milhões que são deixados para trás vêem é tristeza, escuridão e desespero. Eles nasceram para cumprir o seu destino e têm de viver desta maneira e morrer desta maneira. A única coisa que brilha para eles é o sol, que é quente e insuportável e muitos deles morrem devido ao excesso de calor."

E acrescentou "o único 'rato' que estes miúdos alguma vez encontraram não é aquele que se encontra ao lado do computador, mas, sim, o verdadeiro".

Existem centenas de aldeias como esta nas zonas rurais da Índia, da China, de África e da América Latina. É por isso que não admira que as crianças do mundo em vias de desenvolvimento – o mundo que não é plano – tenham dez vezes mais probabilidades de morrer com doenças para as quais existem vacinas de prevenção

* **N.T.** Negociantes ou apanhadores de trapos ou papéis velhos.

do que as crianças do mundo plano desenvolvido. Alegadamente, nas regiões mais afectadas do Sul rural de África, um terço das mulheres grávidas são portadoras do vírus HIV.

A epidemia da SIDA, só por si, é suficiente para aniquilar uma sociedade inteira. Muitos professores nestes países africanos sofrem de SIDA, por isso não podem ensinar, e as crianças mais novas, especialmente as raparigas, têm de abandonar os estudos porque precisam de cuidar dos pais doentes e moribundos ou porque ficaram órfãs devido à SIDA e não podem pagar a escola. E, sem educação, os jovens não podem aprender a proteger-se do HIV/SIDA ou de outras doenças, já para não falar dos conhecimentos que permitam às mulheres ganhar um controlo maior sobre os seus próprios corpos e parceiros sexuais.

A perspectiva de uma epidemia de SIDA completamente disseminada pela Índia e pela China, do tipo da que já debilitou o Sul de África, continua a ser bastante real, em grande parte porque apenas um quinto das pessoas de todo o mundo em risco de contrair o vírus do HIV tem acesso aos serviços de prevenção. Dez milhões de mulheres que querem e beneficiariam dos recursos do planeamento familiar não o têm por falta de fundos locais. Não é possível promover o crescimento económico num lugar onde 50 por cento das pessoas estão infectadas com malária ou metade das crianças está subnutrida ou um terço das mães está a morrer de SIDA.

Não há dúvida de que a China e a Índia estão em melhor situação para terem parte da sua população no mundo plano. Quando as sociedades começam a prosperar, é possível pôr em movimento um ciclo virtuoso: elas começam a produzir comida suficiente para as pessoas deixarem a terra, a mão-de-obra em excesso recebe formação e educação, começa-se a trabalhar nas áreas dos serviços e da indústria; isso conduz à inovação e a uma melhor educação e universidades, mercados mais livres, crescimento e desenvolvimento económico, melhores infra-estruturas, menos doenças e uma redução do crescimento da população. É essa dinâmica que se está a verificar actualmente em zonas urbanas da Índia e da China, permitindo às pessoas competir num 'terreno de jogo' mais plano e atrair o investimento de milhares de milhões de dólares.

Mas há muitos, muitos outros que vivem fora deste ciclo. Vivem em aldeias ou zonas rurais onde apenas os criminosos quereriam investir, regiões onde a violência, a guerra civil e a doença competem entre si, para ver quem consegue devastar mais rapidamente uma população civil. O mundo só ficará completamente plano quando estas pessoas forem levadas até ele.

Uma das poucas pessoas com recursos suficientes para fazer a diferença que se interessou por este desafio foi o *Chairman* da Microsoft, Bill Gates. Os 27 mil milhões de dólares da Fundação Bill & Melinda Gates foram aplicados nesta enorme população devastada pela doença, privada de oportunidades. Tenho sido muito crítico em relação a algumas práticas empresariais da Microsoft ao longo dos anos e não me arrependo de uma palavra que tenha escrito sobre algumas das suas práticas anticoncorrenciais. No entanto, fiquei impressionado com o empenho pessoal de Gates, que direccionou dinheiro e energia para o mundo que não é plano. De ambas as vezes que conversei com Bill Gates, ele falava deste assunto com uma grande paixão.

"Ninguém financia o que quer que seja para esses outros três mil milhões de pessoas," disse Gates. "Foi feita uma estimativa sobre o custo de salvar uma vida nos Estados Unidos e concluiu-se que seria cinco ou seis milhões de dólares – este é o montante que a nossa sociedade está disposta a pagar. Mas consegue salvar-se uma vida fora dos Estados Unidos por menos de cem dólares. E quem estará disposto a fazer *este* investimento?

"Se fosse apenas uma questão de tempo, do tipo 'deixemos passar 20 ou 30 anos que os outros lá chegarão', então seria maravilhoso dizer que todo o mundo é plano'. Mas o facto é que três mil milhões de seres humanos foram apanhados no meio da mudança e talvez nunca consigam entrar no ciclo virtuoso de mais educação, mais saúde, mais capitalismo, mais Estado de direito, mais riqueza... Estou preocupado com o facto de apenas metade do mundo poder vir a ser plano" explicou Gates.

Veja-se a malária, uma doença causada por um parasita transmitido pelos mosquitos. É, neste momento, o maior assassino do planeta. Embora, hoje em dia, praticamente ninguém morra de malária no mundo plano, mais de um milhão de pessoas morre anualmente devido a esta doença, no mundo que não é plano, e cerca de 700 mil são crianças, muitas delas de África. Na verdade, as mortes por malária duplicaram nos últimos 20 anos porque o parasita da malária transportado pelos mosquitos se tornou resistente a muitos medicamentos antimalária e as farmacêuticas não investiram muito em novas vacinas contra esta doença por considerarem que não seria lucrativo. Se esta crise acontecesse num país plano, referiu Gates, o sistema funcionaria: o governo faria o que fosse preciso para conter a doença, as empresas farmacêuticas fariam o que fosse preciso para colocar os medicamentos no mercado, as escolas educariam os jovens sobre medidas preventivas e o problema seria eliminado. "A resposta só funciona quando quem tem o problema também tem algum dinheiro," adiantou. Quando a Fundação Gates atribuiu 50 milhões de dólares para o combate à malária, "disseram-me que tínhamos acabado de duplicar a quantidade de dinheiro [a nível mundial] para combater a malária... Quando quem necessita não tem posses, compete a grupos de fora e a instituições de solidariedade social conseguir chegar até elas para as inserir no sistema e para que este possa dar a sua contribuição", acrescentou o *Chairman* da Microsoft.

Até agora, "não demos a essas pessoas a oportunidade de estar no mundo plano. Uma criança que tenha acesso à Internet, se tiver curiosidade tem tanto poder quanto eu. Mas se essa criança não for alimentada convenientemente, nunca irá 'jogar este jogo'. Sim, o mundo está mais pequeno, mas será que vemos realmente as condições em que as pessoas vivem? Não será o mundo ainda suficientemente grande para que não vejamos as verdadeiras condições em que as pessoas vivem, a criança cuja vida pode ser salva por 80 dólares?", questionou Gates.

Paremos por aqui um momento e imagine o quão benéfico seria para o mundo, e para os EUA, se a África, a Índia e a China rurais crescessem como pequenos EUA ou Uniões Europeias, em termos económicos e de oportunidades. Mas a possibilidade destas regiões entrarem nesse ciclo virtuoso é escassa se não existir um empurrão humanitário por parte das empresas do mundo plano e das sociedades filantrópicas, sendo também necessário que os governos atribuam mais recursos para a resolução dos seus problemas. A única saída é através de novas maneiras de colaboração entre as zonas do mundo planas e as que não são planas.

Em 2003, a Fundação Gates lançou um projecto chamado Grandes Desafios na Saúde Global. O que mais me agrada no projecto é a forma como a Fundação abordou a resolução deste problema. Ninguém disse: "Nós, a Fundação mais rica do Ocidente, vamos dar-vos a solução", fornecendo em seguida, como frequentemente acontece em situações semelhantes, uma lista de instruções e alguns cheques. O que os responsáveis da Fundação Gates disseram foi: "Vamos colaborar horizontalmente para definir tanto os problemas como as soluções – vamos criar valor desta forma –, depois a Fundação investirá o nosso dinheiro nas soluções que definirmos."

A Fundação Gates colocou publicidade na Internet e em canais convencionais que correram ambos os mundos, o desenvolvido e o em vias de desenvolvimento, pedindo aos cientistas que respondessem a uma grande questão: quais são os maiores problemas que, se a ciência se encarregasse deles e os resolvesse, poderiam mudar significativamente o destino de vários milhares de milhões de pessoas que caíram na armadilha do ciclo vicioso da mortalidade infantil, da reduzida esperança média de vida e das doenças? A Fundação Gates recebeu cerca de 800 páginas com ideias e sugestões de centenas de cientistas de todo o mundo, incluindo vencedores do Prémio Nobel. Um conselho especial de cientistas e médicos do mundo inteiro seleccionou e agrupou posteriormente numa lista de 14 Grandes Desafios – os quais, através do apoio de uma inovação tecnológica, poderiam derrubar uma barreira crítica para a resolução de um importante problema de saúde no mundo em vias de desenvolvimento. No Outono de 2003, foram anunciados estes 14 Grandes Desafios. Incluíam o seguinte: como criar uma dose de vacinas eficaz que possa ser dada logo após o nascimento, como preparar vacinas que não necessitem de refrigeração, como desenvolver sistemas de distribuição de vacinas sem recurso a agulhas, como compreender melhor as respostas imunológicas que providenciam imunidade protectora, como controlar melhor os insectos que transmitem os agentes da doença, como desenvolver uma estratégia genética ou química para incapacitar uma população de insectos transmissores de doenças, como criar um vasto leque de nutrientes óptimos biodisponíveis numa única espécie de planta e como criar métodos imunológicos que possam curar infecções crónicas. No período de um ano, a Fundação recebeu 1600 propostas relativas às formas de responder a estes desafios por parte de cientistas de 75 países. Posteriormente, a Fundação atribuiu 43 bolsas no valor de 436 milhões de dólares.

"Estamos a tentar alcançar duas coisas com este programa", explicou Rick Klausner, antigo Presidente do *National Cancer Institute* (Instituto Norte-americano de Combate ao Cancro), que geriu os programas de saúde global da Fundação Gates até ao Outono de 2005. "A primeira consiste em fazer um apelo moral à imaginação científica, sublinhando que há grandes problemas que necessitam de ser resolvidos e que nós, comunidade científica, ignorámos, apesar de nos orgulharmos da nossa internacionalização. Não assumimos as nossas responsabilidades na qualidade de solucionadores de problemas globais tão seriamente quanto a nossa própria identidade como comunidade internacional. Gostaríamos que os Grandes Desafios fossem vistos como sendo as áreas de trabalho mais interessantes, *sexy* e científicas para qualquer cientista neste momento... A ideia é fazer disparar a imaginação. A segunda é direccionar alguns dos recursos da Fundação para ver se realmente conseguimos concretizar o objectivo anterior."

O mais interessante, referiu Klausner, foi o facto de os vencedores das bolsas terem rapidamente apostado na formação de comunidades de colaboração – porque é realmente necessária uma "aldeia" para resolver problemas com este grau de complexidade e porque os cientistas perceberam rapidamente que não estavam a competir uns com os outros. "A intenção de resolver grandes problemas no presente requer um grande acréscimo de colaboração horizontal", salientou. "Este mundo [plano] dá-lhe as ferramentas necessárias. Pode assumir individualmente um projecto, mas não pode resolver sozinho um grande problema. Mas não era isto que esperávamos. Porque, embora estejamos a falar de colaboração, a competição está tão arreigada no esteróide criativo da ciência que não era óbvio que as pessoas fossem pôr de lado a competição para integrar uma comunidade mais alargada com o intuito de resolver um problema. Não é a tendência natural. Ficámos surpreendidos com isso."

Tendo em conta os grandes progressos tecnológicos dos últimos 20 anos, é fácil partir do princípio que já dispomos de todas as ferramentas para pegarmos nalguns destes desafios e que a única coisa que está a faltar são os meios financeiros. Gostaria que fosse o caso. Mas não é. Em relação à malária, por exemplo, não são apenas os medicamentos que faltam. Quem tenha visitado a África ou a Índia rural sabe que os sistemas de cuidados de saúde nestas regiões muitas vezes não funcionam ou funcionam a um nível muito precário. Por isso, a Fundação Gates está a tentar estimular o desenvolvimento de medicamentos e de sistemas de distribuição que ultrapassem os limites de um sistema de cuidados de saúde que não funciona e, assim, possam ser auto-administrados com segurança por pessoas comuns que actuem no terreno. Este poderá ser o maior desafio de todos: utilizar as ferramentas do mundo plano para conceber ferramentas que funcionem num mundo que não é plano. "O sistema de cuidados de saúde mais importante do mundo é uma mãe", referiu Klausner. "De que forma poderemos fornecer-lhe coisas que ela entenda, possa pagar e possa usar? Quando pensamos nos problemas de saúde nos países em vias de desenvolvimento, os homens são quase invisíveis, excepto pelo facto de fazerem parte da raiz do problema. Tudo se resume às mulheres."

A tragédia destas pessoas é realmente uma tragédia com consequências duplas, acrescentou Klausner. Existe a desgraça individual de ter de enfrentar uma sentença de morte devido à doença ou uma pena perpétua de famílias desfeitas e expectativas limitadas. Por outro lado, a tragédia para o mundo, devido à perda do contributo que poderia ser dado por todos estes milhões de pessoas que continuam de fora do mundo plano. Num mundo plano, em que estamos a relacionar todas as plataformas do conhecimento, imagine que quantidade de conhecimento estas pessoas poderiam trazer para a ciência ou educação. Num mundo plano, em que a inovação pode vir de qualquer lado, estamos a deixar escapar uma enorme plataforma de potenciais contribuintes e colaboradores. É óbvio que a pobreza origina problemas de saúde, mas os problemas de saúde também fazem com que as pessoas caiam numa espiral de pobreza, o que, por sua vez, as enfraquece e as impede de alcançar "o primeiro degrau da escada" na esperança de ascender à classe média. Até conseguirmos responder a alguns destes desafios, grande parte destes 50 por cento do mundo, que ainda não é plano, manter-se-á assim – independentemente do quão planos se possam tornar os restantes 50 por cento.

Existe, todavia, outro aspecto de "demasiado doente" que temos de considerar: o que acontece se os demasiado doentes encontrarem os que são realmente planos? Por outras palavras, há muito que o mundo assiste a pandemias que ceifam a vida de milhões de pessoas num curto espaço de tempo. Recentemente, o mundo também assistiu ao crescimento extremamente rápido da Wal-Mart e da sua cadeia de abastecimento, que é capaz de transportar produtos de um lado ao outro do mundo num curto período de tempo. O que o mundo nunca testemunhou foi uma pandemia da velha guarda num mundo Wal-Mart.

Uma pandemia de gripe num mundo Wal-Mart seria um pesadelo nada plano, proveniente de dois lados em simultâneo. De um lado, o mundo plano iria permitir que qualquer pandemia se disseminasse muito mais rapidamente e de forma muito mais intensa, provavelmente matando muito mais pessoas. E, do outro lado, a crise económica resultante desta pandemia seria muito maior e muito rápida, porque a nossa reacção natural às pandemias é a construção de muros e a eliminação da conectividade e do contacto pessoal – dado que o movimento e a interacção das pessoas e dos bens é precisamente o que dissemina algo como o vírus da gripe. Até mesmo quando o mundo era redondo, este tipo de situação era devastadora, como foi o caso da pandemia de gripe em 1918. Agora, num mundo a ficar plano

– quando 80 por cento das matérias-primas, que entram na concepção dos fármacos vendidos nos Estados Unidos, provêm de fornecedores estrangeiros e quando a borracha que mantém as máscaras cirúrgicas encostadas à cara provém de uma cadeia de abastecimento *just-in-time** que se inicia na Indonésia ou em África, se estende até à Europa e depois atravessa o oceano até à América – a nossa capacidade para lidar com qualquer pandemia seria mais reduzida. Todos começariam a cortar as estradas e a colocar sinais de "proibido entrar", o que acabaria por desmembrar qualquer cadeia de abastecimento do mundo. Em suma, a ocorrência de uma pandemia num mundo plano aumentaria claramente a importância de adquirir vacinas e fármacos no momento certo. Porém, a nossa capacidade de os adquirir no momento certo estaria mais reduzida do que nunca. Além disso não teríamos *stocks* armazenados para utilizar – porque, num mundo plano, os *stocks* passaram a ser considerados desperdício. Queremos a entrega de tudo no momento certo.

Michael T. Osterholm, director do *Center for Infectious Disease Research and Policy* (Centro de Regulação e Investigação de Doenças Infecciosas) da Faculdade de Saúde Pública na Universidade do Minnesota, salienta que a disseminação do vírus SRA (Síndroma Respiratória Aguda), em 2003, demonstrou até que ponto uma doença infecciosa se pode disseminar num mundo plano, dada a velocidade e a densidade das viagens aéreas internacionais. Realçou ainda que, depois do SRA ter surgido numa região rural da China, se espalhou a cinco países em 24 horas e a 30 países de seis continentes ao fim de alguns meses – o que causou prejuízos económicos no valor de milhares de milhões de dólares porque, por exemplo, os estivadores da costa ocidental dos Estados Unidos não queriam descarregar as mercadorias de navios provenientes das regiões infectadas.

Todavia, a velocidade de transmissão do SRA é como uma tartaruga quando comparada com uma pandemia de gripe.

"Preparámo-nos para uma transmissão muito mais rápida de qualquer vírus", salienta Osterholm, "mas as implicações de uma pandemia de gripe mortífera serão muito mais devastadoras no mundo actual."

Uma situação destas poderia minar muitas das funcionalidades, práticas empresariais e comodidades que assumimos como um dado adquirido na época moderna – bem como interromper as forças que tornam o mundo plano.

Ausência de poder

Não existe apenas o mundo plano e o mundo não-plano. Muitos vivem numa espécie de quinta dimensão situada entre ambos. Neste grupo incluem-se aqueles

* **N.T.** Em que a entrega do produto certo é feita no momento certo e na quantidade certa, sendo muitas vezes associado à redução de *stocks*.

a quem identifico como os que não têm poder. São um vasto grupo de pessoas que não entraram completamente no mundo plano. Ao contrário dos que estão demasiado doentes, que ainda têm uma hipótese de entrar no mundo plano, os que não têm poder são aqueles que podemos dizer que estão num mundo "meio plano". São pessoas saudáveis que vivem em países com zonas que já estão no mundo plano, mas que não dispõem das ferramentas, das competências ou das infra-estruturas necessárias para participar, de forma significativa ou sustentada, no processo. Apenas dispõem de informação suficiente para saber que o mundo em torno delas está a ficar plano e que elas não estão a recolher qualquer vantagem disso. Ser plano é positivo mas implica muita pressão. Não ser plano é terrível e implica muito sofrimento. Mas ser "meio plano" resulta numa situação muito especial de ansiedade. Por mais empolgantes e visíveis que sejam os sectores "planos" da alta tecnologia na Índia, não tenha ilusões: apenas contribuem com 0,2 por cento para o emprego na Índia. Se juntarmos os indianos que trabalham na área do fabrico para exportação, obteremos um total de dois por cento do total do emprego na Índia.

Os "meio planos" são todas aquelas centenas de milhões de pessoas, particularmente da Índia rural, China rural e Europa de Leste rural, que estão suficientemente próximas para ver, tocar e ocasionalmente beneficiar do mundo plano, mas que na verdade ainda não vivem nele. Percebemos o quão gigante e enraivecido este grupo se pode tornar, como aconteceu nas eleições nacionais indianas na Primavera de 2004, quando o partido no poder, o BJP, foi surpreendentemente preterido – apesar de ter sido sob a sua administração que a taxa de crescimento da Índia aumentou – em grande parte devido ao descontentamento dos eleitores da Índia rural em relação ao ritmo lento de globalização fora das grandes cidades. Esses eleitores não estavam a dizer: "Parem o comboio da globalização que nós queremos sair." Eles estavam a dizer: "Parem o comboio da globalização que nós queremos entrar, mas precisamos de quem nos ajude a construir um 'degrau que nos apoie a subir para o comboio'."

Estes eleitores rurais – camponeses e agricultores, que representam o grosso da população indiana – apenas tinham de passar um dia nos arredores de qualquer grande cidade para se aperceberem dos benefícios do mundo plano: os carros, as casas e as oportunidades ao nível do ensino. "Cada vez que um aldeão vê a televisão comunitária e assiste ao anúncio a um sabonete ou champô, aquilo em que repara não é no sabonete nem no champô, mas sim no estilo de vida das pessoas que os usam – o tipo de bicicletas motorizadas em que andam, as suas roupas e as suas casas", explicou Nayan Chanda, nascido na Índia e editor da YaleGlobal Online. "Vêem um mundo onde querem poder entrar. Esta eleição resultou de inveja e zanga. Foi o caso típico das revoluções que acontecem quando as coisas estão a ficar melhores mas não tão depressa quanto muitos desejariam."

Intuitivamente, a Índia rural compreendeu por que é que estava à margem do processo: porque em todo o país os governos locais foram tão corroídos pela corrupção e pela má gestão que não têm capacidade para providenciar aos pobres as escolas e as infra-estruturas de que necessitam para obter uma justa fatia do bolo. À medida que alguns destes milhões de indianos que estão do lado de fora das comunidades vedadas olham lá para dentro, vão perdendo a esperança e "tornam-se mais religiosos, mais ligados à sua casta/subcasta, mais radicais na forma de pensar, mais desejosos de deitar a mão ao que puderem em vez de criar e vêem os políticos corruptos como sendo a única forma de conseguirem mobilidade, uma vez que a mobilidade económica desapareceu", disse Vivek Paul, que foi CEO da Wipro até Junho de 2005. A Índia pode ter a mais moderna e inteligente tecnologia do mundo, mas, se não encontrar a forma de arrastar aqueles que estão entre os incapazes, incapacitados, com poucos estudos e com direito a poucos serviços, será como um foguetão que descola mas que acaba por cair por terra devido à falta de impulso sustentado.

O Partido do Congresso compreendeu a mensagem. Por esta razão, assim que assumiu o poder, não escolheu para Primeiro-ministro um qualquer activista antiglobalização, mas sim Manmohan Singh, ex-Ministro das Finanças indiano. Em 1991, Singh começou por abrir a economia do país à globalização, dando ênfase às exportações, ao comércio e à reforma "por atacado". Também se comprometeu pessoalmente a aumentar os investimentos governamentais em infra-estruturas rurais e a fazer mais reformas "a retalho" nos governos rurais.

Como é que quem "está de fora" pode colaborar neste processo? Penso que, antes de mais, pode redefinir o significado de populismo global. Se os populistas realmente querem ajudar os pobres do mundo rural, a forma de o fazer não é lançando fogo a um estabelecimento da McDonald's, nem acabando com o FMI ou impondo barreiras proteccionistas que irão fazer com que o mundo fique menos plano. Isso não ajudará nada "os pobres" do mundo rural. A ajuda terá de vir através de uma nova concentração das energias do movimento populista global para se encontrar a forma de melhorar os governos locais, as infra-estruturas e a educação em lugares como a Índia e a China rurais, para que a sua população possa obter as ferramentas necessárias para colaborar e participar no mundo plano. O movimento populista global, mais conhecido como movimento antiglobalização, está muito dinâmico, mas, até agora, tem estado demasiado dividido e nem sempre com ideias bem definidas para poder ajudar eficazmente os mais desfavorecidos de uma forma significativa ou sustentada. Precisa de uma lobotomia ao nível da sua política. Os "pobres" que existem no mundo não estão tão indignados com os "ricos", ao contrário do que imaginam os partidos da extrema esquerda do mundo desenvolvido. Indignam-se com o facto de não terem qualquer meio disponível para enriquecer e juntar-se ao mundo plano, para então transpor a linha de entrada na classe média de que Jerry Yang falava.

Façamos uma pausa para compreender de que forma é que o movimento antiglobalização perdeu o contacto com as verdadeiras aspirações dos mais "pobres". O movimento antiglobalização surgiu durante a conferência da OMC em Seattle, em 1999, tendo-se disseminado por todo o mundo nos anos seguintes, reunindo-se normalmente para atacar as reuniões do Banco Mundial, do FMI e do G-8*. Remontando às suas origens, o movimento que emergiu em Seattle foi um fenómeno conduzido essencialmente pelo Ocidente, razão pela qual eram poucas as pessoas de cor que se viam entre a multidão de manifestantes. O movimento era motivado por cinco forças díspares. Uma delas, a classe média-alta norte-americana liberal, sentia-se culpada perante a incrível riqueza e poder que os Estados Unidos tinham conquistado na sequência da queda do Muro de Berlim e do *boom* das *dot-com*. No auge do *boom* do mercado bolsista, muitos universitários norte-americanos mimados envergaram as suas roupas de marca e começaram a interessar-se pelos operários fabris, como forma de expiarem a sua culpa. A segunda força catalisadora consistiu num empurrão na retaguarda por parte da Velha Esquerda – socialistas, anarquistas e trotskistas – aliada aos sindicatos proteccionistas. A sua estratégia foi aproveitar as crescentes preocupações acerca da globalização para trazer de volta alguns resquícios de socialismo, apesar dessas ideias terem sido rejeitadas pelas próprias populações da antiga União Soviética e países satélites e pela China, que foram as que viveram mais tempo sob o seu domínio. (Agora já sabe por que é que não houve qualquer movimento antiglobalização na Rússia, na China ou na Europa de Leste.) Estas forças da Velha Esquerda queriam motivar um debate sobre *até que ponto nós globalizamos*. Diziam falar em nome dos "pobres" do Terceiro Mundo, mas as políticas económicas falidas que defendiam transformaram-nos, em meu entender, na "Coligação para manter pobres as pessoas pobres". A terceira força tratava-se de um grupo mais amorfo. Era representado por muitos que apoiaram passivamente o movimento antiglobalização em vários países, porque viam nisso uma espécie de protesto contra a velocidade a que o velho mundo estava a desaparecer e a tornar-se plano.

A quarta força catalisadora do movimento, particularmente forte na Europa e no mundo islâmico, foi a do antiamericanismo. A disparidade entre o poder económico e político norte-americano e todos os outros aumentou de tal forma, depois do desmoronar da União das Repúblicas Socialistas Soviéticas, que os EUA começaram – ou eram entendidos como tal – a mexer mais, directa ou indirectamente, com as vidas das pessoas de todo o planeta do que os seus próprios governos. À medida que o mundo inteiro começou a intuir isso, surgiu um movimento, que Seattle reflectiu e ajudou a catalisar. "Se os Estados Unidos estão a afectar a minha vida, directa ou indirectamente, mais do que o meu próprio governo, então quero

---

* **N.T.** As oito nações mais industrializadas do mundo.

ter uma palavra a dizer quanto ao poder dos Estados Unidos." Por ocasião da conferência de Seattle, o tema predominante era o facto de as pessoas serem afectadas pelo poder económico e cultural norte-americano e, por conseguinte, o discurso centrava-se em torno de instituições económicas decisoras, como a OMC. Os Estados Unidos, nos anos 90, sob a presidência de Bill Clinton, foram vistos como um grande dragão tolo, empurrando todos à sua volta para as esferas económicas e culturais, com e sem intenção. Os Estados Unidos eram "Puff, o Dragão Mágico" e todos queriam ter uma palavra a dizer sobre o que se estava a passar.

Depois veio o "11/9". E foi nessa altura que os Estados Unidos se transformaram, passando do "Puff, o Dragão Mágico", que influenciava económica e culturalmente o mundo inteiro, para o "Godzilla", cuspindo fogo e agitando furiosamente a sua cauda, atingindo a vida de muitos em termos militares e de segurança, não apenas ao nível cultural e económico. Quando isso aconteceu, o mundo inteiro começou a defender o seguinte: "Agora queremos *mesmo* ter uma palavra a dizer sobre a forma como os Estados Unidos exercem o seu poder" – e, em muitos sentidos, toda a discussão em torno da guerra do Iraque foi um debate substituto dessa questão.

Por último, a quinta força deste movimento foi uma coligação de grupos sérios, bem-intencionados e construtivos – desde ambientalistas a activistas comerciais, passando por ONG preocupadas com a governação, que se associaram ao movimento populista antiglobalização nos anos 90, na esperança de poderem dinamizar um debate global sobre *como globalizamos*. Nutri imenso respeito e simpatia por este último grupo. Mas afinal acabou por ser abafado pelo grupo dos *até que ponto nos globalizamos*, que começou a dar um carácter mais violento ao movimento, em Julho de 2001, em Génova, por ocasião da cimeira do G-8, quando um manifestante antiglobalização foi morto enquanto atacava um jipe da polícia italiana com um extintor.

A combinação desta tripla convergência, a violência em Génova, o "11/9" e as medidas de segurança mais apertadas, fracturaram o movimento antiglobalização. Os grupos *como globalizamos*, mais sérios, não queriam estar na mesma trincheira dos anarquistas, desejosos de provocar confrontos públicos com a polícia. Após o "11/9", muitos grupos de trabalho norte-americanos não quiseram estar associados a um movimento que parecia ter sido tomado de assalto por elementos antiamericanos. Este facto tornou-se ainda mais evidente quando, no final de Setembro de 2001, três semanas após o "11/9", os líderes da luta antiglobalização tentaram fazer nas ruas de Washington uma réplica da manifestação de Génova, para protestar contra as reuniões do FMI e do Banco Mundial ali realizadas. Contudo, após o "11/9", o FMI e o Banco Mundial cancelaram as suas reuniões e muitos manifestantes norte-americanos desmobilizaram. Os que desfilaram pelas ruas de Washington transformaram o evento numa marcha contra a iminente invasão norte-americana do Afeganistão para liquidar Ussama bin

Laden e a al-Qaeda. Ao mesmo tempo, com a tripla convergência a tornar os chineses, os indianos e os europeus de Leste nos grandes beneficiários da globalização, deixou de ser viável defender que este fenómeno estava a devastar os mais "pobres". Foi precisamente o oposto. Milhões de chineses e indianos estavam a entrar para a classe média mundial graças à globalização e ao facto de o mundo estar a tornar-se plano.

À medida que as forças *como globalizamos* se foram dispersando e que o número de pessoas do Terceiro Mundo que beneficiavam da globalização ia crescendo, e que os EUA, sob a Administração Bush, começou a pôr em prática uma política militar unilateral, o elemento antiamericano começou a assumir um papel muito mais relevante no movimento antiglobalização e o seu tom de voz tornou-se mais elevado. O próprio movimento tornou-se mais antiamericano, mais incapaz – e relutante – de desempenhar qualquer papel construtivo na configuração do debate global sobre *como globalizamos*, precisamente quando esse papel se tornou ainda mais importante à medida que o mundo ficava mais plano. Conforme o especialista em política da Universidade Hebraica de Jerusalém, Yaron Ezrahi, salientou: "A importante tarefa de recrutar o poder das pessoas para influenciar a globalização – tornando-o mais solidário, justo e compatível com a dignidade humana – é uma via demasiado importante para ser desperdiçada em antiamericanismos primários ou para ser deixada apenas nas mãos de antiamericanos."

Hoje temos um enorme vazio político à espera de ser preenchido. Existe um papel importante para um movimento que poderia dar continuidade à agenda de *como globalizamos* – e não de *até que ponto é que globalizamos*. O melhor local para um movimento destes começar é na Índia rural.

"Tanto o Partido do Congresso como os seus aliados de esquerda estariam a colocar em risco o futuro da Índia se tirassem a conclusão errada da sua eleição em 2004." Pratap Bhanu Mehta, que lidera o Centro de Investigação Política, em Nova Deli, escreveu no jornal *The Hindu*: "Esta não é uma revolta contra o mercado; não se trata de ressentimentos contra os ganhos da liberalização, mas um apelo para que o Estado arrume a sua casa através de mais reformas... A revolta contra os detentores do poder não é uma revolta dos 'pobres' contra os 'ricos': o cidadão comum tem muito menor propensão para ficar ressentido com o sucesso das outras pessoas do que aquilo que os intelectuais supõem. É mais uma expressão do facto de a reforma do Estado não ter ido suficientemente longe."

É por isso que, na minha opinião, as mais importantes forças de combate à pobreza na Índia de hoje são as ONG que lutam pelo estabelecimento de melhores governos locais, usando a Internet e outras ferramentas modernas do mundo plano para chamar a atenção para a corrupção, a má gestão e a fuga aos impostos. Os mais importantes e eficazes propósitos populistas, no mundo de hoje, não são os que distribuem dinheiro. São aqueles que têm uma agenda para conduzir uma reforma "a retalho" ao nível local nos seus países – de forma a facilitar ao cidadão comum o registo do seu terreno, mesmo que se tenha apropriado dele ilegalmente por se encontrar desocupado; para iniciar um negócio, independentemente da sua dimensão; e para ter direito à justiça mínima do sistema judicial. O moderno populismo, para ser eficaz e ter significado, deve incidir sobre as reformas "a retalho" – tornando a globalização funcional, sustentável e justa para mais pessoas ao melhorar a sua governação local, de forma a que o apoio que já está destinado aos "pobres" realmente chegue até eles e para que, assim, o seu empreendedorismo natural possa ser libertado. É através do governo local que as pessoas se ligam ao sistema e conseguem usufruir dos benefícios do mundo plano em vez de ficarem apenas a observá-los. Os aldeões indianos não têm capacidade para agir como as empresas indianas de alta tecnologia, às quais basta contornar o governo e tratar de arranjar a sua própria electricidade, o seu próprio abastecimento de água, a sua própria segurança, o seu próprio sistema de transportes públicos e a sua própria cobertura por satélite. *Eles precisam do Estado para isso.* O mercado não pode ser responsabilizado pela dissimulação da incapacidade do Estado em oferecer uma boa governação. O Estado tem de ficar melhor. Precisamente por o Estado indiano ter optado por uma estratégia de globalização em 1991, abandonando 50 anos de políticas influenciadas pelo socialismo – que colocou as suas reservas de divisas estrangeiras perto do zero – Nova Deli já tinha constituído reservas no valor de cem mil milhões de dólares em 2004, o que lhe forneceu os recursos necessários para apoiar o seu povo num cenário de um mundo plano.

Ramesh Ramanathan, um antigo executivo do Citibank nascido na Índia, que regressou ao seu país para liderar uma ONG chamada Janaagraha, dedicada a melhorar a governação local, é precisamente o tipo de novo populista que tenho em mente. "Na Índia," disse ele, "os utentes do sistema público de educação estão a enviar um sinal sobre a qualidade do serviço oferecido: quem tem meios financeiros para não participar, é isso mesmo que faz. O mesmo acontece com os cuidados de saúde. Dada a escalada dos custos dos cuidados de saúde, se tivéssemos um sólido sistema público de cuidados de saúde, a maioria dos cidadãos optaria por recorrer a ele, não apenas os 'pobres'. O mesmo sucede com as estradas, as auto-estradas, as redes de abastecimento de água, os sistemas sanitários, os registos de nascença e óbito, as cremações, as cartas de condução, etc. Onde quer que o governo providencie esses serviços, deveria fazê-lo para benefício de todos os cidadãos. Mas, de facto, em alguns destes serviços, como o abastecimento de água e o sistema sanitário, os 'pobres' não estão realmente a ter acesso aos mesmos serviços básicos que a classe média e os ricos. O desafio que aqui se coloca é o acesso universal." Conseguir que as ONG possam colaborar a nível local para assegurar que os "pobres" tenham acesso a estas infra-estruturas e a orçamentos, aos quais têm direito, pode ter um grande impacto na minimização da pobreza.

Apesar de isto parecer estranho vindo de mim, é totalmente consistente com todo este livro: o que o mundo não precisa, neste momento, é que o movimento antiglobalização desapareça. Precisamos dele para crescer. Este movimento tem muita energia e uma forte capacidade mobilizadora. O que faltou foi uma agenda coerente para apoiar os "pobres", colaborando com eles de uma forma que pudesse realmente ajudá-los. Os grupos activistas que estão a ajudar a atenuar mais a pobreza são aqueles que estão a trabalhar ao nível das aldeias locais em sítios como a Índia, a África e a China rurais. Tentam denunciar e combater a corrupção, promovem a responsabilização, a transparência, a educação e os direitos de propriedade. Não ajudamos os "pobres" deste mundo quando nos mascaramos de tartarugas e atiramos pedras às vidraças de um McDonald's. Podemos ajudá-los proporcionando-lhes as ferramentas e as instituições de que necessitam para se ajudarem a eles próprios. Pode não ser tão *sexy* como protestar contra os líderes mundiais nas ruas de Washington e Génova e conseguir vários minutos de antena por parte da CNN, mas é muito mais importante. Pergunte a qualquer aldeão indiano.

A colaboração na minimização da pobreza não é tarefa exclusiva das ONG. Também compete às grandes multinacionais. Os "pobres" das zonas rurais da Índia, de África e da China representam um grande mercado, e é possível fazer dinheiro nessas regiões e servi-los – se as empresas estiverem preparadas para colaborar horizontalmente com os "pobres". Um dos exemplos mais interessantes com que me deparei em relação a esta forma de colaboração consiste num programa gerido pela Hewlett-Packard (HP).

A HP não é uma ONG. A HP começou por fazer uma pergunta simples: Do que é que os "pobres" necessitam mais, que lhes possamos vender? Não pode conceber esse tipo de ajuda em Palo Alto; tem de a criar juntamente com o beneficiário cliente-utilizador. Para responder a esta questão, a HP criou uma parceria público-privada com o governo nacional indiano e o governo local de Andhra Pradesh. Depois, um grupo de responsáveis tecnológicos da HP iniciou uma série de conversas na aldeia agrícola de Kuppam. Perguntou aos locais o seguinte: Quais são as vossas expectativas para os próximos três a cinco anos? E que mudanças poderiam realmente melhorar as vossas vidas? Para ajudar os aldeões (muitos deles analfabetos) a expressarem-se, a HP utilizou um conceito denominado facilitação gráfica, através do qual, quando as pessoas diziam quais eram os seus sonhos e aspirações, um artista visual que a HP levara consigo dos EUA projectava imagens das suas aspirações num papel artesanal colocado nas paredes em torno da sala.

"Quando as pessoas, especialmente as que não sabiam ler nem escrever, diziam algo que aparecia imediatamente representado na parede, sentiam-se de facto válidas e, consequentemente, ficavam mais animadas e mais empenhadas", explicou Maureen Conway, *Vice President* da HP para as soluções para mercados emergentes e que liderou o projecto. "Aumenta a auto-estima." Assim que estes pobres agricultores, que viviam em aldeias longínquas, se sentiram mais à-vontade, começaram realmente a sonhar. "Um deles disse: 'O que nós realmente precisamos é de um aeroporto'," disse Conway.

No final das sessões de visionamento, os colaboradores da HP passaram mais algum tempo na aldeia a observar a forma como ali se vivia. Uma tecnologia que estava a faltar nas suas vidas era a fotografia. Conway explicou: "Reparámos que nos pediram imensas vezes para tirarmos fotografias para fins de identificação, licenças, candidaturas e autorizações governamentais, e pensámos: 'Talvez haja aqui uma oportunidade de empreendedorismo se conseguirmos transformar alguns deles em fotógrafos da aldeia'. Existia um estúdio fotográfico no centro de Kuppam. Todos os outros viviam da agricultura. Reparámos que se deslocavam das suas aldeias de autocarro, demoravam duas horas no caminho, para lhes ser tirada uma fotografia e regressavam uma semana depois para receber as fotografias, para muitas vezes descobrirem que estas não estavam prontas ou que tinham ficado mal. O tempo é tão importante para eles como para nós. Por isso, concluímos: 'Esperem lá, fabricamos máquinas fotográficas digitais e impressoras portáteis. Então qual é o problema?' Por que razão é que a HP não lhes vende várias máquinas fotográficas e impressoras? Os aldeões devolveram-nos uma resposta curta: 'Electricidade.' Eles não tinham fornecimento fixo de electricidade e não dispunham de muito dinheiro para pagar por isso."

Então, dissemos: "Somos adeptos da tecnologia. Vamos arranjar um painel solar e colocá-lo numa mochila com rodas e perceber se se torna num bom negócio. Se for, criamos um estúdio fotográfico móvel." Foi essa a abordagem que escolhemos. O painel solar consegue carregar tanto a máquina como a impressora. Em seguida dirigimo-nos a um grupo feminino de auto-ajuda. Pegámos em cinco mulheres e dissemos: "Vamos ensinar-vos a usar este equipamento." Demos-lhes duas semanas de formação. Depois dissemos-lhes: "Vamos fornecer-vos a máquina e acessórios e dividiremos as receitas convosco por cada fotografia tirada." Isto não foi caridade. Mesmo depois de terem comprado à HP todos as máquinas de que necessitavam e de terem dividido parte das receitas com a HP, as mulheres no grupo de fotografia duplicaram os rendimentos dos seus agregados familiares. "Para ser honesta, aquilo que descobrimos foi que menos de 50 por cento das fotografias que elas tiravam eram para fins de identificação. As restantes eram para pessoas que apenas desejavam ter fotos dos seus filhos, do casamento e delas próprias", referiu Conway. Os "pobres" gostam tanto de álbuns de fotografias de família quanto os "ricos" e estão dispostos a pagar por isso. O governo local fez também deste grupo de mulheres as suas fotógrafas oficiais para projectos de obras públicas, o que veio incrementar os seus rendimentos.

Fim da história? Nem por isso. Conforme referi, a HP não é uma ONG. "Passados quatro meses, concluímos: 'OK, a experiência terminou, vamos levar a máquina de volta'," contou-me Conway. "Elas responderam: 'Deve estar louca'." Por isso, a HP disse a essas mulheres que, se quisessem manter a máquina, a impressora e o painel solar teriam de apresentar um plano relativo ao pagamento desse material. Elas acabaram por propor alugar tudo por nove dólares por mês e a HP concordou. Agora estão a ramificar-se por outras aldeias. A HP, entretanto, começou a trabalhar com uma ONG para dar formação sobre o estúdio de fotografia portátil a vários grupos de mulheres. Neste momento, a HP tem potencial para vender a sua ideia às ONG por toda a Índia, ao mesmo tempo que fornece os tinteiros e outros acessórios da HP. Depois da Índia, quem sabe para onde irão a seguir?

"Elas estão a dar-nos *feedback* sobre as máquinas e sobre a sua facilidade de utilização", afirmou Conway. "É espantoso ver como este negócio contribuiu para aumentar a confiança daquelas mulheres."

Demasiado frustrados

Uma das consequências não previstas do mundo plano é que aproxima o contacto de diferentes sociedades e culturas. Relaciona as pessoas entre si de forma muito mais rápida do que aquela a que nós e a nossa cultura estamos preparados. Algumas culturas prosperam com as súbitas oportunidades de colaboração promovidas por esta "intimidade" global. Outras sentem-se ameaçadas, frustradas e até humilhadas com este contacto mais próximo que, entre outras coisas, torna mais fácil vermos em que posição estão no mundo, comparativamente com os outros. Tudo isto ajuda a explicar o surgimento de uma das forças mais perigosas que actualmente lutam contra o mundo plano – os bombistas suicidas da al-Qaeda e outras organizações islâmicas de terroristas, que estão a sair do mundo muçulmano e das comunidades muçulmanas na Europa.

O mundo árabe-muçulmano é uma civilização enorme e variada, constituída por mais de mil milhões de pessoas e que se estende desde Marrocos até à Indonésia e desde a Nigéria até aos subúrbios de Londres. É muito perigoso fazer generalizações sobre uma comunidade religiosa tão complexa, composta por etnias e nacionalidades tão díspares. Basta ler os cabeçalhos de qualquer jornal diário para perceber que parece estar a germinar muita revolta e frustração no mundo muçulmano em geral e no mundo árabe-muçulmano em particular, onde muitos jovens parecem sentir-se inquietos com uma série de questões. Uma das mais óbvias é o inflamado conflito israelo-árabe e a ocupação israelita dos territórios palestinianos e de Jerusalém Leste – uma ofensa que tem um poderoso efeito emocional na imaginação árabe-muçulmana e que há muito azedou as relações com os Estados Unidos e o Ocidente.

Essa não é a única razão para a revolta que fermenta nestas comunidades. Essa revolta está também relacionada com a frustração de os árabes e muçulmanos terem de viver, em muitos, muitos casos, sob regimes autoritários, que não só privam o seu povo de ter uma palavra a dizer sobre o seu próprio futuro, mas também privaram dezenas de milhões de jovens de oportunidades para alcançar o seu pleno potencial através de bons empregos e escolas modernas. O facto de o mundo plano possibilitar a fácil comparação com outras circunstâncias só vem agravar as suas frustrações.

Alguns destes jovens árabes-muçulmanos, de ambos os sexos, preferiram emigrar para poder encontrar oportunidades no Ocidente; outros optaram por sofrer em silêncio nas suas casas, à espera que aconteça uma mudança. Uma das experiências jornalísticas mais memoráveis que tive desde o "11/9" foi os meus encontros, no mundo árabe, com alguns desses jovens. Como a coluna que escrevo, com a minha fotografia, é publicada em árabe no principal jornal pan-árabe, o *Al-Sharq Al-Awsat* (sediado em Londres), e uma vez que apareço frequentemente em programas noticiosos na televisão árabe por satélite, a minha imagem é conhecida naquela região do mundo. Mesmo assim fiquei espantado com a quantidade de jovens árabes e muçulmanos – homens e mulheres – que me abordaram nas ruas do Cairo ou no Golfo Pérsico desde o "11/9" e que me disseram o mesmo que um jovem na mesquita de Al-Azhar, numa sexta-feira depois da oração da tarde: "Você é o Friedman, não é?"

Fiz um sinal afirmativo com a cabeça.

"Continue a escrever aquilo que escreve", disse-me. Referia-se ao facto de eu escrever sobre a importância de levar mais liberdade de pensamento, expressão e oportunidade ao mundo árabe-muçulmano, para que os seus jovens possam concretizar o seu potencial.

Infelizmente, estes jovens progressistas não são os que definem hoje a relação entre a comunidade árabe-muçulmana e o mundo em geral. Cada vez mais, este relacionamento está a ser dominado e definido por extremistas e militantes religiosos, que dão livre curso às frustrações naquela região do mundo através de ataques violentos. O tema que pretendo desenvolver nesta secção é o seguinte: o que é que deu origem a esta violenta facção islamista e por que motivo encontrou tanto apoio passivo no mundo árabe-muçulmano de hoje – apesar de, estou convencido, a vasta maioria que ali vive não partilhar da agenda violenta destes grupos ou das suas visões apocalípticas?

A questão é relevante para um livro sobre o mundo plano, por uma razão muito simples: basta haver outro ataque nos Estados Unidos da magnitude do "11/9", ou pior, para que se ergam muros por todo o lado e o processo que está a tornar o mundo plano seja posto de lado durante muito, muito tempo.

É precisamente isso que os islamistas pretendem.

Quando os radicais e fundamentalistas muçulmanos olham para o Ocidente, apenas conseguem ver a liberdade que nos torna, aos olhos deles, decadentes e promíscuos. Apenas vêem a "abertura" que deu origem à Britney Spears e à Janet

Jackson. Não vêem, e não querem ver, a "abertura" – a liberdade de pensamento e de se poder questionar – que nos tornou poderosos, a "abertura" que deu origem ao Bill Gates e à Sally Ride. Deliberadamente definem isto tudo como decadência. Porque se a "abertura", a delegação de poderes às mulheres e a liberdade de pensamento e de se poder questionar são as verdadeiras fontes do poder económico do Ocidente, então o mundo árabe-muçulmano teria de mudar. E os fundamentalistas e extremistas não querem mudar.

Para combater a ameaça de abertura, os extremistas muçulmanos optaram, de forma bastante deliberada, por minar tudo aquilo que faz com que as sociedades abertas continuem a abrir-se, a inovar e a inserir-se no mundo plano, e a isso chama-se *confiança*. Quando os terroristas pegam em instrumentos do nosso dia-a-dia – automóvel, avião, ténis, telemóvel – e os transformam em armas de violência indiscriminada, diminuem a confiança das pessoas.

Quando estacionamos de manhã o nosso carro na baixa da cidade, confiamos que o carro do lado não vai explodir; quando vamos ao parque temático Disney World, confiamos que o homem que enverga o fato do Rato Mickey não traz consigo uma bomba; quando fazemos o voo interno de ligação entre Boston e Nova Iorque, confiamos que o estudante estrangeiro sentado ao nosso lado não vai fazer explodir os seus ténis. Sem confiança, não temos uma sociedade "aberta", porque não existem forças de segurança suficientes para patrulhar uma sociedade "aberta". Sem confiança, também não pode existir um mundo plano, porque é a confiança que nos permite derrubar muros, remover barreiras e eliminar fricções nas fronteiras. A confiança é essencial para um mundo plano, onde existem cadeias de abastecimento que envolvem dezenas, centenas ou milhares de pessoas, a maioria das quais nunca se conheceu pessoalmente. Quanto mais as sociedades "abertas" estão sujeitas ao terrorismo indiscriminado, mais a confiança desaparece e mais as sociedades "abertas" construirão muros e escavarão fossos.

Os fundadores da al-Qaeda não são fundamentalistas religiosos *per se*. Ou seja, não estão simplesmente concentrados no relacionamento entre eles e Deus, e nos valores e normas culturais da comunidade religiosa. São mais um fenómeno político do que religioso. Gosto de lhes chamar islamo-leninistas. Uso o termo "leninistas" para abranger a visão utópico-totalitária da al-Qaeda, assim como o seu autoconceito. Conforme disse o principal ideólogo da al-Qaeda, Ayman al-Zawahiri, a al-Qaeda é a vanguarda ideológica, cujos ataques aos Estados Unidos e a outros alvos ocidentais se destinam a mobilizar e a dar energia aos povos muçulmanos para se revoltarem contra os seus próprios governantes corruptos, que são apoiados pelos EUA. À semelhança de todos os bons leninistas, os islamo-leninistas têm a certeza de que os povos muçulmanos estão profundamente insatisfeitos com a sua sorte e que um ou dois ataques espectaculares da *jihad* contra os "pilares da tirania" no Ocidente lhes darão ânimo para derrubar os seculares, imorais e injustos regimes muçulmanos que profanaram o Islão. No entanto, em sua substituição, os islamo-leninistas não querem estabelecer um paraíso de trabalhadores, mas sim um paraíso religioso. Eles comprometem-se a edificar um Estado islâmico ao longo do mesmo território que o Islão governou em peso, liderado por um califa, líder político-religioso supremo, que uniria todos os povos muçulmanos numa única comunidade.

Em muitos sentidos, o islamo-leninismo teve origem num contexto histórico semelhante às ideologias radicais europeias dos séculos XIX e XX. O fascismo e o marxismo-leninismo surgiram da rápida industrialização e modernização da Alemanha e da Europa Central, onde as comunidades que viviam em aldeias e no seio de grandes famílias com fortes laços entre si foram, de repente, desmembradas quando pais e filhos optaram por ir para as áreas urbanas trabalhar nas grandes empresas industriais. Naquela época de transições, os jovens perderam o sentido de identidade, as suas raízes, e a dignidade pessoal que tinha sido transmitida por estruturas sociais tradicionais. No meio desse vazio, apareceram Hitler, Lenine e Mussolini, que disseram a esses jovens que tinham uma resposta para a sua sensação de desajustamento e humilhação: podes já não viver na aldeia ou pequena cidade, mas continuas a ser o orgulho e a ser um digno membro de uma comunidade maior – a classe trabalhadora, ou a nação ariana.

Bin Laden ofereceu a mesma espécie de resposta ideológica aos jovens árabes e muçulmanos. A primeira pessoa a reconhecer o carácter islamo-leninista dos piratas do ar do "11/9" – que não eram fundamentalistas, mas sim membros de um culto político extremista e violento – foi Adrian Karatnycky, Presidente da *Freedom House**. Num artigo publicado em 5 de Novembro de 2001 na *National Review*, intitulado "Mesmo por debaixo dos nossos narizes", Karatnycky diz o seguinte: "Os principais piratas do ar... foram crianças privilegiadas, com direito a uma boa formação escolar. Nenhum deles sofreu na pele qualquer privação económica ou opressão política." Nenhum deles parece ter sido criado num lar particularmente fundamentalista. De facto, os principais operacionais e pilotos do "11/9", como Mohammed Atta e Marwan al-Shehhi, dividiram um apartamento em Hamburgo, onde ambos frequentaram a Universidade Técnica de Hamburgo-Harburg. Pareciam ter sido todos recrutados pela al-Qaeda através de células e grupos de oração – depois de terem ido viver para a Europa. Nenhum destes conspiradores foi recrutado no Médio Oriente e depois colocado na Europa, anos antes, por bin Laden, salienta Karatnycky. Pelo contrário. Praticamente todos parecem ter vivido na Europa, às suas próprias expensas, alienados da sociedade europeia que os rodeava, tendo sido atraídos por um grupo de oração local ou mesquita

---

* **N.T.** Organização norte-americana sem fins lucrativos que se dedica ao estudo e defesa dos direitos humanos.

enquanto procuravam calor humano e solidariedade, mantido conversações sobre "nascer de novo", sendo radicalizados por elementos islamistas e ido posteriormente treinar no Afeganistão. E assim nascia um terrorista. A sua descoberta da religião não fazia apenas parte de uma busca pessoal de sentido. Foi muito além do fundamentalismo. Eles converteram o Islão numa ideologia política, um totalitarismo religioso. Se os piratas do ar do "11/9" tivessem estudado em Berkeley, no início da década de 70, teriam sido radicais trotskistas.

"Para compreendermos os terroristas do '11/9', devemos ter em mente o perfil do clássico revolucionário: desenraizado, da classe média, moldado em parte pelo exílio. Por outras palavras, a imagem de Lenine, em Zurique, de Pol Pot ou Ho Chi Minh, em Paris... Para eles, o islamismo é o novo credo revolucionário universal, e bin Laden é o Che Guevara deles", escreveu Karatnycky. "À semelhança dos líderes do Weather Underground nos EUA, do Baader-Meinhof na Alemanha, das Brigadas Vermelhas em Itália e da Facção do Exército Vermelho no Japão, os terroristas islâmicos eram homens com cursos universitários que se converteram a uma ideologia abrangente neototalitarista."

Um amigo meu, Abdallah Schleifer, professor de Jornalismo no Cairo, conheceu pessoalmente Ayman al-Zawahiri, o braço direito de bin Laden e principal ideólogo da al-Qaeda, quando al-Zawahiri era um jovem médico a caminho de se tornar num jovem revolucionário muçulmano neoleninista. "Ayman foi seduzido, quando ainda era adolescente, para uma visão utópica do Estado islâmico", contou-me Schleifer numa visita que fiz ao Cairo. No entanto, em vez de se virar para a preocupação tradicional da religião – a relação de cada indivíduo com Deus – al-Zawahiri acabou por se virar para a religião como ideologia política. Como qualquer bom marxista ou leninista, al-Zawahiri estava interessado em "criar o Reino de Deus na Terra", disse Schleifer, e o islamismo tornou-se no seu marxismo – a sua "ideologia utópica". Quando Mohammed Atta encontra al-Zawahiri é o ponto de intersecção em que a zanga e a humilhação encontram a ideologia que vai fazer tudo dar certo. "Ayman diz a alguém como Mohammed Atta: 'Por acaso vês alguma injustiça? Temos um sistema – *um sistema, lembra-te, um sistema* – que te dará a justiça, não uma religião, porque a religião dá-te paz interior'. Isso não resolve necessariamente qualquer problema social. Mas al-Zawahiri afirma que 'nós temos um sistema que te dará justiça. Sentes-te frustrado? Temos um sistema que te permitirá florescer'. O sistema é aquilo a que chamamos islamismo – um Islão ideológico, altamente politizado, do qual se retira o conteúdo espiritual – a relação pessoal com Deus – e, em seu lugar, transforma-se numa ideologia religiosa como o fascismo ou o comunismo." No entanto, ao contrário dos leninistas, que queriam criar o reino da classe perfeita, a classe trabalhadora, e ao contrário dos nazis, que queriam criar o reino da raça perfeita, a raça ariana, bin Laden e al-Zawahiri queriam criar o reino da religião perfeita.

Infelizmente, bin Laden e os seus companheiros descobriram que era muito fácil atrair recrutas para o mundo árabe-muçulmano. Penso que isto tem a ver, em parte, com o facto de muitos jovens árabes-muçulmanos viverem num mundo "meio-plano", particularmente os que se encontram na Europa. Foram criados a acreditar que o Islão é a mais perfeita e completa expressão da mensagem monoteísta de Deus e que o profeta Maomé é o último e mais perfeito mensageiro de Deus. Isto não é uma crítica. Trata-se da auto-identidade do Islão. Mas, num mundo plano, estes jovens, especialmente os que vivem na Europa, podem e vão olhar em redor e perceber que o mundo árabe-muçulmano ficou para trás do resto do planeta. Esse mundo não está a viver de maneira tão próspera ou democrática como outras civilizações. Como é que isso pode ser?, interrogam-se estes jovens árabes e muçulmanos. Se temos a fé superior a todas e se a nossa fé abarca a religião, a política e a economia, por que motivo é que os outros vivem muito melhor do que nós?

Esta é uma fonte de verdadeira dissonância cognitiva para muitos jovens árabes-muçulmanos – o tipo de dissonância e perda de auto-estima que despoleta a zanga e leva a que alguns se reúnam em grupos violentos e ataquem o mundo. É também o tipo de dissonância que leva muitos outros indivíduos comuns a apoiar passivamente grupos radicais como a al-Qaeda. Uma vez mais, o mundo plano só aprofunda essa dissonância, ao tornar o atraso da região árabe-muçulmana, comparada com outras, impossível de ignorar. Tornou-se tão impossível de ignorar que alguns intelectuais árabes-muçulmanos começaram a salientar esse atraso com uma honestidade brutal e a exigir soluções. Fazem isto desafiando os seus governos autoritários que, em vez de utilizarem os *media* para encorajar um debate honesto, preferem usá-los para atribuir as culpas dos seus problemas a outros – aos EUA, a Israel, a um legado do colonialismo ocidental ou a tudo e a todos excepto à actuação desses regimes autoritários.

De acordo com o segundo Relatório do Desenvolvimento Humano Árabe, que foi redigido em 2003 no âmbito do Programa das Nações Unidas para o Desenvolvimento por um grupo corajoso de cientistas sociais árabes, entre 1980 e 1999 os países árabes produziram 171 patentes internacionais. Só a Coreia do Sul registou, no mesmo período, 16 328 patentes. A Hewlett-Packard regista em média 11 novas patentes por dia. Segundo o relatório, o número médio de cientistas e engenheiros que trabalham em investigação e desenvolvimento nos países árabes é de 371 por cada milhão de pessoas, ao passo que a média mundial, incluindo países de África, da Ásia e da América Latina, é de 979. Isto ajuda a explicar a razão por que, embora sejam importadas para as regiões árabes quantidades maciças de tecnologia estrangeira, muito pouca é interiorizada ou suplantada por inovações árabes. Entre 1995 e 1996, 25 por cento dos licenciados que estudaram no mundo árabe emigraram para algum país ocidental. Existem actualmente apenas 18 computadores por cada mil pessoas no mundo árabe, em comparação com a média global de 78 por cada mil, e somente 1,6 por cento da população árabe tem acesso à Internet. Apesar de os árabes representarem cinco por cento da população mundial, de acordo com o relatório, produzem apenas um por cento dos livros publicados e uma percentagem invulgarmente elevada desses livros são de cariz religioso – mais do triplo da média mundial. Dos 88 milhões de desempregados do sexo masculino de todo o mundo, entre os 15 e os 24 anos, quase 26 por cento estão no Médio Oriente e no Norte de África, segundo um estudo da Organização Mundial do Trabalho (Associated Press, 26 de Dezembro de 2004).

O mesmo estudo revelou que a população total de países árabes quadruplicou nos últimos 50 anos, para quase trezentos milhões, sendo que 37,5 por cento tem menos de 15 anos, e todos os anos entram no mercado de trabalho três milhões. Mas os bons empregos não estão a ser produzidos internamente, porque o ambiente de abertura necessário para atrair investimento internacional e para estimular a inovação local é demasiado raro no mundo árabe-muçulmano actual. O círculo virtuoso de universidades a produzir pessoas e ideias, que depois seriam financiadas e criariam novos empregos, simplesmente não existe. Theodore Dalrymple, um físico e psiquiatra que trabalha em Londres e escreve uma coluna de opinião no *London Spectator*, escreveu um ensaio no *City Journal*, uma revista de política urbana (na Primavera de 2004), sobre o que aprendera nos contactos que teve com jovens muçulmanos em prisões britânicas. Dalrymple referiu que a maioria das escolas islâmicas de hoje tratam o Corão como um texto de inspiração divina que não está aberto a críticas literárias ou reinterpretações criativas. É um livro sagrado que é para ser memorizado e não adaptado às exigências e às oportunidades da vida moderna. No entanto, sem uma cultura que encoraje e crie espaço para tais reinterpretações criativas, o pensamento crítico e original tende a desvanecer-se. Isto poderá explicar a razão por que tão poucos ensaios científicos de classe mundial citados por outros investigadores surgem de universidades árabes e muçulmanas.

Se o Ocidente tivesse tornado Shakespeare "o nosso único objecto de estudo e o único guia para as nossas vidas," afirmou Dalrymple, "em breve teríamos caído no atraso e na estagnação. E o problema é que demasiados muçulmanos querem tanto estagnação como poder: querem regressar à perfeição do século VII e dominar o século XIX, pois acreditam que é um direito inato da sua doutrina, o último legado de Deus ao homem. Se se contentassem em viver numa 'represa' do século VII, ancorados numa filosofia discreta e calma, não haveria qualquer problema para eles e para nós; o problema deles, e nosso, é que querem o poder conferido pelo livre questionamento, mas sem o livre questionamento ou a filosofia e as instituições que garantem esse livre questionamento. Eles enfrentam um dilema: ou abandonam a religião que tanto amam, ou permanecem para sempre nas traseiras do avanço técnico humano. Nenhuma das alternativas é muito apelativa e a tensão existente entre o seu desejo de poder e sucesso no mundo moderno, por um lado, e o seu desejo de não abandonar a sua religião, por outro, é para muitos apenas resolvida fazendo-se explodir. As pessoas ficam zangadas quando se deparam com um dilema; atacam."

De facto, se falar com jovens árabes e muçulmanos, em qualquer lugar, essa dissonância cognitiva e a palavra "humilhação" entram rapidamente na conversa. As palavras que Mahathir Mohammed, Primeiro-ministro da Malásia, proferiu em 16 de Outubro de 2003, na despedida de um encontro islâmico que acolhia no seu país, foram bastante reveladoras. O discurso que dirigiu aos outros líderes muçulmanos foi construído em torno da questão de por que motivo a sua civilização se tinha tornado tão humilhada – um termo que utilizou cinco vezes. "Não irei enumerar os exemplos da nossa humilhação," afirmou Mahathir. "A nossa única reacção é ficarmos cada vez mais zangados. Mas as pessoas zangadas não conseguem pensar com clarividência. Um sentimento de desânimo paira sobre os países muçulmanos e o seu povo. Sentem-se impotentes..."

Esta humilhação é o ponto-chave. Sempre defendi que o terrorismo não é despoletado pela falta de dinheiro. É despoletado pela *falta de dignidade*. A humilhação é a força mais subestimada nas relações internacionais e humanas. É quando as pessoas e os países se sentem humilhados que realmente atacam e enveredam pela violência extrema. Pegue no atraso político e económico de grande parte do mundo árabe-muçulmano de hoje, junte-lhe o seu passado grandioso e o seu autoconceito de superioridade religiosa, misture tudo com a discriminação e a alienação que esses homens muçulmanos enfrentam quando deixam o seu país e vão para a Europa ou quando crescem na Europa, e obterá um poderoso *cocktail* de raiva. Como o meu amigo e dramaturgo egípcio, Ali Salem, comentou relativamente aos piratas do ar do "11/9", "eles estão a percorrer as estradas da vida, procurando edifícios altos – torres para derrubarem, porque não são capazes de ser tão altos quanto elas."

Receio que a sensação de frustração que alimenta os recrutas de bin Laden possa piorar em vez de melhorar. Nos velhos tempos, os líderes podiam tirar partido dos muros, montanhas e vales para obstruir o horizonte dos seus povos e mantê-los na ignorância e na passividade relativamente a outros povos e à sua própria importância no contexto mundial. A linha do horizonte era a aldeia mais próxima. Mas, à medida que o mundo vai ficando mais plano, as pessoas podem ver o que está para além de muitos quilómetros de distância.

No mundo plano, a sua humilhação é-lhes servida através da fibra óptica. Deparei-me com um exemplo fascinante e que envolve o próprio bin Laden. Em 4 de Janeiro de 2004, bin Laden emitiu uma das suas mensagens gravadas através da al-Jazeera, a rede de televisão por satélite sediada no Qatar. Em 7 de Março, o *website* do Centro de Investigação e Estudos Islâmicos publicou o texto na íntegra. Houve um parágrafo que me chamou a atenção. Insere-se numa parte do discurso de bin Laden em que este debate os vários males dos governantes árabes, particularmente a família saudita no poder.

"Todos os países árabes estão a ser alvo de uma grande deterioração em todas as classes sociais, no que diz respeito a questões religiosas e profanas", diz bin Laden. "Basta-nos saber que a economia dos países árabes está mais fraca do que a economia de um país que já fez parte do nosso mundo [islâmico] quando éramos verdadeiramente seguidores do Islão. Esse país é a Andaluzia perdida. A Espanha é um país infiel, mas a sua economia é mais forte do que a nossa, porque o governante desse país é responsável. Nos nossos países, não há responsabilidade nem punição, há apenas obediência aos governantes e às orações que lhes desejam uma vida longa."

Fiquei com "pele de galinha" quando li aquilo. Porquê? Porque bin Laden estava a referir-se ao primeiro Relatório do Desenvolvimento Humano Árabe, que foi publicado em Julho de 2002, muito depois de ele ter sido expulso do Afeganistão, numa altura em que provavelmente estava escondido numa gruta. Os autores árabes do relatório quiseram chamar a atenção para o mundo árabe, para o quanto se tinham distanciado do resto do mundo. Por isso, procuraram um país que tivesse tido um PIB ligeiramente acima do PIB da totalidade dos 22 Estados árabes. Depois de analisados os gráficos, o país que se encaixava perfeitamente no perfil era a Espanha. Poderia ter sido a Noruega ou a Itália, mas acontece que era a Espanha o país que tinha um PIB ligeiramente acima do conjunto dos Estados árabes. De alguma forma, bin Laden teve acesso na sua gruta – ouviu falar dele ou leu-o – a este Relatório do Desenvolvimento Humano Árabe. Pelo que sei, poderá ter lido a minha própria coluna de opinião sobre o assunto, que foi a primeira a chamar a atenção para o relatório e que realçava a comparação com Espanha. Ou talvez tenha obtido o relatório na Internet. Foi feito um milhão de *downloads* deste relatório a partir da Internet. Por isso, mesmo estando ele refugiado numa gruta qualquer, conseguiu ter acesso a este relatório e à sua conclusão humilhante, esfregada na sua cara – comparando negativamente os Estados árabes com Espanha, nada menos! Não é difícil imaginar que quando teve conhecimento daqueles dados, onde quer que estivesse escondido, viu-os como um verdadeiro insulto, como uma humilhação – a noção de que a Espanha católica, um país que foi dominado pelos muçulmanos, tinha um PIB mais elevado do que todos os Estados árabes juntos. Os autores do relatório eram, eles próprios, árabes e muçulmanos; não estavam a tentar humilhar ninguém – mas foi assim que bin Laden interpretou. E estou certo de que recebeu "a sua dose de humilhação" através de um *modem* 56K. É possível que até já tenham acesso de banda larga em Tora Bora*.

Ao receber a sua dose de humilhação desta forma, bin Laden e os seus seguidores aprenderam a pagar imediatamente na mesma moeda. Quer perceber por que é que os islamo-leninistas decapitaram norte-americanos no Iraque e

* **N.T.** Região montanhosa onde se suspeitou que bin Laden pudesse estar escondido e que foi intensamente bombardeada pelos norte-americanos.

na Arábia Saudita e depois espalharam as fotografias na Internet com a cabeça ensanguentada ao lado do resto do corpo? Foi porque não existe forma de execução mais humilhante do que cortar a cabeça a alguém. Assim, mostra-se total desprezo pela pessoa e pelo seu corpo. Não foi por acaso que os grupos no Iraque que decapitaram norte-americanos os vestiram primeiro com os fatos-macacos cor de laranja que os prisioneiros da al-Qaeda são obrigados a usar na Baía-prisão de Guantánamo. Eles só podiam ter visto esta indumentária na Internet ou através de televisão por satélite.

Fico espantado que, em plena guerra no Iraque, tivessem tido capacidade para encontrar os mesmos fatos-macacos para vestir aos seus prisioneiros. Tu humilhas-me, eu humilho-te. E o que pensa que o líder terrorista Abu Musab al-Zarqawi disse na sua cassete divulgada a 11 de Setembro de 2004, no dia do 3º aniversário dos ataques terroristas? Ele afirmou: "Os guerreiros sagrados deram a conhecer à coligação internacional o sabor da humilhação... lições que ainda estão muito vivas nas suas memórias."

Conforme referi, esta frustração e humilhação não se restringem às facções islamistas. A razão pela qual os islamo-leninistas se tornaram nos mais enérgicos e pronunciados oponentes da globalização/americanização e na maior ameaça ao processo que está a tornar o mundo plano não reside simplesmente na sua extraordinária violência, mas também no facto de usufruírem de um certo apoio passivo por parte do mundo árabe-muçulmano.

Em parte, isso deve-se ao facto de a maioria dos governos no mundo árabe-muçulmano ter recusado entrar numa guerra de ideias com os movimentos radicais. Apesar de os regimes árabes se revelarem muito activos na perseguição dos seus islamo-leninistas quando os conseguem descobrir e proceder à sua detenção, têm sido muito passivos no que diz respeito a enfrentá-los com uma moderna e progressista interpretação do Islão. Isto deve-se ao facto de quase todos estes líderes árabe-muçulmanos serem ilegítimos. Chegaram ao poder à força, não têm qualquer credibilidade como portadores de um Islão moderado e progressista e sentem-se sempre vulneráveis para tomar uma posição firme perante os pregadores muçulmanos, que os acusam de não serem bons muçulmanos. Por isso, em vez de se oporem aos radicais muçulmanos, os regimes árabes mandam-nos para a prisão. Isto deixa um terrível vazio espiritual e político.

Mas a outra razão para o apoio passivo de que gozam os islamo-leninistas – e o facto de terem capacidade para angariar tanto dinheiro através das instituições de caridade e das mesquitas no mundo árabe-muçulmano – é que demasiadas pessoas, boas e honestas, que ali se encontram experimentam a mesma frustração e sensação de humilhação que sentem muitos dos seus jovens mais enraivecidos. Existe um certo respeito pela forma como esta juventude violenta se mostrou preparada para enfrentar o mundo e os seus próprios líderes e defender a honra da sua civilização. Quando visitei o Qatar, alguns meses depois do "11/9", um amigo meu que vive por lá – uma pessoa dócil, sensata e liberal que trabalha para o governo – confidenciou-me num sussurro algo que estava realmente a preocupá-lo: "O meu filho de 11 anos acha que bin Laden é um homem bom."

Estou convencido de que a maioria dos árabes e muçulmanos da classe média não estava a celebrar a morte de três mil norte-americanos inocentes no "11/9". Sei que os meus amigos árabes e muçulmanos não estavam. Mas muitos árabes e muçulmanos estavam a celebrar a ideia de ter encostado o punho ao rosto dos EUA – e aplaudiam silenciosamente quem o tinha feito. Estavam felizes por ver alguém a humilhar o povo e o país que achavam que os estava a humilhar e que apoiava aquilo que viam como sendo uma injustiça no seu mundo – quer se tratasse do apoio dos EUA aos reis e ditadores árabes que exportam petróleo para lá, quer se tratasse do apoio dos EUA a Israel independentemente de este Estado fazer as coisas certas ou erradas.

Tenho a certeza de que a maior parte dos negros norte-americanos terá poucas dúvidas de que O.J. Simpson assassinou a sua ex-mulher, mas aplaudiram a sua absolvição porque a entenderam como um murro no estômago do Departamento da Polícia de Los Angeles (LAPD) e de um sistema judicial que tantas vezes os humilhou e foi injusto para com eles. A humilhação faz isso às pessoas. Bin Laden é para as massas árabes aquilo que O.J. foi para muitos negros norte-americanos – o murro no estômago que dão a uns Estados Unidos "injustos" e aos seus líderes. Quando entrevistei Dyab Abou Jahjah, frequentemente referido como sendo o Malcolm X da juventude marroquina alienada da Bélgica, perguntei-lhe no que tinham pensado, ele e os seus amigos, quando viram o *World Trade Center* ser destruído. "Penso que, se formos honestos, a maioria dos muçulmanos de todo o mundo sentiu que... os Estados Unidos foram atingidos na face e isso não pode ser mau. Não quero dar uma resposta intelectual a isso. Di-lo-ei de forma muito simples. Os Estados Unidos andavam a dar-nos chutos no rabo há 50 anos. E com força. Ao apoiar os tiranos cobardes na região, quer se trate de Israel quer dos nossos próprios regimes, os Estados Unidos estão a deixar-nos o nariz a sangrar, mas também estão a partir muitos dos nossos pescoços."

Tal como a depressão económica nos EUA nos anos 20 e 30 transformou muitos norte-americanos normais, inteligentes e pensadores em apoiantes passivos ou activos do comunismo, também a humilhante depressão económica, militar e emocional do mundo árabe-muçulmano transformou demasiados árabes e muçulmanos normais, inteligentes e pensadores em apoiantes passivos do bin Ladenismo.

O ex-Ministro da Informação kuwaitiano, Sa'd Bin Tefla, que é jornalista, escreveu um artigo no diário de língua inglesa e árabe *Al-Sharq Al-Awsat*, por altura do 3° aniversário do "11/9", intitulado "Somos todos Bin Laden". O seu texto focou-se imediatamente neste ponto. Questionava-se por que razão os académicos e religiosos muçulmanos apoiavam tão avidamente as *fatwas*[*] que condenaram Salman Rushdie à morte por ter escrito um livro alegadamente blasfemo, *Versículos Satânicos*, que aborda temas sobre o profeta Maomé, mas, até hoje, nenhum religioso muçulmano emitiu uma *fatwa* condenando Ussama bin Laden por ter assassinado três mil civis inocentes. Depois de ter sido declarada a *fatwa* condenando Salman Rushdie, os muçulmanos manifestaram-se contra o livro junto das embaixadas britânicas de todo o mundo islâmico e queimaram cópias do seu livro. Nove pessoas morreram num protesto anti-Rushdie no Paquistão.

"Começaram a proliferar regulamentos religiosos que baniam o livro de Salman Rushdie e exigiam que fosse morto", escreveu Bin Tefla. "O Irão estabeleceu uma recompensa no valor de um milhão de dólares para quem conseguisse concretizar a *fatwa* do Imã Khomeini e matar Salman Rushdie". E bin Laden? Nada – nenhuma condenação. "Apesar de bin Laden ter assassinado milhares de inocentes em nome da nossa religião e apesar dos danos que provocou aos muçulmanos, em especial a muçulmanos inocentes no Ocidente, cujas vidas são muito melhores do que a vida dos muçulmanos em territórios islâmicos, até à data nem uma única *fatwa* foi emitida apelando à morte de bin Laden, sob o pretexto de que bin Laden ainda proclama 'Não há mais nenhum Deus senão Alá'," referiu Tefla no seu artigo. Como acrescentou, os canais de televisão por satélite árabes e muçulmanos "competiram entre si para emitir os sermões e *fatwas* de bin Laden, em vez de evitar a sua disseminação como aconteceu com o livro de Rushdie... Com a nossa posição ambígua em relação a bin Laden, desde o início que deixámos o mundo com a impressão de que somos todos bin Laden".

A Alemanha foi humilhada depois da Primeira Guerra Mundial, mas tinha acesso a bases económicas modernas para dar uma resposta de Estado a essa humilhação – sob a forma do Terceiro Reich. Em contrapartida, o mundo árabe não podia dar uma resposta de Estado à sua humilhação. Em vez disso, provocou alguma agitação no palco mundial nos últimos 50 anos com duas figuras épicas, e não com Estados, salientou o teórico político Yaron Ezrahi: um deles foi o Ministro do Petróleo saudita, Ahmed Zaki Yamani, e o outro foi Ussama bin Laden. Os dois conquistaram notoriedade global, cada um teve por breves momentos o mundo na palma da mão – um recorrendo ao petróleo como arma e o outro recorrendo à maior violência suicida não-convencional que se possa imaginar. Cada um deles deu ao mundo árabe-muçulmano uma "sensação de excitação" temporária, porque estava a exercer poder no palco mundial. Mas, Ezrahi afirmou que bin Laden e Yamani foram apenas duas ilusões: a arma saudita do petróleo é o poder económico sem produtividade e a arma do terrorismo de bin Laden é a força militar sem um verdadeiro exército, Estado, economia e motor de inovação para a sustentar.

---

[*] **N.T.** Decretos de morte.

O que torna o Yamanismo e o bin Ladenismo tão infelizes como estratégias de influência árabe no mundo é que ignoram os exemplos dentro da cultura e civilização árabe – quando estava no seu auge – de disciplina, trabalho árduo, conhecimento, concretização, curiosidade científica e pluralismo. Conforme Nayan Chanda, editor da YaleGlobal Online, me chamou a atenção, foi o mundo árabe-muçulmano que fez nascer a álgebra e os algoritmos, ambos os termos derivando de palavras árabes. Chanda acrescentou que "a moderna revolução da informação, construída com base em algoritmos pode encontrar as suas origens junto da civilização árabe-muçulmana e dos grandes centros de aprendizagem de Bagdad e Alexandria", que foram os primeiros a introduzir estes conceitos, transferindo-os depois para a Europa através da Espanha muçulmana. Os povos árabes-muçulmanos têm uma civilização e tradição cultural muito rica, com longos períodos de sucesso e inovação que serviram de inspiração e de exemplo aos seus jovens. Dispõem de todos os recursos necessários para a modernização, se quiserem reunir os seus próprios factores culturais.

Infelizmente, existe uma grande resistência a essa modernização por parte das forças autoritárias e religiosamente obscurantistas que existem no mundo árabe-muçulmano. É por esse motivo que esta região do mundo só será libertada e só se sentirá realmente poderosa se enveredar pela sua própria guerra de ideias – sendo preciso que os moderados vençam. Os Estados Unidos viveram uma guerra civil há cerca de 150 anos por causa de ideias – as ideias de tolerância, pluralismo, dignidade humana e igualdade. A melhor coisa que quem está de fora pode fazer pelo mundo árabe-muçulmano é tentar colaborar com as suas forças progressistas de todas as formas possíveis – desde a tentativa de resolução do conflito israelo-árabe até à estabilização do Iraque, passando pela assinatura de acordos de comércio livre com o máximo possível de países árabes – de forma a promover uma guerra de ideias semelhante na sua civilização. Não há outra saída. Caso contrário, esta região do mundo tem potencial para ser uma gigantesca força enfraquecedora do mundo plano. Só podemos desejar que tudo corra bem. Mas a batalha será para ser combatida e ganha por um deles. Ninguém pode fazer isso por eles.

Abdel Rahman al-Rashed, Director-Geral do canal noticioso *al-Arabiya*, sediado em Londres, foi quem melhor expressou aquilo que é necessário fazer. Este jornalista árabe, um dos mais conhecidos e respeitados na sua área, fez o seguinte comentário no *Al-Sharq Al-Awsat* (6 de Setembro de 2004), depois de uma série de incidentes violentos envolvendo grupos extremistas islâmicos, desde a Tchechénia à Arábia Saudita, passando pelo Iraque: "A autocura começa com a autocompreensão e confissão. Por isso, devemos perseguir os nossos filhos terroristas, com o perfeito conhecimento de que são os bagos de uva azedos de uma cultura deformada... A mesquita costumava ser um porto de abrigo e a voz da religião costumava ser a da paz e da reconciliação. Os sermões religiosos eram ordens afáveis em prol de uma ordem moral e de uma vida ética. Depois chegaram os neomuçulmanos. Uma religião inocente e benevolente, cujos versículos proíbem o abate de árvores quando não se baseie numa necessidade urgente, que diz que o assassinato é o mais odioso dos crimes, que diz explicitamente que quem matar uma pessoa matará a humanidade como um todo, foi transformada numa mensagem global de ódio e num grito de guerra universal... Não podemos limpar os nossos nomes, a menos que confessemos o vergonhoso facto de o terrorismo se ter transformado num empreendimento islâmico; um monopólio quase exclusivo, implementado por homens e mulheres muçulmanas. Não podemos redimir a nossa juventude extremista, que comete todos estes crimes horrendos, sem confrontarmos os chefes de família que pensaram que seria enobrecedor se se reinventassem como ideólogos revolucionários, enviando os filhos e filhas dos outros para a morte certa, enquanto mandavam os seus próprios filhos para escolas e universidades europeias e norte-americanas."

Demasiados Toyotas

Os problemas dos muito doentes, dos que não têm poder e dos que são muito humilhados estão todos, à sua maneira, a impedir que o mundo se torne completamente plano. Poderão tornar-se ainda mais problemáticos no futuro, se estes temas não forem devidamente considerados. No entanto, outra ameaça extremamente poderosa a este processo de tornar o mundo plano vislumbra-se já no horizonte. Não é uma limitação de recursos humanos ou uma doença, mas uma limitação dos recursos naturais. Se milhões de pessoas da Índia, da China, da América Latina e do antigo Império Soviético, que durante anos viveram muito à margem do mundo plano, começarem a convergir, em simultâneo, na direcção da plataforma do mundo plano – cada uma transportando a sua própria versão do sonho americano de possuir um carro, uma casa, um frigorífico, um micro-ondas e uma torradeira – enfrentaremos, na melhor das hipóteses, um sério problema de escassez de energia. Na pior das hipóteses, iremos provocar uma luta global pelo controlo dos recursos naturais e desperdiçar, sobreaquecer, inutilizar, poluir e destruir o nosso pequeno planeta mais depressa do que alguma se viu na história do mundo. Tenham receio. Eu estou claramente receoso.

Na sua obra mais conhecida, *Collapse*, Jared Diamond salienta que, quando se considera a questão da sustentabilidade, o que conta não é apenas o número de habitantes do planeta Terra, mas o impacto que o seu estilo de vida específico está a ter no meio ambiente. Se a maioria dos seis mil milhões de habitantes do mundo estivessem congelados, sem comer, respirar ou metabolizar, argumenta, o seu impacto no meio ambiente seria mínimo. O problema que enfrentamos agora deve-se ao facto de não estarmos congelados. Estamos a consumir recursos e a gerar desperdícios – e de que maneira! "O impacto *per capita* – os recursos consumidos e os desperdícios gerados por cada indivíduo – varia bastante em todo o mundo, sendo maior no primeiro mundo e menor no terceiro mundo", escreve Diamond. "Em média, cada cidadão dos EUA, da Europa Ocidental e do Japão consome 32 vezes mais recursos, como combustíveis fósseis, e produz 32 vezes mais desperdícios do que os habitantes do Terceiro Mundo. Porém, os indivíduos de impacto reduzido estão a tornar-se indivíduos de impacto elevado."

É um facto. As forças que tornaram o mundo plano estão a transformar as pessoas de impacto reduzido em pessoas de impacto elevado, de uma forma mais rápida, em maior número e com maior intensidade do que em qualquer outro momento da história mundial. "Existem muitos 'optimistas'," salienta Diamond, "que argumentam que o mundo poderia suportar o dobro da sua população humana...Mas ainda não conheci ninguém que argumentasse, de uma forma séria, que o mundo poderia suportar 12 vezes o seu impacto actual, embora o aumento dessa condição se devesse ao facto de todos os habitantes do Terceiro Mundo adoptarem padrões de vida do primeiro mundo." E é para aí que nos dirigimos.

Como já referi, visitei Pequim no Verão de 2004 com a minha mulher e a minha filha adolescente, Natalie. Antes de partirmos, disse a Natalie: "Vais gostar muito desta cidade. Têm umas grandes faixas só para bicicletas em todas as estradas principais. Quando chegarmos podemos alugar umas bicicletas e damos uma volta por Pequim. Já o fiz da última vez que lá estive e foi divertido."

Que tonto, este Tom. Eu não ia a Pequim desde 2001 e, em apenas três anos, o crescimento explosivo da cidade tinha eliminado qualquer vestígio de muitas dessas encantadoras faixas para bicicletas. Tinham sido reduzidas ou suprimidas para dar lugar a mais uma faixa para automóveis ou autocarros. As únicas pedaladas que dei foram numa bicicleta de exercício no hotel, o que foi um bom antídoto para todo aquele tempo que passei sentado em carros, preso nos engarrafamentos de Pequim. Estava em Pequim para participar numa conferência internacional sobre negócios internacionais e nessa altura descobri por que é que todas as bicicletas tinham desaparecido. De acordo com um dos oradores da conferência, o parque automóvel, em Pequim, registava um crescimento *mensal* de 30 mil carros – mil carros por dia! Achei esta estatística tão inacreditável que perguntei a Michael Zhao, um jovem pesquisador de dados da *Times* em Pequim, para me confirmar, e ele enviou-me depois o seguinte *e-mail*: "Olá, Tom. Espero que este *e-mail* o vá encontrar bem. Sobre o incremento mensal de carros em Pequim, fiz alguma pesquisa na Internet e descobri que... as vendas de carros em Pequim, em Abril de 2004, ascenderam a 43 mil – o que representou um aumento de 24,1 por cento face ao período homólogo do ano anterior. O que representa um aumento diário de 1433 carros em Pequim, estando aqui incluídas as vendas de carros em segunda mão. As vendas de carros novos este mês foram de 30 mil, ou seja, são mil carros por dia que acrescem ao parque automóvel da cidade. O total de vendas de Janeiro a Abril de 2004 foi de 165 mil, o que corresponde a um acréscimo diário de cerca de 1375 carros em Pequim durante este período. Os dados são da Câmara de Comércio Municipal de Pequim. O instituto de estatística da cidade tem a informação de que o total de vendas de carros em 2003 foi de 407 649, o que corresponde a 1117 novos carros por dia. As vendas de carros novos no ano passado atingiram os 292 858, ou seja, 802 carros novos todos dias... O número total de carros na cidade de Pequim é de 2,1 milhões... Mas nos meses mais recentes tem-se testemunhado um acréscimo repentino de vendas. Também digno de nota foi o surto de SRA* que deflagrou no ano passado, período durante o qual muitas famílias compraram carro devido ao pânico de contacto público, associado à ideia de que a vida deve ser gozada e que é estimulada pela ideia de que o dia do juízo final está próximo. Muitos recém-proprietários de automóveis puderam desfrutar da sua condução, pois o trânsito na cidade melhorou muito em resultado do encarceramento voluntário de muitas pessoas nas suas casas, que não se atreviam a sair. Desde então, em combinação com a descida dos preços dos automóveis no âmbito do compromisso da China de baixar as tarifas depois de aderir à OMC, um grande número de famílias antecipou a compra de carro, enquanto outras decidiram esperar por posteriores descidas de preços. Fica bem. Michael."

Os 30 mil carros novos mensais em Pequim, a nuvem de poluição que envolve a cidade em muitos dias e o facto de a página oficial da cidade, na Internet, destacar quais são os dias de "céu azul", testemunham a destruição ambiental que pode resultar da tripla convergência – se não se desenvolverem depressa energias alternativas, renováveis e limpas. Segundo o Banco Mundial, 16 das 20 cidades mais poluídas do mundo são chinesas e a poluição e degradação ambiental custam à China 170 mil milhões de dólares por ano (*The Economist*, 21 de Agosto de 2004).

Infelizmente, ainda não vimos nada. A China, com as suas reservas próprias de petróleo e de gás, foi outrora um grande exportador. Deixou de o ser. Em 2003, a China passou para a frente do Japão como segundo maior importador mundial de petróleo, a seguir aos Estados Unidos. Só entre 2002 e 2005, o consumo total de energia da China aumentou 65 por cento e o país nem sequer está ainda na sua capacidade máxima de industrialização.

Há um Wal-Mart em Shenzhen, China, que vendeu 1 100 aparelhos de ar condicionado apenas num fim-de-semana quente do Verão de 2005. Uma loja! Pense no impacto ambiental que ocorrerá quando houver um Wal-Mart em cada cidade importante da China.

Actualmente, 700 a 800 milhões dos 1,3 mil milhões de chineses vivem no campo, mas estão a dirigir-se para o mundo plano e espera-se que cerca de metade

* **N.T.** Síndroma Respiratória Aguda.

tente migrar para as cidades nas próximas duas décadas. Se conseguirem arranjar trabalho, esta grande migração vai provocar um súbito aumento na procura de carros, casas, vigas de aço, centrais eléctricas, escolas, centrais de tratamento de esgotos, redes eléctricas. Não admira, por conseguinte, que um relatório do *Financial Times* (16 de Agosto de 2005) salientasse que a procura global de energia tivesse crescido, desde 2003, a uma taxa 2,5 vezes superior à taxa da década anterior, com a China e a Índia a representar aproximadamente 35 por cento do aumento do consumo mundial de petróleo, embora fossem apenas responsáveis por 15 por cento da produção mundial.

Nessa conferência em que estava a participar em Pequim, fui ouvindo muitas referências ao Estreito de Malaca – a estreita passagem entre a Malásia e a Indonésia que é patrulhada pela Marinha dos Estados Unidos e que controla todo o tráfego de petroleiros do Médio Oriente para a China e para o Japão. Não ouvia ninguém falar do Estreito de Malaca desde os choques petrolíferos dos anos 70. Mas é evidente que os estrategas chineses começaram a ficar cada vez mais preocupados com a possibilidade de, a qualquer momento, os Estados Unidos asfixiarem a economia chinesa fechando simplesmente o Estreito de Malaca. Esta ameaça está a ser cada vez mais e mais abertamente debatida nos círculos militares chineses. Isto é apenas uma pequena amostra da potencial luta pelo poder – poder energético – que pode ter lugar se o Grande Sonho Norte-americano, o Grande Sonho Chinês, o Grande Sonho Indiano e o Grande Sonho Russo vierem a ser vistos como mutuamente exclusivos em termos energéticos.

Não se iluda: a política externa chinesa actual consiste em apenas duas coisas – impedir que Taiwan se torne independente e procurar petróleo e outros recursos naturais. "Não é uma conspiração engendrada por nós", disse-me um funcionário do Ministério dos Negócios Estrangeiros chinês, acerca da procura global de petróleo por parte da China. "Não estamos a tentar dominar ninguém. Fomos apenas os últimos a entrar no jogo e, quando olhámos em volta, vimos que todas as cadeiras estavam ocupadas." A China está particularmente obcecada com a ideia de ter como fornecedores de petróleo países que não exerçam qualquer retaliação caso ela invada Taiwan. O facto está a fazer com que Pequim se relacione bem com alguns dos regimes mais despóticos do mundo. Assim, à medida que aumentar o seu desespero por petróleo, a China utilizará com maior vigor o seu poder de veto no Conselho de Segurança das Nações Unidas, no sentido de impedir a aplicação de sanções aos seus recém-aliados fornecedores de crude – independentemente das atrocidades que estes estejam a cometer.

O governo do regime fundamentalista islâmico do Sudão abastece actualmente a China com sete por cento das suas reservas e a China já investiu nesse país cerca de três mil milhões de dólares em infra-estruturas de prospecção de petróleo. Em Setembro de 2004, a China ameaçou vetar uma moção das Nações

Unidas para impor sanções ao Sudão, pelo genocídio que está a ser perpetrado na província de Darfur. A China apoiou apenas de forma relutante os esforços da comunidade internacional para impedir o Irão de desenvolver uma arma nuclear. O Irão fornece 13 por cento das reservas de petróleo da China. Entretanto, conforme foi noticiado no *Daily Telegraph* (19 de Novembro de 2004), a China começou a fazer prospecção de gás no Leste do Mar da China, a oeste da linha que o Japão considera ser a sua fronteira: "O Japão reclamou, sem resultado, que o projecto devia ser um projecto conjunto. Os dois países estão, também, preparados para lutar pela riqueza petrolífera da Rússia. A China está furiosa por o Japão ter oferecido mais, na sua batalha para determinar o percurso do oleoduto que a Rússia tenciona construir no Extremo Oriente." Ao mesmo tempo, foi noticiado que um submarino nuclear chinês teria, acidentalmente, entrado em águas territoriais japonesas. O governo chinês pediu desculpas pelo "erro técnico". Se vocês acreditarem nisso, tenho um poço de petróleo no Havai que gostaria de vos vender...

Em 2004, a China começou a competir com os Estados Unidos pelas oportunidades de exploração de petróleo no Canadá e na Venezuela. Se a China o conseguir, colocará uma palhinha no Canadá e na Venezuela e irá chupar todo o petróleo até à última gota, o que terá como efeito secundário tornar os Estados Unidos mais dependentes da Arábia Saudita.

Entrevistei um gestor japonês de uma grande multinacional norte-americana sediada no Nordeste da China. "A China está a seguir o caminho do Japão e da Coreia", disse o executivo, sob condição de não divulgar o seu nome nem o nome da sua empresa, "e a grande questão que se coloca é 'pode o mundo dar-se ao luxo de ter 1,3 mil milhões de pessoas a seguir esse caminho, a conduzir os mesmos carros e a usar a mesma quantidade de energia?' Compreendo que o mundo está a ficar plano, mas o desafio do século XXI é: vamos ter uma outra crise energética? Os choques petrolíferos dos anos 70 coincidiram com a recuperação do Japão e da Europa. Houve uma altura em que os Estados Unidos eram o único grande consumidor de petróleo, mas quando a Europa e o Japão chegaram, a OPEP* tomou o poder. Quando a China e a Índia começarem a ser os consumidores, vai ser um desafio colossal, ou seja, uma diferente ordem de magnitude. É megapolítica. As limitações ao crescimento nos anos 70 foram superadas através de tecnologia. Ficámos mais espertos do que antigamente, o equipamento tornou-se mais eficiente e o consumo de energia *per capita* diminuiu. Agora, com a China, a Índia e a Rússia a ficarem fortes, isto multiplica-se por um factor de dez. Há uma coisa que precisamos de encarar seriamente. Não podemos restringir a China, [a Rússia] e a Índia. Estes países vão crescer e têm de crescer."

---

* **N.T.** Organização dos Países Exportadores de Petróleo.

Uma coisa que não nos será possível dizer aos jovens indianos, russos, polacos ou chineses é que, assim que estão a chegar ao 'terreno de jogo' mais plano, têm de se controlar e consumir menos para um bem global maior. Enquanto dava uma palestra a estudantes da Faculdade de Relações Internacionais de Pequim, falei sobre os problemas mais importantes que podiam ameaçar a estabilidade global, incluindo a concorrência pelo petróleo e outras fontes de energia, que iriam naturalmente surgir assim que a China, a Índia e a antiga União Soviética começassem a consumir petróleo. Mal terminei, uma jovem estudante chinesa pôs a mão no ar e basicamente perguntou: "Por que motivo é que a China tem de restringir o seu consumo de energia e preocupar-se com o ambiente quando os Estados Unidos e a Europa consumiram toda a energia que quiseram quando estavam a desenvolver-se?" Não tinha uma boa resposta. A China é um país altamente orgulhoso. Dizer à China, à Índia e à Rússia para consumirem menos poderia ter o mesmo impacto geopolítico que teve a incapacidade do mundo para se adaptar a um Japão e a uma Alemanha em ascensão, a seguir à Primeira Guerra Mundial.

Se as tendências actuais se mantiverem, as importações de barris de petróleo por parte da China passarão de cerca de sete milhões de barris de petróleo por dia para 14 milhões por dia, em 2012. Para o mundo poder suportar esse aumento, teria de encontrar outra Arábia Saudita. Porque tal não é possível, não temos grandes opções. "Não podemos dizer-lhes que não, por razões geopolíticas. Não podemos dizer à China e à Índia que ainda não é a vez deles", disse Philip K. Verleger Jr., um importante economista da área petrolífera. "E, por razões morais, não temos legitimidade para dar sermões a quem quer que seja." Se nada for feito, várias coisas podem acontecer. Em primeiro lugar, os preços da gasolina irão continuar a subir mais. Em segundo lugar, estaremos a fortalecer alguns dos piores sistemas políticos do mundo – como o Sudão, o Irão e a Arábia Saudita. E, em terceiro, o ambiente será cada vez mais prejudicado. Os títulos dos jornais da China já começaram a dar conta, diariamente, de falhas de energia, cortes de luz, reduções de voltagem. Entendidos norte-americanos estimam que 24 das 31 províncias chinesas se confrontam regularmente com faltas de energia eléctrica.

Todos somos responsáveis pelo planeta e o grande teste à nossa geração será se iremos ou não deixar às próximas gerações este planeta em tão boas ou melhores condições do que quando o encontrámos. O processo que está a tornar o mundo plano vai desafiar essa responsabilidade. "Aldo Leopold, o pai da ecologia da vida selvagem, afirmou uma vez: 'A primeira regra para uma reparação inteligente é guardar todas as peças'," observou Glenn Prickett, *Senior Vice President* da Conservação Internacional. "E se não o fizermos? E se três mil milhões de novos concorrentes começarem a devorar todos os recursos? As espécies e os ecossistemas não conseguem adaptar-se tão depressa e vamos perder uma larga porção do que resta da diversidade biológica da Terra." Mesmo agora, salientou Prickett, se analisarmos o que está a acontecer na Bacia do Congo, no Amazonas, na Floresta Tropical da Indonésia – as últimas grandes áreas selvagens – descobriremos que estão a ser devoradas pela crescente ambição da China. Cada vez mais óleo de palma está a ser extraído da Indonésia e da Malásia, soja do Brasil, madeira da África Central e gás natural de todos os que servem a China – o que ameaça todo o tipo de *habitats* naturais. Se estas práticas continuarem sem fiscalização, com todos os *habitats* naturais a serem transformados em terra de cultivo ou em áreas urbanas, e o planeta continuar a aquecer cada vez mais, muitas das espécies actualmente ameaçadas estarão condenadas à extinção.

O passo para reduzir o consumo de energia de forma inteligente tem de ter origem na sua população, à medida que os chineses forem confrontados com o que a necessidade de combustível fóssil provoca no seu ambiente e aspirações de crescimento. Felizmente, é isso que está a acontecer. Vejam a entrevista impressionante do Ministro-adjunto chinês do Ambiente, Pan Yue, publicada pelo *Der Spiegel* (7 de Março de 2005): "As nossas matérias-primas são escassas, não temos terra suficiente e a nossa população está em constante crescimento. Actualmente, a população da China ascende a 1,3 mil milhões de pessoas, ou seja, o dobro de há 50 anos. Em 2020, a população chinesa rondará os 1,5 mil milhões. As cidades estão a crescer, mas assistimos simultaneamente ao aumento das áreas desertas; a terra habitável e utilizável passou para metade nos últimos 50 anos… [O milagre do PIB da China] irá acabar em breve, porque o ambiente não acompanha este ritmo… Metade da água dos nossos sete maiores rios está completamente inutilizada… Um terço da população urbana respira ar poluído… Estamos convictos de que a prosperidade económica anda de mãos dadas com a estabilidade política. Creio, contudo, que isso é um grande erro… Se o fosso entre ricos e pobres aumentar, as regiões no interior da China e a sociedade no seu todo tornar-se-ão instáveis."

A melhor coisa que os Estados Unidos e a Europa Ocidental podem fazer para levar a China a uma maior preservação e contenção é dar o exemplo, modificando os seus próprios padrões de consumo. Isso resultaria nalguma credibilidade para dar sermões aos outros. "Restaurarmos a nossa reputação moral em matéria de energia é agora uma questão vital de segurança nacional e ambiental", disse Verleger.

Os Estados Unidos poderiam fazer isso hoje mesmo, mas exigiria uma estratégia na área da energia que não se cingisse à "soma de todos os *lobbies*", refere Gal Luft, um dos membros fundadores da *Set America Free Coalition* (Coligação Libertar os EUA), uma aliança bipartidária de grupos ligados à política de segurança nacional, ao trabalho, ao ambiente e à religião, que acreditam que a redução do consumo de petróleo neste país é uma prioridade nacional. Mais do que isso, necessitávamos de uma nova abordagem estratégica à conservação e ao desenvolvimento de energias limpas e renováveis, apoiada por uma nova coligação. É uma filosofia que gosto de apelidar de "geo-verdismo". Nós, os geo-verdes, pretendemos combinar, num único movimento político, ambientalistas – que querem reduzir os combustíveis fosseis que provocam alterações climáticas –, evangélicos – que querem proteger a terra verde de Deus e toda a Sua criação – e geo-estrategas – que querem reduzir a nossa dependência do petróleo, porque alimenta alguns dos piores regimes do mundo.

A total indiferença demonstrada pela equipa de Bush relativamente ao desenvolvimento de uma estratégia geo-verde – que também fortaleceria o dólar, reduziria o défice comercial norte-americano, colocaria os EUA na liderança mundial do combate às alterações climáticas e estimularia as empresas norte-americanas a assumir a dianteira na produção de tecnologias verdes, que se tornarão indispensáveis quando a China e a Índia se industrializarem – revela uma tal irresponsabilidade que até nos falta o ar. Isto é especialmente verdade quando nos apercebemos que as soluções para muitos dos problemas norte-americanos, bem como a capacidade de os EUA servirem de exemplo ao mundo, já existem. Tal como diz Luft, a maior parte das importações norte-americanas de petróleo são canalizadas para o sector dos transportes, principalmente automóveis e camiões. Por conseguinte, a solução para reduzir a dependência dos EUA do petróleo estrangeiro é alimentar os seus automóveis e camiões com menos petróleo. Existem duas formas para pôr isto imediatamente em prática. Uma é a electricidade. Não importam electricidade. Produzem energia para suprir a maior parte das suas necessidades a partir do carvão, da água, da energia nuclear e do gás natural. Os automóveis híbridos da Toyota, como o Prius, utilizam gasolina e electricidade, que é gerada nas travagens e armazenada numa pequena bateria. Mas, refere Luft, se tivesse um híbrido que pudesse ser ligado a uma tomada eléctrica (sistema *plug-in*) durante a noite, a bateria poderia armazenar até 32 quilómetros de circulação por dia. Assim, os primeiros 32 quilómetros seriam garantidos pela energia da bateria. A gasolina só entraria em acção a seguir. Dado que 50 por cento dos norte-americanos não percorre mais de 32 quilómetros por dia, a energia da bateria alimentaria todas as suas viagens. E mesmo que fizessem mais quilómetros, a combinação da energia da bateria e da gasolina poderia garantir-lhes 161 quilómetros por cada 3,79 litros de gasolina utilizada, acrescenta Luft.

A Toyota ainda não comercializa automóveis híbridos *plug-in*. Todavia, alguns entusiastas estão a utilizar *kits* para permitir que os seus automóveis sejam ligados a uma tomada eléctrica, mas custam entre dez e 15 mil dólares – e anula a garantia da Toyota. Imagine, por exemplo, que o governo norte-americano estimulasse, através de benefícios fiscais e outros incentivos, os construtores automóveis a oferecer o *plug-in* aos híbridos. Estariam a percorrer rapidamente a curva da inovação e a gerar automóveis híbridos melhores e mais baratos para todos. Em seguida, acrescente os automóveis com tecnologia Flexfuel, ou seja, que têm um pequeno *chip* no sistema de injecção que lhes permite queimar álcool (etanol ou metanol), gasolina ou uma mistura dos dois. Aproximadamente quatro milhões de viaturas norte-americanas já vêm equipadas de origem com esta tecnologia, onde se incluem modelos da GM. O custo para introduzir esta tecnologia num automóvel é de apenas 150 dólares. O Brasil lidera esta área e espera ter a totalidade dos seus carros novos equipados com Flexfuel em 2008. Luft acrescenta ainda que, se combinássemos um sistema híbrido *plug-in* com um sistema Flexfuel, que queima 80 por cento de álcool e 20 por cento de gasolina, poderíamos percorrer 800 quilómetros com 3,79 litros de gasolina.

Em suma, não é preciso reinventar a roda ou esperar pelas baterias de hidrogénio da ficção científica ou reduzir drasticamente o nível de vida dos EUA para que sirvam de exemplo ao resto do mundo. As tecnologias necessárias para tornarem os Estados Unidos mais fortes e mais independentes em termos energéticos já existem. A única coisa que escasseia é líderes com imaginação e vontade para colocar o país no caminho geo-verde.

Nós, os geo-verdes, acreditamos igualmente que a melhor forma de impedir uma luta global pela energia é procurar formas imaginativas de colaboração com a Índia e a China, no sentido de desenvolver a gama completa de alternativas renováveis ao petróleo: vento, sol e biomassa. Os Estados Unidos, a Índia e a China têm todo o interesse em assumir-se como o "Eixo da Energia". Se isso não acontecer, o nosso consumo colectivo de energia num mundo plano apenas irá fortalecer o "Eixo do Mal" e devorar a terra verde de Deus a um ritmo e a uma intensidade que os nossos filhos e netos nunca nos perdoarão.

De um ponto de vista puramente norte-americano, precisamos de um Presidente e de um Congresso que tenha a coragem, não só de invadir o Iraque, mas também de implementar um imposto sobre a gasolina e de estimular a preservação e contenção ao nível interno e externo. Isto exigiria uma verdadeira política energética norte-americana, com incentivos a longo prazo para as energias renováveis – vento, sol e biocombustíveis –, ao invés de privilegiar apenas o bem-estar das empresas petrolíferas e de certos interesses especiais através de disfarces, como o projecto de lei da energia em 2005. Basta de afirmar estupidamente que a preservação e contenção, a eficiência energética e o ambientalismo são passatempos aos quais não nos podemos dar ao luxo. Não consigo pensar em nada mais cobarde e antiamericano do que isto. Os verdadeiros patriotas, os verdadeiros defensores da democracia, em todo o mundo, vivem verde.

O verde é o novo vermelho, branco e azul*.

---

* **N.T.** Referência às cores da bandeira norte-americana.

Capítulo XIII

Globalização do que é Local

A revolução cultural está prestes a começar

No meu livro *O Lexus e a Oliveira*, publicado em 1999, tentei descrever as forças que estavam a globalizar o mundo em finais do século XX e os seus efeitos na economia, na política, na geopolítica, no ambiente e na cultura. Após o lançamento da primeira edição de *O Mundo é Plano*, vários leitores queixaram-se de que não tinha dado continuidade à componente cultural do meu argumento apresentado em *O Lexus e a Oliveira* – não tinha feito qualquer menção à forma como a era plana da globalização, no despontar do século XXI, estava a afectar a cultura em todo o mundo. Reconheci o facto e expliquei que não tinha tido tempo suficiente para pensar sobre o tema. Esta nova edição do livro permitiu-me abordar o tema e ainda bem, porque as forças que tornaram o mundo plano estão a ter efeitos surpreendentes, importantes e paradoxais sobre a cultura em todo o mundo.

Quando a fase plana da globalização começou a ganhar ímpeto após a queda do Muro de Berlim, sentia-se uma preocupação importante e justificável em todo o mundo de que "globalização significava americanização". Esta preocupação não era despropositada pois os produtores e os fornecedores de serviços norte-americanos, as marcas e os realizadores norte-americanos, os cantores e os artistas norte-americanos, os estilistas e as cadeias de *fast food* norte-americanos estavam na melhor posição para aproveitar a queda dos muros e o mundo plano. Foram os primeiros a entrar em acção e parecia inevitável e impossível que não aproveitassem o mundo plano para homogeneizar a cultura. Se fosse de outra cultura, por mais forte e arreigado que fosse o seu vestuário, a sua língua, a sua gastronomia ou a sua música, o facto de poder ser facilmente "esmagado" era motivo de preocupação. Na constante luta entre as forças de homogeneização e de particularização da globalização, tudo indicava que as forças homogeneizadoras da americanização iriam triunfar. A globalização teria um rosto norte-americano, um aspecto norte-americano e um gosto norte-americano.

Esta situação despoletou naturalmente uma reacção negativa contra a globalização como forma de "imperialismo cultural norte-americano". Em todo o mundo, muitos argumentavam que era necessário tomar medidas para fortalecer as culturas – e proteger o meio ambiente –, no sentido de impedir que a força globalizante da americanização pudesse, em poucas décadas, acabar com a diversidade cultural, ecológica e zoológica que fora o produto de milhões de anos de evolução humana, vegetal e animal.

Nunca se deve minimizar os perigos que o mundo plano representa para o ambiente, como referi no capítulo anterior. No entanto, em relação à cultura, existem razões para esperar que as forças do mundo plano não abram caminho para a homogeneização cultural vermelha, branca e azul. Aliás, é cada vez mais óbvio que, além do potencial homogeneizador das culturas, a plataforma do mundo plano tem igualmente um potencial ainda maior para alimentar a diversidade até um ponto nunca antes visto.

Porquê? Principalmente por causa do *uploading*. O *uploading* permite "a globalização do que é local." O facto de tantas pessoas no mundo inteiro disporem das ferramentas para criar e fazer o *upload* dos seus próprios conteúdos – os seus artigos noticiosos, as suas opiniões, a sua música, os seus vídeos, as suas fotografias, as suas enciclopédias, os seus dicionários – é uma força muito poderosa para a preservação e valorização da autonomia e particularidade cultural. A plataforma do mundo plano permite-lhe fazer o *upload* da sua cultura local para o mundo. Isso significa que não estamos limitados aos *downloads* do Rato Mickey e da McDonald's. Não, não e não. Agora pode escrever a sua música, criar uma versão em *podcast** na língua que escolher e partilhá-la com o mundo através de um *site* de *podcast* e, se as pessoas gostarem, irá alastrar. Actualmente, pode fazer vídeos caseiros com uma *webcam* barata e o *software* Microsoft Movie Maker, que integra o Windows, e fazer o seu *upload*. A comida mais popular do mundo não é o Big Mac. É a *pizza*. E o que é uma *pizza*? É apenas um pedaço de massa plana, à qual cada cultura adiciona os seus ingredientes e sabores distintos. Assim, temos a *pizza sushi* no Japão, a *pizza* tailandesa em Banguecoque e a *pizza meze* no Líbano. A plataforma do mundo plano é como a massa da *pizza*. Permite que culturas diferentes a temperem e a condimentem como bem entenderem – e é isto que vai acontecer cada vez mais.

Ao mesmo tempo, o facto de as pessoas em países emergentes, como a Índia e a China, poderem ser capazes de inovar sem ter de emigrar significa que as culturas locais têm mais hipóteses de ser preservadas. Os jovens engenheiros indianos já não precisam de fazer fila à porta da embaixada norte-americana, em Nova Deli, e rezar para ganhar a lotaria e obter um visto para os Estados Unidos, que lhes permita mudarem-se para o frio Minnesota e abdicar do seu vestuário tradicional, da sua cozinha tradicional, da sua música tradicional e da sua grande família – todos os elementos que formam uma cultura tradicional –, apenas para conseguir um

---

* **N.T.** Gravação digital de um programa de rádio ou similar disponibilizada na Internet para *download* num leitor de áudio portátil.

emprego decente de engenheiro na 3M. O mundo plano é óptimo para a preservação da cultura local indiana. As culturas encaixam-se em ambientes e o facto de um número maior de pessoas poder, não só sobreviver, mas prosperar na sua região nativa, no seu próprio ambiente, é um valor acrescentado para as forças da diversidade cultural *versus* as forças da homogeneidade.

Além disso, mesmo os indivíduos que tiveram de se desenraizar de países em desenvolvimento para rumar ao Ocidente – principalmente para a Europa ou para os Estados Unidos – têm conseguido aproveitar as vantagens do mundo plano para preservar muitos aspectos da sua cultura local, mesmo vivendo no meio de outra cultura a milhares de quilómetros de distância. Em virtude de poderem ler os seus jornais locais através da Internet, de poderem comunicar telefonicamente com a família e os amigos por um custo residual através da tecnologia VoIP, e de poderem ver diariamente as notícias do Cairo ou de Calcutá (em língua árabe ou hindu) através da Internet ou da televisão por satélite, as forças da particularização parecem actualmente tão fortes como as forças da homogeneização.

É óbvio que a americanização através da globalização é ainda uma força muito poderosa. Nunca deve ser subestimada. No entanto, passados mais de dez anos sobre a queda do Muro de Berlim, deixou de parecer inevitável que todos passem a aparentar, a falar, a cantar, a dançar e a pensar como um norte-americano devido à globalização.

Por acaso, a "globalização do que é local" foi uma expressão que ouvi, pela primeira vez, ser utilizada pelo especialista indiano em globalização e identidade cultural, Indrajit Banerjee, o Secretário-Geral do *Asian Media Information and Communication Centre* (AMIC – Centro de Informação e Comunicação dos *Media* Asiáticos). Numa entrevista concedida a Felix Soh do *The Straits Times* de Singapura (11 de Setembro de 2005), Banerjee explicou que inventara a expressão para descrever o fenómeno que permite às comunidades da diáspora, em todo o mundo, utilizar as actuais redes de comunicação globais para se manterem ligadas aos seus familiares, notícias, tradições e amigos locais – independentemente do local onde estejam a viver. Soh escreve na introdução à entrevista com Banerjee que a globalização do que é local "é a globalização ao contrário. Ao invés dos *media* globais envolverem a Ásia, os *media* 'locais' da região estão a tornar-se globais. O fenómeno da globalização do que é local está a ser impelido pela procura de notícias e informação local por parte das diásporas asiáticas, nomeadamente os milhões de emigrantes chineses e indianos que vivem nos quatro cantos do mundo."

Banerjee, que é doutorado na área da Comunicação pela Sorbonne, em Paris, observa tudo a partir do seu alpendre em Singapura, onde é professor numa universidade. "Poderia pensar-se que a globalização na Ásia significaria adoptar o inglês, mas não é esse o caso", afirmou na entrevista ao *The Straits Times*. "O mercado da diáspora significa que podemos ter jornais, canais de televisão e rádio internacionais, que se baseiam totalmente nas línguas locais. É isto que apelido de globalização do que é local. Não é o global que chega cá e nos envolve. É o local que se torna global."

Hoje em dia, a Grã-Bretanha e os Estados Unidos têm canais de televisão, em que a programação é toda em língua chinesa, espanhola, árabe ou japonesa. "Se houver populações espalhadas pelo mundo inteiro, é possível utilizar eficientemente as plataformas por satélite para transmitir para receptores em todo o mundo", acrescentou Banerjee. "Se juntarmos todos estes receptores, teremos um enorme mercado global".

Soh salientou que a Zee TV, a maior rede de entretenimento indiana, tinha aberto o caminho para outros canais de televisão indianos se tornarem regionais na Ásia. Banerjee afirmou que "a Zee TV tem um mercado indiano muito bem definido – é a diáspora indiana. A sua programação é em hindu. Para a Zee TV, a questão da concorrência não se coloca. Não pretende captar as audiências de outras línguas". E acrescentou: "Num futuro próximo, a Ásia será um importante produtor de conteúdos para os *media*, o que constitui um desenvolvimento positivo. Durante muito tempo, a Ásia apenas recebeu conteúdos do Ocidente. No entanto, visto estarmos agora a chegar à maioridade e estarmos mais maduros, as nossas experiências a este nível são substanciais. Isto, a par da riqueza da cultura e da herança asiática, garante à região um tremendo potencial para se tornar num centro de transacção de conteúdos. A Índia possui uma das maiores indústrias cinematográficas do mundo. Produz imensos conteúdos para televisão. A Coreia do Sul e o Japão são muito fortes no campo da animação... Em minha opinião, o global apenas será interessante se for uma variedade do que é local. Toda a diversidade das experiências locais e dos conteúdos locais está presente, ao invés do domínio mundial por parte de um produtor de conteúdos, de uma língua, de uma perspectiva cultural e de uma ideologia."

A Índia, por exemplo, registou um grande crescimento como plataforma de *outsourcing* para a concepção de jogos e de filmes de animação. Fiquei surpreendido com uma afirmação do responsável de uma das empresas que visitei. Ashish Kulkarni, COO (*Chief Operating Officer*) da JadooWorks em Bangalore, explicou-me que a Índia tinha muitos artistas tradicionais com facilidade em fazer a transição para a pintura digital informatizada. Muitos deles são filhos de escultores e pintores de templos hindus. "Damos-lhes formação para que transformem as suas competências tradicionais em animação de formato digital", refere Kulkarni. Todavia, para não perderem as suas competências tradicionais de pintura, a JadooWorks criou uma sala onde os artistas se podem retirar e entregar à sua arte tradicional – porque as duas competências se reforçam mutuamente. As empresas como a JadooWorks vão e vêm em função da procura do mercado global e de quem consegue oferecer os artistas melhores e mais baratos em determinado momento. Contudo, antes de o mundo se tornar plano, a Índia não tinha praticamente empresas nesta área de negócio. Hoje, uma nova geração de artistas indianos tem, pelo menos, a hipótese de manter ou aperfeiçoar as suas competências, em vez de conduzir um táxi para ganhar a vida. "Actualmente, dizemos aos pais: 'Se os seus filhos forem bons a desenho no 7º ano, devem pensar em seguir uma carreira na área da animação'," refere Kulkarni. "Isto era complicado há cinco anos atrás, mas hoje, devido a uma maior exposição, conseguimos que as pessoas acreditem que podem transformar as competências que os seus pais possuíam" e, assim, preservá-las. Entrevistei Deepak Ganguly, um franzino artista informático de 28 anos que trabalhava na JadooWorks. "Os meus pais são artistas, a minha mãe é escultora em casa", explicou. "O meu pai era desenhador de tapetes, desenhava tapetes indianos. Eu tinha queda para o desenho porque tinha sido criado neste tipo de ambiente, pelo que entrei para esta área. Quando iniciei esta carreira na animação, não havia na Índia os [computadores para desenhar em] 3-D ... Pelo que tirei um curso de animação clássica em 2-D e tornei-me num animador 2-D. Quando surgiu o *boom* do 3-D na Índia [nos últimos anos], decidi avançar. Estava a trabalhar num pequeno estúdio em Deli. Costumávamos ver filmes como a *Guerra das Estrelas* e os seus efeitos gerados por computador. Depois, tive a oportunidade de aprender essas competências." A globalização, explicou Ganguly, permitiu-lhe adquirir as suas competências e agora vendê-las em todo o mundo. "Os meios electrónicos facilitam a partilha", afirmou. "Conseguimos receber o trabalho mais facilmente e usar as nossas competências também com maior facilidade."

Pelo tom de algumas críticas, poderia pensar-se que a globalização apenas se cingia à disseminação do capitalismo selvagem, das marcas globais, da *fast food* e dos valores de consumo, com o objectivo de aniquilar as acolhedoras, calorosas e prósperas comunidades, indústrias e culturas locais. Não há dúvida que as forças da globalização fazem algumas ou todas estas coisas em muitos locais e em muitas ocasiões. Todavia, a globalização não se limita à disseminação do capitalismo ou dos mercados ou à valorização das transacções. Não é um fenómeno exclusivamente económico e o seu impacto não é exclusivamente económico. É um fenómeno muito mais abrangente, profundo e complexo, que envolve novas formas de comunicação e de inovação. O mundo plano significa a criação de uma plataforma para múltiplas formas de partilhar trabalho, conhecimento e entretenimento. As preocupações acerca dos efeitos pulverizadores da globalização são legítimas, aliás muito importantes, mas ignorar a sua capacidade de autonomizar indivíduos e de enriquecer a nossa variedade cultural deixa escapar os seus efeitos potencialmente positivos ao nível da liberdade e da diversidade humana. Não estou a dizer que o mundo plano irá sempre enriquecer e preservar a cultura. O que estou a dizer é que nem sempre destrói a cultura, como afirmam os críticos da globalização. A "lei de ferro" da globalização é muito simples: se pensar que é tudo positivo ou que é tudo negativo, nunca a terá. A globalização encerra tendências de autonomização e de dependência, de homogeneização e de particularização, de democratização e de autoritarismo. Está relacionada com o mercado global, mas também com a Internet e o Google.

Não deveríamos ter dúvidas – eu não tenho – de que o mundo plano autonomiza as forças das trevas, bem como as forças da vida. Também é possível fazer o *upload* de pornografia caseira, ideias racistas, mentiras, teorias da conspiração ou de simples disparates, e de os disseminar mais fácil e rapidamente, bem como até mais longe, na plataforma do mundo plano. A edição de 19 de Dezembro de 2005 do *The New York Times* publicou uma história sinistra na primeira página sobre um adolescente, Justin Berry, "que foi levado a actuar perante uma *webcam* – despindo-se, tomando banho, masturbando-se e mesmo tendo relações sexuais – para uma audiência de mais de 1 500 pessoas, que lhe pagaram, durante vários anos, centenas de milhares de dólares." O mais irónico é o facto de lhe pagarem muitas vezes através do PayPal.com – o sistema de pagamentos *on-line* detido pela eBay para facilitar as transacções no seu *site* de leilões.

Por todas estas razões, a nossa função não é acabar com esta plataforma, mas sim tirar o máximo partido dela e impedir o pior.

O tipo de globalização de que estamos agora a falar – com a Internet e do facto do mundo se tornar plano – "é um tipo de globalização diferente daquele que está nas mentes das pessoas que a têm criticado", salientou o especialista israelita em política, Yaron Ezrahi. "Encerra oportunidades e perigos diferentes." Em termos culturais, a globalização do que é local "permite que um grupo local de defensores dos direitos humanos integre uma comunidade internacional e sinta essa solidariedade, e o mesmo acontece com os ambientalistas. Infelizmente, isto também é verdade para os neonazis e os simpatizantes da al-Qaeda. Sempre que os seres humanos têm liberdade para criar comunidades, podem criar comunidades progressistas ou criminosas... O facto é que a Internet ampliou a capacidade de os indivíduos gerarem as suas próprias histórias e de se inscreverem no mundo, tanto na qualidade de indivíduos como fazendo parte de comunidades. Será que deveríamos ser contra isto? É óbvio que não."

Aquando da impressão deste livro, o Google estava disponível em 116 línguas diferentes, do árabe ao zulu, passando por vários dialectos chineses. Quanto mais pessoas se puderem informar facilmente na sua própria língua, maiores serão as hipóteses destas línguas e textos sobreviverem e maior será a probabilidade de outros escreverem nessas línguas e de não se sentirem compelidos a utilizar o inglês. A busca é uma das dez forças que tornaram o mundo plano e a globalização do que é local irá crescer gradualmente à medida que os motores de busca se forem espalhando pelos quatro cantos do mundo plano.

No entanto, o mundo plano está a gerar diversidade em vários locais do mundo, mesmo sem a Internet. Hoje, temos mais rádio, mais televisão, mais telefone, mais viagens e mais transacções. O professor e filósofo de Princeton, nascido no Gana, Kwame Anthony Appiah, expressou isto muito bem num ensaio publicado na *The New York Times Magazine* (1 de Janeiro de 2006), intitulado "O Caso da Contaminação". Aproveitando uma visita que fez à sua mãe a Kumasi, Gana – a aldeia onde nasceu – alegou uma variedade de exemplos para demonstrar que, hoje, as pessoas em África, mesmo os aldeões, não são apenas objectos onde o Ocidente ou o mundo moderno gravam as suas ideias. São também sujeitos que têm um relacionamento de muito maior reciprocidade – adopção, adaptação, importação, reexportação e inovação – com o mundo, graças à globalização. "Sim, a globalização pode produzir homogeneidade", escreveu. "Porém, a globalização é igualmente uma ameaça à homogeneidade... Quando as pessoas falam da homogeneidade produzida pela globalização, estão a falar do seguinte: até mesmo aqui, os aldeões têm rádios (embora a língua seja a local); é possível ouvir conversas sobre o Ronaldo, Mike Tyson ou Tupac; e é provável que consiga encontrar uma garrafa de Guinness ou de Coca-Cola (bem como de Star ou de Club, marcas de cerveja do Gana). Mas será que o acesso a estas coisas tornou o local mais ou menos homogéneo? E o que dizer da alma das pessoas pelo facto de beberem Coca-Cola? É um facto que os enclaves de homogeneidade que encontramos actualmente – tanto em Asante como na Pensilvânia – são menos distintos do que eram há um século, mas principalmente pelo lado positivo. Um número maior destes enclaves tem acesso a medicamentos, a água potável e a escolas. Os locais que não têm estas coisas – e ainda existem muitos assim –, não são algo que se deva celebrar, mas antes lamentar. Independentemente da atenuação das diferenças, estão constantemente a inventar novas formas de diferenciação: novos cortes de cabelo, novo calão e mesmo, esporadicamente, novas religiões. Ninguém poderá dizer que as aldeias de todo o mundo estão a ficar iguais."

A mais recente força anti-homogeneização é o *podcasting* – uma ferramenta totalmente nova para globalizar o que é local. Obtive algumas informações acerca deste fenómeno em Outubro de 2005, quando visitei um pequeno apartamento nos subúrbios de Xangai, onde está sediado o maior *site* de *podcasting* da China, o Toodou.com. "Já temos treze mil canais no nosso *site* e aproximadamente cinco mil são actualizados diariamente", explicou-me Gary Wang, o engenheiro de 32 anos, nascido em Fuzhou e educado nos EUA e em França, que fundou o Toodou, que em chinês significa "batata". Qualquer chinês pode criar o seu canal de conteúdos áudio ou vídeo no Toodou, enquanto outros indivíduos se registam para ter acesso ao conteúdo desse canal sempre que é feito o *upload* de novo material. O serviço ainda é gratuito, mas o Toodou acabará certamente por cobrar uma mensalidade aos utilizadores.

"Quero criar centenas de milhares de canais diferentes, geridos por pessoas comuns, a que outras pessoas possam aceder e fazer o *download* do material", acrescentou Wang. Isso vai certamente acontecer, porque a facilidade de *uploading* e *podcasting* significa que não existem praticamente barreiras à entrada, desde que se tenha um computador, uma *webcam* e um microfone. (Ainda existem algumas limitações políticas ao que se pode dizer na China, mas quem sabe por quanto tempo serão esses limites viáveis. O Toodou.com censura a pornografia e tudo o que viola a lei chinesa ou ameaça directamente o governo comunista).

O *podcast* mais popular do Toodou, quando lá estive, era um vídeo de duas jovens chinesas, na casa dos 20 anos, a fazer *playback* de uma popular canção de *rock* cantonês. "Estavam entediadas", explicou Wang, pelo que foram comprar as suas *webcams* (que podem ser adquiridas em Xangai pelo equivalente a seis dólares), utilizaram o Microsoft Movie Maker (um *software* que vem incluído no Windows XP), fizeram o seu próprio *podcast* de três minutos ao estilo da MTV e efectuaram o seu *upload* no Toodou.com. Foi visualizado 75 mil vezes nos primeiros três meses. "Apenas precisaram de uma hora para gravar o vídeo e quinze minutos para o editar", afirmou Wang. As raparigas, que se autodenominam "The Beans", têm actualmente o seu próprio clube de fãs *on-line*.

Outro dos favoritos é um *podcast* de dois alunos chineses de Arquitectura, que envergam camisolas dos Houston Rockets (a equipa da estrela da NBA Yao Ming, natural da China,) e que fazem o *playback* de uma música dos Backstreet Boys. Um diaporama sobre a vida em Shenzhen foi visualizado 16 mil vezes, incluindo todo o tipo de comentários de utilizadores espalhados pela China. O segundo *podcast* mais visto, quando lá estive, era um concerto de uma banda de *rock* alternativo num bar de Xangai. O objectivo do Toodou.com, salientou Wang, "é ligar as pessoas [chinesas] aos seus gostos e aos seus potenciais colaboradores. Teremos uma enorme base de dados de conteúdos e vamos partilhar os resultados com os fornecedores de conteúdos." Wang acrescentou ainda: "Criámos esta plataforma para permitir a participação livre das pessoas e estas apenas se limitam a entrar. Com o custo de todo o tipo de ferramentas a ser cada vez mais reduzido, a veia criativa irá crescer naturalmente."

Sim, sei que estou a ser um pouco exagerado. Muito poucos chineses alguma vez viram um iPod, pelo que a maior parte do *podcasting* existente aqui é criado e visualizado ou ouvido em PC. Todavia, assim que o preço dos iPod (de música ou vídeo) descer, a China será um enorme mercado de *podcast*. Muitos dos actuais *podcast* são disparates, mas a qualidade também irá certamente aumentar. A facilidade do *podcasting* vai fazer aumentar a concorrência e a experimentação. A primeira vez que Wang ouviu falar de *podcasting* foi em 2004. Passados cerca de 13 meses, tinha o *site* de *podcasting* mais popular da China, com cem mil utilizadores registados, oito colaboradores, 40 voluntários e um financiador norte-americano de capital de risco. O *site* foi divulgado gratuitamente pelos bloguistas chineses. O apartamento/escritório que utilizava, aquando da minha visita, tinha uma renda mensal de 500 dólares e alguns dos seus colaboradores dormiam lá. Praticamente todo o *software* do Toodou.com é gratuito, material *open-source* obtido na *Web* – um servidor *Web* Apache; FreeBSD, um sistema operativo livre Unix; MySQL, um sistema gratuito de base de dados; e PHP, uma linguagem de programação gratuita. Wang criou pessoalmente os algoritmos que fazem funcionar o Toodou.com. Ao comparar a China com os Estados Unidos e a Europa, onde estudou, Wang afirmou: "Com a mesma quantidade de dinheiro, posso fazer dez vezes mais aqui... Posso viver com mil dólares mensais em Xangai e ter a mais recente tecnologia e todos estes servidores – tudo o que existe nos EUA também existe aqui."

Na China, a combinação do baixo custo e da diminuição das barreiras está a tornar mais barato o processo de criação de conteúdos culturais e, por conseguinte, mais popular. É por isso que estou convicto que esta fase plana da globalização não vai significar mais americanização, mas sim mais globalização das culturas, formas de arte, estilos, receitas, literatura, vídeos e opiniões locais – um número crescente de conteúdos que são locais passarão a globais.

"Temos músicas diferentes [das dos norte-americanos] e queremos expressar coisas diferentes, mas o desejo é o mesmo", salientou Wang. "Queremos todos ser vistos e ouvidos e ser capazes de criar coisas que gostamos e de as partilhar... Pessoas de todo o mundo irão absorver conhecimentos e inspiração provenientes da mesma plataforma tecnológica, mas culturas diferentes irão florescer nessa mesma plataforma. O terreno é o mesmo, mas as árvores serão diferentes."

E pensavam que a Revolução Cultural tinha acabado. Não, está apenas a começar. A diferença é que a nova Revolução Cultural chinesa irá ser impulsionada de baixo para cima* – graças à plataforma do mundo plano – por utilizadores de *podcast* com pequenos iPods brancos da Apple e não de cima para baixo** por maoístas com Pequenos Livros Vermelhos.

---

* **N.T.** *Bottom up.*

** **N.T.** *Top down.*

Capítulo XIV

A Teoria Dell de Prevenção de Conflitos

Velhos tempos *versus* Mesmo a tempo (*just-in-time*)

A liberalização do comércio é a diplomacia de Deus.
Não há outro caminho certo para unir as pessoas nos laços da paz.
– *Richard Cobden, político britânico, 1857*

Antes de partilhar convosco o tema deste capítulo, tenho de vos falar sobre o computador que utilizei para escrever este livro. Foi, em grande parte, escrito num computador portátil Dell Inspiron de 600 megas, referência número 9ZRJP41. Como elemento de pesquisa para este livro, visitei a equipa de gestão nas instalações da Dell, em Austin, no Texas. Partilhei com os gestores as ideias deste livro e, em troca, pedi-lhes um favor: que me reconstituíssem toda a cadeia de abastecimento global que tinha reunido os componentes para a construção do portátil que utilizei para escrever o livro. Sim, eu queria conhecer todos os componentes que integravam o meu portátil Dell, de que país provinham e, se possível, o nome das pessoas que os tinham montado. Eis o que descobri.

O meu computador foi criado quando telefonei para o número grátis da Dell, em 2 de Abril de 2004, e fui reencaminhado para o representante de vendas Mujteba Naqvi. Este introduziu imediatamente a minha ordem de encomenda no sistema de gestão da Dell e tomou nota do tipo de computador que queria, das características especiais que pretendia, assim como dos meus dados pessoais, morada de recepção da encomenda, morada de cobrança e informação relativa ao cartão de crédito. O meu cartão de crédito foi verificado pela Dell através da sua ligação com a Visa e a minha encomenda passou para o sistema de produção da Dell. Esta empresa tem seis fábricas espalhadas pelo mundo – Limerick, Irlanda; Xiamen, China; Eldorado do Sul, Brasil; Nashville, Tennessee (EUA); Austin, Texas (EUA); e Penang, Malásia. A minha encomenda seguiu por *e-mail* para a fábrica de computadores portáteis da Dell na Malásia, onde os componentes para o computador foram imediatamente encomendados aos centros logísticos de fornecedores*, que se localizam junto à fábrica de Penang. Nas imediações de todas as fábricas da Dell espalhadas pelo mundo, existem centros logísticos de fornecedores,

* **N.T.** *Supplier Logistic Centers* – SLC.

pertencentes aos diferentes fornecedores de componentes da Dell. Estes SLC funcionam como entrepostos. Se é fornecedor da Dell, em qualquer parte do mundo, o seu trabalho é manter o seu SLC atestado com os seus componentes específicos de forma a que estes possam ser transportados imediatamente para a fábrica da Dell para a produção *just-in-time*.

"Num dia normal, vendemos entre 140 e 150 mil computadores", explicou Dick Hunter, um dos três gestores de produção global. "Essas encomendas chegam-nos através da Dell.com ou por telefone. Mal as encomendas dão entrada, os nossos fornecedores são avisados. Recebem um sinal que está relacionado com os componentes da máquina em causa; desta forma o fornecedor sabe exactamente o que tem de entregar. Se é fornecedor de cabos de alimentação para computadores portáteis, pode ver minuto a minuto quantos cabos é que vai ter de entregar." De duas em duas horas, a fábrica da Dell, em Penang, envia um *e-mail* aos vários SLC localizados nos arredores, dizendo a cada um deles quais os componentes e em que quantidades é que quer que sejam entregues nos próximos 90 minutos – nem um minuto a mais. No espaço desses 90 minutos, camiões dos vários SLC, oriundos dos arredores de Penang, param em frente da fábrica da Dell e descarregam os componentes necessários para o fabrico de todos os computadores portáteis encomendados nas últimas duas horas. A partir do momento em que os componentes dão entrada na fábrica, os colaboradores da Dell levam 30 minutos a descarregá-los dos camiões, a registar os seus códigos de barras e a colocá-los em recipientes para serem montados. "Nós sabemos ao minuto onde é que está cada componente de cada SLC no sistema da Dell", disse-me Hunter.

Afinal, de onde vieram todos os componentes do meu computador portátil?, perguntei-lhe. Para começar, o *design* do computador foi feito em Austin, no Texas e em Taiwan, por uma equipa de engenheiros da Dell e uma equipa de *designers* de computadores portáteis de Taiwan. "As inovações no *design* da Dell são todas determinadas por nós em colaboração directa com os clientes", explicou. "O *design* básico da *motherboard* e da caixa – a funcionalidade básica da máquina – foi desenhada de acordo com essas especificações por um ODM* em Taiwan. Os nossos engenheiros vão às fábricas deles, eles vêm a Austin e em conjunto fazemos o *design* destes sistemas. Este trabalho de equipa global representa uma vantagem adicional – um ciclo de desenvolvimento que funciona virtualmente 24 horas por dia e é distribuído a nível global. Os nossos parceiros fabricam a electrónica básica e nós ajudamo-los a desenhar as características que sabemos que os nossos clientes querem. Conhecemos os clientes melhor do que os nossos fornecedores e do que a nossa concorrência, porque lidamos com eles todos os dias." Os computadores portáteis da Dell são completamente redesenhados mais ou menos de 12 em 12

* **N.T.** Fabicante de *design* original.

meses, mas são-lhes constantemente acrescentadas novas características durante o ano – através da rede de abastecimento – à medida que os componentes de *hardware* e *software* evoluem.

Aconteceu que, quando a encomenda do meu computador portátil chegou à fábrica de Penang, um dos componentes não estava disponível – o cartão *wireless* – devido a uma questão de controlo de qualidade, pelo que a sua montagem se atrasou uns dias. Entretanto, chegou um camião cheio de cartões *wireless* em bom estado. Em 13 de Abril, às 10h15 da manhã, um colaborar da Dell, na Malásia, retira o talão de encomenda, que sai imediatamente assim que todos os meus componentes chegam do SLC à fábrica de Penang. Outro colaborador da Dell na Malásia trouxe um "viajante" – um saco especial concebido para conter e proteger componentes – e começou a encaixar todos os componentes que iriam ser utilizados na montagem do meu computador portátil.

De onde é que vieram todos esses componentes? A Dell recorre a vários fornecedores para a maior parte dos 30 componentes-chave que são utilizados na montagem dos computadores portáteis. Dessa forma, se um fornecedor enfrenta algum contratempo ou não consegue fazer face a um aumento repentino da procura, a Dell não está desprevenida. Por esta razão, existem vários fornecedores-chave para o meu computador portátil Inspiron de 600 megas: o microprocessador Intel, veio da fábrica Intel das Filipinas, da Costa Rica, da Malásia ou da China. A memória veio de uma fábrica de propriedade coreana na Coreia do Sul (Samsung), de uma fábrica de capitais taiwaneses em Taiwan (Nanya), de uma fábrica detida por alemães na Alemanha (Infineon) ou de uma fábrica de propriedade japonesa no Japão (Elpida). A minha placa gráfica veio de uma fábrica de capitais taiwaneses na China (MSI) ou de uma fábrica de propriedade chinesa na China (Foxconn). A ventoinha de arrefecimento veio de uma fábrica de propriedade taiwanesa em Taiwan (CCI ou Auras). A *motherboard* foi fabricada numa fábrica de propriedade coreana em Xangai (Samsung), de uma fábrica de propriedade taiwanesa em Xangai (Quanta) ou de uma fábrica de propriedade taiwanesa em Taiwan (Compal ou Wistron). O teclado veio de uma fábrica de propriedade japonesa em Tianjin, China (Alps), de uma fábrica de propriedade taiwanesa em Shenzen, China (Sunrex) ou de uma fábrica de propriedade taiwanesa em Suzhou, China (Darfon). O monitor de cristais líquidos (LCD) foi fabricado na Coreia do Sul (Samsung ou LG.Philips LCD), no Japão (Toshiba ou Sharp) ou em Taiwan (Chi Mei Optoelectronics, Hannstar Display ou AU Optronics). O cartão *wireless* veio de uma fábrica de propriedade norte-americana na China (Agere) ou na Malásia (Arrow), de uma fábrica de propriedade taiwanesa em Taiwan (Askey ou Gemtek) ou na China (USI). O *modem* foi fabricado numa fábrica de propriedade taiwanesa na China (Asustek ou Liteon) ou numa fábrica gerida por chineses na China (Foxxconn). A bateria veio de uma fábrica de propriedade norte-americana na Malásia (Motorola), de uma fábrica de propriedade japonesa no México, na Malásia ou na China (Sanyo) ou de uma fábrica de propriedade sul-coreana ou taiwanesa em qualquer um destes países (SDI ou Simplo). O disco rígido foi feito por uma fábrica de propriedade norte-americana em Singapura (Seagate), por uma fábrica de propriedade japonesa na Tailândia (Hitachi ou Fujitsu) ou por uma fábrica de propriedade japonesa nas Filipinas (Toshiba). A *drive* de CD/DVD veio de uma empresa de propriedade sul-coreana com fábricas na Indonésia e nas Filipinas (Samsung), de uma fábrica de propriedade japonesa na China ou na Malásia (NEC), de uma fábrica de propriedade japonesa na Indonésia, na China ou na Malásia (Teac), ou de uma fábrica de propriedade japonesa na China (Sony). A pasta para transportar o computador portátil foi produzida numa fábrica de propriedade irlandesa na China (Tenba) ou numa fábrica de propriedade norte-americana também na China (Targus, Samsonite ou Pacific Design). O transformador foi produzido numa fábrica de propriedade tailandesa na Tailândia (Delta) ou numa fábrica de propriedade taiwanesa, coreana ou norte-americana na China (Liteon, Samsung ou Mobility). O cabo de alimentação foi fabricado por uma empresa de propriedade britânica com fábricas na China, na Malásia e na Índia (Volex). A unidade amovível foi feita numa fábrica de propriedade israelita em Israel (M-System) ou numa empresa norte-americana com uma fábrica na Malásia (Smart Modular).

Esta sinfonia da rede de abastecimento – desde a minha encomenda por telefone, passando pelo fabrico, até à entrega na minha casa – é uma das maravilhas do mundo plano. "Nós temos de promover muita colaboração", disse Hunter. "Michael [Dell] conhece pessoalmente todos os CEOs destas empresas e nós estamos constantemente a trabalhar com eles na melhoria de processos e no equilíbrio procura/oferta em tempo real." A adaptação à procura é contínua, confirmou Hunter. O que é a "adaptação à procura"? Funciona desta forma: às 10 horas da manhã, hora de Austin, a Dell sabe quantos clientes encomendaram computadores portáteis com discos rígidos de 40 *gigabytes* desde o amanhecer e que a sua cadeia de abastecimento irá sobrelotar-se em duas horas. Esse sinal é automaticamente repetido a todos os departamentos de *marketing*, à Dell.com e a todos os operadores de vendas que recebem ordens de encomenda. Se telefonar à Dell às 10h30 da manhã, o representante da Dell dir-lhe-á, "Tom, hoje é o seu dia de sorte! Durante a próxima hora estamos a oferecer discos rígidos de 60 *gigabytes* com o computador portátil que pretende – por apenas mais dez dólares que o disco de 40 gigas. E se decidir agora, a Dell oferece-lhe a pasta para o computador no acto da compra, porque o valorizamos como cliente." Dentro de uma hora ou duas, recorrendo a esta estratégia de promoções, a Dell pode remodelar a procura orientando-a para qualquer componente de qualquer computador portátil de forma a repor o equilíbrio no abastecimento projectado na sua cadeia global. Hoje, a memória está em saldo, amanhã podem ser os CD-ROM.

Voltando à história do meu computador portátil, no dia 13 de Abril, às 11h29 da manhã, todos os componentes tinham sido retirados dos contentores de inventário *just-in-time,* em Penang. O computador foi aí montado por A. Sathini, um membro da equipa "que aparafusou manualmente todos os componentes da montagem e fez todos os outros acabamentos necessários ao sistema do Tom", confirmou a Dell, no relatório de produção que me entregaram. "A seguir, o computador foi enviado pela passadeira rolante para o departamento de cópias, onde foi feito o *download* do *software* específico do Tom." A Dell detém vários servidores munidos do que há de mais recente da Microsoft, da Norton Utilities e de outras aplicações populares de *software*, que são introduzidas em cada novo computador, de acordo com as preferências específicas de cada cliente.

"Pelas 14h45, o *software* do Tom tinha sido introduzido com sucesso e o computador foi manualmente transferido para a linha de embalagem. Pelas 16h05, o computador do Tom estava inserido numa espuma protectora e numa embalagem, com uma etiqueta que contém o número de encomenda, o código de encomenda, o tipo de sistema e o código de envio. Pelas 18h04, o computador do Tom tinha sido colocado numa paleta com uma informação específica, onde era visível a sua data de entrega, em que paleta estaria (de 75 paletas com 152 sistemas cada uma) e para que endereço seria enviado. Pelas 18h26, a máquina do Tom deixou a fábrica da Dell em direcção ao Aeroporto de Penang, Malásia.

A Dell utiliza, seis dias por semana, voos *charter* das Linhas Aéreas Chinesas que partem de Taiwan e fazem voos de Penang para Nashville, via Taipé. Cada um dos aviões 747 levanta voo com cinco mil computadores portáteis Dell que pesam, ao todo, 110 toneladas. É o único 747 que aterra em Nashville, à excepção do Airforce One, quando há visitas do Presidente. "Em 15 de Abril de 2004, às 7h41 da manhã, o computador do Tom chegou [a Nashville] juntamente com outros sistemas Dell vindos de Penang e de Limerick. Às 11h58, o computador do Tom foi introduzido numa caixa maior e desceu pela linha de embalagem para os componentes externos específicos que o Tom havia encomendado."

Passaram treze dias após a encomenda. Se não tivesse havido o referido atraso com os componentes na Malásia, entre o meu telefonema a fazer a encomenda, a montagem em Penang e a chegada do computador a Nashville teriam decorrido apenas quatro dias. Hunter acrescentou que a cadeia total de abastecimento na qual esteve envolvido o meu computador, incluindo os fornecedores dos fornecedores, envolveu cerca de 400 empresas na América do Norte, na Europa e, em especial, na Ásia, apenas com 30 jogadores-chave. De alguma forma tudo se reuniu. Como a Dell descreveu: em 15 de Abril de 2004, às 12h59, "o computador do Tom tinha sido enviado de Nashville e foi transportado pela UPS LTL (três a cinco dias, especificado pelo Tom), com o número de referência da UPS 1Z13WA374253514697. Em 19 de Abril de 2004, às 18h41, a máquina do Tom chegou a Bethesda, Maryland, e foi recebida".

Conto-vos a história do meu computador portátil como exemplo de uma história bem mais importante sobre geopolítica no mundo plano. De todas as forças mencionadas no capítulo anterior que estão a criar obstáculos a que o mundo se torne plano ou que poderiam mesmo reverter o processo, uma representa uma ameaça mais tradicional, isto é, o surgimento de uma guerra, antiquada, agitadora e destruidora da economia. Poderia ser a decisão da China de eliminar de uma vez por todas Taiwan, como Estado independente; ou a Coreia do Norte, devido ao medo ou à insanidade mental, utilizar uma das suas armas nucleares contra a Coreia do Sul ou o Japão; ou Israel e o Irão, que está em vias de se tornar uma potência nuclear, se atacarem mutuamente; ou a Índia e o Paquistão acabarem por se destruir com armas nucleares. Estes e outros conflitos geopolíticos clássicos podem surgir a qualquer momento, atrasar o processo que está a tornar o mundo plano ou inverter seriamente este movimento.

A verdadeira temática deste capítulo é sobre a forma como as ameaças geopolíticas clássicas poderão ser moderadas ou influenciadas pelas novas formas de colaboração encorajadas e exigidas pelo mundo plano – particularmente a cadeia de abastecimento.

O processo que está a tornar o mundo plano é muito recente para se conseguir chegar a alguma conclusão definitiva. O que é certo é que, enquanto o mundo fica plano, um dos dramas mais interessantes a que assistiremos na área das relações internacionais será o intercâmbio entre as ameaças globais tradicionais e as recentes e emergentes cadeias globais de abastecimento. A interacção entre as velhas ameaças (China *versus* Taiwan) e as cadeias de abastecimento do tipo *just-in-time* (como a China *mais* Taiwan) será uma fonte de estudo e investigação para a ciência das Relações Internacionais no início do século XXI.

No meu livro *O Lexus e a Oliveira* defendi que quanto mais os países ligassem as suas economias e os seus futuros à integração e comércio globais, mais isso se traduziria numa barreira à guerra com os seus vizinhos. Comecei a pensar nesta ideia em finais dos anos 90, quando, durante as minhas viagens, reflecti sobre a possibilidade de dois países que tinham a McDonald's terem deixado de guerrear entre si quando cada um abriu o seu McDonald's (escaramuças fronteiriças e guerras civis não contam, porque a McDonald's servia ambos os lados). Depois de debater isto com a McDonald's, apresentei uma tese que denominei de "A Teoria dos Arcos Dourados de Prevenção de Conflitos"*. Esta teoria defendia que quando um país atingia um determinado nível de desenvolvimento económico, tendo uma classe média importante para sustentar uma rede da McDonald's, passava a ser um país McDonald's. Quem vivia nos países McDonald's já não gostava de guerras. Preferiam estar nas filas para os hambúrgueres. Apesar de ter apresentado esta teoria

* **N.T.** *Golden Arches Theory of Conflict Prevention.*

em ligeiro tom de brincadeira, o que queria defender era que, à medida que os países se iam integrando no tecido do comércio internacional e aumentando os seus padrões de vida, situação que as redes de restaurantes da McDonald's simbolizam muito bem, o custo da guerra, seja o da vitória seja o da derrota, torna-se proibitivamente elevado.

A teoria McDonald's aguentou-se bastante bem, mas actualmente quando quase todos os países têm um restaurante McDonald's, excepto os piores malfeitores como a Coreia do Norte e o Irão, pareceu-me que deveria actualizá-la no âmbito de um mundo plano. Com o mesmo espírito, e mais uma vez em ligeiro tom de brincadeira, dou-vos a conhecer a "Teoria Dell de Prevenção de Conflitos". Esta defende que o advento e a expansão das cadeias de abastecimento globais de oferta *just-in--time* no mundo plano são uma barreira ainda maior ao aventureirismo geopolítico do que o aumento do nível de vida que a McDonald's simbolizou.

A Teoria Dell define o seguinte: dois países que integrem uma grande cadeia global de abastecimento, como a da Dell, nunca encetarão uma guerra um contra o outro, enquanto ambos fizerem parte dessa mesma cadeia global de abastecimento. Porque para quem está envolvido numa grande cadeia global de abastecimento não faz sentido lutar por causas antigas. O objectivo é fazer entregas *just-in-time* de bens e serviços – e desfrutar do aumento inerente do nível de vida. Uma das pessoas com a melhor perspectiva acerca da lógica que subjaz a esta teoria é Michael Dell, fundador e *Chairman* da Dell.

"Estes países compreendem o risco acrescido que assumem", afirmou Dell acerca dos países que fazem parte da sua cadeia de abastecimento asiática. "Eles são muito cuidadosos a proteger a equidade que criaram ou dizem-nos que não nos devemos preocupar [com o facto de fazerem ou não algo de aventureiro]. A minha convicção, depois de visitar a China, é que a mudança que este país viveu é do melhor interesse para o mundo e para a China. Assim que as pessoas provam o sabor do que quer que seja que lhe queiram chamar – independência económica, um melhor estilo de vida, uma vida melhor para os seus filhos – agarram-se a isso e não o abandonam."

Qualquer tipo de guerra ou conflito político na Ásia Oriental ou na China "teria um efeito maciço de congelamento do investimento nessa zona e de todo o progresso que aí tivesse sido realizado", referiu Dell, que acrescentou que acredita que os governos dessa parte do mundo compreendem muito lucidamente a situação. "Nós somos muito claros com eles, quando dizemos que a estabilidade é muito importante. [Actualmente] não é uma preocupação diária... Creio que à medida que o tempo passa e o progresso se mantém numa linha de evolução constante, a possibilidade de vir a acontecer algo de perturbador reduz-se exponencialmente. Acho que a nossa indústria recebeu crédito suficiente pelo que de bom estamos a fazer nesta região do mundo. Se estamos a ganhar dinheiro, a ser produtivos e a elevar o nosso padrão de vida, não nos sentamos para pensar, 'Quem é que nos fez isto?' ou 'Por que é que a nossa vida é tão má'?"

Há uma grande verdade em tudo isto. Os países, cujos trabalhadores e indústrias estão envolvidos numa grande cadeia de abastecimento global, sabem que não podem tirar uma hora, uma semana ou um mês para a guerra, sem perturbar as indústrias e as economias do mundo e, consequentemente, arriscar-se a perder o seu lugar, por muito tempo, nessa cadeia de abastecimento, o que para eles teria um preço muito caro. Para um país sem quaisquer recursos naturais, fazer parte de uma cadeia global de abastecimento é como encontrar petróleo – petróleo que nunca se esgotará. Ser deixado de fora dessa cadeia porque se começou uma guerra é como ver os seus poços de petróleo secar ou haver alguém que atire cimento para dentro deles. A curto prazo, eles não resurgirão.

"Paga-se muito caro por isso", disse Glenn E. Neland, *Senior Vice President* para a rede de abastecimento da Dell, quando lhe perguntei o que é que aconteceria a um importante membro da cadeia de abastecimento na Ásia que decidisse iniciar uma luta contra o país vizinho e perturbar essa cadeia. "Não só o derrubará [hoje], como também pagará por um longo tempo – porque não terá qualquer credibilidade se demonstrar que, politicamente, vai perder as estribeiras. E a China está agora a começar a desenvolver um nível de credibilidade na comunidade empresarial que lhe permite criar um ambiente de negócios onde é possível prosperar – com regras consistentes e transparentes." Neland contou que os fornecedores lhe perguntam regularmente se está preocupado com a China e Taiwan, que já ameaçaram entrar em guerra em várias alturas nos últimos 50 anos. A sua resposta-tipo é que não consegue imaginá-los "a fazer mais alguma coisa além de meter medo um ao outro". Neland adiantou que consegue perceber isto a partir das conversações e negociações com empresas e governos na cadeia de abastecimento da Dell, particularmente com os chineses. "Eles reconhecem a oportunidade e estão realmente com uma enorme vontade de participar, como outros países asiáticos o fizeram. Os chineses sabem que existe um grande 'pote' económico no fim do 'arco-íris' e estão atrás dele. Este ano, vamos gastar cerca de 35 mil milhões de dólares na produção de componentes e 30 por cento dessa quantia está na China."

Se seguir a evolução das cadeias de abastecimento, acrescentou Neland, verá a prosperidade e a estabilidade que promoveram, primeiro no Japão e depois na Coreia e em Taiwan, e agora na Malásia, em Singapura, nas Filipinas, na Tailândia e na Indonésia. À medida que os países ficam envolvidos nestas cadeias globais de abastecimento, "sentem que pertencem a algo muito maior do que os seus próprios negócios", disse. Osamu Watanabe, CEO da Organização do Comércio Externo do Japão (JETRO), explicava-me, uma tarde, em Tóquio, como as empresas japonesas estavam a transferir grandes quantidades de trabalho técnico, de gamas baixas e médias, para a China. A produção básica era realizada neste país e voltava ao Japão para a montagem final. O Japão estava a fazer isto, apesar da herança de uma amarga desconfiança entre os dois países, que foi intensificada pela invasão japonesa da China no século passado. Historicamente, um Japão forte e uma China forte têm tido dificuldade em coexistir. Mas hoje não, pelo menos não de momento. E por que não?, perguntei. A razão pela qual é possível existir, ao mesmo tempo, um Japão forte e uma China forte, é a "cadeia de abastecimento". Ambos os países ganham.

Como é óbvio, uma vez que o Iraque, a Síria, o Sul do Líbano, a Coreia do Norte, o Paquistão, o Afeganistão e o Irão não fazem parte de nenhuma das grandes cadeias globais de abastecimento, permanecem pontos quentes que podem explodir a qualquer momento e abrandar ou reverter o processo que está a tornar o mundo plano. Como a história do meu computador confirma, o mais importante teste da "Teoria Dell de Prevenção de Conflitos" é a relação entre a China e Taiwan – uma vez que ambos estão profundamente envolvidos em muitas das mais importantes cadeias de abastecimento de computadores, electrónica e *software*. A vasta maioria dos componentes de computador para as grandes empresas vem da costa Chinesa, de Taiwan e da Ásia Oriental. Por outro lado, só Taiwan tem, actualmente, mais de cem mil milhões de dólares em investimentos na China e os peritos de Taiwan gerem muitas das empresas chinesas mais inovadoras no fabrico de tecnologia de ponta.

Não admira que Craig Addison, o antigo editor da revista *Electronic Business Asia*, tenha escrito um texto para o *International Herald Tribune* (29 de Setembro de 2000), com o título "Um 'escudo de silicone' protege Taiwan da China." Segundo ele "os produtos fabricados com silicone, tais como computadores e sistemas de *networking,* formam a base das economias digitais nos Estados Unidos, no Japão e noutras nações desenvolvidas. Durante a década passada, Taiwan tornou-se o terceiro maior produtor de *hardware* de Tecnologias da Informação, depois dos Estados Unidos e do Japão. Uma guerra militar da China contra Taiwan iria reduzir largamente o abastecimento mundial destes produtos... Tal acontecimento retiraria biliões de dólares ao valor de mercado das empresas de tecnologia cotadas no mercado bolsista dos Estados Unidos, do Japão e da Europa". Mesmo que os líderes chineses, como o antigo Presidente Jiang Zemin, que já foi Ministro da Electrónica, tenham perdido a noção de como a China e Taiwan estão integrados na cadeia mundial de abastecimento de computadores, só precisam de pedir aos filhos que os actualizem. O filho de Jiang Zemin, Jiang Mianheng, escreveu Addison, "é sócio de um projecto de fabrico de *bolachas* em Xangai, com Winston Wang do Grupo Grace T.H.W., de Taiwan". E não é só de Taiwan. Centenas de grandes empresas norte-americanas de tecnologia têm hoje operações de Investigação & Desenvolvimento (I&D) na China; uma guerra que as perturbasse, não só fazia com que deslocalizassem as suas fábricas para outro lado, mas também implicaria uma significativa perda de investimento em I&D na China, no desenvolvimento do qual o governo de Pequim também tinha apostado. Tal guerra poderia, dependendo da maneira como começasse, desencadear um abrangente boicote dos Estados Unidos aos produtos chineses – se a China fosse destabilizar Taiwan – o que conduziria a um sério estado de desordem e confusão económica dentro da China.

A Teoria Dell enfrentou o seu primeiro verdadeiro teste em Dezembro de 2004, quando ocorreram em Taiwan eleições legislativas. Era esperado que o Presidente Chen Shui-bian, independente do Partido Democrático Progressista (PDP), vencesse as eleições, contra o principal partido da oposição, que favorecia as relações com Pequim. Chen estruturou as eleições como um referendo popular com a sua proposta para delinear uma nova constituição que formalmente mantivesse sagrada a independência de Taiwan, para acabar com o propositadamente ambíguo *status quo*. Se Chen tivesse ganho e levado a cabo a sua agenda para fazer de Taiwan a sua *motherland**, em oposição a manter o *status quo* fictício de que é uma província, poderia ter levado a China a um assalto militar a Taiwan. Todos na região estavam a suster a respiração. E o que aconteceu? *As motherboards*** *venceram a motherland*. A maioria do povo de Taiwan votou contra os candidatos do partido do governo a favor da independência, assegurando que o PDP nunca teria a maioria no parlamento. Acredito que a mensagem dos eleitores de Taiwan não era que não queriam que esta se tornasse independente. Não quiseram foi perturbar naquela altura o *status quo*, que era muito positivo para muitos taiwaneses. Os eleitores parecem ter compreendido na perfeição o quanto estavam envolvidos com a China e inteligentemente decidiram manter a sua independência *de facto* em vez de forçar a sua independência legislativa, que poderia ter provocado a invasão chinesa e um futuro muito incerto.

Aviso: o que defendi quando apresentei a teoria da McDonald's é ainda mais importante com a Teoria Dell: não torna as guerras obsoletas. E não garante que os governos não optem pela guerra, mesmo aqueles que estão integrados nas principais cadeias de abastecimento. Sugerir isso seria ingenuidade da minha parte. Garante somente que os governos desses países, que estão imiscuídos nas cadeias de abastecimento globais, pensem três vezes, e não só duas, antes de participar em qualquer conflito, exceptuando uma guerra em autodefesa. Mesmo que decidam avançar com uma guerra, o preço que terão de pagar será dez vezes mais elevado do que seria dez anos antes e provavelmente dez vezes mais elevado do que os seus líderes teriam estimado. Uma coisa é perder o seu McDonald's, outra coisa completamente diferente é fazer uma guerra que lhe custaria o seu lugar na cadeia de abastecimento do século XXI, posição que não se reconquista com facilidade.

---

* **N.T.** Pátria

** **N.T.** Placa principal de circuitos do computador, onde ficam os componentes essenciais.

Apesar do grande teste da Teoria Dell ter sido a China *versus* Taiwan, o facto é que a mesma teoria já se provou, de alguma forma, a si mesma com o caso da Índia e do Paquistão. Estava na Índia, em 2002, quando as cadeias de abastecimento *just-in-time* enfrentaram alguns acontecimentos geopolíticos dos velhos tempos – e a cadeia de abastecimento venceu. No caso da Índia e do Paquistão a Teoria Dell funcionava só de um lado – Índia – mas ainda assim tinha um grande impacto. A Índia representa para o mundo, relativamente à cadeia de abastecimento de conhecimento e serviços, o que a China e Taiwan representam ao nível da produção. Agora, leitor, concentre-se nos seguintes factos: o maior centro de investigação da General Electric fora dos EUA localiza-se em Bangalore, com 1700 cientistas, engenheiros e *designers*. As marcas de muitos *chips* para muitos telemóveis de marca são criados em Bangalore. Está a alugar um automóvel da Avis *on-line*? Tudo é gerido a partir de Bangalore. A localização das suas bagagens perdidas nas companhias aéreas Delta ou British Airways é gerida a partir de Bangalore e a manutenção da área informática e a contabilidade de grandes empresas é feita a partir de Bangalore, Mumbai, Chennai e de outras grandes cidades da Índia.

O que aconteceu foi o seguinte: a 31 de Maio de 2002, o porta-voz do Departamento de Estado norte-americano Richard Boucher lançou o seguinte alerta: "Avisamos os cidadãos norte-americanos que estejam na Índia para abandonar o país", porque a possibilidade de existir um ataque nuclear do Paquistão estava a tornar-se muito real. Ambos os países enviaram tropas para as fronteiras, relatórios dos serviços secretos sugeriam que os dois países estavam a preparar as suas armas e a CNN divulgou imagens de pessoas a fugir da Índia. As empresas globais norte-americanas que tinham transferido as suas operações internas e as áreas de I&D para Bangalore estavam verdadeiramente preocupadas com a situação.

"Estava na Internet quando vi o aviso sobre o que se passava na Índia, numa sexta-feira à noite", contou Vivek Paul, *President* da Wipro até Junho de 2005, empresa que gere operações de apoio aos bastidores de muitas multinacionais norte-americanas na Índia. "Quando vi aquilo disse: Meu Deus! Todos os meus clientes vão inundar-me com perguntas sobre o que está a acontecer", contou ele. Era uma sexta-feira, que antecedia um longo fim-de-semana, e durante esse fim-de-semana a Wipro esteve a trabalhar no desenvolvimento de um plano de negócios de emergência para todos os seus clientes. Enquanto os clientes da Wipro ficavam descansados por perceber que a empresa que contrataram estava a controlar, de alguma forma, os acontecimentos, outras empresas não tinham essa sorte. Uma guerra não estava no plano quando decidiram subcontratar a investigação de um importante projecto e várias operações na Índia. Como recorda Paul "tinha um CIO (*Chief Information Officer*) de um dos nossos quatro maiores clientes a enviar-me *e-mails* e a dizer: 'estou a perder algum tempo a tentar descobrir localizações alternativas à Índia. Não creio que queira que eu faça isso e eu também não gostava de o fazer'. Reenviei imediatamente esta mensagem para o Embaixador da Índia, em Washington, e disse-lhe para o fazer chegar à pessoa certa." O Paul não me contou qual tinha sido a empresa em causa, mas confirmei junto de fontes diplomáticas que tinha sido a United Technologies. Muitas outras, como a American Express e a General Electric, com algumas operações em Bangalore, estavam igualmente preocupadas.

Para muitas empresas globais, "a parte principal dos seus negócios está apoiada aqui", contou-me N. Krishnakumar, *President* da MindTree, outra empresa indiana líder na área do *outsourcing* de trabalho de produção de conhecimento sediada em Bangalore. "Pode levar ao caos se houver algum tipo de perturbação." Sem se querer envolver na política de relações internacionais acrescentou: "O que explicámos ao nosso governo, por intermédio da Confederação da Indústria da Índia*, foi que oferecer um ambiente operacional estável e previsível é hoje um factor-chave para o desenvolvimento do país." Este foi um grande ensinamento para os líderes mais antigos de Nova Deli, que ainda não entendiam que a Índia se tinha tornado crucial para a rede mundial de abastecimento da economia do conhecimento. Quando se está a gerir operações vitais para a American Express ou para a General Electric, ou se é responsável por localizar a bagagem perdida da British Airways ou da Delta, não se pode perder um mês, uma semana ou mesmo um dia com uma guerra sem provocar um enorme prejuízo nestas empresas. Uma vez que estas se comprometeram a subcontratar as suas operações de negócio ou investigação na Índia, esperam continuar neste país. Este é um grande compromisso. Se a geopolítica provoca desordens sérias, estas empresas abandonam este país e não regressam facilmente. Quando se perde este tipo de comércio e de serviços, pode-se perdê-lo para sempre.

"O que acaba por acontecer no mundo plano é que há apenas uma única oportunidade para corrigir algo que corra mal. Porque a desvantagem de estar num mundo plano é que, apesar da bondade de todos os compromissos e da abertura de barreiras a que assistimos, os clientes têm múltiplas oportunidades de escolha. Pelo lado das empresas não há somente que cumprir as responsabilidades assumidas com o cliente, mas também a necessidade de autopreservação", adiantou Paul.

O governo indiano percebeu a mensagem. Terá sido o facto de a Índia ocupar um lugar central na cadeia mundial de abastecimento de serviços que fez o Primeiro-ministro Vajpayee baixar o nível da sua retórica e afastar-se do abismo? Claro que não. Existiram com certeza outros factores – o mais importante foi o efeito impeditivo do próprio arsenal do Paquistão. Mas, claramente, o papel desempenhado actualmente pela Índia nos serviços globais foi uma fonte dissuasora adicional importante para conter a decisão política, tendo sido tida em conta em Nova

---

* **N.T.** *Confederation of Indian Industry.*

Deli. "Acredito que ficaram mais lúcidos", referiu Jerry Rao, que lidera a Associação Comercial Indiana de Alta Tecnologia. "Nós envolvemo-nos seriamente e esforçámo-nos por defender que isso seria muito negativo para os negócios da Índia e para a sua economia... Muitos não se aperceberam, até à altura, o quanto estávamos integrados no resto do mundo. Agora, somos parceiros numa cadeia de abastecimento que funciona 24 horas por dia, sete dias por semana e 365 dias por ano."

Vivek Kulkarni, o então Ministro para as TI do governo regional de Bangalore, disse-me, em 2002, "não nos envolvemos na política, mas chamámos a atenção do governo para os problemas que a indústria das TI poderia enfrentar se existisse uma guerra". Isto era um novo factor para Nova Deli ter em consideração. "Há dez anos atrás o *lobby* dos ministros das TI de diferentes Estados indianos não existia", referiu Kulkarni. Agora, é um dos *lobbies* mais importantes da Índia e representa uma coligação que o governo deste país não pode ignorar.

"Com todo o respeito, fechar a McDonald's não magoa ninguém. Mas se a Wipro tem de fechar as portas, afectaríamos as operações diárias de muitas empresas", concluiu Vivek Paul. Ninguém atenderia os telefones dos *call centers*. Muitos *sites* de *e-commerce* que são apoiados a partir de Bangalore deixariam de existir. Muitas empresas que dependiam da Índia para manter as suas aplicações informáticas ou gerir os seus departamentos de recursos humanos ou de facturação ficariam paralisadas. Estas empresas não querem encontrar alternativas, disse Paul. Transferir é muito complicado, porque tomar conta de operações internas diárias que são determinantes para o bom funcionamento do negócio exige muita formação e experiência. Não é como abrir um restaurante de *fast food*. Por essa razão, os clientes da Wipro estavam a avisá-lo: "Eu fiz um investimento no seu projecto. Preciso que seja muito responsável em relação à confiança que estou a depositar em si." Isto criou uma grande pressão e tivemos de agir de uma forma responsável... "De repente tudo ficou claro. Havia mais para ganhar com as conquistas económicas do que com as conquistas geopolíticas. Tínhamos mais a ganhar com a construção de uma classe média dinâmica e rica, que pudesse criar uma indústria de exportação, do que poderíamos conquistar com uma guerra com o Paquistão, para satisfazer egos." O governo indiano também olhou à volta e compreendeu que a maioria da população da Índia estava a reclamar: "Queremos um futuro melhor, não mais território." Cada vez que pergunto aos jovens que trabalham nos *call centers* como se sentem em relação à situação de Caxemira ou de uma possível guerra com o Paquistão, dão-me sempre a mesma resposta: "Temos coisas mais interessantes em que pensar." E têm. Os Estados Unidos têm de ter isto em conta quando avaliam a sua abordagem ao *outsourcing*. Nunca defenderia enviar alguns empregos para o estrangeiro só para manter a paz entre a Índia e o Paquistão. Mas diria que, porque este processo acontece, motivado pela sua lógica económica interna, terá o seu efeito positivo a nível geopolítico. Obviamente tornará o mundo mais seguro para todas as crianças.

Cada líder indiano que entrevistei defendeu que perante um acto de terrorismo desestabilizador ou agressão por parte do Paquistão, a Índia faria o que tivesse de ser feito para se defender e eles seriam os primeiros a apoiar isso – e isto anularia a Teoria Dell. Por vezes a guerra é inevitável. É-lhe imposta pelo comportamento descuidado de outros e terá somente de pagar o preço. Quanto mais a Índia, e em breve o Paquistão, se imiscuírem nas cadeias de abastecimento de serviços, menos incentivados se sentirão para lutar, a não ser numa guerra de palavras ou pequenas batalhas sem conflito directo. O exemplo da crise nuclear Índia-Paquistão, em 2002, dá-nos alguma esperança. O cessar-fogo aconteceu graças aos esforços da General Electric (GE), não do General Colin Powell.

*We bring good things to life.**

Infosys *versus* al-Qaeda

Infelizmente, mesmo a GE não pode fazer muito mais, pois uma nova fonte de instabilidade geopolítica surgiu nos últimos anos, para a qual mesmo uma versão actualizada da Teoria Dell tem os seus limites. É o surgimento de cadeias de abastecimento mutantes, ou seja, actores não estatais, criminais ou terroristas, que aprendem a utilizar todos os elementos do mundo plano para delinear uma agenda francamente desestabilizadora e niilista. Comecei a pensar sobre isto quando Nandan Nilekani, o CEO da Infosys, me estava a mostrar as instalações na sua sede em Bangalore. Quando me explicava como a Infosys podia reunir a sua cadeia global de abastecimento para participar numa videoconferência, surgiu-me um pensamento: quem mais utiliza o *open-sourcing* e a cadeia de abastecimento de uma forma tão imaginativa? A resposta é a al-Qaeda.

A al-Qaeda aprendeu a usar muitos dos mesmos instrumentos para uma colaboração global que a Infosys utiliza, mas em vez de produzir produtos e lucros com os mesmos, produz a desordem, a violência e a morte. Este é um problema especialmente difícil. Deve ser o problema geopolítico mais perturbador para os países que já vivem num mundo plano e que se querem focalizar no futuro. O mundo plano – infelizmente – é amigo tanto da Infosys como da al-Qaeda. A Teoria Dell não funcionará contra as redes informais de terror islamo-leninistas, porque não são um Estado com população que responsabiliza os seus líderes ou com um *lobby* de negócios domésticos que os pode conter. Estas cadeias de abastecimento mutantes são criadas com o objectivo de destruir, não de produzir riqueza. Não necessitam de investidores, só de recrutas, doadores e vítimas. No entanto, estas cadeias de abastecimento autofinanciadas e mutantes utilizam todas as ferramentas oferecidas no mundo plano – *uploading* para angariar capital, recrutar

* **N.T.** Um famoso *slogan* publicitário da GE, que significa algo como "Damos vida a coisas boas."

seguidores e estimular e disseminar ideias; *outsourcing* para formar os recrutas; e cadeias de abastecimento para distribuir as ferramentas e os homens-bomba para levar a cabo as operações. O comando central dos EUA tem um nome para toda esta rede subterrânea: califado* virtual. E os seus líderes e inovadores compreendem o mundo plano quase tão bem como a Wal-Mart, a Dell e a Infosys.

No capítulo XII, tentei explicar que não pode compreender a ascensão emocional e política da al-Qaeda sem ter em conta o facto de o mundo se estar a tornar plano. O que estou a defender aqui é que não pode entender tecnicamente a ascensão da al-Qaeda sem ter em conta o mundo plano. A globalização tem sido, de forma geral, amiga da al-Qaeda, uma vez que está a ajudar a solidificar um renascimento da identidade e da solidariedade muçulmana, estando os muçulmanos de um país muito mais bem preparados para ver e simpatizar com as lutas dos membros das suas organizações religiosas num outro país – graças à Internet e à televisão por satélite. Ao mesmo tempo, como referi nesse capítulo, o processo que está a tornar o mundo plano intensificou os sentimentos de humilhação nalgumas áreas muçulmanas do mundo, devido ao facto de as civilizações sobre as quais em tempos o mundo árabe foi superior – hindus, cristãos e chineses – estarem agora a sair-se muito melhor do que muitos países muçulmanos e todos podemos assistir a isso. O mundo plano também provocou uma crescente urbanização e emigração em larga escala para países ocidentais de muitos destes rapazes, desempregados, árabes-muçulmanos frustrados, facilitando ao mesmo tempo o estabelecimento de redes informais através das quais se relacionavam e operavam. Este factor foi um alento para os grupos políticos clandestinos de muçulmanos extremistas. Tem existido uma proliferação destas cadeias de abastecimento informais por todo o mundo árabe-muçulmano – redes pequenas de pessoas que fazem circular dinheiro através dos *hawalas* (redes de financiamento pessoais e directas), que recrutam através de sistemas alternativos de ensino como as *madrassas*, que comunicam através da Internet e outras ferramentas da revolução global da informação. Pense nisso: há um século atrás, os anarquistas estavam limitados na sua capacidade de comunicar e colaborar uns com os outros, para encontrar simpatizantes para a causa e para reunir esforços para levar a cabo uma operação. Hoje, com a Internet, isso deixou de ser um problema. Hoje, até o "Unabomber"** conseguiria encontrar amigos, com a mesma visão que ele, para se unirem num consórcio onde as "suas forças" podiam ser reforçadas mutuamente.

O que testemunhámos no Iraque foi uma mutação ainda mais perversa desta cadeia de abastecimento mutante – a cadeia de abastecimento suicida. Desde o iní-

---

* **N.T.** Jurisdição de um Califa, líder religioso.

** **N.T.** O "Unabomber", Theodore Kaczynski de seu nome, é um matemático, escritor e activista político norte-americano, condenado por terrorismo.

cio da invasão norte-americana do Iraque, em Março de 2002, mais de 200 homens-bomba foram recrutados no Iraque e por todo o mundo muçulmano, trazidos para a frente iraquiana por uma qualquer rota subterrânea, ligada aos produtores locais de bombas. Depois, foram lançados contra alvos norte-americanos ou iraquianos, de acordo com o que melhor se adaptasse às necessidades diárias da rebelião armada das forças islâmicas no Iraque. Posso compreender, mas não aceitar, a noção de que mais de 37 anos de ocupação de Israel possam ter levado alguns palestinianos à raiva suicida. Mas a ocupação norte-americana do Iraque tinha apenas alguns meses quando começou a ser atacada por esta cadeia de abastecimento suicida. Como é que se recruta tantos jovens sem grande esforço, que estão prontos para se suicidar em nome da *jihad*, sendo que muitos deles nem sequer são iraquianos? Nem se identificam pelo seu nome, nem têm cartões de crédito – pelo menos neste mundo. O que acontece é que as agências dos serviços secretos ocidentais não fazem a menor ideia de como funciona esta cadeia subterrânea de abastecimento de suicidas, que basicamente estão a dificultar muito a vida às forças armadas norte-americanas no Iraque. Do que sabemos, este califado virtual funciona tal como as cadeias de abastecimento descritas anteriormente. Da mesma forma que quando retira um artigo de uma prateleira numa loja de desconto em Birmingham outro é imediatamente produzido em Pequim, assim que há um atentando suicida em Bagdad, também os retalhistas suicidas substituem esse bombista por outro que é imediatamente recrutado e recebe a doutrina em Beirute. À velocidade que esta estratégia se impõe, será importante que a doutrina militar dos EUA seja reestruturada.

O mundo plano tem sido um impulso para a al-Qaeda e outros do género devido à forma como possibilita que os pequenos "ajam em grande", e pela forma como permite que pequenas acções – a morte de apenas algumas pessoas – tenham grandes efeitos. O vídeo horrível que mostrava a decapitação do repórter do *Wall Street Journal*, Danny Pearl, pelos islamistas militantes no Paquistão, circulou pela Internet por todo o mundo. Não existe um jornalista que não tenha visto ou lido esta história e não tenha ficado completamente transtornado. Mas este tipo de vídeos também é utilizado como ferramenta de recrutamento. No mundo plano, é muito mais fácil aos terroristas transmitir este terror. Com a Internet, não têm de passar pelas organizações noticiosas ocidentais ou árabes, o que faz com que possam divulgar o que pretendem através do seu computador. Já não é necessário um grande aparato para transmitir ansiedade. Tal como a força militar dos EUA seduzia os jornalistas, também as cadeias de abastecimento suicidas têm seduzido os terroristas, à sua maneira, para lhes contar o seu lado da história. Quantas vezes me levantei de manhã, me liguei à Internet e fui confrontado com um vídeo de um homem mascarado, empunhando uma arma e ameaçando decapitar um norte-americano – tudo enviado pelo serviço de Internet da AOL? A Internet é uma poderosa ferramenta para disseminar publicidade, teorias conspiratórias e espalhar mentiras antigas, porque combina um grande alcance com a utilização de tecnologia que torna tudo o que está na Internet, de uma forma ou de outra, mais credível. Quantas vezes já ouviu alguém dizer: "Mas eu li isso na Internet", para terminar uma conversa? De facto, a Internet pode piorar as coisas. Muitas vezes pode levar a que mais pessoas tenham acesso a teorias "malucas" de conspiração.

"O novo sistema de difusão – a Internet – transmite mais irracionalidade do que racionalidade", comentou o especialista em política Yaron Ezrahi, nomeadamente na interacção dos *media* com a política. "Porque a irracionalidade tem mais conteúdo emocional, necessita de menos conhecimento, explica mais a mais gente e chega à base de uma forma mais fácil." Por este motivo, as teorias conspiratórias são tão numerosas no mundo árabe-muçulmano de hoje – e, de facto, estão infelizmente a surgir também em muitas zonas do mundo Ocidental. Estas teorias são como uma droga que entra directamente no seu sistema sanguíneo e que o faz ver a "luz". A Internet é a "agulha". Alguns jovens têm de tomar a droga LSD para fugir. Agora só precisam de estar *on-line* e não têm de se "chutar", mas sim de fazer um *download*. E esse *download* contém precisamente os pontos de vista que lhes dizem o que procuram. O mundo plano torna isso tudo muito mais fácil.

Gabriel Weimann, um professor de Comunicação na Universidade de Haifa, Israel, fez um estudo inédito sobre a utilização da Internet pelos terroristas no que denomino de mundo plano, que foi publicado em Março de 2004 pela Fundação norte-americana para a Paz (*United States Institute of Peace*) e a 26 de Abril de 2004 pelo YaleGlobal Online. Ele defendia o seguinte:

"Se bem que o perigo que o ciberterrorismo coloca à Internet seja frequentemente debatido, é surpreendente como se sabe tão-pouco sobre a ameaça que é a utilização da Internet por terroristas. Um estudo divulgado recentemente e que demorou seis anos a ser realizado revela que as organizações terroristas e os seus apoiantes têm vindo a usar todas as ferramentas que a Internet oferece para encontrar quem apoie as suas causas, angariar fundos e lançar uma campanha mundial de medo. É também evidente que, para se combater eficazmente o terrorismo, a mera supressão das suas ferramentas de Internet não seria o suficiente. A nossa consulta à Internet em 2003-04 revelou a existência de centenas de *websites* para terroristas que assumem formas muito diferentes, se bem que por vezes até se detecte alguma sobreposição... Existem incontáveis exemplos sobre a forma como os terroristas usam este meio não censurado para espalhar desinformação, para fazer ameaças destinadas a transmitir medo e um sentimento de desamparo, e também para espalhar imagens horríveis de acções recentes. Desde 11 de Setembro de 2001, a al-Qaeda ornamentou com ramalhetes de flores os seus *websites* através de uma série de anúncios de um "grande ataque" pendente contra alvos norte-americanos. Os *media* deram uma considerável cobertura a estas advertências, o que ajudou a gerar um sentimento generalizado de pavor e insegurança por todo o mundo, especialmente nos Estados Unidos...

A Internet tem expandido significativamente as oportunidades para os terroristas garantirem publicidade. Até ao aparecimento da Internet, o desejo dos terroristas de poderem publicitar as suas causas e actividades dependia de como conseguiam atrair a atenção da televisão, da rádio ou da imprensa escrita. O facto de serem os próprios terroristas a ter controlo directo sobre o conteúdo dos seus *sites* oferece-lhes mais oportunidades para definirem a forma como são percepcionados pelas diferentes audiências-alvo e para manipularem a sua imagem e a imagem dos seus inimigos. A maioria dos *sites* terroristas não celebra as suas actividades violentas. Em vez disso – independentemente da sua natureza, motivo ou local –, a maioria desses *sites* dá ênfase a dois aspectos: as restrições à liberdade de expressão e o estado lamentável em que se encontram os seus camaradas que são agora prisioneiros políticos. Estes assuntos têm um eco poderoso junto dos seus apoiantes e são planeados de forma a ganharem simpatias no Ocidente, onde as pessoas tanto estimam a liberdade de expressão e onde lhes desagrada tanto as medidas de silenciamento da oposição política...

Os terroristas mostraram talento não só para o *marketing on-line* mas também que são peritos em detectar informação nos milhares de milhões de páginas da Internet. Eles aprendem na Internet tudo sobre horários e localizações de alvos, tais como instalações de transportes, fábricas nucleares, edifícios públicos, aeroportos e portos, e mesmo sobre medidas de combate ao terrorismo. De acordo com o Secretário da Defesa norte-americano, Donald Rumsfeld, um manual de treino da al-Qaeda confiscado no Afeganistão dizia: "Ao utilizarmos as fontes de dados públicas, de forma aberta e sem recurso a meios ilegais, é possível reunirmos pelo menos 80 por cento de toda a informação que precisamos de saber sobre o inimigo." Um computador da al-Qaeda que foi confiscado continha as características da engenharia e da estrutura de uma barragem, que tinham sido descarregadas da Internet e que possibilitariam aos engenheiros e estrategas da al-Qaeda simular falhas com consequências catastróficas. Noutros computadores que foram apreendidos, os investigadores norte-americanos descobriram provas de que os operadores da al-Qaeda tinham visitado *sites* que oferecem instruções de *software* e programação para os computadores digitais que gerem a electricidade, a água, os transportes e redes de comunicação.

À semelhança de muitas outras organizações políticas, os grupos terroristas usam a Internet para angariar fundos. A al-Qaeda, por exemplo, sempre dependeu bastante dos donativos e a sua rede global de angariação de fundos é construída com base em instituições de solidariedade social, organizações não governamentais e outras instituições financeiras que têm *sites*, salas de *chat* e fóruns na Internet. Da mesma forma, os combatentes na Tchechénia, república secessionista da Federação Russa, recorreram à Internet para publicitar os números das contas bancárias para onde os simpatizantes podem fazer os seus depósitos. E, em Dezembro de 2001, o governo norte-americano confiscou os bens de uma instituição de solidariedade social sediada no Texas, devido às suas ligações ao Hamas*. Além de solicitarem ajuda financeira *on-line*, os terroristas recrutam convertidos através de toda uma panóplia de tecnologias dos *sites* (áudio, digital, vídeo, etc.), de forma a darem mais força à apresentação das suas mensagens. E tal como os *sites* comerciais fazem o rastreio** dos seus visitantes para desenvolver uma base de perfis dos consumidores, as organizações terroristas captam informação sobre os utilizadores que navegam nos seus *sites*. Os visitantes que parecerem mais interessados na causa da organização ou com mais capacidade para levar a cabo o seu trabalho são depois contactados. Os recrutadores podem também utilizar tecnologia mais interactiva da Internet para percorrerem salas de *chat* e cibercafés, procurando membros do público que se mostrem mais receptivos, particularmente os jovens. O instituto SITE, um grupo de investigação do terrorismo com sede em Washington, D.C., que monitoriza as comunicações da al-Qaeda pela Internet, forneceu pormenores arrepiantes sobre uma actividade de recrutamento lançada em 2003 que visava recrutar combatentes para viajarem até ao Iraque e atacarem as forças norte-americanas e da coligação que lá se encontravam. A Internet também disponibiliza aos terroristas um meio barato e eficiente de ligação em rede. Muitos grupos terroristas, entre os quais se encontram o Hamas e a al-Qaeda, sofreram transformações, passando de organizações estritamente hierárquicas com líderes nomeados, para filiais de células semi-independentes que não dispõem de uma única hierarquia de comando. Através da Internet, estes grupos interligados são capazes de manter contactos entre si – e com membros de outros grupos terroristas. A Internet liga não só membros da mesma organização terrorista, mas também membros de diferentes grupos. A título de exemplo, dúzias de *sites* de apoio ao terrorismo em nome da *jihad* permitem aos terroristas que se encontram em locais geograficamente bastante distantes uns dos outros, como a Tchechénia e a Malásia, trocar ideias e informação prática sobre como construir bombas, criar células terroristas e levar a cabo os ataques... Os activistas da al-Qaeda basearam-se significativamente na Internet para o planeamento e coordenação dos ataques do '11/9'."

Por todas estas razões, só agora começamos a compreender o impacto geopolítico do mundo plano. Por um lado, os Estados falidos e as regiões falidas são lugares que acabam por ser evitados. Não oferecem qualquer oportunidade económica e não há nenhuma União Soviética para que os norte-americanos tenham de competir pela influência sobre esses países. Por outro lado, não deve existir nada de tão perigoso como um Estado falido com capacidade de banda larga. Ou seja, até os Estados falidos tendem a ter sistemas de telecomunicações e ligações

---

* **N.T.** Movimento radical palestiniano que não reconhece a existência do Estado de Israel.

** **N.T.** Através de programas que disponibilizam o IP de quem acede, o que permite saber de onde vêm.

por satélite. Por conseguinte, se um grupo terrorista se infiltrar num Estado falido, como a al-Qaeda fez com o Afeganistão, poderá ampliar enormemente o seu poder. Tanto quanto as grandes potências querem estar longe desses Estados, os grupos terroristas poderão sentir-se impelidos a embrenhar-se cada vez mais neles. Pense na situação dos EUA no Afeganistão e no Iraque, na situação da Rússia na Tchechénia, na situação da Austrália em Timor-Leste.

No mundo plano, é muito mais difícil escondermo-nos, mas muito mais fácil relacionarmo-nos. "Pense em Mao, no início da revolução comunista chinesa", salientou Michael Mandelbaum, o especialista em política externa da Universidade Johns Hopkins. "Os comunistas chineses tinham de se esconder em grutas no Noroeste da China, mas podiam movimentar-se em qualquer território que fossem capazes de controlar. Bin Laden, em contrapartida, não pode mostrar o seu rosto, mas tem capacidade para entrar em qualquer lar do mundo, graças à Internet." Bin Laden não pode conquistar territórios, mas pode conquistar a imaginação de milhões de pessoas. E foi o que ele fez, ao conseguir que fosse divulgado um vídeo seu em vésperas das eleições presidenciais norte-americanas de 2004. Não há nada mais terrível do que um terrorista com cobertura de satélite e um *site* interactivo.

Pessoalmente inseguros

No Outono de 2004, fui convidado para discursar numa sinagoga em Woodstock, Nova Iorque, não muito longe da quinta de Yasgur, anfitriã do famoso festival de música de Woodstock. Perguntei aos meus anfitriões como é que tinham conseguido obter o apoio de uma sinagoga tão grande para a realização daquela série de palestras. Muito simples, responderam eles. Desde o "11/9", os judeus e outros povos têm vindo a mudar-se da cidade de Nova Iorque para lugares como Woodstock, para estarem longe daquilo que receiam ser o novo *ground zero**. Neste momento, essa tendência ainda não é muito significativa, mas poderia crescer drasticamente se um engenho nuclear detonasse em qualquer cidade europeia ou norte-americana.

Uma vez que esta ameaça é a mãe de todas as forças de desestabilização de um mundo plano, este livro não ficaria completo sem se discutir o assunto. Nós podemos suportar muita coisa. Conseguimos sobreviver ao "11/9". Mas não conseguimos viver com o terrorismo nuclear. Isso desestabilizaria de forma permanente o mundo plano.

A única razão para Ussama bin Laden não ter usado um engenho nuclear no "11/9" não se deve ao facto de ele não ter essa intenção, mas sim ao facto de não ter capacidade para isso. E atendendo a que a Teoria Dell não dá qualquer espe-

* **N.T.** "Zona de impacto" dos ataques terroristas ao *World Trade Center*.

rança de travar as cadeias de abastecimento suicidas, a única estratégia que temos é limitar as suas piores capacidades. Isso significa um esforço global muito mais sério para estancar a proliferação nuclear, limitando o seu fornecimento – através da compra do material fóssil que ainda anda por aí, particularmente na ex-União Soviética, e evitando que mais Estados ganhem capacidade nuclear. No seu livro intitulado *Nuclear Terrorism: The Ultimate Preventable Catastrophe**, o perito em assuntos internacionais da Universidade de Harvard, Graham Allison, salienta a existência de uma estratégia capaz de impedir que os terroristas tenham acesso a armas e materiais nucleares. Ele insiste que isso pode ser feito. É um desafio à nossa vontade e convicções, *mas não às nossas capacidades*. Allison propõe uma nova ordem de segurança internacional, liderada pelos norte-americanos, destinada a lidar com este problema, tendo por base aquilo que denomina de "a doutrina dos Três Nãos: não dar folga às armas nucleares; não nascerem mais armas nucleares; não haver novos Estados nucleares". Não dar folga às armas nucleares, explica Allison, significa ter sob o controlo todas as armas nucleares e todo o material nuclear a partir do qual possam ser feitas bombas – e de uma forma muito mais séria do que aquilo que se tem feito até agora. "Não deixamos sair ouro do Forte Knox, a Rússia não deixa sair os tesouros do Kremlin", afirma Allison. "Por isso, todos sabemos como evitar o roubo das coisas que nos são extremamente valiosas se estivermos determinados a isso." Impedir o surgimento de mais armas nucleares significa reconhecer que existe um grupo de intervenientes que pode produzir – e produz – urânio ou plutónio altamente enriquecido, que se trata nada mais, nada menos, do que bombas nucleares prestes a desenvolver-se. Precisamos de um regime de não proliferação muito mais credível e multilateral que absorva este material fóssil. Por último, não haver mais Estados nucleares significa "traçar uma linha sob alçada das actuais oito potências nucleares e determinar que, por mais injusto e irrazoável que possa ser, esse clube não aceitará nem mais um membro", disse Allison, para desenvolvermos um regime mundialmente aprovado mais formal e sustentável.

Seria bom que também fossemos capazes de vedar à al-Qaeda e afins o acesso à Internet, mas isso é impossível – pelo menos sem nos prejudicarmos. É por isso que a limitação das suas capacidades é necessária, mas não suficiente. Temos também de encontrar uma forma de estar a par das suas piores intenções. Se não vamos desligar a Internet e todas as outras ferramentas criativas e colaborativas que ajudaram a que o mundo se tornasse plano; e se não podemos restringir o acesso a elas, a única coisa que podemos fazer é tentar influenciar a imaginação e intenções e tirar conclusões a partir daí. Quando abordei este assunto, com o meu professor de Teologia, o rabino Tzvi Marx, que dá aulas na Holanda, ele surpreendeu-me

---

* **N.T.** Terrorismo Nuclear: A Última Catástrofe Evitável.

ao dizer que o mundo plano que eu estava a descrever o fazia recordar a história da Torre de Babel.

Como assim?, perguntei-lhe. "A razão pela qual Deus baniu todas as pessoas da Torre de Babel e as pôs a falar línguas diferentes não se deveu ao facto de não querer que colaborassem entre si", respondeu o rabino Marx. "Foi porque estava furioso por ver qual era o tipo de colaboração que estava a surgir – um esforço para construir uma torre até aos céus de forma a poderem tornar-se Deus." Isso era uma distorção da capacidade humana, por isso Deus quebrou a sua união e a sua capacidade para comunicarem uns com os outros. Agora, todos estes anos depois, a humanidade voltou a criar uma nova plataforma onde mais pessoas, de mais lugares, comunicam e colaboram com menos fricções e mais facilidade do que nunca: a Internet. Verá Deus a Internet como uma heresia?

"Nem pensar", afirmou Marx. "A heresia não está no facto de a humanidade trabalhar em conjunto – está no objectivo por detrás disso. É essencial que usemos esta nova capacidade de comunicação e colaboração para os propósitos certos – para objectivos humanos construtivos e não objectivos megalómanos. Construir uma torre foi megalómano. A insistência de bin Laden de que ele é dono da verdade e que pode deitar abaixo as torres de todos os que não lhe prestam atenção é megalómano. O desejo de Deus é que a humanidade colabore de forma a alcançar o seu pleno potencial."

O último capítulo deste livro debruça-se sobre a forma como podemos promover mais colaboração desse tipo.

Parte 6
Conclusão: Imaginação

Capítulo XV

"9/11" *versus* "11/9"

A imaginação é mais importante do que o conhecimento.
– *Albert Einstein*

Na Internet ninguém sabe que és um cão.
– *Dois cães falando um com o outro, num* cartoon *de Peter Steiner no* New Yorker, *5 de Julho de 1993*

Ao reflectir sobre a última década e meia, durante a qual o mundo se tornou plano, impressiona-me o facto de as nossas vidas terem sido intensamente moldadas por duas datas: "9/11" e "11/9". Estas duas datas representam as duas formas antagónicas da imaginação a funcionar no mundo de hoje: a imaginação criativa do "9/11" e a imaginação destrutiva do "11/9". Uma derrubou um muro e abriu as janelas (*windows*) do mundo – tanto o sistema operativo como aquelas através das quais olhamos. Desbloqueou metade do planeta e tornou os cidadãos que aí vivem nossos potenciais colaboradores e concorrentes. A outra derrubou o *World Trade Center*, fechando para sempre o seu restaurante "Windows on the World"* e erigindo entre as pessoas novos muros de cimento armado, mas invisíveis, numa altura em que pensávamos que o "9/11" os tinha derrubado para sempre.

A queda do Muro de Berlim, em 9 de Novembro de 1989 ("9/11"), resultou de quem se atreveu a imaginar um mundo diferente, mais "aberto" – onde cada ser humano seria livre de concretizar em pleno todo o seu potencial – e que reuniu a coragem necessária para tornar a imaginação realidade. Lembra-se como aconteceu? Foi muito simples: em Julho de 1989, centenas de cidadãos da Alemanha

* **N.T.** Janelas para o mundo.

de Leste procuraram refúgio na embaixada da Alemanha Ocidental, na Hungria. Em Setembro de 1989, a Hungria decidiu abolir as restrições fronteiriças que tinha com a Áustria. Isso significou que qualquer alemão de Leste que entrasse na Hungria poderia seguir para a Áustria e para o mundo livre. Mais de 13 mil alemães de Leste escaparam pela "porta das traseiras" da Hungria. A pressão sobre o governo da Alemanha de Leste aumentava. Quando, em Novembro, este país anunciou que planeava diminuir as restrições à passagem, dezenas de milhares de alemães de Leste convergiram para o Muro de Berlim, onde, em 9/11/89, os guardas fronteiriços abriram os portões.

Alguém na Hungria, talvez o Primeiro-ministro, talvez apenas um burocrata, terá certamente pensado: "Imagine – imagine o que aconteceria se abríssemos a fronteira com a Áustria." Imagine se a União Soviética ficasse sem capacidade de reacção. Imagine se os cidadãos da Alemanha de Leste, novos e velhos, homens e mulheres, se sentissem tão encorajados por verem os seus vizinhos fugir para o Ocidente que, um dia, se juntavam todos junto ao Muro de Berlim e começavam a demoli-lo? Algumas pessoas devem ter tido conversas deste género e, pelo facto de as terem tido, milhões de europeus do Leste foram capazes de sair detrás da Cortina de Ferro e entrar no mundo plano. Foi uma época maravilhosa para se ser norte-americano. Os Estados Unidos eram a única superpotência e todo o mundo estava aberto aos norte-americanos. Não havia muros. Os jovens norte-americanos podiam pensar em viajar para vários países, por seis meses ou um Verão inteiro, como nunca nenhuma geração norte-americana anterior teria conseguido. Podiam viajar até onde a imaginação e o dinheiro os levasse. Também podiam olhar em volta, para os seus colegas de turma, e ver mais alunos de países e culturas diferentes do que no ano anterior.

O 11 de Setembro, é claro, mudou tudo isso. Mostrou-nos o poder de um tipo de imaginação muito diferente. Mostrou-nos o poder de um grupo de homens odiosos que passaram vários anos a imaginar como matar o maior número de inocentes que conseguissem. A determinada altura, bin Laden e o seu bando devem ter literalmente olhado uns para os outros e dito: "Imaginem se realmente conseguíssemos atingir ambas as torres do *World Trade Center* no ponto exacto, entre o 94° e o 98° andar. E imaginem se cada torre caísse como um castelo de cartas." Sim, lamento dizê-lo, mas houve quem tivesse tido essa conversa. E, em resultado disso, o mundo que estava aberto aos norte-americanos parece ter-se fechado como uma concha.

Nunca existiu nenhum momento na História em que a imaginação humana não fosse importante, mas ao escrever este livro apercebi-me de que isso nunca foi *tão* importante como agora, porque, num mundo plano, muitas das ferramentas de colaboração estão a tornar-se vulgares mercadorias acessíveis a todos. Existe um número muito maior de pessoas que tem agora o poder de criar os seus próprios conteúdos. Há uma coisa, porém, que nunca foi e nunca será transformada em mercadoria, que é a imaginação – os conteúdos que as pessoas sonham criar.

Quando vivíamos num mundo mais centralizado e verticalmente organizado – em que os Estados detinham um quase total monopólio do poder – a imaginação individual tornava-se um grande problema quando o líder de um Estado superpoderoso – um Estaline, um Mao ou um Hitler – se pervertia. Mas numa época em que os indivíduos acedem facilmente a todas as ferramentas de colaboração e ganham ainda mais poderes ou delegam esses poderes às suas pequenas células de acção, não é necessário controlar um país para poder ameaçar muitas outras pessoas. O pequeno pode agir "em grande" nos dias de hoje e pôr em sério risco a ordem mundial – sem os instrumentos de um Estado.

Por isso, é da máxima importância que nos debrucemos sobre como se pode estimular a imaginação produtora de acontecimentos positivos. Conforme me disse Irving Wladawsky-Berger, informático da IBM, temos de pensar mais seriamente do que nunca numa forma de incentivar as pessoas a concentrarem-se em resultados positivos susceptíveis de unir e fazer progredir a civilização – imaginações em torno de ideais pacíficos que procurem "minimizar a alienação e celebrar a interdependência em vez da auto-suficiência e a inclusão em vez da exclusão", a abertura, a oportunidade e a esperança em vez de limitações, desconfianças e injustiças.

Deixe-me ilustrar o que digo com um exemplo. No início de 1999, com apenas poucas semanas de diferença, dois homens pensaram em criar uma companhia aérea. Ambos tinham o sonho dos aviões e o conhecimento necessário para fazer alguma coisa para o conquistar. Um chamava-se David Neeleman. Em Fevereiro de 1999, fundou a JetBlue. Reuniu 130 milhões de dólares de capital de risco, comprou uma frota de aviões de passageiros Airbus A-320, contratou pilotos, assinou com eles contratos de sete anos e subcontratou o seu serviço de reservas de bilhetes a mães e pessoas reformadas que trabalhavam a partir de casa, na região de Salt Lake City, Utah.

A outra pessoa que iniciou uma companhia de navegação aérea foi, conforme sabemos agora pelo Relatório da Comissão sobre o "11/9", Ussama bin Laden. Numa reunião em Kandahar, no Afeganistão, em Março ou Abril de 1999, ele aceitou uma proposta inicialmente delineada por Khalid Sheikh Mohammed, o engenheiro mecânico de nacionalidade paquistanesa que arquitectou o "11/9".

O lema da JetBlue era "A mesma altitude. Uma atitude diferente". O lema da al-Qaeda era "Allahu Akbar", "Deus é grande". Ambas as companhias aéreas foram concebidas para fazer o trajecto aéreo até à cidade de Nova Iorque – a de Neeleman para o aeroporto JFK e a de bin Laden para a baixa de Manhattan.

Talvez por ter lido o relatório sobre o "11/9" numa viagem até Silicon Valley, não pude deixar de pensar na forma como Khalid Sheikh Mohammed terá falado e se terá apresentado como sendo mais um engenheiro-empresário impaciente, com o seu diploma da Universidade Estatal Técnica e Agrícola da Carolina do Norte, mostrando as suas ideias a Ussama bin Laden, que se identifica como mais um bem sucedido investidor de capital de risco*. Mas Mohammed estava à procura de *capital de aventura***. Conforme o Relatório da Comissão sobre o "11/9" refere: "Ninguém exemplifica melhor o modelo de empreendedor do terrorismo do que Khalid Sheikh Mohammed (KSM), o principal arquitecto dos ataques de 11 de Setembro… Com educação superior e tão à-vontade num departamento governamental como num abrigo terrorista, KSM aplicou a sua imaginação, aptidão técnica e competências de gestão na incubação e planeamento de um extraordinário leque de planos terroristas. Estas ideias incluíram os convencionais carros-bomba, assassinatos de políticos, bombas em aviões, pirataria do ar, envenenamento de reservatórios e, por último, a utilização de aviões como mísseis guiados por operacionais suicidas… KSM apresenta-se como sendo um empreendedor que procura capital de risco e pessoas… Bin Laden reuniu-se com KSM em Kandahar, em Março ou Abril de 1999, para lhe dizer que a al-Qaeda iria apoiar o seu projecto. O plano secreto passou a ser referido, dentro da al-Qaeda, como "operação aviões".

Do seu quartel-general no Afeganistão, bin Laden mostrou ser um gestor de cadeia de abastecimento muito hábil. Montou uma empresa virtual apenas para este projecto – exactamente como qualquer conglomerado global faria no mundo plano – e encontrou o especialista certo para cada função. Fez o *outsourcing* de todo o trabalho de concepção e do projecto do "11/9" a KSM e entregou a gestão financeira ao sobrinho de KSM, Ali Abdul Aziz Ali, que coordenou a distribuição de fundos aos piratas do ar através de transferências electrónicas, dinheiro, cheques-viagem e cartões de crédito e de débito a partir de contas bancárias no estrangeiro.

Bin Laden recrutou, da lista dos operacionais das unidades militares da al-Qaeda, os homens fortes certos, provenientes da Província de Asir, na Arábia Saudita, os pilotos certos, da Europa, o líder de equipa certo, de Hamburgo, e o pessoal de apoio certo, do Paquistão. Fez o *outsourcing* da formação dos pilotos a escolas de instrução de voo nos Estados Unidos. Bin Laden, que sabia que precisava apenas de "fazer o *leasing*" dos Boeing 757, 767 e possivelmente 747, bem como os Airbus A320, para esta operação, angariou, junto de um consórcio de instituições de caridade da al-Qaeda e junto de outros muçulmanos dispostos a financiar operações antiamericanas, o capital necessário para treinar os pilotos em todos estes tipos de aviões. Para o projecto "11/9", o orçamento total rondou os 400 mil dólares. Quando a equipa se reuniu, bin Laden concentrou-se na sua própria competência principal – liderar todo o projecto e dar inspiração ideológica à sua cadeia de abastecimento de suicidas, com a ajuda dos seus braços direitos Mohammed Atef e Ayman al-Zawahiri.

---

* **N.T.** Versão original: *venture capital*.

** **N.T.** Versão original: *adventure capital*.

É possível perceber a qualidade da cadeia de abastecimento de bin Laden e o quanto a al-Qaeda era uma adepta agressiva da nova tecnologia, lendo apenas uma nota escrita em Dezembro de 2001 pelo tribunal federal especial do Estado da Virgínia em relação à acusação oficial a Zacarias Moussaoui, o chamado 19º pirata do ar do "11/9". Relatava o seguinte: "Por volta de Junho de 1999, numa entrevista a uma estação televisiva de língua árabe, Ussama bin Laden lançou uma... ameaça, dizendo que todos os homens norte-americanos deviam ser mortos." O mesmo registo salienta que, ao longo do ano 2000, todos os piratas do ar, incluindo Moussaoui, começaram a frequentar ou a fazer perguntas sobre cursos em escolas de instrução de voo nos EUA: "Por volta de 29 de Setembro de 2000, Zacarias Moussaoui contactou a Airman Flight School em Norman, Oklahoma, através de uma conta de *e-mail* que criou em 6 de Setembro num fornecedor de serviços de Internet na Malásia. Em Outubro de 2000, Zacarias Moussaoui recebeu correspondência da Infocus Tech, a empresa malaia, confirmando que ele tinha sido nomeado consultor de *marketing* da Infocus Tech para os Estados Unidos, o Reino Unido e a Europa e que iria receber, entre outras regalias, um rendimento no valor de 2500 dólares por mês... Por volta do dia 11 de Dezembro de 2000, Mohammed Atta comprou vídeos de convés de voo para o Boeing 767/300ER e para o Airbus A320/200, na Ohio Pilot Store... Em Junho de 2001, em Norman, Oklahoma, Zacarias Moussaoui fez perguntas sobre como começar uma empresa de pulverização de colheitas... Na data de 16 de Agosto de 2001, Zacarias Moussaoui já tinha consigo, entre outros objectos, duas facas; um par de binóculos; manuais de voo para o Boeing 747/400; um programa de computador de simulação de voo; luvas de combate e caneleiras; uma folha de papel relativa a um sistema de navegação *Global Positioning System* (GPS) portátil e uma câmara de vídeo portátil; *software* que podia ser usado para rever os procedimentos dos pilotos nos Boeing 747/400; cartas indicando que Moussaoui é consultor de *marketing* nos Estados Unidos para a Infocus Tech; uma disquete com informação sobre as aplicações aéreas de pesticidas; e um aparelho portátil de radiocomunicação para aviação."

Em contraste, David Neeleman – um devoto mórmon que cresceu na América Latina, onde o seu pai era um correspondente da UPI – é um daqueles típicos empreendedores norte-americanos e um homem extremamente íntegro. Nunca foi para a faculdade, mas criou duas companhias aéreas de sucesso, a Morris Air e a JetBlue, e desempenhou um importante papel na idealização de uma terceira, a Southwest. É o padrinho das viagens aéreas sem bilhete, agora conhecidas como *e-ticketing*. "Sou um completo optimista. Penso que o meu pai é um optimista", disse-me ao tentar explicar a origem dos seus genes inovadores. "Cresci no seio de um lar muito feliz... a JetBlue foi criada na minha mente antes de ter sido projectada no papel."

Recorrendo à sua imaginação optimista e à sua capacidade para adoptar rapidamente os últimos avanços tecnológicos, Neeleman iniciou uma companhia aérea muito rentável, criando postos de trabalho, viagens de baixo custo, um único embarque, sistema de entretenimento por satélite e um dos locais mais agradáveis para se trabalhar que alguém possa imaginar. Criou também um fundo de catástrofes na sua empresa, para ajudar as famílias dos seus colaboradores que se confrontem com a morte súbita ou doença terminal de um familiar. Neeleman doa um dólar do seu salário por cada dólar que um colaborador deposite no fundo. "Penso que é importante que todos contribuamos com um pouco", afirmou Neeleman. "Acredito que existem leis divinas irrevogáveis segundo as quais, quando servimos os outros, recebemos este estímulo do optimismo." Em 2003, Neeleman, que já era um homem abastado devido à JetBlue, doou cerca de 120 mil dólares do seu salário de 200 mil dólares ao fundo de catástrofes dos colaboradores da JetBlue.

Na sala de espera, junto ao seu gabinete na cidade de Nova Iorque, está pendurada uma fotografia a cores de um Airbus JetBlue a sobrevoar o *World Trade Center*. Neeleman estava no seu gabinete no dia "11/9" e viu as Torres Gémeas a arder, enquanto os seus aviões da JetBlue voavam em círculos sobre o aeroporto JFK. Quando lhe expliquei a comparação que iria fazer entre ele e bin Laden, Neeleman ficou desconfortável e curioso. Enquanto fechava o meu computador e me preparava para sair depois da nossa entrevista, colocou-me a seguinte questão: "Pensa que Ussama acredita verdadeiramente que há um Deus lá em cima que está feliz com o que ele está a fazer?"

Respondi-lhe que não sabia. O que sei é isto: existem duas formas de tornar o mundo plano. Uma delas é usarmos a nossa imaginação para conseguirmos elevar todas as pessoas ao mesmo nível e a outra é usarmos a nossa imaginação para conseguirmos reduzir todas as pessoas ao mesmo nível. David Neeleman utilizou a sua imaginação optimista e as tecnologias facilmente disponíveis do mundo plano para elevar as pessoas. Lançou uma nova companhia aérea surpreendente e bem sucedida, canalizando alguns dos seus lucros para um fundo de catástrofes destinado aos seus colaboradores. Ussama bin Laden e os seus discípulos utilizaram a sua imaginação deturpada, e muitas das mesmas ferramentas, para lançar um ataque surpresa, que reduziu até ao nível onde eles se encontravam dois enormes símbolos do poder dos Estados Unidos. Pior ainda, angariaram o dinheiro e criaram esta imensa catástrofe humana sob o disfarce da religião.

"Dos pântanos primordiais da globalização emergiram duas variantes genéticas," afirmou Nandan Nilekani, CEO da Infosys – uma é a al-Qaeda e a outra são empresas como a Infosys ou a JetBlue. "Por conseguinte, temos de nos concentrar em encontrar formas de incentivar mais boas mutações e manter de fora as más".

Não podia estar mais de acordo. Com efeito, esse esforço poderá ser a coisa mais importante que devemos aprender a fazer, para manter este planeta inteiro.

Não tenho a mínima dúvida de que os progressos tecnológicos – desde os sistemas de reconhecimento da íris até às máquinas de raios X – nos ajudarão a identificar, a localizar e a prender aqueles que estão a tentar usar as ferramentas facilmente disponíveis no mundo plano para o destruírem. A tecnologia, por si só, não nos pode manter seguros. Temos de encontrar formas para influenciar a imaginação daqueles que estariam dispostos a usar as ferramentas de colaboração para destruir o mundo que inventou essas mesmas ferramentas. Mas como se faz para incutir nos outros uma imaginação mais positiva, afirmativa e tolerante? Todos temos de fazer esta pergunta. Faço essa pergunta como norte-americano. Saliento este aspecto porque penso que devem ser os Estados Unidos a dar o exemplo. Todos nós, que temos a sorte de viver em sociedades livres e progressistas, devemos dar o exemplo. Temos de ser os melhores cidadãos globais que pudermos ser. Não nos podemos afastar do mundo. Temos de nos certificar de que tiramos o melhor da nossa imaginação – e nunca deixar que a nossa imaginação tire o melhor de nós.

É sempre difícil saber quando é que transpusemos a linha entre as medidas de segurança justificadas e o deixarmos que a nossa imaginação tire o melhor de nós, ficando assim paralisados devido aos receios. Referi, logo a seguir ao "11/9", que o motivo para os serviços secretos norte-americanos não terem localizado os conspiradores se deveu a "uma falta de imaginação". Acontece que não existiam profissionais suficientes na comunidade dos serviços secretos com imaginação suficiente para chegar à imaginação de bin Laden e de Khalid Sheikh Mohammed. É importante ter algumas pessoas dessas nos serviços secretos. Mas não precisamos *todos* de seguir essa via. Não precisamos de ficar todos tão embrenhados a imaginar o pior de cada um que nos rodeia, que acabemos reduzidos a nós mesmos.

Em 2003, a minha filha mais velha, Orly, integrava a orquestra sinfónica da sua escola secundária. Passou o ano lectivo inteiro a ensaiar para participar no concurso nacional de orquestras das escolas secundárias, em Nova Orleães, em Março desse ano. Chegados a Março, tudo indicava que íamos ter uma guerra com o Iraque, pelo que o Conselho Directivo da Montgomery County School cancelou todas as viagens de grupos escolares para fora das suas cidades – incluindo a participação das orquestras em Nova Orleães – por recear um recrudescimento do terrorismo. Achei que era uma loucura completa. Até a pior imaginação do "11/9" tem os seus limites. Chega a uma altura em que temos de perguntar a nós próprios até que ponto é que Ussama bin Laden e Ayman al-Zawahiri poderiam estar realmente sentados a conversar numa gruta no Afeganistão, com Ayman a dizer a Ussama: "Ussama, lembras-te daquele concurso anual das orquestras de escolas secundárias que tem lugar em Nova Orleães? Bem, vai decorrer na próxima semana. Vamos causar sensação, atacando-os."

Não acredito. Deixemos a casa-gruta de bin Laden. Temos de ser donos e senhores das nossas imaginações, não os prisioneiros. Uma amiga minha em Beirute costumava dizer a brincar que, de cada vez que viajava de avião, metia uma bomba na sua mala, porque as probabilidades de duas pessoas levarem uma bomba no mesmo avião eram muito menores. Faça o que for preciso, mas saia à rua.

A propósito, vou partilhar consigo a história do "11/9" que mais me tocou e que foi retirada de um dos fascículos da série publicada no *The New York Times* intitulada "Retratos de Dor", um conjunto de biografias daqueles que sofreram com os atentados. Foi a história de Candace Lee Williams, de 20 anos, estudante de Economia na Universidade Northeastern, que tinha trabalhado de Janeiro a Junho de 2001 como estagiária-estudante nos escritórios da Merrill Lynch no 14° andar da Torre 1 do World Trade Center. Tanto a mãe como os colegas de Candace descreveram-na no *The New York Times* como sendo uma jovem cheia de energia e ambição, que tinha adorado o seu estágio. De facto, os colegas de Candace na Merril Lynch gostaram tanto dela que a levaram a jantar no seu último dia de trabalho, mandaram-na para casa numa limusina e mais tarde escreveram à Northeastern para lhes dizer: "Mandem-nos mais cinco estagiárias como a Candace." Umas semanas depois de acabar os exames do meio do período – que decorria entre Junho e Dezembro – Candace Lee Williams decidiu ir ter com a sua colega de quarto à casa dela na Califórnia. Candace tinha ficado, recentemente, a constar da lista dos melhores alunos da universidade. "Candace e a colega de quarto iam alugar um carro descapotável para a ocasião e Candace queria ter uma fotografia sua com as turísticas grandes letras de Hollywood como cenário", contou a sua mãe, Sherri, ao *Times*.

Infelizmente, Candace apanhou o voo 11 da American Airlines que descolou do Aeroporto de Logan, em Boston, na manhã do dia 11 de Setembro de 2001, às 8h02 da manhã. O avião foi tomado de assalto às 8h14, por cinco homens, incluindo Mohammed Atta, que estava no lugar 8D. Com Atta ao comando do avião, o Boeing 767-223ER foi desviado para Manhattan e atirou com Candace Lee Williams contra a mesma torre do World Trade Center – entre os andares 94 e 98 – onde tinha estado a trabalhar como estagiária.

Os arquivos da companhia aérea mostram que ela estava sentada ao lado de uma avó de 80 anos – duas pessoas em pólos opostos da vida: uma cheia de memórias, outra cheia de sonhos.

O que é que isto me diz? Diz-me o seguinte: Quando Candace Lee Williams entrou a bordo do voo 11, ela não poderia imaginar como é que a viagem ia acabar. Mas, no rescaldo do "11/9", nenhum de nós consegue entrar num avião *sem* imaginar em como pode acabar – o que aconteceu com Candace Lee Williams também poderia ter acontecido a qualquer um de nós. Tornou-nos muito mais conscientes de que a nossa vida pode ser ceifada pela vontade arbitrária de um tresloucado que se encontra numa gruta no Afeganistão. Mas o facto é que as hipóteses do nosso avião ser desviado por terroristas continua a ser, actualmente, infinitesimal. É mais provável que percamos a vida ao atropelarmos um veado ou ao sermos apanhados por um raio. Mas, apesar de agora *podermos* imaginar o que poderá acontecer quando entramos num avião, de qualquer forma temos de entrar no avião. Isto porque a alternativa a não irmos naquele avião é refugiarmo-nos na nossa própria gruta. A imaginação não pode ficar apenas presa àquilo que temos na memória. Também está relacionada com a escrita do nosso próprio guião. Pelo que li de Candace Lee Williams, ela era uma jovem optimista. Aposto o que for preciso em como ela continuaria actualmente a viajar de avião se tivesse oportunidade de o fazer.

O papel dos Estados Unidos no mundo, desde o seu nascimento, tem sido o de um país que olha em frente, não para trás. Uma das coisas mais perigosas que aconteceram aos EUA desde o "11/9", sob a Administração Bush, é que deixaram de exportar esperança para passar a exportar medo. Deixaram de tentar aliciar o melhor que há no mundo para passar muitas vezes a "tratar mal" tudo o que venha de fora. E quando se exporta medo, acaba por se importar os medos de todos os outros. Sim, precisamos de pessoas que possam imaginar o pior, porque o pior aconteceu a "11/9" e poderá acontecer de novo. Porque existe uma linha ténue entre precaução e paranóia, de vez em quando transpomo-la. Os europeus e outros gostam muitas vezes de brincar com o optimismo e a ingenuidade dos Estados Unidos – a nossa noção maluca de que todos os problemas têm solução, de que o amanhã pode ser melhor do que ontem, de que o futuro pode sempre enterrar o passado. Sempre acreditei que, bem lá no fundo, o resto do mundo inveja esse optimismo e ingenuidade dos norte-americanos. Precisa do optimismo norte-americano. É uma das coisas que ajuda a manter o mundo a girar sobre o seu eixo. Se, como sociedade, os norte-americanos se tornarem sombrios, se deixarem de ser a "fábrica dos sonhos" do mundo, ajudarão a transformar o mundo num lugar muito mais escuro e também mais pobre.

Os analistas tiveram sempre tendência para avaliar a sociedade pelas estatísticas económicas e sociais clássicas: o seu rácio défice-PIB, a taxa de desemprego ou a taxa de alfabetização entre as mulheres adultas. Essas estatísticas são importantes e reveladoras. Mas há uma outra estatística, muito mais difícil de quantificar, que penso ser ainda mais importante: a sua sociedade tem mais memórias do que sonhos ou mais sonhos do que memórias?

Ao falar em sonhos, refiro-me à multiplicidade de afirmações positivas sobre a vida. O consultor Michael Hammer fez a seguinte afirmação: "Um factor revelador de que uma empresa está em apuros é quando me contam como eram bons no passado. O mesmo se passa com os países. Ninguém quer esquecer a sua identidade. Fico contente se foi fantástico no século XIV, mas isso foi naquela altura e isto é agora. Quando as memórias excedem os sonhos, o fim está próximo. O que marca uma organização de sucesso é a sua capacidade para abandonar o que a tornou um êxito e começar do início."

Em sociedades onde há mais memórias do que sonhos, muitos estão a passar demasiados dias a olhar para trás. Vêem dignidade, afirmação e auto-aceitação não por viver o presente mas remoendo o passado. Normalmente, nem se trata de um passado real, mas sim de um passado imaginado e adornado. Essas sociedades concentram toda a sua imaginação no embelezamento desse passado imaginado e apegam-se a ele como a um rosário ou a uma parte integrante do terço das aflições, em vez de imaginarem um futuro melhor e agirem com base nisso. Já é suficientemente perigoso quando outros países seguem esse caminho; seria desastroso para os Estados Unidos perder o seu rumo e caminhar naquela direcção. Penso que o meu amigo David Rothkopf, antigo responsável pelo Departamento do Comércio e actualmente investigador da Fundação Carnegie para a Paz Internacional, explicou de uma forma melhor: "A resposta, para nós, reside não naquilo que mudou, mas no reconhecimento daquilo que não mudou. Só com este reconhecimento é que iremos começar a concentrar-nos nos assuntos verdadeiramente importantes – uma resposta multilateral eficaz à proliferação das armas de destruição maciça, a criação de verdadeiras partes interessadas na globalização dos 'pobres' do mundo, a necessidade de reforma no mundo árabe e uma liderança ao estilo dos EUA, que procure construir a nossa base de apoio em todo o mundo conseguindo que mais pessoas aceitem voluntariamente os nossos valores. Precisamos de nos lembrar que esses valores são a verdadeira fundação da nossa segurança e a verdadeira fonte da nossa força. Temos de reconhecer que os nossos inimigos nunca poderão derrotar-nos. Só nós podemos derrotarmo-nos a nós mesmos, se mandarmos fora o livro de regras com que nos regemos há muito, muito tempo."

Acredito que a História nos mostrará claramente que o Presidente Bush explorou de forma vergonhosa as emoções em torno do "11/9" para fins políticos. Usou essas emoções para assumir uma agenda interna Republicana extremamente conservadora em relação aos impostos, ao ambiente e a temas sociais do "10/9" – uma agenda para a qual ele não tinha mandato popular – e para inseri-la num mundo "12/9". Ao fazê-lo, Bush não só estragou o bom relacionamento entre os norte-americanos, e entre os norte-americanos e o mundo, como também estragou o relacionamento entre os Estados Unidos e a sua própria História e identidade. A sua Administração transformou os Estados Unidos nos "Estados Unidos do combate ao terrorismo". Na minha opinião, é este o verdadeiro motivo pelo qual tantas pessoas no mundo não gostam do Presidente Bush. Sentem que lhes roubou algo que lhes era muito querido – uns EUA que exportam esperança, não medo.

É importante que o Presidente dos Estados Unidos recoloque o 11 de Setembro no seu devido lugar no calendário – o dia a seguir a 10 de Setembro e o dia antes de 12 de Setembro. Nunca poderá deixar que seja um dia a definir os Estados Unidos. Porque, em última instância, o "11/9" tem a ver com *eles* – com os maus da fita – e não com os EUA.

Os Estados Unidos têm a ver com o 4 de Julho e com o "9/11".

Para lá de tentar reter o melhor da nossa própria imaginação, que mais podemos fazer como sociedade global que tenta incutir o mesmo nos outros? Há que abordar esta questão com grande humildade. O que transporta uma pessoa à alegria da destruição e outra à alegria da criação, o que leva uma a imaginar o "9/11" e outra a imaginar o "11/9", é seguramente um dos grandes mistérios da vida contemporânea. Se bem que muitos possamos ter uma certa noção sobre como alimentar uma imaginação mais positiva nos nossos próprios filhos, e talvez – talvez – nos nossos conterrâneos, é presunçoso pensar que podemos fazer o mesmo nos outros, especialmente aqueles que têm uma cultura diferente, que falam línguas diferentes e que vivem à distância de meio mundo. Contudo, o "11/9", o processo que está a tornar o mundo plano e a constante ameaça de terrorismo susceptível de provocar rupturas no mundo sugerem que não pensar nisso é uma espécie de ingenuidade perigosa. Por isso, insisto que se deve tentar fazê-lo, com uma perfeita consciência dos limites daquilo que qualquer intruso pode saber ou fazer.

Falando de uma maneira geral, a imaginação é o resultado de duas forças modeladoras. Uma consiste nas narrativas com que se alimentam as pessoas – as histórias e mitos que elas e os seus líderes religiosos e nacionais transmitem entre si – e na forma como essas narrativas alimentam a sua imaginação, de uma ou de outra forma. A outra força é o contexto no qual as pessoas crescem, que tem um enorme impacto na forma como estas vêem o mundo e os outros. Os estrangeiros não podem chegar e ajustar a narrativa mexicana, árabe ou chinesa mais do que aquilo que conseguem ajustar na norte-americana. Só os próprios podem reinterpretar as suas narrativas, torná-las mais tolerantes ou com uma perspectiva futurista e adaptá-las à modernidade. Ninguém pode fazê-lo por eles ou mesmo com eles. Mas pode pensar-se numa forma de colaborar com os outros de maneira a alterar o seu contexto – o contexto no qual as pessoas crescem e vivem a sua vida diária – para ajudar a alimentar mais pessoas com a imaginação do "9/11" em vez do "11/9". Deixe-me que lhe dê alguns exemplos.

eBay

Meg Whitman, CEO da eBay, contou-me uma vez uma história maravilhosa: "A eBay passou a ser cotada em bolsa em Setembro de 1998, em pleno auge do *boom* das *dot-com*. E, em Setembro e Outubro, as nossas acções chegavam a valorizar até aos 80 pontos e a descer até aos 50, tudo no mesmo dia. 'Isto é uma loucura', pensei. No entanto, um dia estava a tratar da minha vida, sentada no meu gabinete, quando a minha secretária vem ter comigo e diz: 'Meg, é Arthur Levitt [*Chairman*] da SEC*

* **N.T.** *Securities and Exchange Comission.*

ao telefone'." A *Securities and Exchange Comission* fiscaliza a bolsa de valores e está sempre preocupada com as questões da volatilidade das acções e se poderá haver alguma manipulação por detrás da mesma. Naquele tempo, um CEO ouvir que "Arthur Levitt está em linha" não era uma boa maneira de começar o dia.

"Assim, chamei o conselheiro jurídico da empresa," disse Whitman, "que veio do seu gabinete e estava 'branco'. Respondemos ao telefonema de Levitt, pusemo--lo em alta voz e eu disse: 'Bom dia, fala Meg Whitman, da eBay', e ele respondeu: 'Bom dia, fala Arthur Levitt, da SEC. Não a conheço e nunca a vi, mas sei que a sua empresa passou a estar cotada em bolsa há pouco tempo e quero saber: Como é que correram as coisas? Nós [na SEC] facilitámos-lhe a vida?'." Suspirámos de alívio e conversámos um pouco sobre o assunto. Depois Levitt disse: "Bem, a outra razão pela qual estou a telefonar é que acabei de receber o 10º *feedback* positivo no eBay e já ganhei a minha estrela amarela. Estou muito orgulhoso." E acrescentou: "Na verdade, sou um coleccionador de vidro da época da Depressão, pós-1929. Já vendi e comprei no eBay e recebi *feedback* como comprador e vendedor. Achei que gostaria de saber."

Todos os utilizadores do eBay têm um perfil de *feedback*, alimentado pelos comentários de outros utilizadores que fizeram transacções com esse utilizador, dando conta se os produtos comprados ou vendidos foram ao encontro das suas expectativas e se a transacção correu bem. Isto representa a "reputação eBay" oficial. Recebe-se um ponto positivo por cada comentário positivo, zero pontos por cada comentário neutro e um ponto negativo por cada comentário negativo. É colocada uma estrela colorida na identificação do utilizador eBay quando se obtém dez ou mais pontos. A minha identificação no eBay poderia ser TOMF (50) e uma estrela azul, o que significa que recebi comentários positivos de outros utilizadores do eBay. Ao lado, há uma caixa que diz se o vendedor teve cem por cento de comentários positivos ou menos e também dá a possibilidade de clicar e ler os comentários que os outros utilizadores fizeram sobre esse vendedor.

A ideia, disse Whitman, é que "penso que todo o ser humano, seja o Arthur Levitt seja o porteiro, a empregada de mesa, o médico ou o professor, tem uma enorme necessidade e desejo de aceitação e de opinião positiva." O grande erro é pensar-se que isso tem a ver com dinheiro. "Podem ser as pequenas coisas," referiu Whitman, "como dizer a alguém: 'Fez um bom trabalho, foi reconhecido por ter feito um bom trabalho de História'. Os nossos utilizadores dizem-nos acerca do sistema de estrelas da eBay 'onde mais é que podemos acordar de manhã e ver o quanto as pessoas gostam de nós?'"

Mas o que é mais impressionante, comentou Whitman, é que a esmagadora maioria dos comentários no eBay é positiva. Isso é interessante. As pessoas, normalmente, não escrevem aos gestores da Wal-Mart para os elogiar por uma compra fabulosa. Mas quando se faz parte de uma comunidade da qual nos sentimos donos, é diferente. Estamos envolvidos pessoalmente. "Temos à-vontade 250 mil comentários e pode ler cada um deles", disse Whitman. "Pode ler toda a história de cada comprador ou vendedor e introduzimos a possibilidade do contraditório em relação a um comentário... Não se pode ser anónimo no eBay. Se não está disposto a dizer quem é, não devia dizê-lo. E tornou-se, rapidamente, numa regra da comunidade... Nós não estamos a gerir um mercado de valores – estamos a gerir uma comunidade." De facto, com 150 milhões de utilizadores registados, de 190 países diferentes, transaccionando mais de 35 mil milhões de dólares anuais em produtos, o eBay é, na realidade, um Estado-nação autogovernado – a R.V.e., a República Virtual do eBay.

E como é que é governada? A filosofia do eBay, disse Whitman, é "vamos fazer um pequeno número de regras, obrigar ao seu cumprimento e depois criar um ambiente onde cada pessoa pode atingir o seu potencial. Há aqui algo mais do que a compra e venda de produtos." Mesmo considerando a expansão empresarial, vale a pena contemplar a mensagem essencial de Whitman: "As pessoas dirão que 'o eBay restaurou a minha fé na humanidade' – ao contrário do mundo onde as pessoas são desonestas e onde não se dá o benefício da dúvida. Oiço isso duas vezes por semana... O eBay dá ao indivíduo comum a oportunidade de competir num 'terreno de jogo' completamente plano. Temos uma parcela desproporcionada de pessoas em cadeiras de rodas, deficientes e minorias, porque no eBay as pessoas não sabem quem você é. Vale tanto quanto o seu produto e os comentários que recebe."

Whitman lembrou-se de que um dia recebeu um *e-mail* de um casal de Orlando que ia a um evento "eBay Live", no qual ela iria discursar. Estes eventos são grandes reuniões-convenções de vendedores eBay. Perguntaram se podiam ir aos bastidores conhecer Whitman pessoalmente depois do seu discurso. "Então, depois de ter discursado," recordou, "vieram ao meu camarim e entraram um pai, uma mãe e um rapaz de 17 anos numa cadeira de rodas – bastante incapacitado, com paralisia cerebral. Disseram-me: 'O Kyle é deficiente profundo e não pode ir à escola, mas criou um negócio eBay e, no ano passado, o meu marido e eu deixámos os nossos empregos para o ajudar – ganhámos mais dinheiro no eBay do que alguma vez ganhámos nos nossos empregos'. E, depois, acrescentaram algo incrível. Disseram: 'No eBay, o Kyle não é deficiente'."

Whitman contou-me que, num outro evento "eBay Live" um jovem foi ter com ela, um grande vendedor no eBay, e contou-lhe que, graças ao seu negócio, tinha conseguido comprar uma casa e um carro, recrutar colaboradores e ser o seu próprio chefe. Mas, a melhor parte, disse Whitman, foi o que este jovem acrescentou: "Estou muito entusiasmado com o eBay, porque não tirei nenhum curso superior e fui como que deserdado pela minha família, agora sou a estrela da família. Sou um investidor de sucesso."

"É esta combinação de oportunidade económica com aprovação" que motiva o eBay, concluiu Whitman. Aqueles que recebem aprovação tornam-se transparentes como bons parceiros de negócio, porque a má avaliação é uma opção para toda a comunidade.

Resumindo: o eBay não se limitou a criar um mercado *on-line*. Criou uma comunidade autogovernada – *um contexto* –, onde qualquer pessoa, desde o deficiente até ao líder da SEC, pode atingir o seu potencial e ser aceite por toda a comunidade como sendo uma pessoa boa e de confiança. Esse tipo de auto-estima e de aceitação é a melhor e mais eficiente forma de contribuir para engrandecer alguém. Ao ponto de os Estados Unidos poderem colaborar com regiões como o mundo árabe-muçulmano, para produzir contextos em que os jovens possam atingir o sucesso, possam conseguir o melhor do seu potencial num 'terreno de jogo' mais plano, possam obter aceitação e respeito pelos resultados obtidos neste mundo – e não pelo martírio de entrar no outro mundo – poderem ajudar a promover mais jovens com mais sonhos do que memórias.

Índia

Se desejar ver este mesmo processo a funcionar numa comunidade menos virtual, basta estudar o segundo maior país muçulmano do mundo. O maior país muçulmano do mundo é a Indonésia e o segundo maior não é a Arábia Saudita, o Irão, o Egipto ou o Paquistão. É a Índia. Com cerca de 150 milhões de muçulmanos, a Índia tem mais muçulmanos do que o Paquistão. Mas existe uma estatística interessante sobre o "11/9": não existem muçulmanos indianos, que tenhamos conhecimento, na al-Qaeda e não existem muçulmanos indianos na prisão norte-americana da Baía de Guantánamo (em Cuba), onde se encontram os prisioneiros do "11/9". Também não foram encontrados muçulmanos indianos a lutar junto da *jihad* islâmica no Iraque. E porquê? Por que razão não leu nada sobre os muçulmanos indianos, que são uma minoria num vasto território dominado pelos hindus, a culpar os Estados Unidos por todos os seus problemas e a quererem pilotar aviões até ao Taj Mahal ou à embaixada britânica? É sabido que os muçulmanos indianos têm motivos de queixa no que respeita a acesso ao capital e a representação política. E a violência inter-religiosa já irrompeu ocasionalmente na Índia, com consequências desastrosas. Estou certo de que, dos 150 milhões de muçulmanos da Índia, um dia alguns encontrarão o caminho para a al-Qaeda – se isso pode acontecer com alguns muçulmanos norte-americanos, também pode acontecer com muçulmanos indianos. Mas essa não é a regra. Porquê?

A resposta é o contexto – e em particular o contexto secular, de livre mercado democrático da Índia, altamente influenciado por uma tradição de não-violência e tolerância hindu. M. J. Akbar, editor muçulmano do *Asian Age*, um diário nacional indiano de língua inglesa, inicialmente financiado por indianos não muçulmanos, explicou-me a questão desta forma: "Faço-lhe uma pergunta-teste: Qual é a única e maior comunidade muçulmana a ter uma democracia sustentada nos últimos 50 anos? Os muçulmanos da Índia. Não vou exagerar na sorte dos muçulmanos na Índia. Existem tensões, descriminação económica e provocações, como a destruição de uma mesquita em Ayodhya [pelos Nacionalistas Hindus, em 1992]. Mas a verdade é que a Constituição da Índia é secular e dá uma verdadeira oportunidade ao avanço da economia de qualquer comunidade que possa oferecer talento. É por isso que há aqui uma classe média muçulmana em crescimento que, geralmente, não manifesta os elementos da revolta que encontramos em muitos Estados não democráticos muçulmanos."

Nos locais onde o Islão se encontra inserido em sociedades autoritárias, este tende a ser o veículo de protestos enraivecidos – Egipto, Síria, Arábia Saudita, Paquistão. Nos locais onde o Islão se encontra inserido numa sociedade democrática pluralista – a Turquia ou a Índia, por exemplo – aqueles que têm uma perspectiva mais progressista têm a possibilidade de ser mais ouvidos nas suas interpretações e de dispor de um fórum democrático onde podem lutar pelas suas ideias em pé de igualdade. Em 15 de Novembro de 2003, as duas principais sinagogas de Istambul foram atingidas por bombistas suicidas. Por acaso fui a Istambul, alguns meses mais tarde, quando reabriram. Algumas coisas impressionaram-me. A começar, quando o rabino chefe apareceu na cerimónia de mão dada com o mais alto clérigo muçulmano de Istambul e o Presidente da Câmara local, enquanto a multidão na rua lhes atirava cravos vermelhos.

A segunda coisa foi o facto de o Primeiro-ministro da Turquia, Recep Tayyip Erdogan, que provém de um partido islâmico, ter visitado o rabino chefe no seu escritório – a primeira vez que um Primeiro-ministro turco visitou um rabino chefe. Por último, o pai de um dos bombistas suicidas contou ao jornal turco *Zaman*: "Não conseguimos compreender como é que esta criança fez o que fez… Primeiro, deixem-me encontrar com o rabino chefe dos nossos irmãos judeus. Deixem-me abraçá-lo. Deixem-me beijar-lhe as mãos e a túnica. Deixem-me pedir-lhe desculpa em nome do meu filho e apresentar as minhas condolências pelas mortes… Seremos amaldiçoados se não nos reconciliarmos com ele."

Contexto diferente, narrativa diferente, imaginação diferente.

Estou perfeitamente consciente das imperfeições da democracia indiana, a começar com o opressivo sistema de castas. No entanto, conseguir ter sustentado uma democracia que funciona, com todos os seus defeitos, durante mais de 50 anos num país com mais de mil milhões de pessoas, que falam uma vintena de línguas diferentes, é como que um milagre e uma grande fonte de estabilidade para o mundo. Dois dos Presidentes da Índia eram muçulmanos e o seu actual Presidente, A. P. J. Abdul Kalam, é muçulmano e pai do programa indiano de mísseis nucleares. Enquanto na Índia há uma mulher muçulmana no Supremo Tribunal, na Arábia Saudita nenhuma mulher muçulmana está autorizada sequer a conduzir um automóvel. Os muçulmanos indianos, incluindo mulheres, foram governadores de muitos Estados indianos e o homem actualmente mais rico da Índia, que ocupa uma posição destacada na lista dos bilionários de todo o mundo publicada na *Forbes*, é um muçulmano indiano: Azim Premji, *Chairman* da Wipro, uma das empresas de tecnologia mais importantes da Índia. Estive na Índia pouco depois de os Estados Unidos terem invadido o Afeganistão, em finais de 2001, quando a televisão indiana transmitiu um debate entre a maior estrela de cinema feminina do país e deputada no Parlamento – Shabana Azmi, muçulmana – e o imã* da maior mesquita de Nova Deli. O imã apelou aos muçulmanos indianos para irem para o Afeganistão e juntarem-se à *jihad* contra os Estados Unidos e Azmi criticou-o fortemente, em directo, na televisão indiana, mandando o religioso, basicamente, "dar uma volta". Ela disse-*lhe*, a *ele*, para ir até Kandahar e juntar-se aos Taliban** e deixar o resto dos muçulmanos indianos em paz. Como é que não foi castigada? Simples. Na qualidade de mulher muçulmana, ela vivia num contexto que lhe conferia o poder de dizer o que pensava – até a um importante líder religioso.

Contexto diferente, narrativa diferente, imaginação diferente.

Isto não é assim tão complicado: dê aos jovens um contexto em que possam transpor a imaginação positiva para a realidade, dê-lhes um contexto em que alguém que foi ofendido pode resolver o assunto num tribunal sem ter de subornar o juiz com uma cabra, dê-lhes um contexto em que possam ir atrás de uma ideia empreendedora e tornarem-se nas pessoas mais ricas, mais criativas ou mais respeitadas no seu próprio país, independentemente dos seus antecedentes, dê-lhes um contexto em que qualquer queixa ou ideia pode ser publicada no jornal, dê-lhes um contexto no qual qualquer um pode concorrer a um emprego – e imagine o que acontece. Eles normalmente não querem fazer explodir o mundo. Normalmente querem fazer parte dele.

Um meu amigo muçulmano do Sul da Ásia contou-me esta história: a sua família muçulmana indiana dividiu-se em 1948, metade foi para o Paquistão e a outra metade ficou em Mumbai. Quando ficou mais velho, perguntou ao pai o motivo de a metade indiana da família parecer estar a sair-se melhor do que a metade paquistanesa. O seu pai disse-lhe: Filho, quando um muçulmano cresce na Índia e vê um homem viver numa grande mansão, no cimo de uma montanha, diz: 'Pai, um dia serei aquele homem'. E quando um muçulmano cresce no Paquistão e vê um homem que vive numa grande mansão no cimo de uma montanha, ele diz: 'Pai, um dia matarei aquele homem'." Quando dispõe de uma trajectória para ser o Homem ou a Mulher, tende a concentrar-se nesse caminho e na concretização dos seus sonhos. Quando não há trajectória, tende a concentrar-se na sua revolta e a alimentá-las com as suas memórias.

---

* **N.T.** Guia espiritual, uma das grandes referências da linha xiita do Islão.

** **N.T.** Estudantes de teologia.

Antes da tripla convergência, há apenas 20 anos, a Índia era conhecida como um país de encantadores de serpentes, de pessoas pobres e da Madre Teresa de Calcutá. Actualmente, a sua imagem foi recalibrada. Agora é também vista como uma nação de pessoas inteligentes e peritos em computadores. Atul Vashistha, CEO da empresa de consultadoria em *outsourcing* NeoIT, surge muitas vezes nos *media* norte-americanos a defender o *outsourcing*. Ele contou-me esta história: "Um dia deparei-me com um problema na minha impressora HP – a impressão estava muito lenta. Estava a tentar perceber qual seria o problema, por isso telefonei para a assistência técnica da HP. O indivíduo respondeu e tomou nota da minha informação. Pela sua voz, era claramente alguém algures na Índia. Por isso, comecei a perguntar onde é que estava e como é que estava o tempo. Tivemos uma conversa muito agradável. Assim, depois de ele me ter ajudado durante dez ou 15 minutos, disse: 'Desculpe, não se importa que lhe diga uma coisa?' Eu respondi: 'Diga, claro'. Pensei que iria falar-me sobre mais alguma coisa que estava a fazer de errado no meu computador e que estava a tentar ser bem-educado em relação a isso. Mas, em vez disso, disse-me: 'Senhor, fiquei muito orgulhoso por o ouvir na *Voice of America**. Fez um bom trabalho...' Tinha acabado de estar num programa da *Voice of America* a participar num debate sobre a oposição à globalização e ao *outsourcing*. Fui um dos três convidados. Havia um sindicalista, um economista e eu. Defendi o *outsourcing* e este indivíduo ouviu."

Lembre-se: num mundo plano, não é apenas a humilhação que lhe é servida através da fibra óptica. *Também lhe servem o seu orgulho através da fibra óptica*. Um operador indiano de uma linha de assistência de repente apercebe-se, em tempo real, de como um dos seus compatriotas está a representar a Índia, a meio mundo dali, e isso fá-lo sentir-se melhor consigo mesmo.

A Revolução Francesa, a Revolução Americana, a democracia indiana e até o eBay têm por base contratos sociais cuja característica dominante é que a autoridade vem de baixo para cima (*bottom up*) e as pessoas podem sentir-se – e sentem-se – com mais poderes para melhorar a sua parte. As pessoas que vivem nesses contextos tendem a passar o seu tempo concentradas naquilo que vão fazer a seguir, não em quem vão culpar a seguir.

A maldição do petróleo

Nada contribuiu mais para atrasar o aparecimento de um contexto democrático em lugares como a Venezuela, a Nigéria, a Arábia Saudita e o Irão do que a maldição do petróleo. Enquanto os monarcas e ditadores que administram estes Estados

---

* **N.T.** *Voice of America* (VOA) é a estação internacional de televisão e de rádio oficial do governo federal norte-americano.

petrolíferos conseguirem enriquecer com a prospecção dos seus recursos naturais – por oposição à prospecção de talentos naturais e de energia das suas populações – poderão manter-se no poder para sempre. Podem usar o dinheiro do petróleo para monopolizar todos os instrumentos de poder – exército, polícia e serviços secretos – e nunca têm de introduzir real transparência ou partilha do poder. Tudo o que têm a fazer é encontrar e manter a torneira do petróleo. Nunca têm de cobrar impostos aos seus povos, por isso o relacionamento entre o governante e o governado está altamente distorcido. *Sem tributação de impostos, não há representação.* Os governantes não têm propriamente de prestar atenção ao povo ou explicar de que forma estão a gastar o seu dinheiro – porque não angariaram esse dinheiro através de impostos. É por isso que os países aos quais basta abrir as torneiras dos seus poços de petróleo têm de se concentrar no desenvolvimento de verdadeiras instituições, direitos de propriedade, Estado de direito, tribunais independentes, educação moderna, comércio externo, liberdade de pensamento e inquérito científico para obter o melhor dos seus homens e mulheres. Num ensaio publicado na *Foreign Affairs* intitulado "Salvar o Iraque do seu petróleo" (Julho-Agosto de 2004), os economistas Nancy Birdsall e Arvind Subramanian salientam que "34 países menos desenvolvidos possuem agora significativos recursos de petróleo e gás natural que constituem, pelo menos, 30 por cento da sua receita total de exportações. No entanto, apesar das suas riquezas, o rendimento *per capita* anual de 12 destes países continua abaixo dos 1500 dólares... Além disso, dois terços dos 34 países não são democráticos e, dos que o são, apenas três estão na metade de cima dos *rankings* mundiais da *Freedom House* relativamente à liberdade política".

Por outras palavras, a imaginação é também um resultado da necessidade – quando o contexto em que vive simplesmente não lhe permite entrar em certas fantasias escapatórias ou radicais, não o faz. Veja onde está a acontecer a inovação mais criativa no mundo árabe-muçulmano de hoje. Nos lugares com pouco ou nenhum petróleo. Conforme já salientei, o Bahrein foi um dos primeiros Estados do Golfo Pérsico a descobrir petróleo e *foi o primeiro* Estado do Golfo Pérsico a ficar sem petróleo. E actualmente é o primeiro Estado do Golfo Pérsico a desenvolver uma reforma laboral abrangente para o desenvolvimento de competências dos seus trabalhadores, o primeiro a assinar um acordo de comércio livre com os Estados Unidos e o primeiro a realizar eleições livres e justas, nas quais as mulheres também podiam candidatar-se e votar. E que países na mesma região estão paralisados ou a reduzir as reformas? A Arábia Saudita e o Irão, países inundados em dinheiro do petróleo. Em 9 de Dezembro de 2004, numa altura em que os preços do crude subiram até perto dos 50 dólares por barril, o *The Economist* fez uma reportagem especial sobre o Irão, na qual salientou: "Sem o petróleo fixado no actual preço elevado, a economia do Irão estaria em terríveis dificuldades. O petróleo fornece cerca de metade das receitas governamentais e pelo menos 80 por cento das receitas de exportação. Mas, uma vez mais, devido à influência de fanáticos partidários no Parlamento, o dinheiro do petróleo está a ser gasto sob a forma de subsídios esbanjadores em vez de ser gasto no desenvolvimento e em novas tecnologias."

Vale a pena salientar que a Jordânia começou a melhorar o seu sistema de ensino e a privatizar, modernizar e desregular a sua economia em 1989 – precisamente quando os preços do petróleo estavam a descer e já não era possível continuar a receber esmolas dos Estados petrolíferos do Golfo. Em 1989, quando a Jordânia assinou o seu acordo de comércio livre com os Estados Unidos, as suas exportações para este país totalizaram 13 milhões de dólares. Em 2004, a Jordânia exportou mais de mil milhões de dólares em produtos para os Estados Unidos – coisas que os jordanos fabricaram com as suas próprias mãos. O governo jordano instalou computadores e Internet de banda larga em todas as escolas. E, mais importante ainda, em 2004 anunciou uma exigente reforma educacional para os líderes das mesquitas. Tradicionalmente, os estudantes das escolas secundárias da Jordânia faziam um exame de acesso à faculdade e os que fossem mais bem sucedidos tornavam-se médicos e engenheiros. Os que não eram tão bem sucedidos tornavam-se pregadores nas mesquitas. Em 2004, a Jordânia decidiu implementar gradualmente um novo sistema. Desde essa altura, para ser o pregador principal numa mesquita, o jovem tem de obter um bacharelato numa outra disciplina, e só pode estudar Direito islâmico com diploma universitário – é uma forma de encorajar quem tem talento a seguir a vocação religiosa e excluir aqueles que a seguiam por terem falhado outra carreira. É uma mudança de contexto importante que deverá dar os seus frutos, ao longo do tempo, nas narrativas que serão contadas aos jovens jordanos nas suas mesquitas. "Tínhamos de atravessar uma crise para aceitar a necessidade de reforma", disse o Ministro do Planeamento jordano, Bassem Awadallah.

A necessidade aguça o engenho e só quando a queda dos preços do petróleo forçarem os líderes do Médio Oriente a alterar os seus contextos é que as reformas virão. As pessoas não mudam quando lhes dizemos que devem mudar. As pessoas mudam quando dizem a si mesmas que têm de mudar. Ou, como diz o professor de Relações Internacionais da Universidade Johns Hopkins, Michael Mandelbaum, "as pessoas não mudam quando lhes dizemos que há uma opção melhor. As pessoas mudam quando concluem que não têm outra opção." Dêem-me um barril de petróleo a dez dólares e dar-vos-ei uma reforma política e económica que irá desde Moscovo até Riade e ao Irão. Se os Estados Unidos e os seus aliados não colaborarem no processo de redução do preço do crude, as suas aspirações de reforma em todas estas áreas serão nados-mortos.

Há aqui outro factor a ter em consideração. Quando é preciso fazer as coisas com as próprias mãos e depois comercializá-las com outros a fim de prosperar, e não apenas cavar um poço de petróleo no quintal, isso alarga inevitavelmente a imaginação e aumenta a tolerância e a confiança. Não é por acaso que os países muçulmanos detêm 20 por cento da população mundial, mas representam apenas quatro por cento do comércio mundial. Quando os países não fazem coisas que todos os outros querem, comercializam menos, e pouco comércio significa pouca troca de ideias e pouca abertura ao mundo. As cidades mais abertas e tolerantes do mundo muçulmano de hoje são os seus centros de comércio – Beirute, Istambul, Jacarta, Dubai, Bahrein. As cidades mais abertas e tolerantes da China são Hong Kong e Xangai. As cidades mais fechadas do mundo situam-se na Arábia Saudita central, onde os cristãos, os hindus, os judeus e outras confissões religiosas não muçulmanas estão proibidas de expressar as suas religiões em público ou de construir locais de culto e, no caso de Meca, não podem sequer entrar. As religiões são as grandes fundidoras e fundadoras da imaginação. Quanto mais a imaginação de uma religião – seja hindu, cristã, judaica, muçulmana, budista – estiver moldada numa bolha isolada ou numa cave escura, mais essa imaginação será capaz de embarcar em direcções perigosas. As pessoas que estão ligadas ao mundo e expostas a diferentes culturas e perspectivas são as mais capazes de desenvolver a imaginação do "9/11". As pessoas que se sentem desligadas e para quem a liberdade e a satisfação pessoal são uma fantasia utópica são as mais capazes de desenvolver a imaginação do "11/9".

Apenas um bom exemplo

Stanley Fischer, o antigo *Managing Director* adjunto do FMI, deu-me o seguinte ensinamento: "Um bom exemplo vale por mil teorias." Acredito que isso é verdade. De facto, as pessoas não mudam apenas quando devem: também mudam quando vêem que outras pessoas – *iguais a elas* – mudaram e prosperaram. Ou, como também realça Michael Mandelbaum, "as pessoas mudam em função daquilo que vêem, não apenas em função daquilo que lhes é dito" – especialmente quando o que vêem é alguém como elas a dar-se bem. Como referi anteriormente, só há uma empresa árabe que desenvolveu um negócio de nível mundial suficientemente forte para estar cotada no Nasdaq: a Aramex. Todos os jordanos, todos os árabes, deviam saber disto e orgulhar-se da história da Aramex, tal como todos os norte-americanos conhecem a história da Apple, da Microsoft e da Dell. É o exemplo que vale por mil teorias. Devia ser o modelo de uma empresa árabe, auto-suficiente, gerida por talentos e investimento árabes, a prosperar no palco mundial e, ao mesmo tempo, a enriquecer os seus trabalhadores.

Quando Fadi Ghandour colocou novamente a Aramex na bolsa, em 2005, desta vez no Dubai, cerca de 400 colaboradores da Aramex espalhados pelo mundo árabe e que tinham *stock options* receberam dividendos no valor de 14 milhões de dólares. Nunca me esquecerei de Fadi a dizer-me o quão orgulhosos estavam estes colaboradores – alguns deles gestores, outros apenas motoristas de entregas. Este dinheiro inesperado iria permitir-lhes comprar casa e mandar os filhos para escolas melhores. Imaginem a dignidade que estas pessoas sentem quando regressam para as suas famílias e bairros e contam a toda a gente que vão construir uma casa nova porque a empresa *árabe* de nível mundial para a qual trabalham passou a ser cotada em bolsa. Imaginem a dignidade que sentem quando se vêem a evoluir, prosperando no mundo plano – não da forma tradicional no Médio Oriente, por herança, vendendo terras ou obtendo um contrato governamental –, mas por trabalharem numa verdadeira empresa, uma empresa árabe. Tal como não é coincidência que não haja muçulmanos indianos na al-Qaeda, também não é coincidência que três mil colaboradores árabes da Aramex queiram distribuir apenas encomendas que ajudem as economias a crescer e o povo árabe a prosperar – e não bombas suicidas.

Falando acerca dos colaboradores da Aramex com *stock options*, Ghandour disse-me: "Sentem-se como donos. Muitos vieram ter comigo e disseram-me 'Obrigado, mas eu quero voltar a investir as minhas *stock options* na empresa e ser um investidor na próxima admissão em bolsa'."

Dêem-me apenas mais cem exemplos como a Aramex e eu dar-vos-ei um contexto – e uma narrativa – diferente.

Agradecimentos

Em 1999 publiquei um livro sobre globalização intitulado *O Lexus e a Oliveira*. Naquela altura, o fenómeno a que chamamos globalização estava apenas a começar e *O Lexus e a Oliveira* foi uma das primeiras tentativas para o tentar descrever. Este livro não tem o intuito de substituir *O Lexus e a Oliveira*, mas sim de utilizá-lo como base e levar mais longe os argumentos de acordo com a forma como o mundo evoluiu. Estou profundamente agradecido ao editor do *The New York Times* e *Chairman* da New York Times Company, Arthur Sulzberger Jr., por me ter autorizado a tirar uma licença para me ausentar do trabalho, o que me permitiu elaborar este livro, e a Gail Collins, responsável pela página do editorial do *The New York Times*, por ter apoiado a minha licença e todo este projecto. É um privilégio trabalhar para um jornal tão extraordinário. Foram o Arthur e o Gail que me incentivaram a tentar a minha sorte nos documentários para o Discovery Times Channel que me levaram à Índia e impulsionaram todo este livro. Agradecimentos nesse mesmo sentido a Billy Campbell do Discovery Channel, pelo seu apoio entusiástico a esse documentário indiano, e a Ken Levis, Ann Derry e Stephen Reverand por me terem ajudado a realizá-lo. Sem o Discovery, nada disto teria sido possível.

Contudo, nunca teria conseguido escrever este livro sem alguns maravilhosos tutores das áreas da tecnologia, dos negócios e da política. Algumas pessoas têm de ser individualizadas para um agradecimento especial. Nunca teria conseguido decifrar o código do mundo plano sem a ajuda de Nandan Nilekani, CEO da Infosys, empresa indiana de tecnologia, que foi o primeiro a chamar-me a atenção para o facto de o "terreno de jogo" estar a tornar-se mais plano. Vivek Paul, *President* da Wipro, empresa indiana de tecnologia, até Junho de 2005, levou-me realmente ao interior dos negócios do mundo plano e decifrou-mo – uma e outra vez. Joel Cawley, o líder da equipa de planeamento estratégico da IBM, ajudou-me a ligar os pontos existentes entre tecnologia, negócios e política no Planeta Plano – ligações que nunca teria feito sem ele. Craig Mundie, responsável máximo pela área tecnológica da Microsoft, que me guiou através das evoluções tecnológicas que tornaram possível o mundo plano e me ajudou a garantir que quando escrevesse sobre elas não me "estendesse ao comprido". Foi um tutor incansável e exigente. Paul Romer, o economista da Universidade de Stanford que tem feito um trabalho excelente relativamente à nova economia, reservou algum do seu tempo para ler o rascunho deste livro e trouxe a sua humanidade e o seu intelecto a vários capítulos. Marc Andreessen, um dos co-fundadores da Netscape; Michael Dell, da Dell Inc.; *Sir* John Rose, director executivo da Rolls-Royce; e Bill Gates da Microsoft foram muito generosos ao comentar algumas partes. O meu amigo inventor Dan Simpkins foi de uma enorme ajuda ao explicar pormenorizadamente a forma como esta novidade se encaixa no seu universo complexo. As questões sempre desafiadoras de Michael Sandel levaram-me a escrever todo um capítulo – "A Grande Reclassificação". E Yaron Ezrahi, pelo quarto livro consecutivo, partilhou comigo as ideias da sua mente perspicaz. O mesmo aconteceu com David Rothkopf. Nenhum deles é responsável por quaisquer erros, apenas por esclarecimentos. Estou realmente em dívida para com eles.

Muitas outras pessoas partilharam comigo o seu valioso tempo e comentaram várias partes do livro. Quero agradecer especialmente a Allen Adamson, Graham Allison, Alex and Jocelyn Attal, Jim Barksdale, Craig Barrett, Brian Behlendorf, Katie Belding, Jagdish Bhagwati, Sergey Brin, Brill Brody, Mitchell Caplan, Bill Carrico, John Chambers, Nayan Chanda, G. Wayne Clough, Alan Cohen, Maureen Conway, Rich DeMillo, Lamees El-Hadidy, Rahm Emanuel, Mike Eskew, Judy Estrin, Diana Farrell, Joel Finkelstein, Carly Fiorina, Frank Fukuyama, Merrick Furst, Jeff Garten, Fadi Ghandour, Bill Greer, Jill Greer, Ken Greer, Promod Haque, Steve Holmes, Dan Honing, Scott Hyten, Shirley Ann Jackson, P. V. Kannan, Alan Kotz, Gary and Laura Lauder, Robert Lawrence, Jerry Lehrman, Rick Levin, Joshua Levine, Will Marshall, Walt Mossberg, Moisés Naím, David Neeleman, Larry Page, Carlota Perez, Jim Perkowski, Thomas Pickering, Jamie Popkin, Clyde Prestowitz, Glenn Prickett, Saritha Rai, Jerry Rao, Rajesh Rao, Bill Ritz, Eric Schmidt, H. Lee Scott Jr., Dov Seidman, Terry Semel, Amartya Sen, Dinakar Singh, Eric Stern, Larry Summers, Jeff Ulin, Atul Vashistha, Philip Verleger Jr., Jeff Wacker, William Wertz, Meg Whitman, Irving Wladawsky-Berger, Bob Wright, Jerry Yang e Ernesto Zedillo. E um agradecimento especial às minhas almas gémeas e companheiros intelectuais fiéis Michael Mandelbaum e Stephen P. Cohen. Partilhar ideias com eles é uma das maiores alegrias da minha vida. Um agradecimento especial a John Doerr e Herbert Allen Jr., que me deram a oportunidade de, antes da publicação do livro, ouvir a opinião de alguns dos seus colegas mais críticos e exigentes. Agradeço igualmente a Jill Priluck pela sua excelente verificação de factos.

Como sempre, a minha mulher, Ann, foi o meu primeiro editor, crítico e apoiante incondicional. Sem a sua ajuda e contribuição intelectual este livro nunca teria acontecido. Tenho muita sorte em tê-la como companheira. E obrigado também às minhas filhas Orly e Natalie por terem aturado mais um ano em que o Pai esteve longe, fechado no seu escritório durante largas horas, e à minha mãe, Margaret Friedman, por ter perguntado todos os dias quando é que o meu livro estava pronto. Max e Eli Bucksbaum deram um encorajamento valioso nas primeiras horas da manhã em Aspen. E as minhas irmãs Shelley and Jane estiveram sempre comigo. Tenho muita sorte por ter tido a mesma agente literária, Esther Newberg, e o mesmo editor, Jonathan Galassi, nos quatro livros, e o mesmo revisor literário, Paul Elie, nos últimos três. O trabalho de Paul foi absolutamente indispensável para a primeira e segunda edições deste livro. Esta equipa é simplesmente a melhor neste ramo. Tenho também muita sorte por ter a assistente mais talentosa e fiel, Maya Gorman. Este livro é dedicado a três pessoas muito especiais na minha vida: à minha sogra e ao meu sogro, Matt e Kay Bucksbaum, e ao meu mais antigo amigo de infância, Ron Soskin.